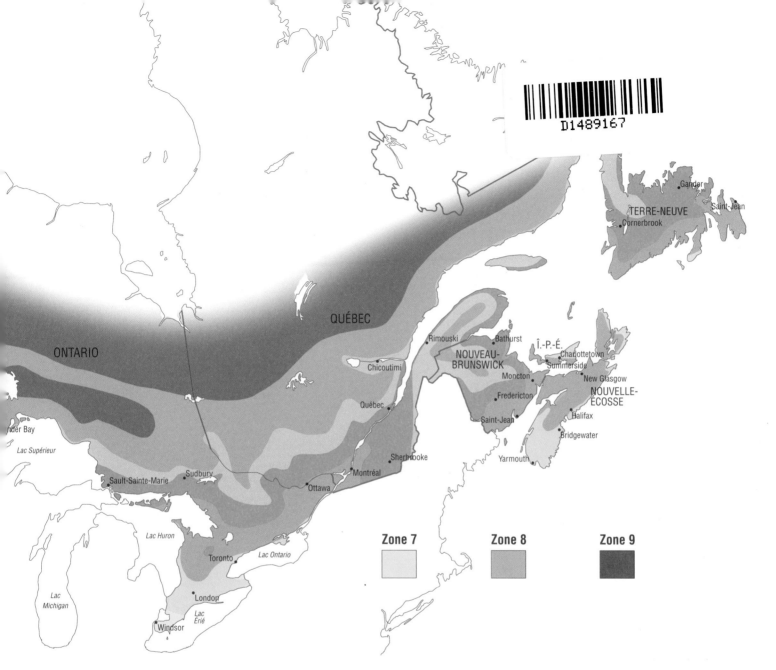

D1489167

altitude que dans les vallées. Les zones peuvent aussi se recouper. Il est donc sage de respecter les limites indiquées mais de tenir compte de conditions locales particulières.

Les régions de froid extrême où la végétation est très limitée parce que les températures minimales y atteignent –40 °C sont classées zone 1. Les régions les plus tempérées (côte de la Colombie-Britannique) sont classées zone 9: les périodes de gel y sont courtes et la température y descend rarement au-dessous de 0 °C. Toronto et Montréal sont situés entre ces deux extrêmes. La plupart des plantes de zone 1 pousseront jusqu'en zone 9, mais l'inverse n'est pas vrai. Par exemple, une plante dont la zone de rusticité est 5 peut être cultivée en

zones 5, 6, 7, 8 et 9, mais pas en zones 4, 3, 2 et 1. Il ne faut pas oublier enfin que certaines plantes ont besoin d'hivers froids ou neigeux.

À partir de leurs observations et d'expériences empiriques, les jardiniers chevronnés savent qu'il est possible de créer des microclimats — oasis plus tempérées que la zone environnante — dans un jardin. Vous pouvez, par exemple, choisir un emplacement ombragé ou ensoleillé, installer des coupe-vent et protéger d'une certaine façon les plantes du gel. Il ne faut pas oublier non plus d'arroser en période de sécheresse. Vous parviendrez donc à cultiver des plantes qui ne devraient pas pousser dans votre zone, un défi que les jardiniers adorent.

SÉLECTION DU READER'S DIGEST

Nouveau guide illustré du jardinage au Canada

SÉLECTION DU READER'S DIGEST

Nouveau guide illustré du jardinage au Canada

Sélection
Reader's Digest

MONTRÉAL

Nouveau guide illustré du jardinage au Canada

Expert-conseil: Trevor Cole

Équipe de Sélection

Rédaction: Agnès Saint-Laurent
Graphisme: Andrée Payette
Recherche photo: Rachel Irwin
Fabrication: Holger Lorenzen
Coordination: Susan Wong

Livres, musique et vidéos

Vice-présidente: Deirdre Gilbert
Directeur artistique: John McGuffie

Autres collaborateurs

Secrétariat de rédaction: Geneviève Beullac
Traduction: Geneviève Beullac, Suzette Thiboutot-Belleau
Lecture-correction: Joseph Marchetti

Les crédits et remerciements de la page 544 sont, par la présente, incorporés à cette notice.

Copyright © 2000 Sélection du Reader's Digest (Canada) Ltée.

Cet ouvrage est l'adaptation française du
Reader's Digest New Illustrated Guide to Gardening in Canada
Copyright © 2000 The Reader's Digest Association (Canada) Ltd.

Tous droits de traduction, d'adaptation et de reproduction,
sous quelque forme que ce soit, réservés pour tous pays.

Sélection du Reader's Digest, Reader's Digest et le pégase sont
des marques déposées de The Reader's Digest Association, Inc.

Pour commander d'autres exemplaires de ce livre ou
obtenir le catalogue des autres produits de Sélection du Reader's Digest,
composez le 1 800 465-0780.

Vous pouvez nous rendre visite sur notre site Web: www.selectionrd.ca

DONNÉES DE CATALOGAGE AVANT PUBLICATION (CANADA)

Vedette principale au titre:
  Nouveau guide illustré du jardinage au Canada

  Traduction de: Reader's Digest new illustrated guide to gardening in Canada.
  Publié antérieurement sous le titre: Guide illustré du jardinage au Canada, 1981.
  Comprend un index.

  ISBN 0-88850-682-1

  1. Jardinage. 2. Jardinage – Canada. I. Sélection du Reader's Digest (Canada)
(Firme). II. Titre: Guide illustré du jardinage au Canada.

SB466.C3R4314 2000   635   C99-941535-2

Imprimé au Canada   03 04 05 06 / 6 5 4 3

LES NOMS DES PLANTES

Dans les tableaux du *Nouveau guide illustré du jardinage au Canada*, les plantes sont classées par ordre alphabétique de leur nom botanique ou scientifique (nom latin), suivi de leur nom commun entre parenthèses. Toutes les plantes connues portent un nom botanique (nom latin) formé de deux ou trois éléments. Le premier mot, qui commence toujours par une capitale, identifie le genre ; le genre regroupe des plantes qui ont une ou plusieurs caractéristiques en commun. Le deuxième mot, ou spécifique, détermine le nom botanique de l'espèce — une division du genre. S'il y a un troisième ou un quatrième mot, c'est pour désigner une sous-espèce ou une variété.

Dans le genre *Magnolia*, *M. grandiflora* est une espèce de magnolia à larges fleurs, comme son spécifique l'indique, et *M. g.* 'Saint Mary' en est une variété. Chez les magnolias, le nom botanique et le nom commun sont identiques, ce qui n'est pas toujours le cas. Le nom botanique du fusain, par exemple, est *Euonymus.* Seul le nom botanique permet d'identifier exactement une plante, parce que les noms communs s'appliquent parfois à plusieurs genres. Un exemple : la rose du Bengale (*Rosa chinensis*) appartient bien au genre *Rosa*, mais la rose trémière est du genre *Alcea*, la rose de Noël du genre *Helleborus,* et la rose d'Inde du genre *Tagetes.*

Par ailleurs, les noms communs comme laurier, bleuet, marguerite peuvent désigner une plante donnée dans une région et une autre ailleurs. C'est le cas du bleuet, qui est une centaurée en France et une airelle au Québec.

Voici un exemple de nom botanique pour une variété apparue librement dans la nature : *Euonymus fortunei radicans.* Les variétés issues de sélections horticoles sont entre guillemets simples, comme dans *E. f.* 'Emerald Gaiety'. Le mot « variété » inclut aussi bien des variétés sauvages que des variétés cultivées ou des hybrides obtenus par des horticulteurs.

Le mot « cultivar » (qui vient de variété cultivée) est utilisé pour distinguer les sélections horticoles et les hybrides créés par l'homme des variétés naturelles.

Table des matières

Le jardin d'agrément

Avant d'étendre le gazon en plaques, il faut préparer la terre tout comme si l'on semait. La surface doit être bien aplanie et le sol suffisamment détrempé pour permettre l'enracinement.

Les plaques de gazon sont enroulées *Il suffit d'étendre les plaques côte à côte*

PELOUSES ET PLANTES TAPISSANTES

La pelouse est un élément essentiel du jardin. Elle met en valeur les plantes ornementales et embellit les zones de jeux ou de détente. C'est le décor idéal d'une demeure.

La pelouse n'a pas qu'une valeur esthétique. Elle rafraîchit l'air, isole le sol en hiver et en tempère la chaleur en été. Dans les climats extrêmement chauds, elle est beaucoup plus fraîche que le gazon artificiel ou les dallages de toutes sortes. On dit même que plus l'herbe est haute, plus elle dégage de fraîcheur.

Ce n'est pas sans raison que les pelouses sont devenues des éléments classiques de décoration dans les quartiers résidentiels de l'Amérique du Nord. Par sa texture et sa couleur uniformes, par sa façon de souligner les reliefs du terrain, la pelouse met en valeur la maison qu'elle entoure et fait une belle toile de fond pour les plantations décoratives.

Malheureusement, on ne donne pas toujours à la pelouse les soins qu'elle exige. On s'attend qu'elle résiste à tous les mauvais traitements, qu'elle prospère sur n'importe quel terrain et qu'elle conserve beauté et santé en dépit des tontes qui l'amputent d'une partie de ses feuilles.

Pire encore : on oublie de lui donner de l'engrais, on l'arrose trop ou pas assez, on la tond trop ras, on la roule inutilement, quand on ne la piétine pas avec insouciance.

Le gazon Il est constitué de graminées qui ont la particularité de porter leurs méristèmes ou bourgeons tout près de la surface du sol, à la base des feuilles, si bien qu'ils ne sont pas endommagés lors de la tonte. Chez la plupart des autres plantes, la croissance s'effectue par le sommet des organes aériens. Elles mettent donc plus de temps à reprendre si ces organes sont coupés.

Les pelouses doivent être très souvent tondues, sinon on risque de voir les mauvaises herbes envahir ou étouffer les graminées.

L'expérience a permis de découvrir quelles sont les graminées qui conviennent le mieux à la pelouse d'ornement. Elles dérivent pour la plupart des espèces fourragères et, à quelques exceptions près, nous viennent d'Europe. Acclimatées en Amérique du Nord, elles ont donné naissance à de nouvelles espèces dont sont issues presque toutes les variétés que nous utilisons aujourd'hui.

En milieu urbain, seules les espèces originaires d'Europe demeurent vertes jusqu'à l'hiver. Dans les régions tempérées, elles gardent même leur couleur sous la neige.

L'herbe de la région des Prairies brunit au premier gel ; aussi n'est-elle pas utilisable dans les parterres.

Il n'y a pas que le gazon qui puisse servir de couvre-sol. Certaines plantes tapissantes peuvent très bien le remplacer : le pachysandre, la pervenche ou le lierre. Consulter le tableau, page 14.

Conditions culturales Les pelouses ne sont pas très exigeantes. Il faut les arroser et les fertiliser quand elles en manifestent le besoin, comme toute autre plante. Cependant, elles doivent être tondues régulièrement. La tonte régulière produit un gazon dense qui ne donne pas prise aux mauvaises herbes. Elle permet également de laisser sur place les débris d'herbes parce qu'ils sont courts.

Soleil Pour prospérer, le gazon a besoin de quatre à six heures de soleil par jour. Voici pourquoi. Quand un parterre est ombragé, c'est souvent parce qu'il y pousse des arbres. Or, privé de soleil, le gazon n'a plus la force de lutter contre les racines des arbres, qui sont généralement superficielles et gourmandes. Elles l'empêchent de tirer du sol la nourriture dont il a besoin.

Les graminées qui réussissent le mieux à l'ombre sont celles qui, comme le pâturin commun *(Poa trivialis)*, ont de longues racines. Si certaines zones de la pelouse manquent un peu de soleil, on aura intérêt à leur donner plus d'engrais.

Engrais À moins que la terre ne soit très fertile, il est nécessaire de fertiliser la pelouse si on veut lui conserver sa qualité. Sans engrais, le gazon survivra, mais, fertilisé, il sera plus résistant, moins vulnérable aux mauvaises herbes et plus beau. Il existe des engrais de toutes sortes et on en crée sans arrêt de nouveaux et de plus efficaces. Lire l'étiquette du produit pour savoir à quelle fréquence l'utiliser.

Arrosage La fréquence des arrosages dépend du climat. Le gazon est en mesure de résister à une certaine aridité et un peu de sécheresse lui fait même parfois du bien. Mais durant les longues périodes de sécheresse, la pelouse sera plus belle si elle est arrosée.

Mauvaises herbes et ravageurs On élimine les premières avec des herbicides. Les seconds sont moins fréquents. Pour savoir quels traitements employer contre mauvaises herbes et ravageurs, se reporter aux pages 11-13, 508 et 516.

Maladies Elles découlent généralement du climat, de changements physiologiques et des activités saisonnières. Pour en connaître le traitement, se reporter aux pages 12, 13 et 508. En règle générale, la meilleure solution consiste à sélectionner des variétés nouvelles qui résistent aux maladies.

Autres soins De temps à autre, il peut être nécessaire d'aérer, de déchaumer, d'alcaliniser ou d'acidifier le sol. Il arrive souvent au sol d'être trop compact : il faut en ce cas aérer la pelouse une année sur deux. On trouvera le détail de ces divers soins dans les pages qui suivent.

Cela dit, dans la plupart des cas, il suffira, pour avoir une belle pelouse, de la tondre périodiquement, de la fertiliser à intervalles réguliers et, au besoin, de l'arroser et d'enlever les mauvaises herbes.

Choix d'un gazon Les uns veulent un gazon court et serré, alors que d'autres se contentent d'un gazon de prairie composé de toutes sortes d'herbes. Les premiers consacreront beaucoup d'argent et de soins à leur parterre ; ils choisiront alors des herbes fines, comme celles dont on se sert pour les terrains de golf, qui demandent un soin infini. Les autres obtiendront une pelouse grossière, mais qui s'entretient facilement.

C'est finalement entre ces deux extrêmes qu'on devrait arrêter son choix. Il est possible d'obtenir un gazon qui, tout en étant beau, ne demande que peu de soins.

Il existe un très grand choix de graminées. Parmi les plus recommandées se trouvent des variétés de pâturin des prés (Kentucky Bluegrass) vendues sous diverses appellations, les fétuques de grande qualité, les ivraies vivaces et certaines variétés d'agrostides.

On fait parfois la distinction entre la pelouse qui orne l'avant de la propriété et la pelouse utilitaire, moins exposée à la vue. Bien qu'il existe des types de semences pour chacun de ces emplois, il y a à vrai dire peu de différences entre les deux.

Établissement On peut poser des plaques de gazon en toute saison, durant la période de croissance. Si l'on opte pour le semis, il faut s'y prendre tôt au printemps, dès que le sol s'est ressuyé, ou tôt à l'automne, de façon qu'il s'écoule au moins six semaines avant le premier gel.

Semences Il vaut mieux acheter les meilleures semences. Les mélanges moins chers renferment peu de pâturins fins et une plus grande proportion de plantes coriaces à grosses graines qui donnent un gazon rude.

Le mélange devrait toujours renfermer 5 à 10 p. 100 d'ivraie. Celle-ci germe vite et protège les herbes à feuilles fines pendant qu'elles s'établissent.

Préparation du terrain

Semoir à trémie et distributeur réglable

Avant d'établir une nouvelle pelouse, retourner la terre sur 10 à 15 cm de profondeur, en y mêlant au besoin de l'engrais. Le semoir, à gauche, sert aussi à épandre de l'engrais en granules. Ratisser pour éliminer les roches et obtenir une surface bien uniforme.

Une nouvelle pelouse

Pour établir une pelouse, on a deux options : l'ensemencement ou le placage. L'une et l'autre de ces méthodes comportent leurs avantages.

Quoique les résultats soient plus longs à se manifester, semer permet de réaliser des économies et d'ajuster le type de gazon d'un coin à l'autre du jardin en fonction du degré d'ensoleillement.

Le placage donne une pelouse instantanée. On peut procéder à l'étendage à peu près n'importe quand, à condition d'éviter autant que possible une journée de chaleur ou d'humidité excessives.

Ce gazon doit être de bonne qualité et exempt de mauvaises herbes et de ravageurs. Il vaut mieux l'acheter dans un établissement reconnu.

Le placage, une technique sûre mais coûteuse, ne donnera pas plus satisfaction qu'une pelouse ensemencée si on l'étend sur un sol compact et infertile. Enfin, s'il exempte des soins que réclame, au cours des premières semaines, une pelouse ensemencée, il ne dispense pas pour autant des soins qui sont nécessaires à sa conservation.

Le terrain

Pour s'assurer d'un bon drainage, le terrain devrait être en pente légère à partir de la maison. Éliminer les éminences où la tondeuse aurait tendance à couper trop ras, et les dépressions où l'eau pourrait s'accumuler. On peut étendre une couche uniforme de terre amendée ou incorporer de la tourbe au sol, mais les résultats en valent rarement la peine. En effet, le gazon pousse à peu près partout dans la mesure où il est arrosé et fertilisé de façon convenable.

En outre, les radicelles que les graminées développent tous les ans et qui pénètrent dans la couche superficielle du sol contribuent à l'amender.

Préparation du terrain

Ameublir les terres compactes est une opération essentielle. Enlever tous les corps étrangers qui pourraient à la longue, si on les enterrait, modifier l'équilibre chimique du sol.

Les graines de gazon ne contiennent que les nutriments qu'il leur faut pour éclore et s'enraciner ; il faut donc soutenir leur croissance. Écroûter le sol sur quelques centimètres. Y incorporer un engrais complet comme un fertilisant de formule 12-12-12 renfermant au moins 10 à 15 p. 100 de phosphore. À défaut, on peut aussi utiliser des superphosphates et leur ajouter de l'azote et du potassium.

Labour

Herser le sol de façon à briser les mottes, mais ne pas le retourner trop profondément sous peine d'en modifier la structure. Ne pas donner trop de légèreté au sol : utiliser la motobineuse rotative avec modération. Si elle est fractionnée en particules trop petites, la terre « fondra » sous les grosses pluies ; elle deviendra compacte et l'eau ne pourra pas y pénétrer en profondeur.

Les semences à gazon germent plus rapidement et plus efficacement lorsqu'elles peuvent s'insinuer entre des particules de terre grosses comme le bout du doigt.

Roulage du sol

Si le sol n'est pas trop léger, il est probablement inutile de le rouler. Dans certains cas, le roulage peut même détruire les bons effets du binage.

En revanche, le roulage n'endommagera pas un sol sablonneux. Avec un sol de cette nature, c'est peut-être la seule façon de rétablir la capillarité, qui permet au gazon d'aller puiser de l'humidité en profondeur.

Il faut aussi rouler une terre lourde que des labours insistants auraient rendue trop légère.

Placage du gazon

Les plaques de gazon se posent par lisières, un peu comme du tapis. La terre doit d'abord avoir été préparée avec autant de soins que pour l'ensemencement.

Autant que possible, étendre la première lisière de gazon en suivant une ligne droite et abouter les suivantes. Les décaler d'un rang à l'autre. Garder à portée de la main un seau rempli de terreau pour combler les accrocs au besoin.

Les semis

On utilise 15 g de semences par mètre carré (un peu moins pour les agrostides, un peu plus pour l'ivraie vivace).

Avec un semoir, épandre la moitié des semences dans un sens et l'autre moitié dans le sens inverse.

Les semoirs à trémie et distributeur réglable permettent d'interrompre le débit au niveau des bordures. Mais les semoirs à plateau rotatif travaillent plus vite et couvrent mieux.

Ratisser très légèrement avec le dos d'un rateau en bambou. Les semis terminés, garder le sol détrempé jusqu'à ce que le gazon ait pris. Éviter les arrosages superficiels ; l'eau doit pénétrer dans le sol sur une dizaine de centimètres. Si on permet au sol de s'assécher, les plantules ne survivront pas.

En saison chaude, l'ivraie devrait sortir en une semaine, le pâturin (bluegrass) et la fétuque germeront en deux semaines.

Les paillis

Les couches de paille ralentissent l'évaporation de l'eau, mais, après un premier arrosage abondant, on doit quand même arroser un peu tous les jours.

Les paillis servent aussi à protéger les plantules contre les effets dévastateurs des grosses pluies. Tant que la surface du sol demeure rugueuse, la pluie y pénètre plutôt que de s'écouler en surface.

On peut utiliser comme paillis les matières suivantes : paille (une fine couche), excelsior, ramilles déchiquetées, branches de pin, débris végétaux des champs ou du jardin, jute. Ramilles et débris divers seront enlevés avant la première tonte.

1. Dérouler les plaques et les mettre en place. Appuyer fortement.

2. Travailler sur une planche. Décaler la rangée qui suit.

3. Tailler les bords en biseau avec un coupe-bordure semi-circulaire.

La pelouse requiert environ 2,5 cm d'eau par semaine. Arroser tôt le matin pour que le gazon soit asséché à la tombée de la nuit.

Arroseur à oscillation

Entretien de la pelouse

La tonte

Les organes verts d'une plante renferment de la chlorophylle, matière essentielle à leur alimentation. Tondu trop ras, le gazon perd une partie de ces organes vitaux. De plus, dans les régions septentrionales en particulier, l'herbe a besoin de toutes ses réserves quand arrive le moment de la reprise au printemps. Une tonte excessive, à cette époque, peut lui causer un tort irréparable.

Mais il y a plus. La longueur des racines est proportionnelle à la hauteur du feuillage. Si le gazon est constamment tondu très ras, il ne pourra pas se doter des racines qu'il lui faut pour aller chercher profondément dans le sol l'humidité et les matières nutritives dont il a besoin.

La nature du gazon et son rôle peuvent aussi déterminer la hauteur de coupe. Sur les terrains de golf, les « verts » sont constitués d'agrostides rampantes qui supportent la tonte à 5 mm de hauteur et qu'on peut donc rabattre tous les deux jours.

Les graminées, comme le pâturin des prés ou les fétuques de qualité, sont généralement tondues une fois par semaine à une hauteur de 2,5 à 5 cm. L'intervalle entre les tontes varie selon les graminées et la saison, la croissance étant beaucoup plus active au printemps qu'en automne.

Durant les canicules d'été, il est recommandé de laisser le gazon pousser jusqu'à 7-8 cm. L'herbe sert alors d'écran contre la brûlure du soleil, conserve plus de fraîcheur et perd moins d'eau.

Les tondeuses

Sur les tondeuses rotatives et les tondeuses à fléau, le ciseau est constitué d'une hélice horizontale dont les pales sont tranchantes. Celles-ci risquent d'endommager l'herbe si elles sont mal affilées.

On peut affûter soi-même une tondeuse rotative. Débrancher la bougie pour éviter tout retour d'allumage. Enlever l'hélice, l'assujettir dans un étau et, avec une lime, redonner aux lames leur angle original en prenant soin de ne pas déséquilibrer l'hélice.

De façon générale, on choisit de préférence une tondeuse rotative, actionnée à l'essence ou à l'électricité, parce qu'elle est moins chère que la tondeuse à moulinet, plus facile d'entretien et qu'elle se prête à de nombreux usages.

Il existe des modèles munis d'un plateau qui éparpille les brins d'herbe taillés de sorte qu'ils sont retaillés en plus petits débris. Cela leur permet de se décomposer plus rapidement, ce qui nourrit la pelouse et prévient la formation de chaume.

L'arrosage

Une pelouse a besoin d'au moins 2,5 cm d'eau par semaine quand il fait chaud et sec. Si les pluies sont insuffisantes, comme cela arrive dans les régions arides, il faut avoir recours à un système d'irrigation.

L'arrosage a deux fonctions : il fournit à la plante l'eau dont elle a besoin et oxygène le sol pour que les racines puissent respirer. En pénétrant dans le sol, l'eau attire l'air derrière elle et lui permet de s'infiltrer jusqu'aux racines les plus profondes. D'où la nécessité d'assécher le sol entre des arrosages abondants.

Plus une pelouse est délicate, plus elle exige d'humidité. Tels sont les gazons constitués d'agrostides. Il faut les arroser plus souvent que les autres. La fétuque est tout indiquée pour les sols sablonneux ou sous les grands arbres, c'est-à-dire aux endroits où le gazon risque de manquer d'eau. Originaire des Prairies, le chiendent ne craint pas l'aridité.

Les terres lourdes De tels sols (notamment les sols argileux) absorbent l'eau lentement, mais ne s'en déshydratent pas vite. Ils comportent en effet peu d'interstices, mais beaucoup de tubes capillaires, qui gardent l'humidité. Il faut arroser lentement et longtemps les terres argileuses afin que l'eau atteigne la région des racines. Mais on peut attendre au moins deux semaines avant de procéder à un nouvel arrosage.

On améliore la porosité des sols lourds ou compacts en creusant des trous dans la pelouse à l'aide d'un rouleau aérateur. Un appareil manuel fera parfois l'affaire, mais il vaut mieux engager un spécialiste ou louer un rouleau motorisé. Si le terrain ou la surface à aérer est de très petite taille, on se contentera de faire des trous avec une fourche (voir page ci-contre et l'illustration au haut de la page 12).

Les terres sablonneuses À l'opposé des précédentes, elles ont le défaut d'être extrêmement poreuses, et, par conséquent, de s'assécher vite. Il faut donc les arroser plus souvent. Par temps sec, on devra les arroser tous les trois ou quatre jours, mais peu longtemps à la fois.

Les arroseurs La qualité de l'eau, son volume et sa pression varient selon les localités. Il convient d'examiner ces facteurs avant de faire installer un système d'arrosage souterrain. La pression de l'eau peut modifier l'espacement des diffuseurs. Pour ce qui est des arroseurs en surface, il est bon d'en régler le jet en fonction de la configuration de la pelouse.

Il y a gaspillage lorsque le débit de l'arroseur dépasse la capacité d'absorption du sol. On en vérifiera également l'efficacité en disposant des bocaux ici et là dans le rayon de portée de l'appareil ; ils devraient tous recevoir à peu près la même quantité d'eau.

Le râteau en bambou élimine les débris et redresse les feuilles.

Épandeur à gravité

La fertilisation

Fertilisée, une pelouse sera plus épaisse, plus belle et protégée contre les mauvaises herbes. En pénétrant plus profondément dans le sol, ses racines contribuent à l'ameublir, augmentent sa capacité de rétention d'eau et diminuent l'érosion.

Les engrais de pelouse n'ont pas la même composition que les engrais destinés aux fleurs et aux fruits. Leur composition varie aussi selon l'usage de la pelouse. Au départ, il faut choisir un engrais riche en phosphate, mais pour l'entretien courant, on préférera un engrais riche en azote, pauvre en phosphate et à teneur moyenne en potassium. L'azote favorise la formation des feuilles et donne un gazon plus vert. On y ajoute une petite quantité de phosphate et du potassium pour obtenir un engrais équilibré et pour éviter de trop stimuler la croissance.

Proportions Les trois principaux éléments d'un engrais complet — azote (N), phosphore (P) et potassium (K) — se trouvent dans les proportions suivantes : 3-1-1, 5-2-3, etc. Le pourcentage des matières nutritives d'azote simple et d'oxydes de phosphore et de potassium serait de 30-10-10, 20-8-12, 10-6-4, etc.

Aux graminées plus gourmandes, comme le groupe des pâturins des prés — 'Merion' et autres variétés — et quelques agrostides, on donne la dose maximale recommandée par le fabricant. Les fétuques se contentent d'une demi-dose. Quant aux autres espèces de graminées, elles se situent entre ces deux extrêmes.

Les pissenlits et autres mauvaises herbes ne sont pas seulement inesthétiques. Ils dérobent au gazon ses nutriments et favorisent l'infestation par les insectes, les champignons et les maladies.

Tire-pissenlit *Pissenlits* *Champignons*

Les fertilisants à base d'urée relâchent un tiers de leurs matières nutritives durant les deux premières semaines, un autre tiers durant les six à huit semaines qui suivent et le dernier tiers beaucoup plus tard.

Ces engrais à action libre sont donc préférables aux engrais azotés solubles. Ceux-ci, quoique plus vite absorbés, libèrent toutes leurs substances nutritives simultanément, obligeant à des tontes fréquentes et risquant ainsi de perturber l'équilibre physiologique du gazon.

C'est la teneur en azote qui détermine la quantité d'engrais à épandre. En principe, 5 g d'azote par mètre carré suffisent, mais on peut augmenter cette dose s'il s'agit d'un engrais à action lente parce qu'il ne risque pas de brûler le gazon.

Les meilleurs engrais renferment toujours une certaine quantité d'azote à action lente, de même que du phosphore et du potassium. Les engrais organiques, comme les résidus de graisse et les eaux d'égout traitées, sont absorbés lentement et ne brûlent pas le gazon.

Périodes de fertilisation Le premier épandage d'engrais se fait tôt au printemps, le second à la fin du printemps, et le troisième au début de l'été. On peut épandre jusqu'à 20 g par mètre carré, mais, si la pelouse est de qualité, on fertilisera peu à la fois mais plus souvent (soit huit épandages de 2,5 g par mètre carré). En règle générale, on cessera de fertiliser à partir du milieu de l'été.

L'exception s'applique aux nouveaux engrais d'hiver. Ceux-ci existent en deux versions. La première, réduite en azote, s'épand à la fin de l'automne. Les proportions élevées de phosphore et de potassium contribuent à la survie du gazon pendant l'hiver en dépit de grands froids. L'autre formule, riche en azote, s'épand juste avant l'hiver. L'azote est absorbé par le gazon mais son action ne se déclenchera qu'avec la chaleur du printemps. L'assimilation des engrais organiques dépend de la température. Les molécules se désagrègent plus rapidement par temps chaud et humide.

Épandeurs Les épandeurs à force centrifuge distribuent l'engrais à la volée. Les épandeurs à gravité couvrent juste la largeur de la trémie.

Mauvaises herbes

Les mauvaises herbes surgissent dans les pelouses les mieux entretenues. On peut cependant réduire leur nombre. Ce sont des opportunistes : elles profitent de chaque place libre, mais ne prendront pas celles de l'herbe. Il faut donc garder la pelouse bien fournie. Une des façons d'y arriver, c'est de régler la tonte en hauteur et en fréquence de sorte qu'on ne taille jamais l'herbe de plus de deux tiers de sa taille. Une autre précaution est de répandre de l'engrais tôt dans la saison, en période de croissance. Une fertilisation tardive sera plus bénéfique aux mauvaises herbes qu'au gazon. Il est très important aussi d'arroser le gazon en période de sécheresse, en allouant chaque fois au moins 2,5 cm d'eau pour donner aux racines la chance

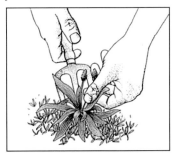

Enfoncer profondément l'instrument pour extirper toute la racine.

de bien s'ancrer dans le sol. Il subsistera quelques mauvaises herbes, mais on les éliminera à la main.

Les plus problématiques sont celles qu'on ne remarque qu'une fois adultes. C'est le cas de la digitaire. Un seul individu qu'on aurait oublié peut répandre des milliers de graines qui écloront l'année suivante. La digitaire est facile à identifier mais, pour l'extirper, il faut se servir d'un instrument. Une infestation sévère nécessite l'usage d'un herbicide systémique comme la bensulide. On le répand au début du printemps, quand les forsythias sont en fleur et la digitaire prête à éclore. Comme ce genre d'herbicide reste actif pendant plusieurs semaines, ce n'est pas le moment de semer du bon gazon.

Les mauvaises herbes vivaces à larges feuilles, comme le pissenlit et le plantain, peuvent être arrachées à la main, sinon avec un herbicide spécifique. Absorbé par leurs larges feuilles, celui-ci inhibe leur croissance. L'herbe ne sera pas affectée de la même façon mais subira quand même un choc.

Les herbicides sélectifs comme le 2,4-D sont le plus efficaces au printemps, à plus de 21 °C quand les mauvaises herbes poussent. Par grande chaleur en plein été, ils tueraient la pelouse. De nombreuses recherches se font actuellement sur les herbicides organiques et on en trouve de plus en plus sur le marché.

Les herbicides liquides sont aussi destructifs pour les bonnes plantes que pour les mauvaises. Éviter les journées venteuses pour les répandre et garder le bec à fleur de terre. Les granules ne sont pas aussi efficaces que les liquides, mais font partie des combinaisons engrais-herbicide.

1. Pour réparer un accroc en bordure, en découper le pourtour.

2. Combler l'accroc. Remplir le trou de terre et y répandre de la semence.

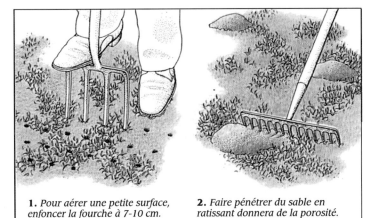

1. Pour aérer une petite surface, enfoncer la fourche à 7-10 cm.

2. Faire pénétrer du sable en ratissant donnera de la porosité.

Avant de réensemencer un endroit dénudé, l'aérer en le piquant à la fourche, puis remplir les trous avec du sable.

Aération

Réensemencement

Mousses et algues

Souvent, la mousse se forme là où la terre est compacte ou le gazon mal nourri ainsi que dans les endroits ombragés. On l'éliminera en épandant de l'engrais, en améliorant le drainage et, au besoin, en aérant le sol.

Les algues poussent là où l'eau s'accumule. Il suffit d'améliorer le drainage pour les voir disparaître.

1. *S'il faut aplanir la pelouse, faire des coupes parallèles avec le tranchant de la bêche, et une coupe perpendiculaire qui passe en plein milieu du tertre.*

2. *En partant du centre, retourner le gazon.*

3. *Aplanir le tertre avec les dents d'une fourche.*

4. *Replacer le gazon et l'aplanir en le foulant du pied.*

5. *Répandre dans les interstices un mélange de sable et de terre.*

Déchaumage

Les débris d'herbe qui s'accumulent sur le gazon n'ont aucun effet nocif. Mais lorsqu'ils forment un tapis dense et compact, ils risquent d'empêcher l'eau et les engrais de pénétrer jusqu'aux racines.

Si c'est le cas, enlever ce tapis de chaume à l'aide d'un râteau spécial motorisé à lames verticales.

Rénovation de la pelouse

Quand une pelouse est détériorée, la retourner au complet et recommencer à neuf comporte des inconvénients. Le sol dénudé est sujet à l'érosion et les mauvaises herbes ensevelies avec le gazon repoussent. Pour combler des plaques dénudées ou brûlées par le sel de trottoir, suivre les indications illustrées au bas de la page 11, à droite. Pour remettre une pelouse en état, un désherbage à fond, suivi d'une bonne fertilisation, suffit souvent. Sinon, on procédera à un ensemencement partiel.

Vaporiser le gazon avec un herbicide préventif qui ralentira la croissance de l'ancienne végétation et permettra à la nouvelle de s'installer. Un produit comme le glyphosate agira immédiatement et n'aura plus d'effet lors de la germination.

Avant de réensemencer, tondre le gazon presque à ras du sol. S'il y a une couche épaisse de chaume, scarifier le sol avec un râteau à déchaumer réglé pour que les lames forment des sillons peu profonds. Ensuite, ensemencer avec les bonnes graines.

Arroser pour que le sol soit constamment humide tant que le gazon n'est pas vraiment bien établi. Dans bien des cas, on n'a pas besoin d'utiliser de fertilisants chimiques. Mais arrosage et fertilisation redonnent de la force à la végétation ancienne qui fera concurrence à la nouvelle. Les mauvaises herbes n'auront pas non plus disparu. L'herbe bien prise, il faudra les éliminer.

Après la première tonte, on épandra un fertilisant tout usage pour stimuler la croissance du nouveau gazon et lui permettre de combler les vides. Ne pas employer d'herbicides sélectifs avant un an au moins.

Acidité et alcalinité

Bien qu'assez tolérant, le gazon prospère mieux dans un sol dont le pH est de 5,5 à 7,5, c'est-à-dire modérément acide à légèrement alcalin, 7 indiquant un sol neutre.

Si le terrain est très acide ou très alcalin, il faudra rectifier son pH avant d'y installer la pelouse. Incorporer de la chaux pour l'alcaliniser, du soufre pour l'acidifier.

Certains engrais ont tendance, à la longue, à acidifier le sol. Il faudra périodiquement effectuer soi-même des analyses à l'aide d'un kit vendu à cet effet, ou faire appel à un spécialiste en consultant les Pages Jaunes à la rubrique Sols–Études.

L'agrostide préfère un sol modérément acide. Le pâturin demande un sol neutre ou à peine acide. Les autres graminées requièrent également un sol légèrement acide.

La quantité de chaux qu'il faut ajouter pour corriger l'acidité du sol dépend de sa nature et de son degré d'acidité. De 10 à 25 kg de chaux broyée suffiront à rendre à peu près neutre un terrain acide de 100 m². Il en faudra jusqu'à 40 kg si le sol est très acide et le traitement devra s'effectuer tous les ans pendant plusieurs années. Pour acidifier un sol alcalin, appliquer de 5 à 25 kg de soufre simple pour 100 m², selon son degré d'alcalinité.

Que faire quand la pelouse va mal

On évitera la plupart des problèmes mentionnés avec un bon entretien, surtout si l'on a choisi des graminées robustes. On a intérêt aussi à semer des graines de diverses variétés. Ainsi, la pelouse n'est pas détruite si l'une des espèces succombe.

Pour les symptômes ne figurant pas en page 13, ainsi que pour l'illustration de certains des problèmes décrits, se reporter au chapitre intitulé « Maladies des plantes » (p. 474). Pour trouver les marques de commerce sous lesquelles se vendent les produits chimiques mentionnés dans ce livre, se référer à la page 509.

Note: Utiliser tous ces produits chimiques avec la plus grande prudence et suivre à la lettre les recommandations du fabricant.

Pour créer un environnement rustique, on peut planter des fleurs sauvages. Mais on n'obtient pas du jour au lendemain un parterre comme celui-ci.

Pelouse non cultivée

Marguerites et œillets font partie d'un paysage rustique

Symptômes	Cause	Traitement*
Monticules de sable ou de terre sur la pelouse.	Fourmis	Pièges de borax.
De minuscules ravageurs (5 mm) sucent le suc des feuilles et des collets. L'herbe se décolore et meurt.	Punaises des céréales	Savon insecticide ou carbaryl.
Des larves dévorent les racines ; le gazon jaunit. Taupes et mouffettes mangent les larves, mais abîment les pelouses. Elles s'en vont ailleurs quand les larves disparaissent.	Larves de hannetons, de scarabées asiatiques et communs	Détremper la zone affectée avec un savon insecticide.
Trous dans les feuilles, tiges rongées, plants entiers détruits.	Vers gris ou pyrales des prés	Méthoxychlore en vaporisation.
Gros monticules de terre ; galeries sous l'herbe.	Taupes	Taupières. Cartouches fumigènes dans les galeries.
Substance gélatineuse apparaissant sur le gazon.	Algues ou lichens mucilagineux (moisissures)	Drainer et scarifier le sol. L'arroser avec 15 ml de sulfate de cuivre dissous dans 50 litres d'eau. Surfacer et fertiliser.
Limbe de feuilles à taches rouge orangé sur des pustules. Feuilles jaune pâle.	Rouille du pâturin	Tous les 10 jours, de la mi-été à l'automne, vaporiser du ferbam ou du thirame.
En été se forment des cercles vert sombre de 60 cm à 1,20 m de diamètre. Plus tard, leur teinte pâlit ; des champignons apparaissent.	Ronds de sorcière (champignons)	Les champignons se nourrissent de bois pourri dans le sol. Le cercle s'agrandit et s'estompe. S'il y a plusieurs cercles, arroser avec 10 à 15 ml de sulfate de cuivre pour 45 litres d'eau.
Plaques de gazon jaune se couvrant d'une moisissure blanche cotonneuse. Se produit parfois après les fontes suivant un hiver long et rigoureux ou lorsque de l'azote a été appliqué après le mois d'août.	Moisissure des neiges	Tondre le gazon très ras à l'automne. Au printemps, briser les dépôts de moisissure sur la neige à l'aide d'un balai à feuilles. Au besoin, traiter au thirame.
Petites taches jaune pâle sur la pelouse, suivies de plaques croûtées. Des champignons peuvent se développer quand la neige a plus de 10 cm d'épaisseur. On les repère à la fonte.	Moisissure grise *(Typhula)*	Briser les plaques croûtées avec le râteau. Au besoin, vaporiser du bénomyl, du thiophanate-méthyl ou du thirame. L'herbe longue est plus susceptible d'être affectée.

Symptômes	Cause	Traitement*
Taches brunes, ovales ou rondes, sur les feuilles, surtout au printemps et à l'automne.	Empreinte de feuille au dégel	S'il n'y a pas amélioration avec la chaleur, vaporiser du thirame ou du zinèbe.
Dépôts blancs et poudreux sur les feuilles pendant les canicules par grande humidité.	Moisissure sèche	Si le problème persiste, vaporisation au thirame.
Substances gélatineuses roses ou rouges sur l'herbe à feuilles fines dans les régions côtières.	Plaque rose	Aérer la pelouse. Choisir des variétés vigoureuses comme 'Fylking'. S'il y a lieu, épandre du thiophanate-méthyl.
Rayures noires (spores de champignons) sur les feuilles qui se fendent.	Charbon strié	Vaporisation de bénomyl au printemps et à l'automne.

* Certains produits sont interdits dans les localités qui ont adopté des règlements contre les pesticides. Voir aussi « Recettes maison et produits naturels », p. 512, et « Les amis du jardin », p. 515.

Les nouveaux gazons

Le choix des graminées est aujourd'hui très vaste. Certaines proviennent de clones supérieurs. D'autres ont été obtenues par synthèse à partir de plusieurs lignées sélectionnées. D'autres encore résultent de procédés d'hybridation extrêmement complexes, comme le croisement de lignées apparentées effectué en serre.

Au moment de l'achat, on choisira un mélange de semences approprié à l'usage auquel on destine le gazon : pelouse d'ornement, pelouse pour zone de jeux ou pour terrain ombragé. Il existe en outre plusieurs variétés particulièrement adaptées à divers climats et à divers emplois.

Pâturin des prés *(Poa pratensis)* Les nombreuses variétés de pâturin des prés donnent un gazon de très grande qualité, qui pousse un peu lentement, mais qui est facile à entretenir une fois établi. Le pâturin se multiplie au moyen de rhizomes, supporte bien la tonte et montre beaucoup de tolérance, sauf quand il est planté en sol pauvre.

Le pâturin 'Merion' constitue toujours un excellent choix, sauf là où sévissent de graves maladies. Les variétés 'Baron', 'Enmundi', 'Fylking', 'Pennstar' et 'Sydsport' descendent toutes d'ancêtres européens. Les autres variétés comme 'Adelphi', 'Glade' et 'Plush', créées à l'université Rutgers, sont en règle générale plus courtes, d'un beau vert foncé et résistent bien aux maladies.

Ivraie vivace *(Lolium perenne)* Les ivraies améliorées peuvent être aussi belles que les pâturins mais elles se propagent moins bien, se tondent moins net et ne supportent pas les températures extrêmes. Cependant, elles sont plus rapides à s'établir que tous les autres gazons fins.

Fétuque rouge *(Festuca rubra)* La fétuque de bonne qualité s'acclimate à un environnement sec, à un sol pauvre et au manque de soleil. Les variétés 'Chewings', comme 'Jamestown II' et 'Victory', sont renommées pour leur densité. Les fétuques hautes comme 'Crossfire II', 'Mustant II' et 'Pixie' sont plus rudes mais extrêmement résistantes.

Agrostides (diverses espèces d'*Agrostis*) Elles sont exigeantes et exigent de fréquentes tontes. Elles prospèrent dans des milieux humides comme les provinces Maritimes et en bordure des Grands Lacs.

La bugle (Ajuga) est un excellent couvre-sol à l'ombre. La bugle rampante (A. reptans) s'étend vite. Même quand elle ne fleurit pas, 'Burgundy Glow' a de belles feuilles lustrées vert sombre.

Ajuga reptans 'Burgundy Glow'   Ajuga reptans

Plantes tapissantes

Les plantes tapissantes sont présentées par ordre alphabétique d'après leur nom botanique, leur nom vulgaire (s'il y a lieu) étant entre parenthèses. D'autres espèces sont citées dans les chapitres consacrés aux arbustes, aux plantes de rocaille et aux plantes vivaces. Ces plantes se substituent au gazon pour recouvrir des terrains rocailleux ou en pente raide.

Certaines peuvent pousser sous les arbres. Bien stables, elles font obstacle aux mauvaises herbes.

Avant de faire son choix, on notera la zone de rusticité de la plante pour s'assurer qu'elle correspond à la région dans laquelle se situe le jardin.

Pour les méthodes de multiplication, on se reportera au chapitre sur les plantes vivaces (p. 191-192).

Aegopodium (herbe aux goutteux)
Ajuga (bugle)
Coronilla (coronille)
Cotoneaster (cotonéaster)
Euonymus (fusain)
Fragaria (fraisier sauvage)
Hedera (lierre)
Juniperus (genévrier)
Ophiopogon (herbe aux turquoises)
Pachysandra (pachysandre)
Vinca (pervenche)

Nom botanique et nom vulgaire	Rusticité (Voir p. de garde)	Caractéristiques, soins particuliers, remarques	Multiplication
Aegopodium (herbe aux goutteux ou égopode podagraire) *A. podagraria*	Zone 2	Plante à feuilles caduques qui peut atteindre 30 cm et demande trois tontes par été. Se multiplie rapidement. Petites fleurs blanches naissant au début de l'été. Préfère une ombre légère. La variété panachée est la plus attrayante.	Par division des racines au printemps ou à l'automne.
Ajuga (bugle) *A. reptans* (bugle rampante)	Zone 2	Feuillage formant un épais tapis. Épis de fleurs bleues à la fin du printemps et au début de l'été. Les organes aériens meurent là où les hivers sont rigoureux, mais la plante reprend au printemps. Croît au soleil ou à l'ombre.	Par division des touffes au printemps ou à l'automne.
Coronilla (coronille) *C. Varia* (coronille bigarrée)	Zone 4	Plante à feuilles caduques qui croît et se multiplie vite. Inflorescences rose pâle en forme de pois. Excellente pour terrains en pente exposés au soleil.	Par division des racines au printemps ou à l'automne.
Cotoneaster (cotonéaster) *C. dammeri*	Zone 3	Feuilles persistantes de 2,5 cm de long. Fruits rouge vif. Plante prostrée, facile à cultiver au soleil et en sol humide, mais sujette au feu bactérien.	Par bouturage de tiges semi-aoûtées en été.
Euonymus (fusain) variétés de *E. fortunei*	Zone 5	Plante portant à l'âge adulte des feuilles de formes différentes. Feuilles persistantes de 2,5 cm, pourpres en automne et en hiver. Petits fruits ronds, rose pâle. Les stolons s'accrochent à toutes les surfaces rudes. Prospère au soleil. Belles variétés panachées.	Par bouturage de tiges semi-aoûtées en été ou, plus tard, de tiges aoûtées.
Fragaria (fraisier sauvage) *F. chiloensis*	Zone 4	Feuilles persistantes, brillantes sur le dessus, blanc bleuâtre en dessous. Fleurs blanches suivies de gros fruits rouge foncé. Croît à la mi-ombre.	Par transplantation de stolons enracinés.
Hedera (lierre) variétés de *H. helix* (lierre commun)	Zone 6	Plante à feuilles persistantes donnant un épais tapis. Stolons qui grimpent le long des surfaces de maçonnerie. Croît au soleil ou à l'ombre épaisse.	Par bouturage de tiges semi-aoûtées en été.
Juniperus (genévrier) *J. procumbens nana* (genévrier rampant)	Zone 1	Aiguilles vert-bleu sur des branches qui dépassent rarement 30 cm de haut. Plante à port étalé qui s'arrondit et se resserre avec le temps. Feuillage persistant. Croît au soleil.	Par marcottage au sol ou par bouturage de tiges aoûtées à la fin de l'été.
Ophiopogon (herbe aux turquoises) *O. japonicus* (ophiopogon nain)	Zone 7	Feuillage persistant, brillant, vert sombre. Inflorescences de fleurs lilas, suivies de baies bleu-noir. Croît au soleil ou à l'ombre.	Par division et par transplantation.
Pachysandra (pachysandre) *P. terminalis* (pachysandre du Japon)	Zone 3	Joli feuillage persistant et vernissé. Inflorescences d'un blanc crème, s'épanouissant à la fin du printemps. Plantée serrée, elle couvre rapidement le sol. Croît à l'ombre. Précieuse sous les érables où presque rien ne pousse.	Par transplantation de touffes et bouturage de tiges semi-aoûtées en été.
Vinca (pervenche) *V. minor* (petite pervenche)	Zone 4	Feuilles ovales et brillantes d'environ 5 cm de long. Fleurs bleues s'épanouissant à la mi-printemps. Variété à fleurs blanches ou roses. Plante à feuillage persistant qui croît à l'ombre ou au soleil, et se répand vite.	Par division des racines au printemps ou à l'automne.

Les feuilles du cornouiller chinois à feuilles caduques (Cornus kousa chinensis) *virent au pourpre cramoisi en automne.*

Cornus kousa chinensis

ARBRES

Les arbres occupent une place privilégiée dans un jardin. Peu de végétaux produisent autant d'effet sur l'environnement. Ce sont les rois de la nature.

Quoi de plus imposant dans un jardin qu'un grand arbre ! Souvent là quand nous n'y sommes plus, parfois présents tout le long de notre vie, les arbres confèrent au paysage une sorte de permanence. En hiver, leurs branches dénudées ou leur feuillage persistant conservent une sévère beauté, tandis qu'en été leur ombre est bienfaisante.

Les arbres n'ont pas qu'une valeur décorative. Ils assainissent l'atmosphère en transformant le gaz carbonique en oxygène. Ils dégagent aussi de la vapeur d'eau. Grâce au phénomène de transpiration, un grand arbre rejette par ses feuilles des milliers de litres d'eau par jour.

On choisit un arbre pour son feuillage, ses fleurs ou sa silhouette. Comme ce sont des végétaux de très longue durée et peu faciles à transplanter sitôt qu'ils ont atteint un certain âge, il est important de les placer tout de suite au bon endroit. On veillera à ce que l'arbre soit en harmonie avec l'environnement.

Le choix est parfois limité par les circonstances. On ne plantera pas un saule pleureur quand il y en a déjà un dans le jardin de son voisin. Quand ils sont trop rapprochés les uns des autres, les saules ont moins d'effet. Il ne sied pas non plus d'imposer à ses voisins des arbres encombrants.

Il faut aussi respecter les proportions. Si beau que soit le lierre avec ses feuilles et ses teintes automnales, il serait aussi déplacé dans un petit jardin de banlieue qu'un pommetier isolé au beau milieu d'un grand parc. Il y a toutefois des cas — dans un quartier neuf, par exemple —, où l'addition d'un grand arbre, comme un chêne ou un cerisier à fleurs, contribue à donner du cachet.

On plante également des arbres pour faire obstacle au vent. Sous ce rapport, les arbres à feuillage persis-tant, les conifères notamment, constituent le meilleur choix.

Si c'est l'ombre que l'on recherche, on ne plantera pas des arbres à forme érigée ou colonnaire comme le laurier sassafras ou le noyer royal, mais bien plutôt des arbres à port étalé ou pleureur comme l'érable, le bouleau ou le saule.

Pour encadrer un parterre, rien ne vaut les formes évasées du bouleau à papier ou du févier, tandis que, aux limites d'une propriété, on donnera la préférence aux formes arrondies du platane ou du chêne ou encore la silhouette pyramidale du sapin qui créent une impression d'intimité tout en dissimulant bien les maisons environnantes.

On peut aussi jouer sur les différentes formes et tailles de feuilles pour créer des effets spéciaux. Les fines feuilles du févier ont la délicatesse des fougères ; les petites feuilles du bouleau et celles de nombreux érables japonais ont une texture particulière qui peut être utilisée avec bonheur.

Aujourd'hui, les jardins sont plutôt petits, si bien que le travail d'entretien est généralement effectué par le propriétaire. Arbres et arbustes peuvent réduire ce travail. Une fois plantés, ils demandent peu de soins. Ils forment un cadre idéal pour les plantes bulbeuses, vivaces ou annuelles, et leur ombre légère est bénéfique à de nombreuses espèces de fleurs.

Si l'on songe à isoler un arbre sur une pelouse, derrière une large plate-bande ou près d'une clôture, on étudiera attentivement les avantages et les inconvénients de son choix. Si c'est avant tout le port de l'arbre que l'on veut souligner, on se préoccupera surtout de son emplacement, de sa taille et de la qualité du sol.

Par contre, si l'on privilégie certaines caractéristiques de l'arbre,

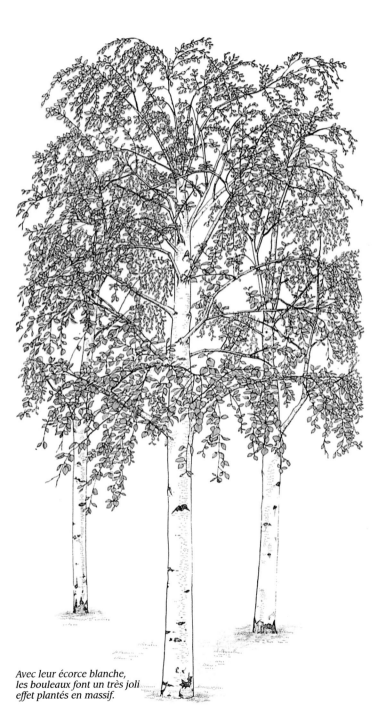

Avec leur écorce blanche, les bouleaux font un très joli effet plantés en massif.

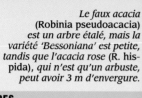

Le faux acacia (Robinia pseudoacacia) est un arbre étalé, mais la variété 'Bessoniana' est petite, tandis que l'acacia rose (R. hispida), qui n'est qu'un arbuste, peut avoir 3 m d'envergure.

Robinia pseudoacacia

Robinia hispida

comme ses fleurs, ses fruits ou ses couleurs automnales, il faudra aussi connaître l'aspect qu'il prendra lorsqu'il n'aura plus ces atouts.

Les arbres à feuillage persistant sont très recherchés, non seulement parce qu'ils composent des écrans ou des haies, mais parce que leur forme est d'une réelle beauté. La plupart d'entre eux, et les conifères en particulier, résistent au vent et à la sécheresse sitôt qu'ils sont bien établis. On peut les planter isolément sur la pelouse et même le plus petit jardin peut abriter un conifère nain. C'est en hiver qu'on les apprécie le plus. Leur feuillage vert met un peu de couleur dans un paysage parfois terne. Leur valeur ornementale s'accroît encore si l'on choisit des espèces à feuillage doré, argenté ou bleuté, ou si l'on associe des sujets à feuilles vert uni à des variétés dont les feuilles sont panachées.

Le bon arbre au bon endroit En règle générale, il n'est pas conseillé de planter des arbres près de la maison, non seulement parce que les racines peuvent endommager les fondations et la tuyauterie, mais aussi parce que les espèces à grand développement peuvent priver la maison de lumière et d'air.

Si l'arbre surplombe une allée ou une entrée, les branches cassées par le vent sont à redouter et, en automne, les feuilles mortes deviennent glissantes lorsqu'il pleut. Dans un tel cas, il y a intérêt à donner la préférence à des arbres à port colonnaire ou fastigié qui sont aussi beaux que pratiques.

Pour les petits jardins, on choisira de préférence des conifères nains ou des arbres à feuilles caduques de taille moyenne comme le cerisier oriental ou le pommetier du Japon. Les arbres doivent demeurer en harmonie avec la maison et ne pas la couvrir d'ombre. Un grand arbre ou un sujet à port étalé ne convient pas à une petite pelouse.

L'harmonie dans la variété Là où l'espace le permet, un massif d'arbres produit toujours un meilleur effet qu'un sujet isolé, surtout si l'on a soin d'harmoniser les formes. On n'associera pas, par exemple, un grand arbre mince, un petit arbre arrondi et un autre de forme conique. Bien que la règle ne soit pas absolue, il est préférable de choisir des sujets qui appartiennent au même genre et qui ont à peu près les mêmes dimensions et la même silhouette.

Trois aubépines ou trois pommetiers dont les fleurs et les fruits sont de couleur différente forment un joli massif, tout comme plusieurs érables japonais dont les feuilles n'ont pas toutes la même forme et qui se parent de divers coloris à l'automne. Les massifs de houx verts et panachés ressortent bien en hiver, surtout s'ils portent des baies de nuances différentes. Les conifères à feuillage doré ou argenté forment aussi des ensembles agréables, mais il vaut mieux planter isolément les sapins bleus qui sont d'une si impressionnante beauté.

Disposition judicieuse L'espacement entre les arbres regroupés varie selon leur variété. Il faut les planter assez près pour obtenir un effet d'ensemble, mais les espacer suffisamment pour qu'ils ne se nuisent pas lorsqu'ils seront adultes. En demandant au pépiniériste chez qui on les achète quel sera leur étalement à maturité, on pourra évaluer l'espacement qu'il leur faut. Cette distance permettra de les élaguer s'ils deviennent trop gros.

Les plantations en écran ou en brise-vent sont toujours faites plus serrées au début, mais on se rappellera qu'il faudra peut-être enlever un arbre sur deux pour que les autres puissent s'étaler en grandissant.

Pour constituer un écran, on peut, au début, faire alterner des conifères de croissance lente et des arbres à feuilles caduques de croissance rapide. Lorsque les conifères auront pris de l'ampleur, on enlèvera les autres arbres. Sur le choix des espèces appropriées à cet usage, consulter un pépiniériste ou se renseigner dans un centre de jardinage.

Choix des essences Le tableau commençant à la page 22 décrit un certain nombre d'arbres. On s'en servira pour faire un choix préliminaire, mais il existe tant d'espèces et de variétés qu'il vaut mieux consulter un catalogue et surtout se rendre dans des pépinières et voir les arbres avant de prendre une décision.

Plus que toute autre plante, ce sont les arbres qui donnent son ambiance au jardin. Les sapins, les marronniers, les cèdres et les ifs ne créent pas la même atmosphère que certaines espèces champêtres comme le bouleau, le chêne ou le saule pleureur. Les magnolias, les érables, les hêtres sont plus romantiques, tandis que le cerisier, le tilleul et le févier et certains sapins créent un agréable paysage dans un décor urbain.

Certaines essences rares peuvent être très coûteuses. Dans ce cas, il est encore plus important d'aller voir l'arbre désiré dans une pépinière et, si possible, à l'époque où il est dans toute sa beauté, quand il porte ses fleurs, ses fruits ou quand il se colore de ses teintes d'automne.

Dès qu'ils ont atteint 4,50 m, les arbres coûtent cher, leur reprise est plus difficile et ils présentent des problèmes. Aussi vaut-il mieux acheter de petits arbres qu'on a le plaisir de voir grandir et dont on peut admirer le feuillage à hauteur d'homme.

Taille et élagage Il est sage d'examiner ses arbres une fois par an et de les faire tailler et élaguer par un spécialiste. Ils en ont besoin. Le propriétaire est en effet responsable des dommages que causent à un tiers les branches de ses arbres. Les soins à donner aux arbres fendus, le rabattage des arbres de haute taille, l'abattage des arbres malades ou encombrants sont du ressort du spécialiste qui possède les connaissances et l'équipement nécessaires pour effectuer des travaux délicats, et parfois même dangereux, avec compétence, efficacité et sécurité.

Le propriétaire et la loi Le propriétaire est légalement responsable des dommages causés à la propriété d'autrui par les racines et les branches de ses arbres, de même que par les vaporisations qu'il effectue. Il peut être forcé de verser des indemnités.

On préviendra les dégâts en plantant ses arbres loin des murs ou des bâtiments. Les lézardes dans les murs sont principalement causées par le tassement du sol qui s'assèche, surtout s'il est argileux, à mesure que les racines des arbres y puisent l'humidité dont elles ont besoin. Les peupliers et les frênes sont les plus néfastes de ce point de vue ; il ne faut jamais les planter à proximité des maisons. Quant aux racines d'un gros érable, elles peuvent littéralement soulever un trottoir de béton. La longueur d'une racine est sensiblement égale à la hauteur de l'arbre adulte, mais certaines s'étalent bien davantage.

Les racines ne peuvent endommager les canalisations sanitaires, parce que celles-ci sont scellées, mais elles s'infiltrent facilement dans les tuyaux de drainage. Lorsqu'une partie du jardin reste détrempée après une pluie, vérifier tous les tuyaux de drainage et enlever les racines qui pourraient s'y trouver.

Les haies ou les arbres qui envahissent les terrains voisins ou les voies publiques peuvent constituer un danger engageant la responsabilité du propriétaire. Celui-ci peut être forcé de tailler sa haie ou d'abattre les arbres dangereux. Si les dégâts sont déjà faits, le propriétaire peut être tenu de les réparer à ses frais.

Ces quelques considérations, cependant, tombent sous le sens commun et elles sont si minimes qu'elles ne sauraient nous priver de tout ce qu'un arbre apporte à un jardin : son feuillage, ses fleurs ou ses fruits, son ombre bienfaisante, mais aussi et surtout sa silhouette majestueuse et sculpturale que rien, dans le monde végétal, ne peut vraiment égaler.

Les bouleaux plaisent pour leur écorce et leur coloris d'automne. Betula utilis jacquemontii a une écorce blanche ; Betula nigra une écorce brune et des feuilles vertes lustrées qui virent au jaune en automne.

Betula nigra

Plantation d'un arbre

Quand, où et comment creuser pour planter

La plantation des arbres à feuilles caduques s'effectue en règle générale de la mi-automne au début du printemps, pour autant que la terre n'est ni détrempée ni gelée. Celle des conifères et arbres à feuilles persistantes se fait plus tôt à l'automne ou plus tard au printemps, lorsque le sol est chaud et humide.

Les arbres arrivent de la pépinière avec leurs racines à nu enserrées dans une motte enveloppée de toile ou d'un panier métallique. Garder les racines humides si la plantation ne se fait pas tout de suite. Ceux qu'on va chercher soi-même sont parfois dans des pots, ce qui permet de les planter en toute saison, sauf si le sol est gelé. Il vaut mieux, toutefois, éviter les périodes de canicule.

Première étape : le choix d'un emplacement. Il faut éliminer d'emblée les endroits marécageux où l'eau de pluie ne s'écoule pas, car les problèmes de croissance des jeunes arbres sont souvent reliés à un mauvais égouttement du sol.

Le trou de plantation doit être assez grand pour que les racines de l'arbre puissent s'étaler aisément dans toutes les directions. En règle générale, on lui donne 1 m de diamètre sur 50 cm de profondeur.

Pour planter un arbre dans la pelouse, tracer d'abord un cercle dans l'herbe (voir les illustrations ci-dessous). Enlever le gazon par plaques et mettre celles-ci de côté. Commencer à creuser au centre du cercle. Garder la terre de surface. Un changement de coloration indique que le sous-sol est atteint : celui-ci, moins riche en matières organiques, est gé-

néralement plus jaune ou plus pâle que la terre de surface. En faire aussi un tas à part.

Lorsque le trou est complètement creusé, le remplir d'eau pour vérifier le drainage. Si le sol met plus d'une heure à absorber l'eau, il faudra améliorer l'égouttement et peut-être même recourir à des travaux de drainage (voir « Structure et propriétés du sol », p. 471). Si l'imperméabilité du sol est due à une mince couche d'argile, il suffira de l'ameublir avec la fourche à bêcher. Si cette couche est épaisse, il vaut mieux choisir un autre emplacement.

Tous les arbres ont besoin de tuteurs pendant les premières années de leur croissance. On utilise généralement de gros piquets en bois recouverts d'un enduit protecteur, vendus dans les pépinières. Les tuteurs ont pour fonction de soutenir le tronc

mais ils doivent permettre à l'arbre de se balancer dans le vent.

Un seul tuteur suffit pour les arbres dont les racines sont dénudées ; le ficher dans le sol avant de planter l'arbre pour ne pas abîmer les racines. Si les racines viennent en motte dans un sac de toile, insérer deux tuteurs, un de chaque côté de la motte, après avoir planté l'arbre.

Pour faciliter l'aération du sol, répandre des gravillons au fond du trou. Mais si le sol s'égoutte mal, les gravillons n'y changeront rien.

Couvrir les gravillons avec les mottes de gazon, herbe en dessous, et ajouter du compost, si on en a. Mélanger la terre de surface avec une égale quantité de terre plus profonde et mettre une mince couche de ce mélange au fond du trou. Bien tasser. Remplir alors le trou d'eau et laisser celle-ci s'égoutter.

1. *Avec un piquet, un couteau et une ficelle, tracer un cercle de 1 m.*

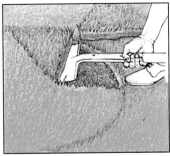

2. *Dégager des plaques de gazon dans le cercle et les empiler à côté.*

3. *Creuser un trou de 50 cm ; ameublir le fond et vérifier l'égouttement.*

4. *S'il s'agit d'un sol lourd, briser les côtés du trou avec la fourche-bêche.*

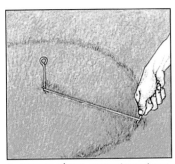

5. *Planter un tuteur solide. Pour aérer le sol, disposer des gravillons.*

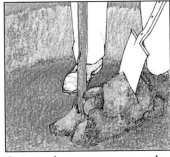

6. *Couper le gazon en morceaux de 10 cm ; les jeter dans le trou.*

7. *Ajouter, si on en a, du compost, du terreau de feuilles ou du fumier.*

8. *Ajouter un peu de terre de surface et de sous-sol. Tasser et arroser.*

L'érable sycomore (Acer pseudo-platanus), *qui ne craint pas la pollution, protège bien du vent. Dans son habit d'automne, le katsura (Cercidiphyllum japonicum) est une splendeur.*

Acer pseudoplatanus 'Brilliantissimum'

Cercidiphyllum japonicum 'Pendulum'

Plantation et tuteurage d'un jeune arbre

Avant de planter un arbre, il faut nettoyer les branches et les racines (voir ci-dessous). Retirer l'arbre de son contenant; secouer la terre des racines et couper les parties mortes ou endommagées de celles-ci. Enlever aussi les racines qui s'enroulent autour de la motte sans quoi on aura le même effet que si l'arbre était toujours en pot. S'il n'y avait pas beaucoup de place pour la terre dans le pot, faire trois ou quatre incisions verticales dans les racines pour stimuler la pousse de ramifications.

La plantation se fait mieux à deux. Une personne tient l'arbre en position pendant que l'autre dépose une baguette de bois en travers du trou. Aligner avec la baguette la marque de l'ancien terrain sur le tronc et ajuster en conséquence la profondeur du trou. Si les racines de l'arbre sont à nu, former un monticule au fond du trou et y déployer les racines. Si les racines sont emballées dans de la toile, dégager celle-ci, mais ne pas l'enlever complètement.

Pendant qu'une personne maintient l'arbre droit — ou contre un tuteur si les racines sont nues — l'autre commence à remplir le trou. Agiter l'arbre de temps en temps pour bien recouvrir les racines, si elles sont à nu, en foulant la terre avec le pied si elle est sablonneuse. Si les racines sont enveloppées et que le sol soit argileux, verser de l'eau pour comprimer la terre avant de remplir le trou.

Tout en foulant la terre, continuer de remplir le trou pour rétablir le niveau du sol. On devrait tout juste discerner sur le tronc la marque de l'ancien terrain.

Élever un monticule autour du lit de plantation de façon à former une cuvette qui retiendra l'eau. Sarcler fréquemment. Le tour de l'arbre devrait rester exempt de végétation qui lui ferait concurrence. Le printemps suivant, on pourra mettre du paillis.

Attacher ensuite l'arbre aux tuteurs. Les attaches en plastique fort ou en toile à sangle sont les meilleures, avec des coussinets de caoutchouc pour protéger le tronc. Pour un arbre dont les racines sont nues, attacher le tuteur le plus bas possible — à 60 cm environ du sol — du moment qu'il maintient l'arbre droit.

On utilise deux tuteurs sur un arbre aux racines emmottées pour l'empêcher de basculer au vent. Les placer de chaque côté de la motte et les attacher le plus possible avec de la corde ou du fil métallique et des cales caoutchoutées.

Vérifier les attaches de temps à autre, surtout après de grands vents. Les relâcher à mesure que l'arbre se développe; vérifier surtout au début du printemps et au milieu de l'été.

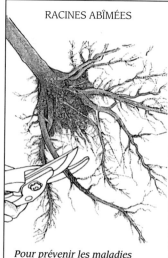

RACINES ABÎMÉES

Pour prévenir les maladies cryptogamiques, couper les racines abîmées.

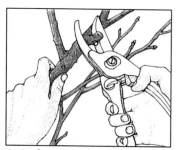

1. *Sur les grosses branches, couper ras tous les moignons.*

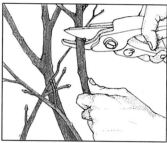

2. *Rabattre les branches abîmées au-dessus d'un œil extérieur.*

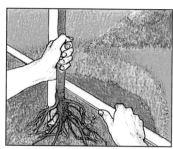

3. *Aligner l'ancienne marque de la terre sur le tronc avec la surface du sol.*

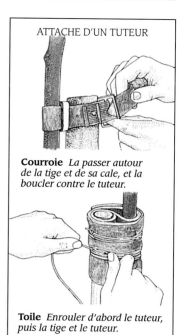

ATTACHE D'UN TUTEUR

Courroie *La passer autour de la tige et de sa cale, et la boucler contre le tuteur.*

Toile *Enrouler d'abord le tuteur, puis la tige et le tuteur.*

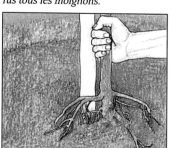

4. *Jeter un peu de terre enrichie dans le trou. Agiter l'arbre pour la tasser.*

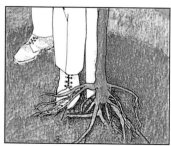

5. *Remplir le trou en tassant la terre à plusieurs reprises.*

6. *Niveler le sol et bien arroser. Garder la terre nue jusqu'au printemps.*

Platanus X hispanica

Betula pendula

Une des caractéristiques des platanacées est leur écorce qui se détache en lambeaux, laissant apparaître un tronc légèrement doré. L'écorce argentée du bouleau blanc d'Europe (Betula pendula) en fait un magnifique sujet solitaire.

Culture des arbres

Paillage et fertilisation après la plantation

Les paillis retiennent l'humidité, freinent la croissance des mauvaises herbes, favorisent celle d'organismes qui aèrent et enrichissent le terrain, protègent le sol contre les gels et les dégels en hiver et maintiennent une zone de fraîcheur autour des racines en été. En se décomposant, ils engraissent la terre.

Terreau de feuilles, écorce hachée, écales de noix d'arachide constituent de bons paillis. Au début de l'automne ou au printemps, quand le sol est humide et chaud, en étaler une couche de 10 cm environ sur toute la région occupée par les racines. Une toile géotextile sous le paillis prévient l'apparition de mauvaises herbes.

Les jeunes arbres n'ont généralement pas besoin d'engrais. Sur les arbres bien implantés, des feuilles de petite taille ou une croissance ralentie sont les signes d'une nutrition déficiente.

Pour y remédier, creuser des trous dans le sol, à la périphérie des racines — dont l'étalement est équivalent à celui des branches — et les remplir d'engrais (voir les vignettes à droite). Choisir un engrais dont l'effet se fera sentir pendant un an ou plus.

Une autre méthode consiste à enfoncer dans le sol des fertilisants en forme de chevilles. Enfin, si les racines sont inaccessibles, sous un pavage par exemple, il faut forer des trous dans le tronc de l'arbre et y injecter un engrais liquide ; cette opération est du ressort d'un spécialiste.

1. *Creuser des trous de 30 cm, tous les 50 cm, à la périphérie des racines.*

2. *Verser l'engrais. Remplir les trous de terre et bien tasser.*

Suppression des gourmands

On appelle gourmand une pousse qui apparaît à la base du tronc. Elle prive la plante d'une partie de sa sève et doit être enlevée, surtout chez les sujets greffés sur le système radiculaire d'une espèce voisine. Chez ceux-ci, le gourmand apparaît sur le porte-greffe. S'il n'est pas éliminé, la plante retournera vite à son état premier.

Arracher le gourmand de son point d'attache dans la terre : le sectionner favoriserait plutôt sa multiplication.

Ne jamais couper un gourmand. Tirer dessus fermement.

Arrosage des arbres nouvellement plantés

Les arbres bien établis n'ont besoin d'être arrosés que durant les périodes d'extrême sécheresse. Mais quelques semaines après leur plantation, les jeunes arbres montrent parfois un feuillage flétri ; les essences à feuilles persistantes, surtout les conifères, peuvent se mettre à brunir. La cause ? Un manque d'eau ou des vents desséchants.

Pour être sûr que le jeune arbre absorbe suffisamment d'eau, utiliser un pluviomètre. Lorsqu'il ne tombe pas 2,5 cm de pluie par semaine, compenser avec un arrosage.

Arroser généreusement et régulièrement un arbre cultivé dans un bac car il ne capte jamais assez de pluie. Lorsqu'un jeune arbre se dessèche sous l'effet du vent, construire autour de lui un abri composé de trois ou quatre piquets autour desquels on enroulera de la grosse toile ou une épaisse pellicule de matière plastique. Donner à l'abri la même hauteur que l'arbre, mais en laisser l'extrémité supérieure ouverte pour que la pluie puisse pénétrer.

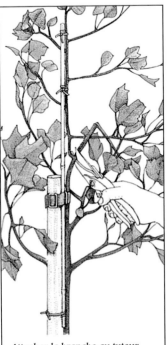

Attacher la branche au tuteur. Couper l'ancienne tige maîtresse.

Choix d'une nouvelle tige maîtresse

Quand ils sont jeunes, il arrive parfois aux arbres à port conique ou colonnaire d'être endommagés par le verglas ou de grands vents. La tige maîtresse, celle qui porte les branches latérales, peut se déformer ou tout simplement se casser.

Pour la remplacer, choisir une autre belle pousse verticale, située le plus près possible de l'endroit lésé.

Attacher à la base du tronc un tuteur solide de même qu'une tige de bambou assez longue pour dépasser de 60 cm le haut de la nouvelle tige maîtresse. Attacher celle-ci au bambou en plusieurs endroits. Couper ensuite l'ancienne tige maîtresse pour la ramener à la même hauteur que la nouvelle.

Laisser le bambou en place pendant deux ans environ ou jusqu'à ce que la nouvelle tige puisse résister aux vents.

Vérifier les attaches de temps à autre pour bien s'assurer qu'elles ne nuisent pas à la croissance de la nouvelle flèche ou à l'apparition de nouvelles branches.

L'érable de Norvège (Acer platanoides) comporte plusieurs formes et variétés, mais son feuillage est toujours remarquable. En automne, son coloris va du jaune au pourpre, en passant par des tons de brun.

Acer platanoides 'Schwedleri'

Suppression des pousses indésirables

L'entretien d'un arbre commence par la suppression des pousses latérales mortes ou indésirables. Celles-ci sont de deux sortes. Les premières poussent rapidement et très droit, le plus souvent à partir d'une branche, parfois sur le tronc. Elles apparaissent souvent après que l'arbre a été sévèrement taillé. Il faut les couper à ras à la fin de l'été avant qu'elles aient eu le temps de déformer l'arbre.

Enlever les petites branches qui poussent sur les gros troncs.

Les secondes pousses indésirables surgissent à l'horizontale et croissent plus lentement. On les voit apparaître sur le tronc des arbres même matures. Il faut aussi les couper à ras, à l'automne ou à l'hiver.

Suppression des grosses branches indésirables

On doit parfois supprimer une grosse branche, soit parce qu'elle a été abîmée, soit parce qu'elle pousse de façon bizarre, ou parce qu'elle surplombe le terrain du voisin.

Ce faisant le risque que l'on court est que la branche soit emportée par son poids durant l'opération et qu'elle déchire l'écorce du tronc.

Pour éliminer ce risque, scier la branche à 50 cm du tronc. S'il le faut, on peut attacher la branche encombrante à une branche supérieure et la couper en conservant un moignon de 50 cm.

Placer la scie au collet de la branche, à l'endroit où elle rejoint le tronc (voir à l'extrême droite) et couper le moignon, en faisant d'abord

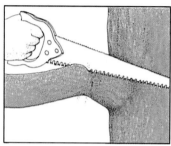

1. Couper une branche indésirable à 50 cm environ du tronc.

une entaille par en dessous. Éliminer les traces de scie en se servant d'un couteau bien affilé.

Il fut un temps où on enduisait toutes les marques de coupes de plus de 2 cm d'un enduit cicatrisant. On prétendait que ce traitement empêchait l'apparition d'une maladie. On a depuis laissé tomber cette pratique car il n'y a aucune preuve qu'elle accélère la cicatrisation ou qu'elle prévienne les maladies. Qui plus est, si maladie il y a, elle réussira plutôt à la sceller à l'intérieur de l'arbre.

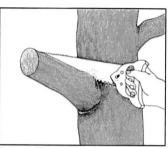

2. Faire une incision sous le moignon qui reste et scier par-dessus.

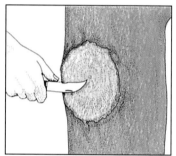

3. Parer au couteau les bords de la plaie pour que la coupe soit lisse.

Rabattage d'une branche trop longue

Généralement, l'arbre ramifie ses branches de façon normale. Il arrive cependant qu'une branche se mette à pousser plus vite que les autres, soit qu'elle cherche de la lumière ou en réponse à divers stimuli. Cette

branche trop vigoureuse risque de déséquilibrer la silhouette naturelle de l'arbre tout en nuisant à sa santé. Il faut la tailler.

Au cours de la période de dormance de l'arbre, rabattre cette branche des deux tiers, près d'une branche latérale poussant dans la même direction.

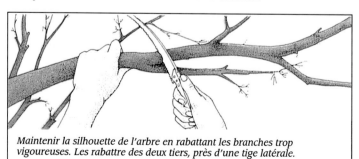

Maintenir la silhouette de l'arbre en rabattant les branches trop vigoureuses. Les rabattre des deux tiers, près d'une tige latérale.

Flèche concurrente sur un jeune arbre à ôter

Certains arbres, surtout ceux à port érigé, conique ou pyramidal, forment parfois vers l'extrémité de leur flèche une sorte de fourche d'où naît une seconde flèche. La garder risque de compromettre la beauté de l'arbre.

S'il s'agit d'un arbre à tronc unique, comme les conifères, supprimer entièrement la flèche concurrente à son point d'émergence. Sur les arbres qui émettent des pousses latérales, rabattre la flèche secondaire à la moitié de sa hauteur en la taillant en biseau, au sécateur, au-dessus d'un œil tourné vers l'extérieur et vers le haut. Cela la forcera à émettre des pousses horizontales. Effectuer cette opération au début du printemps dans les régions où l'hiver est rigoureux.

Couper les flèches concurrentes sur les troncs uniques.

Les bouleaux pleureurs comme 'Tristis' ou 'Youngii' ont de longues branches qui peuvent retomber jusqu'au sol. Betula jacquemontii est un bouleau doté d'une écorce d'un blanc lumineux qui se détache par grandes pièces.

Betula pendula 'Tristis'   *Betula pendula 'Youngii'*   *Betula jacquemontii*

Ravageurs et maladies

Les symptômes des maladies les plus courantes affectant les arbres sont décrits dans ce tableau. Dans le cas d'un symptôme non mentionné ici, se reporter à la section illustrée commençant à la page 474. Les appellations commerciales des produits chimiques débutent page 509.

Symptômes	Causes	Traitement*
Aiguilles persistantes		
Aiguilles collantes ou déformées ; bout des pousses dévoré ou déformé ; présence possible de fumagine. Insectes visibles.	Pucerons, cochenilles cicadelles, mouches blanches.	Savon insecticide ou perméthrine en vaporisation pour tuer les insectes ; vaporisation d'eau savonneuse pour enlever la fumagine.
Aiguilles rognées ou dévorées.	Chenilles, larves de tenthrèdes	*Bacillus thuringiensis* contre les chenilles ; savon insecticide contre les autres.
Aiguilles blanches, presque transparentes.	Mineuses	Vaporisation de diméthoate.
Aiguilles jaunes, puis brunes, parfois teintées de mauve.	Acariens	Vaporisation d'eau sous le feuillage ; savon insecticide ou diméthoate aux 5 jours.
Pousses flétries, tordues ou rabougries ; meurent rapidement.	Perceurs	Succès aléatoire. Couper et détruire les organes atteints.
Dépôts subéreux ou cireux sur les aiguilles ou les tiges.	Cochenilles	Huile de dormance en hiver ; savon insecticide ou malathion en mai ; taille sévère.
Aiguilles qui jaunissent et tombent ; résine blanche sur le tronc et les branches.	Chancres cytosporiens (champignons)	Couper les organes malades ; au printemps, vaporiser 3 fois aux 10 jours un fongicide à base de cuivre.
Aiguilles qui virent au jaune en fin d'été et au brun en hiver avant de tomber. La maladie se répand à partir de la base.	Rouge (champignons), commun chez épicéas et pins	En été, vaporiser 3 fois, aux 21 jours, de la bouillie bordelaise.
Bout des pousses qui jaunit à l'automne. Aiguilles qui pendent pendant un an sans tomber. Puis, taches noires sur les pousses.	Brûlure des aiguilles (champignons).	Couper les organes malades. Vaporiser 3 fois du bénomyl ou un fongicide au cuivre après la chute des aiguilles.
Branches mortes au collet, résine blanche sur le tronc ou plaques jaunes sur les aiguilles exsudant une gélatine orange.	Différents types de rouille (champignons)	Couper les organes infectés. Vaporiser un agent mouillant au soufre.
Grandes feuilles		
Feuilles déformées, tordues ou plissées ; présence de fumagine ; insectes visibles.	Pucerons, punaises, mouches blanches	Huile de dormance en hiver ; savon insecticide ou perméthrine topique.
Feuilles décolorées, blanchâtres ou rosâtres ; petits points blancs.	Acariens	Huile de dormance fin d'hiver, Savon insecticide ou diméthoate aux 5 jours en été.

Symptômes	Causes	Traitement*
Grandes feuilles *(suite)*		
Feuilles mangées, parfois réduites aux nervures. Insectes visibles.	Chenilles, larves de tenthrèdes, scarabées divers	Chenilles : *Bacillus thuringiensis*. Autres : savon insecticide, perméthrine ou malathion.
Feuilles ou pétioles avec pustules ou boursouflures.	Insectes gallicoles, acariens	Rarement grave. Pratique d'hygiène à l'automne – ôter les organes infectés qui tombent.
Pousses flétries, écorce trouée, bran de scie parfois visible.	Perceurs et scarabées	Traitement difficile, le ravageur étant dans le sujet. Couper l'organe atteint et le détruire.
Plaques subéreuses, parfois noires ou brunes, en saillie sur les branches.	Cochenilles	Vaporisation d'huile de dormance en hiver, de savon insecticide ou de malathion en mai.
Feuilles parfois marquées de plaques brunes et qui tombent prématurément ; pousses qui meurent.	Anthracnose (champignons)	Vaporisation : huile de dormance 3 fois aux 10 jours en fin d'hiver ; bouillie bordelaise lors de la feuillaison au printemps.
Petites plaques pâles, jaunes ou brunes, qui se rejoignent. Chute hâtive des feuilles.	Taches foliaires (champignons divers)	Vaporiser un fongicide à base de cuivre. Détruire les feuilles infectées quand elles tombent.
Plaques d'orange à jaunes en saillie sur les feuilles, surtout en dessous du limbe.	Rouille (maladie)	Couper les galles orange. Vaporiser un agent mouillant au soufre, 5 fois aux 10 jours.
Taches foliaires vert olive ; fruits portant des plaques subéreuses.	Tavelure (champignons)	Vaporisation : bouillie soufrée en dormance ; bouillie soufrée diluée ou captane au printemps.
Par endroits, plaques déprimées sur des branches mortes, au collet.	Cancre nectrien (champignons)	Couper les branches infectées : quand la tondeuse abîme le tronc, il s'y introduit de la terre.
Enflures augmentant peu à peu sur tronc et branches.	Galle du collet (bactéries)	Grave chez quelques espèces. Couper les galles.
Feuilles virant rapidement au brun ; pendent mais ne tombent pas.	Feu bactérien	Couper et détruire les branches infectées. Stériliser le sécateur. Bouillie soufrée au printemps.
Feuilles virant au jaune et veinées de vert.	Sol trop alcalin	Vaporiser de chélate de fer. Amender le sol avec du soufre.
Mort lente (bouleau, érable) depuis la cime.	Stress ou pollution	Attention aux arrosages et aux fertilisations.
L'écorce fend, surtout côtés sud et ouest.	Températures variantes l'hiver	Couvrir les régions malades pour faciliter la cicatrisation.
Feuillaison normale au printemps, ensuite toutes les feuilles sèchent.	Souris ou taille-bordure	Planter un nouvel arbre et protéger le tronc des souris. Entourer l'arbre d'un paillis.

* Certains produits sont interdits dans les localités qui ont adopté des règlements contre les pesticides. Voir aussi « Recettes maison et produits naturels », p. 512, et « Les amis du jardin », p. 515.

Ravissantes, leurs fleurs font des Prunus des arbres ornementaux extrêmement populaires. Ici, l'on a une des variétés les moins connues, le cerisier japonais 'Ukon'. Ses boutons roses donnent de splendides grappes de doubles fleurs blanches bordées de jaune-vert. Ses feuilles vert bronze tournent au vert foncé, puis au rouge et au pourpre à l'automne.

L'érable japonais (Acer palmatum) est réputé pour son superbe feuillage d'automne. Les jeunes sujets sont particulièrement vulnérables aux gels printaniers. L'érable harlequin (Acer platanoides 'Drummondii') tient son nom de ses feuilles panachées de crème.

Acer palmatum

Acer platanoides 'Drummondii'

Arbres à feuilles caduques

Les arbres à feuilles caduques sont ceux qui perdent leurs feuilles durant leur période de dormance. Ils sont classés ci-dessous par ordre alphabétique d'après leur nom latin. Espèces et variétés figurent aussi dans ce tableau.

La survie des arbres à feuilles caduques est liée à plusieurs facteurs, mais on peut assez bien juger de leur rusticité par leur degré de résistance au froid. Pour savoir si une essence peut résister aux froids qui sévissent l'hiver dans votre région, prenez note de sa zone de rusticité dans la colonne « Rusticité » et reportez-vous à la carte des pages de garde.

Les chiffres de la colonne de droite indiquent la hauteur et l'étalement que les sujets des différentes espèces ou variétés devraient normalement atteindre. Ces mesures permettent de planter les arbres à bonne distance.

Cette hauteur dépend toutefois de certains facteurs naturels et des soins que l'on apporte à l'arbre. Certains arbres poussent plus haut à l'état sauvage qu'en culture.

Acer saccharum (érable à sucre)

Aesculus hippocastanum (marronnier d'Inde)

Nom botanique et nom vulgaire	Rusticité (Voir pages de garde)	Caractéristiques, soins particuliers, remarques	Hauteur/étalement à maturité
Acer (érable)			
Acer buergerianum (trident)	Zone 7	Idéal pour faire de l'ombre dans un petit jardin. Résiste bien à la sécheresse.	6-7,50 m/6-7,50 m
A. davidii (de David)	Zone 7	Écorce verte et luisante, striée de blanc. Feuilles de 20 cm de long, rouges virant rapidement au vert. Fleurs jaune-vert joliment disposées. Le feuillage devient jaune, rouge et pourpre en automne.	6-14 m/4,50-7,50 m
A. ginnala (du Sakhalin)	Zone 2	À la fin de l'été, les samares deviennent rouges et, à l'automne, tout le feuillage prend une teinte écarlate brillante. Espèce peu exposée aux ravageurs.	4,50-6 m/6-7,50 m
A. griseum (gris)	Zone 6	Jolie écorce brun-rouge qui s'exfolie comme celle du bouleau à papier.	6-7,50 m/4,50-6 m
A. japonicum (du Japon)	Zone 6	Feuilles lobées tournant au rouge vif en automne.	6-9 m/6-9 m
A. negundo (à Giguère ou du Manitoba)	Zone 2	Pas de changement de coloris à l'automne. Espèce à croissance rapide, à bois tendre, très productive. Recommandée là où il fait très sec en été et très froid en hiver.	9-15 m/12-15 m
A. palmatum (japonais)	Zone 6	Semblable à A. japonicum, sauf pour les feuilles qui sont encore plus lobées. Feuillage rouge vif en automne. Prospère à la mi-ombre, dans une terre riche.	4,50-6 m/6-7,50 m
A. platanoides (plane ou de Norvège)	Zone 5	Au printemps, l'arbre se couvre de petites fleurs jaunes, précédant la feuillaison. Le feuillage automnal est jaune. Espèce à racines superficielles et gourmandes qui nuisent aux arbustes plantés au-dessous mais pas aux plantes tapissantes.	15-18 m/12-15 m
A. p. 'Crimson King'	Zone 4	Feuilles rouge foncé tout l'été.	15-18 m/13,50-15 m
A. p. 'Drummondii' (harlequin)	Zone 5	Feuilles vertes panachées de blanc.	7,50-9 m/6-7,50 m
A. p. 'Globosum' (globulaire)	Zone 5	Cime arrondie qui garde sa forme sans taille.	6-7,50 m/4,50-6 m
A. p. 'Summershade'	Zone 5	Variété érigée à feuilles coriaces, résistant bien à la chaleur.	13,50-15 m/10,50-12 m
A. rubrum (plaine rouge)	Zone 3	À planter pour son feuillage d'automne. Nombreuses variétés.	15-18 m/12-15 m
A. saccharinum (argenté ou plaine blanche)	Zone 2	Sous la brise, l'arbre semble changer de couleur à cause de ses feuilles blanc argenté au revers. Port pleureur. Casse facilement pendant les tempêtes.	18-24 m/12-18 m
A. s. 'Wieri' (à feuilles laciniées)	Zone 3	Feuilles dont le limbe est profondément et gracieusement découpé.	15-18 m/10,50-15 m
A. saccharum (à sucre)	Zone 4	Feuilles vert vif à revers blanchâtre, virant au jaune lumineux en automne. Branches arquées, parfois même retombantes. La structure de cet érable risque de subir des déformations pendant l'hiver. C'est la sève de cet arbre qui donne le sirop d'érable.	15-18 m/10,50-13,50 m
Aesculus (marronnier)			
Aesculus carnea (à fleurs rouges)	Zone 5	Hybride ressemblant à A. hippocastanum, mais plus ornemental que celui-ci. Fleurs roses ou rouges. Feuilles rougeâtres.	9-15 m/9-15 m
A. flava (jaune)	Zone 3	Fleurs jaunes en panicules érigées de 10 à 15 cm de long qui éclosent à la fin du printemps et au début de l'été. Jeunes feuilles et fruits sont toxiques.	12-15 m/9-12 m

À la fin de l'été, les grappes de marrons apparaissent entre les feuilles vert-jaune du marronnier (Aesculus indica). Albizia julibrissin est un arbre à croissance rapide à feuilles pennées ; les grappes de fleurs duveteuses blanches et roses éclosent du milieu à la fin de l'été.

Aesculus indica

Albizia julibrissin rosea

Albizia julibrissin
(albizia)

Amelanchier grandiflora
(amélanchier à grandes fleurs)

Betula pendula
(bouleau blanc d'Europe)

Nom botanique et nom vulgaire	Rusticité (Voir pages de garde)	Caractéristiques, soins particuliers, remarques	Hauteur/étalement à maturité
Aesculus glabra (de l'Ohio)	Zone 2	Port arrondi, feuillage automnal orange. Jeunes feuilles et graines toxiques.	9-10,50 m/6-12 m
A. hippocastanum (d'Inde)	Zone 5	Panicules de grandes fleurs blanches marquées de rouge à la fin du printemps. Feuilles palmées de grande taille, composées de 5 à 7 folioles, toxiques au début du printemps. Demeurent vertes en automne. Production abondante de marrons, toxiques lorsqu'ils ne sont pas traités. Sujet à la brûlure de fin d'été.	13,50-18 m/10,50-15 m
A. h. 'Baumannii'	Zone 5	Fleurs blanches doubles, stériles, c'est-à-dire qui ne produisent pas de fruits, ce qui réduit l'entretien du parterre.	13,50-18 m/10,50-15 m
A. indica	Zone 8	Longues panicules de fleurs blanches, teintées de jaune en haut et de rose en bas. Feuilles lancéolées pouvant atteindre 23 cm de long.	12-15 m/10,50-12 m
Albizia *Albizia julibrissin*	Zone 7	Feuilles pennées rappelant celles des fougères. Floraison du milieu à la fin de l'été. Les fleurs blanches et roses à tête globuleuse font penser à des houppettes. Aime les sols pauvres, secs et graveleux.	6-10,50 m/7,50-13,50 m
A. j. 'Ernest Wilson', ou *A. j. rosea*	Zone 7	La floraison estivale dure environ 6 semaines. Les jeunes arbres récemment transplantés bénéficieront d'une protection hivernale. Plus rustique que l'espèce précédente.	6-10,50 m/7,50-13,50 m
Amelanchier (amélanchier) *Amelanchier arborea*	Zone 3	Fleurs blanches abondantes vers le milieu ou la fin du printemps, au moment de la feuillaison ou juste avant. Fruits pourpres. En automne, le feuillage prend des nuances, allant du jaune au rouge. Écorce grise, très jolie en hiver.	4,50-7,50 m/3-4,50 m
A. grandiflora (à grandes fleurs)	Zone 4	Présente les plus grandes fleurs. Blanches ou parfois rose clair, elles s'épanouissent à la fin du printemps, avant la feuillaison.	5,50-9 m/4,50-7,50 m
A. laevis (glabre ou à petites poires)	Zone 3	À la fin du printemps, les fleurs blanches et retombantes, en bouquets, font un joli contraste avec les jeunes feuilles qui sont d'un vert pourpre ; ensuite, les feuilles tournent au vert clair. L'arbre donne des fruits d'un pourpre tirant sur le noir.	7,50-10,50 m/4,50-7,50 m
Betula (bouleau) *Betula lenta* (flexible ou merisier rouge)	Zone 3	Écorce d'un brun rougeâtre sombre ressemblant à celle du cerisier. Renommé pour ses chatons retombants et son feuillage virant au jaune à l'automne. Se cultive dans un sol riche et humide.	12-15 m/12-18 m
B. nigra	Zone 4	Écorce brune parcheminée, s'exfoliant. Feuillage automnal jaune. Aime les sols humides.	12-18 m/12-18 m
B. papyrifera (à papier)	Zone 2	Le plus blanc de tous les bouleaux. Feuilles d'un jaune brillant à l'automne. Donne plus d'ombre et est moins sensible aux attaques des insectes perceurs que *B. pendula*.	15-21 m/7,50-13,50 m
B. pendula (blanc d'Europe ou verruqueux)	Zone 2	Arbre gracieux à écorce blanche, et rameaux souples et pendants. Très joli, notamment près de conifères. Culture facile mais longévité réduite. Comme tous les bouleaux, il est préférable de le transplanter jeune.	9-12 m/7,50-10,50 m
B. p. gracilis (pleureur)	Zone 2	Branches fines et gracieusement retombantes; feuilles très découpées.	9-12 m/9-12 m
B. utilis jacquemontii	Zone 4	Écorce brillante allant du blanc au crème. La couleur étant variable, choisir de préférence les sujets qui ont l'écorce la plus blanche.	9-12 m/6-9 m

Les catalpas attirent toujours l'œil, et tout particulièrement lors de la floraison car leurs délicates fleurs campanulées sont regroupées en épi. Les feuilles du catalpa commun (Catalpa bignonioides) sont aromatiques. À l'automne les panicules de fleurs cèdent la place à de larges gousses très spectaculaires.

Catalpa bignonioides

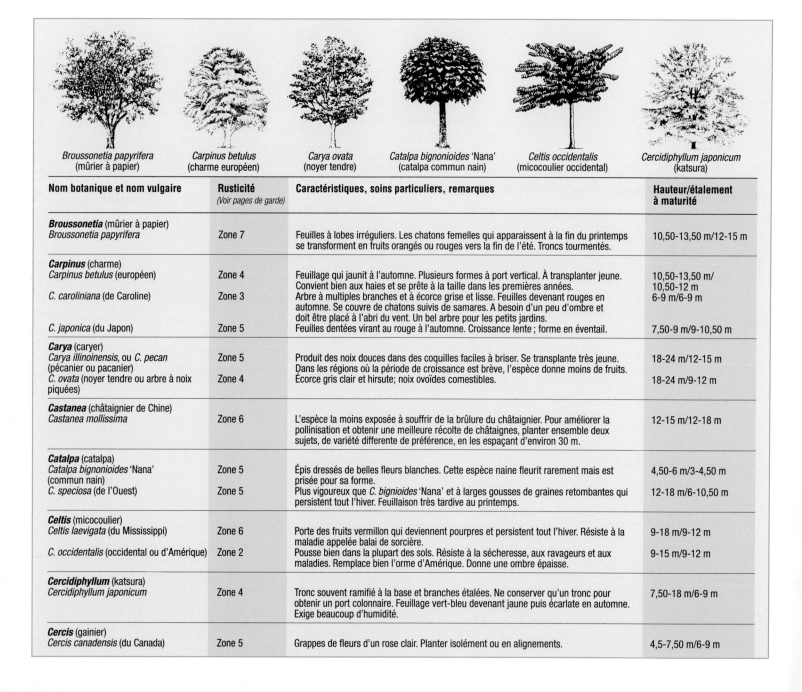

Broussonetia papyrifera (mûrier à papier)	Carpinus betulus (charme européen)	Carya ovata (noyer tendre)	Catalpa bignonioides 'Nana' (catalpa commun nain)	Celtis occidentalis (micocoulier occidental)	Cercidiphyllum japonicum (katsura)

Nom botanique et nom vulgaire	Rusticité (Voir pages de garde)	Caractéristiques, soins particuliers, remarques	Hauteur/étalement à maturité
Broussonetia (mûrier à papier) Broussonetia papyrifera	Zone 7	Feuilles à lobes irréguliers. Les chatons femelles qui apparaissent à la fin du printemps se transforment en fruits orangés ou rouges vers la fin de l'été. Troncs tourmentés.	10,50-13,50 m/12-15 m
Carpinus (charme) Carpinus betulus (européen)	Zone 4	Feuillage qui jaunit à l'automne. Plusieurs formes à port vertical. À transplanter jeune. Convient bien aux haies et se prête à la taille dans les premières années.	10,50-13,50 m/ 10,50-12 m
C. caroliniana (de Caroline)	Zone 3	Arbre à multiples branches et à écorce grise et lisse. Feuilles devenant rouges en automne. Se couvre de chatons suivis de samares. A besoin d'un peu d'ombre et doit être placé à l'abri du vent. Un bel arbre pour les petits jardins.	6-9 m/6-9 m
C. japonica (du Japon)	Zone 5	Feuilles dentées virant au rouge à l'automne. Croissance lente ; forme en éventail.	7,50-9 m/9-10,50 m
Carya (caryer) Carya illinoinensis, ou C. pecan (pécanier ou pacanier)	Zone 5	Produit des noix douces dans des coquilles faciles à briser. Se transplante très jeune. Dans les régions où la période de croissance est brève, l'espèce donne moins de fruits.	18-24 m/12-15 m
C. ovata (noyer tendre ou arbre à noix piquées)	Zone 4	Écorce gris clair et hirsute; noix ovoïdes comestibles.	18-24 m/9-12 m
Castanea (châtaignier de Chine) Castanea mollissima	Zone 6	L'espèce la moins exposée à souffrir de la brûlure du châtaignier. Pour améliorer la pollinisation et obtenir une meilleure récolte de châtaignes, planter ensemble deux sujets, de variété différente de préférence, en les espaçant d'environ 30 m.	12-15 m/12-18 m
Catalpa (catalpa) Catalpa bignonioides 'Nana' (commun nain)	Zone 5	Épis dressés de belles fleurs blanches. Cette espèce naine fleurit rarement mais est prisée pour sa forme.	4,50-6 m/3-4,50 m
C. speciosa (de l'Ouest)	Zone 5	Plus vigoureux que C. bignioides 'Nana' et à larges gousses de graines retombantes qui persistent tout l'hiver. Feuillaison très tardive au printemps.	12-18 m/6-10,50 m
Celtis (micocoulier) Celtis laevigata (du Mississippi)	Zone 6	Porte des fruits vermillon qui deviennent pourpres et persistent tout l'hiver. Résiste à la maladie appelée balai de sorcière.	9-18 m/9-12 m
C. occidentalis (occidental ou d'Amérique)	Zone 2	Pousse bien dans la plupart des sols. Résiste à la sécheresse, aux ravageurs et aux maladies. Remplace bien l'orme d'Amérique. Donne une ombre épaisse.	9-15 m/9-12 m
Cercidiphyllum (katsura) Cercidiphyllum japonicum	Zone 4	Tronc souvent ramifié à la base et branches étalées. Ne conserver qu'un tronc pour obtenir un port colonnaire. Feuillage vert-bleu devenant jaune puis écarlate en automne. Exige beaucoup d'humidité.	7,50-18 m/6-9 m
Cercis (gainier) Cercis canadensis (du Canada)	Zone 5	Grappes de fleurs d'un rose clair. Planter isolément ou en alignements.	4,5-7,50 m/6-9 m

Cornus kousa

Il n'y a pas de cornouiller plus remarquable et plus élégant au printemps qu'un Cornus kousa couvert d'une multitude de petites fleurs blanc-crème.

Chionanthus virginicus (arbre à franges)	*Cladrastis lutea* (virgilier)	*Cornus mas* (cornouiller mâle)	*Cornus florida* (cornouiller à fleurs)	*Cotinus coggygria* (fustet)

Nom botanique et nom vulgaire	Rusticité (Voir pages de garde)	Caractéristiques, soins particuliers, remarques	Hauteur/étalement à maturité
Cercis chinensis (de Chine)	Zone 7	Fleurs rose pourpre éclosant au printemps avant les feuilles. Feuillage d'automne jaune.	3,50-6 m/3-4,50 m
Chionanthus (arbre à franges ou arbre à neige) *Chionanthus retusus* (de Chine)	Zone 6	L'arbre se couvre de fleurs blanches du début au milieu de l'été. Feuilles et bouquets deux fois plus petits que ceux de *C. virginicus*. Excellent petit arbre.	4,50-6 m/3,50-5,50 m
C. virginicus (d'Amérique)	Zone 5	Panicules de fleurs blanches au début de l'été, juste après la feuillaison qui est tardive. Grappes de baies bleues sur les sujets femelles. À l'automne, les feuilles virent au jaune. Sujet aux infestations de cochenilles.	3,50-6 m/3-7,50 m
Cladrastis (virgilier) *Cladrastis lutea* (à bois jaune)	Zone 4	Feuilles vert vif et fleurs blanches, parfumées et retombantes, naissant au début de l'été. Prend un beau port arrondi avec les années.	9-14 m/9-12 m
Cornus (cornouiller) *Cornus alternifolia*	Zone 3	Branches étalées et étagées horizontalement qui remontent aux extrémités. Cymes de fleurs blanches au printemps. Petits fruits ronds noir bleuté, prisés des oiseaux. Beau feuillage d'automne. Croît mieux dans un emplacement ombragé, mais acceptera le plein soleil dans les régions nordiques.	4,50-7,50 m/6-9 m
C. florida (à fleurs)	Zone 6	En fin de printemps apparaissent de minuscules fleurs verdâtres entourées de grandes bractées blanches ou roses ressemblant aux pétales d'une fleur. Les feuilles deviennent rouges à l'automne, et les fruits écarlates attirent les oiseaux. En hiver, les gros bourgeons floraux et les rameaux horizontaux et entrelacés ont du charme.	6-12 m/3-12 m
C. f. rubra	Zone 7	Les bractées vont du rose au rouge. Variété moins rustique.	3-6 m/4,50-10,50 m
C. kousa (du Japon)	Zone 6	Espèce plus compacte que *C. florida* ; floraison à la mi-été. Les bractées effilées, longues et très voyantes, passent du vert au blanc, puis au rose. Les fruits rouges, semblables à de grosses framboises, qui apparaissent en automne durent plusieurs semaines.	6-9 m/6-10,50 m
C. mas (mâle)	Zone 5	Arbre court à port arrondi. Feuilles vert sombre. Bouquets arrondis de petites fleurs jaunes au début du printemps. Le feuillage rougit à l'automne. Utile comme brise-vent ou comme écran. Tolère l'ombre et pousse en milieu urbain.	4,50-6 m/6-7,50 m
C. nuttallii	Zone 8	Espèce qui fleurit au milieu du printemps et refleurit souvent à l'automne. Les bractées voyantes sont blanches ou roses, les fruits orange ou rouges. Cet arbre qui pousse admirablement bien sur la côte Ouest survit rarement dans l'Est.	6-12 m/6-12 m
Cotinus (fustet) *Cotinus coggygria* (arbre à perruques)	Zone 5	Fleurs pourpres réunies en panicules lâches et plumeuses en été. Feuilles arrondies de 7 cm de long, vert-bleu en été, virant au jaune ou à l'orangé vif en automne. Les sujets nouvellement transplantés demandent des arrosages généreux pendant les deux ou trois premières années.	4-4,50 m/4,50-6 m

Un riche feuillage vert orne les branches étalées de l'arbre aux mouchoirs (Davidia involucrata). L'arbre tient son nom des bractées d'un blanc crémeux qui entourent ses minuscules fleurs.

Davidia involucrata

Davidia involucrata

Crataegus laevigata
(aubépine commune)

Davidia involucrata
(arbre aux mouchoirs)

Elaeagnus angustifolia
(olivier de Bohême)

Fagus sylvatica
(hêtre européen)

Franklinia alatamaha
(Franklinia)

Nom botanique et nom vulgaire	Rusticité *(Voir pages de garde)*	Caractéristiques, soins particuliers, remarques	Hauteur/étalement à maturité
Crataegus (aubépine)			
Crataegus crus-galli (ergot-de-coq)	Zone 2	Espèce rustique donnant beaucoup d'épines et de fruits rouges. Feuilles vernissées.	7,50-10,50 m/7,50-12 m
C. laevigata (commune)	Zone 6	Grappes de 6 à 12 fleurs blanches suivies, en automne, de drupes écarlates. Le feuillage reste vert en automne. Branches basses et denses donnant à l'arbre un port arrondi.	4,50-7,50 m/3-6 m
C. l. 'Crimson Cloud'	Zone 6	Fleurs simples rouge foncé.	4,50-7,50 m/3-6 m
C. l. 'Paul's Scarlet'	Zone 6	Magnifiques fleurs doubles d'un rouge écarlate vif.	4,50-7,50 m/3-6 m
C. l. 'Plena'	Zone 6	Variété remarquable par ses fleurs blanches doubles.	4,50-7,50 m/3-6 m
C. lavallei (de Lavallé)	Zone 5	Cultivé surtout pour ses fruits vermillon qui restent sur l'arbre presque tout l'hiver. Les feuilles virent au rouge bronze à l'automne, tandis que les fleurs sont blanches maculées de rouge.	4,50-7,50 m/4,50-6 m
C. mordenensis 'Snowbird'	Zone 3	Créé par le ministère de l'Agriculture du Canada à Morden (Manitoba). Présente des fleurs blanches doubles, des fruits rouges. Peu d'épines.	4,50-6 m/4,50-6 m
C. m. 'Toba'	Zone 3	Fleurs doubles rose pâle devenant plus foncées. Peu d'épines.	4,50-6 m/4,50-6 m
C. phaenopyrum (de Washington)	Zone 5	Arbre à cime arrondie et dense. Fleurs blanches au début de l'été. Fruits rouges qui durent jusqu'à l'hiver. Feuilles virant au rouge à l'automne.	6-9 m/4,50-7,50 m
C. viridis	Zone 4	Les fruits rouge vif restent sur l'arbre en hiver. L'écorce forme de beaux lambeaux.	6-10,50 m/6-10,50 m
Davidia			
Davidia involucrata (arbre aux mouchoirs)	Zone 7	Très bel arbre dont les fleurs insignifiantes sont entourées de belles bractées blanches faisant penser à des mouchoirs ou à des colombes en vol. L'arbre peut prendre plusieurs années avant de fleurir la première fois. Les feuilles restent vertes à l'automne.	7,50-12 m/7,50-12 m
Elaeagnus			
Elaeagnus angustifolia (olivier de Bohême ou chalef à feuilles étroites)	Zone 2	Arbuste ou petit arbre à feuilles étroites, vert-gris, argentées au revers. En été, fleurs jaunes et parfumées mais peu apparentes, suivies de petites baies jaunâtres en automne. Prospère en sol sablonneux. Supporte le vent.	4,50-7,50 m/4,50-6 m
Euonymus (fusain)			
Euonymus europaeus (d'Europe)	Zone 4	Les petites fleurs vertes de l'été donnent des capsules de graines roses qui, en s'ouvrant, découvrent un fruit orange vif. Superbe feuillage d'automne rougeâtre.	4,50-7,50 m/4,50-6 m
Fagus (hêtre)			
Fagus grandifolia (d'Amérique ou à grandes feuilles)	Zone 4	Renommé pour son écorce d'un gris clair et pour son feuillage qui prend des teintes jaune bronze à l'automne. Donne une ombre épaisse. Demande beaucoup d'espace.	18-24 m/15-21 m
F. sylvatica (commun)	Zone 6	Belle écorce. Feuilles vert sombre légèrement dentées.	15-21 m/9-15 m
F. s. 'Asplenifolia' (à feuilles de fougère)	Zone 5	Semblable à *F. sylvatica*, sauf pour les feuilles qui sont profondément découpées.	12-15 m/10,50-14 m
F. s. 'Atropunicea' (cuivré ou pourpré)	Zone 6	Feuilles dont les teintes vont du pourpre riche au cuivre. Branches qui retombent presque jusqu'au sol. Un des grands arbres les plus beaux.	12-15 m/12-15 m
F. s. 'Dawyck' (fastigié)	Zone 6	Son port vertical lui donne une silhouette élancée.	12-15 m/7,50-12 m
F. s. 'Pendula' (pleureur ou parasol)	Zone 6	Les branches retombent jusqu'au sol si on les laisse faire.	15-21 m/7,50-14 m
F. s. 'Riversii' (pourpre de Rivers)	Zone 6	Feuilles d'un rose pourpré au printemps devenant d'un pourpre riche à l'été.	15-21 m/9-15 m

Le frêne pleureur (Fraxinus excelsior pendula) sera planté seul pour qu'on puisse mieux en admirer la beauté. Le frêne à fleurs (F. ornus) fleurit au début de l'été.

Fraxinus excelsior pendula

Fraxinus ornus

Fraxinus americana (frêne d'Amérique)	Ginkgo biloba (arbre aux quarante écus)	Gleditsia triacanthos (févier)	Gymnocladus dioica (chicot du Canada)	Halesia carolina (halésie de Caroline)	Juglans nigra (noyer noir)

Nom botanique et nom vulgaire	Rusticité (Voir pages de garde)	Caractéristiques, soins particuliers, remarques	Hauteur/étalement à maturité
Fraxinus (frêne)			
Fraxinus americana (d'Amérique ou blanc)	Zone 3	Les feuilles composées prennent à l'automne diverses teintes variant du jaune au pourpre. On peut obtenir des variétés stériles, plus propres.	15-21 m/9-12 m
F. excelsior pendula (pleureur)	Zone 5	Les branches retombantes forment une ombrelle.	12-18 m/12-21 m
F. nigra (noir)	Zone 2	Arbre de plus petite taille qui se développe aussi bien en sol humide que sec.	9-12 m/7,50-10,50 m
F. n. 'Fallgold'	Zone 2	Feuillage automnal plus beau et port plus érigé que le précédent.	9-12 m/6-7,50 m
F. ornus (à fleurs)	Zone 6	Les fleurs blanches très odorantes ouvrent à la fin du printemps en bouquets terminaux.	12-15 m/10,50-14 m
F. pennsylvanica (vert)	Zone 2	Le feuillage vert clair devient jaune vif à l'automne. Résiste bien au vent. Il existe une variété stérile.	12-15 m/6-9 m
Ginkgo (arbre aux quarante écus)			
Ginkgo biloba	Zone 3	À l'âge adulte, l'arbre a une très belle forme. Feuilles en forme d'éventail devenant jaunes à l'automne. Ne planter que des sujets mâles, les sujets femelles produisant des fruits inesthétiques qui dégagent une odeur rance. Rarement atteint par les maladies et les ravageurs. S'adapte au milieu urbain.	10,50-18 m/6-9 m
Gleditsia (févier)			
Gleditsia triacanthos inermis (épineux ou d'Amérique)	Zone 4	Feuilles ressemblant à des frondes de fougères. Gousses de 45 cm de long, se détachant de l'arbre. Épines ramifiées et acérées. Arbre facile à transplanter. Croît bien en ville.	10,50-23 m/10,50-14 m
G. t. 'Moraine'	Zone 4	Semblable à *G. triacanthos*, sauf qu'il est dépourvu d'épines.	10,50-18 m/10,50-15 m
G. t. 'Rubylace'	Zone 4	Feuilles pourpres virant au vert bronze en été. Variété sans épines.	10,50-18 m/10,50-15 m
G. t. 'Sunburst'	Zone 4	Arbre à croissance lente, non épineux, pouvant supporter de grandes chaleurs. Feuillage jaune.	9-15 m/9-15 m
Gymnocladus (arbre à café)			
Gymnocladus dioica (chicot du Canada)	Zone 5	Écorce rugueuse. Feuilles composées de 45 à 90 cm qui demeurent vertes à l'automne. Gousses brun rougeâtre de 20 cm de long. Silhouette élégante en hiver.	12-15 m/10,50-14 m
Halesia (halésie)			
Halesia carolina (de Caroline ou arbre aux cloches d'argent)	Zone 5	Fleurs blanches campanulées réunies en bouquets s'ouvrant à la fin du printemps avant la feuillaison. Demande un sol bien drainé et un coin abrité.	6-9 m/7,50-10,50 m
H. diptera	Zone 6	Très semblable à *H. carolina* mais floraison moindre.	6-9 m/6-9 m
H. monticola (des montagnes)	Zone 6	Grandes fleurs blanches et pendantes à la fin du printemps ; feuilles jaunes en automne.	12-18 m/9-15 m
Juglans (noyer)			
Juglans nigra (noir)	Zone 3	Noix comestibles à coque très dure. Planter au moins deux sujets à proximité l'un de l'autre pour augmenter la production de noix. Demande un sol fertile et beaucoup d'humidité. Peu de ravageurs. Racines nuisibles.	18-27 m/18-27 m
J. regia (royal ou commun)	Zone 6	Feuilles brillantes, vert foncé. Noix plus charnues et à coques plus minces que celles de *J. nigra* ; mêmes exigences culturales.	15-18 m/12-15 m

À la fin du printemps et au début de l'été, le chain doré (Laburnum watereri) offre le spectacle des grappes pendantes de ses fleurs papilionacées jaunes. Le feuillage du liquidambar (Liquidambar) est somptueux à l'automne.

Laburnum watereri 'Vossii'   *Liquidambar styraciflua*

Koelreuteria paniculata
(savonnier)

Laburnum watereri
(chain doré)

Liquidambar styraciflua
(copalme d'Amérique)

Liriodendron tulipifera
(tulipier de Virginie)

Magnolia soulangiana
(magnolia de Soulange)

Malus 'Red Jade'
(pommier 'Red Jade')

Nom botanique et nom vulgaire	Rusticité *(Voir pages de garde)*	Caractéristiques, soins particuliers, remarques	Hauteur/étalement à maturité
Koelreuteria (savonnier) *Koelreuteria paniculata*	Zone 6	En été, des gousses brunes ou jaunes remplacent les petites fleurs jaune vif. Ne change pas de couleur à l'automne. Pousse dans la plupart des sols. Prospère en plein soleil.	6-9 m/6-9 m
Laburnum (cytise) *Laburnum watereri* (chain doré)	Zone 6	Des fleurs jaunes réunies en grappes souples apparaissent à la fin du printemps, et sont suivies de gousses brunes de 5 cm qui persistent en hiver et renferment des graines toxiques. Feuilles à 3 folioles. Bon petit arbre.	4,50-6 m/3,50-4,50 m
Liquidambar *Liquidambar styraciflua* (copalme d'Amérique)	Zone 6	Les feuilles sont palmées. Une gomme à odeur douce sort des crevasses du tronc. Difficile à transplanter. Cultivé pour ses couleurs automnales : jaune, rouge et bronze.	15-21 m/10,50-14 m
Liriodendron (tulipier) *Liriodendron tulipifera* (tulipier de Virginie ou bois jaune)	Zone 5	Fleurs jaune-vert et orange, en forme de tulipe, au début de l'été ; feuillage jaune d'or en automne. Très bel arbre dans une pelouse ; demande un sol riche et modérément humide. Précieux pour la plantation en isolé.	15-20 m/6-7,50 m
Magnolia (magnolia) *Magnolia acuminata* (à feuilles acuminées)	Zone 5	Petites fleurs jaune-vert, peu voyantes, à la fin du printemps. Beaux fruits de 7,5 à 10 cm, roses ou rouges, en automne. Feuilles attrayantes se terminant en pointe fine et allongée, et recouvertes d'un duvet vert clair en dessous. Arbre très décoratif et de croissance rapide.	15-21 m/14-20 m
M. denudata	Zone 6	L'éclosion printanière des nombreuses fleurs blanches parfumées, en coupe, se fait avant le développement des feuilles obovales vert pâle.	10,50-15 m/7,50-15 m
M. loebneri (de Loebner)	Zone 5	Fleurs blanches en forme de lis, marquées d'une ligne violacée à la base. Naissent au milieu du printemps et durent peu.	6-9 m/4,50-6 m
M. l. 'Merrill'	Zone 5	Fleurit à un âge plus précoce que les autres magnolias. Fleurs blanches et parfumées de 10 cm apparaissant avant les feuilles au milieu ou à la fin du printemps.	7,50-9 m/9-10,50 m
M. salicifolia (à feuilles de saule)	Zone 6	À la fin du printemps, des boutons tendres et pubescents s'épanouissent en fleurs blanches et parfumées qui apparaissent avant les feuilles. Celles-ci deviennent jaunes en automne. Froissées, elles dégagent une odeur d'anis. En hiver, attention à la cochenille du magnolia qui attaque espèces et variétés. Voir traitement, p. 475.	5,50-9 m/4,50-7,50 m
M. soulangiana (de Soulange)	Zone 5	Grandes fleurs pourpres, même sur de jeunes sujets. Variétés nombreuses dont les fleurs vont du blanc au rose. Arbres à un ou plusieurs troncs.	4,50-7,50 m/4,50-7,50 m
Malus (pommier) *Malus baccata* (à petits fruits ou de Sibérie)	Zone 2	Les fleurs blanches simples donnent des petites pommes jaunes ou rouge clair qu'adorent les oiseaux. Il existe des formes colonnaires et pleureuses.	7,50-9 m/6-7,50 m
M. 'Candied Apple'	Zone 5	Variété pleureuse à fleurs roses et à fruits rouge cerise.	4,50 m/6 m
M. 'Centurion'	Zone 4	Fleurs roses à rouges, même sur les jeunes spécimens. Fruits rouge vif persistants.	7,50 m/4,50-6 m

Le parrotia de Perse (Parrotia persica) est un arbre à port étalé qui fait penser à un grand buisson. Le 'Pendula' est une forme pleureuse, plus petite encore.

Parrotia persica

Parrotia persica 'Pendula'

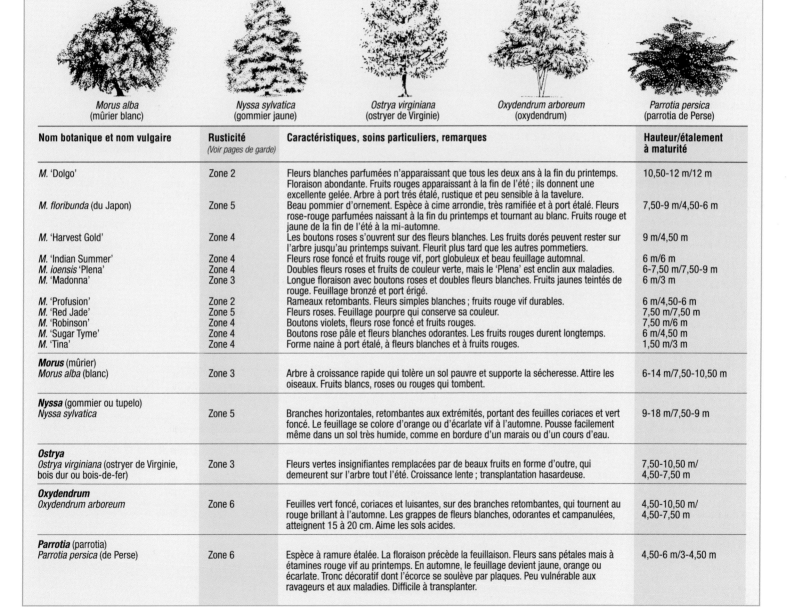

| Morus alba (mûrier blanc) | Nyssa sylvatica (gommier jaune) | Ostrya virginiana (ostryer de Virginie) | Oxydendrum arboreum (oxydendrum) | Parrotia persica (parrotia de Perse) |

Nom botanique et nom vulgaire	Rusticité *(Voir pages de garde)*	Caractéristiques, soins particuliers, remarques	Hauteur/étalement à maturité
M. 'Dolgo'	Zone 2	Fleurs blanches parfumées n'apparaissant que tous les deux ans à la fin du printemps. Floraison abondante. Fruits rouges apparaissant à la fin de l'été ; ils donnent une excellente gelée. Arbre à port très étalé, rustique et peu sensible à la tavelure.	10,50-12 m/12 m
M. floribunda (du Japon)	Zone 5	Beau pommier d'ornement. Espèce à cime arrondie, très ramifiée et à port étalé. Fleurs rose-rouge parfumées naissant à la fin du printemps et tournant au blanc. Fruits rouge et jaune de la fin de l'été à la mi-automne.	7,50-9 m/4,50-6 m
M. 'Harvest Gold'	Zone 4	Les boutons roses s'ouvrent sur des fleurs blanches. Les fruits dorés peuvent rester sur l'arbre jusqu'au printemps suivant. Fleurit plus tard que les autres pommiers.	9 m/4,50 m
M. 'Indian Summer'	Zone 4	Fleurs rose foncé et fruits rouge vif, port globuleux et beau feuillage automnal.	6 m/6 m
M. ioensis 'Plena'	Zone 4	Doubles fleurs roses et fruits de couleur verte, mais le 'Plena' est enclin aux maladies.	6-7,50 m/7,50-9 m
M. 'Madonna'	Zone 3	Longue floraison avec boutons roses et doubles fleurs blanches. Fruits jaunes teintés de rouge. Feuillage bronzé et port érigé.	6 m/3 m
M. 'Profusion'	Zone 2	Rameaux retombants. Fleurs simples blanches ; fruits rouge vif durables.	6 m/4,50-6 m
M. 'Red Jade'	Zone 5	Fleurs roses. Feuillage pourpre qui conserve sa couleur.	7,50 m/7,50 m
M. 'Robinson'	Zone 4	Boutons violets, fleurs rose foncé et fruits rouges.	7,50 m/6 m
M. 'Sugar Tyme'	Zone 4	Boutons rose pâle et fleurs blanches odorantes. Les fruits rouges durent longtemps.	6 m/4,50 m
M. 'Tina'	Zone 4	Forme naine à port étalé, à fleurs blanches et à fruits rouges.	1,50 m/3 m
Morus (mûrier) *Morus alba* (blanc)	Zone 3	Arbre à croissance rapide qui tolère un sol pauvre et supporte la sécheresse. Attire les oiseaux. Fruits blancs, roses ou rouges qui tombent.	6-14 m/7,50-10,50 m
Nyssa (gommier ou tupelo) *Nyssa sylvatica*	Zone 5	Branches horizontales, retombantes aux extrémités, portant des feuilles coriaces et vert foncé. Le feuillage se colore d'orange ou d'écarlate vif à l'automne. Pousse facilement même dans un sol très humide, comme en bordure d'un marais ou d'un cours d'eau.	9-18 m/7,50-9 m
Ostrya *Ostrya virginiana* (ostryer de Virginie, bois dur ou bois-de-fer)	Zone 3	Fleurs vertes insignifiantes remplacées par de beaux fruits en forme d'outre, qui demeurent sur l'arbre tout l'été. Croissance lente ; transplantation hasardeuse.	7,50-10,50 m/ 4,50-7,50 m
Oxydendrum *Oxydendrum arboreum*	Zone 6	Feuilles vert foncé, coriaces et luisantes, sur des branches retombantes, qui tournent au rouge brillant à l'automne. Les grappes de fleurs blanches, odorantes et campanulées, atteignent 15 à 20 cm. Aime les sols acides.	4,50-10,50 m/ 4,50-7,50 m
Parrotia (parrotia) *Parrotia persica* (de Perse)	Zone 6	Espèce à ramure étalée. La floraison précède la feuillaison. Fleurs sans pétales mais à étamines rouge vif au printemps. En automne, le feuillage devient jaune, orange ou écarlate. Tronc décoratif dont l'écorce se soulève par plaques. Peu vulnérable aux ravageurs et aux maladies. Difficile à transplanter.	4,50-6 m/3-4,50 m

Le phellodendron demande de l'espace. Ses feuilles et ses fruits non comestibles laissent sur les doigts une odeur de térébenthine. Populus canadensis 'Aurea' est un peuplier à croissance très rapide. À l'automne, son feuillage vire à l'or.

Phellodendron amurense

Populus canadensis 'Aurea'

Paulownia tomentosa (paulownia impérial)	Phellodendron amurense (phellodendron de l'Amour)	Pistacia chinensis (pistacia)	Platanus hispanica (platane de Londres)	Populus balsamifera (peuplier baumier)

Nom botanique et nom vulgaire	Rusticité (Voir pages de garde)	Caractéristiques, soins particuliers, remarques	Hauteur/étalement à maturité
Paulownia (paulownia) *Paulownia tomentosa* (impérial)	Zone 6	Les larges feuilles velues n'apparaissent qu'après la floraison. Les fleurs lilas rappellent celles de la digitale. Les gousses de fruits séchées restent pendues à l'arbre pendant un an ou plus. Sol riche en humus dans un endroit abrité. C'est un bon choix pour décorer une pelouse. Sa racine pivotante rend la transplantation difficile.	12-15 m/7,50-9 m
Phellodendron (phellodendron) *Phellodendron amurense* (de l'Amour)	Zone 3	Écorce rugueuse, tendre et poreuse. Port élégant, très étalé. Les arbres femelles portent de petites baies noires de 5 mm qui peuvent être ennuyeuses quand elles tombent sur le sol. Feuilles et baies dégagent une odeur de térébenthine quand on les froisse. Le feuillage fait peu d'ombre et n'empêche pas le gazon de pousser. S'adapte à tous les sols. Résiste aux ravageurs et aux maladies et supporte la pollution. En dépit de son nom, ce n'est pas cet arbre qui produit du liège, mais le *Quercus suber* ou chêne-liège.	9-14 m/9-14 m
Pistacia *Pistacia chinensis*	Zone 8	Ses feuilles ressemblent à celles du sumac. Feuillage très coloré à l'automne. Arbre à croissance rapide, il tolère bien la chaleur, la sécheresse et se plaît dans les sols alcalins.	9-10,50 m/7,50-10,50 m
Platanus (platane) *Platanus hispanica* (de Londres)	Zone 6	Morceaux d'écorce couleur crème qui se détachent et laissent apparaître un tronc jaune. Donne des fruits sphériques, en grappes de deux.	15-23 m/15-23 m
P. occidentalis (d'Occident ou de Virginie)	Zone 5	Essence caractéristique par son écorce qui se détache en lambeaux et par des grappes de fruits sphériques. Après transplantation, ne reprend que lentement sa croissance.	18-24 m/18-24 m
Populus (peuplier) *Populus alba* 'Nivea' (argenté)	Zone 2	Écorce gris-blanc ; feuilles couleur argent au revers. Espèce vigoureuse qui demande beaucoup d'espace.	15-21 m/12-21 m
P. alba 'Pyramidalis' (blanc pyramidal)	Zone 3	Port colonnaire, semblable à celui du peuplier de Lombardie mais qui résiste mieux au vent.	9-15 m/4,50-6 m
P. balsamifera (baumier)	Zone 3	Les feuilles dentées, pubescentes au revers, ont souvent plus de 15 cm de long.	15-21 m/12-18 m
P. berolinensis (de Berlin)	Zone 2	Espèce rustique souvent utilisée comme brise-vent dans les climats rigoureux.	12-15 m/7,50-10,50 m
P. canadensis 'Eugenei' (pyramidal de Caroline)	Zone 2	Port pyramidal ; feuilles vernissées et coriaces. Racines envahissantes : se garder de planter cet arbre près des canalisations.	18-26 m/6-7,50 m
P. canescens 'Tower' (grisard)	Zone 2	Meilleure variété de peuplier pyramidal, exempte de gourmands.	18-21 m/2,40-3 m
P. deltoides (à feuilles deltoïdes ou liard)	Zone 3	Chatons cotonneux laissant tomber une bourre qui peut causer des allergies.	18-24 m/14-18 m
P. 'Griffin'	Zone 2	Hybride à port vertical et à feuilles vert clair.	9-12 m/6-7,50 m
P. nigra 'Italica' (de Lombardie)	Zone 4	Espèce de croissance rapide mais de faible longévité. Branches parallèles au tronc principal. Silhouette élancée.	18-21 m/3-4,50 m
P. 'Northwest'	Zone 2	Espèce très recommandée. Port érigé. Arbre très rustique, très utile dans les Prairies.	12-15 m/7,50-10,50 m
P. tremuloides (faux tremble)	Zone 1	Feuilles de 7,5 cm qui tremblent au moindre souffle d'air et qui virent au jaune vif en automne. Espèce à planter en groupe.	15-21 m/9-12 m

C'est en avril que le cerisier à fleurs japonais (Prunus 'Kanzan') ouvre ses fleurs rose fuchsia. Les petites fleurs blanches du cerisier à grappes (P. padus) ont un léger parfum d'amande.

Prunus serrulata 'Kanzan'   Prunus padus

| *Prunus padus* (cerisier à grappes) | *Prunus triloba* 'Multiplex' (prunus triloba) | *Prunus mume* (abricotier) | *Prunus subhirtella* (cerisier à fleurs japonais) | *Prunus cerasifera* (myrobolan à feuilles pourpres) |

Nom botanique et nom vulgaire	Rusticité (Voir pages de garde)	Caractéristiques, soins particuliers, remarques	Hauteur/étalement à maturité
Prunus			
Prunus avium plena (merisier des oiseaux)	Zone 4	Fleurs doubles et blanches en fin de printemps. Arbre de haute taille, très résistant.	12-15 m/12-15 m
P. blireiana	Zone 6	Au printemps, les feuilles ont une teinte cuivrée qu'elles gardent jusqu'à l'été. Fleurs doubles rose clair. Les branches fleurissent bien à l'intérieur. Exige une taille sévère pour prospérer.	6-9 m/4,50-6 m
P. cerasifera 'Newport' (myrobolan à feuilles pourpres)	Zone 5	Feuilles dont la teinte rouge cuivre s'intensifie au soleil et persiste tout l'été. Les fleurs rose clair sont éphémères. Elles sont remplacées, à l'automne, par des fruits pourpres de 2,5 cm de diamètre, comestibles.	4,50-6 m/3,50-5,50 m
P. maackii (cerisier maackii)	Zone 2	Le port est pyramidal quand l'arbre est jeune. Les fleurs blanches de la fin du printemps donnent des fruits noirs qui attirent les oiseaux. Joli feuillage d'automne. L'écorce bruncannelle pèle comme celle des bouleaux.	7,50-10,50 m/6-7,50 m
P. mume (abricotier du Japon)	Zone 7	Fleurs rose pâle odorantes au début du printemps. Larges fruits verts ou jaunes.	4,50-6 m/4,50-6 m
P. nigra 'Canada'	Zone 2	Fleurs blanches s'ouvrant avant les feuilles et donnant des grappes de fruits jaunes.	6-9 m/3-4,50 m
P. padus (cerisier à grappes)	Zone 2	Les grappes inclinées de fleurs blanches, qui atteignent 15 cm, donnent des fruits noirs dont les oiseaux raffolent.	7,50-10,50 m/6-9 m
P. p. 'Colorata'	Zone 2	Feuillage nuancé de pourpre et fleurs roses. Fait beaucoup d'ombre.	9-12 m/9-12 m
P. p. commutata	Zone 2	Semblable à l'espèce, mais fleurit au moins une semaine plus tôt et porte de plus grandes fleurs. Un des premiers arbres à fleurir en saison.	9-12 m/9-12 m
P. sargentii (cerisier sargentii)	Zone 5	Fleurs roses ouvrant avant les feuilles. Belle couleur bronze à l'automne et intéressante écorce rouge. La variété 'Rancho' s'étale moins.	9-10,50 m/6-7,50 m
P. serrulata 'Amanogawa' (cerisier à fleurs japonais)	Zone 6	Fleurs semi-doubles et rose pâle.	4,50-6 m/3-4,50 m
P. s. 'Kanzan'	Zone 6	Connue aussi sous le nom de *P. s.* 'Hisakura', cette variété porte des fleurs doubles rose foncé, retombantes. Les jeunes feuilles bronze deviennent vertes l'été.	6-7,50 m/4,50-6 m
P. s. 'Kiku-shidare-zakura'	Zone 6	Forme pleureuse avec fleurs doubles roses.	6-7,50 m/6-7,50 m
P. s. 'Shirotae'	Zone 6	Excellente variété à fleurs semi-doubles ou doubles, agréablement parfumées.	6-9 m/4,50-6 m
P. subhirtella (cerisier à fleurs japonais)	Zone 6	Fleurs rose pâle et abondantes à la mi-printemps, suivies de fruits bleu-noir en été. Petites feuilles de moins de 5 cm de long.	6-9 m/6-9 m
P. triloba 'Multiplex'	Zone 2	Les fleurs doubles rose pâle de cet arbuste ou petit arbre qui ne porte pas de fruits font penser à des houppettes.	4,50-6 m/6 m
P. virginiana (cerisier sauvage)	Zone 2	Les fleurs blanches en grappes retombantes donnent des fruits pourpres qui peuvent être cuits (avec beaucoup de sucre).	7,50-9 m/4,50-6 m
P. v. 'Shubert'	Zone 2	Les feuilles, vertes d'abord quand elles ouvrent, tournent au rouge au fur et à mesure que l'été avance. Bon choix pour les sols pauvres et les petits espaces.	6-7,50 m/3-6 m
P. yedoensis (cerisier de Yedo)	Zone 7	Espèce à croissance rapide offrant des fleurs blanches délicatement lavées de rose et légèrement parfumées.	6-7,50 m/6-7,50 m

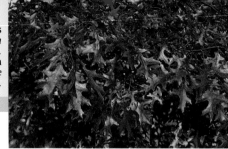

Le chêne écarlate (Quercus coccinea) tient son nom de son somptueux feuillage automnal. Robinia pseudoacacia 'Bessoniana' est une petite variété de robinier faux-acacia.

Quercus coccinea

Robinia pseudoacacia 'Bessoniana'

Pterocarya stenoptera (ptérocaryer de Chine)	Pyrus calleryana (poirier Callery)	Quercus alba (chêne blanc)	Robinia pseudoacacia (faux acacia)	Salix babylonica (saule pleureur)

Nom botanique et nom vulgaire	Rusticité (Voir pages de garde)	Caractéristiques, soins particuliers, remarques	Hauteur/étalement à maturité
Pterocarya (ptérocaryer)			
Pterocarya fraxinifolia (du Caucase)	Zone 6	Porte des grappes de 30 à 50 cm de samares qui pendent entre les branches.	12-27 m/12-27 m
P. stenoptera (de Chine)	Zone 7	Branches très étalées. Tolère un sol très compact.	12-30 m/12-27 m
Pyrus (poirier)			
Pyrus calleryana	Zone 5	Grappes de fleurs blanches s'ouvrant tard au printemps, suivies de petits fruits rouille non comestibles, dont les oiseaux raffolent. Feuillage vernissé devenant écarlate.	4,50-7,50 m/4,50-6 m
P. salicifolia (à feuilles de saule)	Zone 5	Les branches retombantes portent des feuilles argentées dessus, blanches dessous.	6 m/6 m
P. ussuriensis	Zone 2	Floraison blanche au printemps et beau feuillage automnal.	9-12 m/7,50-9 m
Quercus (chêne)			
Quercus alba (blanc)	Zone 2	Branches étalées donnant à l'arbre un port bien arrondi. En automne, le feuillage devient d'un rouge pourpre ; la chute des feuilles est tardive. Espèce de croissance lente, mais d'une étonnante longévité. Se transplante mieux quand l'arbre est jeune.	15-23 m/15-21 m
Q. coccinea (écarlate)	Zone 4	Feuilles vert brillant tournant à l'écarlate vif en automne. Difficile à transplanter.	15-18 m/10,50-12 m
Q. imbricaria (imbriqué ou à lattes)	Zone 4	Feuilles brillantes vert sombre virant au rouge rouille en automne. Sans taille, l'arbre prend un port arrondi avec l'âge. On peut aussi le planter en rangée et le tailler de façon à obtenir une haie haute ou un brise-vent.	12-15 m/12-15 m
Q. palustris (des marais)	Zone 4	Branches inférieures retombantes. Feuilles rouges en automne. Demande un sol acide.	9-15 m/7,50-9 m
Q. robur 'Fastigiata' (pédonculé)	Zone 5	Comme l'arbre ne s'étale pas, il convient aux petits jardins. Taille variable.	15-18 m/4,50-6 m
Q. rubra (rouge)	Zone 3	Feuilles d'un rouge riche en automne. Facile à transplanter ; croît rapidement.	15-18 m/15-18 m
Robinia (robinier)			
Robinia 'Idaho' (de l'Idaho)	Zone 3	Fleurs pourpres. S'acclimate à un sol pauvre et à un climat chaud et sec que d'autres essences ne supporteraient pas.	10,50-12 m/4,50-9 m
R. pseudoacacia (faux-acacia)	Zone 4	Grandes feuilles composées et pennées et fleurs blanches aromatiques réunies en grappes pendantes. Les fruits, en forme de gousse rouge-brun de 10 cm de long, demeurent sur l'arbre tout l'hiver.	9-15 m/7,50-9 m
Salix (saule)			
Salix alba (blanc ou argenté)	Zone 4	Feuilles délicatement dentées, soyeuses en dessous. Très belle espèce érigée à ramure peu dense.	13,50-18 m/12-15 m
S. a. vitellina (jaune ou osier jaune)	Zone 3	Rameaux d'un jaune vif, particulièrement décoratifs en hiver.	13,50-18 m/12-15 m
S. babylonica (pleureur)	Zone 7	Branches qui retombent jusqu'au sol. Feuilles finement dentées, vert-gris en dessous. Port très gracieux.	9-12 m/9-12 m
S. caprea (Marceau ou Marsault)	Zone 5	Feuilles légèrement dentées et presque oblongues de 8 à 10 cm de long. Chatons jaune vif ou argent. Tolère un sol très argileux.	4,50-6 m/3,50-4,50 m
S. discolor (discolore)	Zone 3	Feuilles oblongues ou elliptiques de 10 cm de long, vert-bleu au revers, parfois dentées.	4,50-6 m/3,50-4,50 m
S. elegantissima (pleureur du Japon)	Zone 5	Mieux adapté aux climats froids que S. babylonica, mais feuilles moins vernissées.	9-12 m/7,50-9 m
S. matsudana 'Tortuosa' (tortueux de Pékin)	Zone 5	Branches spiralées vert olive à feuilles étroites et lancéolées. Comme la plupart des saules, cette variété demande beaucoup d'humidité.	9-12 m/7,50-10,50 m

Le sorbier des oiseleurs (Sorbus aucuparia) se distingue par de grosses grappes de petits fruits rouge vif. Des fleurs blanches en forme de coupe égaient le stewartia (Stewartia pseudocamellia) pendant tout l'été. Ses feuilles très vertes tournent à l'or ou au pourpre et au rouge à l'automne.

Sorbus aucuparia

Stewartia pseudocamellia

Sophora japonica (sophora du Japon)	Sorbus aucuparia (sorbier des oiseleurs)	Stewartia (stewartia)	Styrax obassia (aliboufier odorant)	Tilia euchlora (tilleul de Crimée)	Zelkova serrata (zelkova du Japon)

Nom botanique et nom vulgaire	Rusticité (Voir pages de garde)	Caractéristiques, soins particuliers, remarques	Hauteur/étalement à maturité
Sophora (sophora) Sophora japonica (du Japon ou arbre des pagodes)	Zone 5	Branches ascendantes et étalées formant une voûte de feuilles d'un vert sombre. Des grappes pendantes de petites fleurs d'un blanc crème apparaissent en fin d'été.	9-12 m/12-15 m
Sorbus (sorbier) Sorbus alnifolia (à feuilles d'aulne)	Zone 4	Abondantes fleurs de 2,5 cm de diamètre. En automne, les feuilles virent à l'orange et à l'écarlate. L'écorce est lisse et gris foncé.	7,50-10,50 m/6-7,50 m
S. americana (d'Amérique ou cormier)	Zone 3	Feuilles composées d'une quinzaine de folioles. Fleurs blanches à la fin du printemps, suivies par des baies rouges en automne. Préfère un sol acide.	6-9 m/6-7,50 m
S. aucuparia (des oiseleurs)	Zone 3	Ses feuilles rougeâtres et ses grappes de fruits rouge vif à l'automne en font un beau sujet à planter dans une pelouse.	6-9 m/6-7,50 m
S. intermedia	Zone 3	Feuilles vertes dessus, argentées dessous, ce qui augmente l'attrait de l'arbre.	6-7,50 m/5,50-6 m
S. thuringiaca	Zone 5	Le feuillage moins divisé que celui des autres sorbiers tourne au cuivre à l'automne.	6-9 m/4,50-6 m
Stewartia (stewartia) Stewartia pseudocamellia	Zone 6	Belle écorce rouge qui se détache. Fleurs blanches et feuilles d'automne écarlates.	12-15 m/9-12 m
Styrax (aliboufier) Styrax japonicus (du Japon)	Zone 5	Au début ou au milieu de l'été, des fleurs campanulées blanches et parfumées naissent à profusion. Bon sujet à planter dans les pelouses. Peu de ravageurs et de maladies.	6-9 m/7,50-10,50 m
S. obassia (odorant)	Zone 6	Grandes feuilles presque rondes, pubescentes en dessous. Fleurs blanches suivies de gousses ovoïdes de 2,5 cm de long. Croît rapidement, mais ne prospère pas en sol sec.	6-9 m/6-9 m
Syringa (lilas) Syringa reticulata 'Ivory Silk' (du Japon)	Zone 2	Floraison estivale de fleurs blanc crème sur fond de feuillage vert foncé.	7,50-9 m/6-7,50 m
Tilia (tilleul) Tilia americana (d'Amérique ou bois blanc)	Zone 2	Feuilles à texture rugueuse pouvant atteindre 20 cm de long. Au début de l'été, petites fleurs aromatiques qui attirent les abeilles.	12-18 m/9-12 m
T. cordata (à petites feuilles)	Zone 3	Croissance lente et port pyramidal. Bonne essence pour le jardin urbain.	9-15 m/9-12 m
T. c. 'Glenleven'	Zone 3	Les jeunes rameaux d'un vert clair tirant sur le jaune sont particulièrement jolis en hiver. Essence recommandée en milieu urbain.	9-15 m/9-10,50 m
T. c. 'Greenspire'	Zone 3	Branches qui irradient autour d'un tronc droit. Feuilles d'environ 8 cm de long. Variété de croissance rapide, recommandée en milieu urbain.	9-15 m/6-7,50 m
T. euchlora (de Crimée)	Zone 3	Arbre de croissance rapide, jetant une ombre épaisse. Branches légèrement pendantes. Feuilles cordiformes et vernissées.	7,50-12 m/4,50-6 m
T. tomentosa (argenté)	Zone 5	Grandes feuilles arrondies dont le revers est couvert de duvet blanc argenté, d'où son nom. Branches dressées donnant à l'arbre un port pyramidal. Moins recommandé en milieu urbain que les autres tilleuls, parce que la suie adhère au duvet des feuilles.	12-18 m/6-9 m
Zelkova (zelkova) Zelkova serrata (du Japon)	Zone 6	Exempt de maladie ; de croissance assez rapide. Bon substitut de l'orme d'Amérique.	15-18 m/15-18 m

L'arbre à fraises (Arbutus unedo), ainsi nommé pour ses petits fruits rouges, se couvre en automne de fleurs blanches au parfum miellé. Avec ses épis de petites fleurs blanches au printemps, le laurier-cerise Prunus laurocerasus 'Otto Luyken' est ravissant lui aussi.

Arbutus unedo

Prunus laurocerasus 'Otto Luyken'

Arbres à feuilles persistantes

Les arbres à feuilles persistantes ont un feuillage, comme les arbres à feuilles caduques, mais leurs feuilles ne tombent pas à l'automne. Ils sont classés ci-dessous d'après leur nom botanique, leur nom vulgaire (s'il y a lieu) étant entre parenthèses. Les espèces et les variétés recommandées figurent aussi dans ce tableau.

La survie d'un arbre dépend de plusieurs facteurs, mais on peut assez bien juger de sa rusticité par son degré de résistance au froid. Pour savoir si une essence survit dans une région donnée, vérifier sa zone de rusticité dans la colonne intitulée «Rusticité», puis se reporter au plan qui se trouve sur les pages de garde. Le Canada y est divisé en 10 zones climatiques délimitées par la moyenne des températures minimales en hiver, par la durée des périodes sans gel et par d'autres facteurs.

Les chiffres inscrits dans la colonne de droite indiquent la hauteur et l'étalement de l'arbre dans un jardin. Certaines essences poussent plus haut à l'état sauvage.

| Arbutus (arbre à fraises) | Ilex aquifolium (houx commun) | Magnolia grandiflora (laurier-tulipier) | Prunus laurocerasus (laurier-cerise) |

Nom botanique et nom vulgaire	Rusticité (Voir pages de garde)	Caractéristiques, soins particuliers, remarques	Hauteur/étalement à maturité
Arbutus (arbre à fraises) *Arbutus unedo*	Zone 7	Feuilles dentées, luisantes et vert foncé, de 6 à 8 cm de longueur ; pétioles rouges ; branches velues. Inflorescences blanches, rosâtres ou verdâtres, groupées en grappes de 4 cm. Fruits semblables à la fraise, de 2 cm de diamètre, rouge orangé, comestibles mais peu savoureux. Fleurs et fruits apparaissent à l'automne. Écorce interne rouge, fort jolie quand meurtrissures et fissures de l'écorce externe la font apparaître. Résiste aux sols peu fertiles et aux climats difficiles.	3-7,50 m/3-7,50 m
Ilex (houx) *Ilex altaclarensis* (altaclara)	Zone 7	Arbre hybride ; feuilles luisantes de 10 cm de longueur environ, régulièrement dentées à la marge. Fruits rouges.	10,50-14 m/6-9 m
I. aquifolium (commun ou d'Europe)	Zone 7	Feuilles allongées ou ovales, de 10 cm de longueur environ, luisantes sur le dessus et à marge dentée. Fruits la plupart du temps rouge vif, jaunes chez certaines variétés. Sert de décoration à Noël.	9-12 m/9-12 m
I. opaca (d'Amérique)	Zone 7	Feuilles elliptiques, épineuses, ternes sur le dessus, vert-jaune en dessous, de 6,5 cm de longueur. Feuillage beaucoup moins coloré que celui du houx commun. Fruits généralement rouges, jaunes chez certaines variétés. Exige un sol acide, bien égoutté.	4,50-9 m/3-6 m
Magnolia (magnolia) *Magnolia grandiflora* (laurier-tulipier)	Zone 7	Feuilles allongées, coriaces, luisantes sur le dessus, brun-roux en dessous, de 20 cm de longueur. Grandes fleurs blanches et parfumées, au début ou au milieu de l'été.	18-24 m/9-15 m
M. g. 'Exmouth'	Zone 7	Feuilles étroites. Port pyramidal. Un des magnolias les plus rustiques.	9-15 m/4,50-6 m
M. g. 'Majestic Beauty'	Zone 7	Grandes feuilles lourdes, ramure abondante. Fleurs allant jusqu'à 30 cm de largeur.	10,50-15 m/6-7,50 m
M. g. 'St. Mary'	Zone 7	Feuilles plus foncées en dessous que celles de *M. grandiflora*.	18-24 m/9-15 m
Prunus (prunus) *Prunus laurocerasus* (laurier-cerise)	Zone 8	Feuilles luisantes de 15 cm. Fleurs parfumées en fin d'été. Petits fruits mauve foncé. Tolère la taille. Compose un bel écran contre le vent.	5,50-7,50 m/7,50-9 m
P. l. 'Otto Luyken'	Zone 8	Supporte l'ombre. Feuilles pointant vers le haut.	3 m/4,50 m
P. l. 'Zabeliana'	Zone 8	Feuilles étroites vert foncé, rappelant celles du saule. Port arbustif.	1,80 m/3 m

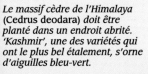

Le massif cèdre de l'Himalaya (Cedrus deodara) doit être planté dans un endroit abrité. 'Kashmir', une des variétés qui ont le plus bel étalement, s'orne d'aiguilles bleu-vert.

Cedrus deodara 'Kashmir'

Conifères

Les conifères sont des arbres qui portent des cônes ; la plupart ont des feuilles persistantes en forme d'aiguille. Le feuillage – bleu, bronze, gris, or, vert ou argent – reste généralement sur l'arbre toute l'année. Les conifères sont classés ci-dessous d'après leur nom latin. Le nom vulgaire le plus connu suit entre parenthèses et en romain. Les espèces et les variétés sont aussi indiquées.

La vitalité d'un arbre est liée à un grand nombre de facteurs parmi lesquels la résistance au gel, ou rusti-

cité. Pour savoir si une essence est en mesure de résister aux froids qui sévissent dans votre région en hiver, prenez note de sa zone de rusticité dans la colonne intitulée « Rusticité » et reportez-vous à la carte des pages de garde, au début du livre.

Les chiffres qui apparaissent dans la colonne de droite donnent la hauteur et l'étalement que l'arbre est censé atteindre s'il reçoit les soins voulus. Certaines essences, cependant, se développent davantage à l'état sauvage.

Abies concolor (sapin argenté)

Araucaria (désespoir des singes)

Calocedrus

Cedrus atlantica 'Glauca' (cèdre de l'Atlas)

Cephalotaxus

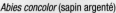

Nom botanique et nom vulgaire	Rusticité (Voir pages de garde)	Caractéristiques, soins particuliers, remarques	Hauteur/étalement à maturité
Abies (sapin)			
Abies balsamea (baumier ou blanc)	Zone 2	Feuilles vertes, brillantes, arrondies ou entaillées à la pointe. Silhouette étroite.	9-18 m/6-7,50 m
A. cephalonica (de Grèce ou de Céphalonie)	Zone 7	Feuilles en forme d'aiguille acérée, de 2,5 cm de long au plus, très étalées autour des pousses.	23-27 m/12-15 m
A. concolor (argenté ou du Colorado)	Zone 4	Aiguilles bleuâtres ou vertes et grands cônes d'un vert pourpré. Résiste assez bien à la sécheresse et à la chaleur. La meilleure espèce pour jardins de ville.	18-24 m/12-15 m
A. homolepis (Nikko)	Zone 5	Branches espacées uniformément. Aiguilles de 2,5 cm de long à bandes blanches au revers ; cônes pourpres de 10 cm de long au plus.	18-24 m/6-9 m
A. koreana (de Corée)	Zone 4	Port pyramidal remarquable. Aiguilles d'un blanc argenté au revers.	13,50-15 m/9-12 m
A. veitchii (de Veitch)	Zone 3	Aiguilles pointant vers l'extérieur et relevées, blanches au revers. Cônes d'un bleu pourpre dépassant 5 cm de long.	15-21 m/6-10,50 m
Araucaria (araucaria)			
Araucaria araucana (désespoir des singes)	Zone 8	Port remarquable, plutôt conique. Rameaux entrelacés mais peu denses, ne jetant pas beaucoup d'ombre. Feuilles vert foncé, étroitement imbriquées, rigides et très durables.	16,50-18 m/6-9 m
Calocedrus (calocedrus)			
Calocedrus decurrens	Zone 6	Petites feuilles écailleuses et brillantes très aromatiques quand on les presse entre les doigts. Écorce portant des sillons brun-rouge. Peu d'insectes attaquent cet arbre.	18-30 m/6-9 m
Cedrus (cèdre)			
Cedrus atlantica (de l'Atlas)	Zone 7	Cime conique s'élargissant avec l'âge. Feuilles vert clair de moins de 2,5 cm de long, à jolis reflets argentés. Cônes brun pâle souvent de 7,5 cm. Comme tous les cèdres, cette espèce demande beaucoup d'espace et prospère dans un sol humide mais bien drainé.	21-24 m/18-21 m
C. a. 'Fastigiata'	Zone 7	Feuilles aciculaires bleu-gris à reflets argentés. Port vertical, forme étroite.	15-21 m/9-12 m
C. a. 'Glauca' (bleu de l'Atlas)	Zone 7	Beau feuillage bleuté.	24-30 m/18-21 m
C. deodara (de l'Himalaya)	Zone 7	Branches retombantes caractéristiques de cette espèce. Feuilles de 5 cm de long, vert-bleu. Cônes rouge-brun de 13 cm de long à écailles coriaces.	21-24 m/12-15 m
C. libani (du Liban)	Zone 6	Feuilles de 2,5 cm, de vert foncé à vert clair. Cônes bruns de 10 cm de long.	21-24 m/21-24 m
C. l. 'Glauca' (glauque du Liban)	Zone 6	Ressemble beaucoup à C. libani, mais feuillage avec des reflets d'argent.	23-30 m/15-18 m
Cephalotaxus (cephalotaxus)			
Cephalotaxus harringtonia	Zone 7	Les branches retombantes portent des aiguilles vertes. Fruits ovoïdes charnus pourprés, venant à maturité un an sur deux. Bon choix sur la côte Ouest ou à l'ombre.	4,50-6 m/6-7,50 m

Les genévriers ornent magnifiquement les jardins. Le feuillage dense du genévrier de Chine (Juniperus chinensis) devient bronze doré à la saison froide. Le cèdre du Japon (Cryptomeria japonica) convient à un petit jardin où on voudra le planter seul. Les extrémités de la variété 'Cristata' forment des crêtes-de-coq.

Juniperus chinensis 'Plumosa Aurea'

Cryptomeria japonica 'Cristata'

Chamaecyparis lawsoniana (faux cyprès de Lawson)	Cryptomeria japonica (cèdre du Japon)	Cupressocyparis leylandii (cyprès de Leyland)	Cupressus (cyprès)	Juniperus chinensis (genévrier de Chine)

Nom botanique et nom vulgaire	Rusticité *(Voir pages de garde)*	Caractéristiques, soins particuliers, remarques	Hauteur/étalement à maturité
Chamaecyparis (faux cyprès)			
Chamaecyparis lawsoniana (de Lawson)	Zone 6	Branches retombantes à écorce brun-rouge. Feuilles en forme d'écaille verte ou vert-bleu. Il existe des variétés à feuillage argent, bleu, jaune ou à pointes blanches. Cônes mâles rougeâtres, cônes femelles bruns quand ils sont mûrs. Demande énormément d'humidité.	23-24 m/7,50-9 m
C. obtusa (du Japon ou Hinoki)	Zone 5	Branches plates portant des feuilles en forme d'écaille plate d'un vert brillant sur le dessus, striées de blanc au revers. Cônes brun orangé de 1 cm de large. Écorce brun-rouge. Plusieurs variétés sont de croissance lente. Certaines ne dépassent pas 90 cm à 3 m. D'autres ont un riche feuillage jaune. Exigent un sol humide.	20-21 m/9-10,50 m
C. pisifera (de Sawara)	Zone 4	Espèce pyramidale étroite à branches horizontales. Écorce brun-rouge qui se soulève par plaques chez les sujets âgés. Variétés à branches à pointes jaunes ou à feuilles bleu clair ou gris argent. Ramure peu touffue.	4,50-18 m/1,50-6 m
Cryptomeria (cryptomère)			
Cryptomeria japonica (cèdre du Japon ou Sugi)	Zone 6	Nombreuses petites feuilles en forme de poinçon, petits cônes et écorce brun rougeâtre, filamenteuse. Le feuillage brunit en hiver. Beau spécimen à planter isolément. Ne peut tolérer de longues périodes de chaleur ou de sécheresse et des vents glacés en hiver.	9-30 m/4,50-12 m
C. j. 'Lobbii'	Zone 6	Semblable à *C. japonica*, mais quelque peu plus rustique.	12-15 m/4,50-7,50 m
Cupressocyparis (cupressocyparis)			
Cupressocyparis leylandii (cyprès de Leyland)	Zone 7	Bouquets plats de feuilles en forme d'écaille vert-gris. Prospère aussi bien en sol humide qu'en terrain sec. Supporte bien la taille. Excellent pour faire des haies élevées ou des écrans. Croît rapidement.	18-21 m/3-4,50 m
Cupressus (cyprès)			
Cupressus macrocarpa (de Monterey ou de Lambert)	Zone 8	Feuilles en forme d'écaille sur quatre rangs. Les cônes femelles sont plus longs que larges. Jeune, l'arbre a une forme pyramidale ; son sommet s'élargit avec l'âge. Il se taille bien pour former haies ou coupe-vent. Le littoral lui est favorable. Pousse vite.	12-23 m/9-18 m
Juniperus (genévrier)			
Juniperus chinensis (de Chine)	Zone 4	Nombreuses variétés, certaines à feuillage vert-bleu ou bleu acier.	6-11 m/4,50-6 m
J. c. stricta	Zone 4	Forme étroite et érigée, souvent vendue sous le nom de *J. excelsa stricta*.	6-11 m/3-4,50 m
J. communis (commun)	Zone 3	Se manipule difficilement à cause de son feuillage piquant ; bonne tolérance au sel. Nombreuses variétés prostrées, mais plusieurs variétés d'arbres.	6-7,50 m/3-4,50 m
J. rigida	Zone 7	Excellent conifère à branches retombantes. Feuilles aciculaires.	7,50-10,50 m/4,50-7,50 m
J. scopulorum (des Rocheuses ou cèdre rouge de l'Ouest)	Zone 2	Se divise souvent en fourche à la base, comme *J. virginiana*. Fruits bleus mûrissant durant la deuxième année.	7,50-10,50 m/variable
J. virginiana (de Virginie ou rouge)	Zone 3	Comme beaucoup de genévriers, cette espèce présente des feuilles en aiguilles sur les jeunes branches et des feuilles en écailles sur les vieux rameaux. Fruits bleu foncé. Écorce d'un brun rougeâtre qui se soulève par bandes. Pousse bien en sol rocailleux. Variétés à aiguilles vert-gris ou teintées de jaune au sommet.	15-23 m/4,50-7,50 m

L'épinette du Colorado (Picea pungens) est aussi appelée épinette bleue pour sa couleur impressionnante; 'Globosa' est d'un bleu vibrant. Le mélèze d'Europe (Larix decidua) exige une grande profondeur de sol.

Picea pungens 'Globosa'

Larix decidua

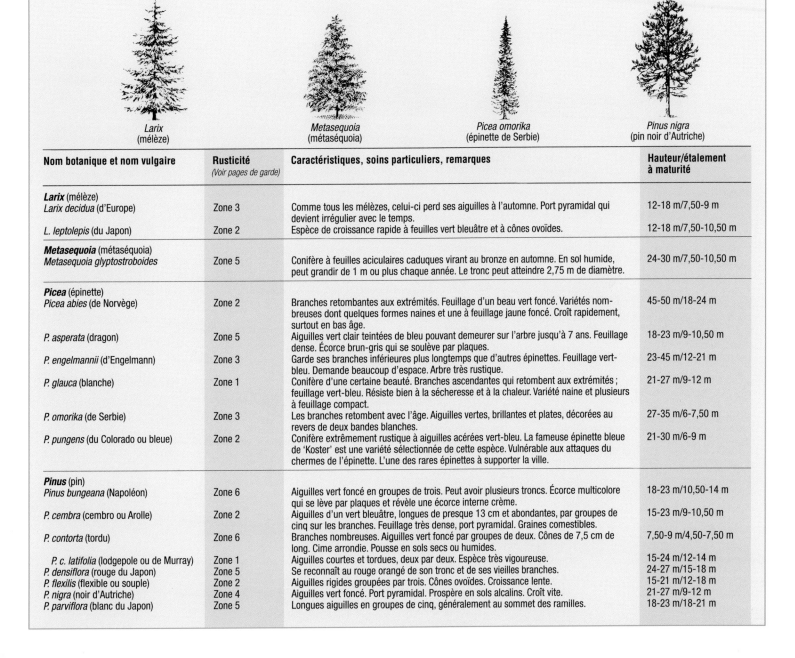

| Larix (mélèze) | Metasequoia (métaséquoia) | Picea omorika (épinette de Serbie) | Pinus nigra (pin noir d'Autriche) |

Nom botanique et nom vulgaire	Rusticité (Voir pages de garde)	Caractéristiques, soins particuliers, remarques	Hauteur/étalement à maturité
Larix (mélèze) Larix decidua (d'Europe)	Zone 3	Comme tous les mélèzes, celui-ci perd ses aiguilles à l'automne. Port pyramidal qui devient irrégulier avec le temps.	12-18 m/7,50-9 m
L. leptolepis (du Japon)	Zone 2	Espèce de croissance rapide à feuilles vert bleuâtre et à cônes ovoïdes.	12-18 m/7,50-10,50 m
Metasequoia (métaséquoia) Metasequoia glyptostroboides	Zone 5	Conifère à feuilles aciculaires caduques virant au bronze en automne. En sol humide, peut grandir de 1 m ou plus chaque année. Le tronc peut atteindre 2,75 m de diamètre.	24-30 m/7,50-10,50 m
Picea (épinette) Picea abies (de Norvège)	Zone 2	Branches retombantes aux extrémités. Feuillage d'un beau vert foncé. Variétés nombreuses dont quelques formes naines et une à feuillage jaune foncé. Croît rapidement, surtout en bas âge.	45-50 m/18-24 m
P. asperata (dragon)	Zone 5	Aiguilles vert clair teintées de bleu pouvant demeurer sur l'arbre jusqu'à 7 ans. Feuillage dense. Écorce brun-gris qui se soulève par plaques.	18-23 m/9-10,50 m
P. engelmannii (d'Engelmann)	Zone 3	Garde ses branches inférieures plus longtemps que d'autres épinettes. Feuillage vert-bleu. Demande beaucoup d'espace. Arbre très rustique.	23-45 m/12-21 m
P. glauca (blanche)	Zone 1	Conifère d'une certaine beauté. Branches ascendantes qui retombent aux extrémités; feuillage vert-bleu. Résiste bien à la sécheresse et à la chaleur. Variété naine et plusieurs à feuillage compact.	21-27 m/9-12 m
P. omorika (de Serbie)	Zone 3	Les branches retombent avec l'âge. Aiguilles vertes, brillantes et plates, décorées au revers de deux bandes blanches.	27-35 m/6-7,50 m
P. pungens (du Colorado ou bleue)	Zone 2	Conifère extrêmement rustique à aiguilles acérées vert-bleu. La fameuse épinette bleue de 'Koster' est une variété sélectionnée de cette espèce. Vulnérable aux attaques du chermes de l'épinette. L'une des rares épinettes à supporter la ville.	21-30 m/6-9 m
Pinus (pin) Pinus bungeana (Napoléon)	Zone 6	Aiguilles vert foncé en groupes de trois. Peut avoir plusieurs troncs. Écorce multicolore qui se lève par plaques et révèle une écorce interne crème.	18-23 m/10,50-14 m
P. cembra (cembro ou Arolle)	Zone 2	Aiguilles d'un vert bleuâtre, longues de presque 13 cm et abondantes, par groupes de cinq sur les branches. Feuillage très dense, port pyramidal. Graines comestibles.	15-23 m/9-10,50 m
P. contorta (tordu)	Zone 6	Branches nombreuses. Aiguilles vert foncé par groupes de deux. Cônes de 7,5 cm de long. Cime arrondie. Pousse en sols secs ou humides.	7,50-9 m/4,50-7,50 m
P. c. latifolia (lodgepole ou de Murray)	Zone 1	Aiguilles courtes et tordues, deux par deux. Espèce très vigoureuse.	15-24 m/12-14 m
P. densiflora (rouge du Japon)	Zone 5	Se reconnaît au rouge orangé de son tronc et de ses vieilles branches.	24-27 m/15-18 m
P. flexilis (flexible ou souple)	Zone 2	Aiguilles rigides groupées par trois. Cônes ovoïdes. Croissance lente.	15-21 m/12-18 m
P. nigra (noir d'Autriche)	Zone 4	Aiguilles vert foncé. Port pyramidal. Prospère en sols alcalins. Croît vite.	21-27 m/9-12 m
P. parviflora (blanc du Japon)	Zone 5	Longues aiguilles en groupes de cinq, généralement au sommet des ramilles.	18-23 m/18-21 m

Le pin sylvestre (Pinus sylvestris), un arbre à croissance lente, peut mettre 40 ans à produire des fleurs et des cones. Le faux mélèze du Japon (Pseudolarix amabilis), par contre, est un conifère à croissance rapide.

Pinus sylvestris

Pseudolarix amabilis

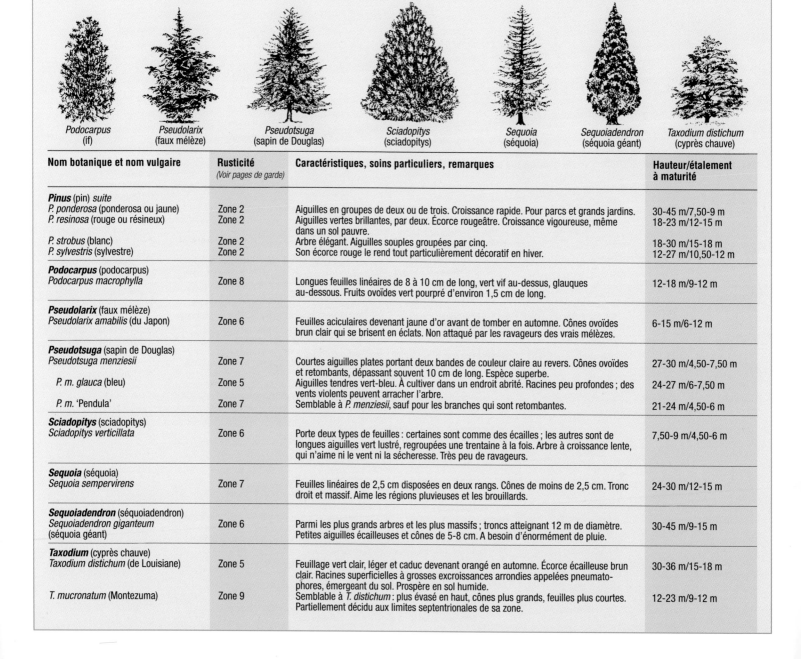

Podocarpus (if)	Pseudolarix (faux mélèze)	Pseudotsuga (sapin de Douglas)	Sciadopitys (sciadopitys)	Sequoia (séquoia)	Sequoiadendron (séquoia géant)	Taxodium distichum (cyprès chauve)

Nom botanique et nom vulgaire	Rusticité (Voir pages de garde)	Caractéristiques, soins particuliers, remarques	Hauteur/étalement à maturité
Pinus (pin) *suite*			
P. ponderosa (ponderosa ou jaune)	Zone 2	Aiguilles en groupes de deux ou de trois. Croissance rapide. Pour parcs et grands jardins.	30-45 m/7,50-9 m
P. resinosa (rouge ou résineux)	Zone 2	Aiguilles vertes brillantes, par deux. Écorce rougeâtre. Croissance vigoureuse, même dans un sol pauvre.	18-23 m/12-15 m
P. strobus (blanc)	Zone 2	Arbre élégant. Aiguilles souples groupées par cinq.	18-30 m/15-18 m
P. sylvestris (sylvestre)	Zone 2	Son écorce rouge le rend tout particulièrement décoratif en hiver.	12-27 m/10,50-12 m
Podocarpus (podocarpus)			
Podocarpus macrophylla	Zone 8	Longues feuilles linéaires de 8 à 10 cm de long, vert vif au-dessus, glauques au-dessous. Fruits ovoïdes vert pourpré d'environ 1,5 cm de long.	12-18 m/9-12 m
Pseudolarix (faux mélèze)			
Pseudolarix amabilis (du Japon)	Zone 6	Feuilles aciculaires devenant jaune d'or avant de tomber en automne. Cônes ovoïdes brun clair qui se brisent en éclats. Non attaqué par les ravageurs des vrais mélèzes.	6-15 m/6-12 m
Pseudotsuga (sapin de Douglas)			
Pseudotsuga menziesii	Zone 7	Courtes aiguilles plates portant deux bandes de couleur claire au revers. Cônes ovoïdes et retombants, dépassant souvent 10 cm de long. Espèce superbe.	27-30 m/4,50-7,50 m
P. m. glauca (bleu)	Zone 5	Aiguilles tendres vert-bleu. À cultiver dans un endroit abrité. Racines peu profondes ; des vents violents peuvent arracher l'arbre.	24-27 m/6-7,50 m
P. m. 'Pendula'	Zone 7	Semblable à P. menziesii, sauf pour les branches qui sont retombantes.	21-24 m/4,50-6 m
Sciadopitys (sciadopitys)			
Sciadopitys verticillata	Zone 6	Porte deux types de feuilles : certaines sont comme des écailles ; les autres sont de longues aiguilles vert lustré, regroupées une trentaine à la fois. Arbre à croissance lente, qui n'aime ni le vent ni la sécheresse. Très peu de ravageurs.	7,50-9 m/4,50-6 m
Sequoia (séquoia)			
Sequoia sempervirens	Zone 7	Feuilles linéaires de 2,5 cm disposées en deux rangs. Cônes de moins de 2,5 cm. Tronc droit et massif. Aime les régions pluvieuses et les brouillards.	24-30 m/12-15 m
Sequoiadendron (séquoiadendron)			
Sequoiadendron giganteum (séquoia géant)	Zone 6	Parmi les plus grands arbres et les plus massifs ; troncs atteignant 12 m de diamètre. Petites aiguilles écailleuses et cônes de 5-8 cm. A besoin d'énormément de pluie.	30-45 m/9-15 m
Taxodium (cyprès chauve)			
Taxodium distichum (de Louisiane)	Zone 5	Feuillage vert clair, léger et caduc devenant orangé en automne. Écorce écailleuse brun clair. Racines superficielles à grosses excroissances arrondies appelées pneumatophores, émergeant du sol. Prospère en sol humide.	30-36 m/15-18 m
T. mucronatum (Montezuma)	Zone 9	Semblable à T. distichum : plus évasé en haut, cônes plus grands, feuilles plus courtes. Partiellement décidu aux limites septentrionales de sa zone.	12-23 m/9-12 m

L'if commun (Taxus baccata)
peut être planté seul avec bonheur ;
il se transforme en magnifiques
topiaires et donne de belles haies.
'Dovastoniana' est une
variété tapissante.

Taxus baccata 'Dovastoniana'

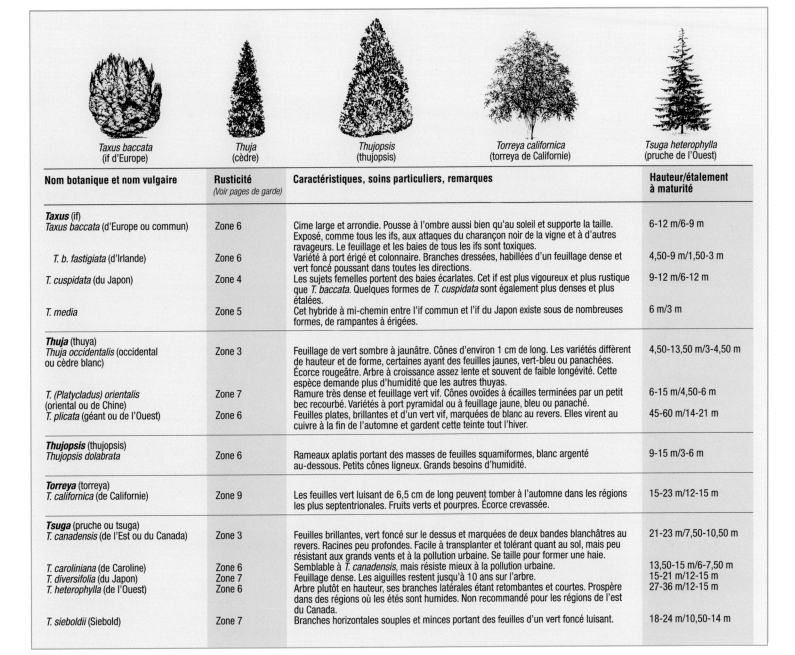

Taxus baccata (if d'Europe)	Thuja (cèdre)	Thujopsis (thujopsis)	Torreya californica (torreya de Californie)	Tsuga heterophylla (pruche de l'Ouest)

Nom botanique et nom vulgaire	Rusticité (Voir pages de garde)	Caractéristiques, soins particuliers, remarques	Hauteur/étalement à maturité
Taxus (if) Taxus baccata (d'Europe ou commun)	Zone 6	Cime large et arrondie. Pousse à l'ombre aussi bien qu'au soleil et supporte la taille. Exposé, comme tous les ifs, aux attaques du charançon noir de la vigne et à d'autres ravageurs. Le feuillage et les baies de tous les ifs sont toxiques.	6-12 m/6-9 m
T. b. fastigiata (d'Irlande)	Zone 6	Variété à port érigé et colonnaire. Branches dressées, habillées d'un feuillage dense et vert foncé poussant dans toutes les directions.	4,50-9 m/1,50-3 m
T. cuspidata (du Japon)	Zone 4	Les sujets femelles portent des baies écarlates. Cet if est plus vigoureux et plus rustique que T. baccata. Quelques formes de T. cuspidata sont également plus denses et plus étalées.	9-12 m/6-12 m
T. media	Zone 5	Cet hybride à mi-chemin entre l'if commun et l'if du Japon existe sous de nombreuses formes, de rampantes à érigées.	6 m/3 m
Thuja (thuya) Thuja occidentalis (occidental ou cèdre blanc)	Zone 3	Feuillage de vert sombre à jaunâtre. Cônes d'environ 1 cm de long. Les variétés diffèrent de hauteur et de forme, certaines ayant des feuilles jaunes, vert-bleu ou panachées. Écorce rougeâtre. Arbre à croissance assez lente et souvent de faible longévité. Cette espèce demande plus d'humidité que les autres thuyas.	4,50-13,50 m/3-4,50 m
T. (Platycladus) orientalis (oriental ou de Chine)	Zone 7	Ramure très dense et feuillage vert vif. Cônes ovoïdes à écailles terminées par un petit bec recourbé. Variétés à port pyramidal ou à feuillage jaune, bleu ou panaché.	6-15 m/4,50-6 m
T. plicata (géant ou de l'Ouest)	Zone 6	Feuilles plates, brillantes et d'un vert vif, marquées de blanc au revers. Elles virent au cuivre à la fin de l'automne et gardent cette teinte tout l'hiver.	45-60 m/14-21 m
Thujopsis (thujopsis) Thujopsis dolabrata	Zone 6	Rameaux aplatis portant des masses de feuilles squamiformes, blanc argenté au-dessous. Petits cônes ligneux. Grands besoins d'humidité.	9-15 m/3-6 m
Torreya (torreya) T. californica (de Californie)	Zone 9	Les feuilles vert luisant de 6,5 cm de long peuvent tomber à l'automne dans les régions les plus septentrionales. Fruits verts et pourprés. Écorce crevassée.	15-23 m/12-15 m
Tsuga (pruche ou tsuga) T. canadensis (de l'Est ou du Canada)	Zone 3	Feuilles brillantes, vert foncé sur le dessus et marquées de deux bandes blanchâtres au revers. Racines peu profondes. Facile à transplanter et tolérant quant au sol, mais peu résistant aux grands vents et à la pollution urbaine. Se taille pour former une haie.	21-23 m/7,50-10,50 m
T. caroliniana (de Caroline)	Zone 6	Semblable à T. canadensis, mais résiste mieux à la pollution urbaine.	13,50-15 m/6-7,50 m
T. diversifolia (du Japon)	Zone 7	Feuillage dense. Les aiguilles restent jusqu'à 10 ans sur l'arbre.	15-21 m/12-15 m
T. heterophylla (de l'Ouest)	Zone 6	Arbre plutôt en hauteur, ses branches latérales étant retombantes et courtes. Prospère dans des régions où les étés sont humides. Non recommandé pour les régions de l'est du Canada.	27-36 m/12-15 m
T. sieboldii (Siebold)	Zone 7	Branches horizontales souples et minces portant des feuilles d'un vert foncé luisant.	18-24 m/10,50-14 m

Les genévriers sont très rustiques et ils embellissent toujours un jardin. Le genévrier rampant (Juniperus horizontalis 'Blue Chip') fait un magnifique couvre-sol bleuté, en tout temps de l'année.

Juniperus horizontalis 'Blue Chip'

Conifères nains pour bordures et rocailles

Les espèces suivantes ont une hauteur très limitée, variant entre une dizaine de centimètres et 50 cm. Elles se cultivent le long d'un mur, dans une rocaille, dans un bac ou là où l'espace est restraint.

Le terme « nain » qualifie généralement une croissance extrêmement lente plutôt qu'il ne décrit la taille de l'espèce. Lorsqu'on les achète très jeunes, c'est-à-dire quand ils n'ont encore que quelques centimètres de hauteur, les conifères nains conservent une taille relativement petite pendant de nombreuses années.

Pour savoir si un conifère nain peut survivre l'hiver dans votre région, notez sa zone de rusticité dans la colonne intitulée « Rusticité », puis reportez-vous à la carte donnée aux pages de garde.

Sauf indication contraire, les conifères nains ont les mêmes exigences culturales que les grands conifères.

	Nom botanique et nom vulgaire	Rusticité *(Voir pages de garde)*	Caractéristiques, soins particuliers, remarques
Abies balsamea hudsonia (sapin baumier)	**Abies** (sapin) *Abies balsamea hudsonia*	Zone 1	Feuilles arrondies, vert foncé, aromatiques et de près de 2,5 cm de long. Les jeunes branches poussent horizontalement, donnant à la plante une silhouette aplatie. Vient bien en sol légèrement alcalin.
	A. koreana 'Prostrate Beauty'	Zone 4	Feuilles à limbe vert-gris et brillant sur le dessus, argenté au revers. Forme peu étalée du sapin de Corée. Hauteur de 60 cm et étalement de 1,20 m à 14 ans.
	A. lasiocarpa 'Compacta'	Zone 2	Feuilles bleu argent de 4 cm de long. Branches à écorce liégeuse gris clair, poussant symétriquement par rapport au tronc. Port conique.
	A. procera 'Prostrata'	Zone 6	Feuillage bleuté avec un effet cireux. Les branches s'étalent à l'horizontale de façon asymétrique, créant un effet informel très agréable.
Cedrus deodara 'Aurea Pendula' (cèdre de l'Himalaya)	**Cedrus** (cèdre) *Cedrus atlantica* 'Glauca Pendula' *C. deodara* 'Aurea Pendula'	Zone 6 Zone 7	Feuillage gris-bleu pendant avec grâce, aux branches retombantes. Feuillage jaune clair au printemps, tournant à l'or pendant l'été. Arbre presque prostré. Couper les nouvelles pousses qui pointent vers le haut.
Chamaecyparis lawsoniana 'Minima Aurea' (faux cyprès de Lawson)	**Chamaecyparis** (faux cyprès) *Chamaecyparis lawsoniana* 'Minima Aurea'	Zone 6	Les extrémités des nouvelles pousses sont jaune clair, mais deviennent vert jaunâtre ou vert franc l'année suivante. Branches entrelacées. Port arrondi devenant conique avec l'âge.
	C. l. 'Minima Glauca' *C. pisifera* 'Nana'	Zone 6 Zone 4	Feuilles vert-gris ou bleuâtres ; branches entrelacées donnant un port arrondi. Les feuilles sont groupées en forme d'éventail. Le port est arrondi chez les sujets jeunes ; la base est étalée et la cime prend la forme d'un dôme chez les sujets adultes.
Cryptomeria japonica 'Vilmoriniana' (cèdre du Japon)	**Cryptomeria** (cèdre du Japon) *Cryptomeria japonica* 'Compressa'	Zone 6	Plante buissonnante à nombreux rameaux et ramilles ascendants. Feuilles petites et fines chez les jeunes sujets, longues et recourbées en poinçon chez les sujets plus âgés. Ne dépasse pas 60 cm de hauteur et 75 cm d'étalement en 30 ans.
	C. j. 'Cristata'	Zone 6	Nouvelles pousses cristées aux extrémités et garnies de bouquets de feuilles très serrées. Cônes sphériques d'environ 2,5 cm de diamètre.
	C. j. 'Globose Nana'	Zone 6	Feuillage vert clair. Silhouette conique chez les sujets jeunes ; cime arrondie chez les sujets adultes.
	C. j. 'Vilmoriniana'	Zone 6	En hiver, le feuillage prend une belle teinte bronze rougeâtre. Variété de croissance lente à port dense et arrondi.
Juniperus communis 'Compressa' (genévrier commun)	**Juniperus** (genévrier) *Juniperus chinensis* 'Pfitzeriana Aurea'	Zone 1	Renommé pour ses branches gracieusement retombantes. Pousses terminales d'un jaune intense, devenant plus tard vert jaunâtre.
	J. c. 'Echiniformis'	Zone 2	Ramure extrêmement dense et compacte ; feuilles vert foncé légèrement épineuses. Variété recommandée pour les rocailles ou pour la culture en bac. Ne dépasse pas 15 cm de hauteur et 30 cm d'étalement en 10 ans.
	J. communis 'Compressa'	Zone 4	Aiguilles gris-bleu. Très ramifié, frondaison dense, silhouette élancée, port colonnaire ; conifère idéal là où il y a peu d'espace, puisqu'il dépasse rarement 1 m de hauteur. Belle plante de rocaille.
	J. horizontalis 'Blue Chip'	Zone 2	Forme rampante à beau feuillage bleu. Cette espèce forme un tapis très attrayant si on plante plusieurs sujets ensemble.

Le pin de montagne (Pinus mugo),
très rustique, a une croissance lente.
Mais il s'étale beaucoup avec le temps.
C'est pourquoi la variété 'mugho'
convient mieux aux petits espaces.

Pinus mugo

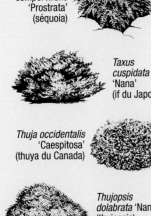

	Nom botanique et nom vulgaire	Rusticité *(Voir pages de garde)*	Caractéristiques, soins particuliers, remarques
Picea abies 'Nidiformis' (épinette rouge)	**Picea** (épinette) *Picea abies* 'Nidiformis'	Zone 2	Cime aplatie formée d'un entrelacs de branches garnies d'aiguilles filiformes vert foncé. Hauteur maximale de 1 m.
	P. glauca albertiana 'Conica'	Zone 3	Feuillage tendre, vert gazon. Port pyramidal et buissonnant d'une très grande régularité et très attrayant. En 40 ans, sa hauteur pourra rester inférieure à 3 m.
	P. mariana 'Nana'	Zone 2	Arbuste en boule irrégulière à délicates feuilles gris-bleu et denses sur des pousses qui irradient vers l'extérieur. Conifère intéressant pour les rocailles.
Pinus mugo mugo (pin mugho)	**Pinus** (pin) *Pinus densiflora* 'Umbraculifera'	Zone 5	Les jeunes sujets ont un port globuleux qui s'apparente davantage au parasol avec l'âge. Chez les sujets âgés, l'écorce rouge se lève par plaques.
	P. mugo mugo	Zone 2	Ramure très dense à aiguilles vert foncé d'environ 4 cm de long. Hauteur et étalement n'excéderont pas 1,50 m après 50 ans.
	P. strobus 'Nana'	Zone 3	Ramure irrégulière donnant à la plante une silhouette conique à plusieurs flèches. La cime s'étale à mesure que la plante vieillit.
	P. sylvestris 'Watereri'	Zone 3	Feuilles bleu-vert d'au plus 4 cm de long sur des branches à demi érigées. Ramure très dense. La hauteur peut excéder 4 m après 25 ans si la plante n'est pas taillée chaque année.
Pseudotsuga menziesii 'Nana' (sapin de Douglas)	**Pseudotsuga** (sapin de Douglas) *Pseudotsuga menziesii* 'Nana'	Zone 7	Feuilles vert-bleu. Port arrondi, mais silhouette quelque peu irrégulière. Mesure environ 18 cm de haut et autant d'étalement après 10 ans.
Sequoia sempervirens 'Prostrata' (séquoia)	**Sequoia** (séquoia) *Sequoia sempervirens* 'Adpressa'	Zone 7	Feuilles de 1,5 cm de long, aux extrémités crème chez les sujets jeunes. Aspect de buisson étalé au feuillage allant du gris-vert au bleu-vert.
	S. s. 'Prostrata'	Zone 7	Feuilles comme des aiguilles gris-bleu, courtes et larges. Forme presque rampante : branches principales prostrées mais rameaux légèrement remontants. À 15 ans, sujets deux fois plus larges (2,40 m) que hauts.
Taxus cuspidata 'Nana' (if du Japon)	**Taxus** (if) *Taxus baccata* 'Compacta'	Zone 6	Feuillage vert foncé brillant tournant au brun-roux l'hiver. Les branches remontantes, très compactes, croissent lentement.
	T. cuspidata 'Aurescens'	Zone 4	Feuillage jaune vif devenant vert l'année suivante. Ramilles dressées se développant sur des branches ascendantes.
	T. c. 'Nana' (du Japon)	Zone 4	Feuilles courtes et vert foncé. Branches horizontales.
Thuja occidentalis 'Caespitosa' (thuya du Canada)	**Thuja** (thuya) *Thuja occidentalis* 'Caespitosa'	Zone 3	Véritable arbre miniature à cime arrondie et feuilles retombantes allant du vert au jaune. Excellente plante de rocaille.
	T. o. 'Hetz Midget'	Zone 3	Semblable à *T. o.* 'Caespitosa', mais à feuillage jaune d'or.
	T. o. 'Rheingold'	Zone 3	Feuillage jaune-vert en été, devenant cuivre en hiver. Atteint 1,80 m en 30 ans. Port pyramidal.
	T. orientalis 'Aurea Nana'	Zone 7	Feuilles vert-jaune portées sur des ramilles verticales. Port arrondi et feuillage dense. Espèce recommandée pour les rocailles.
	T. plicata 'Cuprea'	Zone 7	Nouvelles pousses jaune d'or. Forme conique. Ne dépasse pas 60 cm.
Thujopsis dolabrata 'Nana' (thujopsis)	**Thujopsis** (thujopsis) *Thujopsis dolabrata* 'Nana'	Zone 6	Plante à croissance lente, à feuilles brillantes de 3 mm sur des rameaux étroits. À 50 ans, peut ne pas dépasser 60 cm en hauteur et 2,40 m en étalement.
Tsuga canadensis 'Pendula' (pruche)	**Tsuga** (pruche) *Tsuga canadensis* 'Hussii'	Zone 4	Petites ramilles couvertes de feuilles. Les pousses terminales dépourvues de flèches donnent à cette espèce une silhouette irrégulière. Port érigé.
	T. c. 'Pendula'	Zone 4	Cette pruche peut dépasser 3 m si elle n'est pas taillée tous les ans. La planter près des murs de soutènement, où elle se trouvera à l'abri des grands vents.

Le magnolia étoilé (Magnolia stellata), ainsi nommé pour la forme de ses fleurs blanches et aromatiques, peut atteindre la taille de 3 m.

Magnolia stellata

ARBUSTES ET PLANTES GRIMPANTES

Les arbustes comptent parmi les plantes les plus utiles. Non seulement servent-ils à mettre d'autres plantes du jardin en valeur, mais ils sont eux-mêmes très décoratifs.

C'est par leur mode de croissance plutôt que par leur taille que les arbustes diffèrent des arbres. Les uns et les autres présentent des branches robustes et ligneuses qui ne meurent pas en hiver. Mais, alors que les arbres ont, en règle générale, un tronc unique d'où partent les branches, les arbustes se ramifient généralement au niveau du sol ou juste au-dessus.

C'est ainsi que le lilas commun, ou lilas des jardins *(Syringa vulgaris),* appartient à la catégorie des arbustes, alors même qu'il peut atteindre 6 m de hauteur, tandis que le cornouiller de Floride *(Cornus florida),* qui n'ex-

cède pas 3 m de hauteur, se range parmi les arbres.

On peut, par le rabattage ou la taille, donner à un grand arbuste l'aspect d'un petit arbre tout comme on peut forcer un arbre à prendre le port d'un arbuste.

Enfin, la plupart des plantes grimpantes se classent parmi les arbustes à cause de leurs branches ligneuses persistantes.

Qu'ils se dressent en hauteur ou qu'ils s'étalent en couvre-sols, les arbustes jouent un rôle prépondérant dans l'aménagement d'un jardin ou d'une bordure. Ils forment le cadre

permanent dans lequel viennent s'insérer, année après année, ces éléments de fantaisie que sont les plantes annuelles.

En hiver, ils constituent souvent le seul élément coloré — certains par leur feuillage persistant, d'autres avec les petites baies qui décorent leurs branches, d'autres encore par la couleur de leur écorce — pour rappeler le jardin qui sommeille sous la neige.

Feuillage caduc ou persistant Les plantes à feuillage caduc sont celles dont les feuilles tombent chaque automne. Elles passent l'hiver en état de dormance pour reprendre leur croissance au printemps. Par rapport aux plantes à feuillage persistant, c'est-à-dire qui gardent leurs feuilles toute l'année, les plantes à feuillage

caduc ont souvent cette qualité de déployer au printemps ou en été leurs admirables fleurs et de s'éteindre à l'automne dans un flamboiement de teintes fauves. En général, elles sont moins coûteuses que les plantes à feuillage persistant et leur croissance est plus rapide.

Mais ces dernières ont aussi leurs atouts. En plus de conserver leur couleur en hiver, plusieurs d'entre elles prospèrent à l'ombre et font un agréable contraste avec la végétation plus exubérante et plus colorée des autres plantations du jardin.

Parmi les plantes à feuillage persistant, on distingue celles qui portent de grandes feuilles et celles qui ont des aiguilles. Plus on descend vers le sud, plus le nombre des espèces à grandes feuilles persistantes

La glycine, plante grimpante rustique à feuilles caduques, se couvre de fleurs parfumées à la fin du printemps et au début de l'été.

Syringa vulgaris 'Charles Joly'   *Syringa vulgaris* 'Madame Lemoine'

Les lilas, comme les deux variétés à gauche, l'emportent sur tous les arbustes à fleurs pour l'abondance et la beauté de leur floraison.

augmente. Des plantes comme le magnolia se caractérisent par des variétés à feuillage persistant croissant dans le sud et par d'autres à feuillage caduc croissant plus au nord. D'autres encore, comme le troène de Californie *(Ligustrum ovalifolium)*, ne perdent leurs feuilles que dans les régions où l'hiver est rigoureux. D'autres enfin, comme le laurier de montagne *(Kalmia latifolia)* et le *Rhododendron maximum*, gardent toujours leur feuillage vert.

Les conifères prospèrent dans la plupart des régions du Canada. Leur silhouette et leurs coloris diffèrent, d'une espèce à l'autre, plus que leur feuillage. Aussi les regroupe-t-on souvent, au jardin, avec des arbustes à feuilles caduques.

Avant de choisir des arbustes, il est préférable de consulter la carte des zones de rusticité, aux pages de garde. On tiendra compte également de la nature du sol — sablonneux ou argileux —, de son pH, de l'humidité ambiante, des températures extrêmes, des précipitations, de l'ensoleillement, de l'altitude ou du voisinage de la mer.

Le tableau qui commence à la page 84 présente les caractéristiques des principaux arbustes et indique les soins particuliers qu'ils exigent. On obtiendra des renseignements très précis en s'adressant à une pépinière réputée ou en consultant un fonctionnaire autorisé du ministère provincial de l'Agriculture.

Utilisation des arbustes On distingue quatre types de silhouettes chez les arbustes : érigée, arrondie, pleureuse ou étalée. On choisira celle qui convient le mieux.

Si l'on recherche une haie pour servir de brise-vent, on aura raison de choisir, par exemple, le myrique de Pennsylvanie *(Myrica pensylvanica)*, arbuste résistant à port érigé, tandis que le buis commun *(Buxus sempervirens)*, de forme arrondie et supportant bien la taille, sera le bon sujet pour une haie basse destinée à simplement limiter la propriété.

Les arbustes épineux constituent un bon mur de défense contre les cambrioleurs. C'est donc une bonne idée que d'en planter sous une fenêtre au premier étage.

Si le jardin qu'on veut embellir est petit, on n'ira pas choisir une viorne à port arrondi qui manquerait d'espace longtemps avant d'avoir atteint une hauteur intéressante.

Par contre, là où il y a de l'espace ou pour masquer les vues indésirables, comme le coin à compost, de grandes plantes à feuillage persistant conviennent mieux : cèdre *(Thuja occidentalis)*, rhododendron, laurier de montagne *(Kalmia latifolia)*, houx *(Ilex)*, ou genévrier érigé. Efficaces durant la belle saison, les arbustes à feuillage caduc le seraient moins en hiver avec leurs branches dénudées.

Bien utilisés, les arbustes servent à structurer l'espace ; ils guident tout naturellement l'œil et le pas vers les points d'intérêt que l'on désire mettre en valeur. Dans un petit jardin, ils peuvent modifier la perspective et donner l'impression d'une plus grande profondeur.

Les arbustes et les plantes tapissantes ou grimpantes peuvent servir à dissimuler à la vue des aspects peu esthétiques de la maison ou du jardin. Le genévrier rampant masque parfaitement une bouche d'accès sans empêcher d'en soulever le couvercle. Une clôture en chaînons métalliques disparaît sous le beau manteau d'un chèvrefeuille de Dropmore. Cet hybride développé au Manitoba est une plante grimpante robuste et durable qui conserve de belles fleurs tubulaires rouges depuis le milieu de l'été jusqu'aux premiers gels.

Là où le climat est doux, les diverses variétés grimpantes du lierre commun *(Hedera helix)* font d'une clôture un écran de feuillage ou constituent, contre un mur en blocs de ciment, un bel arrière-plan de verdure pour plantes florifères. Un chèvrefeuille à feuilles persistantes *(Lonicera nitida)* attaché à un treillage masque à merveille des poubelles,

un tas de compost ou une remise à outils tout en parfumant délicieusement l'air.

Plusieurs espèces d'arbustes ont l'avantage de se couvrir en saison de fleurs odorantes ; on les plante de préférence près des portes et des fenêtres. Le lilas, le seringa et certaines viornes appartiennent à cette catégorie ; ils ajoutent beaucoup au charme d'une terrasse, d'un parterre ou d'une piscine.

Certains arbustes préfèrent la mi-ombre ; ils servent à décorer les zones ombragées du jardin. Tels sont notamment l'hamamélis *(Hamamelis virginiana)* et l'hydrangée. Le daphné, le magnolia, le skimmia et plusieurs viornes se passent également très bien du plein soleil.

Les coloris Par leurs coloris, les arbustes jouent un rôle important dans l'aménagement du jardin, et leur emplacement doit être calculé avec soin puisque ce sont des plantations permanentes.

Il faut savoir, avant d'arrêter son choix, si l'on veut que deux arbustes voisins soient en fleur en même temps, et, dans l'affirmative, si les coloris de leurs fleurs se marient bien. Doit-on opter pour l'arbuste à larges feuilles persistantes décoré en saison de fleurs et de fruits ou pour celui qui, à cause de son feuillage caduc, change d'aspect de saison en saison ? Peut-on les grouper ou doit-on les planter séparément ?

Les possibilités d'arrangement sont presque infinies, et il faut d'abord se faire une vue d'ensemble. C'est le moment pour le jardinier de se transformer en artiste. Il peut élaborer une tapisserie en faisant alterner des arbustes hauts en couleur avec des arbustes monochromes, ou avec des sujets de couleur contrastante. Ou il peut, au contraire, souligner un effet avec d'importants massifs d'un même arbuste, ou d'arbustes différents mais de même couleur.

Il ne faut pas oublier non plus les saisons. Il y a des arbustes dont

l'aspect est rafraîchissant en été, d'autres qui offrent un contraste réconfortant contre le blanc de l'hiver.

Certains principes peuvent guider l'amateur dans son choix. Par exemple, il est toujours heureux d'associer un feuillage teinté de gris à des fleurs blanches aux abords d'une pièce d'eau. Les arbustes à feuilles grises ou argentées se placent très bien entre des arbustes au feuillage vivement coloré qu'il serait difficile de juxtaposer. L'un des plus beaux, de ce point de vue, est *Elaeagnus commutata* dont le feuillage argenté luit doucement au soleil.

Le mariage du bleu et du blanc contre un mur de brique est toujours très heureux. On obtient un tel effet en groupant des variétés à fleurs blanches et des variétés à fleurs bleues de l'espèce *Buddleja davidii* dont la floraison a lieu à la fin de l'été.

Plutôt que de grouper des arbustes dont les coloris contrasteraient trop fortement, il est préférable de marier des tons dégradés comme des nuances d'argent, de gris et de rose, ou encore de combiner le bleu, le mauve, le rose, le pourpre et le blanc.

Cela ne veut pas dire de bannir tous les contrastes appuyés. Voici dans ce sens une combinaison qui ne rate jamais son effet. Un tapis de bruyère herbacée *(Erica carnea)* avec des teintes de vert foncé tirant sur le bronze, au pied d'un hamamélis encore couvert de fleurs jaune vif, voilà qui créera un superbe jeu de couleurs à une saison où le jardin est déjà presque dépouillé et décoloré.

Judicieusement dosée, la couleur ne sert pas qu'à embellir le jardin, elle peut aussi en modifier les perspectives. Des teintes douces utilisées à l'extrémité d'une propriété créent une impression de profondeur. Cet effet sera d'autant plus prononcé qu'on aura su choisir des arbustes à feuillage vivement coloré pour décorer les abords du jardin. Il suffirait d'en ajouter quelques autres sur des plans intermédiaires ou à mi-chemin pour multiplier les perspectives.

La symphorine à fruits blancs (Symphoricarpos albus) peut constituer, au choix, un couvre-sol ou un arbuste de bonne taille.

Symphoricarpos albus

Plantation et entretien

Comment planter des arbustes de plein vent

Dans les pépinières, les arbustes sont vendus sous trois formes : dans des pots, à racines nues, ou emmottés.

Les arbustes livrés en pots sont des plants bien établis, cultivés dans des pots de tourbe ou d'un succédané de tourbe. Ils peuvent être plantés en pleine terre en toute saison, sauf en plein hiver. Si la transplantation s'effectue en été, bien arroser le sol jusqu'à l'automne ; la sécheresse serait fatale aux plantes nouvellement transplantées.

Les arbustes emmottés ont leurs racines entourées d'une motte de terre retenue par de la toile de jute. Les plantes dont la reprise est difficile sont souvent livrées de cette façon pour que leur système radiculaire ne soit pas endommagé. Les plantes dont la reprise se fait facilement sont vendues non emmottées.

Les arbustes emmottés ou à racines nues sont mis en terre de préférence à l'automne ou au tout début de l'hiver, une fois la dormance établie mais avant que la terre gèle, ou alors, tôt au printemps. Transplanter les espèces à feuilles persistantes plus tôt à l'automne ou plus tard au printemps.

Avant de transplanter, il faut d'abord préparer le sol. Tout d'abord, retirer de la plate-bande toutes les mauvaises herbes vivaces. Creuser un trou de la profondeur de la bêche et le laisser en attente pendant deux semaines si possible. Si la plantation ne peut attendre, tasser fermement le fond du trou avec les pieds.

Si on veut planter plusieurs arbustes, il faut prévoir l'espacement et marquer l'emplacement de chaque plan. L'espacement doit être égal à la moitié de l'étalement total de chacun. Par exemple, deux arbustes dont l'étalement sera respectivement de 1,20 m et de 1,80 m seront plantés à 1,50 m l'un de l'autre.

Creuser un trou dont la profondeur sera égale à celle du pot ou de la motte et le diamètre légèrement supérieur. Si les racines de la plante sont nues, leur ménager assez d'espace pour qu'elles s'étalent bien.

Ajuster la profondeur du trou à la plante elle-même. Si elle est en pot, la surface du mélange terreux doit être de niveau avec le sol ; si elle est emmottée ou à racines nues, aligner avec le sol l'ancienne marque laissée sur la tige par la terre. Ne pas retirer l'enveloppe de jute.

Mélanger la terre retirée du trou à du compost bien décomposé, du fumier ou de la tourbe à raison de deux volumes de terre pour un volume de matières organiques. Ameublir la terre au fond du trou et nettoyer la plante (voir ci-dessous).

Avant de retirer les arbustes de leur pot, bien arroser. Examiner le système radiculaire ; s'il est clairsemé, mieux vaut retourner l'arbuste à la pépinière.

Sur un plant à nu, il est facile de détecter les parties de racines abîmées et de les éliminer. Étaler ensuite les racines saines sur un petit monticule ménagé au fond du trou.

Installer l'arbuste dans le trou de la plantation en le tenant bien droit par la base du tronc. Distribuer la terre préparée tout autour. Pour les sujets en pot ou en motte, remplir le trou à moitié, arroser généreusement et attendre que l'eau ait été absorbée avant de continuer le remplissage. Tasser fermement la terre ; en remettre d'autre et bien fouler encore une fois. Détremper le sol entourant l'arbuste.

Si les racines de l'arbuste sont à nu, secouer celui-ci légèrement, de haut en bas, pour que la terre glisse entre les racines. Fouler le sol à plusieurs reprises.

1. *Vérifier la profondeur du trou. La base du tronc sera au niveau du sol.*

2. *Ameublir le fond. Ajouter tourbe ou fumier à la terre excavée.*

3. *Arroser généreusement, puis retirer le pot. Vérifier l'état des racines.*

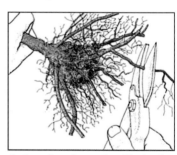

4. *Supprimer les parties abîmées des racines non emmottées.*

5. *Couper les moignons de branches au ras de la tige.*

6. *Couper les tiges malades ou meurtries juste au-dessus d'un œil.*

7. *Tenir la plante en place et remplir le trou. Éliminer les poches d'air.*

8. *Fouler le sol. Ajouter de la terre au besoin et arroser généreusement.*

Les grappes de fleurs parfumées du groseillier doré (Ribes odoratum) donneront des fruits pourpres non comestibles. La clématite 'Ville de Lyon' sera taillée sévèrement au printemps si l'on veut qu'elle fleurisse à l'été.

Ribes odoratum

Clematis 'Ville de Lyon'

Plante grimpante contre un mur ou une clôture

Le sol qui se trouve au pied d'un mur ou d'une clôture est en général très sec, surtout du côté sous le vent qui reçoit moins de pluie lorsque mur et clôture font obstacle aux vents dominants. Or, c'est aussi de ce côté qu'on plante les plantes grimpantes semi-rustiques qui résistent difficilement à la bise. Il sera donc nécessaire d'ajouter au sol des matières organiques pour augmenter sa capacité de rétention d'eau.

Procéder, pour planter les espèces grimpantes, de la même façon que pour les arbustes. Seules les clématites doivent s'enfoncer de 10 cm de plus dans la terre que dans le pot.

Le lierre, la vigne vierge et l'hydrangée grimpant s'accrochent d'eux-mêmes aux murs. D'autres plantes grimpantes ont besoin d'un treillage ou d'attaches. Avant de planter, fixer les supports à environ 2 cm du mur pour que les tiges puissent s'enrouler autour d'eux.

Il existe des filets de plastique rigides dont les mailles de 10 à 15 cm procurent un bon support. Ils simplifient le palissage et empêchent les jeunes pousses de se blesser en frottant contre le mur.

La plupart des plantes grimpantes ont tendance à s'écarter du mur ; il faut donc attacher les jeunes pousses au support le plus rapidement possible après la mise en terre. Utiliser de la ficelle, des bandes de tissu, des liens plastifiés ou des anneaux spéciaux. Le fil métallique nu est à proscrire : il peut couper ou étrangler les tiges.

Tuteurage d'un arbuste vulnérable au vent

Les arbustes colonnaires de plus de 90 cm de haut, qui sont exposés au vent, doivent absolument être tuteurés dès la mise en terre.

Le tuteur doit être fort et suffisamment long pour atteindre la base de la tête de l'arbuste. On en trouve dans les centres de jardinage ou les pépinières et ils sont en général déjà enduits d'un produit contre la pourriture. Ne pas utiliser de tuteur qui ne serait pas traité.

Au moment de planter, enfoncer le tuteur à l'extérieur de la souche ou, si le plant est à nu, entre les racines. Y fixer la plante avec un collier spécial ou avec des liens de toile ou de tissu solide.

Les liens qui s'attachent aux arbres sont coussinés de façon à isoler la tige du tuteur. On peut tout aussi bien utiliser des bandes de tissu disposées en huit autour du tuteur, puis du tronc.

Un seul lien dans le haut du tuteur suffit pour un arbuste de moins de 1,80 m ; rajouter un second lien, à la moitié du tuteur, pour les sujets de plus grande taille.

À la mi-été et en automne, s'assurer que les attaches ne sont pas devenues trop petites. Les desserrer au besoin.

1. *Faire un trou à 30 cm du mur. Étaler les racines vers la périphérie.*

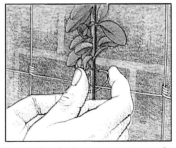

2. *Attacher la tige au support avec de la ficelle ou des anneaux spéciaux.*

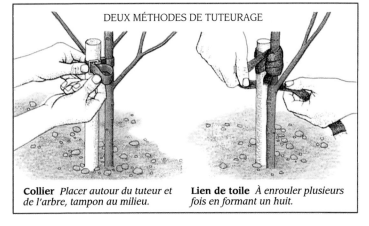

DEUX MÉTHODES DE TUTEURAGE

Collier *Placer autour du tuteur et de l'arbre, tampon au milieu.*

Lien de toile *À enrouler plusieurs fois en formant un huit.*

Plantation d'un arbuste dans la pelouse

Un arbuste isolé aura meilleure apparence si l'on découpe dans le gazon son lit de plantation. Pour ce faire, planter un petit piquet au centre du trou. Y attacher une ficelle ; calculer le rayon du cercle qu'on veut tracer et, à la longueur voulue, attacher un couteau en guise de pointe de compas.

Tenir la ficelle tendue et tracer dans l'herbe la circonférence à découper. Avec une pelle, couper le gazon en suivant le tracé. Le soulever par plaques et le mettre de côté pour l'utiliser à un autre moment.

Creuser le trou et planter l'arbuste selon la méthode habituelle. Les plaques de pelouse pourront être déposées au fond du trou, gazon en dessous : en pourrissant, elles se transformeront en humus.

Les dimensions du lit de plantation doivent correspondre à l'étalement de l'arbuste adulte, mais on peut se contenter au début d'un périmètre plus réduit, qu'on agrandira à mesure que l'arbuste poussera.

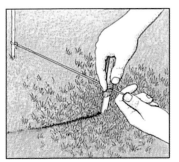

1. *Tracer un cercle avec un couteau relié à un piquet par une ficelle.*

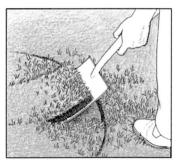

2. *Couper le gazon. Le mettre de côté pour servir d'humus.*

Les petites baies donnent de la couleur en automne et en hiver. Celles de l'argousier (Hippophae rhamnoides) sont d'un orangé voyant. Celles du houx (Ilex aquifolium) sont toxiques.

Hippophae rhamnoides   *Ilex aquifolium* 'J. C. van Tol'   *Ilex aquifolium* 'Handsworth New Silver'

Entretien des arbustes selon les saisons

Paillage, arrosage et apport d'engrais

Dès la mise en terre des arbustes, alors que le sol est humide, étendre une couche de 5 cm de paillis entre eux et autour d'eux pour conserver au sol son humidité et empêcher la prolifération des mauvaises herbes. Le paillis peut même enrichir le terrain s'il est fait de matières organiques comme du terreau de feuilles, de la paille ou des copeaux d'écorce qui finissent par se décomposer et fertiliser le sol. Disposer une nouvelle couche de paillis tous les printemps.

Si la plantation de l'arbuste se fait en automne ou au début du printemps, l'arrosage effectué au moment de la plantation sera suffisant à moins que ne survienne une période de sécheresse particulièrement longue. Mais si l'arbuste est planté à la fin du printemps ou en été, il faut l'arroser durant les premières semaines.

La fertilisation avec un engrais granulaire complet se fait à la fin de l'hiver ou au tout début du printemps. Épandre les granules autour de la plante à raison de 250 ml par mètre carré ou moins selon la qualité du sol, après avoir enlevé le paillis. L'eau se chargera de dissoudre les granules et de faire pénétrer l'engrais dans le sol.

Au besoin, vaporiser la plante avec un insecticide par temps sec, mais non en plein soleil.

ARROSAGE

Arroser généreusement après la plantation. Utiliser un ajutage pour réduire la pression.

PAILLAGE

Pour garder l'humidité après la plantation, étaler un paillis de tourbe ou de terreau de feuilles.

Protection pendant l'hiver des arbustes délicats

De nombreux arbustes ne sont pas assez rustiques pour supporter sans protection des hivers rigoureux.

Au moment de la plantation, choisir un endroit abrité — par exemple, le côté sud d'un mur ou d'une haute clôture, ou l'arrière d'une haie de conifères dense. Plantées entre des arbres, les espèces qui tolèrent l'ombre seront protégées des vents les plus violents.

Mais, si l'hiver est très rigoureux, cette protection ne suffira pas. Durant les grands froids, protéger les arbustes délicats contre le vent en les enveloppant de paille ou de rameaux de conifères. Les branches de l'arbre de Noël pourront faire l'affaire !

S'il s'agit de très grands arbustes, envelopper les branches d'un matériau isolant maintenu en place par de la toile de jute attachée avec de la ficelle. Les plantes qui se ramifient de la base, comme les rosiers, demandent à être protégées à cet endroit vital. Entourer le pied de la plante d'une couche de 15 à 25 cm de paille, de tourbe ou même de sable grossier à la fin de l'automne, et ne pas l'enlever avant le printemps.

Protéger les arbustes et les plantes grimpantes placés contre un mur au moyen d'un matelas de paille maintenu avec du grillage (appelé « grillage de poule »). On fabrique ces matelas en disposant une épaisseur de 10 à 15 cm de paille entre deux bandes de grillage qu'on attache ensemble aux quatre extrémités. Par mauvais temps, installer ce matelas protecteur devant les plantes.

Les arbustes en plein vent peuvent être protégés de la même façon. Faire un cylindre avec le grillage et le mettre autour de la plante. On peut au besoin y ajouter un couvercle fabriqué avec les mêmes matériaux.

On peut également construire une tente indienne avec six piquets de bambou attachés ensemble au sommet, et à l'intérieur de laquelle on dispose de la paille ou des rameaux de conifères. L'abri sera assujetti avec de la ficelle enroulée autour du paillis jusqu'à la mi-hauteur. Pour plus de protection, on peut aussi envelopper le paillis de jute.

Pour protéger les arbustes à feuilles persistantes, les vaporiser en automne et en hiver avec un produit hydrofuge. Des cadres robustes en lattes de bois les empêcheront d'être écrasés sous la neige glissant du toit.

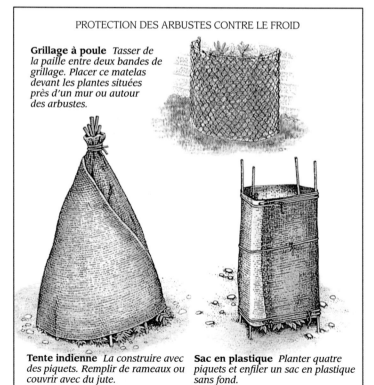

PROTECTION DES ARBUSTES CONTRE LE FROID

Grillage à poule *Tasser de la paille entre deux bandes de grillage. Placer ce matelas devant les plantes situées près d'un mur ou autour des arbustes.*

Tente indienne *La construire avec des piquets. Remplir de rameaux ou couvrir avec du jute.*

Sac en plastique *Planter quatre piquets et enfiler un sac en plastique sans fond.*

Les buddléias demandent beaucoup de soleil et un sol fertile, bien drainé. En retour, ils donneront des grappes de petites fleurs odorantes. Celles du *Buddleja davidii*, de couleur pourpre, plaisent beaucoup aux papillons.

Buddleja weyeriana 'Sungold'   *Buddleja davidii*

Suppression des gourmands indésirables

On appelle gourmands les pousses qui apparaissent à la base de la plante ou qui sortent du sol.

Sur la plupart des arbustes, ils font partie de la plante et peuvent être conservés. Il faut cependant les enlever chez les arbustes greffés sur un porte-greffe, car ils risquent d'affaiblir le sujet. C'est le cas du houx, du magnolia, du camélia, du rhododendron, du rosier et du lilas.

Ces gourmands indésirables sortent du système radiculaire et apparaissent en dessous du point de greffe. Chez les arbustes, ce point est en règle générale situé sous la surface du sol ; c'est pourquoi les gourmands sortent effectivement du sol.

Pour éliminer un gourmand indésirable, l'arracher à la main jusqu'à son point d'émergence. Ne pas en couper uniquement la partie aérienne, car ceci favorise sa croissance.

GOURMANDS INDÉSIRABLES

Dégager le gourmand de son point d'attache et l'arracher.

Pour augmenter la production de baies

L'intérêt de certains arbustes réside dans leurs baies colorées qui décorent leurs branches en automne ou en hiver. Or, divers facteurs peuvent nuire à la fructification.

Certaines variétés produisent plus de baies que d'autres de la même espèce ; on a intérêt à choisir celles-là et à les acheter d'un pépiniériste sérieux.

Les conditions culturales ont aussi une grande importance. Un arbuste de plein soleil comme le pyracanthe peut pousser à l'ombre, mais il donne beaucoup moins de fleurs et de fruits. Autre facteur essentiel : l'alcalinité ou l'acidité du sol en fonction des exigences de la plante.

Certains arbustes, par ailleurs, sont dioïques : cela signifie que fleurs mâles et femelles croissent sur des sujets différents et la pollinisation doit être croisée pour qu'il y ait des fruits. On recommande alors — et c'est le cas pour le houx, le skimmia et l'aucuba — de grouper des sujets mâles et femelles.

Enfin, les conditions atmosphériques peuvent influer sur la récolte. S'il survient une sécheresse au moment de la floraison ou lorsque les baies sont en train de se former, fleurs et fruits peuvent tomber prématurément. Le gel lors de la floraison aurait le même effet. Et si le temps est pluvieux et froid durant cette période, les insectes butineurs, comme les abeilles, qui assurent la pollinisation, risquent d'être moins diligents et l'on se retrouvera avec une récolte réduite.

Enfin, les oiseaux peuvent être nocif. S'ils causent des dégâts importants, recouvrir les arbustes d'un filet ou d'une pièce de coton noir.

Transplantation d'un arbuste adulte

Un arbuste établi peut être transplanté du début de l'automne à la fin du printemps, à condition que la terre ne soit ni gelée ni détrempée.

La transplantation ne présente qu'un seul risque, celui d'abîmer les racines. Pour l'éviter, creuser une tranchée circulaire et profonde autour de l'arbuste sur une périphérie correspondant à son étalement.

Soulever la plante à la pelle et enlever l'excédent de terre ; la motte sera moins lourde, et le trou à creuser moins grand.

Planter le sujet comme s'il s'agissait d'un arbuste emmotté (voir p. 46). Arroser généreusement.

En automne, le cotonéaster se charge de lourdes grappes, de baies rouges vif très décoratives qui persistent une partie de l'hiver.

1. *Creuser une tranchée autour de l'arbuste et le soulever.*

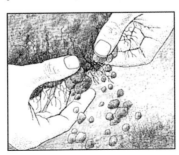

2. *Secouer la terre qui adhère aux racines avant de le replanter.*

Le chèvrefeuille et la clématite sont les plantes les plus populaires à faire grimper sur un mur ou un treillis, mais on peut aussi en faire des arbustes. Le chèvrefeuille des bois (à droite) est une variété rustique parfumée. La clématite 'Général Sikorski' fleurit en été.

Clematis montana 'Elizabeth' ➡

Lonicera periclymenum 'Serotina'

Clematis 'Général Sikorski'

Arbustes à feuilles persistantes

Ces espèces tolèrent souvent mal le froid et la sécheresse. Le choix de leur emplacement est donc primordial.

Choisir pour ces arbustes qui ne résistent pas au vent des endroits abrités et s'assurer qu'ils ne manquent jamais d'humidité. S'ils sont exposés à des vents desséchants, les vaporiser avec un produit spécial ou les abriter derrière un écran de toile de jute.

L'arrosage est capital pour tous les conifères. Le brunissement des branches inférieures signale un manque d'eau. À la fin de l'automne il faut s'assurer que le sol soit toujours bien détrempé de façon que les racines soient bien gonflées avant de geler.

Les plantes en bac peuvent aussi manquer d'aliments nutritifs. On s'en aperçoit à un ralentissement de la croissance : les feuilles pâlissent. À titre préventif, donner tous les mois un engrais solide ou liquide, depuis la mi-printemps jusqu'à la fin de l'été.

Que faire quand les arbustes dépérissent

Les principaux ennuis qui peuvent se présenter sont énumérés ci-dessous.

On en trouvera d'autres au chapitre intitulé «Ravageurs et maladies», page 474. Les appellations commerciales des produits chimiques débutent à la page 509.

Symptômes	Causes	Traitement*
Arbuste déformé. Ravageurs apparents.	Pucerons, punaises réticulées, cicadelles, tarsonèmes, mouches blanches	Huile de dormance tard en hiver. Vaporisation de savon insecticide, de perméthrine ou de malathion.
Feuilles déformées, pâlies, jaunies ou rosées avec points argentés.	Tarsonèmes, araignées rouges	Vaporisation musclée d'eau, de savon insecticide ou de diméthoate tous les 5 jours – dessous des feuilles en particulier.
Fumagine ; ravageurs apparents.	Dépôts collants de pucerons, cochenilles farineuses	Comme ci-dessus. Nettoyer la moisissure en vaporisant de l'eau savonneuse.
Feuilles trouées, bords déchiquetés.	Chenilles, tordeuses, scarabées, livrées, arpenteuses	Vaporisation de *Bacillus thuringiensis* sur les chenilles et les tordeuses ; de savon insecticide, de carbaryl ou de malathion sur les scarabées, les livrées et les arpenteuses.
Taches ou lignes semi-transparentes.	Mineuses	Vaporisation de diméthoate sur les feuilles.
Feuilles enroulées ou collées ensemble.	Lieuses, tordeuses	Vaporisation de savon insecticide ou de *Bacillus thuringiensis*.
Gonflements sur feuilles ou pédoncules.	Phytops, cynips, chermes	Rarement grave. À l'automne, ratisser et jeter les feuilles.
Racines et tiges dévorées.	Charançons, otiorhynques	Mouiller le sol, en été, d'un antinématode commercial.

Répression des mauvaises herbes

Adulte, l'arbuste jette trop d'ombre sous lui pour que les mauvaises herbes puissent proliférer. Mais tant que sa ramure reste incomplète, il faut extirper les mauvaises herbes aussitôt qu'elles apparaissent.

La binette est l'arme classique, mais il faut procéder délicatement pour ne pas endommager le système radiculaire des arbustes, qui est généralement à fleur de terre.

On peut aussi utiliser des herbicides à condition de protéger les feuilles des arbustes durant le traitement avec un morceau de carton ou de contreplaqué. Les herbicides qui deviennent inactifs au contact du sol, comme le glyphosate, n'endommageront pas les racines.

On peut tout éradiquer en étalant au printemps une toile géotextile, mais un paillis de 2 à 4 cm d'épaisseur permettra de faire pousser entre les arbustes des plantes bulbeuses comme des jonquilles et du muguet.

Symptômes	Causes	Traitement*
Écailles ressemblant à du liège sur les branches et les tiges.	Cochenilles	Tailler et détruire les branches infectées. Vaporisation d'huile de dormance l'hiver, de savon insecticide ou de malathion en mai.
Pourriture grise affectant feuilles, boutons et fleurs.	Botrytis (champignon)	Vaporisation de captane ou de bénomyl.
Taches brunes sur les feuilles qui tombent prématurément ; les nouvelles pousses meurent.	Anthracnose (champignon)	Vaporisation d'huile de dormance fin hiver, de bouillie bordelaise au printemps à l'ouverture des feuilles (3 fois à 10 jours d'intervalle).
Taches circulaires sur les feuilles, se rejoignant.	Tache des feuilles (champignon)	Vaporisation d'un fongicide à base de cuivre ou de soufre liquide.
Taches brunes sur les pétales. Flétrissement des fleurs ; surtout azalées et rhododendrons.	Brûlure des pétales (champignon)	Enlever fleurs affectées. Si cela se reproduit, vaporiser de bénomyl tous les 5 jours durant la floraison.
Poudre blanche sur les feuilles, fleurs et bourgeons qui finissent par noircir.	Blanc (champignon)	Ramasser et jeter les organes qui tombent. Vaporisation de bénomyl si la situation perdure.
Taches rouille-orange sur les feuilles ; sur les conifères, galles irrégulières tournant à l'orange au printemps.	Rouille (champignon)	Sur les conifères, tailler aussitôt pour enlever les branches atteintes ; sur les feuillus, vaporiser un mélange ferbame-soufre.
Feuilles et fruits portent des creux qui deviennent écailleux.	Tavelure (champignon)	Vaporisation de bouillie soufrée l'hiver et de bouillie soufrée diluée au printemps.
Fleurs, jeunes feuilles et ramilles se flétrissent brusquement et noircissent.	Feu bactérien	Tailler et enlever les branches infectées. Vaporisation de bouillie soufrée au printemps.
Tumeurs spongieuses affectant racines, ramures et tronc.	Tumeur du collet (bactérie)	Tailler en désinfectant le sécateur ou détruire la plante.

* Certains produits sont interdits dans les localités qui ont adopté des règlements contre les pesticides. Voir aussi «Recettes maison et produits naturels», p. 512, et «Les amis du jardin», p. 515.

Le millepertuis à grandes fleurs (Hypericum calycinum) fait un superbe couvre-sol. Cet arbuste nain est souvent cultivé pour ses fleurs jaunes bien typées.

Hypericum calycinum

Culture d'arbustes en bac

Plusieurs arbustes décoratifs se cultivent fort bien en bac. L'espace réduit au niveau des racines accentue même parfois la floraison.

Parmi les sujets qui ne se prêtent pas à ce type de culture, il y a les espèces à racines épaisses et charnues.

Voici quelques plantes recommandées pour la culture en bac : l'aucuba, le buisson ardent, le camélia, le cerisier, le chèvrefeuille, la clématite, la deutzie, le forsythie, le fusain, la glycine, le groseillier, le kerria, le millepertuis, le pyracanthe, la spirée, le tamaris et le weigela.

Dans les zones inférieures à la zone 6, mettre les bacs en terre à l'automne pour empêcher le gel de tuer les plantes.

Plantation Un arbuste dont on prévoit que la hauteur maximale sera de 1,20 à 1,50 m et son étalement de 90 cm à 1,20 m requiert un bac d'au moins 75 cm de largeur et 45 cm de profondeur. Au besoin, forer des trous de drainage.

Déposer au fond du bac 2 à 4 cm de matériaux de drainage : tessons de grès, cailloutis ou gravier.

Ajouter une couche suffisante de mélange terreux ou d'un succédané pour faire arriver la base de la tige légèrement plus bas que le rebord du bac. On peut mélanger un volume de sable grossier à trois volumes de

Lavande (Lavandula officinalis)

Faux cyprès (Chamaecyparis lawsoniana minima aurea)

Oranger du Mexiq (Choisya ternata)

Millepertuis à grandes fleurs (Hypericum calycinum)

Rhododendron 'Mary Fleming'

tourbe et utiliser ce substrat en y ajoutant 4 c. à soupe d'un fertilisant complet par boisseau (36 litres).

S'assurer que la motte est humide et les racines en bon état avant de mettre l'arbuste en terre. Verser du mélange terreux tout autour et bien tasser.

Remplir le bac jusqu'à 1,5 cm du bord. Arroser généreusement, attendre que l'eau pénètre et répéter.

Entretien et fertilisation Quand elles sont enfermées dans un bac, les racines de l'arbuste ne peuvent aller chercher l'eau dont elles ont besoin. Aussi faut-il arroser dès que le sol de surface paraît sec.

L'année suivante et, par la suite, tous les mois si les feuilles sont petites et décolorées et la croissance peu marquée, fertiliser le sol avec un engrais liquide.

Pour retarder la croissance des arbustes exubérants sans nuire à leur santé, raccourcir les racines chaque année ou tous les deux ans. De toute façon, il faudra tailler racines et tiges en automne ou au début du printemps tous les quatre à six ans. Pour ce faire, dépoter la plante et enlever une tranche de 10 cm à la motte. Nettoyer le bac et replanter l'arbuste dans du mélange terreux frais.

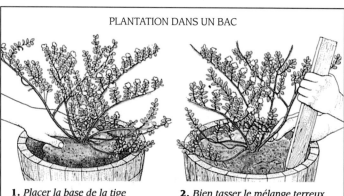

PLANTATION DANS UN BAC

1. *Placer la base de la tige un peu plus bas que le rebord.*

2. *Bien tasser le mélange terreux avec un morceau de bois. Arroser.*

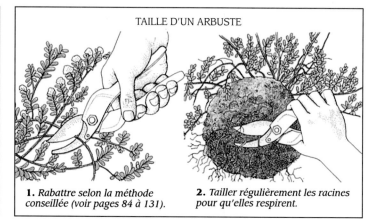

TAILLE D'UN ARBUSTE

1. *Rabattre selon la méthode conseillée (voir pages 84 à 131).*

2. *Tailler régulièrement les racines pour qu'elles respirent.*

Le callicarpe recèle des bouquets de très petites fleurs lilas, suivies de jolies baies d'un violet bleuté qui persisteront une partie de l'hiver.

Callicarpa bodinieri 'Giraldii'

Multiplication des arbustes par bouturage

Boutures aoûtées : arbustes à feuillage caduc

Un grand nombre d'arbustes à feuilles caduques se multiplient par boutures aoûtées, ou ligneuses, prélevées à la fin de l'automne ou au début de l'hiver sur des tiges vigoureuses ayant achevé leur première saison de croissance.

Les boutures sont prélevées après la chute des feuilles, au moment où l'arbuste est déjà entré en dormance. (Pour plus de détails, voir les tableaux commençant à la page 84.

Dans les régions tempérées où le sol ne gèle pas à plus de 5 cm de profondeur, choisir un endroit à l'abri du vent et bien ameublir le sol. Si la terre est lourde, l'amender avec du sable grossier ou avec de la perlite et du compost (ou de la tourbe). Les proportions n'ont pas tellement d'importance mais on calcule généralement deux volumes de terre pour un volume d'amendement.

Creuser une tranchée étroite de la profondeur d'un fer de bêche. Au fond de cette tranchée, mettre 2,5 à 5 cm de sable ou de perlite.

Prélever, en la coupant à la base, une pousse de l'année de la grosseur d'un crayon. En détacher un segment de 25 à 30 cm (une même tige peut donner 2 ou 3 boutures). Ne pas utiliser la sommité de la pousse qui est plus molle, s'enracine mal et donne des tiges malingres.

Nettoyer la bouture ; la couper un peu de biais, juste sous un œil à la base et juste au-dessus d'un œil au sommet.

Lorsqu'il y a risque de gel, insérer les boutures verticalement à une distance de 8 à 10 cm l'une de l'autre dans la tranchée (voir à l'extrême droite). Quand celle-ci sera remplie, la moitié ou les deux tiers de la bouture seront enfouis dans le sol. Remplir la tranchée et bien fouler la terre avec le pied.

Lorsque les boutures verticales se déplacent à cause du gel, les enfoncer jusqu'à ce que la base soit bien

replacée dans le sable. Avec le désherbage et l'arrosage, ce sont là les seuls soins que requièrent ces boutures.

Dans les régions très froides, coucher les boutures, attachées par groupes de 6, sous 15 à 20 cm de sable ou de terre. Au début du printemps, les dégager et les planter une à une dans une tranchée (voir fig. 2).

Au printemps suivant, les boutures qui s'enracinent facilement pourront être transplantées de façon permanente. Les boutures plus lentes resteront en place une autre année.

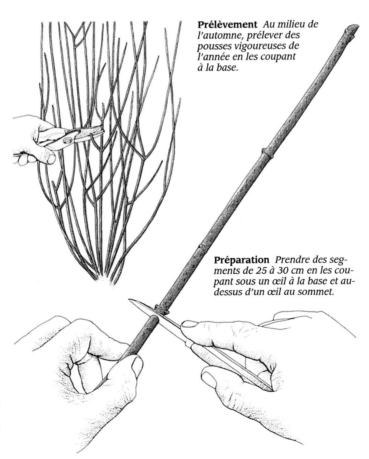

Prélèvement *Au milieu de l'automne, prélever des pousses vigoureuses de l'année en les coupant à la base.*

Préparation *Prendre des segments de 25 à 30 cm en les coupant sous un œil à la base et au-dessus d'un œil au sommet.*

Boutures aoûtées : arbustes à feuillage persistant

Le prélèvement de ces boutures se fait au début ou au milieu de l'automne. S'il s'agit d'espèces à grandes feuilles, prélever des boutures terminales de 10 à 15 cm sur des pousses de l'année ; enlever les feuilles inférieures et insérer la bouture dans un mélange à enracinement composé soit de sable, soit de tourbe ($\frac{1}{2}$) et de perlite ($\frac{1}{2}$). Dans les régions tempérées, transplanter les boutures sitôt qu'elles ont des racines ; autrement,

les garder sous châssis froid pour le premier hiver.

Peu de conifères se bouturent facilement. À la fin de l'été, prélever des boutures aoûtées, avec ou sans talon (voir p. 54), sur des pousses latérales courtes. Leur faire prendre racine en serre ou sous châssis froid.

Parfois, l'enracinement se fait plus facilement si la bouture est blessée. Enlever d'abord un fin morceau d'écorce à la base de la bouture.

Hydratation Asperger les boutures avec un antidéshydratant pour éviter l'évaporation par les feuilles.

PLANTATION

1. *Faciliter l'enracinement en ôtant un peu d'écorce à la base.*

2. *Enfouir les boutures à moitié dans la terre.*

3. *Transplanter les boutures un ou deux ans plus tard.*

De petites fleurs en forme de rose réunies en bouquets caractérisent la potentille, un arbuste bien fourni, tout indiqué pour les haies et les bordures. Les variétés naines conviennent aux rocailles.

Potentilla fruticosa 'Princess'

Boutures semi-aoûtées prélevées en été

La multiplication de certaines espèces — aucuba, caryoptère et oranger du Mexique — se fait mieux à partir de boutures semi-aoûtées.

Les tiges semi-aoûtées sont des pousses de l'année dont la base est déjà ligneuse, mais dont l'extrémité est tendre parce qu'elle n'a pas fini de croître. Le prélèvement se fait habituellement du milieu à la fin de l'été. Cela peut se faire plus tôt s'il a fait particulièrement chaud.

Ces boutures nécessitent une certaine attention tant qu'elles ne sont pas enracinées. Les éléments importants sont une caissette de multiplication (avec ou sans chaleur de fond), des arrosages réguliers et une protection contre les rayons directs du soleil.

Lorsque les jeunes plants ont des racines, ils peuvent soit être mis en pot, soit placés en couche à l'extérieur, mais, d'une façon ou d'une autre, il faudra attendre encore un an ou deux pour les transplanter définitivement en terre.

Prélever des boutures de 15 à 20 cm sur des tiges latérales de l'année; elles se reconnaissent facilement car elles présentent des feuilles en pleine croissance. Couper chaque pousse près de la tige principale.

Éliminer les feuilles inférieures et tailler la bouture net, juste en dessous d'un nœud. Couper la partie tendre, à l'extrémité, juste au-dessus d'une feuille, de façon que la bouture ait 5 à 10 cm de long.

Boutures à talon Souvent, les boutures semi-ligneuses parviennent mieux à s'enraciner si on a pris la précaution de leur laisser, à la base, un morceau de la tige mère : c'est ce qu'on appelle le talon. La présence de ce talon favorise l'enracinement parce qu'elle empêche les substances élaborées par les feuilles de se perdre dans le sol. Les boutures de certains arbustes, tels que le pyracanthe et le céanothe, ne prennent racine que très rarement si elles n'ont pas de talon.

Commencer par prélever une tige principale comportant plusieurs pousses latérales et, de préférence, sans fleur. Aux points d'insertion des tiges latérales, pratiquer une incision en V dans la tige mère à l'aide d'un couteau bien affûté. L'incision doit être assez profonde pour prélever une partie du cambium (couche de tissu située juste sous l'écorce).

Tailler l'extrémité de la bouture de façon qu'elle ait entre 5 et 8 cm de long. La multiplication se fait alors de la même façon que pour les boutures semi-aoûtées, comme il est décrit à la page suivante.

Prélèvement *Vers la fin de l'été, choisir des pousses latérales de l'année, ayant 15 à 20 cm et présentant des feuilles. Les couper, avec un sécateur, près de la tige principale.*

Préparation *Éliminer les feuilles inférieures et couper net, juste en dessous d'un œil. Donner à la bouture une longueur de 5 à 10 cm en coupant l'extrémité de la tige, qui est tendre.*

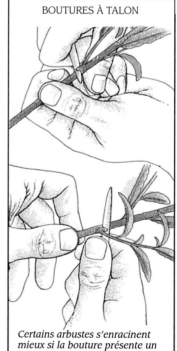

BOUTURES À TALON

Certains arbustes s'enracinent mieux si la bouture présente un talon, ou fragment du bois de la tige principale. Prélever la bouture en faisant une coupure en V au point d'insertion de la pousse sur la tige.

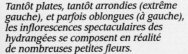
Tantôt plates, tantôt arrondies (extrême gauche), et parfois oblongues (à gauche), les inflorescences spectaculaires des hydrangées se composent en réalité de nombreuses petites fleurs.

Hydrangea macrophylla 'Alpenglühen'   *Hydrangea paniculata 'Grandiflora'*

Soins à donner aux boutures semi-aoûtées

Après avoir prélevé les boutures, remplir un pot jusqu'au rebord d'un mélange terreux léger pour les semis ou d'un mélange composé à volume égal de tourbe et de sable grossier.

La taille du pot dépend de la longueur et du nombre des boutures. Un pot de 7,5 cm devrait recevoir 5 boutures environ et un pot de 13 cm peut contenir une dizaine de sujets. Au-delà de ce nombre, il vaut mieux utiliser une caissette.

Pratiquer dans le mélange un trou d'une profondeur égale au tiers de la longueur de la bouture. Planter la bouture et tasser la terre avec les doigts. Faire de même pour toutes les boutures en les espaçant uniformément. Arroser généreusement avec un pulvérisateur ou un arrosoir à jet fin. À ce point-ci de l'opération, trois éléments sont essentiels : l'humidité, la chaleur et une ombre partielle.

L'humidité et la chaleur seront assurées si les boutures sont placées dans une petite serre confectionnée d'un sac de plastique transparent et de deux bouts de fil métallique galvanisé de 30 à 40 cm de long (des cintres en métal font très bien l'affaire). Courber les fils de façon à planter les extrémités dans le mélange terreux ; les deux arcs doivent se croiser. Enfiler le sac de plastique sur ce support et l'attacher sous le rebord du pot avec de la ficelle, du ruban adhésif ou une bande élastique. Suivre la même démarche pour une caissette.

Placer ensuite le pot ou la caissette sous châssis froid ou dans une serre ombragée (le soleil direct risquerait de surchauffer l'atmosphère).

Pour la plupart des plantes rustiques, la température du terreau doit être maintenue entre 16 et 18 °C. Il n'est pas nécessaire d'avoir recours à un chauffage de fond, mais il est incontestable que la chaleur contribue

à accélérer la formation des racines. Il existe des caissettes munies de résistances électriques qui gardent le mélange chaud, mais on peut aussi placer les caissettes sur de simples coussins électriques.

L'enracinement devrait se produire en deux ou trois semaines si les boutures ont été prélevées à la bonne époque, et de la bonne façon, et si elles sont dans un mélange terreux qui leur convient. Le maintien de la température et de l'humidité à un niveau constant est aussi un des facteurs essentiels.

L'acclimatation des boutures Il s'agit ensuite d'acclimater les boutures à une atmosphère moins clémente que celle de leur tente de plastique. Les laisser dans la serre ou sous le châssis, mais soulever le sac de 1 cm ou y percer quelques trous pour que l'air pénètre. Éviter la lumière trop vive. Une semaine plus tard, soulever le sac davantage ou percer d'autres trous.

Attendre encore sept jours avant d'enlever le sac, puis arroser. Sept jours plus tard, la mise en pots individuels peut se faire.

Le rempotage Déterrer les boutures et les séparer avec précaution. Préparer pour chaque bouture un pot de 9 cm en y mettant une couche de matériaux de drainage recouverte d'une couche de mélange terreux. Installer le jeune plant et remplir le pot jusqu'à la première paire de feuilles.

Tasser le mélange pour qu'il soit à 1,5 cm du rebord. Arroser généreusement. Garder la plante en serre ou sous châssis et ne jamais laisser la terre se dessécher.

Il faut compter trois semaines pour que les racines atteignent les parois du pot. S'il s'agit d'un sujet rustique, il sera mis en pleine terre immédiatement. Sinon, il faudra le rempoter et le garder en serre ou sous châssis tout l'hiver. Au printemps suivant, on le transplantera dans le jardin.

1. *Enfoncer les boutures au tiers dans de la tourbe et du sable.*

2. *Arroser généreusement avec un pulvérisateur ou un arrosoir à jet fin.*

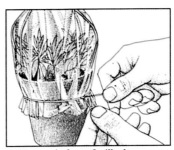
3. *Recouvrir d'une feuille de plastique fixée avec du fil de fer.*

4. *Après l'enracinement, soulever le plastique pour acclimater la bouture.*

5. *Environ trois semaines plus tard, séparer délicatement les boutures.*

6. *Planter chacune dans un pot de 9 cm rempli d'un mélange terreux.*

7. *Lorsque les plants sont établis, les transplanter en pleine terre.*

Les cornouillers sont prisés pour leur riche feuillage, leurs fleurs en été et leurs fruits en hiver. Le hart rouge (Cornus stolonifera 'Flaviramea') est très décoratif l'hiver avec ses ramilles jaunes tirant sur le vert.

Cornus stolonifera 'Flaviramea'

Boutures herbacées ôtées à l'extrémité des tiges

Les boutures herbacées sont les pousses de l'année, prélevées alors qu'elles sont encore tendres. On les utilise couramment pour la multiplication des vivaces et des plantes d'intérieur, moins souvent pour les arbustes et les arbres. Le succès varie selon les espèces, mais l'expérience vaut la peine d'être tentée. Si la bouture meurt, il sera encore temps de recourir à une bouture aoûtée ou semi-aoûtée.

Dans un coin du jardin, préparer un lit à l'ombre en retournant la terre. Construire une serre miniature avec une feuille de polyéthylène sur des cerceaux et enterrez-en la base. À l'intérieur de la maison, une caissette munie de résistances électriques ou un brumisateur vendu dans les pépinières favoriseront l'enracinement.

À la mi-été au plus tard, prélever des boutures herbacées de 5 à 15 cm présentant 4 ou 5 paires de feuilles, prises sur des tiges jeunes, non fleuries, fermes mais non ligneuses.

Avec un couteau bien affilé ou une lame de rasoir, faire une coupe nette en biseau juste sous la paire de feuilles la plus proche de la tige principale. Éliminer les deux premières paires de feuilles et plonger la tige dans de la poudre d'hormones à enracinement.

Remplir un pot de 13 cm d'un substrat léger ou d'un mélange à volume égal de tourbe et de sable grossier. Faire une dizaine de trous et y enfoncer les boutures d'un tiers de leur longueur. Tasser le mélange avec les doigts.

La suite est la même que pour les boutures semi-aoûtées, mais celles-ci étant très petites, il faudra prévoir plus de temps entre chaque étape.

Multiplication à partir de fragments de racine

Certaines plantes, herbacées ou ligneuses, se multiplient facilement à partir de leurs racines, surtout de celles qui ont été blessées. Cette méthode convient aux spirées, aux cotonéasters et aux sumacs.

En automne, en hiver ou tôt au printemps, déterrer toute la plante ou une partie seulement et prélever une grosse racine située près de la tige principale.

Avec un couteau bien affûté, tronçonner la racine qui a été prélevée en segments de 4 cm. (On peut prélever des racines plus fines, mais elles devront avoir de 5 à 8 cm de long et être plantées horizontalement à 1,5 cm de profondeur.) Tailler chaque fragment de racine à angle droit du côté de la souche, en biseau à l'autre extrémité.

Remplir un pot jusqu'au rebord de bon terreau ou d'un mélange composé en parties égales de tourbe et de sable grossier.

À l'aide d'un plantoir, creuser un trou d'une profondeur égale à la hauteur de la bouture.

Planter la bouture de façon que l'extrémité qui a été coupée à angle droit soit de niveau avec la surface du mélange. Un pot de 13 cm de diamètre peut recevoir 6 boutures.

Recouvrir le mélange d'une couche de 1 cm de sable grossier et l'asperger d'eau. Placer ensuite les boutures dans une serre ou sous châssis froid. Bien surveiller la température et l'humidité pour qu'elles soient constantes.

Six mois après la multiplication, séparer les boutures, les empoter individuellement et les cultiver comme il est indiqué pour les boutures semi-aoûtées (voir p. 55).

BOUTURAGE DE TIGE HERBACÉE

Prélever une pousse ayant 4 ou 5 paires de feuilles. Les couper en biseau à la base, sous une paire de feuilles; enlever les 2 paires du bas. Mettre 10 boutures dans un pot de 13 cm rempli de tourbe (½) et de sable (½).

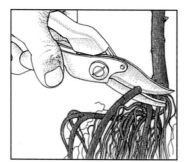

1. Avec le sécateur, prélever une racine près de la tige principale.

3. Les enfouir dans le mélange. Le sommet de la bouture doit affleurer.

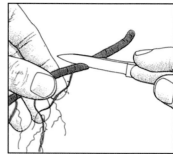

2. Couper, droit au sommet et en biseau à la base, des tronçons de 4 cm.

4. Six mois plus tard, les transplanter dans des pots de 9 cm.

Hibiscus syriacus

Hibiscus syriacus 'Red Heart'

À la différence de la plupart des arbustes, les hibiscus fleurissent en fin d'été.

La bouture d'œil en vert : rapide, efficace

Ce type de bouture est utile si l'on veut obtenir de nombreux sujets à partir d'un petit nombre de plantes. De plus, si elles sont prélevées au bon moment, les boutures d'œil en vert croissent beaucoup plus rapidement. Cependant, un an après l'enracinement, les plants obtenus à partir de boutures semi-aoûtées ou aoûtées seront plus développés.

À la fin de l'été ou au début de l'automne, prélever des pousses latérales semi-aoûtées, c'est-à-dire dont la croissance a commencé au printemps. Ces pousses devront présenter plusieurs feuilles et un œil latent à l'aisselle de chaque feuille.

Avec un couteau bien affûté, couper de biais la base de la tige, à 2 cm environ sous la feuille la plus basse.

Tailler ensuite la pousse à angle droit juste au-dessus de l'œil axillaire. Préparer ainsi 3 ou 4 boutures par tige.

Toujours avec le couteau, gratter légèrement l'écorce de la tige et plonger la blessure dans de la poudre d'hormones à enracinement.

Remplir un pot jusqu'au rebord de substrat sablonneux ou d'un mélange composé en parties égales de tourbe et de sable grossier ou de perlite. Planter les boutures de manière que l'œil affleure juste à la surface du mélange. Des pots de 15 à 18 cm de diamètre peuvent contenir une douzaine de boutures.

Arroser délicatement ou faire glisser l'eau le long des doigts. Couvrir le pot avec un sac de plastique transparent maintenu par du fil de fer (voir p. 55). Placer les boutures dans une serre ou sous châssis froid, mais pas en plein soleil.

Il faut attendre jusqu'à six mois avant d'acclimater les jeunes plants pour les rempoter individuellement.

Mettre du matériel de drainage et une couche de mélange poreux dans des pots de 9 cm. Dépoter les boutures et les séparer délicatement. Placer chaque bouture au centre du pot et remplir jusqu'à ce que le mélange atteigne la base de la feuille d'origine.

Tasser le mélange pour qu'il soit à 1,5 cm sous le rebord et arroser généreusement. Garder les pots dans une serre ou sous châssis froid. Le mélange ne doit jamais se dessécher.

Trois à six semaines plus tard, les racines auront sans doute rejoint les parois du pot. Si la plante est rustique, la mettre en pleine terre dans un endroit abrité. Rempoter les sujets plus fragiles et les garder durant une année en serre ou sous châssis froid.

L'ennemi des boutures : la pourriture grise

Le plus grand ennemi des boutures est le botrytis ou pourriture grise. C'est une maladie cryptogamique, c'est-à-dire causée par un champignon qui recouvre les tiges, les feuilles ou les boutons floraux d'un duvet gris-blanc et qui sévit de l'automne au début du printemps.

La pourriture grise se développe sur des tissus morts ou endommagés et se propage dans un milieu froid et humide. Elle est très contagieuse. Si elle se manifeste sur une bouture, il faut détruire celle-ci. Ne pas s'en servir pour faire du compost.

Vérifier toutes les boutures une fois par semaine et enlever les feuilles malades ou mortes. Un fongicide à base de bénomyl ou de captane est efficace.

Les hormones pour stimuler la croissance

Différents produits vendus sous forme de liquide ou de poudre contiennent des hormones qui, appliquées à la base des boutures, favorisent l'enracinement.

Ces hormones existent dans les plantes, mais en quantité trop faible pour accélérer l'enracinement. Des espèces telles que *Chimonanthus praecox*, dont le bouturage est souvent difficile, pourront être stimulées par des apports d'hormones. Mais d'autres espèces qui prennent racine très facilement, comme le lierre commun *(Hedera helix)*, réagiront mal à ces applications.

Les poudres et les liquides à enracinement sont de forces diverses : les plus faibles conviennent aux boutures herbacées, les plus forts aux boutures aoûtées. Il existe aussi des formules tout usage qui feront l'affaire si on opère à petite échelle. Pour un petit nombre de boutures herbacées ou ligneuses, on se contentera d'une préparation tout usage.

1. *À la fin de l'été, prélever une pousse comportant plusieurs feuilles.*

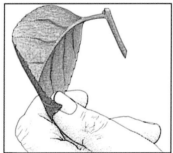

2. *Couper droit au-dessus de l'aisselle, et en biseau 2 cm en dessous.*

4. *Enfouir la bouture jusqu'à l'aisselle de la feuille dans un mélange humide.*

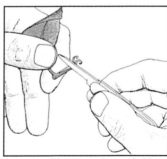

3. *Gratter l'écorce et plonger la blessure dans de la poudre d'hormones.*

5. *Six mois plus tard, planter la bouture dans un pot de 9 cm.*

Pour le spectacle d'automne, l'arbre à perruques 'Flame' (Cotinus) et le grand coudrier (Corylus maxima) rivalisent de couleurs.

Cotinus 'Flame'

Corylus maxima 'Purpurea'

Multiplication des arbustes par marcottage

Principes de base du marcottage

Cette méthode repose sur la disposition qu'a une tige entaillée, égratignée ou cassée d'émettre des racines à partir de la blessure si celle-ci est en contact avec le sol. Elle ne nécessite ni serre ni châssis.

Le marcottage se pratique de préférence sur des branches de l'année, donc tendres et qui n'ont pas fleuri.

Les arbustes à feuillage caduc doivent être marcottés en automne ou en hiver, et les arbustes à feuillage persistant en automne ou au printemps.

Pour commencer, bêcher le sol autour de l'arbuste choisi comme plante mère. Choisir une tige flexible et l'abaisser jusqu'à ce qu'elle touche le sol par un point situé à environ 25 à 30 cm de son extrémité. Éliminer les feuilles qui se trouvent à cet endroit (voir l'illustration).

Entailler peu profondément le dessous de la branche en dirigeant le couteau vers l'extrémité du rameau, ou tordre la tige pour meurtrir légèrement les tissus.

Creuser un trou de 8 à 10 cm de profondeur et le remplir partiellement de tourbe (½) et de sable grossier (½). Abaisser la tige dans le trou de sorte qu'elle fasse un angle aigu à l'endroit de la blessure.

Maintenir la branche au sol à l'aide d'un crochet en fil de fer galvanisé de 15 à 20 cm de long. Tuteurer l'extrémité et remplir le trou.

Faire de même avec d'autres branches. Bien arroser et ne jamais laisser le sol se dessécher.

La plupart des tiges auront pris racine un an plus tard. Pour s'en assurer, gratter délicatement le sol.

Si le nouveau sujet paraît bien établi, le séparer de la plante mère ; le dégager avec une bonne motte de terre et le transplanter.

Si les racines sont clairsemées, mais que la tige soit saine, remettre la terre en place et attendre quelques mois avant de vérifier à nouveau.

Toutes les branches de l'année peuvent servir à produire d'autres arbustes sans être détachées de la plante mère.

1. *Abaisser une branche jusqu'au sol. Entre 25 et 30 cm de son extrémité, creuser un trou de 8 à 10 cm de profondeur.*

2. *Effeuiller la partie de la branche qui sera au-dessus du trou.*

3. *Sur la partie inférieure de la branche, pratiquer une entaille peu profonde en coupant vers l'extrémité, ou tordre la tige pour meurtrir les tissus.*

4. *Couder la branche à la blessure et la maintenir avec un crochet.*

5. *Tuteurer l'extrémité dressée, remplir le trou et bien arroser.*

6. *Un an plus tard, détacher la marcotte et la transplanter.*

Les glycines font un bel étalage de fleurs parfumées sur un mur ou une clôture, mais elles ont besoin de solides supports.

Wisteria floribunda 'Rosea'

Marcottage en serpenteau pour plantes grimpantes

Le marcottage en serpenteau, ou marcottage chinois, se pratique sur les plantes grimpantes et les arbustes sarmenteux à tiges longues et flexibles, comme le chèvrefeuille ou le jasmin. Il s'effectue à la même époque que le marcottage classique sur des pousses retombantes de l'année.

Abaisser délicatement une tige vers le sol et creuser un trou de 5 cm de profondeur là où elle touche. Faire une écorchure sur la face inférieure de la tige et maintenir celle-ci en place avec un crochet de fil métallique ou une épingle à cheveux. Remplir le trou d'un mélange composé de tourbe (½) et de sable grossier (½). Recouvrir de terre et tasser avec les doigts.

Laisser les deux paires de feuilles suivantes à l'air libre et répéter l'opération tout au long de la tige. Bien arroser et ne pas laisser le sol se dessécher.

Un an plus tard, les marcottes devraient avoir pris racine. Vérifier en grattant la terre qui les entoure. Si elles sont bien enracinées, les détacher les unes des autres et les transplanter. Si les racines ne sont pas assez développées, enterrer à nouveau la marcotte tout entière et attendre quelques mois avant de procéder à une nouvelle vérification.

La transplantation se fait plus facilement si on installe d'abord les marcottes dans de petits pots qu'on enterre. Lorsque les boutures auront pris racine, il sera possible de les transplanter sans risquer d'endommager les jeunes racines.

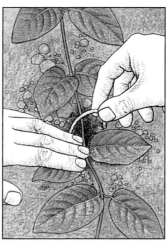

1. *Fixer la pousse dans un trou de 5 cm et remplir d'un mélange léger.*

2. *Laisser deux paires de feuilles à l'air libre, puis répéter l'opération.*

Marcottage aérien pour tiges hautes ou rigides

Le marcottage aérien se pratique de la fin du printemps à la mi-été. Choisir une branche vigoureuse de l'année et enlever les feuilles du milieu. Faire une entaille peu profonde en enlevant une tranche d'écorce de 2,5 cm de long jusqu'au cambium. Appliquer de la poudre d'hormones.

Entourer la blessure d'un manchon de matière plastique de 10 à 13 cm de large ; attacher le bas (voir l'illustration). Remplir ce manchon d'un mélange humide de tourbe (⅓), de sable grossier (⅓) et de sphaigne (⅓). Attacher le haut.

Dix semaines plus tard, on devrait voir ou sentir les racines. Ôter le manchon et détacher la marcotte en coupant en dessous des racines. Mettre le nouveau sujet dans un pot de 10 à 15 cm rempli d'un mélange léger et humide et le garder sous châssis froid fermé pendant deux semaines. Acclimater la plante en ouvrant progressivement le châssis ; la transplanter au jardin au printemps.

1. *Choisir une pousse de l'année et lui enlever une paire de feuilles.*

2. *Faire une entaille de 2,5 cm dans le bois ; appliquer de la poudre.*

3. *Envelopper d'un manchon attaché à la base et le remplir de terre.*

4. *Attacher le manchon dans le haut et le laisser en place 10 semaines.*

5. *S'il y a des racines, ôter le manchon et détacher le nouveau sujet.*

6. *Le planter dans un pot de 10 cm. Garder humide et à l'abri 15 jours.*

Les cognassiers sont des arbustes épineux peu exigeants, qui décorent bien un mur. Leurs abondantes fleurs rouges cèdent la place à de beaux fruits jaunes.

Chaenomeles superba 'Crimson and Gold'   *Chaenomeles speciosa 'Simonii'*

Multiplication par semis, rejets et division

Cueillette et préparation des graines pour les semis

Les graines d'arbustes ne mûrissent pas toutes à la même saison. L'apparition des oiseaux est un signal qu'elles sont mûres. Encore faut-il agir avant eux et avant que les graines, trop mûres, s'éparpillent sur le sol. Généralement, la cueillette se fait en automne. Dans les régions froides, certaines espèces comme le chèvrefeuille donnent leurs graines à la fin du printemps, tandis que celles du kolkwitzie sont prêtes à la fin de l'été, et celles de plusieurs variétés de rhododendron à la mi-automne.

Les semences de plusieurs espèces — azalée, rhododendron, piéris, laurier de montagne, buddléia, cléthra, deutzie, enkianthus, millepertuis, hydrangée, potentille, kolkwitzie, seringa, spirée et weigela — germent sans qu'il soit besoin de les préparer.

D'autres, comme celles de l'épine-vinette, du lilas, du thuya, de l'épinette et du pin, doivent séjourner deux à trois mois au froid, c'est-à-dire être en dormance, avant de pouvoir germer. Dans les régions froides, on sèmera ces graines à l'extérieur sous châssis froid en automne ; elles germeront le printemps suivant. On peut aussi les enfermer dans un sac de plastique rempli de tourbe à peine humide et les garder au réfrigérateur (4 °C) pendant deux ou trois mois avant de les semer.

Certains arbustes, comme le cotonéaster, le houx et le genévrier, doivent avoir une double période de dormance : la première en couche chaude, la seconde en couche froide.

Semées à l'extérieur, ces graines peuvent mettre jusqu'à deux ans à germer. Cette période d'attente est beaucoup plus courte si l'on enferme les graines dans un sac de plastique rempli de tourbe humide. Garder le sac à la température de la pièce pendant cinq mois environ, soit la durée de la première période de dormance, puis placer le sac au réfrigérateur pour trois autres mois, durée de la seconde période de dormance. Semer ensuite les graines.

Quand il s'agit de graines pulpeuses, comme celles de l'if, extraire cette pulpe avant de mettre ces graines en réserve ou de les semer. Faire tremper les graines dans de l'eau pour ramollir la chair : les bonnes graines sont celles qui coulent, les autres flottent.

Débarrasser les graines non pulpeuses de leur enveloppe. Poudrer toutes les semences de roténone contre les charançons et autres ravageurs.

Certaines semences, dont celles du genêt et de la glycine, ont un tégument dormant qu'il faut enlever à la main ou avec de l'eau chaude ou de l'acide sulfurique. Lorsque les graines sont grosses, on peut réduire ce tégument avec une lime ou avec un couteau.

L'eau qui servira à attendrir le tégument doit être à 90 °C au moins. La verser sur les graines et les laisser tremper toute une nuit. Si l'on utilise de l'acide sulfurique (produit dangereusement corrosif), en couvrir complètement les graines et vérifier de temps à autre l'action de l'acide en sortant une graine avec des pincettes en bois. Ce traitement a pour but de rendre la graine perméable à l'eau.

Rincer ensuite les graines à l'eau courante et les semer immédiatement en châssis froid ou dans des pots gardés à l'intérieur.

Si le semis se fait sous châssis à l'automne, il faut protéger les graines contre les rongeurs. Installer un grillage fin, de type « moustiquaire », sur les pots ou sur le châssis. Pour de plus amples détails sur les semis, se reporter la page 195.

Multiplication des arbustes par rejets

Plusieurs espèces d'arbres et d'arbustes se reproduisent naturellement au moyen de pousses qui émergent du sol et qu'on appelle des rejets.

La multiplication au moyen de rejets n'est efficace que si les rejets ont des racines. Les rejets des plantes greffées (certains rosiers, les rhododendrons, les lilas, les viornes et l'hamamélis) reproduisent le porte-greffes du sujet et non ses organes aériens. La deutzie, le forsythia, le seringa, les rosiers non hybrides, la spirée, le sumac et quelques espèces de *Prunus* donnent par contre de véritables rejets.

Entre la mi-automne et le début du printemps, dégager le rejet à la base. S'il a de bonnes racines, le couper le plus près possible de son point d'origine, tige ou racine, le soulever avec précaution et le mettre en terre.

Si les racines sont faibles, il faudra attendre pour le transplanter.

BOUTURAGE DES REJETS

En automne ou en hiver, déterrer le rejet. S'il a des racines, le couper près de son point d'origine, tige ou racine ; le soulever et le planter.

Multiplication des arbustes par division

De nombreux arbustes produisent leurs tiges principales à partir de bourgeons souterrains, si bien que chacune d'elles est porteuse de racines. Ces arbustes se multiplient par division tout comme les vivaces semi-ligneuses. C'est une méthode avantageuse puisqu'elle permet d'obtenir immédiatement des sujets en plein développement.

La division convient notamment au clérodendron, à l'indigotier, au kerria de même qu'à la ronce.

Déterrer l'arbuste et le diviser en deux ou trois touffes de même taille présentant chacune de nombreuses racines saines. Les planter aussitôt.

Cette division se fait de préférence au printemps, mais elle peut aussi s'effectuer entre la mi-automne et la mi-printemps. Toutefois, il faut attendre qu'un arbuste ait au moins trois ans avant de le diviser.

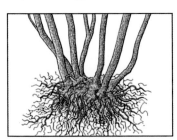

1. *On divise les plantes qui produisent leurs tiges principales sous terre.*

2. *Diviser la plante en touffes égales et les planter avec leurs racines.*

Le seringa (Philadelphus) se couvre de fleurs blanches en mai et juin. Les panicules pendantes du Pieris japonica apparaissent tôt au printemps.

Philadelphus coronarius

Pieris japonica

Pieris japonica 'Valley Valentine'

Taille des arbustes et des plantes grimpantes

Un arbuste souffre rarement de n'être pas taillé. On le taille le plus souvent pour restreindre sa croissance, améliorer sa silhouette ou supprimer les branches mortes ou malades, ce qui, bien entendu, est essentiel. Chez certains sujets, la croissance est meilleure si la lumière pénètre au centre de la ramure ; en ce cas, on coupe les vieilles branches centrales. D'autres produisent des fleurs plus grosses, mais peut-être moins nombreuses, si on les taille tous les ans.

Pour effectuer la taille, on a le choix entre trois outils : le sécateur pour les petites tiges, les cisailles à long manche pour les grosses tiges et la scie d'élagage pour les grosses branches. Une serpette bien aiguisée est aussi utile pour parer les grandes plaies.

Pour raccourcir une branche, faire la coupe juste au-dessus d'un œil ou d'une pousse tournés vers l'extérieur. Couper en biseau, parallèlement à l'angle formé par l'œil avec la tige, mais jamais transversalement. S'il s'agit d'une branche entière, couper à ras du tronc ou de la branche principale et parer la plaie avec une serpette. Recouvrir la blessure d'un enduit cicatrisant spécial ou de n'importe quelle peinture domestique à base d'huile pour empêcher des spores malsaines de pénétrer dans le bois par la plaie. C'est une précaution qui, sans être essentielle, est utile.

Une fois le travail terminé, ajouter deux poignées d'engrais complet par mètre carré et étendre autour des arbustes sévèrement rabattus un paillis de 5 cm d'épaisseur.

Suppression des branches mortes ou trop longues

Cette méthode s'applique à la plupart des arbustes et fait partie de l'entretien de routine. Elle se pratique en tout temps. On aura sans doute tendance à y avoir recours lorsqu'une longue branche défigure la silhouette d'un arbuste ou lorsqu'un orage a endommagé un rameau. Mais il est sage de faire un examen général des arbustes, chaque printemps, pour déterminer ceux qu'il faudra tailler.

Rabattre le bois mort ou abîmé jusqu'au tissu sain et au-dessous d'un œil ou d'une pousse tournés vers l'extérieur. Couper ensuite les pousses malingres à ras d'une grosse branche. Réduire de moitié les branches trop vigoureuses en coupant près d'une forte pousse ou d'un œil tourné vers l'extérieur.

Ce type de taille sélective convient à plusieurs arbustes, et notamment au daphné, au fusain, à la véronique, à la potentille, au ciste, à la viorne de Burkwood et au *Viburnum carlesii*.

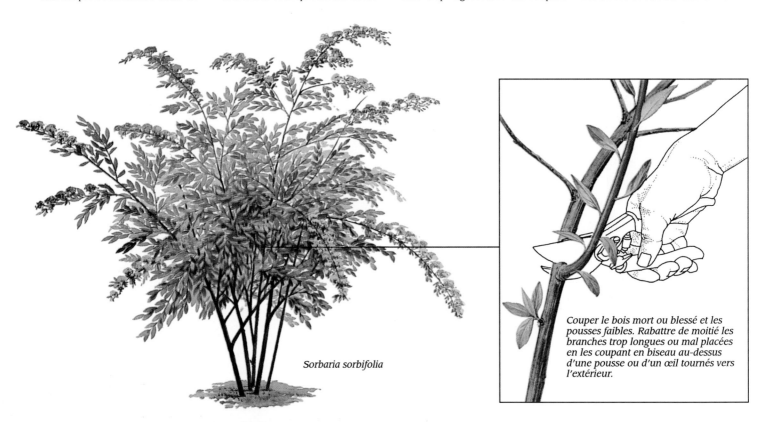

Sorbaria sorbifolia

Couper le bois mort ou blessé et les pousses faibles. Rabattre de moitié les branches trop longues ou mal placées en les coupant en biseau au-dessus d'une pousse ou d'un œil tournés vers l'extérieur.

Les viornes se distinguent par une abondante floraison au printemps et en été, des fruits ornementaux et un beau coloris d'automne.

Viburnum opulus 'Compactum'   *Viburnum opulus* 'Roseum'

Rabattage des arbustes trop développés

Certains arbustes, surtout les espèces à feuillage persistant, n'ont pas besoin de taille avant plusieurs années, à moins qu'ils ne soient trop gros ou dégarnis à la base. Au prin-temps, rabattre toutes les grosses branches à quelques centimètres du sol en se servant d'une scie d'éla-gage. Donner un peu d'engrais com-plet. Pailler ; arroser beaucoup en période de sécheresse. L'arbuste ne fleurira pas l'été suivant, mais il sera plus beau quelques années plus tard.

ARBUSTES AINSI TAILLÉS

Aucuba (aucuba)
Caragana (arbre-aux-pois)
Cornus (cornouiller)
Elaeagnus (chalef)

Ligustrum (troène)
Mahonia (mahonie)
Myrica (myrique)
Olearia (oléaria)

Pieris (pieris)
Prunus laurocerasus (laurier-cerise)
Viburnum (viorne)

Prunus laurocerasus 'Schipkaensis'

Avec des cisailles, enlever au printemps la partie supérieure des branches.

Scier les branches à quelques centimètres du sol, en entaillant d'abord par-dessous.

La deutzie est un arbuste agréable, adapté à presque tous les sols. Deutzia scabra est particulièrement robuste. D. rosea est une variété naine à branches recourbées.

Deutzia scabra

Deutzia rosea

Taille des arbustes cultivés en espalier

Certains arbustes, renommés pour leur feuillage, leurs fleurs ou leurs baies, se prêtent à la culture en espalier. Les premières années, tailler l'arbuste de façon à obtenir des branches bien orientées. Chaque printemps, raccourcir du tiers ou de moitié les branches principales choisies pour constituer l'armature.

Lorsque l'arbuste remplit le treillage, rabattre chaque année les pousses terminales à environ 2 cm de la longueur désirée. Supprimer par la même occasion toutes les branches qui s'écartent du mur.

Lorsque les fleurs naissent sur de nouvelles pousses, tailler l'arbuste très tôt au printemps. Si les fleurs naissent sur du bois de l'année précédente, tailler l'arbuste après qu'elles se sont épanouies.

ARBUSTES AINSI TAILLÉS	
Ceanothus (ceanothe à feuillage persistant)	*Jasminum* (jasmin)
Chaenomeles (cognassier)	*Pyracantha* (pyracanthe)
Cotoneaster (cotonéaster)	*Taxus* (if)
Forsythia (forsythie)	*Viburnum* (viorne)

Pour cultiver un pyracanthe en espalier, attacher les tiges latérales dans l'orientation voulue ; rabattre les nouvelles pousses de moitié au printemps et couper les autres à une hauteur de 7,5 à 10 cm en été. Quand elles sont assez longues, leur laisser 2,5 à 5 cm de pousse par année.

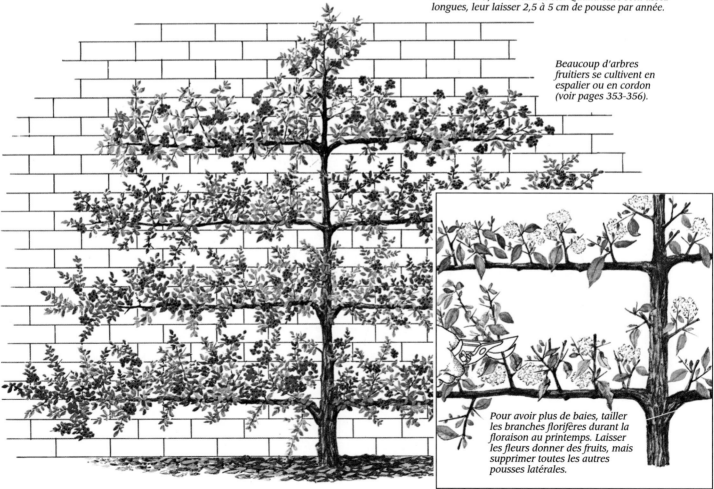

Beaucoup d'arbres fruitiers se cultivent en espalier ou en cordon (voir pages 353-356).

Pour avoir plus de baies, tailler les branches florifères durant la floraison au printemps. Laisser les fleurs donner des fruits, mais supprimer toutes les autres pousses latérales.

La mahonie à feuilles de houx (Mahonia aquifolium) est constellée de fleurs jaunes au printemps, puis de fruits noir-bleu en été, et son feuillage brillant tourne au pourpre en automne. Dès le début de l'été, le baguenaudier commun (Colutea arborescens) arbore des fleurs jaunes. Ses gousses vésiculeuses sont d'un beau rouge cuivré.

Mahonia aquifolium   Colutea arborescens

Arbustes qui fleurissent sur des pousses nouvelles

Certains arbustes fleurissent sur des pousses de la saison. Pour limiter leur développement et pour obtenir des fleurs plus grosses bien que moins nombreuses, rabattre les arbustes au printemps, au début de la croissance.

Couper toutes les tiges de l'année précédente à deux ou trois yeux de leur empattement. À moins de vouloir éclaircir la ramure, éviter de rabattre le vieux bois.

Après la taille, fortifier l'arbuste en ajoutant 1 tasse d'engrais complet pour 1 m². Pailler sur 5 cm d'épaisseur avec de la tourbe, du compost ou du fumier.

ARBUSTES ET PLANTES GRIMPANTES AINSI TAILLÉS		
Buddleja davidii (buddléia)	'Grandiflora' et *H. paniculata* 'Grandiflora' (hydrangée)	*Spiraea bumalda* et *S. japonica* (spirée bumalda et du Japon)
Caryopteris (caryoptère)		
Ceanothus (ceanothe à feuillage caduc)	*Indigofera* (indigotier)	*Tamarix ramosissima* (tamaris)
Fuchsia magellanica (fuchsia)	*Lagerstroemia* (lilas d'Asie)	*Vitex* (gattilier)
Hydrangea arborescens	*Spartium* (genêt d'Espagne)	

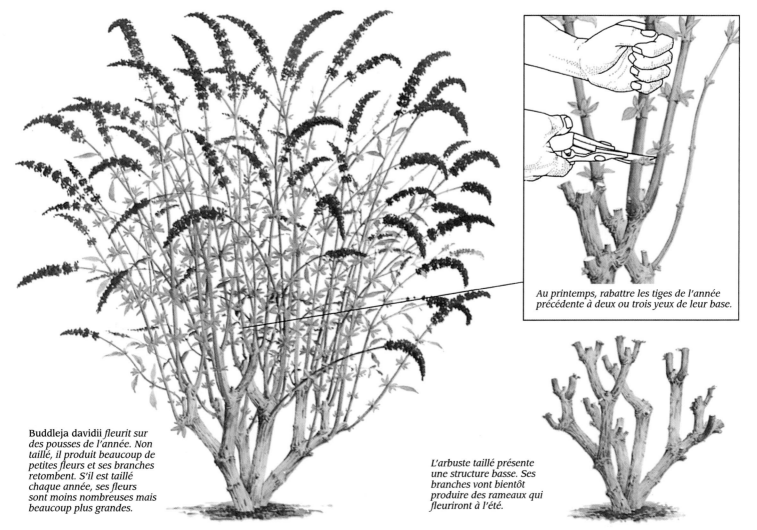

Au printemps, rabattre les tiges de l'année précédente à deux ou trois yeux de leur base.

Buddleja davidii *fleurit sur des pousses de l'année. Non taillé, il produit beaucoup de petites fleurs et ses branches retombent. S'il est taillé chaque année, ses fleurs sont moins nombreuses mais beaucoup plus grandes.*

L'arbuste taillé présente une structure basse. Ses branches vont bientôt produire des rameaux qui fleuriront à l'été.

La renouée (Fallopia aubertii, anciennement appelée Polygonum aubertii) peut croître jusqu'à 5 m par année. On l'a surnommée « l'amie de l'architecte » car elle a vite fait de recouvrir les murs, les clôtures et les pergolas.

Fallopia aubertii (syn. *Polygonum aubertii*)

Arbustes qui fleurissent sur du vieux bois

En vieillissant, certains arbustes perdent leur forme ; leur feuillage devient trop dense et ils produisent moins de fleurs.

Pour remédier à ce problème, les arbustes qui fleurissent sur des tiges de l'année précédente peuvent être taillés après la floraison, tous les ans, si nécessaire.

En premier lieu, enlever ou raccourcir quelques-unes des branches les plus vieilles. Élaguer ensuite au besoin les nouvelles pousses faibles. Toujours couper au-dessus d'une branche latérale vigoureuse.

ARBUSTES AINSI TAILLÉS		
Acacia (acacia)	*Hydrangea macrophylla* (hortensia)	*Ribes* (groseillier)
Buddleja alternifolia (buddléia à feuilles alternes)	*Kolkwitzia* (kolkwitzie)	*Stephanandra* (stephanandra)
Deutzia (deutzie)	*Philadelphus* (seringa)	*Weigela* (weigela)
Forsythia (forsythie)	*Prunus glandulosa* 'Alba Plena', *P. triloba* (prunus)	

Tout de suite après la floraison, à la mi-été, rabattre du tiers ou davantage. Enlever le bois qui a fleuri ; garder les pousses fortes.

Pour qu'il produise de plus grosses fleurs, tailler un hortensia après qu'il a fleuri. Au printemps, les jeunes pousses lui donneront un profil arrondi (voir à droite) et se chargeront de belles fleurs en été.

Kolkwitzia amabilis

Parthenocissus tricuspidata

La kolkwitzie (Kolkwitzia amabilis) *est un magnifique arbuste pour un emplacement ensoleillé. Les vrilles du lierre de Boston* (Parthenocissus tricuspidata) *lui permettent de s'accrocher aux murs et ses feuilles rouges sont magnifiques en automne.*

Limiter le développement des plantes grimpantes

On ne taille la plupart des plantes grimpantes que lorsqu'elles deviennent trop envahissantes. C'est après la floraison que l'on rabat les espèces à fleurs, et c'est au printemps ou en été que l'on taille celles que l'on cultive pour leur feuillage.

Tailler sans les détacher les espèces qui grimpent d'elles-mêmes. Détacher les autres de leur support ; enlever les pousses latérales et garder les branches principales.

Si certaines des branches principales semblent vieilles, les supprimer et garder les plus jeunes.

Pour la clématite, voir page 69 ; pour la glycine, page 80.

ARBUSTES AINSI TAILLÉS	
Actinidia (actinidie)	*Lonicera* (chèvrefeuille)
Campsis (jasmin trompette)	*Parthenocissus* (vigne vierge)
Clematis montana (clématite montana)	*Polygonum aubertii* (renouée)
Hydrangea (hydrangée grimpante)	

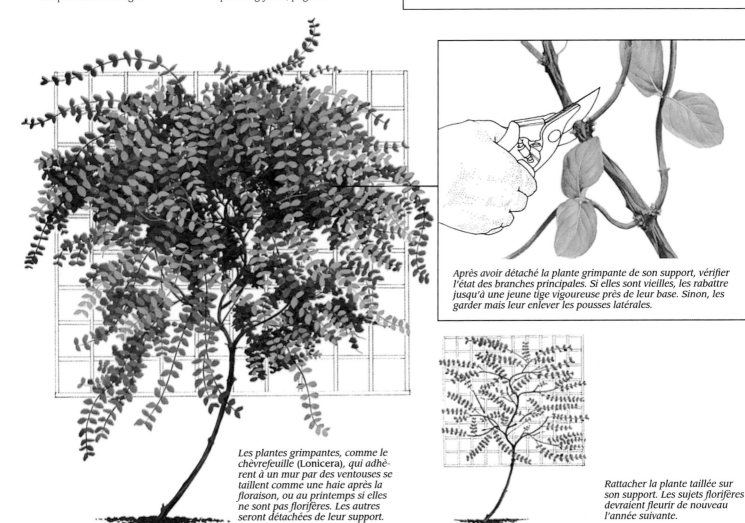

Après avoir détaché la plante grimpante de son support, vérifier l'état des branches principales. Si elles sont vieilles, les rabattre jusqu'à une jeune tige vigoureuse près de leur base. Sinon, les garder mais leur enlever les pousses latérales.

Les plantes grimpantes, comme le chèvrefeuille (Lonicera), *qui adhèrent à un mur par des ventouses se taillent comme une haie après la floraison, ou au printemps si elles ne sont pas florifères. Les autres seront détachées de leur support.*

Rattacher la plante taillée sur son support. Les sujets florifères devraient fleurir de nouveau l'année suivante.

Un feuillage aromatique et des fleurs en ombelles bleu pourpré qui apparaissent à la fin de l'été font de la caryoptère (Caryopteris) un arbuste parfait pour les talus et les rocailles.

Caryopteris clandonensis 'Heavenly Blue'

La taille de 26 arbustes communs, vue de près

Buddleja alternifolia (buddléia à feuilles alternes). Après la floraison, tailler les vieilles tiges pour en susciter de nouvelles.

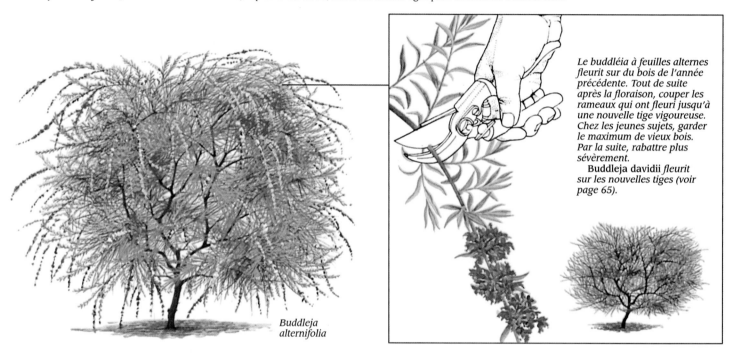

Le buddléia à feuilles alternes fleurit sur du bois de l'année précédente. Tout de suite après la floraison, couper les rameaux qui ont fleuri jusqu'à une nouvelle tige vigoureuse. Chez les jeunes sujets, garder le maximum de vieux bois. Par la suite, rabattre plus sévèrement.

Buddleja davidii *fleurit sur les nouvelles tiges (voir page 65).*

Buddleja alternifolia

Caryopteris (caryoptère). S'il n'est pas taillé chaque printemps, cet arbuste devient ligneux et ne produit que de maigres fleurs.

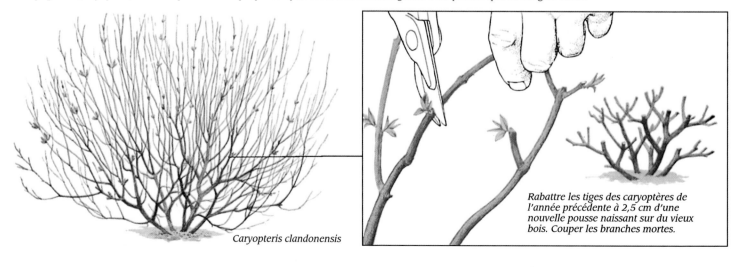

Caryopteris clandonensis

Rabattre les tiges des caryoptères de l'année précédente à 2,5 cm d'une nouvelle pousse naissant sur du vieux bois. Couper les branches mortes.

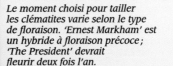

Le moment choisi pour tailler les clématites varie selon le type de floraison. 'Ernest Markham' est un hybride à floraison précoce ; 'The President' devrait fleurir deux fois l'an.

Clematis 'Ernest Markham'

Clematis 'The President'

Ceanothus delilianus (céanothe). Il faut le tailler au milieu du printemps ; les nouvelles pousses apparaîtront vers la fin de l'été.

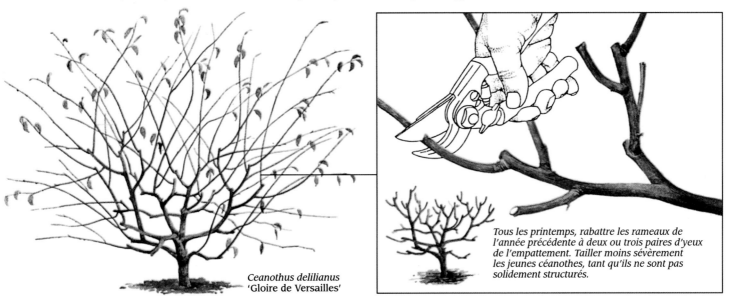

Ceanothus delilianus
'Gloire de Versailles'

Tous les printemps, rabattre les rameaux de l'année précédente à deux ou trois paires d'yeux de l'empattement. Tailler moins sévèrement les jeunes céanothes, tant qu'ils ne sont pas solidement structurés.

Clematis (clématite). La taille est tributaire de l'époque et du type de floraison.

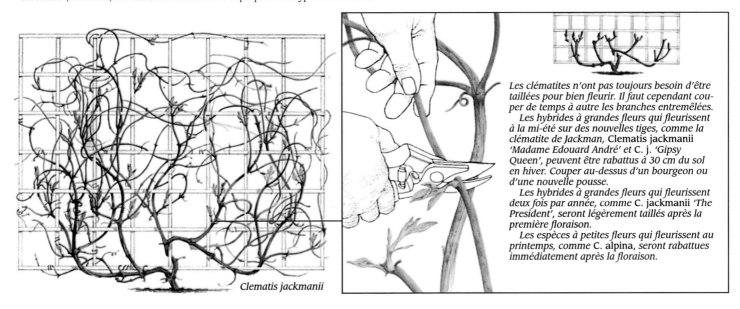

Clematis jackmanii

Les clématites n'ont pas toujours besoin d'être taillées pour bien fleurir. Il faut cependant couper de temps à autre les branches entremêlées.
Les hybrides à grandes fleurs qui fleurissent à la mi-été sur des nouvelles tiges, comme la clématite de Jackman, Clematis jackmanii 'Madame Edouard André' et C. j. 'Gipsy Queen', peuvent être rabattus à 30 cm du sol en hiver. Couper au-dessus d'un bourgeon ou d'une nouvelle pousse.
Les hybrides à grandes fleurs qui fleurissent deux fois par année, comme C. jackmanii 'The President', seront légèrement taillés après la première floraison.
Les espèces à petites fleurs qui fleurissent au printemps, comme C. alpina, seront rabattues immédiatement après la floraison.

Le cornouiller blanc (Cornus alba 'Elegantissima') a un feuillage panaché vert bordé de blanc et des tiges rouges. Les grappes de fleurs jaunes du cytise (Cytisus beanii) en font un bel élément pour une rocaille.

Cornus alba 'Elegantissima'

Cytisus beanii

Cornus alba et **C. stolonifera** (cornouiller). Pour avoir des tiges colorées en hiver, faire une taille sévère tôt au printemps.

Les cornouillers ont une écorce très décorative : Cornus alba, rouge, et C. stolonifera 'Flaviramea', jaune. Les jeunes tiges sont particulièrement spectaculaires. Aussi faut-il rabattre les pousses de l'année précédente à quelques centimètres du sol au tout début du printemps. Pour rajeunir un vieil arbuste (à gauche), rabattre sévèrement les grosses branches et le bois mort. Laisser une charpente de 30 cm de haut.

Cornus alba

Cytisus scoparius (genêt à balais). Dès que les fleurs se fanent, rabattre la branche qui a fleuri, sinon l'arbuste se dénudera.

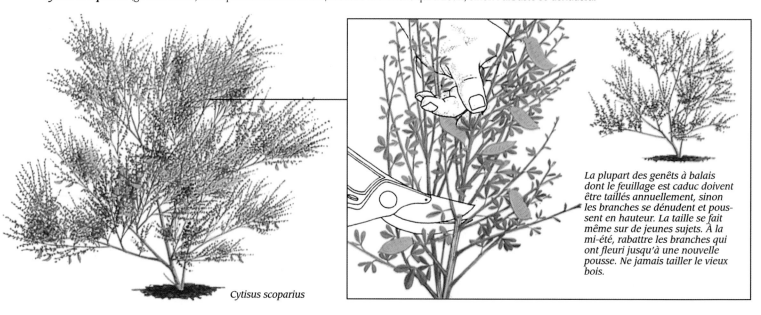

La plupart des genêts à balais dont le feuillage est caduc doivent être taillés annuellement, sinon les branches se dénudent et poussent en hauteur. La taille se fait même sur de jeunes sujets. À la mi-été, rabattre les branches qui ont fleuri jusqu'à une nouvelle pousse. Ne jamais tailler le vieux bois.

Cytisus scoparius

Lorsqu'elles font éclater leurs fleurs jaune d'or, les forsythies sont d'autant plus appréciées qu'elles sont à peu près seules au jardin. Ce sont des plantes robustes qui acceptent tous les types de sol et d'ensoleillement.

Forsythia intermedia 'Lynwood'

Deutzia (deutzie). Au cours de l'été, rabattre les tiges qui ont fleuri pour éviter que l'arbuste ne devienne trop touffu.

Deutzia gracilis

Si on ne les taille pas, les deutzies deviennent rapidement trop touffues et la floraison s'appauvrit. Après la floraison, rabattre les tiges qui ont fleuri jusqu'à une nouvelle pousse. Certaines deutzies présentent une écorce qui se soulève par plaques; pour leur garder cet attrait, conserver quelques vieilles pousses.

Forsythia (forsythie). Encourager les nouveaux rameaux à remplacer le vieux bois peu florifère en rabattant celui-ci après la floraison printanière.

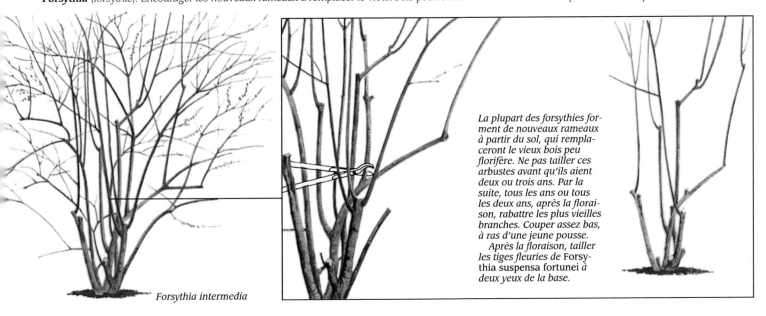

Forsythia intermedia

La plupart des forsythies forment de nouveaux rameaux à partir du sol, qui remplaceront le vieux bois peu florifère. Ne pas tailler ces arbustes avant qu'ils aient deux ou trois ans. Par la suite, tous les ans ou tous les deux ans, après la floraison, rabattre les plus vieilles branches. Couper assez bas, à ras d'une jeune pousse.

Après la floraison, tailler les tiges fleuries de Forsythia suspensa fortunei à deux yeux de la base.

Lorsqu'ils fleurissent, Hydrangea paniculata 'Grandiflora' (hydrangée paniculée à grandes fleurs) et H. macrophylla 'Quadricolor' (hortensia) sont un spectacle impressionnant.

Hydrangea paniculata 'Grandiflora'

Hydrangea macrophylla 'Quadricolor'

Hydrangea macrophylla (hortensia). Enlever les fleurs fanées. Éliminer les tiges peu florifères ; rabattre les autres d'un tiers.

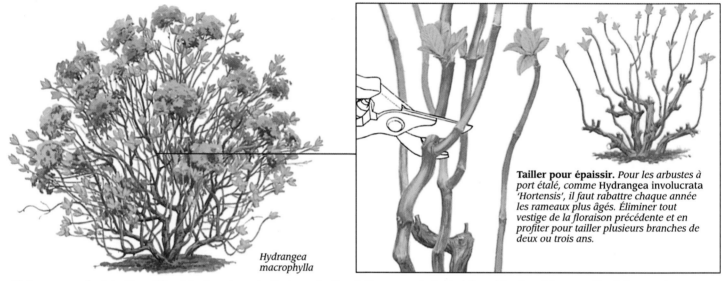

Hydrangea macrophylla

Tailler pour épaissir. *Pour les arbustes à port étalé, comme Hydrangea involucrata 'Hortensis', il faut rabattre chaque année les rameaux plus âgés. Éliminer tout vestige de la floraison précédente et en profiter pour tailler plusieurs branches de deux ou trois ans.*

Hydrangea paniculata 'Grandiflora' (hydrangée paniculée à grandes fleurs). Sur ce grand arbuste à fleurs blanches, faire une taille sévère au printemps.

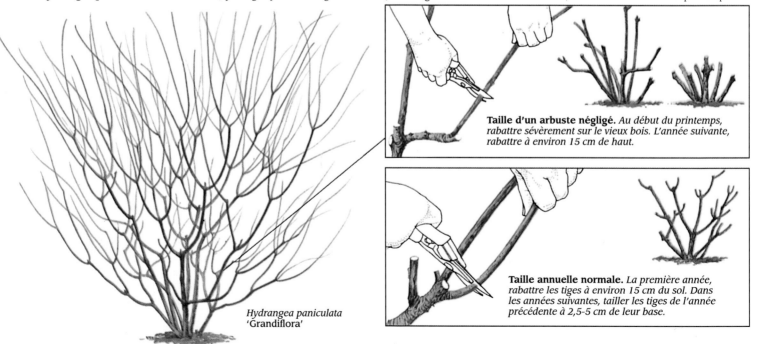

Hydrangea paniculata 'Grandiflora'

Taille d'un arbuste négligé. *Au début du printemps, rabattre sévèrement sur le vieux bois. L'année suivante, rabattre à environ 15 cm de haut.*

Taille annuelle normale. *La première année, rabattre les tiges à environ 15 cm du sol. Dans les années suivantes, tailler les tiges de l'année précédente à 2,5-5 cm de leur base.*

Le millepertuis (Hypericum) garde sa parure de fleurs jaunes tout l'été. H. moserianum pousse bien à l'ombre, mais de préférence dans un endroit abrité.

Hypericum moserianum

Hypericum calycinum (millepertuis à grandes fleurs). Tailler au ciseau dès le début du printemps pour conserver une masse bien touffue.

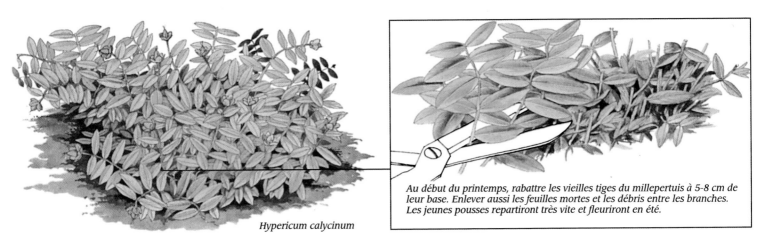

Hypericum calycinum

Au début du printemps, rabattre les vieilles tiges du millepertuis à 5-8 cm de leur base. Enlever aussi les feuilles mortes et les débris entre les branches. Les jeunes pousses repartiront très vite et fleuriront en été.

Hypericum patulum (à port dressé). Au début du printemps, éliminer les rameaux morts et ceux qui ont poussé trop vite.

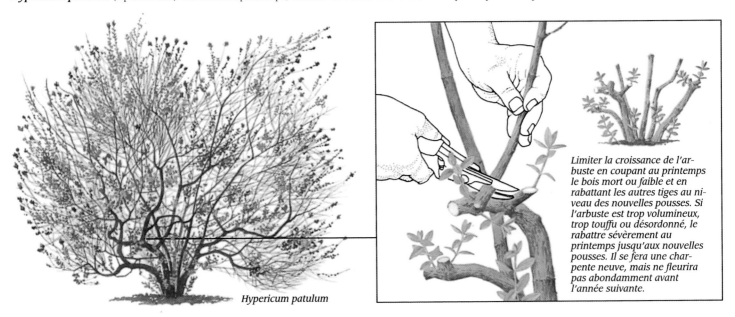

Hypericum patulum

Limiter la croissance de l'arbuste en coupant au printemps le bois mort ou faible et en rabattant les autres tiges au niveau des nouvelles pousses. Si l'arbuste est trop volumineux, trop touffu ou désordonné, le rabattre sévèrement au printemps jusqu'aux nouvelles pousses. Il se fera une charpente neuve, mais ne fleurira pas abondamment avant l'année suivante.

La délicieuse odeur de la lavande (Lavandula) attire les papillons de mai à septembre. Ses fleurs séchées font de bons sachets parfumés.

Lavandula angustifolia 'Hidcote'

Kerria (kerria ou corête du Japon). Les jeunes pousses produisent les plus belles fleurs ; tailler à la fin du printemps, après que les fleurs ont fané.

Kerria
japonica

Le kerria produit chaque année de nouvelles pousses qui sortent du sol. Elles fleurissent l'année suivante et souvent meurent ensuite. Favoriser leur croissance en enlevant les tiges qui ont fleuri. Rabattre à ras du sol ou, si les rameaux sont vigoureux, au point de départ des jeunes pousses. Rabattre jusqu'au sol toutes les tiges de Kerria japonica 'Plena'.

Lavandula (lavande). Tailler au milieu du printemps pour empêcher l'arbuste de se dégarnir.

Lavandula
officinalis

Sans taille, la lavande se déforme et se dégarnit. Rabattre les épis floraux fanés ainsi que 2,5 cm des branches. Faire cette taille au printemps, même si on a supprimé les épis fanés à l'automne. Rabattre sévèrement les sujets jeunes pour leur donner un port buissonnant. Ne pas couper le vieux bois des sujets plus âgés, car les rameaux taillés pourraient mourir.

Kerria japonica 'Pleniflora'

Le kerria convient bien pour couvrir les murs et les clôtures. La forme double, 'Plenifora', fleurit jusqu'en septembre. Les grandes feuilles du sumac (Rhus), qui rappellent les fougères, virent au rouge orangé en automne.

Rhus typhina 'Dissecta'

Philadelphus (seringa). Rajeunir un vieux plant en éliminant les branches plus âgées pour faire place à de nouvelles.

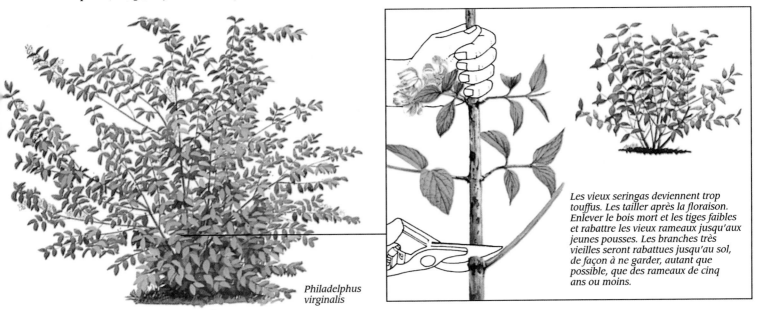

Philadelphus virginalis

Les vieux seringas deviennent trop touffus. Les tailler après la floraison. Enlever le bois mort et les tiges faibles et rabattre les vieux rameaux jusqu'aux jeunes pousses. Les branches très vieilles seront rabattues jusqu'au sol, de façon à ne garder, autant que possible, que des rameaux de cinq ans ou moins.

Rhus (sumac). Pour être sûr d'avoir de belles tiges colorées en automne, faire une bonne taille à la fin de l'hiver.

Rhus typhina laciniata

Plusieurs espèces de ce genre sont appréciées pour les beaux coloris de rouge et d'orange que prend leur feuillage en automne. Pour obtenir des couleurs vives et de très grandes feuilles, rabattre le bois de l'année précédente jusqu'à 10 cm du vieux bois à la fin de l'hiver. On obtiendra de la sorte un sujet ayant une charpente courte et vigoureuse.

Dans sa forme rustique, le groseillier à fleurs (Ribes sanguineum) fleurit au début du printemps. La ronce (Rubus) est une parente des framboisiers et des mûriers.

Ribes sanguineum 'King Edward VII'

Rubus 'Benenden'

Ribes (groseillier). Tailler régulièrement les vieilles tiges après que les fleurs ont fané.

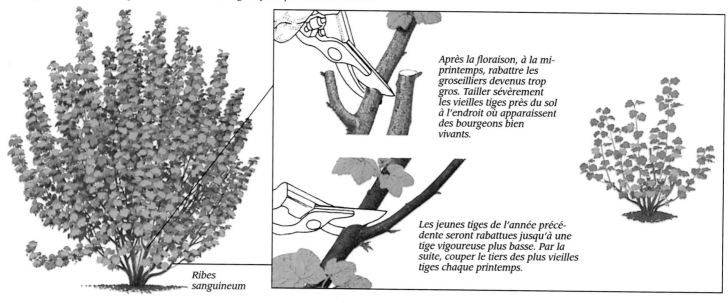

Après la floraison, à la mi-printemps, rabattre les groseilliers devenus trop gros. Tailler sévèrement les vieilles tiges près du sol à l'endroit où apparaissent des bourgeons bien vivants.

Les jeunes tiges de l'année précédente seront rabattues jusqu'à une tige vigoureuse plus basse. Par la suite, couper le tiers des plus vieilles tiges chaque printemps.

Ribes sanguineum

Rubus cockburnianus (ronce). Après la floraison, rabattre les vieilles tiges pour stimuler de nouvelles pousses à la base.

Rubus cockburnianus

Rubus cockburnianus *(ronce) est un framboisier cultivé pour ses tiges qui sont blanches en hiver. Après la floraison, à la mi-été, couper les tiges qui ont fleuri; les autres seront blanches en hiver et fleuriront l'année suivante. Si l'on ne tient pas aux fleurs et que l'on préfère obtenir des tiges blanches, tailler l'arbuste à la fin de l'hiver.*

Le sorbaria (Sorbaria sorbifolia)
a besoin de place pour s'étaler.
C'est un arbuste vigoureux qui
forme vite des fourrés.

Sorbaria sorbifolia

Santolina (santoline). Tailler au milieu du printemps pour avoir de plus grosses fleurs et empêcher le branchage de s'enchevêtrer.

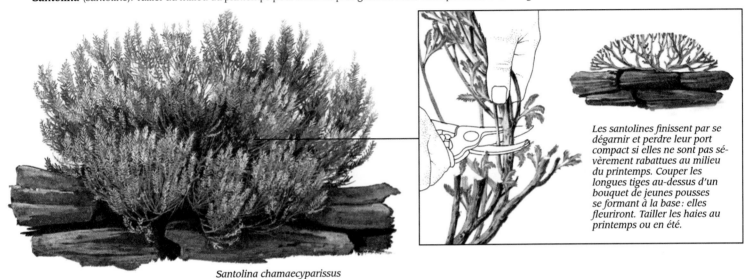

Les santolines finissent par se dégarnir et perdre leur port compact si elles ne sont pas sévèrement rabattues au milieu du printemps. Couper les longues tiges au-dessus d'un bouquet de jeunes pousses se formant à la base: elles fleuriront. Tailler les haies au printemps ou en été.

Santolina chamaecyparissus

Sorbaria (sorbaria). Pour avoir un meilleur feuillage et de plus grosses fleurs, rabattre les tiges chaque hiver.

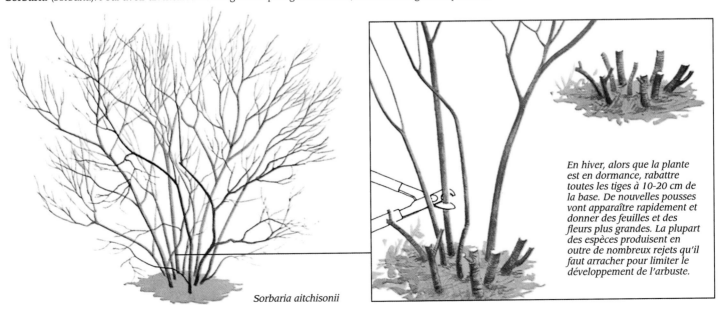

En hiver, alors que la plante est en dormance, rabattre toutes les tiges à 10-20 cm de la base. De nouvelles pousses vont apparaître rapidement et donner des feuilles et des fleurs plus grandes. La plupart des espèces produisent en outre de nombreux rejets qu'il faut arracher pour limiter le développement de l'arbuste.

Sorbaria aitchisonii

Spiraea arguta (hybride). Si l'arbuste devient trop gros, il faut le tailler après la floraison.

*Certaines spirées, comme **Spiraea arguta** et **S. thunbergii**, produisent des fleurs sur du bois de l'année précédente. À la fin du printemps, après la floraison, rabattre les sujets âgés et touffus en coupant les tiges au point de croissance des jeunes pousses.*

Raccourcir tous les ans les tiges ayant fleuri, qu'il s'agisse de jeunes ou de vieux sujets. Couper simplement la partie qui a fleuri. Les jeunes pousses latérales qui apparaissent déjà fleuriront l'année suivante.

Spiraea arguta

Spiraea japonica (spirée du Japon). En la taillant presque à ras du sol au printemps, on obtient des massifs de fleurs roses à la fin de l'été.

Spiraea japonica

Spiraea japonica (spirée du Japon) à fleurs roses et son hybride à fleurs blanches ou carmin, S. bumalda, fleurissent sur des pousses de l'année qu'on peut rabattre presque à ras du sol au début du printemps. Rabattre les tiges à 5-8 cm du sol. Couper entièrement les tiges faibles. De nouvelles pousses sortiront et fleuriront en été. Enlever les fleurs au fur et à mesure qu'elles se fanent.

Stephanandra tanakae

En forme d'étoile, les petites fleurs
blanches de **Stephanandra** tanakae
apparaissent en juin et juillet; plus tard
viendra le feuillage automnal. La
spirée (Spiraea) est tout indiquée
pour composer une haie non taillée.

Spiraea vanhouttei

Stephanandra. Une taille sévère en été, après la floraison, favorise une belle coloration du feuillage et des tiges.

Stephanandra
incisa

Les stephanandras sont réputés pour les
vifs coloris de leurs feuilles en automne et
de leurs tiges en hiver. Une taille annuelle
stimule la pousse de nouvelles tiges. Elle
permet aussi à la lumière de pénétrer au
centre de l'arbuste, ce qui favorise la croissance. Après la floraison, rabattre les tiges
qui ont fleuri jusqu'à une nouvelle pousse
vigoureuse, près du sol, ou à ras de terre.
Supprimer toutes les tiges faibles.

Tamarix (tamaris). Tailler à la fin de l'hiver les variétés qui fleurissent en été; tailler après la floraison celles qui fleurissent au printemps.

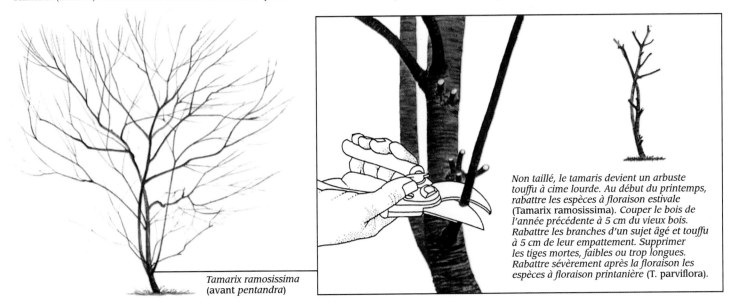

Tamarix ramosissima
(avant pentandra)

Non taillé, le tamaris devient un arbuste
touffu à cime lourde. Au début du printemps,
rabattre les espèces à floraison estivale
(Tamarix ramosissima). Couper le bois de
l'année précédente à 5 cm du vieux bois.
Rabattre les branches d'un sujet âgé et touffu
à 5 cm de leur empattement. Supprimer
les tiges mortes, faibles ou trop longues.
Rabattre sévèrement après la floraison les
espèces à floraison printanière (T. parviflora).

Weigela. Pour éviter un feuillage encombré, éliminer, pendant l'été, les tiges qui ont fleuri.

Weigela florida

Les weigelas deviennent rapidement trop touffus et leur production de fleurs diminue. Après la floraison en été, supprimer les pousses mortes ou faibles et rabattre les tiges qui ont fleuri à la hauteur d'une pousse jeune. Si l'arbuste est vieux et négligé, rabattre les vieilles branches à quelques centimètres du sol. Lorsque des feuilles d'un vert uni apparaissent sur **Weigela florida** 'Variegata', enlever la pousse.

Wisteria (glycine). Si l'on veut avoir de belles masses de fleur sur cette plante grimpante, il faut supprimer les pousses inutiles.

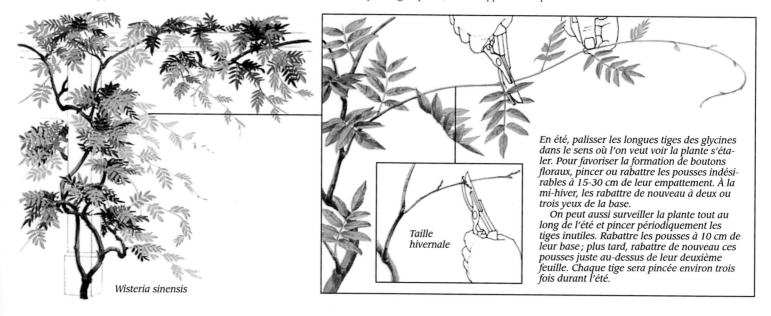

Wisteria sinensis

Taille hivernale

En été, palisser les longues tiges des glycines dans le sens où l'on veut voir la plante s'étaler. Pour favoriser la formation de boutons floraux, pincer ou rabattre les pousses indésirables à 15-30 cm de leur empattement. À la mi-hiver, les rabattre de nouveau à deux ou trois yeux de la base.

On peut aussi surveiller la plante tout au long de l'été et pincer périodiquement les tiges inutiles. Rabattre les pousses à 10 cm de leur base ; plus tard, rabattre de nouveau ces pousses juste au-dessus de leur deuxième feuille. Chaque tige sera pincée environ trois fois durant l'été.

Weigela middendorffiana

Weigela 'Newport Red'

Wisteria sinensis

Les weigelas sont très répandus à cause des belles fleurs qu'ils produisent en été et de leur facilité à pousser aussi bien en plein soleil qu'en semi-ombre. La glycine (Wisteria), quant à elle, est plus sensible et recherche la chaleur.

Petit guide des arbustes

On trouvera dans les pages qui suivent un tableau des arbustes que l'on peut cultiver dans les diverses régions du Canada. Outre la description des espèces mentionnées, ce tableau comporte également des remarques sur la culture de ces plantes.

Les plantes grimpantes font l'objet d'un tableau distinct, qui suit celui des arbustes.

Noms et description générale En botanique, les plantes sont classifiées d'après le genre auquel elles appartiennent. Elles sont ensuite subdivisées en espèces, en fonction d'un caractère commun qui les distingue des autres plantes du même genre.

Dans la première colonne des pages de gauche, les arbustes sont identifiés par leur nom générique – appelé aussi nom botanique ou nom latin –, suivi de leur nom vulgaire. Ce dernier est toujours entre parenthèses. Dans certains cas, le nom vulgaire et le nom botanique de l'arbuste sont les mêmes (*fuchsia, magnolia*).

Les caractéristiques des arbustes, quand elles valent pour l'ensemble des sujets d'un même genre, sont données dans la page de gauche. Les remarques apparaissant en page de droite s'appliquent aux espèces, variétés ou hybrides énumérés.

Quant aux illustrations, elles ne sont pas représentatives du genre dans son ensemble, mais reproduisent une espèce en particulier.

Utilisation et culture Chaque plante a ses qualités propres. Certaines font de belles haies, d'autres des brise-vent. D'autres encore, au contraire, belles mais sensibles, ont besoin d'être abritées du vent.

Leurs exigences culturales diffèrent de même façon : composition du sol, degré d'ensoleillement, arrosage, drainage du terrain, taille, apport d'engrais et de pesticide.

Dans le cas des maladies et des ravageurs, on ira consulter l'index à l'entrée correspondant à chaque symptôme en particulier.

Lorsque ces renseignements s'appliquent à l'ensemble des plantes d'un même genre, ils sont groupés dans les pages de gauche sous la rubrique « Utilisation et culture ». On trouvera de plus amples détails sur la plantation des arbustes et sur les soins à leur donner aux pages 46 à 52. Pour ce qui est de la taille, se reporter aux pages 62 à 80.

Multiplication La façon la plus économique et la plus satisfaisante d'obtenir de nouveaux arbustes consiste à multiplier ceux qu'on a déjà. La multiplication par bouturage des tiges aoûtées ou par marcottage des branches au sol ne pose pas de problèmes. Il existe cependant quelques autres techniques qui sont décrites aux pages 53 à 60.

Dans les tableaux, les méthodes les mieux appropriées à chaque genre sont brièvement indiquées sous « Multiplication ».

Espèces et variétés La première colonne des pages de droite donne une liste de plantes couramment cultivées. Chacune de ces plantes est identifiée par un premier nom qui désigne le genre auquel elle appartient, puis par un second qui désigne l'espèce. Dans certains cas, un troisième nom identifie une variété. Le nom du genre est toujours écrit en toutes lettres lors de sa première utilisation et commence par une majuscule. Par la suite, on ne donne que la lettre initiale. Il en va de même du nom désignant l'espèce.

Les noms de genre et d'espèce, en latin, s'écrivent toujours en italique. De même les noms de variétés naturelles, par exemple *vegetus*, comme dans *Euonymus fortunei vegetus*. Ce système de notation est d'ailleurs constant dans le reste du livre. Les noms de variétés horticoles s'écrivent en caractères romains et entre bractées : *E. f.* 'Sarcoxie'.

Les espèces se reproduisent par semis. Les variétés horticoles (cultivars), cependant — qu'elles aient été obtenues par hybridation artificielle ou naturelle ou par mutations mor-

phologiques ou « sports » —, se reproduisent uniquement ou presque par la méthode végétative : boutures, division, greffes ou marcottage. Il n'y a que très peu d'exceptions à cette règle.

Lorsqu'on commande un arbuste, il est préférable d'utiliser son nom complet. En effet, la taille, le feuillage, la rusticité, les coloris des fleurs, l'époque de la floraison et les exigences culturales sont des facteurs qui peuvent varier d'une espèce à l'autre, voire d'une variété à l'autre.

Rusticité Il est primordial de choisir des plantes adaptées au climat de la région où elles seront cultivées. C'est pourquoi le tableau des arbustes contient les indications relatives à la zone de rusticité la plus basse à laquelle une plante pourra croître.

En gros, la rusticité c'est la résistance des plantes aux rigueurs du climat et surtout au froid. La carte des pages de garde à laquelle on renvoie le lecteur est une version simplifiée de la carte des zones de rusticité du Canada établie par le ministère fédéral de l'Agriculture. Les neuf zones qui y sont délimitées permettent de voir dans quelles régions une espèce donnée peut se développer. Ces zones sont subdivisées en « a » et « b ». On se rappellera que la délimitation de ces zones est basée sur les températures minimales hivernales et qu'une différence de 5 °C sépare chaque zone de celles qui lui sont limitrophes.

Cependant, plusieurs autres facteurs — l'altitude par exemple — peuvent faire varier les minima à l'intérieur d'une zone. Il faudra donc parfois compléter les renseignements donnés ici en fonction des microclimats qui existent dans la région où l'on se trouve.

Le froid n'est pas le seul facteur qui entrave la croissance d'une plante. Les vents sont parfois encore plus dommageables. Cependant, tel arbuste qui ne résisterait pas à l'hiver en situation exposée peut fort bien survivre s'il est placé à l'abri d'une

clôture ou d'un mur. On notera également les dates des premiers et des derniers gels, ainsi que l'humidité relative et le degré d'ensoleillement nécessaires à la plante.

Bref, la question est délicate et il vaut toujours mieux se renseigner auprès d'un pépiniériste local. Certains arbustes exigent en effet des hivers froids pour bien se porter et survivraient mal en zone tempérée.

Caractéristiques et remarques On trouve sous cette rubrique la description des particularités propres à une espèce ou à une variété, à l'intérieur d'un même genre. Ces particularités portent sur le feuillage, l'époque de la floraison, la taille, la couleur ou le parfum des fleurs, ou encore sur la nature des fruits.

Comme l'hiver au Canada dure parfois cinq mois, on a pris soin de noter l'apparence des arbustes durant la morte saison en identifiant spécifiquement ceux dont l'écorce peut constituer un élément décoratif.

Certaines espèces exigent des soins culturaux spéciaux. Les unes ne tolèrent pas la sécheresse en été ; les autres redoutent les excès d'humidité. Certaines demandent à être cultivées au soleil, d'autres à l'ombre.

Tous les arbustes ne poussent pas non plus dans les mêmes sols. Certains préfèrent une terre acide, d'autres une terre alcaline. Les uns viennent bien en terrain sec, tandis que les autres prospèrent en terrain marécageux. Il y a des arbustes qui tolèrent la pollution urbaine ; il y en a d'autres qui ne souffrent pas du voisinage de la mer. Toutes ces précisions apparaissent dans le tableau sous « Caractéristiques ornementales et remarques ».

Hauteur et étalement Ce sont les dimensions qu'un sujet en bonne santé atteint lorsqu'il est arrivé à maturité. Elles peuvent varier avec le climat, l'emplacement de la plante, le degré d'ensoleillement, la nature du sol et les soins que reçoit l'arbuste, surtout en période d'établissement. La taille joue aussi un rôle.

Avec sa floraison particulièrement précoce au printemps, le forsythia est un arbuste étonnant, car ses fleurs jaunes très abondantes restent longtemps sur les branches avant l'apparition des feuilles. La variété 'Beatrix Farrand', illustrée ici, porte de grosses fleurs en clochettes jaune d'or. Une des plus grandes de l'espèce, elle atteint 2,40 m.

De l'été à la mi-automne, des bouquets de fleurs campanulées rose pâle ornent délicatement l'abélia brillante (Abelia grandiflora).

Abelia grandiflora

	Nom botanique et nom vulgaire, description générale	Utilisation et culture	Multiplication *(Voir aussi p. 53)*
Abelia grandiflora (abélia brillante)	**Abelia** (abélia) Petites fleurs tubuleuses ou campanulées s'épanouissant en été. La gamme des coloris inclut le blanc et diverses nuances de rose. Feuilles petites, d'un vert bronze remarquable chez certaines espèces. Branches gracieusement arquées.	Certaines espèces ont une ramure touffue qui se prête bien à la culture en haie. Arbuste vigoureux qu'on peut tailler à volonté au printemps selon l'utilisation à laquelle on le destine au jardin. Se cultive dans un sol riche en humus et bien drainé, en plein soleil ou à la mi-ombre.	Par boutures herbacées à la fin du printemps ou par boutures semi-aoûtées en été. Se multiplie aussi par marcottage au sol au printemps. Les graines mûres se conservent jusqu'à un an dans des contenants bien fermés.
Abeliophyllum distichum (abeliophyllum)	**Abeliophyllum** (abeliophyllum) Ressemble au forsythie par son port et sa floraison abondante, mais ses fleurs sont plus petites. Elles viennent en grappes grosses comme le doigt à la mi-printemps ; rose clair, elles tournent rapidement au blanc. Feuilles ovales de 2,5 à 5 cm de long.	Un seul sujet planté devant des conifères prend beaucoup d'intérêt. Prospère en plein soleil ou à la mi-ombre dans une terre de jardin ordinaire bien drainée.	Semer les graines quand elles sont mûres. Prélever des boutures semi-aoûtées et feuillées en été ou des boutures aoûtées et sans feuilles à l'automne.
Acanthopanax sieboldianus (acanthopanax)	**Acanthopanax** (acanthopanax) Cultivé avant tout pour son beau feuillage. Fleurs banales s'épanouissant en été en bouquets ramifiés. Une seule espèce est très répandue.	Très utilisé en bordure ou pour décorer une pelouse. Se cultive en ville, car c'est un arbuste qui tolère la pollution et la suie. Peut être taillé notamment pour former une haie. Constitue une barrière redoutable à cause des épines qui se trouvent à la base des feuilles. Prospère à l'ombre dans n'importe quelle bonne terre et, en règle générale, n'est attaqué par aucun ravageur.	Semer les graines après stratification ou utiliser des boutures de racines. On peut aussi prélever des boutures semi-aoûtées et feuillées en été.
Aesculus parviflora (marronnier)	**Aesculus** (marronnier) Feuilles composées de 5 à 7 folioles elliptiques. Des épis floraux de 30 cm de long apparaissent à la mi-été. Dans les régions où la belle saison est courte, les fruits peuvent manquer de temps pour mûrir.	Bel arbuste à planter en isolé sur une pelouse, là où il y a beaucoup d'espace. S'étale au moyen de drageons, de sorte que la plante est beaucoup plus large que haute. En règle générale, ne demande pas de taille.	Par semis ou par boutures de racines tôt au printemps, rabattre les tiges au sol et les recouvrir de terre. Transplanter les pousses enracinées au printemps suivant.
Amorpha canescens (faux indigo)	**Amorpha** (faux indigo) Plante facile à cultiver, mais parfois envahissante. Feuilles composées. Petites fleurs en forme de pois, réunies en bouquets terminaux souvent ramifiés. Aux fleurs succèdent des gousses légèrement visqueuses.	Planter en isolé ou en bordure, là où le sol est pauvre et sec. Prospère en plein soleil. S'étale outre mesure si on ne le taille pas.	Semer les graines dès qu'elles sont mûres. Prélever des boutures semi-aoûtées et feuillées en été ou des boutures aoûtées et sans feuilles en automne. Se multiplie aussi par marcottage au sol et au moyen de rejets.
Aralia elata (angélique de Chine)	**Aralia** (angélique ou aralie) Grand arbuste à longues feuilles d'aspect exotique. Tiges garnies d'épines acérées.	Se cultive en plein soleil mais à l'écart des allées où les épines pourraient blesser les passants. Bel arbuste à planter en isolé.	Semer les graines dès qu'elles sont mûres. Prélever les rejets au printemps.

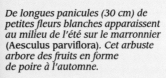

De longues panicules (30 cm) de petites fleurs blanches apparaissent au milieu de l'été sur le marronnier (Aesculus parviflora). Cet arbuste arbore des fruits en forme de poire à l'automne.

Aesculus parviflora

Espèces et variétés	Rusticité (Voir pages de garde)	Caractéristiques ornementales et remarques	Hauteur/étalement à maturité
À feuillage persistant ou semi-persistant *Abelia* 'Edward Goucher' (abélia rose)	Zone 7	Feuilles semi-persistantes. Fleurs rose lavande s'épanouissant de la mi-été au début de l'automne. Même détruit jusqu'au sol, l'arbuste, généralement, survit.	1,50 m/1,50 m
A. grandiflora (abélia brillante)	Zone 6	Feuilles semi-persistantes, ou caduques dans les régions froides, qui virent au pourpre bronze en automne. Bouquets d'au plus 4 fleurs roses de la fin de l'été à la fin de l'automne persistant jusqu'au gel. Forme de belles haies.	1,50 m/1,50 m
À feuillage caduc *Abeliophyllum distichum*	Zone 6	Feuillage vert-bleu. Feuilles opposées, couvertes de courts poils sur les deux faces. Dans les régions où l'hiver est rigoureux, les boutons floraux pourpres peuvent être endommagés par le froid si les plants ne sont pas protégés.	1,20 m/1,20 m
À feuillage caduc *Acanthopanax sessiflorus*	Zone 4	Là où l'espace le permet, il est avantageux de cultiver un sujet mâle et un sujet femelle de façon à obtenir des fruits, qui sont noirs et luisants. Arbuste apprécié pour son feuillage vert et brillant et pour sa tolérance à l'égard de l'ombre.	3,50 m/2,40-3 m
A. sieboldianus	Zone 5	Feuilles composées au maximum de 7 folioles cunéiformes et digitées à l'extrémité d'un pétiole, sur des branches retombantes. Feuillage d'un beau vert sombre et luisant, virant au jaune à l'automne avant de tomber. L'arbuste produit des fleurs blanc-vert en nombre restreint, mais cette maigre floraison passe inaperçue tant le feuillage est décoratif. Les sujets cultivés au jardin produisent rarement des fruits, car il est peu fréquent d'y trouver à proximité de l'un ou de l'autre un sujet mâle et un sujet femelle.	2,75 m/1,80-3 m
À feuillage caduc *Aesculus parviflora* (marronnier parviflora)	Zone 4	Arbuste remarquable par ses fleurs blanches dont les étamines roses et saillantes sont très ornementales à l'époque de la floraison.	3,50 m/11 m
À feuillage caduc *Amorpha canescens* (faux indigo)	Zone 2	Feuilles grises très duveteuses, composées de 15 à 40 folioles de 2 cm de long qui gardent leur beauté durant toute la période végétative. À la mi-été apparaissent des épis floraux bleus de 10 à 15 cm.	1,20 m/90 cm-1,20 m
À feuillage caduc *Aralia elata* (angélique de Chine)	Zone 5	Grappes terminales de fleurs en août.	1,50-4,50 m/1,50-3 m
A. spinosa	Zone 4	Encore plus épineux que l'angélique de Chine. Plante remarquable en tout temps.	3-6 m/3-7,50 m

Remarquables par leur feuillage brillant vert pâle tacheté d'or et leurs petits fruits rouges, les différentes variétés d'aucuba (Aucuba japonica) conviennent bien aux jardins de bords de mer.

Aucuba japonica 'Crotonifolia'

	Nom botanique et nom vulgaire, description générale	Utilisation et culture	Multiplication *(Voir aussi p. 53)*
 *Arctostaphylos uva-ursi* (raisin d'ours)	**Arctostaphylos** (arctostaphyle) Jolies feuilles alternes à marge lisse. Petites fleurs cireuses, souvent pendantes, en forme de cloche ou d'urne et réunies en grappes. Fruits rouges ou brunâtres semblables à de petites pommes. La plupart de ces plantes ont des branches tordues et une écorce lisse allant du rouge au pourpre.	Arbuste difficile à transplanter : il vaut mieux l'acheter en pot. L'installer au soleil dans un sol sablonneux et bien drainé. Le protéger du vent. Arroser durant les périodes de sécheresse. Pincer les bourgeons apicaux durant la période végétative pour obtenir une croissance plus équilibrée.	Les graines mûres se gardent jusqu'à un an dans un endroit sec et frais. Stratifier les graines pendant trois mois, à 4 °C, améliore la germination. Prélever des boutures semi-aoûtées au début de l'été, des boutures fermes à la fin de l'été. Marcotter au sol les branches inférieures.
Aucuba japonica (aucuba)	**Aucuba** (aucuba) Bel arbuste dense et touffu à feuilles luisantes, souvent bicolores. Les minuscules fleurs mâles et femelles sont sur des plants distincts. Les fruits (sur les plants femelles seulement) sont rouges ou crème, parfois très décoratifs.	Tolère les embruns salés, ce qui en fait une plante de choix pour les jardins de la côte Ouest. S'accommode du brouillard. À placer au soleil ou à l'ombre, quoique risque de brûlure du feuillage par le soleil. Arroser abondamment. Pour une production abondante de fruits, compter quatre plants femelles pour chaque plant mâle.	Semer les graines quand elles sont mûres. Marcotter une branche dans le sol au printemps. Prélever des boutures semi-aoûtées l'été.
Berberis thunbergii (berbéris du Japon)	**Berberis** (épine-vinette ou berbéris) Les épines-vinettes se caractérisent en règle générale par leurs fleurs jaunes écloses au printemps et par leurs branches épineuses. Quelques espèces à feuilles caduques prennent de belles couleurs éclatantes à l'automne. D'autres se couvrent en outre de grappes de baies vivement colorées. La grande diversité de taille des épines-vinettes en fait des sujets utiles à de multiples fins au jardin.	Les nombreuses espèces très épineuses constituent des haies infranchissables à planter en plein soleil ou à la mi-ombre. Les sujets de plus petite taille conviennent aux rocailles, tandis que ceux à baies colorées se cultivent bien en bac et décorent le jardin en automne et au début de l'hiver. Les épines-vinettes poussent bien dans n'importe quelle bonne terre. Celles à feuillage caduc tolèrent un sol pauvre et sec. Cette plante est peu sujette aux attaques des ravageurs. Mais comme plusieurs espèces à feuillage caduc peuvent servir d'hôtes au champignon de la rouille du blé, le gouvernement du Canada en a interdit la culture et la vente en 1970. La culture et la multiplication non commerciales de l'épine-vinette du Japon sont néanmoins permises et la plupart des espèces à feuillage persistant ne sont pas frappées par cette interdiction.	Semer les graines quand elles sont mûres ou les garder un an au plus dans un endroit frais. On peut aussi les stratifier pendant deux mois à 4 °C. La multiplication se fait également par division des racines ou par boutures semi-aoûtées et feuillées prélevées en été ou par boutures aoûtées prises en automne.

Les berbéris comprennent des variétés à feuillage persistant et d'autres à feuillage caduc. Des petites baies rouges apparaissent à l'automne dans le feuillage rouge du berbéris du Japon (Berberis thunbergii).

Berberis thunbergii

Espèces et variétés	Rusticité *(Voir pages de garde)*	Caractéristiques ornementales et remarques	Hauteur/étalement à maturité
À feuillage persistant *Arctostaphylos alpina* (arbousier nain)	Zone 2	Demande un sol acide et un milieu humide.	60 cm/1,20 m
A. uva-ursi (raisin d'ours ou bousserole)	Zone 1	Bel arbuste tapissant pour sols pauvres et rocailleux et talus sablonneux. Baies rouges en automne.	30 cm//1,20 m
À feuillage persistant *Aucuba japonica* (aucuba du Japon)	Zone 8	Feuilles ovales vert foncé, luisantes, pouvant mesurer 20 cm. Panicules de 5 à 12 cm, portant de petites fleurs olive tôt au printemps. Fruits rouge vif (sur les plants femelles seulement) restant toute l'année. Installer des plants mâles et femelles.	3,50 m/2 m
A. j. 'Crotonifolia'	Zone 8	Très semblable à *A. japonica*, mais feuillage maculé de jaune d'or.	3,50 m/2 m
A. j. 'Picturata'	Zone 8	Le centre de chaque feuille arbore une grande tache jaune.	3,50 m/2 m
A. j. 'Variegata'	Zone 8	Les taches jaunes des feuilles créent un motif intéressant. Fruits rouge vif, sur les plants femelles seulement.	3,50 m/2 m
À feuillage caduc *Berberis thunbergii* (berbéris du Japon ou épine-vinette)	Zone 5	Arbuste touffu, épineux et très florifère. Fruits rouges qui persistent souvent durant l'hiver. Pousse bien dans un sol pauvre. Tolère l'ombre.	1,80 m/1,80 m
B. t. atropurpurea	Zone 5	Feuilles pourpres du printemps jusqu'à l'hiver. Constitue une haie dense qui pousse plus haut que *B. t.* 'Erecta'.	1,50 m/1,20 m
B. t. 'Erecta'	Zone 5	Arbuste érigé et compact. Donne une belle haie de peu d'entretien.	1,50 m/90 cm
B. t. 'Variegata'	Zone 5	Feuilles décoratives, maculées de gris pâle, de jaune et de blanc. Se prête moins à la culture en haie que les autres formes parce qu'il réclame plus de lumière.	1,50 m/1,20 m
À feuillage persistant *B. buxifolia* 'Nana'	Zone 6	Feuillage ornemental. Feuilles d'environ 2,5 cm de long. Jolie haie basse.	45 cm/45 cm
B. candidula	Zone 6	Feuilles vert foncé sur le dessus, blanches au revers. Fruits gris pâle. Arbuste touffu, intéressant dans une rocaille.	90 cm/90 cm
B. darwinii	Zone 7	Feuilles oblongues à 3 pointes d'un vert brillant. Nombreuses fleurs jaune orangé et fruits pourpres. L'une des plus belles épines-vinettes.	2,45 m/2,75 m
B. julianae	Zone 6	Feuilles étroites et dentées, vert foncé sur le dessus, vert clair en dessous. Baies d'un noir bleuté. Arbuste vigoureux. L'une des plus rustiques des épines-vinettes à feuilles persistantes.	1,80 m/1,20 m
B. sargentiana	Zone 7	Feuilles elliptiques et dentées de 5 à 10 cm de long, d'un vert intense. Épines souvent de 2,5 cm de long. Petits fruits noir bleuté.	1,50 m/1,50 m
B. stenophylla	Zone 6	Hybride à feuilles lancéolées vert foncé dont la longueur dépasse souvent 2,5 cm, blanches au revers. Fruits noirs. Compose une élégante haie taillée.	2,40 m/3,50 m
B. verruculosa	Zone 5	Feuilles ovales et coriaces, vert brillant sur le dessus, blanchâtres en dessous, virant au bronze à l'automne. Très grandes fleurs. Fruits d'un noir pourpré.	1,20 m/1,20 m

Mesurant entre 15 et 40 cm, les grappes terminales de minuscules fleurs odorantes peuvent être blanches, bleu pâle ou violet-pourpre: elles font l'attrait de l'arbre aux papillons (Buddleja davidii).

Buddleja davidii 'White Profusion'

	Nom botanique et nom vulgaire, description générale	Utilisation et culture	Multiplication *(Voir aussi p. 53)*
 **Buddleja davidii** (arbre aux papillons)	**Buddleja** (buddléia) A un rythme de croissance extrêmement rapide, mais lent à reprendre au printemps. Arbuste renommé pour ses grands bouquets de petites fleurs. Feuilles alternes chez *B. alternifolia*, opposées chez tous les autres buddleias.	Exige une exposition ensoleillée et préfère un sol riche et gras, bien égoutté. Ne demande pas d'engrais, à moins que le sol ne soit extrêmement pauvre. Dans les régions où l'hiver est rigoureux, les branches de certaines espèces ou variétés meurent, mais la croissance reprend au printemps. Tailler *B. davidii* tôt au printemps, avant la reprise ; les autres espèces énumérées ici, après la floraison.	Semer les graines quand elles sont mûres ou les garder jusqu'à un an au sec et au frais. Prélever des boutures herbacées et feuillées au début de l'été ou fermes et feuillées à la fin de l'été. En automne, utiliser des boutures aoûtées sans feuilles, mais les rentrer pour l'hiver.
 *Buxus sempervirens* 'Suffruticosa' (buis commun nain)	**Buxus** (buis) Renommé principalement pour son feuillage vert foncé qui devient très dense chez les sujets adultes. De minuscules fleurs dépourvues d'intérêt s'ouvrent à la mi-printemps.	Se prête remarquablement à la culture en haie ou à la taille ornementale. Affectionne les sols alcalins ou neutres. Dans les régions où les hivers sont froids, le protéger du soleil et des vents qui peuvent brûler les feuilles.	Semer les graines dès qu'elles sont mûres, ou, encore, les stratifier, ou les garder jusqu'à un an au sec et au frais. La multiplication peut aussi se faire par division des racines, par boutures de tiges semi-aoûtées et feuillées au printemps ou en automne, ou par boutures de tiges aoûtées sans feuilles l'automne.
 *Callicarpa dichotoma* (callicarpe)	**Callicarpa** (callicarpe) Bouquets de fleurs petites et tubuleuses s'épanouissant durant l'été, la plupart cachées par le feuillage denté. En automne, les feuilles virent au jaune avant de tomber et des grappes de baies apparaissent.	Prospère en plein soleil et demande un sol fertile. Dans plusieurs régions, le froid fait mourir les plantes jusqu'au sol en hiver, mais la croissance reprend au printemps et l'arbuste donne à nouveau des fleurs et des fruits.	Semer les graines quand elles sont mûres ou les garder dans un endroit frais et sec. Multiplier la plante par division des racines ou par boutures semi-aoûtées et feuillées en été, ou encore par boutures aoûtées et sans feuilles à l'automne.
 *Calluna vulgaris* (bruyère commune)	**Calluna** (bruyère commune) Feuilles petites et opposées, produites en une telle abondance que les ramilles disparaissent presque sous leur nombre. Petites fleurs pendantes groupées en épis terminaux très denses.	Excellente plante tapissante sur les talus où le sol est modérément humide, sablonneux et acide. Ne pas utiliser en sol très fertile car la plante pousserait tout en hauteur. Prospère en plein soleil ; dans les régions de soleil intense, la situer plutôt à l'ombre. Tailler de temps à autre au printemps pour garder à l'arbuste sa silhouette. Effet saisissant lorsqu'on cultive ensemble plusieurs sujets de même type. Survit en zone 4 à la condition d'être protégé en hiver par une épaisse couche de neige.	Par semis de graines mûres ou par division des racines. Prélever des boutures semi-aoûtées en été ou des boutures aoûtées à la fin de l'été.
 Camellia japonica (camélia du Japon)	**Camellia** (camélia) Arbuste très décoratif. Feuilles vert foncé, épaisses et coriaces, en position alterne. Elles mesurent habituellement 10 cm de longueur. Fleurs remarquables, sphériques ou cupuliformes, simples ou doubles et d'aspect cireux. L'époque de la floraison diffère selon les variétés.	Arbuste idéal pour mettre une touche de couleur dans le jardin. Vient bien à la mi-ombre mais supporte le plein soleil. Redoute cependant le vent. Le transplanter au printemps dans les régions où l'hiver est rigoureux, en choisissant un sol légèrement acide et bien drainé. Fertiliser tôt au printemps, puis de nouveau au début de l'été. Disposer un paillis autour du plant au printemps pour garder le sol frais et humide tout l'été.	Par boutures de tiges semi-aoûtées en été.

Buxus sempervirens

Callicarpa bodinieri var. giraldii

Toutes les espèces de buis (Buxus) se caractérisent par une croissance lente et une grande longévité. Leurs feuilles persistantes en font un bon choix de haie. Le callicarpe (Callicarpa) porte des fleurs lilas en été, mais il est surtout cultivé pour ses fruits.

Espèces et variétés	Rusticité *(Voir pages de garde)*	Caractéristiques ornementales et remarques	Hauteur/étalement à maturité
À feuillage caduc *Buddleja alternifolia* (buddléia à feuilles alternes)	Zone 4	Feuilles lancéolées. Longues guirlandes de fleurs minuscules d'un bleu lavande s'ouvrant au début de l'été sur des rameaux de l'année précédente. Branches retombantes.	3 m/4,50 m
B. davidii (arbre aux papillons)	Zone 5	Fleurs parfumées pourpre clair à gorge orange, groupées en plumets denses, longs et retombants, s'épanouissant de la fin de l'été au premier gel. Elles attirent les papillons. Selon les variétés, la floraison va du blanc au pourpre et au cramoisi.	3,65 m/2,45 m
B. globosa (buddléia orange)	Zone 8	Feuilles elliptiques semi-persistantes, fauves et duveteuses au revers. Fleurs jaunes et parfumées en panicules globuleuses de 10 à 20 cm, vers la fin du printemps.	4,50 m/3 m
À feuillage persistant *Buxus microphylla japonica*	Zone 6	Jeunes branches aliformes. Feuilles de moins de 2,5 cm. Ramure très ouverte.	1,80 m/1,80 m
B. m. koreana	Zone 5	L'une des variétés les plus rustiques, même s'il arrive que son feuillage brunisse pendant l'hiver.	60 cm/60 cm
B. sempervirens (buis commun)	Zone 6	Feuilles arrondies, vert brillant sur le dessus, vert uni un peu plus clair au revers.	6 m/3 m
B. s. 'Suffruticosa' (buis commun nain)	Zone 6	Variété à port prostré, tout indiquée pour la culture en haie ou en bordure, particulièrement dans les jardins à la française.	90 cm/90 cm
À feuillage caduc *Callicarpa bodinieri giraldii* (callicarpe de Giralds)	Zone 6	Feuilles elliptiques de 10 cm de long qui virent au rose ou au pourpre avant de tomber. Bouquets de très petites fleurs lilas, suivies de jolies baies d'un violet bleuté qui persistent une partie de l'hiver. Port érigé.	2,45 m/1,80 m
C. dichotoma	Zone 7	Feuilles largement dentées de 2,5 à 7,5 cm de long. Fleurs roses de seulement 1 cm de diamètre, suivies de petites baies dont la couleur va du lilas au violet. À l'automne, les tiges prennent une teinte pourpre.	1,20 m/1,20 m
C. japonica	Zone 6	Feuilles à peine dentées et d'au plus 13 cm de long. Nombreuses toutes petites fleurs roses ou blanches s'épanouissant à la mi-été, suivies de beaux fruits violets qui persistent jusqu'à ce que les feuilles jaunissent et tombent à la mi-automne.	1,20 m/1,20 m
À feuillage persistant *Calluna vulgaris* (bruyère commune)	Zone 6 (jusqu'à zone 4, si bonne couverture de neige)	C'est l'authentique bruyère commune. Fleurs rose-vermeil qui s'épanouissent de la mi-été à la mi-automne. Les feuilles des variétés courantes vont du vert-jaune au vert foncé en passant par le gris. Fleurs simples ou doubles, rouges, roses, blanches ou pourpres. L'époque de la floraison varie selon les variétés, mais va en règle générale de la mi-été à la mi-automne. Arbuste bas et étalé, ou arrondi et buissonnant.	45 cm/15-30 cm
À feuillage persistant *Camellia japonica* (camélia du Japon)	Zone 8	L'époque de la floraison varie selon la variété et le climat. Plusieurs variétés à fleurs doubles et semi-doubles, blanches, rouges ou roses.	9 m/4,50 m
C. j. 'Colonel Firey'	Zone 8	Grandes fleurs majestueuses rouge foncé, du milieu jusqu'à la fin de la saison.	9 m/3,50 m
C. j. 'Debutante'	Zone 8	Floraison précoce. Larges fleurs doubles, rose pâle.	9 m/3,50 m
C. sasanqua (camélia odorant)	Zone 8	Floraison plus hâtive que celle de *C. japonica*. Fleurs blanches, roses ou pourpres, simples, semi-doubles ou doubles. Ramure peu touffue s'apparentant à celle du saule.	6 m/3 m

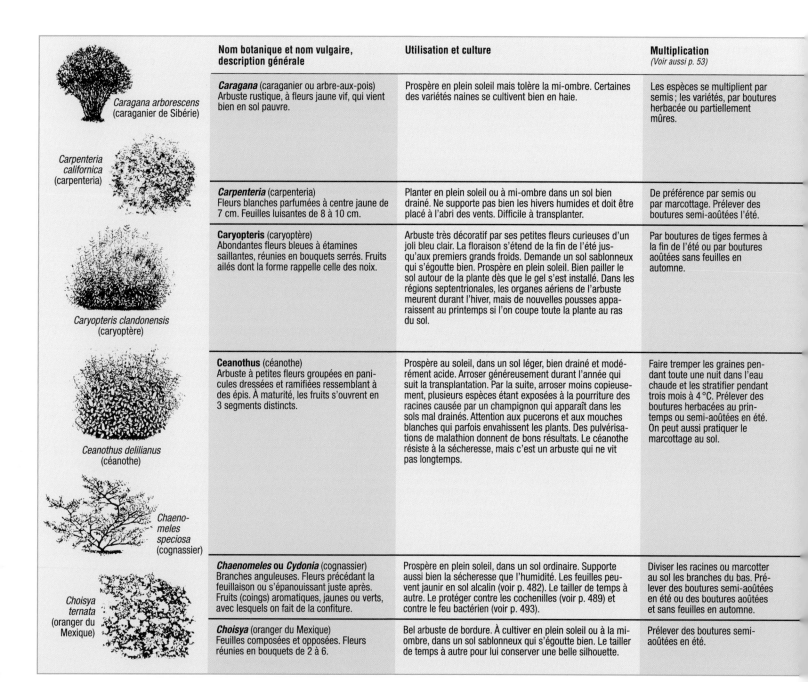

	Nom botanique et nom vulgaire, description générale	Utilisation et culture	Multiplication (Voir aussi p. 53)
Caragana arborescens (caraganier de Sibérie)	**Caragana** (caraganier ou arbre-aux-pois) Arbuste rustique, à fleurs jaune vif, qui vient bien en sol pauvre.	Prospère en plein soleil mais tolère la mi-ombre. Certaines des variétés naines se cultivent bien en haie.	Les espèces se multiplient par semis ; les variétés, par boutures herbacée ou partiellement mûres.
Carpenteria californica (carpenteria)	**Carpenteria** (carpenteria) Fleurs blanches parfumées à centre jaune de 7 cm. Feuilles luisantes de 8 à 10 cm.	Planter en plein soleil ou à mi-ombre dans un sol bien drainé. Ne supporte pas bien les hivers humides et doit être placé à l'abri des vents. Difficile à transplanter.	De préférence par semis ou par marcottage. Prélever des boutures semi-aoûtées l'été.
Caryopteris clandonensis (caryoptère)	**Caryopteris** (caryoptère) Abondantes fleurs bleues à étamines saillantes, réunies en bouquets serrés. Fruits ailés dont la forme rappelle celle des noix.	Arbuste très décoratif par ses petites fleurs curieuses d'un joli bleu clair. La floraison s'étend de la fin de l'été jusqu'aux premiers grands froids. Demande un sol sablonneux qui s'égoutte bien. Prospère en plein soleil. Bien pailler le sol autour de la plante dès que le gel s'est installé. Dans les régions septentrionales, les organes aériens de l'arbuste meurent durant l'hiver, mais de nouvelles pousses apparaissent au printemps si l'on coupe toute la plante au ras du sol.	Par boutures de tiges fermes à la fin de l'été ou par boutures aoûtées sans feuilles en automne.
Ceanothus delilianus (céanothe)	**Ceanothus** (céanothe) Arbuste à petites fleurs groupées en panicules dressées et ramifiées ressemblant à des épis. À maturité, les fruits s'ouvrent en 3 segments distincts.	Prospère au soleil, dans un sol léger, bien drainé et modérément acide. Arroser généreusement durant l'année qui suit la transplantation. Par la suite, arroser moins copieusement, plusieurs espèces étant exposées à la pourriture des racines causée par un champignon qui apparaît dans les sols mal drainés. Attention aux pucerons et aux mouches blanches qui parfois envahissent les plants. Des pulvérisations de malathion donnent de bons résultats. Le céanothe résiste à la sécheresse, mais c'est un arbuste qui ne vit pas longtemps.	Faire tremper les graines pendant toute une nuit dans l'eau chaude et les stratifier pendant trois mois à 4 °C. Prélever des boutures herbacées au printemps ou semi-aoûtées en été. On peut aussi pratiquer le marcottage au sol.
Chaenomeles speciosa (cognassier)	**Chaenomeles** ou **Cydonia** (cognassier) Branches anguleuses. Fleurs précédant la feuillaison ou s'épanouissant juste après. Fruits (coings) aromatiques, jaunes ou verts, avec lesquels on fait de la confiture.	Prospère en plein soleil, dans un sol ordinaire. Supporte aussi bien la sécheresse que l'humidité. Les feuilles peuvent jaunir en sol alcalin (voir p. 482). Le tailler de temps à autre. Le protéger contre les cochenilles (voir p. 489) et contre le feu bactérien (voir p. 493).	Diviser les racines ou marcotter au sol les branches du bas. Prélever des boutures semi-aoûtées en été ou des boutures aoûtées et sans feuilles en automne.
Choisya ternata (oranger du Mexique)	**Choisya** (oranger du Mexique) Feuilles composées et opposées. Fleurs réunies en bouquets de 2 à 6.	Bel arbuste de bordure. À cultiver en plein soleil ou à la mi-ombre, dans un sol sablonneux qui s'égoutte bien. Le tailler de temps à autre pour lui conserver une belle silhouette.	Prélever des boutures semi-aoûtées en été.

Chaenomeles speciosa 'Geisha Girl'

Chaenomeles speciosa 'Nivalis'

Le cognassier ornemental (Chaenomeles speciosa) porte une profusion de fleurs à cinq pétales, simples ou doubles. Elles sont suivies par des fruits très parfumés, les coings en forme de pomme.

Espèces et variétés	Rusticité *(Voir pages de garde)*	Caractéristiques ornementales et remarques	Hauteur/étalement à maturité
À feuillage caduc *Caragana arborescens* (caraganier de Sibérie)	Zone 2	Arbuste développé devenant arborescent avec l'âge.	3,50-5,50 m/2,40-3 m
C. a. 'Lorbergii'	Zone 2	Plus petit et plus florifère que *C. arborescens*.	2,45 m/1,80 m
C. a. 'Pendula' (caraganier pleureur)	Zone 2	Variété pleureuse ordinairement greffée sur l'espèce afin de produire un arbre de petite taille.	1,50-2 m/1,50-2 m
C. pygmaea (caraganier nain)	Zone 2	Arbuste touffu en forme de monticule, qui se couvre de fleurs jaunes au début de l'été.	1,20 m/1,20 m
À feuillage persistant *Carpenteria californica*	Zone 8	Feuilles oblongues vert sombre, luisantes. Fleurs cupuliformes se développant individuellement ou en groupes de 2 à 7.	2,45-3 m/2,45 m
À feuillage caduc *Caryopteris clandonensis*	Zone 6	Fleurs d'un bleu vif qui s'ouvrent à la fin de l'été. Cet arbuste est un hybride issu de *C. incana* et de *C. mongholica*.	1,20 m/1,20 m
C. c. 'Blue Mist'	Zone 6	Fleurit davantage à l'automne que *C. clandonensis*. Convient aux petits jardins.	60 cm/90 cm
C. c. 'Longwood Blue'	Zone 6	Fleurs automnales d'un bleu plus profond que chez *C. c.* 'Blue Mist'. Feuillage argenté.	60 cm/90 cm
C. incana (barbe bleue)	Zone 8	Feuilles ovales et dentées atteignant 7,5 cm de long, couvertes d'une toison de poils gris au revers. Fleurs bleu-pourpre à l'aisselle des feuilles supérieures du début au milieu de l'automne. Moins décoratif que les variétés de *C. clandonensis*.	1,50 m/1,20 m
À feuillage caduc *Ceanothus delilianus*	Zone 7	Feuilles de 7,5 cm de long. Espèce hybride, recherchée comme plante grimpante. Minuscules fleurs bleues apparaissant en grand nombre à la mi-printemps.	1,80 m/90 cm
C. d. 'Autumn Blue'	Zone 7	Arbuste dont les fleurs qui vont du bleu clair au bleu foncé produisent un effet saisissant.	90 cm/90 cm
C. d. 'Gloire de Plantieres'	Zone 7	Fleurs d'un bleu sombre.	90 cm/90 cm
C. d. 'Gloire de Versailles'	Zone 7	Fleurs parfumées, bleu poudre. Se cultive bien en espalier. L'une des variétés les plus recherchées de *C. delilianus*.	2,45 m/2,45 m
À feuillage persistant *C. arboreus* 'Ray Hartman'	Zone 9	Fleurs variant du bleu clair au bleu vif et s'épanouissant au tout début du printemps. Attire les papillons. Peut être cultivé comme arbuste ou comme petit arbre.	3-6 m/4,50 m
C. cyaneus 'Sierra Blue'	Zone 8	Feuillage dense, riche et d'un vert brillant descendant jusqu'à la souche. Fleurs d'un bleu appuyé s'épanouissant à profusion au printemps. Peut être taillé si l'on veut s'en servir pour composer une haie régulière ou un écran décoratif.	1,80-3,65 m/ 1,50-2,45 m
À feuillage caduc *Chaenomeles japonica* (cognassier du Japon)	Zone 5	Fleurs rouge brique suivies de fruits jaunes de près de 5 cm. Croissance lente.	90 cm/60-90 cm
C. speciosa ou *C. lagenaria*	Zone 5	Fleurs simples, semi-doubles ou doubles blanches, roses, rouges ou orange. Fruits piriformes de 5 à 6 cm, aromatiques. Port étalé. Nombreuses variétés.	1,80-3 m/1,80 m
À feuillage persistant *Choisya ternata* (oranger du Mexique)	Zone 8	Folioles aromatiques de 7,5 cm de long à marge lisse. Fleurs blanches de 2,5 cm de diamètre dont le parfum rappelle celui de la fleur d'oranger.	2,45 m/1,80 m

Clerodendrum trichotomum

Clethra alnifolia

Le clérodendron (Clerodendrum) et le cléthra (Clethra) donnent tous deux des fleurs odorantes et aiment le plein soleil, à l'abri du vent.

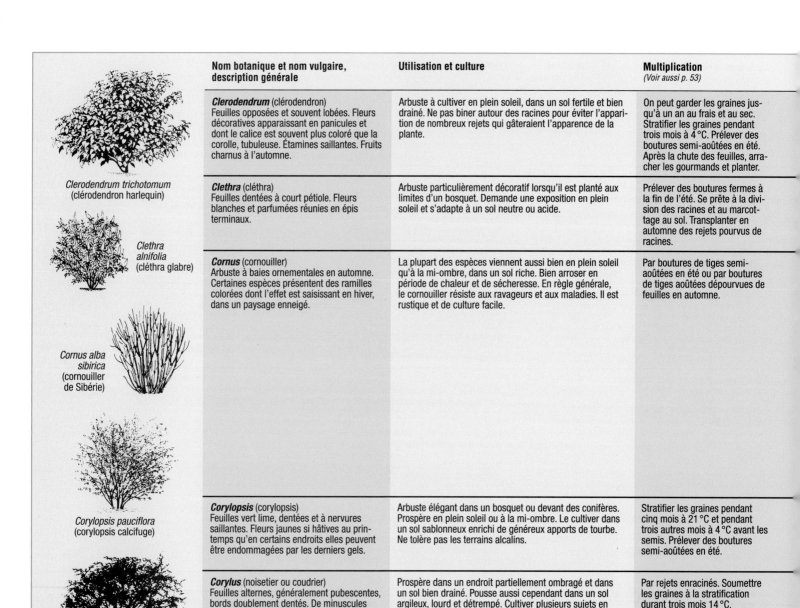

	Nom botanique et nom vulgaire, description générale	**Utilisation et culture**	**Multiplication** *(Voir aussi p. 53)*
Clerodendrum trichotomum (clérodendron harlequin)	**Clerodendrum** (clérodendron) Feuilles opposées et souvent lobées. Fleurs décoratives apparaissant en panicules et dont le calice est souvent plus coloré que la corolle, tubuleuse. Étamines saillantes. Fruits charnus à l'automne.	Arbuste à cultiver en plein soleil, dans un sol fertile et bien drainé. Ne pas biner autour des racines pour éviter l'apparition de nombreux rejets qui gâteraient l'apparence de la plante.	On peut garder les graines jusqu'à un an au frais et au sec. Stratifier les graines pendant trois mois à 4 °C. Prélever des boutures semi-aoûtées en été. Après la chute des feuilles, arracher les gourmands et planter.
Clethra alnifolia (cléthra glabre)	**Clethra** (cléthra) Feuilles dentées à court pétiole. Fleurs blanches et parfumées réunies en épis terminaux.	Arbuste particulièrement décoratif lorsqu'il est planté aux limites d'un bosquet. Demande une exposition en plein soleil et s'adapte à un sol neutre ou acide.	Prélever des boutures fermes à la fin de l'été. Se prête à la division des racines et au marcottage au sol. Transplanter en automne des rejets pourvus de racines.
Cornus alba sibirica (cornouiller de Sibérie)	**Cornus** (cornouiller) Arbuste à baies ornementales en automne. Certaines espèces présentent des ramilles colorées dont l'effet est saisissant en hiver, dans un paysage enneigé.	La plupart des espèces viennent aussi bien en plein soleil qu'à la mi-ombre, dans un sol riche. Bien arroser en période de chaleur et de sécheresse. En règle générale, le cornouiller résiste aux ravageurs et aux maladies. Il est rustique et de culture facile.	Par boutures de tiges semi-aoûtées en été ou par boutures de tiges aoûtées dépourvues de feuilles en automne.
Corylopsis pauciflora (corylopsis calcifuge)	**Corylopsis** (corylopsis) Feuilles vert lime, dentées et à nervures saillantes. Fleurs jaunes si hâtives au printemps qu'en certains endroits elles peuvent être endommagées par les derniers gels.	Arbuste élégant dans un bosquet ou devant des conifères. Prospère en plein soleil ou à la mi-ombre. Le cultiver dans un sol sablonneux enrichi de généreux apports de tourbe. Ne tolère pas les terrains alcalins.	Stratifier les graines pendant cinq mois à 21 °C et pendant trois autres mois à 4 °C avant les semis. Prélever des boutures semi-aoûtées en été.
Corylus avellana contorta (noisetier)	**Corylus** (noisetier ou coudrier) Feuilles alternes, généralement pubescentes, bords doublement dentés. De minuscules fleurs apparaissent avant la feuillaison ; les fleurs mâles s'épanouissent en chatons, les fleurs femelles en bouquets, toutes deux sur le même plant. Les noix ovoïdes sont encloses dans une coque lisse et dure recouverte d'une cupule foliaire. Elles sont comestibles.	Prospère dans un endroit partiellement ombragé et dans un sol bien drainé. Pousse aussi cependant dans un sol argileux, lourd et détrempé. Cultiver plusieurs sujets en même temps pour favoriser la pollinisation croisée et obtenir une meilleure récolte de noix.	Par rejets enracinés. Soumettre les graines à la stratification durant trois mois à 14 °C. Marcotter les branches au sol. Prélever des boutures semi-aoûtées au début de l'été.

Des chatons jaunes ornent le noisetier (Corylus) au début du printemps. The noisetier tortueux 'Contorta' doit son nom à la forme particulière de ses branches.

Corylus avellana

Corylus avellana 'Contorta'

Espèces et variétés	Rusticité (Voir pages de garde)	Caractéristiques ornementales et remarques	Hauteur/étalement à maturité
À feuillage caduc *Clerodendrum trichotomum* (clérodendron harlequin)	Zone 7	Feuilles elliptiques ou ovales, souvent lobées et atteignant 18 cm de longueur. Fleurs rose clair et parfumées groupées en panicules et garnies d'étamines saillantes. Baies bleues et calices rouges protubérants font un bel effet à la fin de l'été ou au début de l'automne et persistent jusqu'à la mi-automne et même davantage.	6 m/4,50 m
À feuillage caduc *Clethra alnifolia* (cléthra glabre)	Zone 5	Feuilles oblongues à extrémités pointues n'excédant pas 13 cm de longueur. Belles teintes fauves en automne. Petites fleurs à odeur âcre, s'épanouissant à la mi-été.	1,80 m/1,50 m
C. a. 'Rosea'	Zone 5	Le feuillage prend des teintes d'orange et de jaune en automne. Fleurs rose pâle. Demande beaucoup d'humidité. Excellente variété à cultiver au voisinage de la mer.	1,80 m/1,50 m
À feuillage caduc *Cornus alba* (cornouiller blanc ou de Tartarie)	Zone 2	Feuilles ovales, vert-bleu au revers, virant au rouge en automne. Ramilles d'un rouge vif, d'une grande beauté en hiver. Fleurs au début de l'été. Fruits bleu clair.	2,75 m/1,20-2,50 m
C. a. 'Elegantissima' (cornouiller à feuillage argenté)	Zone 2	L'un des plus utiles parmi les cornouillers à feuillage panaché. Feuilles bordées de blanc qui gardent leurs coloris, même à l'ombre.	1,80 m/1,20-1,80 m
C. a. 'Sibirica' (cornouiller de Sibérie)	Zone 2	Feuillage qui rougit à l'automne. Fleurs crème à la fin du printemps et petites baies bleues. Émonder au début du printemps pour favoriser la multiplication de ramilles rouges en hiver. Tolère l'humidité.	2,50 m/1,20-2,50 m
C. a. 'Spaethii' (cornouiller de Spaeth)	Zone 2	Variété à feuillage panaché de jaune qui s'associe bien au cornouiller à feuillage argenté. Écorce d'un rouge vif en hiver.	1,80 m/1,20 m
C. sanguinea (cornouiller sanguin)	Zone 4	Semblable à *C. alba*. Ramilles d'un rouge plus foncé. Fruits pourpres.	3,65 m/1,20-2,50 m
C. stolonifera (hart rouge)	Zone 2	Drageons produisant des touffes serrées. Fleurs blanches à la fin du printemps ou au début de l'été. Soumettre les graines mûres à une stratification de trois mois à 4 °C. Prélever et transplanter les rejets à l'automne ; ils s'enracinent facilement. Arbuste utile pour combattre l'érosion et contenir les talus.	1,80 m/1,20-2,50 m
C. s. 'Flaviramea' (hart à branches jaunes)	Zone 2	Ramilles d'un jaune teinté de vert. Variété qui demande un sol humide.	1,80 m/1,20-2,50 m
À feuillage caduc *Corylopsis pauciflora* (corylopsis calcifuge)	Zone 7	Feuilles ovales, cordiformes à la base, de 5 à 7,5 cm de long. Fleurs réunies en grappes.	1,80 m/3 m
C. spicata	Zone 6	Semblable à *C. pauciflora*, mais ses feuilles ont 7,5 à 10 cm de long. Grappes d'une douzaine de fleurs.	1,80 m/3 m
À feuillage caduc *Corylus americana* (coudrier d'Amérique)	Zone 4	Feuilles alternes de 5 à 13 cm de long, pubescentes au revers. Noix rondes d'environ 1 cm de diamètre, groupées en grappes de 2 à 6. Arbuste ayant peu de valeur comme plante ornementale.	3 m/1,80-3 m
C. avellana 'Aurea' (avelinier doré)	Zone 5	Feuilles jaunâtres d'environ 8 à 10 cm de long, cordiformes à la base. Les noix font parfois saillie à travers le brou.	4,50 m/4,50 m
C. a. 'Contorta' (noisetier tortueux)	Zone 5	Variété à branches curieusement tordues. La nudité de ses rameaux est appréciée des fleuristes qui utilisent ceux-ci dans la composition de leurs bouquets.	4,50 m/4,50 m

Selon l'espèce, les cotonéasters (Cotoneaster) peuvent être utilisés comme couvre-sol, plante de rocaille ou grimpant, pour cacher un vilain mur. *C. horizontalis* grimpe sur un mur; *C. cochleatus,* qui ne dépassera pas 20 cm de hauteur, donne un couvre-sol attrayant.

Cotoneaster horizontalis

Cotoneaster cochleatus

	Nom botanique et nom vulgaire, description générale	Utilisation et culture	Multiplication (Voir aussi p. 53)
 **Cotinus coggygria (fustet)**	**Cotinus** (fustet) Grand arbuste parfois cultivé comme un petit arbre et renommé pour ses grandes grappes de fruits minuscules à l'aspect vaporeux.	Prospère en plein soleil, dans la plupart des sols. L'espèce prend de belles teintes allant du jaune à l'orange vif en automne.	Semer les graines à l'extérieur en automne ou marcotter les branches en septembre.
 **Cotoneaster horizontalis (cotonéaster)**	**Cotoneaster** (cotonéaster) Arbuste à petites fleurs blanches ou rosées s'épanouissant au printemps ou en été, mais surtout réputé pour sa ramure décorative, son feuillage et ses petites baies rouges ou noires qui apparaissent en automne et persistent durant l'hiver chez beaucoup de sujets. Plante très rustique.	Les espèces prostrées, moins exubérantes, s'intègrent bien aux jardins de rocaille. Les planter en plein soleil ou à la mi-ombre dans une bonne terre. Attention aux insectes perceurs (vaporiser du lindane) et aux punaises réticulées (voir p. 507). Attention aussi au feu bactérien (voir p. 493) qui se manifeste par des chancres à la base des tiges nécrosées jusqu'au sol.	Semer les graines quand elles sont mûres ou les entreposer pendant un an dans un endroit sec et frais. Dans certains cas, la germination demande deux ans. Toutes les espèces se prêtent au marcottage au sol. La multiplication peut aussi se faire par boutures semi-aoûtées en été ou par boutures aoûtées sans feuilles en automne.
Cytisus praecox (cytise)	**Cytisus** (cytise ou genêt) Pourpres ou blanches, les fleurs ont la forme des pois de senteur; elles sont parfois aromatiques et toujours spectaculaires. Les feuilles sont composées de 3 folioles. Les ramilles, qui demeurent vertes, mettent un peu de couleur dans le paysage hivernal. Il existe une espèce à port érigé qu'on appelle genêt à balais parce qu'on s'en servait effectivement autrefois pour confectionner des balais.	Arbuste recommandé pour la culture en bordure, en rocaille ou en isolé. Demande un sol d'une fertilité moyenne, mais bien drainé. Vient bien dans un sol acide, mais tolère une certaine alcalinité. Supporte le plein soleil, mais pousse aussi à la mi-ombre. Ne transplanter que les jeunes sujets; les autres ne supportent pas le moindre dérangement de leurs racines. Rabattre sévèrement après la floraison. Peu exposé aux ravageurs ou aux maladies.	Semer les graines quand elles sont mûres ou les garder jusqu'à un an dans un endroit frais et sec. Les faire tremper dans une solution concentrée d'acide sulfurique pendant une demi-heure; rincer et semer. Utiliser un plat en verre et éviter tout contact avec l'épiderme car l'acide est très corrosif. Prélever des boutures semi-aoûtées et feuillées au début de l'été ou des boutures fermes à la fin de l'été.
 **Daboecia cantabrica (bruyère de Saint-Daboec)**	**Daboecia** (bruyère d'Irlande) Ressemble beaucoup à la bruyère commune. Feuilles alternes et elliptiques d'environ 1,5 cm de long. Petites fleurs campanulées réunies en bouquets terminaux légèrement retombants.	Belle plante de rocaille. Prospère en plein soleil mais tolère un peu d'ombre. Demande un sol humide et sablonneux auquel on a ajouté beaucoup de tourbe.	Semer les graines sans attendre quand elles sont mûres ou les garder jusqu'à un an dans un endroit sec. Prélever des boutures semi-aoûtées au début de l'été ou des boutures aoûtées à la fin de l'été.

Les fleurs du genêt (Cytisus praecox) couvrent toute la longueur des tiges de la plante lors de la floraison au milieu du printemps. Le fustet (Cotinus) est un arbuste qui garde sa splendeur pendant toute la belle saison à cause de ses jolies fleurs, de ses grappes de fruits et de son feuillage automnal.

Cytisus praecox 'Warminster'

Cotinus coggygria 'Royal Purple'

Espèces et variétés	Rusticité (Voir pages de garde)	Caractéristiques ornementales et remarques	Hauteur/étalement à maturité
À feuillage caduc *Cotinus coggygria*	Zone 5	Renommé pour les poils roses qui garnissent les pédoncules des fruits.	3,65 m/4,50-6 m
C. c. 'Royal Purple'	Zone 5	Variété moins développée à feuillage pourpre qui garde ses coloris tard dans la saison.	2,45 m/2,45-3 m
À feuillage caduc *Cotoneaster acutifolius* (cotonéaster de Pékin)	Zone 2	Le plus souvent cultivé en haie. S'insère bien dans une bordure d'arbustes. Porte des fruits noirs sur des branches arquées.	1,20-3 m/90 cm-4 m
C. adpressus (cotonéaster rampant)	Zone 4	Fleurs roses s'ouvrant au début de l'été. Fruits rouges. Espèce prostrée qui croît lentement et convient bien aux rocailles.	15 cm/60-90 cm
C. apiculatus	Zone 4	Feuilles pointues aux extrémités. Espèce ornementale à fleurs roses et à fruits écarlates.	1,20 m/90 cm-1,20 m
C. horizontalis	Zone 5	Branches fourchues et très étalées portant des feuilles arrondies. Arbuste à feuillage semi-persistant dans les régions à climat doux, caduc là où le climat est moins clément. Fleurs roses et fruits rouge vif tôt en été. Se cultive en espalier.	60 cm/90 cm-1,50 m
C. perpusillus	Zone 4	Feuilles plus petites que celles de *C. horizontalis*. Arbuste plus court.	45 cm/60-90 cm
À feuillage persistant *C. dammeri*	Zone 4	Fleurs blanches et fruits rouges. Là où le sol n'est pas tassé, les branches prostrées de cette espèce s'enracinent aux articulations et contribuent à contenir les talus. Les fruits attirent souvent les oiseaux en début d'hiver.	30 cm/1,80 m
C. microphyllus (cotonéaster à petites feuilles)	Zone 5	Arbuste spectaculaire souvent utilisé à des fins ornementales à cause de ses feuilles vernissées, de ses fleurs blanches et de ses nombreuses baies écarlates.	60 cm/4,50 m
À feuillage caduc *Cytisus albus* (cytise blanc du Portugal)	Zone 7	Fleurs blanches ou blanc-jaune s'épanouissant au tout début de l'été. Feuilles composées de folioles d'environ 7,5 cm de long.	30 cm/60 cm
C. battandieri (cytise du Maroc)	Zone 7	Feuilles à folioles soyeuses et couvertes de poils blanchâtres, pouvant dépasser 7,5 cm de longueur. Grappes coniques de fleurs jaunes, au parfum d'ananas, naissant à l'extrémité des jeunes pousses, au début de l'été.	4,50 m/2,45 m
C. beanii (cytise de Beans)	Zone 5	Bouquets de 1 à 5 fleurs d'un jaune vif s'ouvrant à la fin du printemps ; souvent, les fleurs recouvrent complètement le feuillage. Très belle espèce semi-prostrée.	60 cm/90 cm
C. praecox 'Warminster'	Zone 6	Espèce renommée pour ses fleurs printanières jaune clair ou blanc-jaune. Ramilles tout particulièrement décoratives en hiver. Tailler modérément.	1,80 m/1,50 m
C. purpureus (cytise pourpré)	Zone 5	Port prostré et rampant ; fleurs d'un pourpre pâle produites en grande quantité à la fin du printemps. Espèce recherchée pour ses qualités ornementales.	60 cm/90 cm
C. scoparius (genêt à balais)	Zone 7	Fleurs d'un jaune intense à la fin du printemps. Ramilles très décoratives en hiver. Nombreuses variétés, dont une à fleurs rouges et une autre à fleurs doubles.	2,45 m/2,45 m
À feuillage persistant *Daboecia cantabrica* (bruyère de Saint-Daboec)	Zone 6	Produit de nombreuses fleurs rose-pourpre ne dépassant pas 1,5 cm de longueur, du début de l'été à la mi-automne. Port érigé ; silhouette bien découpée.	45 cm/15-30 cm
D. c. alba	Zone 6	Semblable à *D. cantabrica*, mais à fleurs blanches.	45 cm/15-30 cm
D. c. 'Praegerae'	Zone 6	Fleurs d'un rose-vermeil appuyé, un peu plus grandes que celles de *D. cantabrica*.	30 cm/15-30 cm

Le daphné odorant (Daphne cneorum) porte bien son nom car il embaume au printemps. Les fleurs de la variété 'Eximia' sont rose fuchsia.

Daphne cneorum 'Eximia'

Nom botanique et nom vulgaire, description générale	Utilisation et culture	Multiplication *(Voir aussi p. 53)*
 *Daphne burkwoodii* 'Somerset' (daphné) **Daphne** (daphné) Jolis bouquets de petites fleurs, parfumées chez certaines espèces, qui ressemblent en plus menu à celles du lilas. Fruits de couleur vive, charnus ou coriaces. Feuilles, fruits et écorce sont toxiques.	Arbuste tout indiqué pour les bordures ou les jardins de rocaille. Prospère dans un endroit ensoleillé ou à demi-ombragé, protégé du vent. Préfère un sol léger, riche en humus et facile à travailler, d'alcalin à neutre. Souvent délicat à transplanter; ne tenter l'expérience que sur de jeunes sujets. En suçant la sève des tissus, les pucerons affaiblissent les extrémités des tiges. Utiliser un insecticide systémique. Des viroses peuvent aussi inhiber la croissance de cette plante. Rien ne pouvant arrêter le cours de ces maladies, arracher et détruire les sujets atteints.	Par marcottage au sol ou bouturage de racines. Aussi par boutures semi-aoûtées et feuillées prélevées en été, ou aoûtées et sans feuilles prélevées en automne. Stratifier les graines pendant trois mois à 4 °C avant de les semer.
 *Deutzia scabra* 'Candidissima' (deutzie) **Deutzia** (deutzia ou deutzie) Arbuste de croissance rapide, fleurissant à un âge précoce. Fleurs généralement blanches, produites en abondance sur des tiges de l'année précédente. Feuilles dentées. L'écorce de la plupart des espèces se soulève par plaques en hiver.	Se cultive en plein soleil ou dans un endroit à demi-ombragé, dans une bonne terre. Pailler au printemps. La floraison peut être partiellement inhibée par un éclairement médiocre, un sol pauvre en éléments nutritifs et un manque d'eau. Ajouter alors un engrais complet et arroser davantage en période de sécheresse. Émonder juste après la floraison. Arbuste exempt de ravageurs et de maladies en règle générale. Tolère la pollution atmosphérique.	Semer les graines quand elles sont mûres ou les garder jusqu'à un an dans un endroit sec et frais. Diviser les racines au printemps. Prélever des boutures semi-aoûtées en été ou des boutures aoûtées dépourvues de feuilles en automne.

Du milieu du printemps au cœur de l'été, les deutzies s'ornent d'abondantes grappes de fleurs en forme de coupe, généralement blanches, mais parfois roses. Ce sont des arbustes faciles à cultiver.

Deutzia scabra

Espèces et variétés	Rusticité (Voir pages de garde)	Caractéristiques ornementales et remarques	Hauteur/étalement à maturité
À feuillage caduc *Daphne burkwoodii* 'Carol Mackie'	Zone 5	Feuilles vert foncé, bordées de crème ou de blanc. Fleurs rose pâle, mais très odorantes, comme celles de *D. b.* 'Somerset'.	90 cm/90 cm-1,20 m
D. b. 'Somerset'	Zone 5	Feuillage vert foncé semblable à celui du buis et semi-persistant dans les régions à climat doux. Fleurs roses, étoilées et très parfumées, qui s'ouvrent à la fin du printemps ou au début de l'été. Prospère à la mi-ombre.	1,50 m/1,20 m
D. giraldii	Zone 2	Fleurs jaunes légèrement aromatiques s'ouvrant tôt en été, suivies de baies écarlates.	60 cm/30-60 cm
D. mezereum (mézéréon ou bois gentil)	Zone 3	Bouquets de fleurs rose-pourpre très parfumées s'ouvrant au début du printemps, avant la feuillaison. Feuilles alternes. En été, fruits écarlates qui attirent les oiseaux. Port érigé. Préfère la mi-ombre.	90 cm/60 cm
D. m. alba	Zone 4	Très jolie variété à fleurs blanches et fruits jaunes. Convient aux petits jardins.	90 cm/60 cm
À feuillage persistant *D. cneorum* (daphné odorant)	Zone 2	Feuilles oblongues de 2,5 cm de long. Fleurs roses agréablement parfumées s'ouvrant au printemps. Fruits brun-jaune. Pailler en été et protéger contre le gel.	15-30 cm/60 cm
D. collina	Zone 7	Grappes terminales de 10 à 15 fleurs rose-pourpre suavement parfumées, tard au printemps.	90 cm/90 cm
D. laureola (daphné lauréolé ou laurier des bois)	Zone 8	Feuilles de 5 à 7,5 cm de long. Fleurs vert-jaune habituellement sans odeur et réunies en racèmes à courts pédoncules, s'ouvrant tôt au printemps. Fruits d'un noir bleuté. Préfère la mi-ombre et un sol légèrement acide.	60 cm/45-60 cm
D. odora	Zone 6	Abondante floraison de fleurs rose-pourpre, très parfumées, réunies en bouquets terminaux serrés. S'épanouissent au printemps. Fertiliser et tailler modérément.	1,50 m/60-90 cm
D. o. 'Albomarginata'	Zone 6	Semblable à *D. odora*, sauf que les feuilles sont marginées de jaune.	1,20-1,80 m/ 90 cm-1,20 m
D. retusa	Zone 7	Bouquets terminaux de fleurs d'un blanc pourpré et parfumées s'épanouissant en fin de printemps. Fruits rouges. Espèce compacte à silhouette nette.	90 cm/60-90 cm
À feuillage caduc *Deutzia crenata nakaiana* 'Nikko'	Zone 5	Arbuste compact, qui convient bien aux petits jardins. Feuilles lancéolées aux belles couleurs de l'automne. Branches de fleurs étoilées blanches, à la fin du printemps.	60 cm/1,20 m
D. gracilis	Zone 5	Gracieuses branches arquées. Feuilles oblongues dépassant souvent 5 cm de longueur. Fleurs blanches groupées en panicules ou épis dressés de 10 cm de haut à la fin du printemps. Écorce gris-jaune pelant légèrement.	1,50 m/90 cm-1,20 m
D. lemoinei (deutzie de Lemoine)	Zone 5	Feuilles atteignant souvent 10 cm de longueur. Fleurs réunies et dressées en panicules tronquées ou pyramidales mesurant jusqu'à 10 cm, à la fin du printemps. Plante hybride rustique.	2 m/1,50-2 m
D. rosea 'Carminea'	Zone 6	Fleurs rose pâle groupées en panicules de 5 cm de diamètre, dans toute leur splendeur la fin du printemps ou au début de l'été.	1,80 m/1,20-1,80 m
D. scabra 'Candidissima'	Zone 6	Variété remarquable par ses fleurs doubles d'un blanc pur.	2,50 m/1,50-2,50 m
D. s. 'Pride of Rochester'	Zone 6	Fleurs doubles, rose très pâle à l'extérieur et blanc pur à l'intérieur, d'environ 2,5 cm de diamètre, en grandes panicules. Floraison au début de l'été.	2,50 m/1,50-2,50 m

Le chalef Elaeagnus pungens *'Goldtrim' est une des plus jolies variétés de ce genre : ses feuilles d'un riche vert sont frangées d'or, ses minuscules fleurs odorantes sont suivies de baies colorées.*

Elaeagnus pungens 'Goldtrim'

Nom botanique et nom vulgaire, description générale	Utilisation et culture	Multiplication (Voir aussi p. 53)
Elaeagnus (chalef) Feuilles alternes, coriaces, très ornementales. Les chalefs à feuillage caduc portent souvent de beaux fruits. Elaeagnus pungens (chalef)	Cultiver le chalef en isolé ou en haie. Arbuste particulièrement recommandé pour la région des Prairies ou au voisinage de la mer à cause de la tolérance dont il fait preuve à l'égard du vent et de la sécheresse du sol. Prospère en plein soleil, mais tolère une ombre très partielle. Arroser généreusement les sujets nouvellement transplantés durant leur premier été.	Soumettre les graines à la stratification durant trois mois à 4 °C ou les garder un an au plus dans un endroit sec et frais. Prélever des boutures de racines au printemps ou marcotter au sol pour obtenir de nouveaux plants. Prendre des boutures de tiges semi-aoûtées et feuillées en été. Multiplier les espèces à feuillage persistant au moyen de boutures aoûtées sans feuilles à l'automne ou par rejets.
 **Enkianthus** (enkianthus) Feuilles réunies en bouquets aux extrémités des ramilles. Belles teintes automnales. Fleurs semblables à celles de la bruyère, s'épanouissant à la fin du printemps. Enkianthus campanulatus (enkianthus)	Se prête à la culture en bordure et s'associe avec bonheur aux azalées et aux rhododendrons. Prospère dans un endroit à demi-ombragé et protégé du vent, dans un sol bien drainé et modérément acide. Résiste aux ravageurs et aux maladies.	Semer les graines quand elles sont mûres. Se multiplie bien par marcottage au sol. En été, prélever des boutures semi-aoûtées.
 **Erica** (bruyère) Plantes de taille variée, allant du petit arbre au couvre-sol. Feuilles en forme d'aiguilles, en groupes de 6 au plus. Petites fleurs blanches, rose clair, rose foncé ou orange, réunies en bouquets et parfois inclinées. Fruits en forme de capsule. Erica carnea (bruyère des neiges)	Cultiver les sujets à port prostré en groupes assez nombreux. Les planter en plein soleil ou dans un endroit modérément ombragé et ajouter beaucoup de tourbe. La plupart préfèrent un sol acide. Tailler de temps à autre pour stimuler la croissance des pousses secondaires et garder à la plante une silhouette équilibrée.	Semer les graines quand elles sont mûres. Prélever des boutures semi-aoûtées en été ou diviser les racines.

Du milieu de l'été à l'automne, les différentes variétés de bruyère quaternée (Erica tetralix) portent des masses de fleurs.

Erica tetralix 'Pink Star'

Espèces et variétés	Rusticité (Voir pages de garde)	Caractéristiques ornementales et remarques	Hauteur/étalement à maturité
À feuillage caduc *Elaeagnus angustifolia* (olivier de Bohème)	Zone 2	Arbre ou arbuste. Très beau feuillage argenté. Espèce robuste qui croît dans n'importe quel sol et résiste à la sécheresse. Écorce brune et écailleuse très décorative en hiver.	6 m/3-3,50 m
E. commutata (chalef à fruits argent)	Zone 2	Port érigé ; feuilles d'oblongues à ovales, de teinte argentée, atteignant 10 cm de longueur. Petites fleurs jaunes très parfumées s'ouvrant à la fin du printemps. Fruits ovoïdes de couleur argent.	3,50 m/1,20-1,80 m
E. umbellata	Zone 5	Espèce robuste. Feuilles elliptiques ou ovales, argentées au revers, portées par des branches étalées ; écorce écailleuse. Fleurs aromatiques d'un blanc-jaune s'épanouissant à la fin du printemps ou au début de l'été. Fruits argentés virant au rouge.	4,50 m/1,80-3 m
À feuillage persistant *E. pungens* (chalef pungens)	Zone 7	Petites fleurs pendantes blanc argenté, au parfum rappelant celui du gardénia, s'épanouissant à la mi-automne. Fruits bruns devenant rouille à maturité. Tolère la taille.	3,50 m/2,50-3,50 m
À feuillage caduc *Enkianthus campanulatus*	Zone 5	Feuilles à marge dentée de 2,5 à 7,5 cm de long, virant à l'écarlate vif à l'automne. Fleurs jaune bronze inclinées, veinées de rouge. À l'automne apparaissent de petites gousses vertes qui, à maturité, deviennent fauves.	7,50 m/1,20-3,50 m
À feuillage persistant *Erica carnea* (bruyère des neiges)	Zone 5	Fleurs rose-vermeil s'ouvrant de la mi-hiver à la fin du printemps dans l'Ouest, plus tard dans l'Est. Supporte un sol légèrement alcalin. Excellente plante de rocaille.	30 cm/15-30 cm
E. c. 'Springwood Pink'	Zone 5	Plante vigoureuse à fleurs d'un rose vif au début du printemps.	15 cm/45 cm
E. c. 'Vivelli'	Zone 5	Fleurs hâtives, rouge carmin. Feuillage vert bronze.	15-23 cm/30-45 cm
E. ciliaris (bruyère ciliée)	Zone 6	Feuilles grisâtres à marge pubescente. Petites inflorescences rouges réunies en bouquets terminaux de 13 cm de longueur et s'épanouissant au début de l'été.	30 cm/15-30 cm
E. cinerea (bruyère cendrée)	Zone 6	Feuilles vertes et brillantes, groupées par 3, devenant cuivre à l'automne. Fleurs rose pourpré du début de l'été au début de l'automne. Quand elles sont fanées, tailler sévèrement l'arbuste pour favoriser la ramification. Tolère un sol alcalin.	45 cm/15-30 cm
E. darleyensis	Zone 5	Petites feuilles à marge enroulée et groupées par 4. Fleurs d'un rose-pourpre pâle du début de l'hiver au printemps. Tolère un sol alcalin.	60 cm/30-60 cm
E. d. 'George Randall'	Zone 5	Fleurs rose intense au début du printemps dans les régions où le climat est froid, et à la mi-hiver dans les climats plus doux.	45 cm/30-45 cm
E. d. 'Silberschmelze'	Zone 5	Arbuste à floraison estivale. Fleurs blanches et persistantes.	45 cm/30-45 cm
E. erigena	Zone 8	Feuilles groupées par 4 ou 5 sur des branches dressées. Petites fleurs rouge sombre à étamines saillantes s'ouvrant à la mi-printemps.	1,80 m/90 cm-1,50 m
E. tetralix (bruyère quaternée)	Zone 5	Feuilles grisâtres à marge pubescente groupées par 4. Petites fleurs rose-rouge s'épanouissant du début de l'été à la mi-automne. Préfère un sol humide contenant beaucoup de tourbe. Port généralement prostré.	60 cm/30-45 cm
E. vagans (bruyère vagabonde)	Zone 5	Feuilles groupées par 4 ou 5. Fleurs pourpre rosé en bouquets de 15 cm de la mi-été à la mi-automne. Variétés à fleurs blanches, rose foncé ou rouges. Port étalé.	30 cm/15-30 cm

Les fusains comprennent des variétés caduques et persistantes. Le feuillage décidu du fusain ailé (Euonymus alatus) vire au rouge ardent à l'automne. Les feuilles persistantes des variétés de E. fortunei peuvent être bordées de blanc, crème ou jaune.

Euonymus alatus

Euonymus fortunei 'Emerald Gaiety'

Euonymus fortunei 'Emerald 'n Gold'

	Nom botanique et nom vulgaire, description générale	Utilisation et culture	Multiplication *(Voir aussi p. 53)*
 *Escallonia exoniensis* (escallonia)	**Escallonia** (escallonia) Branches gracieusement arquées portant des bouquets de fleurs terminales, et parfois aussi à l'aisselle des feuilles. Floraison estivale se prolongeant de façon intermittente jusqu'à l'automne.	Arbuste recommandé au voisinage de la mer pour former des haies qui protègent des embruns les plantes plus fragiles. Prospère en plein soleil et en sol fertile et bien drainé. Éviter les sols très alcalins. Fertiliser au début du printemps.	Par boutures de tiges fermes à la fin de l'été.
 *Euonymus alatus* (fusain ailé)	**Euonymus** (fusain) Petites fleurs dépourvues d'intérêt naissant à la fin du printemps ou au début de l'été. Arbuste réputé pour ses fruits et pour ses teintes somptueuses en automne. Les fruits viennent au milieu de l'été et durent jusqu'aux froids dans les régions à climat rigoureux.	Arbuste utile à plusieurs fins au jardin à cause de la grande diversité des espèces et variétés que regroupe ce genre. Prospère en plein soleil ou à la mi-ombre dans une bonne terre. Arroser généreusement les plants nouvellement transplantés durant les périodes de sécheresse. Les jeunes tiges de presque toutes les espèces sont exposées aux attaques de la cochenille et du puceron. Utiliser un insecticide agissant par contact. Lorsque le mildiou (blanc) laisse des taches blanchâtres sur les feuilles, faire des vaporisations de dinocap ou des applications de poudre ou d'un produit à base de soufre.	Soumettre les graines à la stratification pendant quatre mois à 4 °C avant les semis. La germination est souvent difficile. Multiplier les espèces à feuillage persistant par boutures semi-aoûtées en été ou par boutures aoûtées en automne, les espèces à feuillage caduc par boutures herbacées au printemps.
 *Exochorda macrantha* 'The Bride' (exochorda)	**Exochorda** (exochorda) Feuilles de forme presque ovale ayant 2,5 à 7,5 cm de long, à marge lisse. Fleurs blanches très voyantes de 5 cm de large, très abondantes et groupées en racèmes.	Prospère en plein soleil dans n'importe quelle bonne terre de jardin. Lorsque les fleurs sont fanées, enlever tout le vieux bois et les tiges malingres pour éclaircir la ramure et garder à l'arbuste toute sa vigueur.	Semer les graines dès qu'elles sont mûres ou les garder jusqu'à un an dans un endroit sec et frais. Prélever des boutures herbacées et feuillées au printemps. La division des racines réussit bien. On peut aussi marcotter au sol les branches du bas.
 Fatsia japonica (fatsia)	**Fatsia** (fatsia) Grandes feuilles palmées pouvant mesurer 38 cm et portant jusqu'à 9 lobes, brillantes. Minuscules fleurs blanches, suivies de fruits bleu-noir, en ombelles denses.	Plante d'intérieur dans les climats froids. Excellent choix pour un container sur une terrasse. Pousse aussi bien au plein soleil qu'à l'ombre, dans un sol sableux mélangé à de la mousse de tourbe. Les vieux plants font des gourmands que l'on peut laisser sur le plant ou sectionner avec une bêche bien aiguisée. Tailler légèrement une fois par an pour mettre en valeur la belle structure des branches.	Semer les graines quand elles sont mûres. Transplanter les gourmands au début ou au milieu du printemps. Prélever des boutures semi-aoûtées feuillées l'été ou pratiquer le marcottage aérien.

Espèces et variétés	Rusticité (Voir pages de garde)	Caractéristiques ornementales et remarques	Hauteur/étalement à maturité
À feuillage persistant *Escallonia exoniensis*	Zone 8	Feuilles de 1 à 4 cm de long, d'un vert lustré sur le dessus, plus clair au revers. Fleurs terminales blanches ou rosées de 1 cm de long. Arbuste hybride.	3 m/1,80-2,50 m
E. rubra	Zone 8	Branches à écorce brun rougeâtre. Feuilles lancéolées ne dépassant pas 5 cm de longueur ; limbe visqueux. Fleurs rouges.	3,50 m/1,50-2,10 m
À feuillage caduc *Euonymus alatus* (fusain ailé)	Zone 3	Jeunes branches à curieuses petites excroissances liégeuses. Les feuilles mesurent jusqu'à 7,5 cm de long et deviennent en automne d'un rouge vibrant qui embellit tout le jardin. Écorce attrayante en hiver.	2,50 m/1,80-2,50 m
E. a. 'Compactus' (fusain ailé nain)	Zone 3	Intéressante variété naine. Particulièrement recommandée pour la culture en haie.	1,20 m/90 cm-1,50 m
E. nanus (fusain nain)	Zone 2	Renommé pour ses somptueux coloris d'automne, mais ses feuilles vert foncé sont aussi très belles en été.	90 cm/90 cm
À feuillage persistant *E. fortunei* (fusain à feuilles persistantes)	Zone 5	Remarquable, à l'âge adulte, par ses feuilles vernissées prenant diverses formes. Fruits rose pâle. Buisson étalé et sarmenteux constituant une excellente plante de rocaille. S'accroche et grimpe aux murs à surface rugueuse.	15-30 cm/60 cm-1,80 m
E. f. 'Canadale Gold'	Zone 5	Feuilles vert pâle bordées de jaune sur une plante compacte, de forme arrondie.	30 cm/60-90 cm
E. f. 'Coloratus' (fusain à feuilles pourpres)	Zone 5	Feuilles de 2,5 cm nuancées de pourpre à l'automne et durant tout l'hiver.	15-30 cm/90 cm-1,80 m
E. f. 'Emerald Gaiety'	Zone 5	Le bord blanc des feuilles vert foncé rondes tourne au rose l'hiver.	60 cm/90 cm-1,20 m
E. f. 'Kewensis'	Zone 6	Forme miniature avec des feuilles vert foncé de 6 mm à peine ; idéale pour rocailles.	10 cm/60 cm
E. f. radicans	Zone 6	Même port que *E. fortunei* ; les feuilles sont cependant plus petites et moins brillantes.	15-30 cm/60 cm-1,80 m
E. f. 'Sarcoxie'	Zone 5	Feuilles vernissées et semi-persistantes de 2,5 cm de long. Port érigé.	1,20 m/60-90 cm
E. f. 'Sun Spot'	Zone 5	Feuilles à centre jaune vif qui gardent bien leur couleur. Forme arrondie.	90 cm/1,80 m
E. f. vegetus (fusain à grandes feuilles)	Zone 5	Semblable à *E. fortunei* ; port moins rampant.	60 cm-1,20 m/ 90 cm-1,50 m
À feuillage caduc *Exochorda macrantha* 'The Bride'	Zone 5	À la mi-printemps, de minuscules boutons nacrés se transforment en fleurs ravissantes qui persistent jusqu'à la fin du printemps. Arbuste buissonnant et compact. Variété remarquable recommandée pour les petits jardins.	1,20 m/1,20 m
E. racemosa	Zone 5	Espèce qui fleurit moins abondamment que la variété *E. macrantha* 'The Bride', mais ses fleurs, plus grandes, atteignent presque 5 cm de diamètre. Elles s'ouvrent du milieu à la fin du printemps.	3-3,50 m/1,80-3 m
À feuillage persistant *Fatsia japonica*	Zone 8	Les fleurs en ombelles apparaissent au milieu de l'automne sur des branches distinctes. Les baies restent sur l'arbuste l'hiver. Tailler occasionnellement pour la beauté.	4,50 m/4,50 m
F. j. 'Moseri'	Zone 8	Plus petit et plus compact que *F. japonica*.	1,80 m/1,80 m
F. j. 'Variegata'	Zone 8	Feuilles bordées de blanc crème. Aime être protégé du plein soleil.	3 m/3 m

Les forsythias sont une des gloires du printemps. Les variétés naines forment des buissons denses ne dépassant pas 60 cm de haut. Les fleurs jaune pâle éclosent au printemps bien avant les feuilles.

Forsythia viridissima 'Bronxensis'

	Nom botanique et nom vulgaire, description générale	Utilisation et culture	Multiplication *(Voir aussi p. 53)*
Forsythia 'Beatrix Farrand' (forsythia)	**Forsythia** (forsythia ou forsythie) Inflorescences réunissant chacune jusqu'à 6 fleurs jaunes et transforment l'arbuste en bouquet du début au milieu du printemps, à une époque où peu de plantes sont en fleurs. Branches arquées ou retombantes, parfois même jusqu'au sol où elles prennent racine chez certaines espèces.	Arbuste vigoureux et de croissance rapide, remarquable dans les plantations de groupe devant des conifères. Cultivé en haie, il peut être taillé ou laissé à lui-même. Supporte la pollution atmosphérique ; convient bien au milieu urbain. Prospère en plein soleil ou à la mi-ombre, dans une bonne terre de jardin. Entourer d'un paillis et arroser généreusement en période de chaleur et de sécheresse. Rabattre sévèrement les vieilles branches après la floraison pour favoriser la croissance de nouvelles pousses vigoureuses.	Stratifier les graines pendant deux mois à 4 °C. Diviser les vieux plants en touffes pourvues de racines. Certaines variétés se multiplient bien par marcottage au sol. Prélever des boutures semi-aoûtées en été ou des boutures aoûtées et dépourvues de feuilles en automne.
Fothergilla major (fothergilla)	**Fothergilla** (fothergilla) Arbuste à silhouette bien dessinée, apprécié pour ses fleurs blanches en forme d'écouvillon, s'épanouissant du milieu à la fin du printemps, souvent même avant la feuillaison. Feuilles alternes, rudes et dentées, prenant diverses teintes en automne. Les fruits sont des capsules sèches.	Préfère un endroit partiellement ombragé et frais, un sol légèrement acide, tourbeux et humide.	Stratifier les graines cinq mois à la température ambiante, puis trois mois à 4 °C avant de les semer. Prélever des boutures semi-aoûtées en été ou transplanter les rejets. Se prête bien au marcottage au sol.
Fuchsia magellanica (fuchsia)	**Fuchsia** (fuchsia) Fleurs superbes s'épanouissant du début à la fin de l'été dans une gamme de coloris où se retrouvent, seuls ou combinés, le pourpre, le rouge, le blanc et le bleu. Parfois retombantes, les fleurs poussent seules ou en petits bouquets à l'aisselle des feuilles.	Plante remarquable aussi bien isolée qu'en massif ou taillée en petit arbre ; également belle en jardinière ou en corbeille suspendue. Facile à cultiver dans n'importe quel bon sol bien drainé. Préfère la mi-ombre. Dans les régions à climat froid, ne pas émonder avant le printemps.	Semer les graines dès qu'elles sont mûres ou les garder jusqu'à un an au frais et au sec. Prélever des boutures herbacées au printemps ou des boutures semi-aoûtées l'été. Diviser les racines au printemps ou en automne.
Garrya elliptica (garrya)	**Garrya** (garrya) Cultivé principalement pour ses chatons gris argent qui se forment à la mi-hiver sur les sujets mâles, ceux des sujets femelles étant moins ornementaux.	Cultiver cet arbuste en plein soleil ou à la mi-ombre. Préfère une terre grasse mais tolère des sols sablonneux ou rocailleux. Vient beaucoup mieux lorsqu'il est planté contre un mur sur lequel on peut le palisser. Si ce mur est orienté au sud ou à l'ouest, l'arbuste, ainsi protégé en hiver, peut excéder les limites de sa zone de rusticité. Planter côte à côte des sujets mâles et femelles pour obtenir des fruits soyeux, vert-pourpre. Mais cultivés isolément, sujets mâles et femelles donnent de jolies fleurs.	Prélever des boutures semi-aoûtées en été. Marcotter au sol les branches inférieures.
Gaultheria shallon (salal)	**Gaultheria** (gaulthérie) Arbuste prostré, à feuilles dentées et à fruits en forme de baies. Fleurs campanulées blanches. Les rameaux sont utilisés par les fleuristes dans la composition de leurs bouquets.	Les deux espèces décrites ici conviennent aussi bien aux jardins de rocaille qu'aux terrains boisés. Cet arbuste est difficile à transplanter. Pousse en plein soleil ou à la mi-ombre. Demande un sol acide. Cultivé dans un sol pauvre, l'arbuste ne dépasse pas 45 cm, mais il peut atteindre 1,50 m et même davantage dans une terre fertile et un endroit ombragé.	Semer les graines mûres dans un mélange de tourbe et de sable. Prélever des boutures semi-aoûtées en été. Se prête au marcottage au sol et à la division des racines.

Fothergilla gardenii

Garrya elliptica 'James Roof'

Le fothergilla est renommé pour son brillant feuillage d'automne et ses fleurs printanières odorantes. Garrya elliptica a des chatons très décoratifs; dans la variété 'James Roof', ils font 20 cm.

Espèces et variétés	Rusticité (Voir pages de garde)	Caractéristiques ornementales et remarques	Hauteur/étalement à maturité
À feuillage caduc *Forsythia* 'Beatrix Farrand'	Zone 6	Superbes fleurs jaune vif de plus de 5 cm de large. Arbuste érigé, bien que les branches extérieures puissent parfois retomber gracieusement.	2,75 m/2,50 m
F. intermedia 'Lynwood'	Zone 6	Fleurs s'épanouissant le long des tiges plutôt que groupées en bouquets.	2,75 m/2,50 m
F. 'Northern Gold'	Zone 4	Fleurs jaune foncé, apparaissant durant toute la belle saison.	1,80 m/1,20-1,50 m
F. ovata 'Ottawa'	Zone 3	Création de la ferme expérimentale centrale d'Ottawa. Arbuste à boutons floraux rustiques qui fleurit à partir du niveau atteint par la neige jusqu'au bout des branches.	1,80 m/1,20-1,80 m
F. suspensa fortunei	Zone 6	Fleurs d'un jaune éclatant dépassant 2,5 cm de largeur, qui s'épanouissent sur des branches dressées, gracieusement arquées aux extrémités.	3,50 m/2,75 m
F. viridissima 'Bronxensis'	Zone 6	Bien que peu développée en hauteur, cette variété produit une énorme quantité de fleurs jaune clair à la mi-printemps, même sur de jeunes sujets.	30 cm/60-90 cm
À feuillage caduc *Fothergilla gardenii*	Zone 5	Feuilles cunéiformes atteignant 5 cm de longueur, d'un blanc bleuté et couvertes de 9 poils au revers. À l'extrémité des branches apparaissent de petites fleurs blanches groupées en épis de 2,5 cm de longueur.	90 cm/90 cm-1,20 m
F. major	Zone 5	Feuilles ovales ou arrondies de 5 à 13 cm de long, légèrement pubescentes au revers. Fleurs parfumées. Port érigé.	2,75 m/1,80 m
F. m. monticola (fothergilla d'Alabama)	Zone 6	Feuilles ovales atteignant 10 cm de longueur. Fleurs parfumées réunies en épis de près de 8 cm de long. Port plus étalé que *F. major*. Arbuste de belle qualité que l'on peut assortir avec des conifères dans un grand parc.	1,80 m/1,80 m
À feuillage persistant *Fuchsia magellanica*	Zone 8	Feuilles lancéolées, vert clair et dentées atteignant 5 cm de longueur. Fleurs rouges panachées de bleu ou de pourpre. Peut atteindre jusqu'à 6 m lorsque palissée contre un mur ou treillage. Feuillage parfois caduc.	90 cm/90 cm
F. 'Riccartonii'	Zone 8	Abondante production d'inflorescences cramoisies. Même si les organes aériens meurent en hiver, la croissance reprend au printemps.	3 m/1,20 m
À feuillage persistant *Garrya elliptica*	Zone 8	Joli arbuste à feuilles coriaces, oblongues ou elliptiques, duveteuses au revers. Il produit des chatons très décoratifs. Les chatons mâles atteignent 25 cm de longueur, et les chatons femelles 10 cm. Ils apparaissent du début à la fin de l'hiver. L'arbuste atteint parfois les dimensions d'un petit arbre. Rustique seulement dans les régions les plus chaudes de la Colombie-Britannique.	2,50-6 m/1,80 m
G. fremontii	Zone 8	Feuilles luisantes et vert foncé atteignant 7,5 cm de longueur. Les chatons apparaissent à la mi-printemps; les mâles mesurent 20 cm, les femelles 5 cm.	1,80-4,50 m/ 1,80-2,10 m
À feuillage persistant *Gaultheria procumbens* (gaulthérie couchée ou thé des bois)	Zone 4	Arbuste indigène utilisé comme plante tapissante dans les endroits ombragés. Donne le thé des bois.	15-30 cm/90 cm-1,50 m
G. shallon (salal)	Zone 7	Feuilles coriaces, ovales ou arrondies, atteignant 13 cm de longueur. Petites fleurs cireuses à corolles blanches ou roses, groupées en grappes terminales de 7,5 à 13 cm, au début de l'été. Fruits noir-pourpre, comestibles.	45 cm-1,50 m/60-90 cm

Les deux genêts, Genista sagittalis et le genêt d'Espagne (G. hispanica), font d'excellents choix pour les rocailles.

Genista sagittalis   Genista hispanica

	Nom botanique et nom vulgaire, description générale	Utilisation et culture	Multiplication *(Voir aussi p. 53)*
Genista pilosa (genêt velu)	**Genista** (genêt) Feuilles minuscules et peu abondantes. Chez cette plante, la photosynthèse s'effectue au moyen de la chlorophylle que renferment les tiges. Fleurs en forme de pois, généralement jaunes, mais parfois blanches, réunies en grappes. Après la floraison apparaissent des gousses plates.	Vient bien dans un sol pauvre et sablonneux. Préfère un endroit chaud, sec et ensoleillé. Difficile à transplanter quand il est gros. Mélanger beaucoup de tourbe au sol. Lorsque les fleurs sont fanées, rabattre les branches florifères pour empêcher la production de graines.	Semer les graines dès qu'elles sont mûres après les avoir fait tremper dans de l'eau chaude pendant 12 heures, ou les conserver jusqu'à un an dans un endroit sec et frais. Prélever des boutures semi-aoûtées et feuillées en été ou des boutures aoûtées et sans feuilles en automne. Se prête aussi au marcottage au sol.
Hamamelis mollis (hamamélis de Chine)	**Hamamelis** (hamamélis) Feuilles alternes à court pétiole, virant au jaune et parfois au rouge en automne. Fleurs à longs pétales évoquant des araignées, jaunes ou rouge cuivré, mais parfois jaunes à cœur rougeâtre. La plupart fleurissent de la fin de l'hiver au début du printemps. Fruits en capsules qui explosent quand ils sont mûrs, projetant 2 graines noires et luisantes.	Les sujets à fleurs rouges sont plus frappants que ceux à fleurs jaunes et se font voir de plus loin. Ils se placent bien dans de grands jardins. Arbuste qui prospère en plein soleil ou à la mi-ombre dans n'importe quelle terre. Demande de l'humidité. Tolère la pollution atmosphérique.	Stratifier les graines pendant cinq mois à la température de la pièce et pendant trois autres mois à 4 °C avant de les semer. La germination peut demander deux ans. Se multiplie par marcottage au sol ou par boutures semi-aoûtées en été.
Hebe traversii (véronique)	**Hebe** (véronique) Feuilles opposées et coriaces. Fleurs blanches ou rosées, réunies en bouquets terminaux ou parfois à l'aisselle des feuilles.	Certaines variétés peuvent être taillées pour former une haie non conventionnelle. Arbuste à cultiver en plein soleil ou à la mi-ombre dans un sol sablonneux et bien drainé.	Semer les graines quand elles sont mûres. Prélever des boutures fermes à la fin de l'été.
Hibiscus syriacus 'Admiral Dewey' (ketmie de Syrie)	**Hibiscus** (ketmie ou hibiscus) Fleurs remarquables, de plusieurs centimètres de diamètre, simples ou doubles, à pétales froncés ou laciniés, dans une vaste gamme de coloris et souvent de teintes contrastantes à la gorge. Plante qui fleurit à une époque où les arbustes sont en règle générale dépourvus de fleurs, soit de la mi-été au début de l'automne.	À cultiver en plein soleil dans un sol bien drainé. Dans les régions très froides, les jeunes plants doivent être protégés durant leurs premiers hivers. Émonder les sujets bien établis au tout début du printemps en rabattant le tiers du vieux bois.	Semer immédiatement les graines mûres ou les garder jusqu'à un an dans un endroit sec et frais. Marcotter au sol les branches inférieures. Prélever des boutures herbacées au printemps ou des boutures aoûtées à la fin de l'été. Les boutures aoûtées sans feuilles prélevées à l'automne donnent de bons résultats.
Hippophae rhamnoides (argousier)	**Hippophae** (argousier) Plante à feuillage argenté à baies orange. Cultiver ensemble des sujets mâles et femelles pour obtenir des fruits.	Tolère le sel. On peut donc cultiver cette plante au voisinage de la mer ou le long des routes où l'on épand du sel en hiver.	Par semis, mais de préférence par marcottage pour bien identifier les sujets mâles et femelles.

On comprend à leurs fleurs pourquoi on appelle l'hamamélis (Hamamelis) café du diable. Ces fleurs qui ouvrent très tôt, avant les feuilles, sont très odorantes.

Hamamelis intermedia 'Jelena'

Hamamelis mollis 'Pallida'

Espèces et variétés	Rusticité (Voir pages de garde)	Caractéristiques ornementales et remarques	Hauteur/étalement à maturité
À feuillage caduc *Genista hispanica* (genêt d'Espagne)	Zone 7	Cette espèce se couvre de fleurs jaune d'or, de la fin du printemps au début de l'été. Gousses pubescentes. En hiver, la plante ressemble à un conifère avec ses grandes épines vertes et ses ramilles de même teinte.	30-60 cm/1,80 m
G. lydia	Zone 4	Tiges fortement aplaties qui arborent une abondance de fleurs jaune vif à la fin du printemps sur des branches retombantes.	45 cm/90 cm
G. pilosa (genêt velu)	Zone 5	À la fin du printemps, des myriades de fleurs jaune vif naissent à l'aisselle des feuilles et des tiges. Gousses de plus de 2,5 cm de long. Port prostré.	30 cm/2,10 m
G. tinctoria (genêt des teinturiers)	Zone 3	Prospère en milieu ensoleillé et sablonneux. Fleurs d'un jaune éclatant apparaissant au début de juin sur des branches retombantes. C'est le plus rustique de tous les genêts.	90 cm-1,20 m/ 1,20-1,50 m
À feuillage caduc *Hamamelis intermedia*	Zone 6	Fleurs d'une belle teinte cuivrée. Plusieurs variétés à fleurs remarquables descendent de cet hybride.	6 m/4,50-5,50 m
H. mollis (hamamélis de Chine)	Zone 6	Feuilles légèrement dentées de 8 à 18 cm de long, couvertes de poils grisâtres au revers. Fleurs aromatiques jaune d'or à cœur rouge, dépassant 2,5 cm de diamètre.	7,50 m/4,50-5,50 m
H. virginiana (hamamélis de Virginie ou café du diable)	Zone 4	Gros arbuste à feuilles très dentées de 10 à 15 cm de long. Fleurs d'un jaune brillant apparaissant très tard à la fin de l'automne, après la chute des feuilles. Les sujets adultes ont une belle silhouette.	4,50 m/2,50-3 m
À feuillage persistant *Hebe buxifolia*	Zone 8	Feuilles brillantes et vert foncé de moins de 2,5 cm de long qui se chevauchent et forment un feuillage touffu. Épis floraux blancs de 2,5 cm à la mi-été.	1,50 m/60 cm-1,20 m
H. cupressoides (véronique cupressoides)	Zone 8	Feuilles en écailles et petites fleurs bleu clair ou pourpres au début de l'été.	1,80 m/1,20 m
H. traversii	Zone 8	Ramure très fournie. Feuilles de 2,5 cm de long. Fleurs blanches à la mi-été.	1,80 m/90 cm-1,50 m
À feuillage caduc *Hibiscus syriacus* (ketmie de Syrie ou guimauve en arbre)	Zone 6	Fleurs simples ou doubles allant du rose ou du pourpre au blanc. Donner la préférence aux variétés hybrides.	3,50 m/1,80-2,50 m
H. s. 'Aphrodite'	Zone 6	Fleurs rose foncé à cœur rouge, de plus de 12 cm de diamètre.	2,75 m/1,80-2,50 m
H. s. 'Blue Bird'	Zone 6	Floraison tardive ; fleurs simples d'un nouveau et joli ton de bleu qui atteignent presque 10 cm de diamètre.	3,50 m/1,80-2,50 m
H. s. 'Boule de Feu'	Zone 6	Fleurs doubles pourpres, dépassant 5 cm de diamètre.	3,50 m/1,80-2,50 m
H. s. 'Diana'	Zone 6	Larges fleurs d'un blanc pur, texturées, à pétales gaufrés.	3,50 m/1,80-2,50 m
H. s. 'Helene'	Zone 6	Fleurs blanches souvent semi-doubles, avec base des pétales teintée de magenta.	3,50 m/1,80-2,50 m
H. s. 'Minerva'	Zone 6	Fleurs de 12 cm de diamètre, lavande, à cœur rouge foncé.	2,50 m/1,80-2,50 m
H. s. 'Red Heart'	Zone 6	Fleurs d'un blanc pur, de 10 cm de diamètre, à cœur rouge foncé.	3,50 m/1,80-2,50 m
À feuillage caduc *Hippophae rhamnoides* (argousier)	Zone 2	Étroites feuilles argentées sur des branches épineuses. Les baies attirent les oiseaux. Pousse bien dans la région des Prairies.	3-4,50 m/2,50-3 m

Des fleurs jaunes d'or aux étamines proéminentes caractérisent le millepertuis (Hypericum). Voici une plante idéale pour les plates-bandes et les rocailles.

Hypericum 'Hidcote'

	Nom botanique et nom vulgaire, description générale	Utilisation et culture	Multiplication *(Voir aussi p. 53)*
Holodiscus discolor (holodiscus)	**Holodiscus** (holodiscus) Feuilles alternes, profondément dentées, de 5 à 10 cm de long, vert-gris. Petites fleurs cupuliformes à étamines saillantes, réunies en grandes panicules.	Forme un bel écran de verdure derrière des plates-bandes d'annuelles. Prospère dans un sol riche et à la mi-ombre, mais croît aussi en plein soleil et dans un sol sec.	Par semis ou par marcottage au sol.
Hydrangea arborescens 'Grandiflora' (hortensia de Virginie)	**Hydrangea** (hydrangée ou hortensia) Grandes feuilles généralement dentées et opposées. Fleurs petites ou moyennes, à 5 pétales, groupées en panicules ou en corymbes de grande taille, arrondis ou oblongs. Fleurs stériles et fertiles s'épanouissent souvent ensemble : les premières sont dépourvues d'étamines ou de pistil mais sont très voyantes et les secondes sont beaucoup moins frappantes.	À cultiver dans un sol normal ou riche, en plein soleil si c'est au voisinage de la mer, à la mi-ombre ailleurs. Protéger des vents violents. Attention au blanc sur le feuillage de *H. macrophylla*; recourir au traitement recommandé à la p. 481. Les variétés à fleurs bleues de *H. macrophylla* peuvent virer au rose en sol alcalin. On corrige la situation en faisant des arrosages au sulfate d'aluminium à raison de 20 g par litre d'eau pour rendre le sol plus acide.	Semer les graines quand elles sont mûres ou les garder jusqu'à un an dans un endroit frais et sec. Prélever des boutures fermes à la fin de l'été ou des boutures aoûtées et non feuillées en automne.
Hypericum 'Hidcote' (millepertuis Hidcote)	**Hypericum** (millepertuis) Fleurs persistantes cupuliformes, s'épanouissant dans différents tons de jaunes, de jaune clair à jaune vif. Feuilles généralement ni dentées ni lobées.	Bel arbuste à cultiver dans une bordure ou une rocaille. Prospère au soleil ou à l'ombre et tolère un sol sec et sablonneux.	Semer quand les graines sont mûres ou les garder jusqu'à un an au frais et au sec. Prélever des boutures semi-aoûtées en été ou des boutures fermes à la fin de l'été. Se multiplie aussi par division des racines.
Ilex crenata (houx du Japon)	**Ilex** (houx) Bel arbuste à planter dans les jardins où la terre est fertile et bien drainée. Feuilles alternes souvent décoratives. Fleurs verdâtres ou blanches poussant à l'aisselle des feuilles et ne présentant, en règle générale, aucune valeur ornementale. Fruits en forme de baie souvent spectaculaires, mais ne poussant que sur des sujets femelles ; il faut donc planter des sujets des deux sexes à proximité l'un de l'autre.	Le houx n'est malheureusement pas rustique dans la plupart des régions du Canada. Certaines espèces peuvent croître en Colombie-Britannique et au sud de l'Ontario. Arbuste tout indiqué pour former des haies. À cultiver au soleil ou à la mi-ombre. Mettre beaucoup de tourbe ou de compost dans le trou de plantation et rabattre sévèrement après la transplantation pour en atténuer le choc. Plante qui croît lentement et s'établit difficilement. Bien arroser la première année. En hiver, prélever des rameaux avec discernement sur les sujets de bonne taille pour décorer la maison. Les branches inférieures des vieux arbustes ont tendance à pendre jusqu'au sol et à s'y enraciner. Pour éviter ce phénomène qui nuit à la beauté de l'arbuste, couper les branches les plus basses.	Avant les semis, stratifier les graines à la température ambiante de trois à cinq mois, puis trois autres mois à 4 °C. La germination demande parfois deux à cinq ans. Prélever des boutures semi-aoûtées en été ou pratiquer le marcottage au sol.

Les bouquets de fleurs blanches de l'hydrangée paniculée à grandes fleurs (Hydrangea paniculata 'Grandiflora') *éclosent fin été, ceux de l'hortensia de Virginie* (H. arborescens 'Annabelle') *au milieu de l'été.*

Hydrangea paniculata 'Grandiflora'

Hydrangea arborescens 'Annabelle'

Espèces et variétés	Rusticité *(Voir pages de garde)*	Caractéristiques ornementales et remarques	Hauteur/étalement à maturité
À feuillage caduc *Holodiscus discolor*	Zone 6	Branches gracieusement arquées ou retombantes. Feuilles ovales, duveteuses, blanchâtres au revers. Fleurs blanches ou crème s'ouvrant à la mi-été en bouquets de 25 cm. En se fanant, elles prennent une belle teinte fauve. Pour favoriser la floraison de l'année suivante, cependant, tailler les arbustes dès que les fleurs se fanent.	3-5,50 m/2,50-3,50 m
À feuillage caduc *Hydrangea arborescens* 'Annabelle' (hortensia de Virginie)	Zone 3	Arbuste plus compact et à silhouette plus nette que *H. a.* 'Grandiflora'.	90 cm/90 cm-1,20 m
H. a. 'Grandiflora'	Zone 3	Fleurs blanches s'épanouissant au début de l'été en corymbes aplatis. Arbuste peu ramifié à ramure arrondie. Se multiplie facilement par division des racines.	1,20 m/1,20 m
H. macrophylla (hortensia ou hydrangée des fleuristes)	Zone 6	Fleurs bleues, pourpres, roses ou blanches réunies en corymbes arrondis atteignant parfois 25 cm de largeur. La floraison commence à la mi-été. Nombreuses variétés offrant les mêmes coloris. Tolère la mi-ombre et le voisinage de la mer.	3,50 m/1,80-3 m
H. paniculata 'Grandiflora' (hydrangée paniculée à grandes fleurs)	Zone 3	Grandes panicules de fleurs blanches à la fin de l'été ; persistantes, elles virent peu à peu au rose et au pourpre. Variété vigoureuse et rustique.	7,50 m/1,80-3 m
H. quercifolia (hydrangée à feuilles de chêne)	Zone 6	Ramilles rougeâtres. Feuilles rouges en automne. En été, fleurs blanches réunies en panicules dressées, virant au pourpre en se fanant. Tolère un sol sec. Pousse bien au soleil ou à l'ombre.	1,80 m/1,20-1,80 m
À feuillage persistant *Hypericum calycinum* (millepertuis à grandes fleurs)	Zone 7	Feuillage virant au pourpre en automne. Fleurs peu abondantes mais pouvant atteindre 5 cm de diamètre, s'épanouissant de la mi-été au début de l'automne. Espèce fort utile et plante tapissante très décorative.	30 cm/30-60 cm
H. 'Hidcote' (millepertuis Hidcote)	Zone 6	Larges fleurs jaunes de la mi-été aux premières gelées. L'arbuste reprendra à partir de ses racines si ses organes aériens sont tués par le froid aux limites de sa rusticité.	90 cm/90 cm
À feuillage persistant *Ilex cornuta* (houx de Chine)	Zone 7	Feuilles oblongues et vernissées garnies de 3 dents au sommet et souvent de 2 autres sur les côtés. Plante bisexuée donnant des grappes de fruits rouges sans qu'on ait besoin de cultiver côte à côte des sujets mâles et des sujets femelles.	2,75 m/1,50-2,50 m
I. c. 'Burfordii' (houx Burford)	Zone 7	Feuilles cunéiformes d'un vert brillant n'ayant qu'une dent au sommet. Donne des fruits en abondance.	2,75 m/1,50-2,50 m
I. c. rotunda (houx nain)	Zone 7	Variété naine capable de supporter la sécheresse et une très grande chaleur.	60-90 cm/60-90 cm
I. crenata (houx du Japon)	Zone 6	Espèce très répandue caractérisée par des feuilles oblongues et vert foncé de 2,5 à 5 cm, semblables à celles du buis. Fruits noirs sans grand intérêt. Présente une ramure touffue qui supporte bien la taille.	4,50 m/1,20-2,50 m
I. c. 'Convexa'	Zone 6	Feuilles convexes sur le dessus, concaves en dessous. Arbuste remarquable lorsqu'il est taillé. Port étalé.	1,50 m/3 m
I. c. 'Helleri'	Zone 6	Belles feuilles vert foncé d'environ 1,5 cm de long. Croissance lente. Compact.	1,20 m/1,50 m
I. meserveae	Zone 5	Groupe de houx particulièrement rustiques à feuillage vert foncé épineux.	2,50-3 m/2,50 m
À feuillage caduc *I. verticillata* 'Winter Red'	Zone 3	Donne de brillantes baies rouges, mais sans feuillage d'hiver. Aime les sols humides.	1,80 m/1,20 m

En situation de plein soleil, les fleurs roses de l'indigotier (Indigofera) fleuriront de l'été à tard en automne. Le laurier de montagne (Kalmia latifolia) pour sa part préfère une exposition de mi-ombre et fleurit plus tôt.

Indigofera heterantha

Kalmia latifolia

Indigofera heterantha
(indigotier himalayen)

Jasminum nudiflorum
(jasmin d'hiver)

Juniperus chinensis 'Columnaris'
(genévrier de Chine)

Kalmia latifolia
(laurier de montagne)

Nom botanique et nom vulgaire, description générale	Utilisation et culture	Multiplication (Voir aussi p. 53)
Indigofera (indigotier) Feuilles alternes et composées. Fleurs en forme de pois naissant en grappes à l'aisselle des feuilles. Minuscules gousses sèches en automne.	Prospère dans n'importe quel sol bien drainé, mais demande à être exposé en plein soleil.	Laisser tremper les graines mûres dans l'eau chaude pendant huit heures avant de semer. Diviser les racines ou prendre des boutures de racines au début du printemps. Prélever des boutures semi-aoûtées en été.
Jasminum (jasmin) Arbuste sarmenteux garni de feuilles opposées, composées de 3 folioles de 2 à 7 cm de long. Fleurs jaunes, simples et solitaires ; certaines variétés ont des fleurs doubles.	Plante utile pour masquer un mur ou une souche disgracieuse. Se cultive en serre dans les régions froides. Prospère en plein soleil dans une terre amendée par des apports importants d'humus ou de tourbe.	Semer des graines mûres. Marcotter au sol. Prélever des boutures semi-aoûtées en été ou des boutures fermes à la fin de l'été.
Juniperus (genévrier) Feuillage ornemental dont la forme varie avec l'âge : en aiguillons sur les jeunes branches vigoureuses, en écailles sur les sujets adultes. Les sujets femelles portent des fruits bleus en forme de baie qui demandent jusqu'à trois ans pour mûrir. Groupe de plantes fort estimées comportant des sujets de port et de taille très variés.	Plante très utile aux abords d'une maison. Se taille sans problème et forme de belles haies à la française. Prospère en plein soleil dans un endroit chaud et sec. Préfère un sol enrichi de compost ou d'humus. Supporte un terrain légèrement acide ou légèrement alcalin et résiste à la pollution atmosphérique des villes.	Stratifier les graines mûres pendant trois à cinq mois à la température ambiante, puis trois autres mois à 4 °C avant de les semer. Marcotter au sol ou prélever des boutures fermes à la fin de l'été.
Kalmia (kalmia) Très belle plante, surtout au moment de la floraison qui se produit au début de l'été. Fleurs plates ou en coupe, formant des bouquets latéraux ou terminaux. Feuilles toxiques pour les animaux.	S'associe bien aux conifères et aux grands chênes. Préfère une exposition partiellement ombragée et un sol acide, enrichi de tourbe, qui garde l'humidité mais s'égoutte bien.	Semer les graines mûres ou les garder jusqu'à un an au sec et au frais. La germination donne de meilleurs résultats lorsqu'on soumet les graines à la stratification – dans du sable humide si possible – à 4 °C pendant trois mois. Le marcottage au sol donne de très bons résultats.

Le jasmin est attrayant pour son feuillage décoratif et le parfum de ses fleurs. Sur la côte Ouest, les fleurs jaune vif du jasmin d'hiver (Jasminum nudiflorum) ouvriront au milieu de l'hiver.

Jasminum nudiflorum

Espèces et variétés	Rusticité (Voir pages de garde)	Caractéristiques ornementales et remarques	Hauteur/étalement à maturité
À feuillage caduc *Indigofera heterantha* (indigotier himalayen)	Zone 5	Arbuste très ramifié. Feuilles composées de nombreuses folioles (parfois jusqu'à 21) d'environ 1,5 cm de long. Fleurs pourpres ou rougeâtres produites en abondance à la mi-été et réunies en grappes d'au plus 15 cm de diamètre.	1,20 m/90 cm-1,20 m
I. kirilowii (indigotier Kirilof)	Zone 5	Folioles pouvant mesurer 4 cm de long. Fleurs rose tendre en épi de 13 cm s'épanouissant au début de l'été. Plante tapissante produisant rapidement des rejets.	90 cm/60-90 cm
À feuillage caduc *Jasminum nudiflorum* (jasmin d'hiver)	Zone 7	Feuilles vert foncé composées de 3 folioles ovales. Fleurs d'un jaune vif s'épanouissant au milieu du printemps et pouvant atteindre 2,5 cm de diamètre. Port érigé à branches retombantes. Tolère un peu d'ombre et un sol argileux lourd. Dans les régions septentrionales, protéger les arbustes en hiver. Éclaircir les branches de temps à autre pour garder à la plante sa véritable silhouette.	3 m/3 m
À feuillage persistant *Juniperus chinensis* 'Ames'	Zone 4	Feuillage bleu acier. Port pyramidal. De croissance lente.	2,10 m/90 cm
J. c. 'Blaauw'	Zone 4	Feuillage bleu très léger. Ramure irrégulière et touffue ; silhouette évasée.	1,20 m/90 cm
J. c. 'Columnaris' (genévrier de Chine)	Zone 4	Port étroit et colonnaire ; feuillage touffu vert-gris.	3,50-4,50 m/60 cm
J. c. 'Pfitzeriana'	Zone 2	Feuillage vert-gris sur des ramilles inclinées. Port étalé.	1,50 m/3 m
J. c. 'Pfitzeriana Aurea' (genévrier Pfitzer doré)	Zone 2	L'un des genévriers à feuillage panaché les plus recherchés. Jeunes feuilles d'un jaune brillant, devenant plus foncées en vieillissant.	1,20 m/3 m
J. horizontalis (genévrier rampant ou savinier)	Zone 2	Feuillage bleu-gris ou vert-bleu sur des branches étalées. Fruits bleus. Certaines variétés se colorent de pourpre à l'automne. Grande variété de formes et de tailles. Quelques très belles plantes tapissantes.	30-60 cm/1,20-3 m
J. h. 'Bar Harbor'	Zone 2	Feuillage vert bleuté. S'étale bien.	60-90 cm/1,50-1,80 m
J. h. 'Douglasii' (genévrier de Waukegan)	Zone 2	Plante tapissante à feuilles bleutées virant au pourpre en hiver.	60 cm/1,50 m
J. h. 'Plumosa' (genévrier Andorra)	Zone 2	Genévrier à cime plate, garni d'aiguillons grisâtres qui deviennent bleu prune en hiver.	60 cm/1,50-1,80 m
J. sabina (genévrier Sabine)	Zone 2	Feuillage vert foncé sur des branches étalées ou dressées. Chez les variétés à port prostré, les aiguilles vont du vert clair au vert-gris. Fruits bruns recouverts d'une fragile pruine bleue.	2,50 m/90 cm-1,20 m
J. scopulorum 'Skyrocket'	Zone 3	Plante à placer seule pour sa remarquable forme d'obélisque.	4,50 m/1,20 m
J. squamata 'Meyeri' (genévrier de Meyer)	Zone 5	Branches étalées se relevant gracieusement aux extrémités. Aiguilles vert-bleu prenant des reflets blancs sur le dessus. Fruits ovales noir-pourpre. Comporte une variété à aiguillons bleus qui sied très bien dans une rocaille.	90 cm/60-90 cm
À feuillage persistant *Kalmia latifolia* (laurier de montagne)	Zone 5	Feuilles ovales assez brillantes, ne dépassant pas 10 cm de longueur. Fleurs spectaculaires, dont les coloris vont du blanc au rose. On peut obtenir des sujets à boutons rouge foncé.	4,50 m/2,50 m
K. polifolia (kalmia à feuilles d'Andromède)	Zone 1	Arbuste de petite taille au branchage épars. Pousse à l'état sauvage dans les marais du nord du Canada. Feuilles opposées ou par groupes de 3, de 4 cm de long, vert brillant sur le dessus, blanc poudreux en dessous. Fleurs rose-pourpre à la fin du printemps et au début de l'été. À cultiver dans les terrains marécageux seulement.	20-60 cm/30-45 cm

En choisissant le site d'un kolkwitzie (Kolkwitzia), n'oubliez pas que cet arbuste pourra devenir aussi large que haut. 'Pink Cloud' fleurit abondamment.

Kolkwitzia amabilis 'Pink Cloud'

	Nom botanique et nom vulgaire, description générale	Utilisation et culture	Multiplication (Voir aussi p. 53)
 Kerria japonica (corête du Japon)	**Kerria** (corête ou kerrie) Fleurs jaunes, simples ou doubles, particulièrement attrayantes à la fin du printemps. Branches semi-retombantes d'un beau vert qui agrémentent le jardin en hiver. Feuilles d'un vert brillant, fortement veinées, qui virent au jaune à l'automne. Une forme présente des feuilles à marge blanche. Ce genre ne comporte qu'une seule espèce.	Plante qui se cultive bien en espalier contre un mur, une clôture ou une tonnelle. Utile également en massif ou en bordure. Prospère aussi bien à l'ombre qu'au soleil et tolère un sol pauvre. Protéger les racines à l'aide d'un paillis au printemps et arroser généreusement en période de sécheresse. Rabattre de temps à autre les vieilles branches pour garder à la plante toute sa vigueur. Dans les régions où le climat est froid, les organes aériens peuvent mourir jusqu'au sol en hiver, mais la croissance reprend généralement le printemps suivant.	Diviser les touffes de racines au printemps, avant le début de la période végétative. Prélever des boutures herbacées au printemps ou des boutures aoûtées et sans feuilles en automne.
 Kolkwitzia amabilis (kolkwitzie)	**Kolkwitzia** (kolkwitzie) Arbuste décoratif qui donne une belle floraison au début de l'été. Feuilles ovales ne dépassant pas 7,5 cm de long, qui rougissent à l'automne. Fruits bruns et pubescents qui persistent durant une partie de l'hiver.	Préfère un sol sec et sablonneux, mais vient bien dans la plupart des terrains.	Par semis de graines mûres ; mais si l'on veut obtenir une belle nuance de rose, multiplier de préférence la plante par boutures semi-aoûtées et feuillées en été.
 Leucothoe fontanesiana (leucothoe)	**Leucothoe** (leucothoe) Jolies feuilles alternes et petites fleurs blanches en forme d'urne. Tiges gracieusement arquées. À la fin de l'automne, le feuillage devient rouge ou bronze.	S'associe agréablement à plusieurs plantes à feuillage persistant. Prospère dans un emplacement partiellement ombragé, comme dans un bois peu dense. Demande un sol acide, riche en matières organiques et constamment humide. Couper de temps à autre le vieux bois au ras du sol pour conserver à l'arbuste sa vigueur et sa silhouette élégante.	Semer les graines dès qu'elles sont mûres ou les conserver jusqu'à un an dans un endroit sec et frais. Prélever des boutures semi-aoûtées en été ou des boutures fermes à la fin de l'été. Se multiple facilement aussi par division des racines au tout début du printemps.
 Ligustrum ovalifolium (troène de Californie)	**Ligustrum** (troène) Les troènes ont en général des feuilles ovales et des fleurs blanches considérées par certaines personnes comme malodorantes. Fruits bleus ou noirs, en forme de baies, qui passent souvent inaperçus.	Tolère le sable et le voisinage de la mer. Supporte aussi la poussière, la pollution atmosphérique, les grands vents et les tailles fréquentes. Les espèces à feuillage caduc sont parmi les plantes de haie les moins chères. Cultiver le troène en plein soleil ou à la mi-ombre, dans n'importe quelle bonne terre de jardin.	Stratifier les graines quand elles sont mûres ou les garder jusqu'à un an dans un endroit sec et frais avant de les stratifier à 4 °C pendant trois mois. Prélever des boutures herbacées au printemps ou des boutures fermes à la fin de l'été.

En raison d'une abondance de branches et de leur croissance dense, les troènes font un bon choix de haie. Le troène de Californie (Ligustrum ovalifolium) est un arbuste persistant en climat doux. Les feuilles du vicaryi (L. vicaryi) virent au bronze pourpré à l'automne.

Ligustrum ovalifolium 'Aureum'

Ligustrum vicaryi

Espèces et variétés	Rusticité (Voir pages de garde)	Caractéristiques ornementales et remarques	Hauteur/étalement à maturité
À feuillage caduc *Kerria japonica* (corête ou kerrie du Japon)	Zone 5	Feuilles alternes atteignant 10 cm de longueur, ovales et dentées. Fleurs jaune d'or et simples, de plus de 2,5 cm de diamètre, s'épanouissant au printemps à l'extrémité des branches. Broutilles vert vif en hiver.	1,80 m/1,80 m
K. j. 'Pleniflora'	Zone 6	Fleurs doubles et sphériques, persistantes et d'un jaune vif. Fleurs abondantes faisant gracieusement plier les branches sous leur poids. Variété remarquable d'une plante naturellement très décorative. Vient bien à l'ombre, tout comme *K. japonica*; leur écorce d'un vert brillant prend tout son relief en hiver.	2,50 m/1,80 m
À feuillage caduc *Kolkwitzia amabilis*	Zone 5	Fleurs campanulées allant du rose pâle au rose lavande, à gorge jaune, réunies en bouquets sur des branches dressées, gracieusement arquées aux extrémités. Comme les coloris varient en intensité, acheter l'arbuste quand il est en fleur.	2,50 m/2,50 m
À feuillage persistant *Leucothoe axillaris*	Zone 6	Feuilles coriaces et délicatement lancéolées de 5 à 10 cm de long. Fleurs réunies en bouquets de 7,5 cm de long à l'aisselle des feuilles ; elles s'épanouissent du milieu à la fin du printemps.	1,80 m/90 cm-1,50 m
L. fontanesiana	Zone 6	Feuilles vert foncé et brillantes se nuançant finement de bronze durant tout l'hiver. Fleurs cireuses réunies en bouquets s'épanouissant au début de l'été. La variété 'Rainbow' présente des feuilles panachées de blanc et de rose.	1,80 m/90 cm-1,50 m
À feuillage caduc *Ligustrum amurense* (troène de l'Amour)	Zone 6	En fleur du début au milieu de l'été. Bon choix pourvu que l'on respecte sa zone de rusticité. Son feuillage devient semi-persistant dans les régions tempérées.	4,50 m/2,50-3 m
L. obtusifolium regelianum (troène Regel)	Zone 5	Branches horizontales, gracieusement garnies de feuilles oblongues ou elliptiques excédant 5 cm de longueur. Épis de fleurs s'ouvrant à la mi-été.	1,50 m/90 cm-1,20 m
L. ovalifolium (troène de Californie)	Zone 7	Feuillage semi-persistant à feuilles vernissées. Fleurs malodorantes s'ouvrant à la mi-été. Le troène le plus utilisé pour former des haies.	4,50 m/4,50 m
L. o. aureum	Zone 7	Semblable à *L. ovalifolium*, si ce n'est que ses feuilles sont jaunes avec une tache centrale verte.	4,50 m/4,50 m
L. sinense (troène de Chine)	Zone 8	Fleurs superbes à la mi-été. Silhouette extrêmement gracieuse.	3,50 m/2,75 m
L. vicaryi (troène Vicaryi)	Zone 6	Feuilles extérieures jaunes. Elles sont d'un vert-jaune chez les sujets cultivés à l'ombre.	3,50 m/2,75 m
L. vulgare 'Lodense' (troène d'Europe)	Zone 5	Ramure compacte ; grandes grappes de fruits noirs et luisants.	1,20 m/1,80 m
À feuillage persistant *L. japonicum* (troène du Japon)	Zone 9	Feuilles coriaces, vert foncé et vernissées. Panicules florales de 15 cm de long.	3,50 m/1,80-3 m
L. j. rotundifolium	Zone 9	Feuilles vert foncé et brillantes, plus abondantes que chez *L. japonicum*. Compose une haie remarquable.	1,80 m/90 cm-1,50 m
L. j. 'Suwannee River'	Zone 9	Hybride rustique et de belle qualité, recommandé pour les haies basses.	90 cm-1,20 m/90 cm

Le mahonia à feuilles de houx (Mahonia aquifolium) pousse aussi bien au soleil qu'à l'ombre. C'est un arbuste intéressant toute l'année à cause de ses fleurs printanières jaunes et de son feuillage rouge l'hiver.

Mahonia aquifolium

	Nom botanique et nom vulgaire, description générale	Utilisation et culture	Multiplication (*Voir aussi p. 53*)
 *Lonicera tatarica* (chèvrefeuille de Tatarie)	**Lonicera** (chèvrefeuille) Feuilles opposées. Fleurs campanulées ou tubuleuses réunies en bouquets terminaux ou en paires axillaires. Souvent parfumées, les inflorescences peuvent être blanches, roses, rouges ou jaunes. Elles sont suivies de baies charnues blanches, rouges, jaunes, bleues ou noires, qui font les délices des oiseaux.	S'associe avec bonheur à des bordures d'arbustes. Préfère un sol humide et riche, une exposition ensoleillée ou partiellement ombragée. Arbuste très facile à cultiver et rarement atteint par des ravageurs ou des maladies. Tailler après la floraison pour bien structurer la plante. En hiver, rabattre jusqu'au sol quelques-unes des plus vieilles tiges pour favoriser la croissance de jeunes pousses vigoureuses.	Stratifier les graines dès qu'elles sont mûres ou les garder jusqu'à un an dans un endroit sec et frais, après quoi les stratifier pendant trois mois à 4 °C. Si elles n'ont pas germé après quatre mois, les stratifier de nouveau trois mois à 4 °C. Se prête au marcottage au sol ou à la division des racines. Prélever des boutures semi-aoûtées en été ou des boutures aoûtées en automne. En automne, multiplier les sujets à feuillage caduc au moyen de boutures aoûtées dépourvues de feuilles.
 *Magnolia stellata* 'Waterlily' (magnolia étoilé)	**Magnolia** (magnolia) Arbuste à fleurs élégantes, fort renommé dans les régions où sa culture est possible. Grandes inflorescences présentant 6 à 15 pétales et s'épanouissant avant la feuillaison ou en même temps. Feuilles alternes à marge lisse. À la fin de l'été ou au début de l'automne, les fruits en forme de cône s'ouvrent pour laisser apparaître des graines d'un rouge vif.	Se cultive en plein soleil ou à la mi-ombre, dans un sol non calcaire et bien drainé renfermant une grande quantité de tourbe ou d'autres matières organiques. Dans les régions septentrionales, il vaut mieux effectuer la transplantation au printemps, les racines charnues de l'arbuste rendant celle-ci difficile. N'acheter que des sujets à racines emmottées ou enveloppées de jute. Pailler le sol à la mi-printemps pour protéger les racines et arroser généreusement en période de sécheresse. Appliquer un engrais complet autour des racines tous les deux ou trois ans si le sol est peu fertile.	Stratifier les graines mûres pendant quatre mois à 4 °C avant de les semer. Prélever des boutures herbacées ou marcotter des branches au sol au printemps.
Mahonia aquifolium (mahonia à feuilles de houx)	**Mahonia** (mahonie ou mahonia) Feuilles alternes et composées, vertes ou vert-bleu, gardant leur valeur ornementale toute l'année. À l'automne, les folioles de certaines espèces et variétés deviennent pourpres ou bronze. Il existe une certaine ressemblance entre les feuilles dentées du *Mahonia aquifolium* et celles du houx.	Compose des massifs ou des bordures remarquables. Prospère à la mi-ombre dans un sol fertile. Demande à être protégé du soleil et du vent en hiver. Bien arroser en période de sécheresse.	Stratifier les graines mûres pendant trois mois à 4 °C. Prélever des boutures semi-aoûtées au début de l'été ou des boutures fermes à la fin de l'été. Repiquer les rejets.

Les fleurs de magnolia sont parmi les toutes premières du printemps. Avant même que toute feuille se montre, les fleurs blanches teintées de rose du magnolia étoilé (Magnolia stellata) explosent dans toute leur splendeur.

Magnolia stellata

Espèces et variétés	Rusticité (Voir pages de garde)	Caractéristiques ornementales et remarques	Hauteur/étalement à maturité
À feuillage caduc Lonicera fragrantissima (chèvrefeuille à fleurs odorantes)	Zone 6	Feuilles ovales et épaisses, vert sombre, atteignant 5 cm de longueur, à limbe plus foncé sur le dessus qu'en dessous. Inflorescences blanc crème de la mi-hiver à la mi-printemps, intensément parfumées. Fruits rouges apparaissant à la fin du printemps. Feuillage semi-persistant là où l'hiver est doux. Tolère un sol argileux.	1,80-3 m/1,80-3 m
L. korolkowii 'Zabelii'	Zone 2	Feuilles ovales et pointues de 2,5 cm, pubescentes en dessous, d'un superbe vert bleuté. Fleurs rose clair s'épanouissant à la fin du printemps et au début de l'été, suivies de fruits rouges à la fin de l'été.	3,50 m/1,80-2,50 m
L. tatarica (chèvrefeuille de Tatarie)	Zone 3	Feuilles ovales et pointues de plus de 5 cm de long. Inflorescences délicatement parfumées, allant du rose au blanc et s'épanouissant à la fin du printemps et au début de l'été. Fruits jaunes ou rouges du milieu à la fin de l'été. Port érigé et net.	2,75 m/1,80-2,50 m
L. xylostoides 'Clavey's Dwarf' (chèvrefeuille des haies Clavey's Dwarf)	Zone 2	Arbuste court à fleurs blanc crème et à ramure touffue. Excellent pour former une haie. Fruits rouges.	90 cm/90 cm-1,20 m
À feuillage persistant L. nitida	Zone 8	Feuilles ovales et vert foncé d'environ 1,5 cm de long. Inflorescences blanc crème, parfumées mais peu voyantes, apparaissant à la fin du printemps. Fruits d'un pourpre bleuté faisant leur apparition du début au milieu de l'automne. Espèce très ornementale en haie. Résiste aux embruns et au vent.	1,80 m/1,80 m
L. pileata (chèvrefeuille duveteux)	Zone 7	Feuilles semi-persistantes, d'oblongues à ovales et vernissées, dépassant en règle générale 2,5 cm de longueur. Fleurs blanches et odorantes du milieu à la fin du printemps et fruits pourpres à la mi-automne. Belle plante pour les jardins de rocaille au voisinage de la mer.	60 cm/60 cm-1,20 m
À feuillage caduc Magnolia kobus	Zone 5	Devient volumineux, mais sa croissance ralentit avec l'âge.	3,50-5,50 m/3-3,50 m
M. loebneri 'Merrill'	Zone 5	Les fleurs à 15 pétales atteignent 9 cm de diamètre. La floraison est abondante, même sur les jeunes plants. Variété exceptionnelle.	6-7,50 m/6-7,50 m
M. soulangiana (magnolia de Soulange)	Zone 5	À planter dans un endroit protégé car les boutons floraux peuvent être endommagés par le gel. Prévoir beaucoup d'espace.	4,50-7,50 m/4,50-6 m
M. s. 'Lennei'	Zone 6	Fleurs blanches à l'intérieur, pourpres à l'extérieur.	3-6 m/4,50-6 m
M. stellata (magnolia étoilé)	Zone 5	Fleurs doubles, étoilées, blanches et aromatiques, d'environ 8 cm de diamètre, apparaissant à la mi-printemps, avant la feuillaison. Sensible au froid et à la chaleur intenses. Beau sujet pour la pelouse.	5,50 m/3,50 m
M. s. 'Royal Star'	Zone 5	Boutons roses donnant des fleurs blanches superbes. Port plus buissonnant et plus érigé que celui de M. stellata.	5,50 m/4,50 m
À feuillage persistant Mahonia aquifolium (mahonia à feuilles de houx)	Zone 5	Folioles coriaces, souvent vernissées, oblongues ou ovales. Fleurs réunies en grappes dressées d'environ 8 cm, à la fin du printemps. Fruits comestibles. Ne pas laisser dépasser 90 cm de haut.	90 cm-1,20 m/ 90 cm-1,20 m
M. a. 'Compacta'	Zone 5	Variété à feuilles plus lustrées. Supérieure à M. aquifolium.	60-90 cm/60-90 cm
M. repens (mahonia nain)	Zone 3	Couvre-sol arbustif très utile, qui s'étend par des stolons. Le feuillage tourne au pourpre à l'hiver, mais reste sur la plante.	30 cm/90 cm-3 m

	Nom botanique et nom vulgaire, description générale	Utilisation et culture	Multiplication *(Voir aussi p. 53)*
Myrica pensylvanica (myrique de Pennsylvanie)	**Myrica** (myrique) Feuilles alternes et aromatiques. Petites fleurs vertes dépourvues d'intérêt. Fruits cireux sur les sujets femelles.	Arbuste ornemental, fort utile au voisinage de la mer. Pousse bien dans les sols secs et sablonneux, peu fertiles. Le prélever avec une grosse motte de terre pour atténuer le choc de la transplantation. Plante dioïque. Se taille bien.	Faire tremper les graines dans l'eau chaude pour enlever la cire. Les stratifier trois mois à 4 °C avant de les semer.
Nandina domestica (nandina)	**Nandina** (nandina) Port semblable à celui du bambou, mais arbuste apparenté à l'épine-vinette. Feuilles à folioles minces de 2,5 à 5 cm de longueur. Fleurs petites en panicules terminales.	Cet arbuste prospère en plein soleil et dans n'importe quelle terre à la condition qu'il ne manque pas d'humidité.	Garder les graines dans un milieu humide avant de les semer. Elles mettent plusieurs mois à germer.
*Osmanthus delavayi* (osmanthus)	**Osmanthus** (osmanthus) Feuilles opposées aux contours, parfois finement dentées, parfois lisses, pouvant ressembler à celles du houx. Petites fleurs fortement parfumées, naissant à l'aisselle des feuilles ou en bouquets terminaux. Fruits ovoïdes et charnus.	Planter cet arbuste près d'une fenêtre pour que son parfum pénètre dans la maison. Le cultiver en plein soleil ou à la mi-ombre dans n'importe quelle bonne terre de jardin.	Semer les graines quand elles sont mûres ; la germination peut prendre jusqu'à deux ans. Prélever des boutures fermes à la fin de l'été.
*Philadelphus* 'Snowbelle' (seringa)	**Philadelphus** (seringa) Port dressé en règle générale. Branches recourbées ou retombantes. Feuilles opposées et parfois dentées. Fleurs ravissantes, simples ou doubles, souvent parfumées, s'épanouissant à la fin du printemps et au début de l'été.	Belle plante de bordure. À cultiver en plein soleil ou à la mi-ombre dans n'importe quelle terre de jardin bien drainée. Rabattre le plus tôt possible après la floraison, les fleurs se développant sur les pousses de l'année précédente.	Semer sans tarder les graines mûres ou les garder jusqu'à un an dans un endroit sec et frais. Diviser les racines très tôt au printemps. Marcotter au sol les branches inférieures. Prélever des boutures semi-aoûtées en été ou des boutures aoûtées et sans feuilles en automne.
Photinia villosa (photinia oriental)	**Photinia** (photinia) Feuilles oblongues ou elliptiques. Très jolis arbustes, certains portant un feuillage persistant ligneux, d'abondantes grappes de fleurs blanches et de beaux fruits rouges.	Planter en plein soleil dans un sol bien drainé, enrichi de matières organiques.	Stratifier les graines à 4 °C pendant trois mois avant de semer. Au début de l'été, prélever des boutures semi-aoûtées chez les variétés caduques et persistantes. On peut également multiplier les premières à partir de boutures aoûtées et sans feuilles à l'automne.

Chez les osmanthus comme chez les photinias, les grappes de fleurs blanches s'ouvrent du milieu à la fin du printemps. Les fruits sont noirs ou pourpres sur l'osmanthus. Les photinias arborent de spectaculaires baies rouge vif.

Osmanthus delavayi

Photinia villosa

Espèces et variétés	Rusticité (Voir pages de garde)	Caractéristiques ornementales et remarques	Hauteur/étalement à maturité
À feuillage caduc *Myrica pensylvanica* (myrique de Pennsylvanie)	Zone 2	Feuilles oblongues de 7,5 à 10 cm qui demeurent sur les branches durant une partie de l'hiver. Abondantes petites baies cireuses, gris clair, qu'on utilise pour la fabrication de bougies. Dégagent un arôme agréable lorsqu'on les écrase.	2,75 m/2,50 m
À feuillage persistant *Nandina domestica*	Zone 7	Les jeunes folioles, de couleur bronze au printemps, rougissent à l'automne. Panicules de fleurs blanches atteignant 30 cm à la mi-été. Jolis fruits rouges au début de l'hiver, qui demeurent longtemps sur l'arbre.	2,50 m/1,20-1,80 m
N. d. 'Alba'	Zone 7	Ressemble beaucoup à *N. domestica*, mais à fruits blancs.	2,50 m/1,20-1,80 m
À feuillage persistant *Osmanthus delavayi*	Zone 8	Fleurs blanches et étoilées s'épanouissant du début au milieu du printemps. Fruits bleu-noir à la fin de l'été. Tolère un sol lourd et argileux amendé par des apports d'humus, de tourbe ou de sable grossier.	2,50 m/2,50 m
O. heterophyllus	Zone 7	Feuilles brillantes, ovales ou oblongues, dépassant 5 cm de longueur. Fleurs d'un blanc verdâtre apparaissant au début ou au milieu de l'été, suivies au début de l'automne par des fruits noir-bleu. Se taille sans problème pour former une haie.	5,50 m/1,80-3 m
O. h. 'Variegatus'	Zone 7	Semblable à *O. heterophyllus*; feuilles bordées de crème.	5,50 m/1,80-3 m
À feuillage caduc *Philadelphus* 'Buckley's Quill'	Zone 4	Les pétales étroits en piquants de porc-épic donnent un effet tout à fait spécial lors de la floraison.	1,80 m/1,50 m
P. coronarius (seringa des jardins)	Zone 3	Plante large à ramure éparse qu'il est préférable de planter derrière une rangée d'arbustes où l'on appréciera son parfum sans trop remarquer sa silhouette. Fleurs simples, blanches et très odorantes.	1,80-2,50 m/ 1,50-1,80 m
P. c. 'Aureus' (seringa à feuilles dorées)	Zone 3	Feuillage brillant et doré qui dure tout l'été. Fleurs exquisément parfumées mais peu apparentes. Planter en exposition ensoleillée.	2,50 m/1,50 m
P. lewisii 'Waterton'	Zone 2	Sélection des lacs Waterton, en Alberta. Arbuste rustique à silhouette nette.	1,20-1,80 m/1,20 m
P. 'Snowbelle'	Zone 3	Petit arbuste de forme arrondie portant des grappes compactes de fleurs doubles, odorantes, légèrement pendantes.	1,20 m/1,20 m
P. virginalis 'Minnesota Snowflake'	Zone 3	Branches tout à fait retombantes. Fleurs doubles et parfumées réunies en bouquets de 3 à 7 et dépassant chacune 2,5 cm de largeur. Arbuste très rustique qui convient tout particulièrement aux jardins des régions septentrionales.	1,80 m/1,20-1,50 m
P. v. 'Virginal'	Zone 3	Fleurs doubles de 5 cm au parfum intense.	1,20-1,50 m/1,50 m
À feuillage caduc *Photinia villosa* (photinia oriental)	Zone 6	Feuilles pointues au bout et duveteuses au revers. À l'automne, elles tournent au rouge bronze. Au début de l'été, les fleurs ouvrent en corymbes aplatis de 5 cm.	4,50 m/2,50-3 m
À feuillage persistant *P. fraseri*	Zone 7	Arbuste vigoureux à feuilles coriaces, brillantes. Le nouveau feuillage est rouge cuivre. Peut être planté en haie et taillé.	3-4,50 m/1,80-2,50 m
P. serratifolia	Zone 7	Feuilles luisantes de 20 cm, rouges à l'éclosion, tournant au vert ensuite. Floraison de la fin du printemps au milieu de l'été. Corymbes de 15 cm.	4,50-10,50 m/ 1,80-3,50 m

Le nouveau feuillage de l'andromède du Japon (Pieris japonica) est cuivré, puis il tourne au vert avec l'âge. La teinte des fleurs varie du blanc au rose foncé.

Pieris japonica 'Valley Rose'

	Nom botanique et nom vulgaire, description générale	Utilisation et culture	Multiplication *(Voir aussi p. 53)*
 *Physocarpus opulifolius* (bois à sept écorces)	**Physocarpus** (physocarpe) Semblable à la spirée. Feuilles souvent trilo-bées. Petites fleurs produites en abondance en bouquets terminaux. Petits fruits se présentant comme des gousses gonflées. L'écorce lève par plaques ou pèle.	Plante d'arrière-plan dans les bordures d'arbustes. À cultiver aussi là où l'on a besoin d'un sujet à croissance rapide pour remplir un vide. Pousse en plein soleil ou à la mi-ombre dans n'importe quelle bonne terre de jardin. Demande peu de soins.	Semer les graines quand elles sont mûres ou les garder jusqu'à un an dans un endroit sec et frais. Prélever des boutures semi-aoûtées en été ou des boutures aoûtées et sans feuilles en automne. La multiplication par division des racines se fait facilement tôt au printemps.
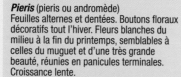 *Pieris floribunda* (pieris)	**Pieris** (pieris ou andromède) Feuilles alternes et dentées. Boutons floraux décoratifs tout l'hiver. Fleurs blanches du milieu à la fin du printemps, semblables à celles du muguet et d'une très grande beauté, réunies en panicules terminales. Croissance lente.	Pousse mieux à la mi-ombre et demande un sol sablonneux et légèrement acide obtenu par un apport de tourbe ou d'humus. Pour protéger les racines des plants, les entourer d'un paillis de feuilles de chêne décomposées ou d'aiguilles de pin.	Semer les graines dès qu'elles sont mûres ou les garder jusqu'à un an dans un endroit sec et frais. Marcotter au sol les branches du bas. Prélever des boutures semi-aoûtées au début de l'été ou des boutures fermes à la fin de l'été.
 *Bambusa multiplex* (bambou)	**Pleioblastus** (plusieurs genres de bambous) Ces membres de la famille des graminées ont généralement des tiges creuses, segmentées. Les bambous regroupent plusieurs genres : tous arborent un feuillage plumeux très reconnaissable, sur des tiges élégamment inclinées, poussant souvent par touffes. Ils se distinguent les uns des autres selon qu'ils sont à souche traçante (leurs racines se répandent très rapidement, chacune produisant de nombreuses tiges verticales) ou à souche rhizomateuse (les rhizomes ne se répandent pas latéralement et les nouvelles pousses sortent tout près de la plante mère – ces bambous forment des touffes). À l'exception de *Bambusa multiplex* et de *Fargesia nitida*, toutes les espèces mentionnées ci-contre sont à souches traçantes. La plupart produisent des fleurs, le plus souvent sur des plantes âgées. Les bambous se reproduisent et poussent très vite.	Planter en plein soleil dans un bon terreau à jardin. Les bambous à souches traçantes, qui se répandent à partir de leurs rhizomes souterrains, envahiront facilement tout ce qui les entoure, à moins d'avoir été plantés dans des bacs placés à 90 cm de profondeur. Rabattre sévèrement les organes aériens tous les deux ans. Les bambous à souche rhizomateuse sont moins envahissants et poussent plus lentement.	Chez les bambous à souche traçante, prélever des tronçons de racine de la fin de l'hiver au milieu du printemps et les replanter. Diviser les racines chez les bambous à souche rhizomateuse. Prélever des boutures fermes ou marcotter au sol quand la belle saison s'installe.

Le bois à sept écorces (Physocarpus) est un arbuste à croissance très rapide. Au cours de l'été, les feuilles du physocarpe à feuilles jaunes (P. opulifolius 'Luteus'), qui étaient jaune vif au printemps, deviennent vert olive teinté de bronze.

Physocarpus opulifolius 'Luteus'

Espèces et variétés	Rusticité *(Voir pages de garde)*	Caractéristiques ornementales et remarques	Hauteur/étalement à maturité
À feuillage caduc *Physocarpus opulifolius* (physocarpe à feuilles d'obier ou bois à sept écorces)	Zone 2	Feuilles arrondies ou ovales dépassant 7,5 cm de longueur. Au début de l'été apparaissent de jolies petites fleurs blanches ou roses n'excédant pas 5 mm de diamètre. En automne, les grappes de capsules séchées passent du rouge au brun et restent tout l'hiver sur la plante. Arbuste à port érigé, mais, chez certains sujets, la ramure peut être légèrement retombante.	2,50-3 m/1,80-2,50 m
P. o. 'Luteus' (physocarpe à feuilles jaunes)	Zone 2	Les nouvelles feuilles sont jaune d'or ; elles deviennent vertes durant l'été.	1,80-2,50 m/ 1,50-1,80 m
P. o. 'Nanus' (physocarpe nain)	Zone 2	Variété naine à feuilles plus petites et moins lobées que celles de *P. opulifolius*. Se cultive bien en haie à cause de sa ramure très touffue.	60 cm/30-60 cm
À feuillage persistant *Pieris floribunda*	Zone 5	Feuilles ovales ou elliptiques, légèrement dentées, de 2 à 7 cm de long. Abondance de fleurs semi-pendantes groupées en panicules dressées de 5 à 10 cm. Haie superbe.	1,80 m/1,80 m
P. 'Forest Flame'	Zone 5	Buisson érigé dont les feuilles s'ouvrent rouges, puis tournent au vert foncé en passant par le rose et le blanc. Corymbes pendants de fleurs blanches en juin.	3,50 m/1,80 m
P. japonica (andromède du Japon)	Zone 5	Jeunes feuilles à beaux reflets cuivrés au début du printemps. Feuilles adultes vert foncé et brillantes, excédant 7,5 cm de longueur. Panicules florales retombantes de 13 cm. Arbuste à ramure touffue d'une grande beauté.	2,50 m/2,50 m
À feuillage persistant *Pleioblastus auricomus* (*viridistriatus*)	Zone 5	Bambou à souche traçante s'étendant relativement lentement. Feuilles jaune vif rayées de vert. Peu rustique là où il n'y a pas de couverture neigeuse.	30 cm-1,50 m/1,50 m
P. pygmeus	Zone 7	Feuilles vert foncé, dentées. Port compact : excellent couvre-sol là où il pousse.	30-45 cm/90 cm
P. variegatus	Zone 7	Feuilles légèrement duveteuses à bandes blanches. Craint le froid. Rabattre au niveau du sol au printemps pour stimuler la croissance. En sol fertile, il doit être contenu.	90 cm/90 cm-1,80 m
Bambusa multiplex	Zone 7	Feuilles vert-rouge à dessous argenté. Plusieurs variétés, l'une à pousses rayées de jaune et de vert, une autre à feuilles rayées de blanc. Bambou à souche rhizomateuse, formant une touffe. Croissance lente. Bon choix pour haies ou comme coupe-vent.	7,50 m/1,20-3 m
Fargesia nitida	Zone 5	Forme des touffes denses de tiges pourpres. Feuilles lancéolées de 10 cm de long. Tiges se ramifiant la deuxième année, ce qui augmente la beauté de la plante.	1,50-4,50 m/1,50 m
Phyllostachys aurea (bambou doré)	Zone 7	Tiges droites, rigides, couleur de paille, comestibles jeunes. Les feuilles étroites, densément groupées, atteignent 10 cm de long. Arrosage fréquent.	6 m/1,20-3 m
P. niger (bambou noir)	Zone 7	Feuilles pouvant atteindre 12 cm de long, à dessous vert bleuté, légèrement dentées sur les bords. Tiges vertes tournant au noir à maturité avec des bandes blanches sous chaque nœud. Doit être contenu. Les jeunes pousses sont comestibles.	6 m/1,20-3 m
Pseudosasa japonica	Zone 7	Feuilles luisantes de 10 à 30 cm de long, portant un duvet blanchâtre sur le dessous. Ne se répand pas trop vite. Très souvent utilisé dans des conteneurs. Les tiges meurent là où les hivers sont froids mais repartent des souches à chaque printemps.	4,50 m/90 cm-1,80 m
Sasa palmata	Zone 8	Feuilles vertes à dessous argenté de 10 à 35 cm de long. Le feuillage reste vert à la morte saison là où les hivers sont doux. Se multiplie par ses gourmands.	2,50 m/90 cm-1,80 m
S. veitchii	Zone 6	Bambou de petite taille qui ne se répand pas trop vite. Feuillage vert, marginé de blanc argenté.	60-90 cm/90 cm-1,50 m

La potentille (Potentilla) a très peu besoin de soin mais préférera un coin ensoleillé, quoique les variétés orange et rouges aient tendance à se décolorer au plein soleil.

Potentilla fruticosa 'Red Ace'

Potentilla fruticosa 'Coronation Triumph'

	Nom botanique et nom vulgaire, description générale	Utilisation et culture	Multiplication *(Voir aussi p. 53)*
 *Potentilla fruticosa* 'Klondike' (potentille Klondike)	***Potentilla*** (potentille) Tiges à rameaux dressés, garnis de feuilles composées d'au moins 3 et parfois 5 folioles légèrement duveteuses. De petites fleurs en forme de rose, réunies en nombreux bouquets, s'épanouissent du début de l'été à la mi-automne.	Arbuste recommandé dans les régions maritimes. Compose de belles haies. Prospère en plein soleil mais tolère l'ombre. Se cultive dans n'importe quel sol, même en terre lourde et argileuse. Demande peu de soins lorsqu'il est établi. Arroser durant les périodes de sécheresse.	Semer les graines quand elles sont mûres. Diviser les racines du début au milieu du printemps ou au début de l'automne. Prélever des boutures semi-aoûtées au début de l'été ou des boutures fermes à la fin de l'été. Ces dernières prennent très facilement racine.
 *Prunus laurocerasus* 'Otto Luykens' (laurier-cerise)	***Prunus*** (prunus et autres noms) Genre très connu, groupant de nombreuses espèces de plantes à feuillage caduc ou persistant et à fleurs bisexuées à 5 pétales. Feuilles simples et alternes, habituellement dentées. Les sujets à feuilles caduques sont cultivés surtout pour leurs fleurs printanières et parfois aussi pour leurs fruits comestibles. Ceux à feuilles persistantes sont appréciés pour leur feuillage, leurs fleurs et leurs fruits ornementaux.	Cultiver le cerisier en plein soleil ou à la mi-ombre. En hiver, protéger les formes à feuillage persistant des grands vents. Voir à ce que les racines ne manquent jamais d'humidité.	Prélever des boutures semi-aoûtées en été ou semer des graines stratifiées.
Pyracantha coccinea (buisson ardent)	***Pyracantha*** (pyracanthe) Arbuste intéressant à plusieurs points de vue par son feuillage décoratif, ses bouquets de petites fleurs blanches et parfumées et ses fruits rouges, orange ou jaunes qui apparaissent à l'automne et demeurent sur l'arbre tard en hiver, parfois même jusqu'au printemps.	Plante formant une haie redoutable à cause de ses épines. Supporte la taille au besoin et se prête à la culture en espalier. Prospère en plein soleil ou à la mi-ombre, dans une vaste gamme de sols. Disposer un paillis autour du plant au printemps et arroser généreusement en période de sécheresse.	Les graines peuvent être stratifiées dès qu'elles sont mûres, mais on peut aussi les garder jusqu'à un an dans un endroit sec et frais avant de leur faire subir ce traitement. Prélever des boutures semi-aoûtées en été ou des boutures fermes à la fin de l'été.

Dans une haie, le buisson ardent (Pyracantha) fait une bonne barrière en raison de ses épines acérées. Les fleurs blanches des pyracanthes éclosent au début de l'été.

Pyracantha coccinea 'Red Column'

Pyracantha 'Soleil d'Or'

Espèces et variétés	Rusticité (Voir pages de garde)	Caractéristiques ornementales et remarques	Hauteur/étalement à maturité
À feuillage caduc *Potentilla fruticosa* 'Abbotswood'	Zone 2	Potentille plus grande que les autres, à grandes fleurs blanches et à feuilles bleu-vert.	90 cm/1,20 m
P. f. 'Coronation Triumph'	Zone 2	Variété créée dans les Prairies, à fleurs jaune d'or.	60 cm/60-90 cm
P. f. 'Gold Drop' (ou 'Farreri')	Zone 2	Feuillage penné et fleurs d'un jaune primevère brillant. Floraison remarquable. Magnifique arbuste à l'arrière-plan d'une bordure.	75 cm/75 cm
P. f. 'Jackman's Variety'	Zone 2	L'une des variétés les plus répandues. Port érigé. Excellente plante à cultiver en haie.	90 cm/90 cm
P. f. 'Klondike'	Zone 3	Semblable à *P. f.* 'Gold Drop', mais à fleurs plus grandes.	75 cm/75 cm
P. f. 'Tangerine'	Zone 2	Les sujets cultivés au soleil ont des fleurs jaunes ; à l'ombre, elles sont orange.	75 cm/75 cm
À feuillage caduc *Prunus cistena* (prunus de sable à feuilles pourpres)	Zone 3	Arbuste très attrayant par son feuillage violet et ses fleurs blanches simples s'épanouissant en même temps que les feuilles. Aux fleurs succèdent de jolis fruits pourpres.	1,50-2,10 m/1,50 m
P. glandulosa 'Rosea'	Zone 5	Très jolie floraison de fleurs doubles roses à la fin du printemps.	1,20 m/1,20 m
P. g. 'Sinensis'	Zone 5	Feuilles lancéolées vert foncé et fleurs doubles roses.	1,20 m/1,20 m
P. tenella (amandier nain de Russie)	Zone 2	Donne la floraison la plus hâtive de tous les cerisiers. Fleurs roses.	1-1,20 m/1,80-2,50 m
P. tomentosa (cerisier tomenteux)	Zone 2	Arbuste utile. Port parfois arborescent. Petites fleurs rose clair s'estompant par la suite vers le blanc et naissant à la mi-printemps. Des fruits rouge vif, comestibles, succèdent aux fleurs, du début au milieu de l'été. À cultiver en isolé ou en haie.	2,75 m/1,20-1,80 m
P. triloba 'Multiplex' (amandier rose)	Zone 2	Petites fleurs doubles et roses s'épanouissant avant la feuillaison, à la mi-printemps.	3,50 m/3 m
À feuillage persistant *P. laurocerasus* 'Otto Luykens' (laurier-cerise ou laurier-amande)	Zone 7	Feuilles vert foncé et épis floraux blancs au printemps, suivis de fruits pourpres ou noirs. Ramure dense et étalée.	3-6 m/3-6 m
P. l. 'Schipkaensis'	Zone 7	Feuilles de 5 à 12 cm de long, vert foncé. Élégante variété dont la rusticité est plus fiable que celle de l'espèce.	2,75 m/60-90 cm
P. l. 'Zabeliana'	Zone 7	Feuilles plus étroites que celles de *P. l.* 'Schipkaensis', sur des branches horizontales. Port plus étalé que l'espèce.	1,50 m/3 m
À feuillage persistant *Pyracantha angustifolia*	Zone 6	Espèce à branches parfois prostrées qui fleurit à la fin du printemps. Fruits orange vif ou rouge brique pouvant persister sur les branches jusqu'au début du printemps.	3,50 m/2,50 m
P. coccinea (buisson ardent)	Zone 6	Feuilles ovales et dentées. Inflorescences pubescentes. Nombreux fruits rouge éclatant.	4,50 m/4,50 m
P. c. 'Kasan'	Zone 6	Baies rouge orangé. Plus rustique que *P. coccinea*.	4,50 m/4,50 m
P. c. 'Lalandii'	Zone 6	Fruits orange. Excellente variété pour la culture en espalier.	4,50 m/4,50 m
P. 'Mohave'	Zone 6	Arbuste vigoureux avec baies rouge vif restant longtemps sur l'arbre.	3,50 m/4,50 m
P. 'Rutgers'	Zone 6	Buisson étalé portant une abondance de fruits orange et de feuilles vert foncé.	90 cm/2,75 m
P. 'Soleil d'Or' (pyracanthe Soleil d'Or)	Zone 8	Arbuste érigé à tiges rougeâtres et à baies jaune d'or à l'automne.	3 m/2,50 m

	Nom botanique et nom vulgaire, description générale	Utilisation et culture	Multiplication *(Voir aussi p. 53)*
 *Rhaphiolepis indica* (raphiolepis)	***Raphiolepis*** (raphiolepis) Feuilles épaisses et charnues. Fleurs roses ou blanches, groupées en bouquets terminaux. Fruits d'un noir bleuâtre ou pourpre.	Cultiver cet arbuste en plein soleil ou à la mi-ombre, dans n'importe quelle bonne terre de jardin amendée par des apports de tourbe ou d'humus.	Semer les graines mûres. Prélever des boutures fermes à la fin de l'été.
 Rhus typhina 'Dissecta' (sumac de Virginie)	***Rhus*** (sumac) Renommé pour ses feuilles qui, à l'automne, deviennent d'un rouge ardent parfois nuancé d'orange. Fleurs jaune-vert. Arbuste également cultivé pour ses fruits rouge vif duveteux, réunis en grappes verticales. Plante à fleurs mâles ou femelles, bien qu'il existe des sujets hermaphrodites. Les sujets femelles doivent être cultivés près de sujets mâles pour produire des fruits.	Arbuste de croissance vigoureuse qui s'étend par racines drageonnantes : le planter là où ses racines auront beaucoup d'espace. Prospère dans n'importe quel sol. Les coloris d'automne sont plus marqués chez les sujets cultivés en plein soleil dans une terre franche mais légère et sablonneuse.	Dès qu'elles sont mûres, stratifier les graines pendant cinq mois à la température de la pièce, puis pendant trois mois à 4 °C avant de les semer. Prélever des boutures de racines tôt au printemps. Transplanter les drageons enracinés au printemps ou en automne.
 Ribes sanguineum (groseillier à fleurs)	***Ribes*** (groseillier ou gadelier) Autrefois recherché pour ses baies comestibles, cet arbuste est maintenant aussi cultivé à des fins ornementales. Ses fleurs jaunes ou jaune-vert, parfois rouges chez certaines variétés, s'ouvrent tôt au printemps et sont suivies de baies à la mi-été.	Arbuste recommandé près de la mer. Peut être taillé pour former des haies. Prospère en plein soleil ou à la mi-ombre dans un sol ordinaire ou alcalin. Arroser en période de sécheresse. Si la croissance est lente, fertiliser au printemps et en été. Héberge le champignon de la rouille vésiculeuse du pin blanc : ne pas planter ces végétaux à moins de 300 m l'un de l'autre. Contre les pucerons qui affaiblissent et déforment les pousses, utiliser un insecticide systémique. Traiter le feuillage attaqué par le champignon de la tache foliaire avec des applications de captane, de manèbe ou de zinèbe dès les premiers symptômes.	Par semis, marcottage au sol ou boutures aoûtées sans feuilles prélevées en automne.
 Robinia hispida (robinier faux-acacia)	***Robinia*** (robinier) Fleurs en forme de pois réunies en grappes pendantes qui s'épanouissent à la fin du printemps ou au début de l'été. Feuilles alternes composées de 12 ou 13 folioles arrondies très décoratives.	Prospère dans des sols pauvres et rocailleux que peu d'autres plantes tolèrent. Utile pour éviter l'érosion et fixer les talus. Se cultive comme arbuste de plein vent (à tige unique). Se multiplie rapidement par rejets et demande beaucoup d'espace. Peut même, dans certains emplacements, devenir très encombrant. Vulnérable aux insectes perceurs de tiges.	Semer les graines lorsqu'elles sont mûres ou les conserver jusqu'à un an au frais et au sec. Les faire tremper 12 heures dans de l'eau à 32 °C avant de les semer. Utiliser des boutures de racine ou prélever les rejets.

Les grappes de fleurs parfumées, qui éclosent au tout début du printemps, font du groseillier à fleurs (Ribes sanguineum) un arbuste attrayant. 'King Edward VII' porte des grappes retombantes de fleurs rouge-violet.

Ribes sanguineum 'King Edward VII'

Espèces et variétés	Rusticité *(Voir pages de garde)*	Caractéristiques ornementales et remarques	Hauteur/étalement à maturité
À feuillage persistant *Raphiolepis delacourii*	Zone 8	Hybride à ramure dense, à feuilles dentées et à fleurs roses, de grande valeur ornementale. Jolie plante pour décorer une terrasse.	1,80 m/90 cm-1,20 m
R. indica	Zone 8	Feuilles dentées, coriaces et vernissées, atteignant 7 cm de longueur. Fleurs rosées ou blanches d'environ 1 cm de diamètre.	1,50 m/1,20-1,50 m
R. i. 'Apple Blossom'	Zone 8	Fleurs rose et blanc.	1,50 m/1,20-1,50 m
R. i. 'Enchantress'	Zone 8	Variété naine à feuilles vertes et brillantes et à grandes fleurs roses réunies en bouquets denses qui s'épanouissent de la fin de l'hiver au début de l'été.	90 cm/1,20 m
R. i. 'Fascination'	Zone 8	Fleurs rose intense à cœur blanc, très voyantes à la fin du printemps.	1,50 m/1,20-1,50 m
R. i. 'Jack Evans'	Zone 8	Feuilles vert foncé, parfois teintées de pourpre, et à reflets argentés. Innombrables fleurs d'un rose brillant. Port prostré, ramure dense.	1,20 m/1,50 m
R. umbellata	Zone 8	Feuilles délicatement dentées, épaisses et coriaces, n'excédant pas 7 cm de longueur. Fleurs blanches et aromatiques à la fin du printemps.	1,50 m/1,20-2,50 m
À feuillage caduc *Rhus aromatica* (sumac aromatique)	Zone 3	Feuilles composées et grossièrement dentées, ayant une odeur agréable. Fleurs jaunâtres du début au milieu du printemps, avant que les folioles s'ouvrent. Multiplier cette espèce par boutures serni-aoûtées en été.	90 cm-2 m/ 60 cm-1,50 m
R. copallina (sumac copal)	Zone 5	Folioles oblongues pouvant atteindre 10 cm de longueur, à limbe d'un beau vert brillant. Marge lisse. Fleurs verdâtres s'ouvrant du milieu à la fin de l'été. Fruits écarlates. Arbuste d'une beauté exceptionnelle en automne.	3-5,50 m/1,80-3 m
R. glabra 'Laciniata' (sumac glabre ou vinaigrier)	Zone 2	Variété extrêmement rustique. Feuilles profondément dentées et fruits d'un rouge vif, très décoratifs. Fleurs vertes en panicules serrées.	3-6 m/1,80-3 m
R. typhina 'Dissecta' (sumac de Virginie)	Zone 3	Présente des feuilles délicatement segmentées et des grappes de fleurs verdâtres au début de l'été. Donne de belles spires de fruits d'un rouge profond.	3-9 m/2,50-3 m
À feuillage caduc *Ribes alpinum* (groseillier alpin)	Zone 2	À cultiver en haie ou en isolé dans un endroit ombragé. Multiplier par bouturage les sujets mâles seulement, les sujets femelles étant exposés à la rouille vésiculeuse du pin blanc.	1,20-2 m/90 cm-1,50 m
R. aureum (groseillier doré)	Zone 2	Fleurs jaunes en bouquets étalés ou retombants. Fruits allant du pourpre au noir.	2,50 m/1,20-1,80 m
R. odoratum (groseillier odorant)	Zone 2	Feuilles lobées et dentées devenant écarlates en automne. Fleurs jaunes aromatiques réunies en bouquets retombants. Fruits noirs. Exposé à la rouille de la tige du blé.	1,80 m/90 cm-1,50 m
R. sanguineum (groseillier à fleurs)	Zone 6	Feuilles lobées et irrégulièrement dentées. Fleurs roses ou rouges réunies en bouquets retombants. Fruits noir-bleu. Accompagne bien le forsythie.	3 m/2 m
À feuillage caduc *Robinia hispida* (robinier faux-acacia)	Zone 5	Inflorescences roses ou pourpres ayant la beauté des glycines. Cette espèce est souvent palissée pour mettre ses inflorescences en valeur. Fruits et ramilles fragiles couverts de poils rouge vif. Les gousses de semences peuvent atteindre 7 cm de long.	1,20 m/90 cm-1,80 m
R. neomexicana (robinier du Nouveau-Mexique)	Zone 6	Arbuste érigé ou petit arbre portant des grappes retombantes de fleurs roses au début de l'été, suivies de gousses brunes.	4,50-6 m/4,50 m

Pour que le skimmia du Japon (Skimmia japonica) *puisse produire ses petits fruits rouges, semblables à ceux du houx, il faut grouper des plants mâles et femelles.*

Skimmia japonica

Rubus cockburnianus (ronce)

Salix humilis (saule nain)

Sambucus racemosa 'Sutherland Gold' (sureau à grappes)

Shepherdia argentea (shepherdie argentée)

Skimmia japonica (skimmia du Japon)

Sorbaria sorbifolia (sorbaria à feuilles de sorbier)

Nom botanique et nom vulgaire, description générale	Utilisation et culture	Multiplication (Voir aussi p. 53)
Rubus (ronce) Tiges droites et épineuses ; feuilles alternes, composées de nombreuses folioles à marge lisse. Chez certaines variétés, les fleurs sont suivies par des baies rouges parfois qualifiées de framboises ornementales. Ce genre comprend également les plantes qui donnent des mûres.	Les sujets d'ornement sont appréciés, selon le cas, pour leur feuillage, leurs fleurs, leurs tiges colorées, ou pour leurs fruits. La ronce peut aussi former une haie difficile à franchir. Prospère en plein soleil ou à la mi-ombre dans n'importe quel sol bien drainé.	Stratifier les graines à 21 °C pendant trois mois, puis à 4 °C pendant trois autres mois avant de les semer. Diviser les racines ou en prélever des boutures tôt au printemps. Utiliser des boutures semi-aoûtées en été ou des boutures aoûtées et sans feuilles en automne. Se marcotte souvent au sol naturellement.
Salix (saule) Arbuste de croissance rapide dont les branches sont fragiles. Feuilles alternes, généralement étroites et lancéolées. Chatons dressés, de grande valeur ornementale chez certaines espèces, apparaissant au moment de la feuillaison ou juste avant.	Cultiver le saule en plein soleil ou à la mi-ombre dans n'importe quelle bonne terre de jardin. Un certain nombre d'espèces et de variétés préfèrent un sol humide. D'autres, mais elles sont peu nombreuses, poussent mieux dans un sol sec et pauvre.	Semer les graines dès qu'elles sont mûres : elles ont la vie brève. Prélever des boutures semi-aoûtées en été ou des boutures aoûtées et sans feuilles en automne.
Sambucus (sureau) Grand arbuste à feuillage coloré. Fleurs et fruits assez remarquables.	Planter en plein soleil les variétés cultivées pour les coloris de leur feuillage. Les autres viennent bien à l'ombre. La plupart des sols leur conviennent.	Par boutures herbacées en juillet ou boutures aoûtées à talon en automne. Certaines espèces se multiplient par semis.
Shepherdia (shepherdie) Arbuste très rustique à feuillage argenté et baies de couleurs vives.	Résiste à la sécheresse et au vent. Plante dioïque ; il faut planter des sujets des deux sexes pour obtenir des fruits.	Par semis en pleine terre à l'automne ; à l'intérieur, au printemps.
Skimmia (skimmia) Feuilles à court pétiole, qui dégagent une agréable odeur lorsqu'on les froisse. Petits bouquets de fleurs blanc crème. Dans certains cas, les fleurs mâles et femelles sont portées par des plantes différentes ; les premières sont parfumées. Fruits rouges.	Préfère la mi-ombre. Dans un milieu chaud et sec, les feuilles peuvent se décolorer. Pour obtenir beaucoup de fruits, planter 3 ou 4 sujets femelles à proximité d'un sujet mâle.	Semer les graines quand elles sont mûres. Prélever des boutures semi-aoûtées en été.
Sorbaria (sorbaria) Arbuste élégant à feuilles disposées comme les barbes d'une plume et semblables par leur forme à celles du frêne. Elles sont composées de folioles lancéolées et dentées. Fleurs d'un blanc crème réunies en panicules plumeuses de 30 cm de long.	Se place bien à l'arrière d'une bordure. Prospère aussi bien en plein soleil qu'à l'ombre totale ou partielle. Préfère un sol additionné de tourbe ou d'une autre matière humifère. Des apports d'engrais au printemps et en été accélèrent la croissance qui est déjà rapide. Bien arroser en période de sécheresse. Tailler à la fin de l'hiver pour favoriser la croissance de nouvelles pousses vigoureuses.	Semer les graines quand elles sont mûres ou les garder jusqu'à un an au sec et au frais. Diviser les racines tôt au printemps. Prélever des boutures semi-aoûtées et feuillées l'été ou des boutures aoûtées l'automne.

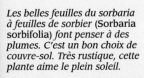

Les belles feuilles du sorbaria à feuilles de sorbier (Sorbaria sorbifolia) font penser à des plumes. C'est un bon choix de couvre-sol. Très rustique, cette plante aime le plein soleil.

Sorbaria sorbifolia

Espèces et variétés	Rusticité (Voir pages de garde)	Caractéristiques ornementales et remarques	Hauteur/étalement à maturité
À feuillage caduc *Rubus cockburnianus*	Zone 6	Arbuste revêtu l'hiver d'une intéressante pruine blanche et cireuse. Feuilles pruinées elles aussi, composées de 7 à 9 folioles d'oblongues à lancéolées. Petites fleurs purpurines réunies en minces panicules terminales de 10 à 15 cm. Fruits non comestibles.	1,50-2 m/1,20-1,80 m
R. odoratus (ronce odorante ou calottes)	Zone 3	Tiges presque entièrement dépourvues d'épines, et pubescentes lorsqu'elles sont jeunes. Feuilles finement dentées, composées de 3 à 5 lobes, de 10 à 30 cm de large, pubescentes au revers. Fleurs odorantes, de blanches à rose-pourpre, de 4 à 5 cm de diamètre, en juillet ; elles sont réunies en groupes lâches. Fruits rouges et plats, non comestibles. Écorce qui pèle. Arbuste à port érigé et à branches arquées.	1,50-2,75 m/ 1,20-1,80 m
À feuillage caduc *Salix gracilistyla*	Zone 5	Feuilles vert-bleu, de 5 à 10 cm de long, pubescentes au revers, sur des ramilles grises et duveteuses. Un des saules qui fleurissent le plus tôt. Remarquables chatons rouges du début au milieu du printemps.	1,80 m/1,80 m
S. humilis (saule nain)	Zone 2	Tiges en forme de baguette garnies de chatons au début du printemps. Port étalé.	90 cm/90 cm-1,80 m
S. purpurea (osier rouge)	Zone 2	Jeunes ramilles pourprées, devenant grises avec l'âge. Feuilles de 5 à 10 cm de long, plus foncées sur le dessus qu'au revers. Demande un sol humide. Fait de bonnes haies.	2,50 m/1,20-1,50 m
S. p. 'Nana' (saule de l'Arctique)	Zone 4	Feuilles variant du vert-bleu au gris. Supporte la taille et tolère un sol lourd et humide. Remarquable en haie grâce à son feuillage plumeux.	1,20 m/1,20 m
S. sachalinense 'Sekka'	Zone 5	Jeunes branches aplaties et tordues qui donnent à cet arbuste une silhouette originale, surtout en hiver. Chatons argentés atteignant 5 cm de longueur.	4,50 m/3-3,50 m
À feuillage caduc *Sambucus canadensis* 'Aurea' (sureau doré du Canada)	Zone 2	Variété très ornementale à feuillage vivement coloré. Fruits noirs.	3,50 m/2,50-3 m
S. racemosa (sureau à grappes)	Zone 3	Grandes inflorescences blanches, suivies de fruits rouges en grappes.	3-4 m/3-3,50 m
S. r. 'Sutherland Gold'	Zone 3	Feuillage plumeux doré qui conserve sa belle couleur jaune tout l'été.	3 m/2,50-3 m
À feuillage caduc *Shepherdia argentea* (shepherdie argentée)	Zone 1	Petites fleurs jaunes suivies de baies comestibles, d'écarlate à orange. Se prête bien à la culture en haie.	3-4,50 m/1,80-3 m
À feuillage persistant *Skimmia japonica* (skimmia du Japon)	Zone 7	Arbuste à branches nombreuses. Feuilles vert-jaune, oblongues ou elliptiques pouvant atteindre 13 cm, groupées à l'extrémité des ramilles. Fleurs mâles et femelles apparaissent sur des sujets différents.	1,20 m/1,20 m
S. j. reevesiana	Zone 8	Feuilles plus petites que celles de *S. japonica*, comportant étamines et pistil. Chaque sujet produit des fruits, d'un rouge terne, et peut donc être cultivé isolément.	1,80 m/1,20-1,50 m
À feuillage caduc *Sorbaria sorbifolia* (sorbaria à feuilles de sorbier)	Zone 2	Branches gracieusement arquées. Feuilles pennées, composées de 13 à 23 folioles de texture grossière ; les premières à apparaître au printemps, mais sans coloris particulier à l'automne. Arbuste très voyant à la mi-été à cause de ses minuscules fleurs blanches réunies en panicules pyramidales atteignant 25 cm de longueur.	1,80 m/1,50-2 m
S. tomentosa (sorbaria Kashmir)	Zone 4	Jeunes branches rouge vif. Feuilles d'un vert brillant composées d'au plus 21 folioles. Fleurs réunies en panicules dressées de 25 cm, naissant au milieu ou à la fin de l'été.	3 m/2,75 m

Pendant tout l'été sans interruption, le genêt d'Espagne (Spartium junceum) porte des épis de fleurs jaune d'or. Cette plante est un bon choix sur la côte Ouest.

Spartium junceum

Nom botanique et nom vulgaire, description générale	Utilisation et culture	Multiplication *(Voir aussi p. 53)*
Spartium (genêt d'Espagne) Arbuste robuste mais peu dense, se couvrant de belles fleurs jaune d'or du début à la fin de l'été. Tiges vertes presque dépourvues de feuilles.	Prospère en terrain sec, dans un sol sablonneux ou argileux. Recommandé au voisinage de la mer. Préfère le plein soleil. Ne demande pas d'autres soins qu'un paillage au début du printemps. Une légère taille favorise une ramure plus dense. Difficile à transplanter : l'acheter en pot plutôt qu'à racines nues.	Semer les graines dès qu'elles sont mûres.
Spiraea (spirée) Feuilles dentées ou lobées. Fleurs blanches, rose-pourpre ou rouges, groupées en bouquets aplatis ou en panicules plumeuses. Les fruits sont des capsules sèches.	Plante excellente pour la composition de haies non taillées. Tolère le voisinage de la mer. Facile à transplanter et demande peu de soins. Prospère en plein soleil, dans un milieu normalement humide, mais s'adapte à presque tous les sols.	Semer les graines quand elles sont mûres. Prélever des boutures semi-aoûtées en été ou des boutures fermes à la fin de l'été. La division des racines ne présente aucun problème.
Stephanandra (stephanandra) Arbuste à feuilles assez semblables aux frondes de fougères, légèrement dentées ou lobées, qui virent au jaune, à l'orange ou au pourpre en automne. Bouquets de petites fleurs blanchâtres ressemblant à celles de la spirée mais beaucoup moins décoratives. En hiver, l'écorce est d'un joli brun clair.	Cultiver cet arbuste en plein soleil ou à la mi-ombre. Le stephanandra pousse bien dans n'importe quelle terre. Une fois établi, il produit des rejets en abondance à la souche.	Semer les graines quand elles sont mûres ou diviser les racines. Prélever des boutures semi-aoûtées en été. Les branches arquées s'enracinent parfois naturellement aux endroits où elles sont en contact avec le sol.

Spartium junceum (genêt d'Espagne)

Spiraea japonica (spirée du Japon)

Stephanandra incisa (stephanandra)

La spirée de Vanhoutte (Spiraea vanhouttei) jouit d'un port si dense qu'on s'en sert volontiers dans les haies. Ses grappes de fleurs d'un blanc immaculé, qui éclosent au début de l'été, ajoutent à la grâce de cet arbuste.

Spiraea vanhouttei

Espèces et variétés	Rusticité (Voir pages de garde)	Caractéristiques ornementales et remarques	Hauteur/étalement à maturité
À feuillage caduc *Spartium junceum* (genêt d'Espagne)	Zone 8	Branches vertes et élancées ; feuilles petites et étroites, vert bleuté, peu nombreuses et parfois même totalement absentes. Fleurs parfumées en forme de pois ; elles sont réunies en grappes, souvent de plus de 30 cm de long, à l'extrémité des rameaux.	2,50 m/2 m
À feuillage caduc *Spiraea* 'Arguta'	Zone 3	Cet hybride fleurit plus abondamment que toute autre variété à fleurs blanches. Assez beau pour être mis en vedette.	1,80 m/1,80 m
S. bumalda	Zone 2	Feuilles lancéolées ou ovales. Fleurs blanches ou rose foncé apparaissant à la mi-été. Hybride tout indiqué pour les petits jardins.	90 cm/1,20 m
S. b. 'Anthony Waterer'	Zone 2	Feuilles à reflets rosés lorsqu'elles sont jeunes, mais devenant vertes ensuite. Fleurs rouge rosé en bouquets pouvant avoir 15 cm de diamètre. Cette variété fleurit en été.	90 cm/90 cm
S. b. 'Froebelii'	Zone 2	Semblable à *S. b.* 'Anthony Waterer', quoique plus vigoureuse. Excellente pour constituer une haie non taillée.	1,20 m/1,20 m
S. b. 'Goldflame'	Zone 2	Sélection plus récente à feuillage rouge devenant jaune et enfin vert.	90 cm-1,20 m/ 90 cm-1,20 m
S. japonica (spirée du Japon)	Zone 2	Feuilles oblongues ou ovales, cunéiformes à la base, avec des revers pâles et des nervures duveteuses. Fleurs roses en bouquets peu denses et aplatis en été. Port érigé.	1,50 m/1,80 m
S. j. 'Goldmound'	Zone 2	Plus petit arbuste que le précédent arborant un feuillage jaune vif tout l'été.	60-90 cm/60-90 cm
S. j. 'Shirobana'	Zone 3	Les fleurs sont rose pâle, rose foncé et blanches, souvent dans une même grappe.	90 cm/90 cm-1,20 m
S. nipponica 'Halward's Silver'	Zone 3	Arbuste dense à forme arrondie, avec une abondante floraison blanche.	90 cm/90 cm
S. trichocarpa	Zone 3	Appréciée pour sa floraison tardive.	1,50 m/1,50 m
S. t. 'Snow-white'	Zone 2	Semblable à *S. vanhouttei*, mais beaucoup plus rustique.	1,20 m/1,50 m
S. trilobata (spirée à trois lobes)	Zone 2	Plante rustique, très ornementale. L'une des espèces dont est issue la spirée de Vanhoutte.	1,20 m/90 cm
S. vanhouttei (spirée de Vanhoutte)	Zone 4	Hybride à feuilles ovales et à fleurs d'un blanc pur s'épanouissant à la fin du printemps ou au début de l'été sur des branches gracieusement retombantes. Compose une belle haie, taillée ou non. Arbuste recommandé en ville car il supporte la pollution de l'air.	1,80 m/1,20-1,50 m
À feuillage caduc *Stephanandra incisa*	Zone 5	Feuilles devenant pourpres à l'automne. Petites fleurs blanc-vert s'épanouissant au début de l'été sur des branches arquées. À planter comme fond de bordure.	2 m/1,80 m
S. i. 'Crispa'	Zone 5	Fleurs d'un blanc-vert, à peine visibles. Ramure très dense destinant cet arbuste à la culture en haie sans qu'il soit besoin de le tailler. Également cultivé comme plante tapissante. Prospère en plein soleil, mais son feuillage vert clair est plus joli dans un endroit légèrement ombragé. S'étale rapidement si ses branches sont fixées au sol.	90 cm/90 cm
S. tanakae	Zone 7	À l'automne, les feuilles de 5 à 10 cm tournent au rouge, à l'orange et au jaune. Les rameaux brun-vert portent de minuscules fleurs blanches du début au milieu de l'été.	1,80 m/1,80 m

La symphorine (Symphori-carpos orbiculatus) arbore de minuscules fleurs blanches l'été, des baies rouges qui restent longtemps sur l'arbuste et un beau feuillage en automne.

Symphoricarpos orbiculatus

	Nom botanique et nom vulgaire, description générale	Utilisation et culture	Multiplication *(Voir aussi p. 53)*
 *Symphoricarpos albus laevigatus* (symphorine à fruits blancs)	***Symphoricarpos*** (symphorine) Arbuste vigoureux et très branchu, cultivé principalement pour ses grappes spectacu-laires de fruits charnus en automne.	Bon arbuste à planter en ville parce qu'il supporte bien la pollution atmosphérique. Prospère en plein soleil ou à la mi-ombre dans n'importe quelle bonne terre de jardin. Tolère un sol alcalin.	Prélever des boutures semi-aoûtées en été ou des boutures aoûtées en automne. Se prête également au bouturage des racines, à la division des racines, au marcottage au sol et à la multiplication par rejets pourvus de racines. Difficile à obtenir à partir de semis.
 *Syringa vulgaris* (lilas commun)	***Syringa*** (lilas) Petites fleurs tubuleuses souvent très parfumées groupées en jolies panicules. Les coloris varient selon les espèces et incluent le violet clair, le bleu-violet, le pourpre et le violet rosé. On trouve également des fleurs crème et blanc-jaune. La période de floraison du lilas peut se prolonger six semaines ou même davantage dans les zones où on peut cultiver différentes espèces et variétés. Feuilles opposées, de taille et de forme différentes, mais rarement lobées.	Beau sujet à isoler ou à grouper en haie naturelle, non taillée. Résiste à la pollution atmosphérique des villes. À cultiver en plein soleil ou à la mi-ombre dans une terre alcaline, bien drainée. Pailler le sol autour du plant à la mi-printemps. Arroser en période de sécheresse. Couper, la première année, toutes les fleurs des sujets récemment transplantés pour faciliter la reprise de la plante. Pour favoriser la floraison, fertiliser avec du fumier de bovins bien décomposé tous les deux printemps. Supprimer les fleurs fanées afin de freiner la formation des graines. Rabattre au premier nœud les branches où apparaissent de nouveaux boutons ; rabattues plus loin, elles ne fleuriront pas l'année d'après. Tous les deux ou trois ans, arracher la plupart des gourmands situés près de la base du tronc.	Les graines mûres seront strati-fiées pendant deux mois à 4 °C avant d'être plantées. Prélever des boutures semi-aoûtées en été. Utiliser les drageons des plantes non greffées, c'est-à-dire qui poussent à partir de leur propre système radiculaire.
 *Tamarix parviflora* (tamaris)	***Tamarix*** (tamaris) Branches souples et élancées, dont les ramilles portent de minuscules feuilles semblables à des écailles. En automne, le feuillage et les ramilles tombent. Petites fleurs roses réunies en panicules ou en grappes de plumets légers.	Arbuste à utiliser en haie ou en écran, surtout au voisinage de la mer où ses branches souples ne sont pas endomma-gées par le vent. Tolère l'embrun. Prospère dans un sol sablonneux, dépourvu de calcaire.	Semer les graines mûres ou les garder jusqu'à un an dans un endroit sec et frais. Prélever des boutures semi-aoûtées en été ou des boutures aoûtées et sans feuilles en automne. Elles pren-nent facilement racine.

Le lilas des jardins (Syringa vulgaris) *est rustique et résistant. Il produit, à la fin du printemps, des fleurs très parfumées de la couleur typique des lilas. Les fleurs blanc-crème de la variété 'Primrose' sont moins odorantes.*

Syringa vulgaris

Syringa vulgaris 'Primrose'

Espèces et variétés	Rusticité *(Voir pages de garde)*	Caractéristiques ornementales et remarques	Hauteur/étalement à maturité
À feuillage caduc *Symphoricarpos albus laevigatus* (symphorine à fruits blancs)	Zone 2	Feuilles oblongues ou ovales. Fleurs minuscules au début de l'été. Abondante production de baies blanches au début de l'automne, ployant les branches jusqu'au sol. Une maladie cryptogamique peut faire brunir les baies. Voir «anthracnose» p. 477.	90 cm-1,20 m/1,80 m
S. chenaultii	Zone 5	Feuilles pubescentes au revers. Baies roses du côté exposé au soleil, blanches du côté opposé. Se prête à l'établissement de haies basses. Plante hybride.	90 cm/2,50 m
S. c. 'Hancock'	Zone 5	Sélection canadienne à port prostré. Utile comme couvre-sol.	60-90 cm/1,80 m
S. orbiculatus	Zone 2	Feuilles devenant d'un riche cramoisi en automne. Petites fleurs blanches ou blanc-jaune, à peine visibles, suivies d'abondantes baies pourpres qui persistent une partie de l'hiver et se détachent bien sur la neige. C'est une caractéristique ornementale dont sont dépourvues les variétés à fruits blancs. Arbuste drageonnant, utile pour contenir les talus.	1,80 m/1,20-1,50 m
À feuillage caduc *Syringa chinensis* (lilas Varin)	Zone 2	Hybride à feuilles ovales et lisses de 5 cm de long. Fleurs mauves.	3 m/1,80-2,50 m
S. hyacinthiflora	Zone 2	Floraison plus hâtive que celle des hybrides français et grappes de fleurs moins denses. La variété 'Gertrude Leslie', à fleurs blanches, fleurit longtemps ; 'Ester Staley' présente des boutons rouges et des fleurs roses.	2,50-4,50 m/2,50-3 m
S. josikaea (lilas de Josika ou de Hongrie)	Zone 2	Fleurs violettes à la fin du printemps ou au début de l'été.	3,50 m/3,50 m
S. microphylla (lilas à petites feuilles)	Zone 6	Feuilles ovales ne dépassant pas 5 cm de longueur et souvent de moins de 1,5 cm ; revers pubescents. Petites grappes de fleurs aromatiques, de teinte rose pâle, tard au printemps ou tôt en été. Arbuste à port étalé.	1,50-2 m/3-3,50 m
S. persica (lilas de Perse)	Zone 4	Feuilles de moins de 7,5 cm de long, lancéolées et souvent lobées. Silhouette nette et abondante floraison de fleurs violet pâle et parfumées à la fin du printemps.	1,80 m/1,20-1,50 m
S. prestoniae (lilas de Preston)	Zone 2	Groupe de variétés horticoles à floraison tardive développées à Ottawa. Les plus renommées sont : 'Coral', à fleurs roses ; 'Donald Wyman', roses ; 'Hiawatha', rose clair ; 'Royalty', rouges.	2,50 m/1,80-2,50 m
S. reticulata	Zone 2	Feuilles pubescentes de 15 cm de long. Fleurs blanc-jaune au début de l'été, ce qui donne une floraison tardive pour un lilas. Devient un arbre.	9 m/2,50-3 m
S. villosa	Zone 2	Corymbes touffus de fleurs d'un mauve rosé qui apparaissent plus tardivement que celles d'autres espèces de lilas.	4,50 m/3 m
S. vulgaris (lilas commun ou lilas des jardins)	Zone 2	Espèce vigoureuse, parfois même arborescente, à feuilles ovales ou cordiformes atteignant 15 cm de longueur. Fleurs de teinte lilas s'épanouissant à la fin du printemps, fortement parfumées. Les plus cultivées sont les variétés souvent appelées lilas français qui produisent des fleurs simples ou doubles.	6 m/3,50 m
À feuillage caduc *Tamarix parviflora*	Zone 4	Floraison printanière. Écorce variant du brun sombre au pourpre. Tailler immédiatement après que les fleurs se sont fanées. Souvent vendu sous le nom de *T. tetrandra*.	4,50 m/4,50 m
T. ramosissima	Zone 3	Feuilles pourprées. Fleurs duveteuses éclosant à la fin de l'été et au début de l'automne. Tailler au début du printemps. Espèce particulièrement rustique.	4,50 m/4,50 m
T. r. 'Pink Cascade'	Zone 3	Feuilles teintées de bleu et fleurs plus voyantes que celles de *T. ramosissima*.	4,50 m/4,50 m

Les viornes offrent une si grande variété de feuillage, de fleurs et de fruits qu'elles sont intéressantes toute l'année. La viorne obier (Viburnum opulus) est prisée pour ses jolies baies rouges de l'automne. Les inflorescences globuleuses de la viorne boule-de-neige (V. o. 'Roseum') deviennent roses avant de faner.

Viburnum opulus

Viburnum opulus 'Roseum'

Nom botanique et nom vulgaire, description générale	Utilisation et culture	Multiplication (Voir aussi p. 53)
Taxus (if) Jolies feuilles vert foncé ayant environ 2 cm de long et en forme d'aiguille mais souples, portant au revers deux lignes parallèles vert-gris ou jaune pâle. Baies rouges ou brunâtres charnues et s'ouvrant à une extrémité. Graines et feuilles sont toxiques.	Plusieurs formes se prêtent à la culture en haie ou à l'art topiaire parce qu'elles supportent la taille. Cultiver l'if en plein soleil ou à la mi-ombre dans n'importe quelle bonne terre de jardin. Il faut grouper des sujets mâles et femelles si l'on veut que ces derniers produisent des baies en automne.	Stratifier les graines mûres pendant cinq mois à 20 °C et pendant trois autres mois à 4 °C ou les garder jusqu'à un an au frais et au sec avant de les stratifier. Prélever des boutures semi-aoûtées en été ou des boutures fermes à la fin de l'été.
Vaccinium (airelle) Feuilles alternes, à court pétiole, dont les marges portent des poils fins. Elles virent à l'écarlate vif ou au cramoisi en automne. Petites fleurs peu visibles, suivies de baies, comestibles chez certaines espèces. On retrouve dans ce genre les arbustes produisant le bleuet, ou myrtille, et la canneberge.	Peu facile à transplanter. N'acheter que des sujets à racines emmottées et enveloppées dans du jute. Cultiver en plein soleil ou à la mi-ombre dans un sol tourbeux et acide à pH de 4 ou 5. Demande une terre constamment humide. Freiner la croissance des mauvaises herbes avec des paillis de copeaux de bois ou de sciure de bois dur. Pour empêcher les oiseaux de dévorer les baies, il faut parfois couvrir les plants d'étamine, de filet ou de grillage.	Semer les graines quand elles sont mûres. Diviser les racines des plantes prostrées au début du printemps. Prélever des boutures semi-aoûtées en été. Chez les espèces à feuillage caduc, utiliser des boutures aoûtées et dépourvues de feuilles en automne. Marcotter les pousses au sol au printemps ou en automne.
Viburnum (viorne) Feuilles opposées, prenant souvent de belles teintes en automne. Petites fleurs généralement blanches, réunies en bouquets terminaux aplatis ou sphériques. Fruits colorés : chez certaines espèces, ils restent sur l'arbuste une partie de l'hiver ; d'autres variétés les perdent vite dévorés par les oiseaux. Sous le genre Viburnum, on trouve un très grand nombre d'arbustes très appréciés pour la décoration des jardins.	Cultiver cet arbuste en plein soleil ou à la mi-ombre, dans un sol acide ou alcalin, modérément humide. Dans les régions chaudes, donner un peu d'ombre aux espèces à feuillage persistant. Les espèces à feuillage caduc ont une croissance rapide ; rabattre une partie des vieilles branches au ras du sol tous les deux ou trois ans. Tailler moins fréquemment les espèces à feuillage persistant ; enlever les tiges malingres et les branches trop longues. S'il s'agit d'une haie, la tailler à la hauteur désirée en lui donnant la forme voulue. Les espèces à fruits décoratifs fructifient mieux si l'on plante à proximité des uns et des autres des sujets issus de deux ou plusieurs clones (c'est-à-dire venant de semences différentes ou multipliés par sauvageons distincts). Il vaut mieux les acheter dans différentes pépinières. Lorsqu'on se sert de sujets fructifères pour attirer les oiseaux, tailler les arbustes le moins possible. Pratiquer de préférence cette opération, lorsqu'elle est nécessaire, au tout début du printemps, plutôt que tout de suite après la floraison. Certaines années, les espèces à floraison hâtive peuvent ne pas donner de fruits si, au moment de la floraison, le temps est froid et pluvieux ou s'il ne vente pas du tout. Il faut parfois combattre certains ravageurs – pucerons, thrips, tétranyques à deux points et cochenilles – et, dans certaines régions, le blanc attaque les feuilles à la fin de l'été.	Garder les graines mûres jusqu'à un an dans un endroit sec et frais avant de les stratifier pendant cinq mois à la température de la pièce et pendant trois autres mois à 4 °C. Les semer après cette opération. On peut aussi pratiquer la division des racines et le marcottage au sol. Prélever des boutures semi-aoûtées à la fin de l'été. Pour les espèces à feuillage caduc, utiliser des boutures aoûtées et sans feuilles en automne.

Taxus media 'Hicksii' (if)

Vaccinium corymbosum (bleuet)

Viburnum opulus 'Roseum' (boule-de-neige)

Viburnum (viorne) — suite p. 130

La vigne d'Ida, encore mieux connue sous le nom de canneberge (Vaccinium vitis-idaea), forme des buissons tapissants en sol acide. Ses fleurs en forme de clochette sont roses ou blanches.

Vaccinium vitis-idaea

Espèces et variétés	Rusticité (Voir pages de garde)	Caractéristiques ornementales et remarques	Hauteur/étalement à maturité
À feuillage persistant *Taxus cuspidata* (if du Japon)	Zone 4	Baies écarlates. Arbuste court très apprécié pour la composition de haies basses.	90 cm-1,20 m/4,50-6 m
T. media	Zone 5	Branches devenant d'un vert rougeâtre à maturité. Hybride à silhouette pyramidale.	1,50-4,50 m/4,50-6 m
T. m. 'Densiformis'	Zone 5	Croissance étalée ; feuillage dense. Ne produit pas de baies.	1-1,20 m/1,20-1,80 m
T. m. 'Hicksii'	Zone 5	Arbuste à port colonnaire produisant beaucoup de baies.	3,50 m/3 m
À feuillage caduc *Vaccinium corymbosum* (bleuet)	Zone 4	Ramilles verruqueuses vert clair. Feuilles elliptiques de 5 à 7 cm qui virent à l'écarlate brillant en automne. Fleurs rosées ou blanches, en forme d'urne, à la fin du printemps, suivies d'innombrables fruits comestibles, noir-bleu. Donne de bonnes haies.	1,50 m/1,50 m
V. parvifolium	Zone 3	Fleurs rosées. Baies rouges d'environ 5 mm de diamètre.	3 m/1,80-2,50 m
À feuillage persistant *V. ovatum*	Zone 7	Ramilles pubescentes. Feuilles légèrement dentées, vert vif et vernissées sur le dessus. Fleurs campanulées roses ou blanches s'ouvrant en été. Baies noires.	3 m/1,80-2,50 m
V. vitis-idaea (canneberge ou vigne d'Ida)	Zone 1	Feuilles ovales, vertes et brillantes sur des pousses dressées. Fleurs en forme d'urne ou de clochette, roses ou blanches, s'ouvrant à la fin du printemps ou au début de l'été. Fruits rouge vif. Espèce à port rampant, utile comme couvre-sol.	15 cm/2,50-3 m
À feuillage caduc *Viburnum bodnantense* 'Dawn'	Zone 7	Hybride caractérisé par un feuillage d'automne rouge et des fleurs odorantes roses lavées de blanc. Tolère un sol argileux.	3 m/3 m
V. burkwoodii (viorne de Burkwood)	Zone 6	Arbuste hybride à feuillage brillant, semi-persistant dans les régions froides et persistant dans les régions sans gel. Fleurs aromatiques blanches.	1,80 m/1,20-1,50 m
V. carlcephalum	Zone 6	Forme hybride à feuilles vernissées se couvrant de bouquets arrondis de fleurs aromatiques du milieu à la fin du printemps. Fruits bleu foncé.	2 m/2 m
V. carlesii	Zone 5	Boutons roses très parfumés s'épanouissant en fleurs blanches. Hybrides améliorés.	1,20-1,50 m/1,50 m
V. dentatum	Zone 4	Feuillage vert foncé tournant au rouge à l'automne sur tiges dressées. Cymes aplaties de fleurs blanches à la fin du printemps ; baies noires qui attirent les oiseaux.	2,50-3 m/1,80-2,50 m
V. lantana (viorne commune ou mancienne)	Zone 2	Arbuste vigoureux qui attire les oiseaux.	2,50-4 m/1,80-2,50 m
V. lentago (alisier ou bourdaine)	Zone 2	Arbuste développé caractérisé par de beaux coloris en automne et des fruits noir-bleu.	3,50 m/2,50 m
V. opulus 'Roseum,' ou *V. o. sterile* (viorne obier ou boule-de-neige)	Zone 2	Feuilles semblables à celles de l'érable, rougissant à l'automne. Fleurs en bouquets s'ouvrant à la fin du printemps. Arbuste stérile ne donnant pas de fruits.	3,50 m/3,50 m
V. plicatum tomentosum (boule-de-neige)	Zone 6	Ramure caractérisée par des branches horizontales. Dans chaque bouquet, les fleurs externes sont stériles. Les fleurs fertiles, situées au centre, donnent des fruits rouges devenant noir-bleu. Floraison de la fin du printemps au début de l'été.	3 m/2,50 m
V. sieboldii	Zone 4	Feuilles ridées, vernissées et ovales atteignant 15 cm de long. Fleurs malodorantes à la fin du printemps ou au début de l'été. Fruits rose foncé ou rouges devenant noir-bleu. Arbuste très décoratif. Excellent comme sujet isolé ou pour composer une haie robuste.	9 m/3-4,50 m
V. trilobum (pimbina ou viorne trilobée)	Zone 2	Fruits rouge vif persistant une partie de l'hiver. Comestibles, mais peu savoureux.	3,50 m /3 m

La viorne de David (Viburnum davidii), *une espèce à feuilles persistantes, est prisée pour son feuillage vert-bleu foncé. Les petites fleurs blanches de l'été sont suivies de baies bleu vif, qui restent sur l'arbuste tout l'hiver.*

Viburnum davidii

	Nom botanique et nom vulgaire, description générale	Utilisation et culture	Multiplication *(Voir aussi p. 53)*
	Viburnum (viorne) — suite		
Vitex agnus-castus (arbre-au-poivre)	**Vitex** (gattilier) Feuilles opposées à long pétiole, composées de 3 à 7 folioles pubescentes au revers. Minuscules fleurs parfumées réunies en épis terminaux et suivies de très petits fruits.	Cultiver cet arbuste en plein soleil, dans un sol bien drainé.	Stratifier les graines pendant trois mois à 4 °C avant de les semer. Marcotter les branches au sol. Prélever des boutures semi-aoûtées en été ou des boutures aoûtées en automne.
Weigela florida (weigela)	**Weigela** (weigela) Feuilles opposées. Fleurs en forme d'entonnoir, de plus de 2,5 cm de long, réunies en groupes de 3 au plus. La floraison se produit à la fin du printemps et au début de l'été.	Cultiver cet arbuste en plein soleil ou à la mi-ombre dans n'importe quelle bonne terre de jardin qui s'égoutte bien. Lorsque c'est nécessaire, le tailler aussitôt que les fleurs se sont fanées, car elles naissent sur de courtes pousses de l'année précédente.	Semer les graines quand elles sont mûres. Prélever des boutures herbacées au printemps ou des boutures aoûtées et sans feuilles en automne.
Yucca filamentosa (yucca de Virginie)	**Yucca** (yucca) Plante appréciée pour ses remarquables épis floraux. Fleurs en forme de coupe, de teinte généralement blanche ou jaunâtre.	Arbuste qui se cultive bien en bac. À installer en plein soleil, dans un sol sablonneux, à grosses particules. A rarement besoin d'être arrosé.	Semer les graines quand elles sont mûres. Prélever des boutures de racines ou repiquer les rejets pourvus de racines qui se forment à la souche.

Weigela 'Red Prince'

Yucca filamentosa

Les weigelas comptent parmi les arbustes florifères d'été les plus populaires. 'Red Prince' porte des grappes de fleurs rouge foncé en forme de trompette. Les yuccas arborent d'immenses épis de fleurs cireuses blanc-crème.

Espèces et variétés	Rusticité (Voir pages de garde)	Caractéristiques ornementales et remarques	Hauteur/étalement à maturité
À feuillage persistant V. davidii (viorne de David)	Zone 8	Feuilles coriaces et brillantes de 5 à 15 cm de long. Fleurs blanches au début de l'été suivies de fruits bleu clair du début au milieu de l'automne.	90 cm/1,50 m
V. dilatatum	Zone 5	Fleurs réunies en bouquets de 13 cm de diamètre à la fin du printemps et au début de l'été. Feuilles brun havane et fruits écarlates en automne.	2,75 m/1,80-2,75 m
V. odoratissimum	Zone 8	Feuilles lustrées. Fleurs odorantes à la fin du printemps. Fruits rouges devenant noirs.	3 m/1,50-1,80 m
V. rhytidophylloides 'Allegheny'	Zone 5	Arbuste rampant à feuilles étroites vert foncé, gaufrées. Fleurs blanc crème à la fin du printemps, suivies de fruits rouge vif.	3-4,50 m/3-4,50 m
V. rhytidophyllum	Zone 6	Feuilles gaufrées d'au plus 18 cm de long, semi-persistantes dans les régions froides. Fleurs blanc crème au début de l'été. Fruits rouges devenant noirs.	3 m/3-4,50 m
V. tinus (laurier-tin)	Zone 7	Feuilles lustrées très vertes de 5 à 7 cm de long. Les fleurs prennent une teinte rosée au milieu de l'été. Fruits bleu-noir. Donne de belles haies taillées. A besoin de protection hivernale dans son aire septentrionale.	3 m/2,50-3 m
À feuillage caduc Vitex agnus-castus (arbre-au-poivre ou gattilier commun)	Zone 8	Arbuste très attrayant à cultiver en Colombie-Britannique. Feuilles vertes lancéolées, grises au revers, dégageant une odeur agréable quand on les froisse. Petites fleurs parfumées pourpres ou bleues, réunies en épis de 18 cm, à la mi-été.	3 m/1,80-2,50 m
V. negundo (gattilier en arbre)	Zone 6	Folioles habituellement dentées. Fleurs bleu lavande foncé qui attirent les abeilles.	4,50 m/2,50-3,50 m
À feuillage caduc Weigela 'Bristol Ruby'	Zone 5	Innombrables fleurs rouge rubis quand elles s'ouvrent, devenant cramoisies avec des reflets jaunes quand elles sont adultes. Cet hybride fleurit à la fin du printemps, puis, de nouveau et abondamment, en été.	2 m/1,20-1,50 m
W. florida 'Pink Princess'	Zone 5	Feuilles elliptiques de 7 à 10 cm de long, à nervures velues au revers. Fleurs roses sur des branches étalées. Tolère un sol alcalin.	1,50-1,80 m/ 1,20-1,50 m
W. f. 'Variegata'	Zone 4	Arbuste remarquable par ses coloris, joignant des fleurs roses et des feuilles bordées de jaune pâle.	1,50 m/1,20 m
W. 'Java Red' ('Foliis Purpureis')	Zone 5	Feuillage teinté de pourpre. Boutons rouges donnant des fleurs roses, pâles au centre.	1-1,20 m/1,20-1,50 m
W. 'Minuet'	Zone 4	Fleurs rose vif sur une plante naine rustique, à feuillage foncé.	60 cm/60-90 cm
W. 'Red Prince'	Zone 5	Belle floraison rouge sur un arbuste érigé. Fleurit souvent deux fois.	1,50-1,80 m/1,20 m
W. 'Rumba'	Zone 4	Fleurs rouges à gorge jaune. Deuxième floraison à la fin de l'été. Feuillage pourpre.	90 cm/90 cm-1,20 m
W. 'Vanicek,' ou W. 'Newport Red'	Zone 5	Arbuste à fleurs rouges qui résiste bien aux rigueurs de l'hiver.	1,50-1,80 m/1-1,20 m
À feuillage persistant Yucca filamentosa (yucca filamenteux ou yucca de Virginie)	Zone 4	Feuilles se terminant en pointe acérée et dépassant 60 cm de longueur. Fleurs blanches, souvent de 10 cm de diamètre, apparaissant à la fin de l'été ; elles sont réunies en épis de 60 cm.	2,50-3 m/1,20-1,80 m
Y. glauca	Zone 3	Feuilles pointues vert-gris, à marge en dents de scie, excédant 60 cm de longueur. Fleurs de 10 cm de diamètre, souvent blanc-vert, parfois crème, groupées en épis et s'épanouissant au mois de juillet.	60 cm-1,20 m/ 1,20-1,80 m

Les actinidias sont très prisés pour leur feuillage ornemental panaché. Les clématites le sont pour leur abondante floraison; les clématites à grandes fleurs et à floraison prolongée ont la faveur des jardiniers.

Actinidia kolomikta

Clematis 'Henryi'

Petit guide des plantes grimpantes

Les plantes grimpantes ont deux avantages : leurs tiges volubiles peuvent être palissées pour mettre en évidence leur feuillage, leurs fleurs ou leurs fruits; en outre, elles occupent peu de place au sol. Certaines plantes grimpantes se fixent d'elles-mêmes à leur support au moyen de racines aériennes, de ventouses. D'autres ne grimpent que si elles sont attachées. Ces caractéristiques sont dans la première colonne des tableaux.

Les plantes grimpantes sont classées ci-dessous d'après leur nom botanique. Et elles ont été regroupées selon la nature de leur feuillage (caduc ou persistant), dans deux tableaux distincts.

Pour vérifier si une zone de rusticité correspond à une région, on consultera la carte des pages de garde.

Il faut de temps à autre tailler les plantes grimpantes (voir p. 67). Leur multiplication par marcottage en serpenteau ou «chinois» est expliquée en détail et illustrée à la page 59. On trouvera enfin à la page 47 des renseignements sur la plantation.

À FEUILLAGE CADUC

Actinidia kolomikta (actinidia)	*Ampelopsis brevipedunculata* (vigne vierge)	*Aristolochia durior* (arbre à pipes)	*Campsis radicans* (jasmin trompette)	*Celastrus orbiculatus* (célastre oriental)

Nom vulgaire et nom botanique, description générale	Espèces et variétés	Rusticité *(Voir pages de garde)*	Caractéristiques ornementales, soins particuliers, remarques
Actinidia (actinidia) Genre de plantes robustes, à tiges volubiles, à feuilles alternes et à fruits comestibles. Pour obtenir des fruits, il est nécessaire de cultiver des plants mâles et femelles côte à côte.	*Actinidia arguta* *A. chinensis* ((kiwi ou souris végétale) *A. kolomikta*	Zone 4 Zone 8 Zone 3	Feuilles ovales pouvant atteindre 13 cm de long. Petites fleurs verdâtres à la mi-été. Fruits sucrés jaune-vert. Croissance rapide et dense. Le cultivar 'Issai' est autofertile. Duvet velouté rouge sur les nouvelles pousses. Feuilles pouvant avoir 20 cm de long. Fleurs blanches ou jaunes au début de l'été. Les sujets mâles portent des marques blanches et roses sur les feuilles. Fleurs blanches au printemps. Fruits jaune-vert.
Ampelopsis (ampelopsis) Une fois que le plant est bien établi, ses racines aériennes s'attachent aux murs.	*Ampelopsis brevipedunculata* (vigne vierge)	Zone 4	Feuilles simples remarquablement lobées. Croissance très rapide. Grappes de fruits virant du pourpre clair au jaune puis au bleu foncé à l'automne.
Aristolochia (aristoloche) Tiges volubiles. Grandes et belles feuilles. Peut constituer un écran efficace.	*Aristolochia durior* (arbre à pipes)	Zone 5	Fleurs d'un brun jaunâtre, nauséabondes, ressemblant à de petites pipes. Feuilles arrondies pouvant atteindre 30 cm de longueur.
Campsis ou **Bignonia** (bignone) Plante de croissance rapide, à feuilles composées, dont les fleurs de couleur vive, en forme de trompette, attirent les oiseaux-mouches. Longues gousses. Doit être attachée en dépit de ses petites racines aériennes. Demande beaucoup d'espace.	*Campsis radicans* (jasmin trompette ou jasmin de Virginie) *C. tagliabuana* 'Madame Galen' (bignone Madame Galen)	Zone 5 Zone 6	Fleurs variant de l'orange au rouge, de 5 cm de diamètre, s'ouvrant à la mi-été. À peu près identique à *C. radicans*, mais avec des fleurs un peu plus grandes.
Celastrus (célastre) Tiges volubiles, feuilles pétiolées et alternes, habituellement caduques. Petites inflorescences verdâtres. Fruits colorés s'ouvrant à maturité pour révéler des graines à téguments rouge orangé.	*Celastrus orbiculatus* (célastre oriental) *C. scandens* (célastre grimpant ou bourreau des arbres))	Zone 5 Zone 3	Feuilles arrondies de 7 à 13 cm de long. Fruits orange apparaissant à l'aisselle des feuilles. Feuilles oblongues atteignant 13 cm de longueur. Fruits jaunes, toxiques. Plante tapissante ayant tendance à s'étaler et demandant donc beaucoup d'espace. Utile pour couvrir la crête d'un muret.

Les oiseaux-mouches adorent le jasmin trompette (Campsis). Quant à la glycine du Japon (Wisteria floribunda), elle peut devenir une plante grimpange très importante, au tronc tortueux; le treillis qui la supporte doit être très solide.

Campsis radicans 'Madame Galen' *Wisteria floribunda* 'Multijuga'

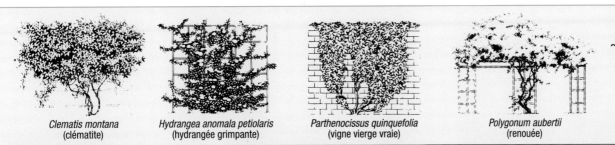

Clematis montana (clématite) *Hydrangea anomala petiolaris* (hydrangée grimpante) *Parthenocissus quinquefolia* (vigne vierge vraie) *Polygonum aubertii* (renouée) *Wisteria sinensis* (glycine de Chine)

Nom vulgaire et nom botanique, description générale	Espèces et variétés	Rusticité *(Voir pages de garde)*	Caractéristiques ornementales, soins particuliers, remarques
Clematis (clématite) Feuilles opposées et composées. Pédicelles volubiles qui s'accrochent au support. Une ombre partielle, un sol alcalin et un paillis peu dense garderont les racines dans un milieu frais et humide.	*Clematis alpina* *C. jackmanii* (clématite de Jackman)	Zone 4 Zone 4	Fleurs campanulées blanches, bleues ou roses, au printemps. Fleurs pourpres pouvant atteindre un diamètre de 15 cm, de la mi-été à la mi-automne. Hybride remarquable par ses nombreuses grandes fleurs.
	C. macropetala *C. montana*	Zone 2 Zone 6	Fleurs semi-doubles au printemps. Parfois deuxième floraison. Feuilles très dentées. Fleurs blanches de 2 à 7 cm s'ouvrant à la fin du printemps.
	C. tangutica *C. texensis*	Zone 1 Zone 5	Campanules jaune vif en été et à l'automne. Jolies graines. Feuilles ovales, vert-bleu. Fleurs écarlates en forme d'urne, de la mi-été au début de l'automne.
	C. viticella	Zone 3	Floraison estivale avec d'innombrables petites fleurs.
Hydrangea (hydrangée ou hortensia) Fleurs blanches. Feuilles opposées et dentées. Racines aériennes s'accrochant à un support.	*Hydrangea anomala petiolaris* (hydrangée grimpante)	Zone 5	Les branches secondaires peuvent s'étendre à 2,45 m de la tige principale et former un écran dense, utile pour dissimuler aux regards des objets peu esthétiques.
Parthenocissus (vigne vierge) Feuilles composées de 3 folioles, virant au rouge vif en automne. Petites fleurs peu visibles suivies de baies bleu foncé ou noires. Vrilles s'accrochant aux surfaces rugueuses.	*Parthenocissus quinquefolia* (vigne vierge vraie)	Zone 2	Grandes feuilles devenant d'un rouge ardent en automne. Baies bleu foncé ou noires recherchées par les oiseaux. Ne pas lui permettre de grimper aux arbres.
	P. q. engelmannii (vigne vierge d'Engelmann) *P. tricuspidata* (lierre de Boston)	Zone 2 Zone 5	Semblable à *P. quinquefolia*, mais s'en distingue par ses feuilles à folioles plus petites. Feuilles vertes et vernissées, atteignant 20 cm de large. Semi-persistantes dans les régions à climat doux.
	P. t. 'Veitchii'	Zone 5	Jeunes feuilles pourprées, de 1,5 à 2 cm de large.
Polygonum (renouée) Petites fleurs groupées en grappes ou en bouquets terminaux qui attirent les abeilles. Tiges volubiles.	*Polygonum aubertii*	Zone 6	Feuilles lancéolées ne dépassant pas 6 cm de long. Fleurs aromatiques, blanc-vert, s'épanouissant à la fin de l'été. Ne demande qu'une légère taille après la floraison.
Wisteria (glycine ou wistérie) Genre à grandes feuilles composées et à fleurs en forme de pois réunies en beaux bouquets pendants. Longues gousses veloutées en automne. Plante à tiges volubiles qui pénètrent dans les interstices des murs et peuvent causer des dommages ; demande un support robuste. Deux groupes de plantes : les unes, originaires de Chine, s'enroulent de gauche à droite ; les autres, du Japon, de droite à gauche.	*Wisteria floribunda* (glycine du Japon)	Zone 6	Fleurs bleu foncé ou violettes, réunies en bouquets atteignant 45 cm de longueur. Dans certains cas, les fleurs sont parfumées. Floraison à la fin du printemps.
	W. f. 'Longissima' *W. f.* 'Longissima Alba' *W. f.* 'Rosea' *W. f.* 'Royal Purple' *W. sinensis* (glycine de Chine)	Zone 6 Zone 6 Zone 6 Zone 6 Zone 6	Fleurs dont les coloris vont du violet au pourpre. Fleurs blanches exquisément parfumées. Fleurs rose pâle au parfum très marqué. Fleurs pourpres faisant un très bel effet. Fleurs parfumées bleu-violet, s'ouvrant à la fin du printemps et réunies en bouquets.
	W. s. 'Alba'	Zone 6	Fleurs d'un blanc pur. Plante remarquable, surtout quand elle côtoie des glycines à fleurs colorées.

L'akebia est une plante volubile et ligneuse. Ses fleurs dont le lourd parfum rappelle celui de la vanille ne sont pas très voyantes; elles ouvrent la nuit, à la fin du printemps.

Akebia quinata

À FEUILLAGE PERSISTANT

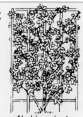
Akebia quinata
(akebia)

Fatshedera lizei
(fatshedera)

Hedera helix
(lierre commun)

Jasminum mesnyi
(jasmin)

Lonicera 'Dropmore Scarlet'
(chèvrefeuille)

Nom vulgaire et nom botanique, description générale	Espèces et variétés	Rusticité *(Voir pages de garde)*	Caractéristiques ornementales, soins particuliers, remarques
Akebia (akebia) Tiges volubiles à feuilles composées, caduques presque partout au Canada sauf dans les régions au climat très doux. Fleurs mâles d'un brun pourpre ; fleurs femelles havane. Prospère à l'ombre. Certaines formes sont envahissantes.	*Akebia quinata*	Zone 6	Feuilles à 5 folioles. Petites fleurs aromatiques, mais à peine visibles, s'ouvrant le soir à la fin du printemps. Gousses pourpres, comestibles, de 7 cm.
	A. trifoliata	Zone 7	Feuilles à 3 folioles de 5 à 7 cm de long. Pointes dentelées et marges ondulées. Arbuste de croissance rapide fleurissant du milieu à la fin du printemps.
Fatshedera (fatshedera) Feuilles semblables à celles du lierre commun, quoique plus grandes. Demande à être attaché.	*Fatshedera lizei*	Zone 8	Feuilles vernissées pouvant atteindre 18 cm de longueur sur 25 de largeur. Bouquets de 25 cm réunissant de petites fleurs vert clair du début au milieu de l'automne.
Hedera (lierre) Feuilles alternes, pétiolées et dentées ou lobées. Plante renommée pour son feuillage décoratif et qui produit de minuscules fleurs verdâtres ainsi que des fruits noirs. Tiges à petites racines aériennes s'accrochant aux surfaces rugueuses.	*Hedera canariensis* (l. des Canaries)	Zone 8	Feuilles de 15 cm de long. Ramilles et pétioles rouge foncé.
	H. c. variegata (lierre panaché)	Zone 8	Feuilles bordées de crème.
	H. colchica (lierre de Perse)	Zone 8	Feuilles rugueuses et vert foncé, parfois lobées, dont la largeur va de 10 à 25 cm.
	H. helix (lierre commun)	Zone 6	Feuilles de 5 à 13 cm de long, divisées en 3 à 5 lobes, vert foncé à revers jaunâtre.
	H. h. baltica (lierre anglais)	Zone 5	Variété à petites feuilles, très rustique.
Jasminum (jasmin) Plante facile à cultiver, caractérisée par des grappes de fleurs blanches, jaunes ou roses, parfumées. Feuilles composées, alternes ou opposées. Tiges peu volubiles demandant à être attachées à leur support. La plupart des sujets sont à feuillage persistant, ou de semi-persistant à caduc. Se cultive en règle générale dans une serre plutôt fraîche.	*Jasminum floridum*	Zone 8	Feuilles semi-persistantes ; fleurs jaunes à la mi-été.
	J. humile (jasmin d'Italie)	Zone 8	Feuilles parfois semi-persistantes. Inflorescences jaune d'or et parfumées.
	J. mesnyi jasmin	Zone 8	Feuilles vernissées atteignant 5 cm de longueur, semi-persistantes. Fleurs jaunes à la mi-printemps.
	J. nitidum jasmin	Zone 9	Feuilles coriaces, luisantes, pouvant atteindre 7 cm de long. Fleurs blanches très odorantes. Pas rustique sous 0 °C.
	J. officinale affine (jasmin commun)	Zone 9	Feuilles vernissées, semi-persistantes ou caduques. Fleurs blanches de 5 cm s'ouvrant à la mi-été.
Lonicera (chèvrefeuille) Tiges volubiles qui se fixent au support au moyen de petites ventouses. Fleurs tubuleuses réunies à l'extrémité des pousses secondaires ou groupées par deux à l'aisselle des feuilles, suivies de baies colorées dont les oiseaux raffolent. Préfère un sol humide, bien drainé et légèrement alcalin.	*Lonicera* 'Dropmore Scarlet'	Zone 2	Plante très rustique.
	L. heckrottii (chèvrefeuille Gold Flame)	Zone 4	Au début de l'été, fleurs rose-pourpre, à organes intérieurs jaunes et tubuleux, qui durent tout l'été. Feuillage semi-persistant, ou caduc dans les régions froides de sa zone de rusticité.
	L. henryi	Zone 6	Feuilles atteignant 10 cm de longueur. Fleurs axillaires, pourpres, de 2 cm de long au début de l'été. Fruits noirs.
	L. japonica (chèvrefeuille du Japon)	Zone 6	Cette espèce s'est naturalisée dans les régions les plus chaudes des États-Unis, où elle est devenue envahissante. 'Halliana', délicatement odorant, entre dans la composition de parfums. Les feuilles d''Aureo-maculata' sont veinées de jaune.
	L. sempervirens (chèvrefeuille de Virginie)	Zone 2	Feuillage semi-persistant dans les régions froides de sa zone de rusticité. Feuilles ovales à revers vert-bleu.

HAIES

Taillées ou laissées à elles-mêmes, les haies sont à la fois des éléments de décoration irremplaçables et des plantations très utiles.

Une haie peut avoir plusieurs utilités. Elle peut servir à enclore un terrain, à isoler certaines parties d'un jardin, à former des écrans derrière des plates-bandes ou des massifs et est en soi un véritable brise-vent.

Les arbustes à feuillage persistant sont les plus aptes à composer des haies puisqu'ils restent verts et denses en toute saison. Les plus intéressants dans cette catégorie sont sans doute l'if et le buis qui ont des ramures très touffues et n'ont besoin d'être taillés qu'une fois par an. Dans les régions où le climat le permet, le troène à feuilles persistantes constitue un bon choix parce qu'il pousse rapidement. Mais pour garder un aspect buissonnant et une allure soignée, il doit être taillé deux ou trois fois par an.

Les haies de conifères ont en général un aspect sombre et sévère, mais certaines variétés présentent un feuillage plus clair; c'est le cas du cyprès doré à feuilles filiformes qui compose une haie dense et compacte. La pruche est une essence renommée depuis longtemps à cette fin puisqu'on peut la tailler sans crainte de voir mourir les pousses. Pour obtenir un écran végétal épais, planter des jeunes conifères tous les 60 cm environ.

Quand une haie ne sert pas à délimiter un terrain, on peut la laisser fleurir et fructifier à sa guise. Le forsythie 'Lynwood', le lilas, la potentille frutescente, l'argousier et l'aubépine sont beaucoup plus spectaculaires quand ils sont laissés à l'état naturel.

La spirée peut mesurer de 90 cm à 1,50 m. Plusieurs espèces et variétés n'ont pas besoin d'être taillées. Certaines d'entre elles sont rustiques partout, sauf dans les zones 1 et 2. D'autres ne survivent pas dans les zones inférieures à 5.

On aligne parfois certains arbres pour créer des brise-vent de haute taille. Ils sont plus efficaces qu'une clôture ou un mur, parce que ceux-ci, en arrêtant brusquement le vent, provoquent une forte turbulence. Les arbres, au contraire, laissent passer l'air en le freinant progressivement. Au bord de la mer, les pins noirs d'Autriche, espacés de quelques mètres, forment un écran qui résiste aux effets desséchants des vents salins. Le tilleul est utile comme brise-vent à l'intérieur des terres.

On trouvera dans les pages qui suivent une liste des plantes à feuillage caduc ou persistant les plus fréquemment utilisées en haie. La hauteur, l'exposition et la zone de rusticité de chacune est indiquée. La hauteur donnée est celle à laquelle on taille habituellement la haie, mais elles sont capables de grandir davantage.

Pour savoir si une essence peut survivre aux froids les plus intenses qui sévissent dans une région en hiver, noter sa zone de rusticité et se reporter à la carte qui figure aux pages de garde.

Houx d'Europe
(*Ilex aquifolium*)

Forsythia intermedia 'Lynwood'

If d'Europe
(*Taxus baccata*)

Depuis le début du printemps jusqu'à la fin de l'automne, le feuillage luisant du hêtre commun (Fagus sylvatica) passe du vert le plus tendre aux tons vibrants de l'orange et du marron.

Fagus sylvatica

Haies à feuillage caduc

Caragana arborescens

Le caragan, *Caragana arborescens*, se couvre de fleurs jaunes en forme de pois à la fin du printemps. Cet arbuste vigoureux dont les feuilles peuvent atteindre 7,5 cm de longueur constitue en groupe un brise-vent efficace qui demande peu de soins. En automne apparaissent des gousses de 5 cm de long.

Hauteur : 1,20-4,50 m.
Exposition : au soleil.
Rusticité : zone 2.

Carpinus caroliniana

Le charme de Caroline, *Carpinus caroliniana*, est un petit arbre vigoureux dont les feuilles peuvent atteindre 13 cm de longueur. Lorsque la haie n'est pas taillée, des chatons apparaissent vers le milieu et la fin du printemps et sont suivis de bouquets pendants de petits fruits ailés.

Hauteur : 90 cm-1,50 m ou plus.
Exposition : au soleil ou à la mi-ombre.
Rusticité : zone 3.

Chaenomeles japonica

Le cognassier, *Chaenomeles japonica* ou *Cydonia japonica*, est un admirable arbuste nain à fleurs rouges qui s'épanouissent à la fin du printemps, avant la feuillaison. *C. speciosa* présente des inflorescences rouge vif au début ou au milieu du printemps, mais on trouve aussi des variétés à fleurs blanches ou roses.

Hauteur : *C. japonica*, 90 cm ; *C. speciosa*, 1,80 m.
Exposition : au soleil ou à l'ombre.
Rusticité : zone 5.

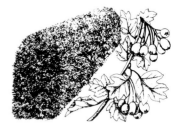

Crataegus crus-galli

Avec ses épines et ses branches touffues, l'aubépine, *Crataegus chrysocarpa*, constitue une haie redoutable et une barrière presque infranchissable. L'arbuste se pare de fleurs blanches, suivies de baies rouges. Le feuillage persiste jusqu'à tard en automne.

Hauteur : 90 cm-1,50 m ou plus.
Exposition : au soleil ou à la mi-ombre.
Rusticité : zone 2.

Elaeagnus angustifolia

L'olivier de Bohême, *Elaeagnus angustifolia*, présente des feuilles rubanées atteignant 13 cm de longueur, argentées au revers. Au début de l'été, il donne de petites fleurs au parfum de gardénia. Elles sont suivies de fruits jaunes et argentés dont les oiseaux raffolent. Il supporte un climat sec, un sol sablonneux et l'air salin.

Hauteur : 90 cm-4,50 m.
Exposition : au soleil ou la mi-ombre.
Rusticité : zone 2.

Fagus sylvatica

Le hêtre européen, *Fagus sylvatica*, et ses variétés à feuillage cuivre et pourpre sont utiles comme brise-vent. L'arbuste garde son feuillage brique durant tout l'hiver et une partie du printemps. Le hêtre pousse bien presque partout, sauf en terrain humide et lourd. Les branches sont d'une belle couleur grise.

Hauteur : 1,80-4,50 m ou davantage.
Exposition : au soleil ou à la mi-ombre.
Rusticité : zone 6

Forsythia intermedia

Forsythia intermedia est l'espèce qui présente les plus grandes fleurs. Au début ou au milieu du printemps, l'arbuste se couvre d'inflorescences jaunes. Comme presque tous les forsythies, il forme une haie dense. Variétés recommandées : 'Lynwood', 'Spring Glory' et 'Karl Sax'.

Hauteur : 90 cm-2,50 m.
Exposition : au soleil ou à l'ombre.
Rusticité : zones 5 ou 6.

Fuchsia magellanica 'Riccartonii'

On peut cultiver *Fuchsia magellanica* 'Riccartonii' dans les régions où les hivers sont doux. Ses fleurs rouge vif sont admirables en été. *F. magellanica* pousse très bien près de la mer ; ses fleurs solitaires, pourpres et rouges, s'ouvrent au début de l'été.

Hauteur : 60 cm-1,80 m.
Exposition : au soleil ou à la mi-ombre.
Rusticité : zone 8.

L'argousier (Hippophae rhamnoides)
est un excellent brise-vent, en particulier au bord de la mer. Avec ses fleurs
qui durent tout l'été (leur couleur
dépend de la variété), la potentille
frutescente (Potentilla fruticosa)
fait une belle haie naturelle.

HAIES 137

Potentilla fruticosa 'Red Ace'   Hippophae rhamnoides

Hippophae rhamnoides

L'argousier, *Hippophae rhamnoides*, porte des feuilles étroites vert-gris sur le dessus et vert argenté au revers. Cette espèce donne des baies orange en automne lorsque des sujets mâles et femelles sont cultivés ensemble. L'argousier peut être planté au bord de la mer, où il forme de belles haies.

Hauteur : 90 cm-4,50 m.

Exposition : au soleil ou à la mi-ombre.

Rusticité : zone 2.

Ligustrum

Plusieurs espèces de *Ligustrum* constituent d'excellentes haies. Ce sont des arbustes de croissance rapide à feuilles vernissées. *L. amurense* résiste aux grands froids. *L. obtusifolium* porte des baies noires en automne, tandis que *L. ovalifolium* présente un feuillage semi-persistant. *L. vulgare* pousse dans presque tous les sols et donne des fruits noirs.

Hauteur : 60 cm-3,50 m.

Exposition : au soleil.

Rusticité : zones 5 à 7.

Philadelphus

Plusieurs espèces et variétés de *Philadelphus* se prêtent à la culture en haie. Toutes présentent des fleurs blanches et parfumées vers le milieu de l'été. *P. coronarius* se distingue par des inflorescences de 4 cm de diamètre, tandis que *P. lemoinei* est un hybride à port dressé.

Hauteur : *P. coronarius*, 1,80-2,45 m ; *P. lemoinei*, 1,20-1,80 m.

Exposition : au soleil.

Rusticité : zones 3 ou 4.

Potentilla fruticosa 'Farreri'

Comme la plupart des potentilles, cette variété de *Potentilla fruticosa* compose une belle haie naturelle. Des fleurs jaunes s'épanouissent avec profusion en juin et la floraison se prolonge de façon irrégulière jusqu'aux gels. Aucune taille n'est requise ; il suffit de supprimer les tiges plus longues.

Hauteur : 90 cm.

Exposition : au soleil.

Rusticité : zone 2.

Prunus cerasifera

Prunus cerasifera, à feuillage vert sombre, compose une haie colorée lorsqu'il alterne avec *P. c.* 'Nigra' à feuilles pourpres. Tous deux présentent des bouquets de petites fleurs blanches au début du printemps, parfois suivies de remarquables petits fruits rouges ou jaunes.

Hauteur : 1,80-4,50 m.

Exposition : au soleil.

Rusticité : zone 5.

Prunus tomentosa

Peu après la fonte des neiges, les branches de *Prunus tomentosa* se couvrent de bouquets de fleurs rose pâle, suivies de cerises rouge vif au goût délicieux qui mûrissent en juillet. Si la haie est taillée ras, le feuillage masque presque complètement les fruits.

Hauteur : 90 cm-4,50 m.

Exposition : au soleil ou à la mi-ombre.

Rusticité : zone 2.

Rosa

Tous les rosiers arbustifs (*Rosa*) peuvent constituer des haies. Parmi les espèces particulièrement renommées se trouvent *R. harisonii* à fleurs jaune vif et *R. multiflora* à multiples fleurs blanches au début de l'été, suivies de fruits rouge vif en automne. *R. rugosa* a des fleurs blanches, roses ou rouges. Enfin, les rosiers floribunda font aussi de belles haies.

Hauteur : 90 cm-1,80 m.

Exposition : au soleil.

Rusticité : zones 3 à 5.

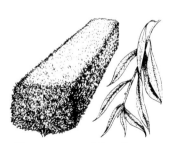

Salix purpurea 'Nana'

Salix purpurea 'Nana' présente de belles feuilles lisses allant du gris au vert-bleu sur des branches élancées. Le saule ne constitue pas un écran très efficace, mais il supporte bien les sols humides et lourds.

Hauteur : 60-90 cm.

Exposition : au soleil.

Rusticité : zone 2.

Renommé pour sa croissance rapide, le cyprès de Leyland (Cupressocyparis leylandii) est idéal pour les haies de haute taille. La variété 'Robinson's Gold' a des feuilles jaunes au printemps et vert lime en automne.

Cupressocyparis leylandii 'Robinson's Gold'

Haies à feuillage persistant

Berberis stenophylla

L'épine-vinette, *Berberis stenophylla*, se caractérise par des branches arquées garnies de feuilles d'environ 2,5 cm de long et, au printemps, par des fleurs jaune d'or en bouquets, suivies de baies pourpres en automne. Cet arbuste supporte la taille. Une espèce très rustique, *B. julianae*, présente des feuilles dentées de 7-8 cm.

Hauteur : 90 cm-1,80 m.

Exposition : au soleil ou à la mi-ombre.

Rusticité : zone 6.

Buxus sempervirens

La plupart des buis peuvent être utilisés pour former des haies. *Buxus sempervirens* présente des feuilles vert sombre atteignant 3 cm de longueur. Il prend le port d'un arbre s'il n'est pas taillé. C'est un arbuste qui donne une haie très serrée.

Hauteur : 30-60 cm ou davantage.

Exposition : au soleil ou à la mi-ombre.

Rusticité : selon l'espèce.

Camellia

La plupart des espèces de camélia se prêtent bien à la culture en haie. Il existe plusieurs variétés de *Camellia japonica* à grandes fleurs spectaculaires blanches, roses, rouges ou panachées, s'épanouissant de la mi-automne à la mi-printemps. Leurs feuilles rubanées et d'un vert sombre atteignent 10 cm de longueur.

Hauteur : 90 cm-3,50 m ou plus.

Exposition : à la mi-ombre.

Rusticité : zone 8.

Chamaecyparis lawsoniana

Tous les arbustes dressés de ce genre peuvent se cultiver en haie. *Chamaecyparis lawsoniana* présente une ramure touffue garnie de feuilles souples. Cette espèce demande beaucoup d'humidité. *C. thyoides* se distingue par de petites feuilles vert clair en forme d'écailles et une écorce d'un brun rougeâtre. Cet arbuste pousse bien en sol humide.

Hauteur : 1,20-4,50 m ou davantage.

Exposition : au soleil.

Rusticité : selon les espèces.

Cotoneaster

Cotoneaster lacteus est un gracieux arbuste à branches arquées, dont les ramilles portent des poils blanchâtres. Il forme une haie majestueuse. Son feuillage est vert sombre. Des fleurs blanches apparaissent à la fin du printemps, suivies en automne par des baies rouges qui durent une partie de l'hiver.

Hauteur : 1,80-3,65 m.

Exposition : au soleil ou à la mi-ombre.

Rusticité : zone 7.

Cupressocyparis leylandii

Le cyprès de Leyland, *Cupressocyparis leylandii*, est un conifère d'une très grande vigueur utilisé pour constituer une haie haute. Cet hybride de croissance rapide présente un port colonnaire distinctif et des petites feuilles en forme d'écailles. C'est un sujet à choisir lorsqu'on veut obtenir une haie rapidement.

Hauteur : 90 cm-4,50 m ou plus.

Exposition : au soleil ou à la mi-ombre.

Rusticité : zone 7.

Escallonia

Escallonia rubra se distingue par des ramilles rougeâtres pouvant atteindre 5 cm de longueur. Ses feuilles lancéolées sont un peu collantes. À la mi-été apparaissent de petites fleurs rouges groupées en bouquets pendants et souples. Plusieurs de ses variétés se prêtent également à la culture en haie.

Hauteur : 90 cm-3,50 m.

Exposition : au soleil.

Rusticité : zone 8.

Euonymus

Euonymus japonicus est un arbuste à feuilles vernissées vertes, admirablement panachées chez plusieurs variétés, et qui porte de petites fleurs jaunes à peine visibles au printemps, ainsi que des baies roses en automne. Le fusain croit dans n'importe quel sol pourvu qu'il soit bien drainé. Il se taille sans problème.

Hauteur : 60 cm-3,50 m.

Exposition : au soleil ou à la mi-ombre.

Rusticité : zone 8.

On peut faire de très belles haies avec le houx d'Europe (Ilex aquifolium) — et plus particulièrement avec la variété 'Silver Queen'—, de même qu'avec Osmanthus heterophyllus.

Ilex aquifolium 'Silver Queen'

Osmanthus heterophyllus

Hebe

Les feuilles partiellement superposées et de 2,5 cm de *Hebe buxifolia* composent une verdure intéressante. À la mi-été, des fleurs blanches s'épanouissent en épis de 2,5 cm. Cet arbuste est très répandu sur la côte Ouest. Il tolère les sols sablonneux et demande peu d'arrosage et peu de fertilisation.
Hauteur : 60 cm-1,20 m.
Exposition : au soleil.
Rusticité : zone 8.

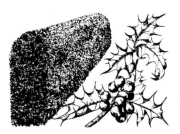

Ilex aquifolium

Le feuillage de *Ilex aquifolium*, ou houx d'Europe, sert de décoration à Noël. Des feuilles luisantes et vert sombre ainsi qu'une ramure touffue destinent cet arbuste à la culture en haie. Ses fruits rouge vif durent une partie de l'hiver. *I. opaca* présente des feuilles ternes sur le dessus et vert-jaune en dessous et des fruits rouges.
Hauteur : 1,20-4,50 m ou davantage.
Exposition : au soleil ou à la mi-ombre.
Rusticité : zone 7.

Ligustrum japonicum

Ligustrum japonicum a des feuilles luisantes et vert foncé de 10 cm de long environ. Des bouquets de fleurs de 10 à 15 cm de long se forment sur les sujets non taillés, de la mi-été jusqu'au début de l'automne. *L. lucidum* porte des feuilles plus grandes que celles de *L. japonicum* et ses bouquets floraux peuvent atteindre près de 25 cm.
Hauteur : 90 cm-4,50 m.
Exposition : au soleil ou à la mi-ombre.
Rusticité : zone 9.

Lonicera nitida

Le chèvrefeuille arbustif, *Lonicera nitida*, est cultivé principalement pour ses petites feuilles qui donnent une haie très dense. L'arbuste présente des fleurs parfumées vert-jaune ou vert-blanc au milieu ou à la fin du printemps, mais elles sont peu nombreuses et presque invisibles. Cette espèce résiste aux embruns.
Hauteur : 60 cm-1,20 m.
Exposition : au soleil ou à la mi-ombre.
Rusticité : zone 8.

Mahonia aquifolium

Mahonia aquifolium est un arbuste à feuilles de houx d'un vert brillant. Il est renommé pour ses bouquets dressés de fleurs d'un jaune appuyé qui s'ouvrent à la fin de l'hiver ou au début du printemps. Elles sont suivies de fruits noir-bleu comestibles. Aux limites de sa zone de rusticité, ce mahonia perd ses feuilles en hiver.
Hauteur : 60-90 cm.
Exposition : à la mi-ombre.
Rusticité : zone 5.

Osmanthus

La plupart des espèces d'osmanthus se prêtent à la culture en haie. *Osmanthus heterophyllus* a des feuilles vernissées ovales ou oblongues, pouvant dépasser 5 cm de longueur. Ses fleurs aromatiques d'un blanc verdâtre, qui durent tout l'été, sont suivies en automne par des baies bleu-noir. L'arbuste supporte bien la taille.
Hauteur : 90 cm-4,50 m.
Exposition : au soleil ou à la mi-ombre.
Rusticité : selon les espèces.

Picea

L'épinette de Norvège, *Picea abies*, et l'épinette blanche, *P. glauca*, font d'excellentes haies de grande taille. Périodiquement taillés, ces arbustes peuvent résister pendant un demi-siècle au moins. Il ne faut pas les laisser trop grandir, cependant, pour leur éviter un rabattage sévère qui rend la reprise difficile.
Hauteur : 1,50-2,10 m.
Exposition : au soleil.
Rusticité : *P. abies,* zone 2 ; *P. glauca,* zone 1.

Pinus strobus

Bien des espèces de pins forment de bonnes haies brise-vent, mais peu donnent d'aussi bons résultats que *Pinus strobus*. Sa ramure demeure souple malgré des tailles répétées. *P. cembra* est un peu plus rustique et se cultive bien en haie lui aussi.
Hauteur : 1,50-2,10 m.
Exposition : au soleil ou à la mi-ombre.
Rusticité : zone 2.

Pour une haie décorative, le petit cyprès (Santolina chamaecyparissus) est un bon choix avec ses petites fleurs jaunes et son feuillage aromatique. La variété 'Elegantissima' de l'if du Japon est recherchée pour son feuillage rayé de jaune.

Santolina chamaecyparissus 'Lemon Queen'

Taxus baccata 'Elegantissima'

Haies à feuillage persistant *(suite)*

Pittosporum tobira

Pittosporum tobira présente des feuilles remarquables, vert foncé, qui peuvent atteindre 10 cm de longueur. Des fleurs blanc crème en bouquets s'ouvrent à la fin du printemps. Bien que peu apparentes, les fleurs sont fortement parfumées. Cet arbuste se cultive bien en haie près de la mer, mais seulement sur la côte Ouest.
Hauteur : 90 cm-3,50 m.
Exposition : au soleil ou à la mi-ombre.
Rusticité : zone 9.

Prunus

Le laurier du Portugal, *P. lusitanica*, et le laurier-cerise, *P. laurocerasus*, sont des arbustes qui peuvent atteindre le port d'un arbre petit ou moyen s'ils ne sont pas taillés. Luisantes et dentées, leurs feuilles ont environ 10 cm de long, et leurs fleurs blanches et parfumées sont suivies de fruits pourprés.
Hauteur : 1,20-4,50 m.
Exposition : au soleil.
Rusticité : zone 7.

Pyracantha

Les nombreuses espèces de *Pyracantha* portent toutes des épines et sont renommées pour leurs petites fleurs blanches et leurs grappes de fruits colorés en automne. *P. coccinea* 'Lalandei' se distingue par des feuilles ovales de 4 cm de long environ. Les feuilles de *P. crenulata* mesurent souvent jusqu'à 8 cm. Ces deux espèces ont des baies rouge orangé.
Hauteur : 90 cm-3,50 m.
Exposition : au soleil.
Rusticité : selon les espèces.

Santolina

Le petit cyprès, *Santolina chamaecyparissus*, est un joli arbuste nain à feuilles argentées très découpées, en forme de fronde. À la mi-été, des fleurs arrondies, jaune citron, ajoutent à la beauté de la haie. Cette plante n'a pas besoin d'être taillée. Aux limites septentrionales de sa zone de rusticité, il faut la protéger avec d'épais paillis en hiver.
Hauteur : 30-60 cm.
Exposition : au soleil.
Rusticité : zone 9.

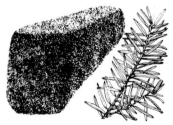

Taxus

Tous les ifs de haute taille peuvent constituer une haie. L'if du Japon, *Taxus baccata*, est un conifère trapu vert sombre et à fruits vert-brun, de croissance lente. Les baies rouges de *T. cuspidata* font un joli contraste avec son feuillage sombre, tandis que l'hybride *T. media* est un sujet rustique de très belle apparence.
Hauteur : 60 cm-4,50 m.
Exposition : au soleil ou à l'ombre.
Rusticité : selon les espèces.

Thuja occidentalis

Thuja occidentalis est probablement l'un des conifères les plus employés au Canada pour former des haies. La plupart des thuyas viennent de la forêt et demandent plusieurs années avant d'avoir un feuillage dense. Les sujets cultivés en pépinière deviennent touffus plus rapidement.
Hauteur : 1,20 m ou davantage.
Exposition : au soleil ou à la mi-ombre.
Rusticité : zone 3.

Thuja plicata

Thuja plicata est un arbre de croissance rapide portant un beau feuillage vert foncé. Aux limites de sa zone de rusticité, ses feuilles virent au bronze en automne et gardent ce coloris en hiver. Il prospère dans un terrain et dans une atmosphère très humides.
Hauteur : 1,80-4,50 m ou davantage.
Exposition : au soleil.
Rusticité : zone 6.

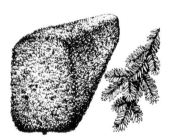

Tsuga canadensis

Les aiguilles de *Tsuga canadensis* sont vertes sur le dessus et gris clair au revers. Ce conifère à port érigé demande une humidité modérée, doit être protégé des vents violents et ne supporte ni la chaleur ni la pollution atmosphérique. D'autres pruches font aussi de belles haies.
Hauteur : 1,80-4,50 m ou davantage.
Exposition : au soleil ou à la mi-ombre.
Rusticité : zone 4.

Le thuya occidental, ou cèdre blanc (Thuja occidentalis), est un choix courant pour les haies dans nos régions. La variété 'Sunkist' se distingue par ses feuilles à pointes jaunes.

Thuja occidentalis 'Sunkist'

Pour obtenir une belle haie

On peut planter des arbustes soit sur une seule rangée, soit en quinconce. La disposition en quinconce donne une haie plus fournie.

Les arbustes à feuillage caduc peuvent être plantés en automne, à la fin de l'hiver ou au printemps, voire même en hiver, du moment que le sol n'est pas gelé. On plante les arbustes à feuilles persistantes de préférence au début de l'automne ou au printemps.

Si les plants arrivent avant qu'on soit prêt à les planter et que leurs racines soient à découvert, les mettre dans une tranchée peu profonde et couvrir leurs racines de terre.

Avant la plantation, creuser une tranchée de 60 cm de large, de 30 cm de profondeur et de la longueur de la haie projetée. La largeur de la tranchée peut dépasser 60 cm si la motte de racines l'exige.

Retourner le fond en incorporant au sol de la tourbe ou du compost à raison d'une demi-brouettée par mètre de tranchée. Mélanger au sol de surface assez de compost, de tourbe ou d'autre matière organique pour alléger. Ajouter aussi du superphosphate (2-3 cuillerées à soupe pour 2 m de tranchée). Remplir la tranchée de cette terre amendée. Tracer au cordeau la ligne de plantation.

Si l'on choisit la méthode de plantation en quinconce, espacer les rangs de 45 cm.

Creuser des trous assez grands pour contenir la motte de racines ou pour que les racines des plants à nu puissent s'étaler librement. Au besoin, effectuer un double creusage (voir p. 471). Enfoncer chaque arbuste jusqu'à la trace laissée sur la tige par son ancien terreau. Verser de la terre entre les racines des sujets non emmottés. Agiter doucement les arbustes de haut en bas afin d'éliminer les poches d'air. Finir de remplir les trous.

Ensuite, fouler la terre du pied et bien arroser pour qu'il ne reste aucun interstice entre les racines. Pour empêcher le vent de saper les arbustes fraîchement plantés, enfoncer solidement des piquets à chaque extrémité de la haie et tendre un fil métallique entre eux. Attacher chaque arbuste au fil. On peut tout aussi bien tuteurer chaque sujet, mais il faudra dans ce cas enfoncer les tuteurs dans le sol avant la plantation pour ne pas risquer d'endommager les racines.

Il faut compter quelques semaines pour que les arbustes se remettent du choc de la transplantation. Lorsque la haie se trouve dans un endroit exposé au vent, il faut craindre le flétrissement des arbustes, surtout s'il s'agit d'espèces à feuillage persistant. Pour éviter ce danger, protéger les plantes au moyen d'un écran de jute ou de branchages.

Pour réduire l'évaporation par les feuilles chez les arbustes à feuillage persistant, les vaporiser avec un produit antidessiccatif. En cas de sécheresse dans les mois qui suivent la plantation, arroser généreusement au moins une fois par semaine.

Taille d'une jeune haie Dans le cas d'une haie libre, il suffit généralement de rabattre les plants d'un tiers après la plantation.

Les haies classiques, cependant, doivent être larges et épaisses à la base. Pour obtenir des arbustes uniformes, rabattre les plants d'un tiers ou de la moitié après la plantation.

Rabattre de nouveau les arbustes d'un tiers ou de la moitié jusqu'à ce qu'ils aient la hauteur voulue. Les garder ensuite à cette hauteur en les taillant chaque année.

Pour établir la hauteur de coupe, tendre une ficelle entre deux piquets et rabattre jusqu'à ce niveau. Rétrécir la haie vers le haut de façon à lui donner une base bien garnie.

Les haies classiques seront taillées deux ou trois fois par an, au printemps et en été. Les arbustes en haie libre dont les fleurs naissent sur du bois de l'année précédente seront taillés après la floraison. Ceux dont les fleurs naissent sur les nouvelles pousses seront taillés au printemps.

On taillera avec des cisailles les arbustes à petites feuilles, comme le troène ou le buis. On rabattra ceux à grandes feuilles avec un sécateur. Les cisailles électriques coupent bien les jeunes pousses herbacées, mais elles n'ont souvent pas la puissance voulue pour rabattre les branches ligneuses sans les déchiqueter.

La fertilisation de routine se fait au printemps avec un engrais complet. Faire un deuxième épandage au début de l'été en arrosant si le sol est sec. Pour garder de l'humidité en cas de sécheresse, pailler les arbustes.

PLANTATION ET TAILLE D'UNE HAIE

1. Faire une tranchée de 60 cm de large, mettre de la tourbe et remplir.

2. Creuser des trous à intervalles réguliers et y installer les plants.

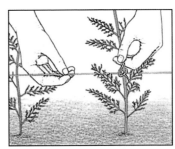

3. Consolider les plants en les attachant à un fil métallique horizontal.

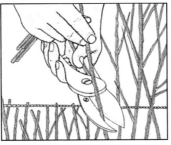

4. Dans le cas d'une haie classique, rabattre les plants de moitié.

5. Chaque année, couper la moitié de la croissance annuelle.

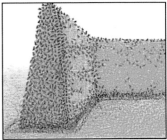

6. Amincir la haie adulte au sommet pour que sa base soit bien dense.

CHRYSANTHÈMES

Originaire de Chine et objet d'un culte au Japon, le chrysanthème figure parmi les fleurs que l'on cultive le plus fréquemment dans les zones tempérées du globe.

C'est au moment où les jours raccourcissent, à la fin de l'été, que les chrysanthèmes consacrent leur énergie à produire des fleurs, leur poussée végétative étant alors terminée. Les fleurs s'épanouissent environ six semaines après l'apparition des boutons. Certaines variétés exigent jusqu'à 12 semaines de jours moyennement courts pour fleurir. Les délais de floraison sont d'ailleurs habituellement indiqués dans les catalogues.

Des révisions botaniques ont placé certains chrysanthèmes dans le genre *Dendranthema*. Pour simplifier les choses, nous les maintenons tous dans le genre *Chrysanthemum*.

On qualifie souvent de rustiques les sujets buissonnants de courte taille. C'est une source de confusion. Tous les chrysanthèmes vivaces ont des racines capables de supporter des températures légèrement inférieures au point de congélation. Mais l'alternance des gels et des dégels déchausse souvent ces plants à racines peu profondes et cela provoque leur dépérissement.

Pour parer à ce danger, on conseille de déterrer les plants après la floraison et de les garder sous châssis froid pendant l'hiver, ou de les coucher sur le sol du côté nord de la maison et de les couvrir de paille. Si le sol est bien égoutté, il suffit de les recouvrir, quand le sol est gelé, d'un paillis léger de 5 à 10 cm d'épaisseur.

Achat de plants par la poste

L'hiver n'est pas terminé qu'arrivent les catalogues de chrysanthèmes. Mieux vaut alors ne pas se laisser emporter par l'enthousiasme. À multiplier les variétés, on risque d'avoir une plate-bande disparate. En outre, il est généralement plus économique de commander trois plants d'une même variété qu'un seul de trois variétés différentes.

Les racines des plants envoyés par la poste sont enfermées dans une matière qui garde l'humidité. Si les plants semblent avoir séchés, il suffit de les faire tremper une nuit dans de l'eau. On les plantera ensuite dans des contenants ou directement au jardin, si la température le permet.

Prélèvement de boutures herbacées

Les nouvelles pousses qui apparaissent à la souche des vieux pieds de chrysanthèmes sont dites « herbacées » parce qu'elles sont souples. Pour en tirer des boutures, on prélève des pousses de 6 à 7 cm en mai ou en juin.

Comme les chrysanthèmes sont des plantes à stolons, avant de sectionner une pousse, suivre du doigt le stolon qui la rattache à la plante mère pour éviter de couper par mégarde une autre plante. Pincer les feuilles inférieures de la pousse sans abîmer l'épiderme de la tige. Avec une lame de rasoir, couper la tige sous un nœud.

Planter les boutures dans des trous de 2,5 cm de profondeur, espacés de 5 cm et pratiqués dans un substrat d'enracinement—sable lavé ou mélange à base de tourbe, de perlite ou de vermiculite ; les proportions ont peu d'importance dans la mesure où le mélange demeure humide, sans être gorgé d'eau.

Pour protéger les boutures de toute infestation, les plonger dans un insecticide-fongicide avant la plantation. Pour accélérer l'enracinement, mettre de la poudre d'hormone sur le pied des boutures et les placer dans une caissette chauffante ou sous châssis froid.

Formes de capitule

Incurvée-récurvée · Semi-incurvée · Semi-double · Araignée · Pompons · Semi-récurvée · Incurvée

'Clara Curtis', avec ses simples fleurs rose pâle, est une belle variété de jardin. Dendranthema weyrichii est une forme rampante qui convient aux plates-bandes.

Chrysanthemum 'Clara Curtis'   Dendranthema weyrichii

Culture des chrysanthèmes

Préparation du sol des plates-bandes

Pour se développer, les chrysanthèmes établis ont besoin d'une situation ensoleillée, d'apports réguliers d'engrais et de beaucoup d'espace. Leur système radiculaire réclame en outre une terre légère qui s'égoutte rapidement. Un sol spongieux pendant leur croissance ou pendant leur dormance, l'hiver, peut les tuer.

Lorsqu'on est aux prises avec un sol compact, argileux et qui s'égoutte mal, il est préférable d'installer les chrysanthèmes dans des plates-bandes surélevées. Pour construire celles-ci, utiliser un cadre de bois de 15 à 20 cm de haut ou des blocs de béton léger de 10 cm de haut.

Additionnés de tourbe et de terreau de feuilles, les sols sablonneux ou légèrement argileux fournissent aux chrysanthèmes les matières organiques et le milieu modérément acide qu'il leur faut pour prospérer.

Bien que les chrysanthèmes puissent être mis en terre dès que tout risque de gel est écarté, tous les sujets présentant le même délai de floraison fleuriront à peu près au même moment, peu importe la date de leur transplantation. Il n'y a donc pas intérêt à hâter leur mise en terre, car on risque alors d'obtenir des sujets trop développés.

Plantation et espacement

Abandonnés à eux-mêmes, les chrysanthèmes buissonnants peuvent s'étaler sur environ 1 m de diamètre en trois ou quatre ans. En freinant sa croissance, on incite cette vigoureuse plante à convertir son énergie en fleurs, sans doute moins nombreuses, mais assurément plus grosses et plus belles.

On cultive les variétés hâtives surtout pour l'effet de masse qu'elles produisent. Cependant, certaines donnent des bouquets terminaux et des fleurs assez spectaculaires pour mériter d'être présentées aux expositions. Si l'on recherche la quantité, on espacera les plants de 60 cm environ. Bien dirigée, la plante forme un monticule et se couvre de fleurs. Certaines variétés de jardin se cultivent en uniflore ou sur une seule tige et produisent des fleurs à couper.

On peut cultiver les chrysanthèmes en monticule dans une plate-bande à l'écart du jardin principal — dans le jardin potager, par exemple. Quand les boutons commencent à se colorer, déplanter les plants en prenant une bonne motte de terre et les transplanter au jardin. Si un gel hâtif les menace, il suffit souvent d'installer un couvre-rang sur les fleurs pour les protéger.

Arroser légèrement les sujets en pots de grès ou de plastique avant le dépotage. Renverser le pot sur la paume de la main en maintenant la tige entre deux doigts, et donner de légers coups sur le rebord. La motte devrait glisser hors du pot sans se briser. Installer les plantes dans des trous de dimensions équivalentes à celles de la motte et tasser la terre.

Paillage

Un paillis garde le sol frais et freine la croissance des mauvaises herbes. La tourbe, les feuilles à demi décomposées, les cosses de fèves de cacao ou d'autres matières organiques peuvent servir de paillis, tout comme une couche de feuilles recouverte d'une couche de tourbe de 2,5 cm. Ne pas oublier que la tourbe finit par se tasser et peut empêcher l'humidité de gagner les racines.

Chrysanthèmes en caissette

Du repiquage à la mise en place définitive au jardin, on peut laisser les chrysanthèmes dans des caissettes semblables à celles qui ont servi au bouturage. De cette façon, les jeunes plants pourront développer leur système radiculaire dans la terre, sans courir les risques de sécheresse ou, au contraire, d'humidité excessive que présentent souvent les sols de jardin au printemps.

Pour le repiquage en caissette, donner la préférence à un substrat de culture léger et nutritif, soit un mélange du commerce, soit un autre composé en parties égales de terre riche ou de compost, de tourbe et de sable lavé ou de perlite.

Empoter les boutures de chrysanthèmes dans des pots de 7,5 cm de profondeur, en grès, en plastique ou en tourbe comprimés. Les deux premiers types de contenants peuvent servir à nouveau, tandis que le pot de tourbe se met en terre avec le plant.

Lorsque le sol est humide, les racines ont tôt fait de transpercer la tourbe et celle-ci se désagrège peu à peu.

Il est préférable de garder les chrysanthèmes dans des pots pendant deux ou trois semaines avant leur mise en place définitive au jardin. Cette méthode nécessite évidemment plus d'efforts que le repiquage immédiat en pleine terre. Elle permet cependant d'obtenir des plants plus vigoureux que ceux qui sont hâtivement soumis aux rigueurs et aux variations du climat.

Plantation au jardin

Les boutures peuvent être repiquées au jardin sitôt qu'elles ont des racines. Il faudra cependant leur accorder beaucoup de soins : voir à ce qu'elles ne se dessèchent pas au soleil, les préserver contre les attaques des ravageurs et les protéger contre les dégâts causés par les grandes pluies et les vents violents. Il est donc préférable de leur procurer une certaine forme d'abri jusqu'à ce qu'elles soient parfaitement établies.

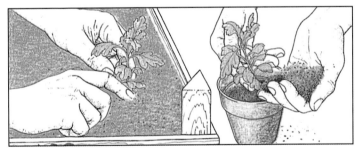

1. *Quand les boutures ont des racines, on peut les repiquer dans des caissettes ou dans des pots en attendant de les transplanter au jardin.*

2. *Ne pas laisser les boutures sécher, mais ne pas les inonder non plus.*

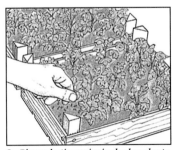

3. *Pincer la tige principale des plants établis pour qu'ils buissonnent.*

Les chrysanthèmes de jardin de la variété 'Debonair' produisent des capitules de 20 cm sur des tiges robustes. Celles-ci peuvent atteindre 50 cm de haut.

Chrysanthemum 'Debonair'

Tuteurage des pieds de chrysanthèmes

Les horticulteurs ont développé plusieurs façons de tuteurer les pieds de chrysanthème. Lorsque les plants ne portent que quelques fleurs, il suffit d'attacher chaque tige à un piquet d'acier ou de bambou (voir l'illustration ci-dessous) avec du fil de fer recouvert de plastique ou de papier.

Le tuteurage peut également se faire à l'aide d'arceaux métalliques dotés de trois ou quatre pieds en fil de fer. Ces supports, qui servent habituellement à soutenir les plants de pivoine, sont très résistants et se plient pour le rangement. Les arceaux don-

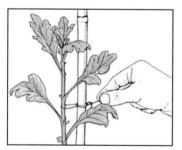

Il est nécessaire de tuteurer les pieds à grandes fleurs.

Entretien d'été

Fertilisation Plusieurs type d'engrais conviennent, depuis les granules de formule 5-10-5 jusqu'aux liquides de formule 20-20-20, y compris les engrais à dissolution progressive incorporés à la terre lors de la plantation. Une surfertilisation favorise la production de feuilles aux dépens des fleurs. Il faut donc s'en tenir à un apport par semaine et couper la dose de moitié.

Arrosage S'il fait sec, arroser à fond une fois par semaine. Les plants ont besoin de très peu d'eau après que les boutons se sont colorés. Un arrosage au jet convient en été, mais peut causer du mildiou en automne.

nent de bons résultats pour des plants de moins de 90 cm de haut.

Lorsqu'il s'agit de tuteurer une plate-bande entière de chrysanthèmes, la méthode du quadrillage est plus pratique. Elle consiste à relier des ficelles à des supports en fil métallique pour délimiter des carrés de 20 à 25 cm de côté contenant chacun une plante. On fixe la première ficelle lorsque les plants ont environ 30 cm de haut ; on en rajoute à mesure que les plants grandissent.

Pincement et éboutonnage

Pour qu'ils se développent bien et produisent de grosses fleurs, il faut «pincer» les chrysanthèmes. C'est une technique qui consiste, lorsque le plant a atteint 15 à 20 cm de hauteur, à supprimer sur la tige maîtresse 2 cm de nouvelle pousse. Ceci entraîne la production de pousses latérales—généralement trois—juste au-dessous de la cassure.

On pince ensuite ces nouvelles pousses lorsqu'elles mesurent elles-mêmes 15 cm et on pourra refaire la même opération, le cas échéant, s'il reste au moins 90 jours avant la date normale de floraison.

ENGRAIS

Entourer la plante d'engrais en granules avant de l'arroser.

Ravageurs et maladies des chrysanthèmes

On trouvera dans le tableau ci-dessous quelques-uns des problèmes que l'on peut rencontrer dans la culture des chrysanthèmes. Les symptômes sont énumérés dans la première colonne, la cause et le traitement sont indiqués dans les deux autres. Si un sujet présente des symptômes non décrits ci-dessous, se reporter au chapitre «Ravageurs et maladies», à la page 474.

Symptômes	Cause	Traitement*
Sillons blancs sinueux dans les feuilles.	Mineuses	Couper les feuilles minées. Vaporiser de Diazinon.
Boutons et fleurs déformés. Feuilles déformées ou criblées de trous.	Punaises à quatre raies, ou arlequins	Vaporiser de Diazinon, de malathion, de méthoxychlore ou de roténone.
Feuilles tachetées de brun. Toiles au bout des nouvelles pousses.	Tétranyques (araignées rouges)	Vaporiser de dicofol, de savon insecticide ou de malathion.
Jeunes pousses dévorées, surtout sur les stolons.	Limaces (s'il y a des traînées baveuses) ou chenilles	Limaces : appâts granulés de métaldéhyde ou soucoupes de bière. Chenilles : *Bacillus thuringiensis*.
Taches triangulaires ou en V entre les nervures des feuilles.	Nématodes (anguillules du chrysanthème)	Brûler les feuilles atteintes. Vaporiser de Diazinon.
Plants jaunis et chétifs. Flétrissement des feuilles et des pousses, les jours chauds et ensoleillés. Tiges grêles ; feuilles petites et décolorées.	Anguillules des racines ou symphiles dans le sol.	Imbiber le sol de Diazinon. Ne pas replanter dans cet endroit.
	Manque d'eau.	Arroser au besoin.
	Manque d'engrais ou chlorose	Fertiliser ; au besoin, avec plusieurs cuillerées à soupe de sulfate de magnésium.
Rayons floraux tachés de brun. Fleurs déformées.	Brûlure ascochytique (champignon)	Vaporiser de captane ou de ferbam.
Amas poudreux gris ou bruns sur boutons et pétales.	Botrytis ou pourriture grise (champignon)	Vaporiser de captane ou de ferbam.
Pruine blanchâtre sur les feuilles et sur les tiges parfois déformées.	Blanc (champignon)	Vaporiser de bénomyl, de dinocap ou de soufre.
Taches brunes ou noires sur les feuilles.	Rouille ou tache septorienne (champignon)	Traiter avec du bénomyl, du manèbe ou du zinèbe.
Flétrissement général du plant. Les feuilles brunissent et meurent, à partir de la souche.	Flétrissure verticillienne ou maladie de Seidewitz (champignon)	Détruire les feuilles et les tiges atteintes. Traiter la plate-bande avec 5 g de bénomyl par mètre carré, dissous dans l'eau de l'arrosoir.

* Certains produits sont interdits dans les localités qui ont adopté des règlements contre les pesticides. Voir aussi «Recettes maison et produits naturels», p. 512, et «Les amis du jardin», p. 515.

'Crimson Yvonne Arnaud' (forme décorative) et 'Enbee Wedding' (forme simple) sont des variétés hâtives qui fleurissent à la fin de l'été et au début de l'automne. La plupart des autres variétés doivent être protégées contre le gel.

Chrysanthemum 'Crimson Yvonne Arnaud'

Chrysanthemum 'Enbee Wedding'

Culture des plantes d'exposition

Les chrysanthèmes à floraison tardive ont des formes plus spectaculaires, des fleurs plus grandes et des tiges plus longues que ceux à floraison hâtive. Ce sont eux qu'on présente dans les expositions. Si on veut les cultiver au jardin, il faut les protéger du froid ou les planter dans des pots qu'on peut mettre à l'abri.

Les chrysanthèmes incurvés et les chrysanthèmes araignée sont les plus renommés. Les premiers ont les fleurs les plus grandes, tandis que les inflorescences des seconds sont parmi les plus curieuses. Mais d'autres variétés sont également exposées.

Production du bouton terminal par pincement

Les variétés tardives doivent être pincées une fois de plus que les variétés hâtives, vers la fin de la période végétative. Ce pincement supplémentaire a pour but d'aider la plante à produire de plus grandes fleurs. Il sera pratiqué au cours de la période de 90 à 110 jours qui précède la date de floraison et fera apparaître un bouton terminal sur des tiges de la longueur voulue. C'est le résultat de cette opération qui qualifiera les plantes pour les concours floraux. Lorsque le dernier pincement est fait

Culture en pleine terre Les chrysanthèmes à floraison tardive ont besoin de plus de soins encore que les variétés à floraison hâtive. Espacer les plants à grandes fleurs le plus possible et ne garder que deux tiges sur chacun. Les variétés buissonnantes sont normalement amenées à produire trois à six capitules. On entoure souvent les pieds d'une armature supportant une sorte d'abri qui protège les plantes du froid et leur procure de l'ombre.

Culture en pot Certains spécialistes préfèrent installer les plantes dans des pots placés sur le sol ou enterrés. Dans le premier cas, il faut assujettir les pots pour que le vent ne les renverse pas. Par contre, l'horticulteur

à la fin de la période de croissance, il se forme un «bouton terminal» composé uniquement d'organes floraux. (Par bouton terminal, on entend ici le dernier effort que fait la plante pour produire des fleurs.) Sans ce pincement, la plante se serait ramifiée d'elle-même pour produire de nombreuses inflorescences sur de courtes tiges.

L'horticulteur qui cultive ses chrysanthèmes en vue de les présenter dans un concours cherche avant tout à concentrer toute l'énergie de la plante sur la production de ses inflorescences. Quand tout se passe bien, le chrysanthème produit un superbe

peut tourner les plants pour en équilibrer la croissance et les mettre à l'abri durant les gros orages. Les pots enfouis dans le sol sont, quant à eux, faciles à déterrer.

En règle générale, ces plantes sont rempotées deux fois : d'abord d'un pot de 5 cm à un pot de 10 cm, puis dans un pot de 20 cm. On peut les faire passer directement d'un pot de 5 cm à un pot de 20 cm si on voit à ce que la terre ne soit pas gorgée d'eau. Un paillis de tourbe dans les grands pots freine la croissance des mauvaises herbes et garde le sol humide. Plusieurs expositions n'acceptent que des plantes en pots et celles-ci, bien sûr, doivent y avoir été cultivées depuis le début.

bouquet terminal, composé d'une très grande inflorescence centrale, entourée de fleurs plus petites. Mais les règlements du concours exigent en outre que cette inflorescence terminale s'élève au-dessus d'une spirale de feuilles.

Qu'est-ce donc en définitive qui permet de produire un chrysanthème digne de triompher dans les expositions? Une fois qu'on a pratiqué le pincement final, le succès ou l'échec dépend dans une large mesure de la qualité intrinsèque du plant et des conditions météorologiques.

En règle générale, les plantes destinées à produire des bouquets de fleurs seront pincées 90 jours avant la date de floraison. Celles à grandes fleurs subiront le dernier pincement 100 jours avant la date de floraison.

Le dernier pincement, comme ceux qui l'ont précédé, aura pour effet de faire apparaître trois petites pousses latérales feuillées. Quand les plantes sont présentées à un concours, on ne garde que deux de ces pousses. Le plant donne alors deux grandes fleurs. Mais lorsqu'on veut inciter le plant à produire plus de fleurs, on garde les trois pousses.

Une fois les plants bien établis, des pousses apparaissent à l'aisselle de

Culture au-dessus du sol Les pots de chrysanthèmes peuvent aussi être placés en rangs sur des dalles ou des briques et les plantes assujetties à l'aide de deux fils métalliques. Celles-ci se trouvent ainsi à l'abri des ravageurs terricoles, mais l'arrosage est plus compliqué, surtout par temps chaud et sec. Or, un chrysanthème de 1,20 m de haut doit être bien arrosé, surtout quand il est cultivé ainsi.

La mise en place d'un mécanisme d'arrosage avec un jet par pot simplifie le travail et facilite aussi la fertilisation.

Culture en fosse Variante de la méthode précédente, elle consiste à enfouir les pots jusqu'au rebord dans du sable humide.

chaque feuille, sous le bouton principal, durant toute la période de croissance. Il faut supprimer délicatement ces pousses sitôt qu'elles ont atteint environ 1,5 cm de longueur. Si elles restent en place, elles accaparent la sève du plant à leur profit et en privent le bouton terminal.

Pour supprimer ces pousses, les couper avec beaucoup de soin, du bout de l'ongle. Ce nettoyage doit s'effectuer régulièrement lorsque les pousses sont jeunes, car, si on attend, elles laisseront sur la tige des cicatrices disgracieuses.

En septembre, on note qu'un changement se produit au sommet des tiges. Un bouton terminal fait son apparition, entouré de boutons latéraux. Si la plante ne doit porter qu'une seule grande fleur par tige, garder le bouton central et supprimer les autres. Cette opération doit être pratiquée le plus tôt possible, mais non, toutefois, avant que les boutons latéraux aient un pédoncule permettant de les détacher.

Si, au contraire, on souhaite que la plante produise une grande fleur entourée de fleurs plus petites, garder tous les boutons (le gros du centre et les petits autour) et les laisser évoluer normalement.

1. Des boutons latéraux sont groupés autour d'un bouton central.

2. Pincer les latéraux pour n'obtenir qu'une seule grande fleur.

Certains chrysanthèmes à floraison hâtive (à droite et page ci-contre) n'ont pas leur pareil comme élément décoratif d'une plate-bande ou comme fleurs coupées.

Chrysanthemum 'Mei-kyo'

Forçage des plantes et protection contre le gel

Un grand nombre de variétés de chrysanthèmes fleurissent après les premiers gels. Les expositions ayant lieu en automne, les horticulteurs doivent généralement avoir recours au forçage.

Pour pratiquer le forçage, il faut une charpente en tuyaux galvanisés, ou en bois, recouverte d'une pièce de tissu de teinte sombre qui créera l'obscurité nécessaire. Cette armature doit être assez haute pour que le tissu ne touche pas aux plantes, et elle doit être en pente pour faciliter l'écoulement des eaux de pluie.

Choisir un tissu épais qui ne laisse pas filtrer la lumière. L'attacher à la charpente de façon à pouvoir le retirer ou le déplacer facilement. L'installer du côté nord de l'armature ; le dérouler vers l'extrémité sud en fin d'après-midi, puis le remettre en place pour le lendemain matin.

Comme les chrysanthèmes ont une longue période de floraison, on disposera de deux semaines — celle qui précède le complet épanouissement de la fleur et celle qui le suit — pour participer à une exposition.

En outre, comme chaque groupe de réponse fleurit au bout d'un nombre précis de journées courtes, il est facile de calculer la date à laquelle devrait commencer le forçage. Si l'on veut inscrire des fleurs de plusieurs groupes à un même concours, on fait une moyenne. Par exemple, si une plante doit être en fleur le 15 octobre, la période d'obscurité commencera autour du 6 août. Durant cette période, on maintiendra les plantes dans l'obscurité pendant 12 heures d'affilée, à partir de l'après-midi.

Les chrysanthèmes résistent à des froids de −2 °C. En dessous du point de congélation, cependant, l'humidité peut endommager les pétales. Il faut alors mettre les plantes sous abri. La charpente décrite précédemment sera dans ce cas-ci recouverte d'une épaisse pellicule de vinyle.

PINCEMENT

Les chrysanthèmes peuvent tous être pincés.

PLATES-BANDES TARDIVES

Avec leurs racines courtes, ils sont faciles à transplanter.

Une fois transplantés, il faut bien les arroser.

Ménager des ouvertures pour éviter un surcroît de chaleur et installer un ventilateur pour faire circuler l'air. Enfin, un radiateur de 500 à 1 000 watts complétera l'installation.

Transplantation en plate-bande

Les chrysanthèmes sont des plantes robustes, idéales pour la décoration des jardins. La facilité avec laquelle on peut les transplanter élimine les problèmes d'espacement ou de hauteur de plants auxquels on fait face quand il s'agit de plates-bandes.

Cependant, il faut savoir que les sols très argileux conviennent mal à la culture des chrysanthèmes. Mélanger à la terre du sable grossier, de la cendre ou de la perlite pour la rendre plus légère. Si le sol se fragmente facilement lorsqu'on le bêche au printemps, c'est un signe que son contenu en argile est satisfaisant.

Les chrysanthèmes préfèrent un sol légèrement acide, c'est-à-dire dont le pH se situe entre 6 et 7. Si le pH est de 5 à 6, on peut réduire l'acidité en incorporant à la terre du calcaire broyé. Si, par contre, le pH se situe entre 7 et 8, le sol est trop alcalin ; on lui ajoutera alors de la tourbe ou un produit à base de soufre. Voir à la page 466 d'autres renseignements concernant le pH des sols.

Au bout d'un certain nombre d'années les chrysanthèmes cultivés en plates-bandes sont souvent la proie des anguillules ou de la flétrissure verticillienne. Si ce problème se présente, on fera des fumigations du sol au métam-sodium.

Les chrysanthèmes du fleuriste, provisoirement miniaturisés par traitement chimique, ne se transplantent pas. Comme ce sont, en outre, des variétés qui requièrent 8 à 12 semaines pour fleurir, elles seraient gelées avant d'avoir fleuri.

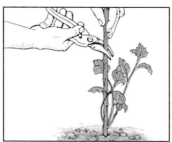

1. *La floraison terminée, les rabattre à 25 cm environ.*

2. *Soulever la motte tout entière et faire tomber l'excès de terre.*

3. *Éliminer toute tige attachée à la base du plant.*

4. *Les ranger en caissette et remplir les interstices avec de la terre.*

DAHLIAS

Fleurs d'automne aux couleurs lumineuses et aux formes multiples, les dahlias prolongent au jardin l'éclat de l'été. Ce sont des ornements incomparables.

Le dahlia est une plante originaire du Mexique, introduite en Europe au XVIIIe siècle. L'une des espèces dont descend le dahlia moderne, *Dahlia imperialis* (dahlia géant), présentait à l'origine des fleurs simples de teinte lilas ou rouge. La plante avait l'aspect d'un petit arbre et pouvait atteindre 2 à 5,50 m de hauteur. Il existait d'autres espèces plus petites, comme *D. coccinea* (dahlia écarlate), à fleurs simples et rouges, qui ont donné naissance aux dahlias modernes.

Le dahlia nécessite une terre riche en humus, des arrosages fréquents et des apports réguliers d'engrais. Il présente des racines tubéreuses, des tiges creuses, des feuilles qui sont vert brillant ou bronze et des fleurs dont les coloris vont du blanc au marron intense en passant par toute la gamme des jaunes. Certains sujets sont bicolores.

On divise les dahlias en deux groupes : les dahlias pour massifs, obtenus par semis chaque année mais parfois aussi par tubercules, et les dahlias d'exposition, presque toujours cultivés à partir de tubercules.

Les plus populaires pour la culture en bordures mélangées sont les premiers ; ils atteignent généralement 60 cm de hauteur, comme c'est le cas pour la variété 'Dandy'. On trouve dans certains catalogues des variétés naines comme 'Harlequin' et 'Figaro', qui ne dépassent pas 30 à 40 cm ; leurs fleurs doubles ou semi-doubles ont environ 5 cm de diamètre. Toutes ces variétés ont des feuilles vertes. 'Diablo Mix' fait exception, avec un feuillage rouge terne ; sa hauteur moyenne est de 50 cm. Comme la couleur de la graine n'est pas liée à celle de la fleur, on ne peut pas pas prévoir de quelle couleur seront les dahlias en semis.

En revanche, les tubercules sont facilement identifiables quant à la couleur et la variété. Si l'on fait pousser des dahlias à partir de semis, on peut déterrer les tubercules et les ranger par couleur pour les disposer, l'année suivante, selon un ordre choisi.

On multiplie les dahlias d'exposition par bouturage des tiges ou par division des tubercules. On obtient ainsi des sujets dont les coloris sont identiques à ceux de la plante mère.

Les dahlias sont classés suivant la taille et la forme de leurs fleurs. L'American Dahlia Society, les commerçants et les horticulteurs en ont reconnu plus de 12 catégories.

Les dahlias à fleurs simples présentent un disque central ouvert entouré d'une seule rangée de pétales ou de ligules. Les fleurs peuvent atteindre 10 cm de diamètre.

Les dahlias miniatures sont des plantes de moins de 45 cm de haut qui donnent des fleurs simples.

Les dahlias à fleurs doubles ressemblent aux sujets à fleurs simples, mais le disque central est entouré de deux rangées extérieures de pétales.

Les dahlias à fleurs d'orchidée n'offrent eux aussi qu'une rangée de pétales qui sont incurvés vers le disque central.

Les dahlias à fleurs d'anémone présentent une couronne de ligules aplaties autour d'un disque composé de fleurons enroulés ou tubuleux.

Les dahlias à collerette ont des fleurs à cœur jaune composé d'étamines et de fleurons et entouré de pétales plats à l'extérieur. Une collerette intérieure formée de ligules plus petites entoure les étamines.

Les dahlias à fleurs de pivoine ont des fleurs pouvant atteindre 10 cm de diamètre. Chacune d'elles offre un disque central à fleurons crochus (sépales ou étamines ressemblant à des pétales) et jusqu'à quatre rangées de ligules aplaties.

Les feuilles de 'David Howard', variété classique à petites fleurs, sont d'un beau vert sombre. Non moins magnifiques, celles de la variété naine 'Ellen Houston' ont une vibrante teinte violacée.

Dahlia 'David Howard'   *Dahlia* 'Ellen Houston'

Les dahlias cactus à pétales incurvés présentent des fleurs vraiment doubles à ligules étroites, enroulées, qui se recourbent vers le centre. Les fleurs peuvent avoir jusqu'à 25 cm de diamètre.

Les dahlias cactus à pétales droits ou recourbés sont semblables à ceux qu'on vient de décrire, sauf que leurs ligules sont droites ou recourbées vers l'extérieur.

Les dahlias semi-cactus ont des ligules semblables à celles du dahlia cactus, mais elles sont plus larges et tubulées.

Les dahlias décoratifs classiques ont des fleurs symétriques et parfaitement doubles, sans disque central. Les ligules sont larges, légèrement incurvées et arrondies à une extrémité. Les fleurs peuvent mesurer plus de 25 cm de diamètre.

Les dahlias décoratifs de forme libre ressemblent aux précédents,

mais la disposition de leurs ligules est moins régulière.

Les dahlias boules, comme leur nom l'indique, ont des fleurs sphériques, parfois aplaties au sommet. Les ligules à pointe émoussée ou arrondie sont disposées en spirale. Les fleurs ont plus de 10 cm de diamètre.

Les dahlias miniatures sont des dahlias boules dont les fleurs ne dépassent pas 10 cm de diamètre.

Les dahlias pompons sont des dahlias boules de moins de 5 cm de diamètre.

Le feuillage des dahlias est richement coloré. Les jeunes sujets ont parfois un feuillage panaché qui s'uniformise ensuite. Les feuilles sont généralement ovales, sauf chez quelques dahlias décoratifs dont le feuillage est aussi découpé qu'une fronde de fougère.

Les dahlias d'exposition requièrent une exposition en plein soleil. Ils de-

viennent plus beaux quand ils sont cultivés en isolé. On peut cependant mélanger dans une plate-bande de vivaces les variétés à fleurs jaunes, écarlates ou bronze avec des fleurs blanches ou de teintes froides.

Les dahlias décoratifs, cactus, semi-cactus, à collerette, boules et pompons seront plantés isolément ou par groupes de trois de la même variété.

Si l'on veut mélanger les variétés, il est préférable de disposer les sujets par groupes de trois. Pour faciliter les divers travaux d'entretien, il est indispensable que l'on ait aisément accès à chacun des plants.

À la fin de la saison, il n'est généralement pas urgent de déterrer les dahlias cultivés en massif. Ils peuvent être laissés en place jusqu'à ce que le gel fasse noircir les feuilles.

Il n'en va pas de même des dahlias d'exposition. On les déterrera une

fois que les tubercules auront mûri. Une vague de froid, des pluies répétées entraîneront des maladies cryptogamiques ou bactériennes fatales.

Déterrer les tubercules dès que les feuilles jaunissent, que les fleurs sont moins colorées et que le nombre de boutons diminue.

Il est important, cependant, de ne pas déterrer les tubercules avant qu'ils soient mûrs. On doit leur laisser le temps d'absorber tous les éléments nutritifs qui leur permettront de survivre en hiver et de produire de nouvelles pousses vigoureuses le printemps suivant. Dans les régions où la belle saison est courte il faudra peut-être les laisser dans le sol jusqu'à la première véritable gelée.

Les dahlias cultivés à partir de semis produisent eux aussi des tubercules. Mais la plupart des horticulteurs s'en débarrassent pour plutôt semer de nouveau l'année suivante.

Anémone *Une rangée de ligules plates entoure un groupe compact de fleurons.*

Simple *Une rangée de ligules (chez les fleurs doubles) entoure le cœur.*

Pivoine *Deux à quatre rangées de ligules plates entourent un disque central.*

Boule *Fleur sphérique à ligules tubulées, disposées en spirale.*

Collerette *Une collerette de ligules est placée entre les ligules extérieures et le cœur.*

Cactus *Fleurs doubles à ligules étroites, pointues et enroulées sur plus de la moitié de leur longueur.*

Semi-cactus *Ligules plus larges et moins enroulées que celles du dahlia cactus.*

Pompon *Fleur en boule de moins de 5 cm de diamètre, dite miniature quand elle est plus petite.*

Décoratif *Fleurs doubles, sans disque central. Ligules larges à extrémités arrondies.*

La longue tige des dahlias 'Pearl of Heemstede' en fait de belles fleurs à couper. Leurs fleurs roses ont un diamètre de 10-12 cm.

Dahlia 'Pink Paul Chester' ➡

Dahlia 'Pearl of Heemstede'

Où, quand et comment planter les dahlias

Les deux clés du succès : soleil et fertilisation

En plus du plein soleil, il faut aux dahlias un sol riche et poreux, qui retient l'humidité sans se détremper. Le pH idéal est neutre ou légèrement acide.

Installer les dahlias dans un endroit chaud, ensoleillé et bien aéré. Un coin légèrement ombragé l'après-midi convient tout aussi bien.

Les dahlias sont gourmands. En automne, il faut incorporer au sol de généreuses quantités de fumier déshydraté ou bien décomposé, de compost ou de tout autre engrais organique.

Épandre en surface 100 g de poudre d'os ou 50 g de superphosphate par mètre carré. Ne pas niveler le sol afin que, sous l'action du gel et de l'air, les matières ajoutées s'émiettent.

Si la terre n'est pas assez riche, la fertiliser avec un engrais polyvalent (du 5-10-10) tous les mois après la reprise.

Plantation des tubercules de dahlia

La plantation des tubercules de dahlia s'effectue lorsque tout danger de gel est écarté, soit du milieu à la fin du printemps dans la plupart des régions. Espacer les sujets géants (1,20-1,50 m) de 60 à 90 cm, les sujets moyens (90 cm-1,20 m) de 60 cm et les sujets courts de 40 cm.

Les nouvelles pousses sortent d'yeux situés à la base des anciennes tiges. Chaque tige présente plusieurs tubercules. Ceux-ci peuvent être plantés en touffes ou divisés (voir p. 156). Planter des tuteurs pour supporter les sujets géants. Devant le tuteur, creuser un trou de 15 cm de profondeur.

Préparer un mélange composé en parties égales de tourbe et de terre et additionné d'une bonne poignée de poudre d'os. Verser ce mélange au fond du trou. Celui-ci doit être juste assez profond pour que l'œil du tubercule se situe environ 5 cm sous la surface du sol.

Planter les tubercules comme illustré ci-dessous. Sauf en région très aride, ne pas arroser avant l'apparition d'organes aériens.

On peut aussi démarrer l'opération à l'avance en plantant les tubercules en serre. Pour d'autres plants, diviser les tubercules quand les nouvelles pousses ont atteint 2 cm. Conditionner les dahlias (voir p. 226) avant de les transplanter.

1. *Planter le tubercule en plaçant l'œil contre le tuteur.*

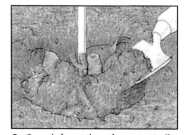

2. *Couvrir les racines de terre. L'œil doit se situer 5 cm sous la surface.*

3. *Fouler le sol. Mettre une étiquette pour identifier les variétés.*

Mise en terre des plants démarrés en pots

On peut acheter dans une pépinière locale ou un centre de jardinage de jeunes plants de dahlia déjà démarrés en pots. Si on les commande par la poste, les plants seront sans doute livrés au moment où il est opportun de les mettre en terre, c'est-à-dire après les derniers gels.

La mise en terre se fait à peu près comme pour les tubercules (ci-dessus). Avant de planter, insérer des tuteurs aux endroits choisis en les espaçant selon la taille qu'atteindront les plantes à l'âge adulte. Arroser modérément. Préparer un mélange à volume égal de terre et de tourbe, additionné d'une poignée de poudre d'os. Bien remuer pour répartir les éléments de façon égale.

À côté de chaque tuteur, creuser un trou de 5 à 8 cm plus profond que la motte de racines et d'une largeur appropriée. Jeter au fond quelques poignées de mélange. Dépoter la plante avec le plus grand soin afin que la motte reste entière. Si les racines entourent l'extérieur de la motte, ne pas essayer de les dégager. Installer la motte dans le trou pour que le dessus soit à 5 cm sous le niveau du sol. La tige doit être droite et tout près du tuteur.

Remplir le trou avec le mélange déjà préparé et tasser en laissant une petite cuvette autour de la tige pour conserver l'humidité et aider la plante à prendre un bon départ. Deux jours plus tard, arroser généreusement. Quand de nouvelles pousses apparaissent, combler la cuvette et niveler le sol autour du plant.

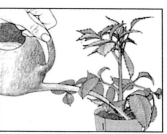

1. *Une heure avant de planter, arroser légèrement. Préparer le mélange.*

2. *Insérer le tuteur. Creuser un trou à côté de celui-ci. Dépoter la plante.*

3. *Mettre la plante dans le trou et remplir en laissant une cuvette.*

4. *Fouler la terre autour de la plante et ménager une rigole.*

Les dahlias sont classés selon la forme de la fleur et sa taille. On a ici deux exemples de dahlias semi-cactus.

Dahlia 'Wootton Impact' Dahlia 'Hillcrest Albino'

Soins à apporter aux dahlias durant l'année

Arrosages abondants quand vient la floraison

Les jeunes plants ou les tubercules qui viennent d'être mis en terre ont besoin de peu d'eau. Des arrosages trop abondants risqueraient de faire pourrir les tubercules, et il n'est pas mauvais que les racines aillent chercher leur humidité en profondeur.

Au moment de la floraison, cependant, les dahlias ont besoin de beaucoup d'eau. Par contre, en période de sécheresse, arroser abondamment, que les plants soient ou non à la veille de fleurir.

En période chaude et ensoleillée, arroser tous les cinq jours environ si le sol est argileux et tous les trois jours s'il est léger.

Employer un arroseur pouvant projeter un jet fin, qui tombera aussi bien verticalement (sur les plantes) qu'à l'horizontale (de manière à arroser le sol tout autour).

Si l'on emploie un arrosoir ou un tuyau, donner une dizaine de litres par plante lorsqu'elles sont espacées de 60 à 90 cm ; arroser moins lorsqu'elles sont plus rapprochées.

ARROSAGE

Utiliser un arroseur projetant un jet fin.

Paillis contre les mauvaises herbes

Lorsque la plante a environ 30 cm de haut, étendre un paillis sec de 2,5 cm autour de la base, mais en veillant à ce qu'il ne touche pas les tiges. Le paillis peut être composé de copeaux de bois, de tourbe, d'écorces, de coquilles ou de paille propre (si l'on utilise de l'herbe coupée, s'assurer qu'elle n'a pas été traitée récemment avec un herbicide sélectif). L'étendre par couches minces successives en laissant sécher chaque couche.

Pailler lorsque le sol est humide et arroser le paillis abondamment tout de suite après l'avoir installé.

Si des mauvaises herbes ont fait leur apparition avant le paillage, biner la terre—ce qui lui donnera en outre une meilleure aération—, mais ne pas la remuer à plus de 2,5 cm de profondeur.

PAILLAGE

Humidifier le sol. Étendre un paillis de 2,5 cm et l'arroser.

DÉSHERBAGE

Biner le sol en ne dépassant pas une profondeur de 2,5 cm.

Tuteurage des dahlias pendant la croissance

Les dahlias ont absolument besoin d'être tuteurés pour empêcher le vent de les abîmer.

Deux ou trois semaines après la plantation, attacher les tiges à environ 10 ou 20 cm au-dessus du sol. Former un huit avec le lien et placer le nœud contre le tuteur.

Au fur et à mesure que la plante grandit, fixer d'autres liens le long de la tige. S'assurer que le premier lien n'est pas devenu trop serré.

Pour protéger les tiges latérales, disposer en triangle d'autres tuteurs plus minces à environ 25 cm du tuteur principal. Planter les tuteurs un peu obliquement et attacher les pousses latérales avec des ficelles enroulées autour de ces piquets.

1. *Deux ou trois semaines après la plantation, tuteurer les plants.*

2. *Ajouter des attaches peu à peu. Desserrer celles du bas au besoin.*

3. *Soutenir les tiges latérales en les attachant à trois tuteurs.*

Les magnifiques fleurs jaunes du dahlia semi-cactus 'Hamari Accord' peuvent avoir 10 cm de diamètre. Leurs ligules sont légèrement enroulées.

Dahlia 'Hamari Accord'

Dahlias à grandes fleurs

Pour favoriser la croissance des tiges latérales et obtenir ainsi plus de fleurs, il faut pratiquer une technique dite de pincement et d'éboutonnage.

La plupart des dahlias à grandes fleurs commencent par développer une tige centrale robuste. Deux ou trois semaines après la plantation, la tige a produit des boutons de fleurs et l'on voit apparaître des pousses latérales. C'est le temps de pincer le bourgeon au sommet.

Une quinzaine de jours plus tard on verra surgir des pousses latérales à l'aisselle des feuilles. Supprimer les deux pousses latérales supérieures pour promouvoir la croissance des pousses latérales inférieures. Elles produiront bientôt un bouton apical et quelques boutons adjacents.

Pour augmenter la taille de la fleur terminale, supprimer les boutons adjacents dès qu'ils peuvent être convenablement saisis entre les doigts.

Pour obtenir des tiges latérales plus longues et favoriser la croissance de la plante dans sa portion supérieure, éliminer les feuilles à la base de la tige principale sur quelques centimètres.

1. Pincer le bourgeon terminal deux ou trois semaines après la plantation.

2. Quinze jours plus tard, supprimer les deux pousses axillaires supérieures.

3. Plus tard, supprimer les bourgeons secondaires sur les tiges latérales.

4. Éliminer les feuilles à la base de la tige principale.

Gage de santé, des apports d'engrais

S'il a été bien préparé au moment de la mise en place, le sol ne nécessitera pas de nouvel apport d'engrais durant la croissance des plantes. Des paillis de fumier décomposé ou de compost ne seront nécessaires que si le sol est pauvre ou si l'on veut obtenir des fleurs d'une qualité exceptionnelle.

On peut fertiliser les dahlias pour massifs quand naissent leurs premiers boutons. Dans le cas des dahlias d'exposition, on attendra le moment du deuxième pincement avant d'ajouter de l'engrais.

Ravageurs et maladies des dahlias

Si les dahlias présentent des symptômes qui ne sont pas décrits ci-dessous, se reporter au chapitre intitulé « Ravageurs et maladies », page 474. On trouvera aux pages 509 à 511 les appellations commerciales des produits chimiques recommandés.

Symptômes	Cause	Traitement*
Jeunes pousses (surtout celles à boutons) rabougries ou déformées ; petits insectes collants, noirs ou verts.	Pucerons	Vaporisation de savon insecticide, de carbaryl ou de malathion.
Boutons, fleurs et jeunes feuilles dévorés ; nécrose des extrémités. Galeries creusées dans les tiges et les pédoncules.	Perceurs (du maïs ou des tiges)	Poudrage hebdomadaire avec un insecticide à base de carbaryl, de méthoxychlore ou de roténone.
Pétales dévorés, fleurs endommagées.	Perce-oreilles	Vaporisation de perméthrine ou de savon insecticide. Renverser un pot rempli de paille sur un bâton ; les insectes y grimperont. Secouer le pot au-dessus d'eau chaude.
Boutons et jeunes fleurs déformés. Feuilles trouées, tachées, déchiquetées ou déformées.	Punaises	Vaporisation de malathion ou de roténone.
Feuilles marquées de fines taches argentées.	Thrips	Insecticide à base de méthoxychlore ou savon insecticide.
Feuilles et pousses des jeunes plants dévorées. Traces de bave.	Limaces ou escargots	Appâts liquides ou granulés comme du métaldéhyde. Ou soucoupes de bière.
Cernes ou taches de teinte jaune ou brune sur les feuilles. Plants rabougris.	Virose	Aucun traitement chimique. Détruire immédiatement les plants atteints. Application d'un insecticide contre les insectes vecteurs.
Plants plus petits que d'habitude ; tiges grêles et feuilles petites et jaunâtres.	Carence alimentaire	Surfacer le sol avec du compost ou du fumier décomposé ; ajouter de l'engrais 5-10-5.

* Certains produits sont interdits dans les localités qui ont adopté des règlements contre les pesticides. Voir aussi « Recettes maison et produits naturels », p. 512, et « Les amis du jardin », p. 515.

Pour avoir des résultats rapides, utiliser un engrais soluble de formule 20-20-20. Autrement, une petite poignée de 5-10-10 par plante suffit.

Les engrais trop riches en azote favorisent le développement des feuilles au détriment des fleurs et diminuent la résistance du plant pendant l'hiver.

Après un épandage d'engrais en granulés, arroser abondamment.

Il est bon de fertiliser les plants toutes les deux ou trois semaines jusqu'à la fin de l'été. Si on a l'intention de garder les tubercules, on surfacera le sol à la fin de l'été avec un mélange à parts égales de sulfate de potassium et de superphosphate.

Les dahlias cactus ont des fleurs à ligules étroites et pointues. 'Glorie van Heemstede' se range parmi les dahlias-nénuphars.

Dahlia 'Hillcrest Royal'

Dahlia 'Glorie van Heemstede'

Couper les tiges, avec un couteau bien aiguisé pour ne pas les abîmer, et les plonger dans de l'eau tiède.

Cueillette des fleurs pour les bouquets

Le meilleur moment de la journée pour cueillir les dahlias est dans la soirée ou tôt le matin, lorsque les tiges sont gonflées d'eau.

Couper les tiges en biseau avec un couteau bien aiguisé et non avec des ciseaux ou un sécateur. Ces outils écraseraient les tiges qui ne pourraient plus absorber d'eau.

La longueur de la tige doit être proportionnelle à la dimension de la fleur. Pour les variétés géantes, prendre des tiges de 60 cm.

Au moment de la cueillette, se munir d'un seau d'eau tiède pour y plonger les tiges à mesure qu'on les cueille. Une fois dans la maison, les immerger dans l'eau froide jusqu'au niveau des fleurs. En les maintenant dans l'eau, raccourcir les tiges de 2,5 cm. Garder les fleurs dans un endroit frais pendant quelques heures avant de les disposer en bouquets.

Entreposage des tubercules durant l'hiver

À la fin de la saison, les dahlias d'exposition doivent être déterrés et entreposés pour l'hiver dans un lieu à l'abri du gel. Au printemps suivant, ils peuvent être divisés et replantés en pleine terre ou utilisés pour faire des boutures de tiges.

Ce sont les facteurs combinés du froid et de l'humidité du sol qui endommagent les tubercules. Dès que les premiers froids d'automne ont noirci le feuillage, couper les tiges à 15 cm environ au-dessus du sol. Les racines peuvent demeurer en terre deux ou trois semaines de plus, même si les gels sont précoces. Cependant, les déterrer immédiatement s'il se produit un coup de gel grave.

À l'aide d'une fourche à bêcher, ameublir délicatement la terre autour des tubercules et soulever les souches en abaissant le manche de l'outil. Avec un bâtonnet à bout arrondi, enlever la terre qui reste entre les tubercules. Prendre soin de ne pas bri-

ser les anciennes tiges. Mettre le nom de la variété sur une étiquette attachée à la souche des tiges.

Suspendre les tubercules à l'envers dans un endroit frais et sec pendant deux semaines environ pour que les tiges perdent leur humidité. Autrement, l'humidité ferait pourrir le collet ; les tubercules n'en seraient pas endommagés, mais les nouvelles pousses ne seraient pas viables. Les tubercules ne doivent être entreposés pour l'hiver que lorsqu'ils sont parfaitement secs.

Poudrer les tubercules avec de la fleur de soufre pour les protéger des maladies cryptogamiques. Les garder dans un endroit frais et sec, à l'abri du gel et des courants d'air.

Là où les températures hivernales ne descendent jamais en dessous de –9 °C, on peut garder les tubercules sur une couche de 15 cm de feuilles ou de tourbe sèches, au fond d'un châssis froid de 60 cm de profondeur. Poser les tubercules sur la couche de fond, sans qu'ils se touchent et à 25 cm au moins des bords. Les recouvrir d'une couche de 30 cm ou plus de feuilles ou de tourbe sèches.

Recouvrir d'un morceau de jute ou d'une matière semblable pour absorber la condensation. Replacer ensuite le couvercle du châssis.

On peut également entreposer les tubercules dans des caissettes remplies de sable sec ou de tourbe sèche, placées sous les tablettes d'une serre froide, dans une cave non humide ou

dans un placard dont la température se maintient entre 4 et 7 °C.

Si les souches sont en petit nombre, on peut les conserver soit dans un petit filet de jardin, soit dans des emballages hermétiques. Dans le premier cas, envelopper d'abord les souches dans de la paille, puis dans le filet déployé comme un hamac. Les suspendre alors au plafond, dans un endroit non exposé au gel, jusqu'au printemps. Dans le second cas, placer les tubercules dans une boîte garnie de polystyrène expansé de 1,5 cm d'épaisseur.

Enfin, on peut garder les tubercules dans des sacs de plastique épais, noirs, sans autre forme de protection, et fermés hermétiquement avec un fil de fer. Cette méthode empêche les racines de se déshydrater, mais risque de les faire pourrir par transpiration. Garder les tubercules dans une remise à l'abri du gel ou sous l'escalier qui mène au sous-sol, dans la maison. Au printemps, de nouvelles pousses se seront développées sur les collets.

Il est indispensable de vérifier l'état des tubercules toutes les deux ou trois semaines afin de détecter les maladies ou le dessèchement. Les parties malades seront coupées, et les plaies saupoudrées de fleur de soufre. Faire tremper les tubercules desséchés dans un seau d'eau pendant une nuit. Les laisser sécher complètement avant de les remettre dans leur contenant.

1. *Dès que le froid a noirci les feuilles, rabattre les tiges à 15 cm du sol.*

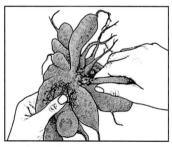

2. *Déterrer les tubercules et, avec un bâtonnet arrondi, enlever la terre.*

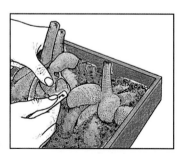

3. *Les placer en caissette, sur 15 cm de tourbe ou de feuilles sèches.*

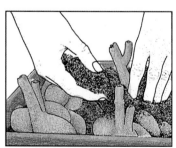

4. *Les recouvrir de 30 cm de tourbe ou de feuilles sèches.*

Chez les dahlias simples, une rangée de ligules entoure un cœur bien défini.

Dahlia 'Preston Park'

Dahlia 'Yellow Hammer'

Multiplication des dahlias

Une méthode fructueuse : le bouturage

Les dahlias d'exposition ou à grandes fleurs se multiplient par bouturage ou par division des tubercules au printemps. D'ailleurs, les tubercules se détériorent lorsqu'on ne les divise pas périodiquement. Quant aux variétés pour massifs, elles se multiplient par semis.

La méthode des semis ne convient pas aux dahlias d'exposition : les plantes qui en sont issues diffèrent des plantes mères. En revanche, le bouturage et la division reproduisent les caractères des plantes mères.

Vers la fin de l'hiver ou au début du printemps, sortir les tubercules, éliminer toute trace de terre, supprimer les parties malades et poudrer les plaies avec de la fleur de soufre.

Placer les tubercules dans une caissette emplie de terre légère, de tourbe ou de compost. Les couvrir du même substrat en laissant le collet dégagé. Arroser modérément. Placer la caissette dans la serre ou près d'une fenêtre ensoleillée, dans un endroit frais. Garder la terre humide.

Lorsque les pousses ont 8 à 10 cm, les sectionner un peu au-dessus de la souche avec un couteau aiguisé ou une lame de rasoir. Ne jamais entailler le tubercule lui-même.

Supprimer les premières pousses si elles sont creuses. De nouvelles tiges normales leur succéderont.

Parer les pousses en dessous du nœud le plus bas. Éliminer la paire inférieure de feuilles en prenant soin de ne pas abîmer les bourgeons qui se sont formés à l'aisselle des feuilles. Ne pas laisser de chicots.

Pour chaque groupe de quatre boutures, remplir un pot de 7,5 cm d'un mélange à volume égal de tourbe et de sable et creuser quatre trous de 2,5 cm de profondeur à égale distance et près du bord.

Plonger la base de chaque bouture dans l'eau, puis dans de la poudre d'hormones à enracinement. Planter les boutures dans les trous et tasser la terre. Arroser, étiqueter et dater.

Placer les pots dans une caissette de multiplication non chauffée, dans la serre, ou les couvrir d'une cloche de plastique et les disposer près d'une fenêtre ensoleillée, dans un endroit frais. Garder le mélange modérément humide. Aérer pour éviter la condensation et l'excès d'humidité, facteurs propices aux maladies cryptogamiques. Protéger les boutures du soleil.

Deux ou trois semaines plus tard, lorsque de nouvelles feuilles se sont formées, rempoter chaque sujet dans un pot de tourbe de 7,5 cm rempli de mélange terreux stérile qui s'égoutte bien et garder humide. Les ranger deux jours à l'ombre.

Conserver les pots dans une serre bien ventilée ou dans un endroit aéré et ensoleillé de la maison, jusqu'à la fin du printemps. Les endurcir ensuite sous châssis froid ; à moins qu'il n'y ait risque de gel, le châssis peut rester ouvert.

À défaut de châssis froid, placer les jeunes plants au jardin, mais dans un coin chaud, ensoleillé et protégé du vent et les y endurcir pendant une semaine. Les mettre en place ensuite. Dans les régions à climat froid, attendre qu'il n'y ait plus risque de gel pour endurcir les plants.

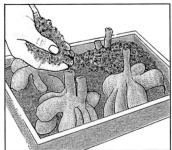

1. Nettoyer les tubercules, les couvrir de terre ou de tourbe humides.

2. Les garder à la lumière. Quand les pousses ont 8 à 10 cm, les sectionner.

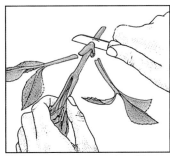

3. Les parer avec un couteau bien aiguisé ; couper les feuilles du bas.

4. Appliquer de la poudre d'hormones ; planter dans le mélange.

5. Arroser, étiqueter et placer les pots dans un endroit frais et bien éclairé.

6. Après deux ou trois semaines, les empoter dans des pots de 7,5 cm.

7. Les garder à l'ombre deux jours, puis dans un endroit clair et frais.

8. Après les gels, les endurcir une semaine sous châssis froid. Planter.

À l'apogée de leur floraison, les dahlias boules comme la 'Jeanette Carter', tout comme les pompons, ont une forme parfaitement ronde.

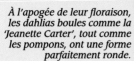

Dahlia 'Jeanette Carter'

Une méthode facile : la division des tubercules

Plus simple à pratiquer que le bouturage, la division des tubercules est la méthode à employer si l'on désire obtenir quelques plants tout au plus. Elle se pratique au milieu ou à la fin du printemps.

Pour chaque nouveau plant, on aura besoin d'un fragment de racine tubéreuse et d'un tronçon de tige garni d'un œil. C'est de cet œil que naîtront les nouvelles pousses.

On ne conserve qu'un fragment de tubercule garni d'un seul tronçon de tige. En effet, un nombre trop important de racines tubéreuses retarde la formation des nouvelles racines et nuit à la floraison en incitant la plante à produire plus de feuilles.

Avant de diviser les tubercules, repérer les yeux sur les tiges. S'ils sont peu visibles, placer les tubercules dans de la tourbe ou de la terre humides et les garder au chaud pendant quelques jours. Les bourgeons se développeront et se verront mieux.

Une fois que les yeux ont été situés, couper la tige avec un couteau bien aiguisé en prenant soin de ne pas les endommager. Poudrer généreusement les plaies vives avec de la fleur de soufre pour préserver le plant de la pourriture.

Planter les fragments de tubercule selon la méthode décrite à la page 150. La meilleure époque pour procéder à la plantation dans la plupart des régions est la fin du printemps ou le début de l'été, c'est-à-dire lorsque tout danger de gel est écarté.

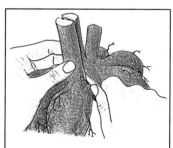

Couper les tubercules en fragments ayant tige et œil.

Multiplication des dahlias annuels par semis

Les plants obtenus par semis diffèrent souvent de la plante mère. Si l'on tient à semer quand même des dahlias d'exposition, on pourra toujours, après la première année, garder les tubercules des sujets réussis.

Semer au début du printemps à l'intérieur. Sous châssis froid, semer quatre à six semaines avant l'époque de la plantation au jardin.

Remplir des pots ou des caissettes de mélange terreux stérilisé ou de mélange spécial pour semis ; tasser un peu et niveler. Arroser généreusement. Semer clair sur le mélange et couvrir les graines d'une couche d'environ 5 mm de vermiculite. Couvrir pots ou caissettes d'une vitre et

d'une feuille de papier fort ou d'une pellicule de matière plastique. Les placer en serre chaude ou dans une pièce chaude et peu éclairée.

Au bout de 10 à 21 jours, quand les plantules ont levé, ôter la vitre ou le plastique. Si elles sont dans la maison, les placer sur l'appui d'une fenêtre ensoleillée. Lorsqu'elles sont assez résistantes, les repiquer dans des pots de 7,5 cm. Une fois bien prises, elles pourront aller en plein soleil.

Si les plantules sont sous châssis froid, les y laisser s'endurcir pendant plusieurs semaines avant la mise en terre. À défaut de châssis froid, placer les plants dehors dans un endroit abrité et ensoleillé pendant une semaine avant de les planter au jardin (voir p. 150).

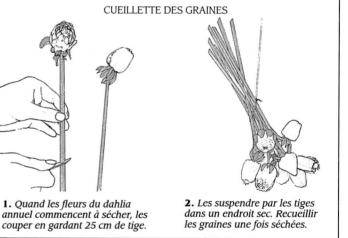

CUEILLETTE DES GRAINES

1. *Quand les fleurs du dahlia annuel commencent à sécher, les couper en gardant 25 cm de tige.*

2. *Les suspendre par les tiges dans un endroit sec. Recueillir les graines une fois séchées.*

1. *Au printemps, semer clair sur du substrat. Couvrir de vermiculite.*

2. *Arroser. Couvrir le pot. Garder au chaud, en évitant le soleil direct.*

3. *Repiquer les plantules en pots de 7,5 cm quand elles sont robustes.*

4. *Après le dernier gel, endurcir les plantules sous châssis froid.*

ŒILLETS

Le mot évoque d'abord l'œillet des fleuristes, parfumé, bien coloré et vendu toute l'année. Il en existe d'autres variétés, beaucoup plus faciles à cultiver.

Le terme est attesté couramment depuis 1493. La plante, une grande fleur double à odeur suave, se trouve dans l'herbier de Turner en 1550 et, en 1597, dans celui de Gerard. Dès 1629, John Parkinson distinguait l'œillet à grandes fleurs et l'œillet à petites fleurs ou œillet giroflée. Au XVIIIe siècle, des horticulteurs amateurs introduisaient des races à pétales ponctués ou striés sur fond blanc, d'autres à fleurs tiquetées ou jaspées, (œillet picoté ou anglais), d'autres encore à pétales ourlés d'un coloris distinct ou franchement bicolores.

L'œillet remontant des fleuristes que nous connaissons aujourd'hui est né aux États-Unis, au tournant du XIXe siècle, grâce à un horticulteur écossais, William Sim; c'est une grande fleur, la plupart du temps non parfumée, très appréciée dans le commerce de la fleur à couper.

L'œillet des fleuristes et les œillets de bordure sont des formes de *Dianthus caryophyllus*, originaire des Pyrénées. C'est une grande famille de plantes remontantes, de formes de bordure et d'œillets Souvenir de la Malmaison. Voir Plantes vivaces (p. 202) pour *D. plumarius* ou œillet mignardise, Plantes annuelles et bisannuelles (p. 232-233) pour *D. barbatus*, ou œillet de poète, et *D. chinensis*, ou œillet de Chine, et enfin Plantes de rocailles (p. 313) pour quelques autres espèces à port court.

Œillets remontants Ce ne sont pas des œillets vivaces, bien qu'ils puissent endurer de courtes périodes sous le point de congélation. On les cultive commercialement dans des serres maintenues à une température minimale de 7-10°C. Dans les régions tempérées du Canada où la culture en serre ne coûte pas très cher, des amateurs en cultivent pour décorer la maison. Certains horticulteurs ont eu l'idée de croiser des variétés à port

court avec des vivaces classiques; c'est grâce à leur talent que l'on a retrouvé les beaux œillets vivaces à parfum si agréable. Étant très vulnérables aux maladies véhiculées par la terre, on les cultive dans un terreau stérilisé ou dans des agrégats commerciaux sans terre. Mettre les pots dans du cailloutis et les placer sur un banc et non sur le sol où des vers peuvent contaminer le substrat.

Empoter les petits plants dans des pots de 12 cm et les pincer: les fleurs viendront cinq mois plus tard. On pince aussi (voir p. 158) les variétés les plus populaires pour n'avoir qu'une fleur par tige. Certaines races ont été amenées à produire des panicules; on supprime alors le bouton terminal pour encourager la croissance latérale.

Œillets de bordure Ils fleurissent tous à profusion de la mi-été aux premiers gels. Cultivés au jardin, en massif ou en bordure de fleurs mixtes, ils préfèrent un sol légèrement alcalin. Les mettre en terre au printemps ou à l'automne dans leur emplacement définitif, dans un sol bien travaillé, enrichi de compost ou de fumier décomposé. Attendre avant de les protéger que la terre soit bien gelée pour éviter la pourriture des racines. Au début de l'hiver, on peut les recouvrir de rameaux de conifères pour piéger la neige. Dès la reprise, au printemps, les tuteurer, mais ne pas pincer les bourgeons, comme on le ferait pour les œillets remontants.

En pinçant les boutons, on obtient des fleurs plus grandes. La première année, ne pincer que celui qui est à côté du bouton terminal; autrement, ils avorteront tous.

Œillets Souvenir de la Malmaison Ils ont un intérêt purement historique, aussi les cultive-t-on rarement. Les traiter comme les remontants.

Le 'Pink Sim' est un œillet remontant typique.

Les **Dianthus** *'Devon Cream' et 'Laced Monarch' montrent la diversité des formes et des couleurs que présentent les œillets de bordure.*

Dianthus 'Devon Cream'

Dianthus 'Laced Monarch'

1. *Mettre de la poudre fongicide dans le trou contre le flétrissement.*

2. *Installer le plant dans le trou et remplir celui-ci de terre.*

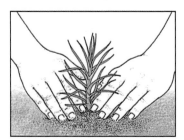

3. *Tasser la terre en aménageant une petite dépression et arroser.*

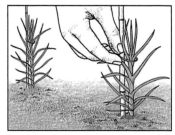

4. *Tuteurer la plante au moment opportun de la croissance.*

Mise en terre des plants d'œillets de bordure

On doit vérifier leur rusticité (voir p. 226). Arroser les plants au moins une heure avant la plantation. Creuser un trou assez grand pour recevoir la motte et le poudrer de fongicide.

Laisser 38 à 45 cm entre les plants dans une bordure, 30 cm seulement dans une plate-bande de fleurs à couper. Installer la plante, remplir le trou de terre et tasser celle-ci avec les doigts en aménageant une petite dépression; arroser. Tuteurer les plants en cours de croissance.

Culture des œillets de bordure à partir de graines

Les variétés annuelles fleurissent en juillet si on les démarre à l'intérieur 10 semaines avant le dernier gel. Congeler les graines pendant une semaine avant de les mettre en terre dans un substrat stérilisé. La germination est plus rapide si les journées sont tièdes (21 °C) et les nuits fraîches (16 °C). Quand les plantules ont deux vraies feuilles, les repiquer dans des petits pots et les placer devant une fenêtre ensoleillée ou les exposer à la lumière d'une lampe fluorescente.

On peut les semer en pleine terre une semaine avant le dernier gel; la floraison sera cependant moins rapide.

Semer les bisannuelles à l'intérieur en fin d'hiver. La germination prend sept jours si elle a lieu à 10 °C environ. Repiquer les plantules dans des contenants pour les acclimater et les sortir au jardin au début du printemps. Rabattre les plants après la première floraison.

Ou semer en pleine terre en juin: les plants fleuriront l'année suivante. Semer clair dans l'emplacement définitif ou dans un rang à l'écart et repiquer en début d'automne.

De grandes fleurs

Laissés à eux-mêmes, les œillets de bordure donnent beaucoup de petites fleurs. Pour avoir des fleurs plus grandes, il faut en diminuer le nombre en supprimant des boutons latéraux: l'énergie se concentre alors sur le bouton terminal (voir ci-dessous). À la troisième année, on peut pincer tous les boutons latéraux et obtenir une seule fleur spectaculaire. Mais si cette taille est pratiquée la première année, le bouton terminal vient mal et risque même de tomber. Par contre, pour obtenir une plante bien ramifiée, on pince le bouton terminal: l'énergie se répartit alors entre tous les boutons latéraux et au lieu d'avoir une seule grande fleur, on obtient un bouquet de plus petites fleurs.

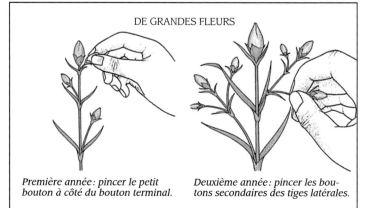

DE GRANDES FLEURS

Première année: pincer le petit bouton à côté du bouton terminal.

Deuxième année: pincer les boutons secondaires des tiges latérales.

Ravageurs et maladies

Les symptômes les plus courants susceptibles d'affecter les œillets sont décrits ci-dessous. Dans le cas d'un symptôme non mentionné ici, se reporter à la section illustrée commençant à la page 474. Les appellations commerciales des produits chimiques se trouvent à la page 509.

Symptômes	Causes	Traitement*
Petits insectes verts, roses ou noirs se déplaçant lentement sur les pousses.	Pucerons	Vaporiser un savon insecticide ou de la pyréthrine.
Feuilles décolorées ou jaunâtres, reliées par de petites toiles. Plants prostrés.	Tarsonèmes	Vaporiser un savon insecticide ou du malathion.
Feuilles jaunes; tiges molles, brunes à la souche. Plants flétris.	Flétrissure fongique	Imbiber le sol de bénomyl (peu efficace dans les cas graves).
Feuilles grisâtres, puis jaunes. Rayures jaunes sur la tige. Plants flétris.	Flétrissure (bactérie)	Détruire les plants. Attendre des années pour replanter.
Jeunes plants dévorés au ras du sol. Boutons floraux rongés sur les plantes ou parfois même coupés.	Vers gris	Entourer de papier métallique. Répandre de la diatomite dans le sol.

* Certains produits sont interdits dans les localités qui ont adopté des règlements contre les pesticides. Voir aussi «Recettes maison et produits naturels», p. 512, et «Les amis du jardin», p. 515.

*L*es roses miniatures, qui dépassent
rarement 30 cm, ont très peu d'épines.
'Red Ace', une plante dressée, a des fleurs
cramoisies, veloutées et bien formées.

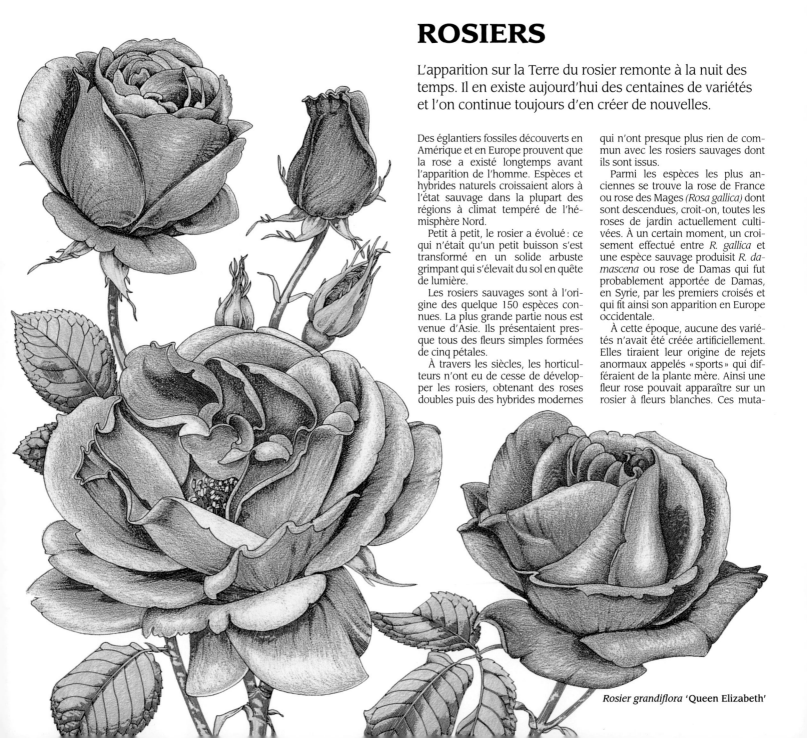

ROSIERS

L'apparition sur la Terre du rosier remonte à la nuit des temps. Il en existe aujourd'hui des centaines de variétés et l'on continue toujours d'en créer de nouvelles.

Des églantiers fossiles découverts en Amérique et en Europe prouvent que la rose a existé longtemps avant l'apparition de l'homme. Espèces et hybrides naturels croissaient alors à l'état sauvage dans la plupart des régions à climat tempéré de l'hémisphère Nord.

Petit à petit, le rosier a évolué : ce qui n'était qu'un petit buisson s'est transformé en un solide arbuste grimpant qui s'élevait du sol en quête de lumière.

Les rosiers sauvages sont à l'origine des quelque 150 espèces connues. La plus grande partie nous est venue d'Asie. Ils présentaient presque tous des fleurs simples formées de cinq pétales.

À travers les siècles, les horticulteurs n'ont eu de cesse de développer les rosiers, obtenant des roses doubles puis des hybrides modernes qui n'ont presque plus rien de commun avec les rosiers sauvages dont ils sont issus.

Parmi les espèces les plus anciennes se trouve la rose de France ou rose des Mages *(Rosa gallica)* dont sont descendues, croit-on, toutes les roses de jardin actuellement cultivées. À un certain moment, un croisement effectué entre *R. gallica* et une espèce sauvage produisit *R. damascena* ou rose de Damas qui fut probablement apportée de Damas, en Syrie, par les premiers croisés et qui fit ainsi son apparition en Europe occidentale.

À cette époque, aucune des variétés n'avait été créée artificiellement. Elles tiraient leur origine de rejets anormaux appelés « sports » qui différaient de la plante mère. Ainsi une fleur rose pouvait apparaître sur un rosier à fleurs blanches. Ces muta-

Rosier grandiflora 'Queen Elizabeth'

Comme la plupart des roses naturelles, Rosa primula, qui pousse à l'état sauvage en Asie centrale, a des fleurs simples. Elle dégage un doux parfum, surtout après la pluie.

Rosa primula

tions étaient conservées et propagées par greffage, écussonnage ou bouturage — des opérations connues depuis fort longtemps — et constituaient de nouvelles variétés.

L'introduction en Europe de la rose de Chine ou rose du Bengale *(R. chinensis),* vers la fin du XVIIIᵉ siècle, changea le cours de l'histoire de la rose. Les horticulteurs avaient acquis de l'expérience. Par croisements entre les rosiers anciens et nouveaux, ils finirent par obtenir les roses thé et les hybrides remontants. Ces rosiers ont été les plus fréquemment cultivés jusqu'à la fin du XIXᵉ siècle.

La plus grande partie des premiers hybrides vit le jour en France. L'impératrice Joséphine les mit à la mode en créant une roseraie où étaient réunies toutes les espèces et les variétés cultivées à l'époque.

Les rosiers hybrides de thé ont été obtenus en France vers la fin du XIXᵉ siècle par le croisement de roses thé et d'hybrides remontants.

Un peu plus tard apparurent les rosiers polyanthas qui se caractérisent par des bouquets de petites fleurs. Ils sont nés du croisement entre le rosier multiflore *R. multiflora* et *R. chinensis.* Des croisements subséquents réalisés au Danemark et aux États-Unis firent apparaître les fameux rosiers floribundas. Croisés avec des hybrides de thé, ceux-ci donnèrent les rosiers grandifloras.

Au XIXᵉ siècle, il était d'usage de cultiver les rosiers à part dans des plates-bandes de formes géométriques où ils étaient groupés par variétés. Cette tradition se maintient encore dans certains parcs officiels ou jardins d'exposition.

Aujourd'hui, on dispose les rosiers de façon moins rigide et on n'hésite pas à les associer à d'autres plantes. Il y a deux raisons à cela. Premièrement, les plates-bandes réservées exclusivement aux rosiers perdent tout intérêt durant les nombreux mois où ceux-ci ne sont pas en fleur. En outre, l'exiguïté des jardins incite maintenant à varier le décor floral à défaut de pouvoir le spécialiser.

Culture mélangée de rosiers et d'autres plantes Les rosiers peuvent être cultivés en association avec d'autres arbustes ou des plantes herbacées vivaces. On peut tout aussi bien les isoler près d'une entrée ou contre un mur. C'est ainsi que de grands rosiers arbustifs modernes, comme les variétés 'Nevada' ou 'Frühlingsgold' et le rosier botanique *R. moyesii,* se détachent avec un rare bonheur derrière une bordure de plantes basses à feuillage persistant, à l'arrière-plan d'une rangée d'arbustes de taille moyenne ou encore derrière certains rosiers hybrides de thé ou floribundas.

Il est important de tenir compte des époques de floraison et des dimensions de chacun des sujets qu'on associe. On laissera au moins 60 cm entre les plants pour que l'air puisse circuler. S'il s'agit d'hybrides de thé ou de floribundas, on s'assurera que les variétés de petite taille ne seront pas cachées par de plus grandes, comme 'Queen Elizabeth', 'Mount Shasta', 'Camelot' ou 'Arizona'. Les catalogues des pépiniéristes donnent généralement la hauteur maximale que peut atteindre chaque variété.

Les floribundas sont peut-être ceux qui s'associent le mieux à d'autres plantes. Généralement, ils sont plus rustiques et moins développés que les hybrides de thé et se placent bien devant un massif d'arbustes variés. Ils accompagnent moins bien cependant les plantes annuelles, à moins qu'on ne les dispose à une extrémité de la bordure.

Certains rosiéristes sont offusqués de voir des hybrides de thé associés à d'autres plantes. Pourtant, le jardin a bien plus belle allure lorsqu'on dissimule les pieds inélégants des hybrides de thé derrière des plantes basses et variées.

Bordures de plates-bandes de roses Les rosiers miniatures peuvent composer de jolis liserés le long des plates-bandes de roses. On peut aussi faire des bordures d'annuelles basses: ageratums, bégonias des plates-bandes, pensées et mufliers nains, qui fleurissent longtemps. Des vivaces comme les oreilles de chat et les santolines conviennent aussi.

Rosiers de haie Plusieurs types de rosiers peuvent être utilisés pour former des haies. À l'exception des floribundas, ils offrent l'avantage de se développer en largeur. On peut donc en planter moins. Il suffit de les planter un peu plus serré et de les tailler légèrement.

Ce sont les hybrides rugueux qui composent les meilleures haies: leur feuillage est dense et ils fleurissent longtemps. Citons 'Blanc double de Coubert' et 'Delicata' à fleurs doubles lavande et 'Roseraie de l'Hay', pourpre. Ces arbustes deviennent assez grands. L'hybride blanc 'Schneezwerg' peut atteindre 1,20 m.

Pour former des haies moins élevées dont la période de floraison est plus courte, on choisira plutôt les très vieilles roses galliques dont Rosa Mundi *(R. gallica* 'Versicolor'*)* à fleurs écarlates striées de blanc.

L'épineux rosier d'Écosse *(R. pimpinellifolia)* constitue une barrière efficace contre les animaux et profite en sol pauvre. La variété 'Stanwell Perpetual' se couvre durant une longue période d'une profusion de fleurs rose pâle, doubles et parfumées.

Au pied des rosiers, on peut planter des annuelles basses: ageratums, alysses odorantes ou bégonias des plates-bandes, espèces très florifères.

Les fleurs doubles de 'Stanwell Perpetual' se renouvellent depuis l'été jusqu'en automne ; celles de 'Charles de Mills' s'ouvrent tard au printemps et réapparaissent en automne.

Rosa 'Stanwell Perpetual'

Rosa 'Charles de Mills'

Huit catégories de rosiers

'Karl Forster' est aussi une variété vigoureuse à grandes fleurs doubles et blanches, légèrement parfumées. Son feuillage vert est de belle qualité et sa floraison se prolonge de façon intermittente durant tout l'été.

La variété grimpante 'Blaze' à fleurs rouges ne peut former une haie de plein vent, mais peut être palissée contre une clôture.

Dans les régions à climat plus tempéré, on peut choisir le floribunda blanc et odorant 'Iceberg' qui donne une jolie haie de 1,50 m environ ou la variété 'Betty Prior' qui produit durant toute la saison des fleurs roses et simples. 'Frensham' à fleurs semi-doubles rouges est une variété de plus petite taille.

'Queen Elizabeth' est un arbuste vigoureux et épineux à grandes fleurs roses. Il forme de bonnes haies pouvant atteindre 1,80 m de hauteur pourvu qu'on plante les sujets à 60 cm d'intervalle et qu'on les taille en hiver ou au début du printemps. Si l'on veut une haie plus basse et plus épaisse, il faudra rabattre les plants sévèrement au début du printemps.

Parmi les rosiers grimpants, la variété 'New Dawn' compose une haie ou un écran très denses. Taillés régulièrement, les sujets de cette espèce se développent comme des arbustes. Ce sont des rosiers ramifiés et vigoureux, presque constamment couverts de fleurs rose vif exquisement parfumées.

Rosiers couvre-sol Quelques rosiers rampants formant un tapis court et dense couvrent bien le sol et s'opposent efficacement, une fois bien établis, à la prolifération des mauvaises herbes. Ces rosiers sont aussi utiles pour fixer les talus.

Parmi les meilleures variétés de rosiers rampants il faut mentionner 'Max Graf', hybride de rosiers rugueux dont les fleurs simples, roses et parfumées ont des pétales gaufrés. Cette variété fleurit à la mi-été et s'étale rapidement. *R. wichuraiana* atteint entre 30 et 45 cm de hauteur et donne un couvre-sol solide pour les talus. Ses petites fleurs parfumées, d'un blanc crème, s'épanouissent vers la fin de l'été et les plants viennent bien, même en sol pauvre.

Culture des rosiers en bac Les rosiers cultivés dans des bacs, des pots ou des jardinières sont très décoratifs. Le contenant aura de préférence 50 cm de côté. Pour les rosiers miniatures, un contenant de 30 cm de côté suffit.

Pour la culture des rosiers en bac, il faut choisir une terre qui se draine bien tout en conservant l'humidité. Mélanger à parts égales de la terre de jardin, de la tourbe et du sable grossier ou de la perlite.

Ne jamais laisser le mélange terreux se dessécher. Lutter contre les ravageurs et les maladies cryptogamiques à l'aide de pulvérisations périodiques, et fertiliser une fois par mois avec un engrais liquide. Dans les régions où le climat est rigoureux, rentrer les contenants l'hiver.

Rosiers All-America On rencontre souvent des rosiers identifiés par les initiales AARS. Quelle est l'utilité de cette appellation pour l'horticulteur amateur ?

En 1938, pour combattre la prolifération des variétés bâtardes, quelques chefs de file se regroupèrent pour fonder le All-America Rose Selections, un organisme à but non lucratif ayant pour fonction d'étudier les nouvelles variétés de roses.

Les roses soumises à ce contrôle sont cultivées en pleine terre pendant deux ans dans 26 stations expérimentales situées un peu partout en Amérique du Nord et reçoivent les soins habituels.

Les résultats sont évalués par un jury officiel selon un système de notation précis. Les critères de qualité sont les suivants : vigueur, rusticité, résistance aux maladies, beauté du feuillage, abondance de la floraison, forme, couleur et parfum des fleurs et nouveauté de la variété. Seuls les sujets qui accumulent le plus grand nombre de points dans chaque catégorie méritent la désignation AARS.

Rosiers hybrides de thé Ce sont les rosiers les plus cultivés. La plupart ont des tiges uniflores et des fleurs doubles précédées de longs boutons pointus. Ces plantes sont remontantes, c'est-à-dire qu'elles fleurissent à plusieurs reprises.

Voici quelques variétés : 'Chrysler Imperial' (rouge), 'Tropicana' (rouge orangé), 'Tiffany' (rose), 'King's Ransom' (jaune), 'John F. Kennedy' (blanc), 'Touch of Class' (rouge clair) et 'Peace' (rose et jaune).

Rosiers à fleurs groupées ou floribundas Ces rosiers produisent plusieurs fleurs réunies en bouquet ; la floraison est continue et abondante. Au moment de leur introduction, au début du XXᵉ siècle, les floribundas donnaient de gros bouquets de fleurs simples ou semi-doubles. Plusieurs variétés récentes présentent des fleurs qui ressemblent beaucoup à celles des hybrides de thé, mais en plus petit. Elles peuvent être simples, semi-doubles ou doubles.

Elles incluent 'Europeana' (rouge), 'Nearly Wild' (rose, simple), 'Iceberg' (blanc), 'Red Gold' (bicolore), 'Circus' (mélange de jaune, rouge et rose) et 'Fashion' (corail).

Rosiers à grandes fleurs ou grandifloras Ce sont de grands buissons majestueux, très vigoureux, qui se situent entre l'hybride de thé et le floribunda. Les fleurs ressemblent à celles des hybrides de thé, sauf qu'elles sont groupées en bouquets comme chez les rosiers floribundas.

Parmi les variétés renommées, on a 'Queen Elizabeth' (rose), 'Camelot' (saumon), 'Arizona' (cuivre), 'Carousel' (rouge) et 'Love' (rouge).

Rosiers polyanthas On trouve encore dans les catalogues quelques représentants de cette catégorie autrefois très répandue. Ce sont des plantes courtes qui donnent, de façon intermittente tout l'été, de petites fleurs réunies en bouquets.

Citons 'The Fairy' (fleurs roses semi-doubles), 'Cecile Brunner' (fleurs rose clair semblables à celles des hybrides de thé) et 'Margo Koster' (fleurs cupuliformes d'un corail orangé).

Rosiers miniatures Ces rosiers, qui ne dépassent pas 35 cm de hauteur, produisent des fleurs semi-doubles ou doubles dont certaines sont d'une forme presque identique à celle des fleurs d'hybrides de thé. Les rosiers miniatures se cultivent bien dans des contenants.

Parmi les variétés les plus appréciées, on retrouve 'Cupcake' (rose), 'Gourmet Popcorn' (blanc), 'Green Ice' (jaune pâle tirant sur le vert).

Rosiers-tiges et rosiers pleureurs Les rosiers-tiges font habituellement 1 m de haut, mais il existe des sujets ne dépassant pas 60 cm et d'autres, nains, d'environ 45 cm. Ces arbustes élégants sont obtenus par greffage (écussonnage) de certaines variétés—en règle générale hybrides de thé ou floribundas—sur des tiges nues, fines et dressées.

Les rosiers pleureurs ou parasols peuvent atteindre 1,50 à 1,80 m de hauteur. Leur frondaison est celle d'un rosier sarmenteux à branches souples retombant gracieusement jusqu'au sol.

Rosiers grimpants Les rosiers grimpants remontants à grandes fleurs ont presque totalement supplanté les anciennes variétés. La plupart présentent des fleurs semblables à celles des hybrides de thé, tandis que d'autres produisent des fleurs réunies en bouquets qui s'apparentent davantage aux roses floribundas.

Parmi les variétés les plus populaires, notons 'Coral Dawn' (rose corail), 'Golden Showers' (jaune), 'Blaze' (écarlate), 'New Dawn' (rose) et 'White Dawn' (blanc).

Rosiers arbustes Cette catégorie groupe des plantes qui peuvent servir à former une haie ou un petit massif. Elle comprend des espèces botaniques et des hybrides. Ce sont des plantes arbustives dont plusieurs peuvent atteindre 1,20 à 1,50 m de hauteur et d'étalement. Très rustiques, ces rosiers conviennent aux régions au climat froid.

Rosa 'Polar Star'

Rosa 'La France'

Rosa 'Julia's Rose'

Chacun de ces hybrides de thé est unique. 'Polar Star' pour l'abondance de ses fleurs, 'La France' pour ses lettres de noblesse, et 'Julia's Rose' pour ses nuances cuivrées.

Plantation d'un rosier

Préparation du sol et choix d'un emplacement

Même s'ils s'adaptent à divers sols et emplacements, les rosiers préfèrent un sol plutôt riche et légèrement acide, en situation ensoleillée et aérée. Une terre argileuse peut leur convenir à la condition qu'on lui ajoute de l'humus. Un bon drainage est essentiel, même si les rosiers exigent de généreux arrosages en période de sécheresse. Une fois bien établis, ils peuvent rester en place de nombreuses années du moment qu'on leur fournit régulièrement paillis et engrais.

Les rosiers ont absolument besoin d'un sol qui garde son humidité. Un mois avant la plantation, ameublir le sol à la profondeur d'un fer de bêche et y incorporer un tiers environ de matières organiques : tourbe, compost, terreau de feuilles ou fumier bien décomposé. N'ajouter aucun fertilisant de commerce. Éviter de fouler le sol de surface pour permettre à l'air de circuler. Égaliser au besoin avec un râteau.

Si le sol est très argileux ou au contraire sablonneux, il faudra lui ajouter jusqu'à 50 p. 100 de matières organiques. Outre les engrais naturels déjà mentionnés, les débris de gazon constituent un excellent amendement.

Les rosiers cultivés dans un sol argileux ou sablonneux bénéficieront grandement d'épandages annuels en couverture de fumier bien décomposé ou de compost.

Si le sol est alcalin, épandre deux seaux de tourbe et deux poignées d'un engrais acide à dissolution lente, comme ceux qu'on recommande pour la culture des azalées. Faire pénétrer ces substances à une profondeur de 15 à 25 cm. On peut aussi utiliser du soufre en poudre à raison de 50 g par mètre carré. Par contre, si le sol est trop acide et que son pH soit inférieur à 5,5, y incorporer du calcaire broyé à raison de 170 g par mètre carré.

Lorsque le sol est mal drainé, il est préférable d'installer les rosiers dans des plates-bandes surélevées.

Époque de plantation Dans les régions froides, la meilleure saison pour la plantation des rosiers dont les racines sont à nu est le début du printemps. Les racines ont alors tout le temps de s'établir dans le sol avant que la croissance des organes aériens reprenne. Si la plantation est effectuée en automne, il faudra bien protéger les plants durant l'hiver. Par contre, dans les régions où le sol ne gèle pas en profondeur, le meilleur moment est la fin de l'automne ou la fin de l'hiver.

S'il fait très froid quand on reçoit les rosiers commandés par la poste, les mettre en attente dans un garage ou un hangar. Entrouvrir le sac de plastique qui recouvre la motte de racines afin que celles-ci, qui sont généralement dans de la sphaigne humide, ne pourrissent pas. Garder la mousse humide sans la détremper et, de temps autre, arroser aussi les tiges. Si les racines sont à nu, les envelopper de jute, de papier journal ou de tourbe pour qu'elles ne se dessèchent pas.

Bien que les rosiers puissent supporter une brève attente, il vaut mieux les planter dès leur réception. Si l'attente devait se prolonger, enfouir les racines dans une tranchée peu profonde et oblique, à l'abri du soleil, et les arroser abondamment.

Les sujets en contenant peuvent être installés au jardin dès l'achat. Cependant, dans la plupart des pépinières canadiennes, on empote les sujets à racines nues au tout début du printemps ; il vaut donc mieux les acheter au printemps ou au début de l'été avant que les racines à l'étroit ne forment une motte compacte.

Dans les pépinières, on soumet souvent les rosiers au forçage pour leur assurer une croissance et une floraison plus précoces. Il faut éviter de transplanter ces sujets fragiles au jardin tant que subsiste le moindre risque de gel.

Espacement Il ne faut jamais planter les rosiers à moins de 40 cm d'une allée ou d'une pelouse.

Voici les distances minimales recommandées. Rosiers miniatures : 30 cm. Rosiers-tiges : 90 cm. Hybrides de thé, floribundas, hybrides remontants, polyanthas, rosiers buissonnants à croissance modérée : 45 cm. Rosiers buissonnants à croissance vigoureuse : 60 cm. Grandifloras : de 60 cm à 1,20 m. Rosiers arbustes : 1,50 m. Sarmenteux et grimpants : 2,10 m.

Préparation des rosiers

Il vaut mieux choisir, pour planter ses rosiers, une journée sans vent avec un ciel couvert. S'ils doivent attendre, les mettre à l'ombre en gardant les racines humides. Les transporter au jardin quelques-uns à la fois.

Lorsque les plants à racines nues présentent des tiges sèches et ridées, les plonger complètement dans l'eau pendant quelques heures. Si leur état ne s'améliore pas, les retourner à la pépinière pour les échanger.

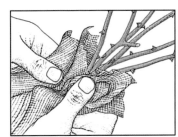

1. Avant la plantation, garder les racines à couvert ou dans l'eau.

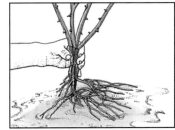

2. Si les racines sont desséchées, les tremper dans de la boue.

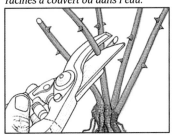

3. Rabattre les tiges faibles ou abîmées à du bois ferme et sain.

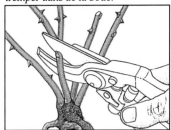

4. Les couper en biseau, au-dessus d'un œil tourné vers l'extérieur.

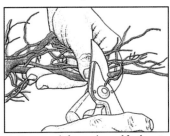

5. Raccourcir les racines abîmées et celles qui sont trop longues.

6. Ôter toute grosse racine pouvant être une vieille racine principale.

'Eye Paint', une variété de rosier floribunda, a des feuilles vernissées vert sombre et des fleurs distinctives, inodores, massées en larges grappes.

Rosa 'Eye Paint'

Creusage d'un trou selon le volume des racines

Creuser un trou assez large et assez profond pour que les racines, disposées dans la direction où elles poussaient, s'étalent aisément et complètement. On remarquera que dans certains cas elles se dirigent toutes dans le même sens.

On recommande souvent de ménager un petit monticule de terre, au centre du trou, et d'étaler les racines du rosier tout autour. Mais cette façon de faire risque de fausser la profondeur de plantation.

Déployer les racines délicatement avec les doigts pour qu'elles ne se superposent pas. Il faut éviter de les plaquer contre la circonférence du trou. Déposer un bâton en travers du trou, qui servira de repère pour marquer le niveau du sol dans le lit de plantation.

CREUSAGE DU TROU SELON LA FORME DES RACINES

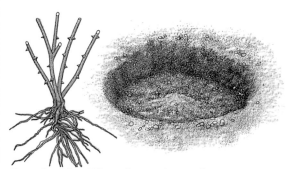

Trou circulaire *Si les racines se séparent dans toutes les directions, creuser un trou d'environ 60 cm de diamètre et d'au moins 30 cm de profondeur. Garnir le fond d'une couche de 2,5 cm d'épaisseur de mélange pour plantation. Bien étaler les racines sur la couche de fond.*

Trou en éventail *Si les racines se concentrent toutes dans une même direction, donner au trou de plantation la forme d'un éventail. Le creuser plus profondément du côté où se dirigent les racines pour que le point de greffe demeure à la hauteur recommandée suivant le climat.*

Plantation des rosiers buissons

Avant de déterminer la profondeur de plantation de ces rosiers hybrides, il faut décider de l'emplacement du point de greffe, considération vitale pour la plante, surtout en climat froid. Le point de greffe est le petit bourrelet qui marque l'endroit où le rosier a été greffé sur un système radiculaire étranger.

Lorsque le point de greffe se situe au-dessus du sol, la plante produit plus de tiges à la souche. Aussi le

Point de greffe

place-t-on à 3 cm environ au-dessus du sol dans les régions à climat tempéré. Là où la température se maintient en dessous de –7 °C durant la plus grande partie de l'hiver, on recommande de placer le point de greffe à une profondeur de 3 à 5 cm dans le sol pour le protéger du froid. Cependant, certains rosiéristes ont constaté qu'il était après tout préférable de placer le point de greffe au-dessus du niveau du sol, quitte à le protéger en hiver au moyen d'un épais paillis.

Tous les rosiers ont besoin d'être plantés solidement. Quand le trou est aux deux tiers rempli, fouler la terre avec le pied. Remplir ensuite le trou d'eau et laisser celle-ci pénétrer complètement avant d'ajouter de la terre. Cette méthode élimine les poches d'air. Terminer le remplissage du trou en creusant une petite rigole tout autour pour garder l'eau dans la région des racines.

Arroser de nouveau, puis butter le plant pendant quelques semaines pour protéger les tiges du dessèchement. Enlever cette terre au printemps avant que les bourgeons commencent à gonfler.

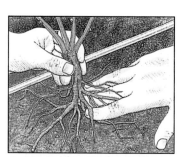

1. *Avec un bâton placé en travers, vérifier le niveau du point de greffe.*

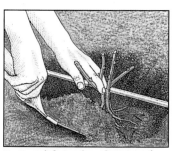

2. *Couvrir les racines de terre préparée. Remplir le trou aux deux tiers.*

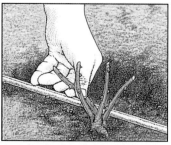

3. *Agiter le plant de haut en bas pour éliminer les poches d'air.*

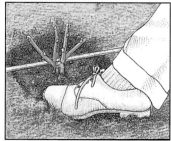

4. *Fouler du pied, puis arroser. Finir de remplir, fouler et arroser.*

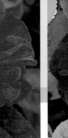

La plupart des roses de jardin ont pour ancêtre la rose de France, ou rose des Mages (Rosa gallica). Sur des buissons touffus qui poussent à la hauteur de 1 m, 'Crimson Damask' a des fleurs semi-doubles, 'Tuscany Superb' des fleurs doubles.

Rosa gallica var. *officinalis* (syn. 'Crimson Damask')

Rosa 'Tuscany Superb'

Plantation et tuteurage d'un rosier-tige

À cause de la haute tige unique qui les supporte, ces rosiers ont besoin d'être solidement tuteurés. Le tuteurage s'effectue au moment de la plantation avec un tuteur de 2,5 cm de côté : forte tige métallique ou bout de tuyau. Pour calculer sa longueur, prévoir qu'il doit pénétrer à 60 cm dans le sol et dépasser la base de la tête du rosier de plusieurs centimètres. Dans le cas d'un tuteur en bois, imprégner de pentachlorophénol la partie qui sera enterrée et en tailler l'extrémité en pointe. Ne pas employer de créosote, car il s'agit d'un produit toxique.

Installer le tuteur au centre du trou. Comme le tronc d'un rosier-tige peut souffrir d'insolation par grandes chaleurs, placer le tuteur au sud de la plante pour le protéger. (On peut aussi envelopper le tronc avec de la toile de jute.)

Maintenir le rosier-tige contre le tuteur et le planter le plus droit possible. Pour ce type de rosier, le point de greffe se trouve au sommet. On n'a donc pas à décider de la hauteur à laquelle devrait être plantée cet arbuste. Examiner la tige pour identifier l'endroit où l'écorce change de couleur. Au moment de la plantation, cette ligne de démarcation doit se situer au niveau du sol. (Là où il fait très froid en hiver, il va falloir enterrer le plant en entier afin de protéger son point de greffe.)

Maintenir fermement le rosier-tige contre le tuteur pendant qu'on remplit le trou. L'agiter délicatement de bas en haut pour faire glisser la terre dans toutes les cavités. Fouler la terre du pied quand le trou est à moitié plein et remplir celui-ci d'eau. Quand cette eau a été absorbée, terminer le remplissage, fouler de nouveau la terre du pied et arroser. Ménager une petite rigole autour de la plante.

Fixer le rosier-tige au tuteur à l'aide d'au moins deux attaches. En placer une juste sous la tête du rosier et une autre à mi-hauteur. Les attaches de plastique sont pratiques, mais on peut aussi employer de la ficelle à plantes, surtout si le tronc du rosier-tige est entouré de jute.

Dans les régions à climat froid, dégager la plante à la fin de l'automne, la coucher sur le sol et la recouvrir de terre. La replanter au début du printemps.

Mise en place d'un rosier grimpant contre un mur

Planter d'abord le rosier grimpant comme on le ferait d'un autre. Avec deux œilletons, fixer contre le mur et horizontalement des fils métalliques plastifiés tendus par un tendeur de fil de fer. Laisser un espace de 10 à 15 cm entre les fils et le mur pour que l'air circule derrière les plantes.

Au moment du palissage des rosiers, attacher horizontalement les branches principales au fil métallique. Cette méthode favorise la floraison des sujets à grandes fleurs.

Les jeunes rosiers grimpants présentent généralement plus de bois mort que les autres rosiers. Éliminer ce bois en taillant juste au-dessus d'un œil sain.

1. *Creuser un trou de 30 à 40 cm. Enfoncer le tuteur. Ajouter de la terre.*

2. *Tenir la plante droite, étaler ses racines et les couvrir de terre.*

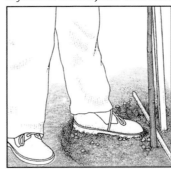

3. *Remplir le trou à moitié. Fouler la terre et arroser. Finir le remplissage.*

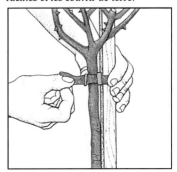

4. *Fixer la plante au tuteur avec plusieurs attaches.*

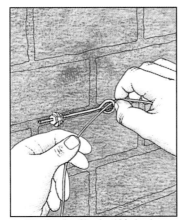

1. *Attacher les fils plastifiés horizontalement à intervalles de 40 cm.*

2. *Planter le rosier à 30 cm du mur, les racines dirigées vers l'extérieur.*

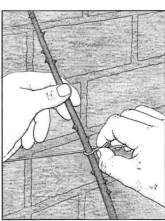

3. *Disposer les pousses en éventail en les attachant aux supports.*

Le rosier floribunda 'Princess of Wales' a des fleurs blanches comme neige et légèrement parfumées. Il a reçu son nom en 1997 en hommage à la princesse Diana. Une fois coupées, les larges fleurs de cet autre hybride récent, 'Sexy Rexy', restent belles très longtemps.

Rosa 'Princess of Wales'

Rosa 'Sexy Rexy'

Culture des rosiers durant l'année

Identification et élimination des rejets

Les rejets qui prennent naissance sous le niveau du sol, à la souche des rosiers, ou sur les troncs des rosiers-tiges peuvent être gênants. Ils proviennent des porte-greffes et se reconnaissent généralement à leurs feuilles et à leurs épines qui diffèrent de celles des rosiers cultivés. Leurs folioles sont étroites et leurs épines ressemblent à des aiguilles. On croit communément que les rejets ont 7 folioles par feuille tandis que le rosier proprement dit n'en aurait que 5, mais tel n'est pas toujours le cas.

Le moyen le plus sûr d'identifier ce type de rejet est de suivre la pousse suspecte jusqu'à son point de départ qui se situera sous le point de greffe, c'est-à-dire en dessous du bourrelet où s'effectue la jonction des branches et du système radiculaire. Arracher alors le rejet à sa base. Ne pas le couper surtout : cette opération s'assimilerait à la taille et favoriserait la multiplication des rejets.

Techniques simples pour stimuler la floraison

Dès que les fleurs d'hybride de thé se fanent, les supprimer à l'aide d'un sécateur juste au-dessus d'une pousse vigoureuse ou d'un œil externe. Cette opération favorise l'apparition de nouvelles fleurs.

Si l'on rabat la tige à la première feuille ayant 5 folioles, on prive la plante de plusieurs tiges florifères.

Vers la fin de la saison, se contenter de couper au premier œil en dessous de la fleur afin de ne pas provoquer l'apparition de jeunes tiges qui n'auraient pas le temps de se lignifier avant la venue de l'hiver.

Dans les régions où le climat est froid, couper les fleurs avec une partie du pédoncule à l'automne.

Chez les rosiers floribundas, il faut éliminer tout le bouquet terminal en rabattant la tige au premier œil sous le bouquet. Ne pas laisser les fleurs monter en graines, à moins qu'on ne veuille conserver celles-ci à des fins décoratives ou pour des semis.

Rosier buisson *Creuser la terre et arracher le rejet.*

Rosier-tige *Arracher les pousses sous le point de greffe.*

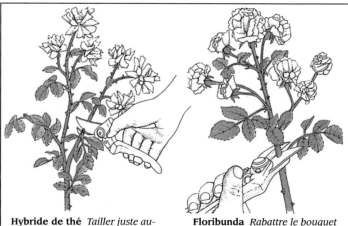

Hybride de thé *Tailler juste au-dessus d'une pousse externe.*

Floribunda *Rabattre le bouquet au premier œil.*

Comment obtenir des fleurs plus grandes

On peut éliminer quelques boutons d'hybrides de thé pour permettre aux fleurs de mieux se développer.

Lorsque de nouvelles tiges poussent sur ces rosiers, un ou plusieurs boutons latéraux apparaissent juste en dessous du bouton apical. Les éliminer en les détachant avec les doigts à 15 cm au-dessous du bouton terminal.

Chez les floribundas, on peut éliminer, dans chaque bouquet, les gros boutons du centre et les plus petits.

Pour avoir de grosses fleurs, ne garder que les boutons principaux.

Quand arroser et quand traiter les rosiers

La fréquence des arrosages dépend de la nature du sol et du temps qu'il fait. En terre sablonneuse, ils seront abondants. Ailleurs, la plupart des rosiers, du moment qu'ils sont bien établis, pourront tolérer deux ou trois semaines de sécheresse.

Pendant la floraison, afin de protéger les fleurs, arroser avec un arrosoir ou un irrigateur qui permet de donner de l'eau seulement aux racines. En dehors de cette période, utiliser un arroseur, à jet fin.

Pour prévenir l'apparition du mildiou, arroser le matin de sorte que les plants aient le temps de sécher avant le crépuscule. Éviter d'éclabousser les feuilles de boue, car souvent le sol contient des germes qui peuvent affecter les plantes. Arroser délicatement, mais de manière à humidifier le sol en profondeur.

Dès le début de leur saison de croissance, traiter régulièrement les rosiers avec un insecticide-fongicide spécifique. Utiliser de préférence un pulvérisateur à pression et traiter l'envers et l'endroit des feuilles, de même que le sol alentour.

*Le rosier grimpant 'Alchemist'
produit des fleurs très parfumées,
plus pâles en début de saison. Il s'élève
jusqu'à 4 m et ses branches robustes
sont pourvues d'abondantes épines.*

Rosa 'Alchemist'

L'importance des engrais et des paillis

Les rosiers ne doivent pas recevoir d'engrais durant l'année qui suit la plantation. Par la suite, la fertilisation peut commencer dès le dégel. On engraissera de nouveau la terre après chaque période de floraison. Dans les zones froides, interrompre la fertilisation au mois d'août. Autour des plants, incorporer au sol par grattage du superphosphate additionné de poudre d'os ou de sang séché ou un engrais chimique pour rosiers.

Dès que le sol s'est réchauffé, au printemps, le recouvrir (après l'avoir arrosé s'il est très sec) d'un paillis de 5 à 10 cm d'épaisseur pour garder l'humidité, enrichir le sol et prévenir la croissance des mauvaises herbes.

Compost, épis de maïs broyés, feuilles déchiquetées, sciure de bois, foin de prés salés, paille, écorce déchiquetée, écailles de sarrasin et fibre de noix de coco font d'excellents paillis. Le fumier de bovins ou de cheval bien décomposé convient aussi, mais il renferme souvent des graines de mauvaises herbes.

Les engrais liquides sont versés à travers les paillis; les autres sont appliqués dessous. Renouveler les paillis tous les ans.

Protection en hiver

Les rosiers convenablement protégés résistent bien aux froids de l'hiver. On prendra soin d'isoler le collet de la plante pour préserver les bourgeons de croissance.

On obtient ce résultat en buttant les plants sur une hauteur de 25 à 30 cm. Le buttage s'effectue le plus souvent avec de la terre de jardin. Il vaut mieux cependant la prélever ailleurs que dans la plate-bande des rosiers pour ne pas risquer d'endommager les racines superficielles. On peut aussi utiliser des manchons de feuilles ou de paille maintenus avec du fil métallique. Y incorporer cependant du poison contre les rongeurs.

En zone 5 et autres zones plus froides, il est préférable de détacher les rosiers grimpants de leur support, d'étaler leurs branches sur le sol et de les protéger avec de la terre, de la paille ou des panneaux de bois.

La neige constitue aussi un excellent isolant. On en favorisera donc l'accumulation sur les plates-bandes.

Ravageurs et maladies

Si un rosier présente des symptômes non décrits dans le tableau ci-dessous, se reporter aux illustrations du chapitre «Ravageurs et maladies», qui commence à la page 474. On trouvera à partir de la page 510 les appellations commerciales des produits chimiques recommandés.

Symptômes	Cause	Traitement*
Pousses et boutons couverts d'insectes verts. Dans les cas graves, tiges, feuilles et boutons sont déformés.	Pucerons	Vaporisation de savon insecticide ou de malathion.
Feuilles dévorées, parfois même enroulées.	Chenilles, larves de tenthrèdes	Vaporisation de carbaryl, de méthoxychlore, de roténone ou de *Bacillus thuringiensis.*
Feuilles tachetées. Peuvent jaunir et tomber prématurément. Petits insectes sauteurs ou volants apparents.	Cicadelles	Vaporisation de carbaryl, de malathion ou de méthoxychlore.

Symptômes	Cause	Traitement*
Feuilles et boutons floraux très déformés. Feuilles déchiquetées ou marquées.	Punaises	Vaporisation de malathion, de méthoxychlore ou de savon insecticide.
Feuilles et boutons floraux très déformés. Feuilles déchiquetées ou marquées.	Thrips	Vaporisation de diméthoate, de malathion ou de roténone. Bien nettoyer à l'automne.
Feuilles d'une fausse couleur, parfois bronze, tachetées d'argent. Feuilles parfois reliées par des toiles.	Tétranyques à deux points (araignées rouges)	Une fois la semaine, vaporiser la feuille entière de savon insecticide, de roténone, de dicofol ou d'un autre miticide. Ou utiliser un insecticide systémique.
Kystes noduleux sur les racines. Plante chétive, d'une mauvaise couleur.	Nématodes des racines	Supprimer la plante. Ne rien planter ici avant quatre ans.
Feuilles portant des marques noires et rondes et pouvant tomber prématurément.	Tache noire (champignon)	Vaporisation de bénomyl ou de captane.
Tiges et collets atteints et nécrosés; chancres noirs ou bruns.	Chancre (champignon)	Couper les tiges affectées à 2,5 cm sous la région décolorée, après la reprise au printemps. Stériliser couteaux et sécateurs avec un javellisant dilué de moitié. Vaporisation de bouillie soufrée.
Plantes atteintes au ras du sol, portant de grosses excroissances noduleuses.	Tumeur du collet (bactérie)	Difficile à contrer. Arracher et détruire les sujets très atteints. Prendre garde d'abîmer les tiges.
Feuilles et jeunes pousses revêtues d'une pruine blanchâtre. Parfois déformées.	Blanc (champignon)	Vaporisation de bénomyl ou de dinocap.
Pousses tordues ou mal formées, couvertes d'une poudre orange. Points jaunes sous les feuilles; chute prématurée de celles-ci.	Rouille (surtout sur la côte Ouest)	Difficile à contrer. Vaporisation de manèbe ou de ferbame dès les premiers symptômes. Couper et détruire les pousses affectées.
Extrémités des tiges noircies ou pourprées. Taches décolorées sur les jeunes feuilles.	Gel ou vent froid	Si le cas se produit souvent, remettre la taille finale au printemps suivant.
Jaunissement et chute prématurée des feuilles. Fleurs peu nombreuses et durant peu. Croissance générale faible.	Manque d'engrais, sécheresse ou les deux	Se produit quand les rosiers sont cultivés dans une terre rocailleuse ou près d'un mur qui arrête la pluie. Ne pas laisser le sol se dessécher. Pailler tous les ans.

* Certains produits sont interdits dans les localités qui ont adopté des règlements contre les pesticides. Voir aussi «Recettes maison et produits naturels», p. 512, et «Les amis du jardin», p. 515.

Avec un diamètre de 10 à 15 cm, les roses des hybrides de thé font d'excellentes fleurs coupées. 'Blessings' a des pétales doubles qui flottent librement au bout d'une tige robuste et bien droite.

Rosa 'Sally Holmes' ➡

Rosa 'Blessings'

De beaux rosiers grâce à une taille judicieuse

Quand et comment effectuer la taille

De façon générale, le meilleur moment pour effectuer la taille des rosiers se situe à la fin de la période de dormance, au moment où les bourgeons commencent à gonfler. Dans les régions à climat tempéré, la taille peut se faire en décembre et en janvier. Dans les régions plus froides, elle s'effectuera en mai. De toute manière, il faut attendre que tout danger de gel soit définitivement écarté.

Ce principe, cependant, ne s'applique ni aux rosiers sarmenteux et grimpants ni aux rosiers pleureurs. Tailler légèrement les grimpants après la floraison, puis de nouveau au printemps. Tailler les sarmenteux après la floraison, tout comme les rosiers pleureurs (qui ne sont rien d'autre que des rosiers sarmenteux greffés sur de longues tiges).

Un peu de vocabulaire Une tige ou une branche de l'année est appelée bois nouveau. Les fleurs des hybrides de thé, des floribundas et de la plupart des rosiers modernes apparaissent sur du bois nouveau.

On appelle vieux bois une tige des années précédentes. La plupart des rosiers grimpants et tous les sarmenteux (sauf les sports grimpants) fleurissent sur du vieux bois.

Un œil est un bourgeon jeune ou naissant, placé à l'aisselle d'une feuille. En hiver, il n'est pas plus gros qu'une tête d'épingle, mais au printemps il donnera naissance à une pousse.

On distingue deux sortes de bourgeons : le bourgeon de croissance, aussi appelé œil, qui donnera naissance à une pousse, et le bourgeon floral qu'on appelle aussi bouton. Les pousses qui donnent les tiges principales portent le nom de branches charpentières ; les pousses qui partent de celles-ci sont dites branches latérales.

Comment tailler Pour faire une coupe franche et nette, utiliser un sécateur solide et bien aiguisé. La coupe doit être faite à 5 mm au plus au-dessus d'un œil ou bourgeon de croissance. Couper en biseau en

Seule la taille de gauche est correcte.

s'écartant du bourgeon. L'œil doit être tourné vers l'extérieur de la plante afin que les pousses se développent dans cette direction et n'encombrent pas le centre. Cette règle ne s'applique cependant ni aux espèces grimpantes dont les pousses doivent être dirigées vers leurs supports ni aux espèces rampantes.

Ne pas couper trop près d'un œil pour ne pas l'abîmer, ni trop loin pour ne pas provoquer le dessèchement de l'extrémité de la tige.

Si après la taille deux pousses se développent au même endroit, éliminer délicatement la plus faible.

Pour ôter une tige complète, couper au sécateur le plus près possible de la branche mère ; couper ensuite le chicot au ras de la branche. Il ne faut pas s'entêter à couper de grosses

Couper la tige au ras de la branche.

branches avec un sécateur ordinaire. Employer plutôt un sécateur-ébrancheur à long manche. Pour les bois durs, utiliser une scie d'élagage à lame étroite.

Taille des rosiers nouvellement plantés

S'il faut tailler les rosiers buissons ou les rosiers-tiges qu'on plante au printemps, le faire immédiatement après la plantation. Pour ceux qu'on plante en automne, on attendra le printemps suivant.

En principe, la technique est la même pour tous les rosiers : on supprime le bois mort ou faible et les tiges qui s'entrecroisent ou frottent l'une sur l'autre. L'importance de la coupe varie selon l'espèce.

Les hybrides de thé et les grandifloras nouvellement plantés seront sévèrement rabattus à 10 cm du sol.

Les floribundas seront rabattus à 15 cm du sol, à 10 cm pour les variétés plus petites comme 'All Gold'.

Tailler modérément les rosiers botaniques nouvellement plantés. Comme ils fleurissent sur du bois produit l'année précédente, il vaut mieux garder le plus de tiges possible afin d'obtenir une belle floraison.

Les rosiers grimpants et sarmenteux demandent une taille modérée pour compenser la perte inévitable de racines lors de la transplantation. Il en va de même pour les rosiers anciens et modernes.

Rabattre les polyanthas du tiers et couper les rosiers miniatures à environ 5 cm du sol

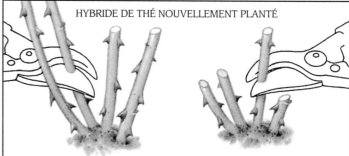

HYBRIDE DE THÉ NOUVELLEMENT PLANTÉ

Effectuer les trois premières opérations (voir p. 171), puis rabattre un œil externe, situé à environ 10 cm au-dessus du sol.

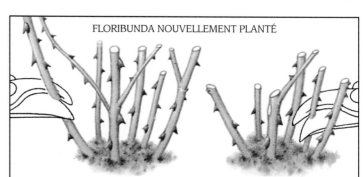

FLORIBUNDA NOUVELLEMENT PLANTÉ

Effectuer aussi les trois premières opérations, puis rabattre, à un œil externe, situé à environ 15 cm au-dessus du sol.

On discerne une légère teinte rosée dans les pétales de 'Cinderella'. Ce rosier miniature, dépourvu d'épines, atteint environ 30 cm de hauteur.

Rosa 'Cinderella'

Taille des rosiers buissons et des rosiers-tiges

La taille doit donner aux rosiers une structure évasée et ouverte et une floraison plus abondante. La suppression des pousses qui prennent naissance sous le point de greffe fait aussi partie de l'entretien normal.

Il faut toujours couper juste au-dessus d'un bourgeon ou œil dirigé vers l'extérieur pour qu'en poussant les nouvelles tiges n'encombrent pas le centre de la plante. Effectuer les trois premières opérations décrites à la page suivante, puis tailler chaque rosier selon son type.

Rabattre chaque année du tiers les branches des hybrides de thé, des floribundas et des grandifloras. Cette taille se pratique au printemps lorsque les bourgeons se remettent à croître et que tout danger de gel est écarté. Si l'on préfère obtenir des fleurs plus grosses, on rabattra les tiges à trois yeux de leur base.

Les grandifloras et les floribundas, dont la croissance est plus marquée que celle des hybrides de thé, n'ont besoin que d'une taille légère.

Les hybrides remontants fleurissent mieux sur du bois de l'année précédente. Chaque printemps, enlever un peu du bois vieux de trois ou quatre ans en le rabattant au niveau du sol; tailler les nouvelles pousses à environ 1 m. Chaque fois qu'on cueille des fleurs pour en faire des bouquets ou qu'on supprime des fleurs fanées, on peut en profiter pour faire une coupe légère.

Rabattre au printemps l'extrémité des tiges des rosiers miniatures et polyanthas et couper les pousses faibles. Il arrive que les rosiers miniatures produisent en été des branches beaucoup plus longues que les autres; il faut alors les rabattre pour conserver à la plante une silhouette harmonieuse.

Les rosiers-tiges, qu'ils soient composés d'hybrides de thé ou de floribundas, doivent être taillés de la même façon que les rosiers buissons, mais plus sévèrement. La taille doit viser à leur donner une belle cime ronde.

Avant la taille, soit au début du printemps, le rosier buisson présente une quantité de vieux bois, de tiges improductives ou malades. On y trouve aussi des tiges qui s'enchevêtrent et des pousses fines et faibles.

'Iceberg', un rosier floribunda, peut garder jusqu'à Noël des grappes de fleurs sur ses tiges frêles. Sur le rosier miniature 'Baby Masquerade', les fleurs passent du jaune à l'orange, puis au rose, et on trouve parfois toutes ces couleurs à la fois.

Rosa 'Iceberg' (syn. *R.* 'Schneewittchen')

Rosa 'Baby Masquerade'

LES TROIS PRINCIPES DE BASE DE LA TAILLE

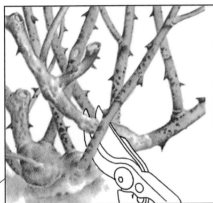

1. Couper les branches mortes *Rabattre les branches mortes à leur point de jonction avec une branche saine et, au besoin, jusqu'au bourrelet d'écusson. Rabattre les branches malades jusqu'au premier œil tourné vers l'extérieur et situé sur du bois sain.*

2. Éliminer les tiges faibles ou trop fines *Afin de permettre à la sève d'atteindre plus facilement les branches vigoureuses, éliminer radicalement les tiges frêles. Les rabattre à leur point de jonction avec une branche vigoureuse ou jusqu'au point de greffe. Le bois faible prive la plante d'une partie de son énergie et ne produit généralement pas de fleurs.*

3. Éliminer les branches qui s'entrecroisent ou qui s'abîment *Rabattre la plus faible à un œil au-dessous du point de frottement. On évite ainsi l'enchevêtrement des nouvelles pousses et on permet à l'air et à la lumière de pénétrer. Cela ne s'applique pas aux rosiers grimpants et sarmenteux qu'il suffit d'attacher.*

SUR QUELLE LONGUEUR RABATTRE ?

La taille des variétés peu vigoureuses et des tiges faibles doit être très sévère. Celle des rosiers-tiges et des grandifloras doit être plus importante que celle des hybrides de thé et des floribundas.

Taille légère d'un rosier buisson *S'il pousse normalement, le tailler légèrement chaque année pour obtenir un bel arbuste d'ornement.*

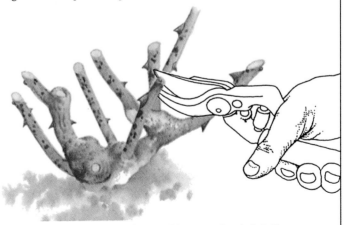

Taille sévère d'un rosier buisson *Si l'on veut obtenir de belles roses, bien formées mais moins nombreuses, tailler sévèrement chaque année.*

Ces rosiers grimpants ont tous deux de belles feuilles lustrées vert sombre. 'Dortmund' pousse bien droit ; 'Bantry Bay' produit de nombreuses branches latérales et ses fleurs surgissent dans tous les sens.

Rosa 'Dortmund'

Rosa 'Bantry Bay'

Taille des rosiers grimpants

La taille des rosiers grimpants ne souffre aucun retard. Un entretien ponctuel chaque année donne des rosiers qui ont meilleure apparence, fleurissent davantage et se coupent plus facilement.

C'est au printemps qu'il faut enlever le bois mort ou faible. En été, sitôt que les fleurs se sont fanées, couper les branches latérales sur lesquelles elles poussaient à deux ou trois yeux des branches charpentières. S'il s'agit d'une variété non remontante, comme 'Dr. Van Fleet', rabattre jusqu'à la souche chaque printemps quelques-unes des plus vieilles branches. Chez tous les autres rosiers grimpants, n'enlever le vieux bois que pour éclaircir la plante ou en améliorer la forme.

Les nouvelles branches charpentières (plus grosses que les latérales) apparaissent souvent au sommet des plus vieilles. Dans ce cas, se contenter de rabattre celles-ci juste au-dessus de la nouvelle pousse.

Tailler en tout temps les extrémités des branches latérales qui sont trop longues. Dès qu'apparaissent de nouvelles branches charpentières, les attacher aux supports pendant qu'elles sont encore souples.

TAILLE D'ÉTÉ

Après la floraison du rosier grimpant, couper le bouquet floral à un œil bien constitué. Ne pas laisser les roses monter en graine afin de ne pas priver la plante d'une énergie mieux employée à produire de nouvelles pousses. Ne pas jeter les rameaux enlevés dans le tas de compost, car leurs épines sont dangereuses.

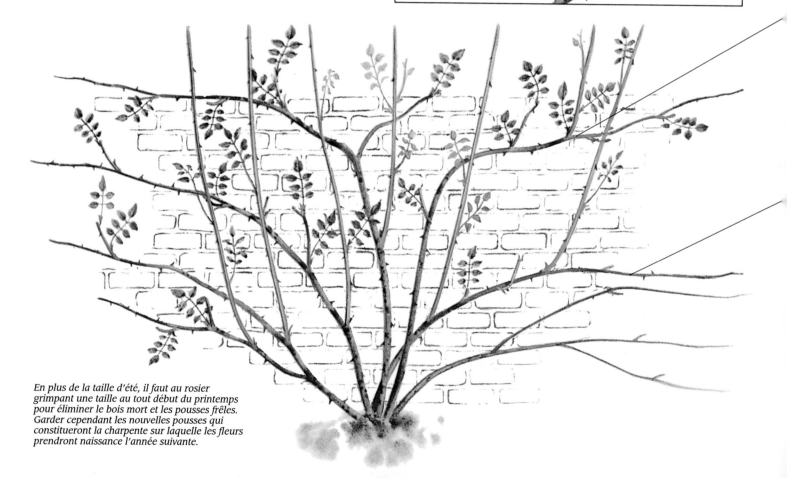

En plus de la taille d'été, il faut au rosier grimpant une taille au tout début du printemps pour éliminer le bois mort et les pousses frêles. Garder cependant les nouvelles pousses qui constitueront la charpente sur laquelle les fleurs prendront naissance l'année suivante.

Ces trois variétés de rosiers grimpants atteignent 2 à 2,50 m et fleurissent de façon continue été et automne.

Rosa 'Leverkusen'   Rosa 'White Cockade'   Rosa 'Golden Showers'

TAILLE DE PRINTEMPS

Enlever le vieux bois
Après avoir éliminé le bois mort, malade ou faible, rabattre les tiges charpentières jusqu'au point de départ d'une nouvelle tige vigoureuse. De cette façon, on remplace progressivement le vieux bois par du bois jeune.

Favoriser la croissance de nouvelles pousses *Si une tige charpentière n'a pas donné de nouvelles pousses, la rabattre, ainsi que ses branches latérales, de moitié. Supprimer le vieux bois qui est devenu improductif.*

PALISSAGE D'UN ROSIER GRIMPANT

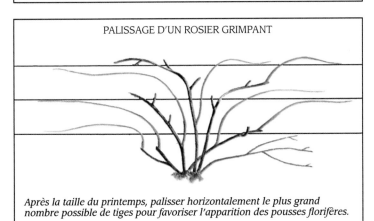

Après la taille du printemps, palisser horizontalement le plus grand nombre possible de tiges pour favoriser l'apparition des pousses florifères.

Rosiers sarmenteux

Les rosiers sarmenteux véritables donnent de longues tiges flexibles qui partent de la base. Elles ne fleurissent que la deuxième année. On recommande de tailler ces rosiers tout de suite après la floraison en ne supprimant que les tiges ayant fleuri.

La plupart des variétés sarmenteuses donnent beaucoup de nouvelles branches. Pour chacune de ces nouvelles branches, en couper une ancienne au ras du sol. Si trop de nouvelles branches naissent à la fois, supprimer les plus faibles.

Dans le cas des variétés qui produisent leurs nouvelles branches au-dessus de la souche, ne pas rabattre les anciennes plus bas que ce point de croissance. Lorsque la plante donne peu de nouvelles pousses basales, conserver les plus vigoureuses des vielles branches et rabattre les pousses latérales à deux ou trois yeux de la base tôt au printemps.

Choisir des supports ajourés pour palisser les rosiers sarmenteux. Les rosiers pleureurs doivent être taillés comme les rosiers sarmenteux.

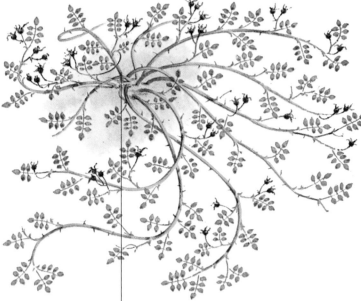

Lorsque de nouvelles pousses se multiplient à la base du rosier sarmenteux, rabattre au sol les vieilles tiges florifères. Parer les coupures au couteau.

La rose musquée hybride 'Cornelia' a des feuilles bronze et de gros bouquets de fleurs. Sa floraison est particulièrement généreuse en fin de saison.

Rosa 'Cornelia'

Taille des rosiers arbustes : botaniques et hybrides

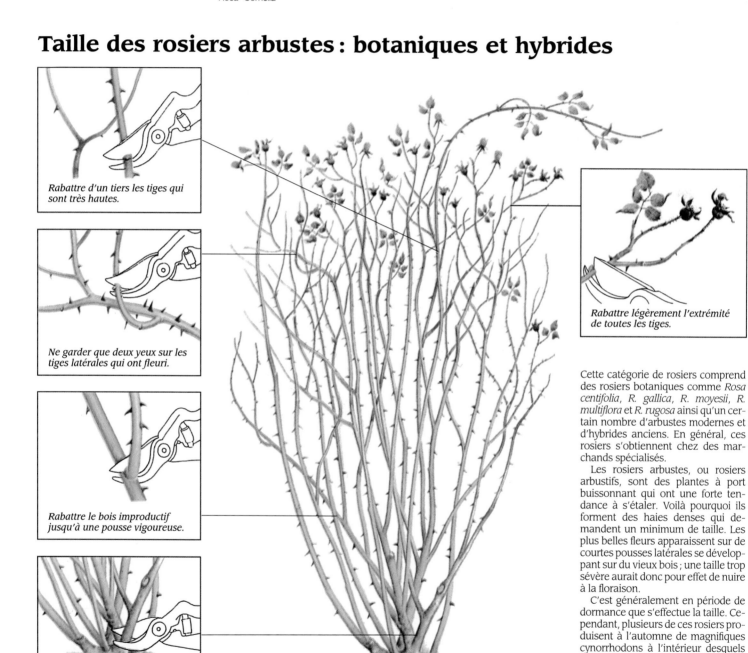

Rabattre d'un tiers les tiges qui sont très hautes.

Ne garder que deux yeux sur les tiges latérales qui ont fleuri.

Rabattre le bois improductif jusqu'à une pousse vigoureuse.

Couper à la base les branches mortes ou faibles.

Rabattre légèrement l'extrémité de toutes les tiges.

Cette catégorie de rosiers comprend des rosiers botaniques comme *Rosa centifolia*, *R. gallica*, *R. moyesii*, *R. multiflora* et *R. rugosa* ainsi qu'un certain nombre d'arbustes modernes et d'hybrides anciens. En général, ces rosiers s'obtiennent chez des marchands spécialisés.

Les rosiers arbustes, ou rosiers arbustifs, sont des plantes à port buissonnant qui ont une forte tendance à s'étaler. Voilà pourquoi ils forment des haies denses qui demandent un minimum de taille. Les plus belles fleurs apparaissent sur de courtes pousses latérales se développant sur du vieux bois ; une taille trop sévère aurait donc pour effet de nuire à la floraison.

C'est généralement en période de dormance que s'effectue la taille. Cependant, plusieurs de ces rosiers produisent à l'automne de magnifiques cynorrhodons à l'intérieur desquels se trouvent des fruits dont les oiseaux raffolent et avec lesquels on peut faire une délicieuse gelée. Pour cette raison, il vaut mieux tailler ces rosiers au tout début du printemps.

Légèrement odorants, les pétales de 'Mary Rose' ont une trace de lilas. Ce rosier moderne pousse à la hauteur de 1 m environ.

Rosa 'Mary Rose'

Multiplication d'un hybride de thé par écussonnage

Préparation du porte-greffe et du greffon

La meilleure méthode pour multiplier les rosiers hybrides de thé est le greffage par écussonnage. Un bourgeon ou œil dormant de la variété désirée (le greffon) est greffé sur une souche vigoureuse (le porte-greffe).

On peut obtenir le porte-greffe par semis ou par bouturage, ou encore l'acheter chez un rosiériste. Plusieurs rosiers sont utilisés comme porte-greffes, notamment *Rosa multiflora*, *R. canina* et 'Dorothy Perkins', un rosier grimpant.

La greffe ne doit être pratiquée que sur un porte-greffe bien établi. À la fin de l'automne ou au début du printemps, planter le nombre voulu de porte-greffes en les espaçant de 30 cm. Recouvrir de terre les racines et 2 ou 3 cm de tige ; bien arroser.

L'été suivant, choisir le greffon sur la variété de rosier désirée. Prendre une tige vigoureuse et saine de 30 cm de long dont les fleurs viennent de se faner. Les bourgeons dormants se trouvent à l'aisselle des feuilles.

Pour faciliter les manipulations, ôter d'abord les épines. Enlever ensuite les feuilles en gardant 1,5 cm de pétiole. Supprimer les fleurs fanées en coupant la tige juste au-dessus d'un œil ou d'une aisselle de feuille. Plonger le greffon dans l'eau.

Avec le pied, maintenir couchée la tige du porte-greffe. Dégager délicatement les racines du côté opposé ; la partie supérieure des racines doit être accessible. Bien nettoyer la tige.

À l'aide d'un greffoir bien aiguisé, faire une entaille en T dans l'écorce du collet, près des racines. Pratiquer d'abord une entaille horizontale de 1,5 cm de long. Ne pas inciser le bois sous l'écorce.

D'un mouvement ascendant, pratiquer la fente verticale qui sera un peu plus longue que l'entaille horizontale. Avec la spatule du greffoir, dégager délicatement l'écorce et la soulever des deux côtés. Le porte-greffe est prêt à recevoir le greffon.

PLANTATION DU PORTE-GREFFE

1. *Tracer une ligne ; coucher les porte-greffes tous les 30 cm.*

2. *Pratiquer à la bêche, en la penchant, une série de trous en V.*

3. *Glisser les racines du porte-greffe dans le trou et les recouvrir.*

PRÉPARATION DU PORTE-GREFFE ET DU GREFFON

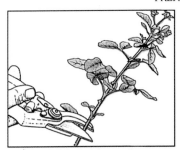

1. *À la mi-été, choisir une tige vigoureuse de 30 cm.*

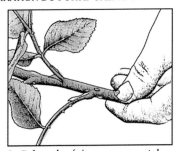

2. *Enlever les épines en pressant de côté avec l'ongle du pouce.*

3. *Couper les feuilles en gardant 1,5 cm de pétiole.*

4. *Maintenir du pied le porte-greffe couché. Dégager les racines.*

5. *Avec les doigts ou un chiffon, nettoyer le collet.*

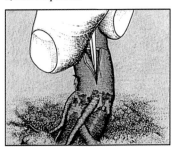

6. *Faire une incision en T dans l'écorce. Écarter les bords.*

Union du porte-greffe et de l'écusson

Après avoir préparé le porte-greffe, sortir le greffon de l'eau. Prélever l'un des bourgeons dormants en faisant pénétrer la lame du greffoir à 1,5 cm au-dessus du bourgeon et en la faisant ressortir à 1,5 cm au-dessous en passant derrière le bourgeon. Arrondir légèrement le coup de couteau de façon à prélever une languette de bois sous l'écorce (l'écusson).

Tenir l'écusson d'une main et, de l'autre, peler délicatement l'écorce qui recouvre le bois de façon à exposer celui-ci. Tenir la languette entre le pouce et l'index, la dégager avec soin de l'écorce et la jeter.

Si cette opération a été bien exécutée, l'embryon de l'œil dormant apparaîtra sous la forme d'un petit bouton à l'intérieur de l'écusson.

Tenir l'écusson par le chicot du pétiole et le glisser dans la fente du porte-greffe. Couper la partie supérieure de l'écusson qui dépasse de la fente et refermer les bords de l'incision pour qu'ils adhèrent bien à l'écusson.

Ligaturer l'ensemble avec du raphia humide, de la ficelle lisse ou des liens de caoutchouc spéciaux en faisant deux tours au-dessous du chicot du pétiole et trois tours au-dessus. Ne pas couvrir le bourgeon. Replacer soigneusement la terre autour du porte-greffe jusqu'à ce qu'elle soit de niveau avec la base de l'écusson.

Plusieurs semaines après l'écussonnage, vérifier l'état du bourgeon. S'il est dodu et vert, l'opération a réussi et on peut enlever les ligatures. (Il n'est pas nécessaire de retirer les liens.) Si le bourgeon s'est flétri, pratiquer une nouvelle incision en

T dans le même porte-greffe, insérer un nouvel écusson et ligaturer.

Les plantes écussonnées requièrent les mêmes soins, en hiver, que les autres rosiers. Une exception cependant : à la toute fin de la saison, supprimer tous les organes du porte-greffe situés au-dessus de l'écusson.

Le bourgeon ne se développe qu'au printemps qui suit le greffage. Lorsque la nouvelle pousse a quelques centimètres, la pincer à deux yeux au-dessus de l'écusson. En automne, transplanter le sujet.

On peut aussi greffer des bourgeons sur les tiges principales de rosiers établis. Pour pratiquer une greffe sur une plante cultivée en haie, insérer les bourgeons sur la partie supérieure des jeunes pousses latérales, le plus près possible de la branche principale. Effectuer deux ou trois greffes sur chaque sujet.

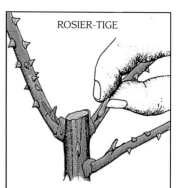

ROSIER-TIGE

Pour obtenir un rosier-tige, cultiver un porte-greffe à la hauteur voulue. L'été suivant, pratiquer la greffe sur la branche principale ou, mieux, sur la partie supérieure des trois pousses du sommet.

GREFFE DE L'ÉCUSSON SUR LE PORTE-GREFFE

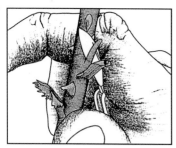

1. *Prélever un œil sur le greffon en coupant à 1,5 cm en haut et en bas.*

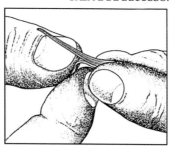

2. *Dégager délicatement l'écorce et éliminer le bois.*

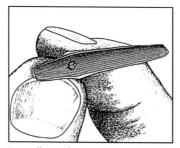

3. *L'œil se présente comme un petit bouton à l'intérieur de l'écusson.*

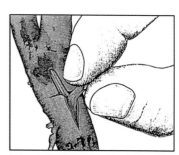

4. *Tenir l'écusson par le pétiole et le glisser dans la fente en T.*

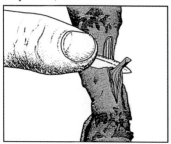

5. *Couper la partie supérieure de l'écusson. Refermer les bords.*

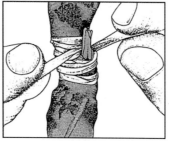

6. *Garder plusieurs semaines l'écusson fixé à la tige avec du raphia.*

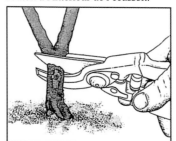

7. *À la fin de l'hiver, couper le haut du porte-greffe au-dessus de l'écusson.*

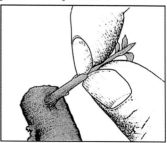

8. *Quand la pousse a 7,5-10 cm, pincer au-dessus du deuxième œil.*

Spécialement conçues pour les plates-bandes, les rocailles et les cascades, les azalées naines hybrides atteignent à peine 1 m au bout de 10 à 15 ans de croissance. Contrairement à leurs parentes plus arbustives, les formes naines préfèrent les endroits non abrités. 'Ramapo', une variété très robuste, plus large que haute, fleurit à la fin de l'hiver.

RHODODENDRONS ET AZALÉES

Les rhododendrons et les azalées sont en fleurs du printemps jusqu'en été. Ils sont faciles à cultiver quand ils sont dans un sol qui leur convient.

Là où ils veulent bien pousser, rhododendrons et azalées constituent d'excellents sujets pour encadrer une maison. On trouve des espèces de toutes les formes et de toutes les tailles depuis l'arbuste nain jusqu'au grand arbuste qui fait plus de 10 m.

Le nom de « rhododendron » dérive de deux mots grecs : *rhodon,* qui veut dire rose, et *dendron,* qui signifie arbre. C'est l'impression que donne le rhododendron classique lorsque sa floraison s'épanouit.

La première espèce introduite en culture, au milieu des années 1600,

fut la rose alpine, *Rhododendron hirsutum,* originaire des régions montagneuses d'Europe. En 1753, le botaniste suédois Linné établissait officiellement les caractéristiques du genre et lui donnait le nom de rhododendron. À la même époque, il créait un autre genre, distinct du premier, et l'appelait *Azalea.* Puis, au XIXe siècle, un autre botaniste, George Don, comprit qu'il n'y avait pas de différence botanique entre les rhododendrons et les azalées, et les deux furent classés dans le genre *Rhododendron.* Les jardiniers, cependant,

continuent d'en parler comme de deux types distincts.

Les rhododendrons poussent à l'état sauvage dans tous les pays. La plupart des hybrides dérivent cependant d'espèces originaires de Birmanie, de Chine et du nord de l'Inde. Plusieurs d'entre elles ont été croisées avec des espèces originaires d'Amérique du Nord, avec *R. catawbiense* en particulier, qui poussent à l'état sauvage dans les régions montagneuses du sud des États-Unis.

Les variétés obtenues par ces croisements sont remarquablement rustiques. La plupart des hybrides de *R. catawbiense* survivent à des froids aussi rigoureux que –32 °C. Les boutons floraux, cependant, peuvent mourir à –25 °C.

Rhododendrons et azalées comprennent tous deux des espèces à feuillage caduc et d'autres à feuillage persistant. Ces dernières sont les plus populaires, mais on semble s'intéresser de plus en plus aux azalées à

feuilles caduques. Les rhododendrons à feuilles caduques sont peu souvent cultivés.

La plupart des rhododendrons présentent un feuillage admirable, et les fleurs de plusieurs variétés comptent parmi les plus belles dans le domaine des arbustes. Elles peuvent avoir 2 à 15 cm en diamètre et des formes variées : étoile, campanule, trompette ou entonnoir. Elles offrent une vaste palette de couleurs et viennent en bouquets pouvant comporter jusqu'à 15 fleurs au bout de courtes tiges ayant de 2 à 10 cm de longueur.

Les rhododendrons et les azalées prospèrent à la mi-ombre ou sous un soleil tamisé et dans un sol humide et acide. Ils poussent aussi en plein soleil, mais leurs fleurs durent alors un peu moins longtemps. Ces plantes ne tolèrent ni un sol alcalin ni un climat chaud et sec. Elles s'acclimatent à peu près partout, sauf dans les régions extrêmement froides.

Comme les fleurs sont la plus belle parure des rhododendrons, le degré de rusticité des boutons floraux doit être respecté scrupuleusement. Les plantes elles-mêmes peuvent tolérer des températures un peu plus basses. Cet écart entre la rusticité des boutons et celle de la plante constitue une marge de sécurité en cas d'hivers plus rigoureux.

Enfin il est utile de savoir que plus un rhododendron résiste au froid, plus il est en mesure de résister également à la chaleur.

Le rhododendron 'Susan' à feuillage persistant atteint 1,20 m à 2,45 m de hauteur. Ses superbes bouquets de fleurs écarlates viennent au printemps.

Entonnoir

Campanule

Trompette

Rhododendron rubiginosum

Rhododendron 'Scintillation'

Rhododendron rubiginosum atteint 3,5 cm de hauteur. Les hybrides 'Scintillation' et 'Susan' sont de taille et d'envergure plus modestes.

Rhododendron 'Susan'

Culture des rhododendrons et des azalées

Trois conditions sont essentielles pour réussir la culture des rhododendrons et des azalées : un sol bien drainé, riche en humus et acide. Le pH idéal se situe entre 4,5 et 5,5. (Le pH neutre est de 7, voir p. 466.)

Les azalées sont plus tolérantes que les rhododendrons. Les variétés à feuillage caduc viennent bien dans des sols dont le pH se situe entre 4 et 6, tandis que le pH le plus indiqué pour les azalées à feuillage persistant est d'environ 5.

Le sol doit renfermer assez d'humus pour pouvoir retenir l'humidité le temps qu'il faut aux racines pour l'absorber. S'il est détrempé, cependant, les racines mourront. Pour vérifier l'égouttement du sol, creuser un trou d'environ 45 cm de profondeur et le remplir d'eau. Si l'eau met plus de 10 à 15 minutes à pénétrer dans le sol, cela veut dire que le drainage est insuffisant.

Pour y remédier, il suffit parfois d'ameublir le sol plus profondément. Si les résultats ne sont pas satisfaisants, dégager un lit de plantation de la taille de la motte de racines et y installer la plante en surface. Puis dresser autour des racines un monticule de terre riche en humus et de l'acidité requise. Il faudra bien recouvrir les racines et donner au monticule une légère inclinaison pour que les pluies ne l'érodent pas.

Rhododendrons et azalées se cultivent aussi en plates-bandes surélevées ou en bacs. Cette méthode permet d'établir avec précision la composition du sol et son degré d'acidité. Tout de suite après la plantation, installer autour des plants un épais paillis d'une matière organique assez lourde pour demeurer en place et assez poreuse pour laisser passer l'air et l'eau. Les copeaux de bois, l'écorce déchiquetée, les aiguilles de pin, le foin de prés salés ou les feuilles de chêne font d'excellents paillis. La tourbe ne convient pas : une fois sèche, elle est presque imperméable et le vent la disperse facilement.

Lorsque le plant est solidement installé dans son trou, remplir celui-ci de terre à jardin du pH approprié et enrichie d'environ 10 p. 100 d'humus. Comme humus, on peut utiliser de la tourbe, du compost ou de la sciure de bois décomposée. Le plant ne doit pas être enfoncé plus profondément dans le sol qu'il ne l'était à la pépinière (une marque sur le tronc indique le niveau de plantation).

Si le plant était cultivé dans un contenant à la pépinière, il est essentiel d'ameublir délicatement la motte de racines avant de la mettre en terre. Les racines périphériques grâce auxquelles la plante se nourrit doivent être bien dégagées si l'on veut assurer sa survie.

Ne jamais déposer d'engrais au fond du trou de plantation comme on le fait normalement, la raison étant que les rhododendrons et les azalées ont besoin de peu d'engrais. Ils sont d'ailleurs modérés dans tous leurs besoins : en eau, en lumière et en taille, tout comme en fertilisation.

Au moment de la plantation, ajouter une poignée de poudre d'os au sol pour chaque plant, pas davantage. Mélanger cette poudre aux 25 à 30 cm de terre de surface ; c'est là que la plus grande partie des racines s'installeront.

Lorsque la plante est bien enracinée, il n'y a aucun risque à lui donner de l'engrais au début du printemps et de nouveau à la mi-automne. Épandre une poignée seulement d'engrais granulaire 10-10-10 autour de chaque plant et arroser pour le faire pénétrer dans le sol. En règle générale, donner aux rhododendrons et aux azalées le quart ou la moitié de la quantité d'engrais recommandée pour les arbustes.

Lorsqu'on préfère utiliser un engrais soluble comme le 20-20-20, en faire dissoudre une cuillerée à thé dans 5 litres d'eau et en arroser le sol autour de chaque plant. Cette fertilisation peut être répétée toutes les deux ou trois semaines durant la période active.

Culture du rhododendron en sol alcalin

Si l'on veut cultiver les rhododendrons dans une région où l'eau et le sol sont alcalins, il faut prendre quelques précautions. Les plants devront être installés dans une plate-bande surélevée d'au moins 45 cm de haut, composée du mélange approprié.

La plate-bande sera ceinturée d'un muret de brique ou de bois (séquoia, cèdre ou cyprès). Utiliser, le cas échéant, un préservatif non toxique.

Le substrat de culture peut être composé de tourbe, de terreau de feuilles, de compost à base de feuilles de chêne ou de copeaux de bois bien décomposés, et additionné d'environ 10 p. 100 de bonne terre végétale. Bien effectuer le mélange.

En vérifier le pH qui doit être de 5. En aucun cas ne doit-il dépasser 5,5. S'il est trop élevé, augmenter l'acidité du sol en y ajoutant de la fleur de soufre ou du soufre sublimé. En épandre environ une demi-tasse autour de la plante. Faire de nouvelles applications au besoin six mois plus tard.

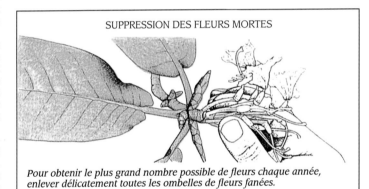

SUPPRESSION DES FLEURS MORTES

Pour obtenir le plus grand nombre possible de fleurs chaque année, enlever délicatement toutes les ombelles de fleurs fanées.

Pour stimuler la floraison

Il n'est pas rare de voir un rhododendron acheté tôt au printemps donner la première année une remarquable floraison et fleurir à peine l'année suivante. Dans la plupart des cas, ce phénomène est dû à un manque de lumière. Les rhododendrons demandent une lumière modérée et peuvent même survivre à l'ombre, mais, pour fleurir abondamment, ils doivent recevoir au moins trois ou quatre heures de lumière intense chaque jour.

La floraison dépend aussi dans une certaine mesure de la fertilisation. Un apport de phosphate, en particulier, est indispensable. Lorsque les plants mesurent entre 90 cm et 1,50 m de diamètre, épandre deux ou trois bonnes poignées de superphosphate ou une quantité double de poudre d'os autour de chacun d'eux et faire pénétrer l'engrais par grattage. Ce traitement ne donnera des effets qu'un ou deux ans plus tard. Effectuer ce surfaçage deux ou trois années de suite. Ainsi dosé, le phosphate ne présente aucun danger. La même quantité d'un engrais complet de type 10-10-10 serait mortelle.

Certains plants fleurissent abondamment tous les deux ans. On peut modifier ce rythme en supprimant un certain nombre de boutons lorsqu'ils sont bien formés, en automne, si l'on juge que leur nombre est trop grand.

Le 'Moerheim', un rhododendron nain à petites feuilles, se couvre de fleurs magnifiques au printemps. Les fleurs très parfumées de l'azalée (Rhododendron luteum) apparaissent en fin de printemps ou au début de l'été.

Rhododendron 'Moerheim'

Rhododendron luteum

Variétés de rhododendrons et d'azalées

Il existe des centaines d'espèces et de variétés de rhododendrons et d'azalées, et, si l'on vit dans une région où l'hiver est frais mais pas trop froid, le choix est incroyable.

L'expérience a démontré qu'il y a des rhododendrons plus rustiques qu'on ne le croyait. Dans les régions où la couverture neigeuse est épaisse et persistante, les plants bien protégés contre les vents peuvent survivre à des températures étonnamment basses, jusqu'en zone 4. On peut obtenir des renseignements précis en s'adressant à la Rhododendron Society of Canada (5200 Timothy Crescent, Niagara Falls, Ont., L2E 5G3).

Les azalées à feuilles caduques sont le meilleur choix dans les régions froides. Il n'y a pas de dommages aux feuilles pendant l'hiver puisqu'elles les perdent.

La série Northern Lights, développée par l'université du Minnesota, est très populaire. Offerte dans les tons de pastel, comme 'Orchid Lights', elle est adaptée aux grands froids.

Certaines espèces à feuilles persistantes et à petites fleurs, comme 'P.J.M.' (mauves) et 'Olga Mezitt' (roses) ont supporté –40 °C. Les nouvelles variétés de Finlande à larges fleurs, typiquement arrondies, sont aussi très rustiques. On recherchera 'Hellikki' (rouge foncé) et 'Peter Tigerstedt' (blanches, mouchetées de pourpre).

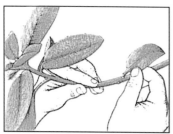

1. Marcottage : dénuder les branches inférieures sur 25 cm en automne.

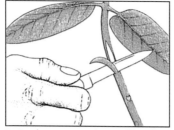

2. Pratiquer une petite entaille près du bout des branches : la sève jaillit.

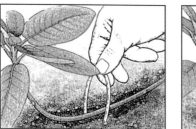

3. Fixer la section dénudée dans un sillon rempli de paillis, dans le sol.

4. Couvrir de terre ; tuteurer l'extrémité feuillue qui émerge du sol.

5. Comme les racines du rhododendron sont peu profondes, on peut obtenir des rejets tout autour de la plante mère en suivant les instructions ci-contre.

Multiplication des azalées et des rhododendrons

Bien établis, rhododendrons et azalées demandent peu de soins, sinon d'être arrosés en période sèche, et ils se multiplient facilement par marcottage ou bouturage (voir ci-dessus).

Aucun problème, non plus, avec la germination si les graines sont semées fraîches en automne. Pour les semer au printemps, les garder au réfrigérateur dans un bocal fermé. Les éparpiller sur un mélange acide, recouvrir légèrement de substrat et laisser germer à 13 °C-18 °C. Repiquer les plantules quand elles ont quatre vraies feuilles. Ces plants peuvent mettre quatre ou cinq ans à fleurir. Les graines des hybrides ne donnent pas de vrais sujets et leur floraison est souvent décevante.

Dans le commerce, on multiplie les rhododendrons par culture en laboratoire de cellules prélevées sur un bourgeon de croissance. Le procédé est plus efficace que le bouturage ou le marcottage et les plants ainsi obtenus atteignent plus rapidement une taille qui permet de les vendre.

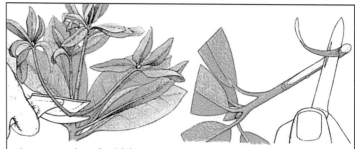

On peut aussi, en fin d'été, mettre en terre des boutures de 15 cm. Entailler un peu l'écorce et raccourcir de moitié les feuilles qui ont plus de 18 cm.

Beaucoup d'azalées ont un feuillage caduc, mais ce n'est pas le cas des Kurume. Rhododendron 'Hino-crimson', qui s'épanouit à la fin du printemps et au début de l'été, appartient à ce groupe.

Rhododendron 'Hino-crimson'

Comment et quand tailler les rhododendrons

Il est rarement nécessaire de tailler un rhododendron, si ce n'est pour contrôler sa croissance et régulariser sa structure. Lorsqu'elle s'impose, la taille se pratique tout de suite après la floraison, période où la croissance est la plus marquée.

Rabattre simplement les branches à la longueur désirée. Utiliser des outils bien aiguisés pour que les coupes soient nettes. Voir ci-dessous la taille d'un jeune plant et celle d'un sujet plus âgé.

Ses racines fibreuses et relativement superficielles font du rhododendron une plante facile à transplanter, même à l'âge adulte.

TAILLE D'UN JEUNE PLANT

Pour étoffer un jeune plant, rabattre les tiges au printemps, au-dessus d'un bourgeon vert.

TAILLE D'UN VIEUX PLANT

Tôt au printemps, rabattre les branches à la scie jusqu'à environ 90 cm du sol.

Culture des azalées de serre

Les azalées cultivées en serre, que les fleuristes vendent en pleine floraison à Pâques, peuvent être plantées dans le jardin après la floraison, quand tout danger de gel a disparu. Elles fleuriront de nouveau chaque année. Les soins à leur donner sont les mêmes que ceux qui s'appliquent aux rhododendrons.

Il est très important de défaire la motte qui entoure les racines pour que celles-ci puissent pénétrer dans le sol. Autrement, la plante dépérira après un ou deux ans.

Dans les régions où il ne gèle pas, la plupart des azalées peuvent rester à l'extérieur toute l'année. Là où les hivers sont froids, il faut déterrer les plantes à l'automne et les empoter. Garder les plants dans un endroit éclairé et frais, à l'abri du gel. Les bourgeons se forment en été pour éclore le printemps suivant. Il faut donc garder la terre humide pour qu'ils ne sèchent pas. Au printemps, dès qu'il n'y a plus aucun risque de gel, replacer les azalées au jardin.

Ravageurs et maladies

On trouvera dans le tableau ci-dessous quelques-uns des problèmes qui affectent les rhododendrons et les azalées.

Si une plante présente d'autres symptômes, se reporter au chapitre «Ravageurs et maladies», page 474, où des planches en couleurs illustrent différents symptômes classés selon l'organe atteint : feuilles, fleurs ou racines.

On trouvera aux pages 509 à 511 les appellations commerciales des produits recommandés.

Symptômes	Cause	Traitement*
Les punaises réticulées prolifèrent tôt dans l'été ; elles font des marques goudronneuses sous les feuilles qui deviennent ternes et grises.	Punaises réticulées	Au premier signe, pulvérisation de savon insecticide ou de carbaryl (ne pas oublier le dessous de la feuille). Répéter 3 fois à 10 jours d'intervalle.
Les araignées rouges s'attaquent aux azalées à feuillage persistant durant un été chaud.	Araignées rouges	Pulvérisation de dicofol ou autre. Prévenir l'attaque en vaporisant les feuilles d'eau régulièrement.
Les branches plus vieilles au centre du buisson peuvent porter des trous. Les feuilles pâlissent, puis jaunissent et se fanent.	Perceurs du rhododendron	Triple pulvérisation de méthoxychlore aux trois semaines à la fin du printemps : vérifier auprès d'un spécialiste leur cycle local. On peut introduire du fil de fer dans leurs trous.
Feuilles dévorées en croissant. Elles peuvent aussi se faner, signe que les charançons attaquent les racines ou la tige principale. Éventuellement, celle-ci peut mourir étouffée.	Charançons de la vigne	Résistent à presque tous les produits. Bien inspecter les nouvelles plantes. Étendre un plastique sur le sol, secouer par-dessus les arbustes adultes et piétiner les charançons.
Taches rondes rouge sombre ou brunes sur les feuilles à la fin de l'été.	Tache foliaire (champignon)	Pulvérisation de zinèbe ou d'un autre fongicide à la fin du printemps.
Petites taches sous les pétales qui s'agrandissent et se décolorent.	Brûlure des pétales (champignon)	Pulvérisation de bénomyl tous les cinq jours durant la floraison.
Flétrissure des jeunes pousses ou de l'arbuste entier à la mi-été. Présence de taches brunes sous l'écorce, juste sous le niveau du sol, sur les branches atteintes.	Flétrissure (champignon)	Enlever et détruire les branches malades ou l'arbuste au complet dans les cas graves. Pour prévenir la maladie, imbiber le sol de bénomyl. Éviter de contaminer les plantes en les éclaboussant de terre.
Taches jaunes entre les nervures des feuilles ou envahissant tout le limbe. Les feuilles se fanent.	Chlorose	Arrosage avec des produits à base de chélates de fer. Pailler avec des aiguilles de pin.

* Certains produits sont interdits dans les localités qui ont adopté des règlements contre les pesticides. Voir aussi «Recettes maison et produits naturels», p. 512, et «Les amis du jardin», p. 515.

La gaillarde (Gaillardia), qui fait de beaux bouquets et donne de la couleur aux plates-bandes pendant tout l'été, est une plante qui affectionne le soleil. 'Goblin', une variété miniature (25 cm de hauteur), a des fleurs veloutées rouges à pointes jaune d'or. D'autres variétés peuvent atteindre 75 cm.

PLANTES VIVACES

Parmi les plus belles fleurs, plusieurs se placent dans la catégorie des plantes herbacées vivaces. Elles renaissent chaque année et décorent merveilleusement le jardin.

Les expressions «plante vivace» et «herbacée vivace» sont souvent employées sans distinction pour désigner une plante qui renaît année après année. Chez ces espèces, en général, seules les racines entrent en état de dormance au début de l'hiver, alors que les parties aériennes meurent. Le lupin, le pied-d'alouette, le phlox et la monarde sont des plantes vivaces bien connues. Certaines espèces, par exemple l'œillet, sont aussi classées dans la catégorie des herbacées et sont traitées comme telles, alors que leur feuillage persiste en hiver. En fait, la tolérance au froid varie selon les espèces.

Certaines vivaces, dont la rose trémière, la valériane, le pied-d'alouette et le lin, ne vivent que quatre ou cinq étés. D'autres espèces vivaces, par exemple l'aster, le coréopsis et l'anthémis, vivent plus longtemps, mais pour stimuler leur floraison, il faut diviser les plants périodiquement. Un petit groupe enfin, comme les pivoines et le pigamon, peut survivre pendant un quart de siècle ou plus sans réclamer de soins.

À l'époque des jardins domaniaux, les bordures de vivaces étaient en grande vogue. C'étaient habituellement des plates-bandes d'environ 3 m de large et d'au moins 9 m de long, adossées à un écran de conifères. Le tableau était superbe durant de nombreux mois, mais exigeait de l'espace et une main-d'œuvre expérimentée. De nos jours, seuls les jardins botaniques et quelques grands espaces publics ou domaines privés perpétuent la tradition.

Aujourd'hui, malgré l'exiguïté des jardins, les plantes vivaces font leur réapparition. Le nouvel intérêt qu'elles suscitent tient surtout à ce

Composer une nature vivante en utilisant les couleurs, les formes et les textures est l'un des plaisirs que réserve la plate-bande de vivaces. Ici, de gauche à droite, lupins, achillées et hémérocalles du Japon composent un ensemble d'une grande harmonie.

La rose trémière (Althaea) *fleurit abondamment à la fin de l'été. La valériane* (Centranthus) *et les fleurs du genre* Coreopsis *commencent à fleurir dès le milieu de l'été.*

Althaea officinalis — *Centranthus ruber* — *Coreopsis grandiflora* 'Early Sunrise'

que l'on a maintenant pris l'habitude de les associer à d'autres types de plantes — annuelles, bisannuelles, rosiers, plantes à bulbes et arbustes — de façon à prolonger le plus possible la période de floraison.

L'îlot fleuri remplace de plus en plus la plate-bande classique dont les dimensions ne conviennent guère au plan d'aménagement des jardins modernes. Accessible de tous côtés, cet îlot est beaucoup plus facile à aménager et à entretenir que la bordure large à laquelle on n'a accès que d'un seul côté. Les plantes les plus hautes sont placées au centre, les plus courtes sur le pourtour. On donne généralement à ces îlots des formes libres plutôt que des formes géométriques. Les massifs en étoile ou en losange sont à éviter à cause des angles aigus qu'ils présentent et qui rendent la taille et les soins difficiles.

Une autre méthode de plantation consiste à grouper dans la même plate-bande trois à cinq espèces dif-férentes dont les coloris s'harmoni-sent et dont les périodes de floraison sont complémentaires. Par exemple, en associant des variétés à floraison hâtive, normale ou tardive d'iris, d'hémérocalles, de pivoines et de chrysanthèmes, on obtient une plate-bande qui demeure en fleurs durant de nombreux mois.

Les vivaces forment aussi d'inté-ressants couvre-sols. En choisissant des espèces vigoureuses, rampantes et courtes que l'on met en terre sans trop les espacer, on obtient bientôt un tapis végétal dense et uniforme qui masque les endroits où le sol est à nu. De telles plantations sont utiles pour consolider les talus, ou pour tapisser le sol entre les arbustes si ce sont des espèces qui poussent à l'ombre. On pourra alors les associer à des plantes bulbeuses acclimatées, disposées librement. En principe, les plantes tapissantes freinent la crois-sance des mauvaises herbes, mais, avant qu'elles soient bien établies, il faut désherber avec soin. Voir page 14 une liste de plantes tapissantes. Pour varier le décor du jardin, on créera un vaste damier où alterne-ront des dalles et des carrés de plantes vivaces, bergenias ou hémé-rocalles. Cette disposition en damier peut même convenir à une terrasse où on limiterait le nombre des carrés de fleurs à un ou deux.

Les plantes vivaces ont leur place presque partout au jardin. Près d'un plan d'eau, elles s'harmonisent aux plantes aquatiques. Près d'un escalier, le long d'une allée, certaines vi-vaces plumeuses ou étalées, comme la gypsophile ou l'œillet, rompent la rigueur des lignes géométriques. Au-tour d'un lampadaire, contre une clô-ture, un massif d'hémérocalles, de pivoines ou d'achillées devient un point d'intérêt.

Certaines plantes vivaces peuvent même être cultivées dans des bacs et décorer balcons et terrasses.

Depuis quelque temps, les espèces à feuillage décoratif connaissent un regain de faveur. Parmi ces plantes vertes, il faut noter certaines grami-nées ornementales : l'armoise, l'hé-mérocalle du Japon, la pulmonaire et l'orpin. Les sujets à feuilles argen-tées, dorées ou pourpres présentent un intérêt spécial, non seulement aux yeux des jardiniers, mais aussi à ceux des fleuristes. C'est aussi le cas des fruits du pavot, de même que des fleurs de l'achillée, de l'échinope et du limonium, pour ne nommer que quelques-unes des vivaces rus-tiques qui servent à composer des bouquets séchés fort décoratifs.

La beauté des massifs de vivaces dépend beaucoup de l'arrangement des espèces. Les plantes à floraison tardive ou à feuillage décoratif servi-ront à combler les vides laissés par les espèces à floraison hâtive. On ne trouvera dans aucun livre ni aucun catalogue les dates exactes de florai-son des espèces suivant les régions. On aura donc intérêt à prendre note soi-même de ces dates et à modifier en conséquence l'aménagement des plates-bandes.

Ces plantes vivaces ont été disposées selon leur taille : les plus courtes de-vant, les plus grandes derrière, et les autres au milieu.

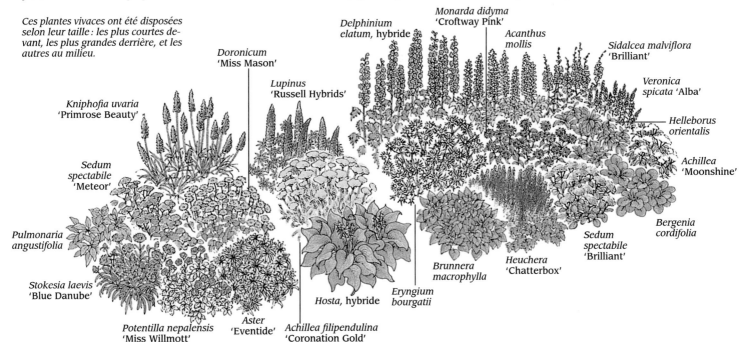

Doronicum 'Miss Mason'
Kniphofia uvaria 'Primrose Beauty'
Lupinus 'Russell Hybrids'
Delphinium elatum, hybride
Monarda didyma 'Croftway Pink'
Acanthus mollis
Sidalcea malviflora 'Brilliant'
Veronica spicata 'Alba'
Helleborus orientalis
Achillea 'Moonshine'
Sedum spectabile 'Meteor'
Sedum spectabile 'Brilliant'
Bergenia cordifolia
Pulmonaria angustifolia
Brunnera macrophylla
Heuchera 'Chatterbox'
Stokesia laevis 'Blue Danube'
Hosta, hybride
Eryngium bourgatii
Potentilla nepalensis 'Miss Willmott'
Aster 'Eventide'
Achillea filipendulina 'Coronation Gold'

Achillea tomentosa *convient bien à l'avant de la plate-bande. La sidalcée* (Sidalcea) *doit être placée à l'abri du vent.*

Achillea tomentosa

Sidalcea 'Elsie Heugh'

Plantation des plantes vivaces

Préparation de la plate-bande

Avec une bêche ou une motobêche, travailler le sol de la plate-bande deux ou trois semaines avant les plantations pour lui donner le temps de se tasser. En profiter pour y incorporer un seau de tourbe ou de compost par mètre carré. On peut aussi étendre une couche de 3 à 8 cm de tourbe ou de compost sur toute la plate-bande avant de bêcher. Dans l'un ou l'autre cas, ajouter un engrais à jardin complet et polyvalent (comme du 5-10-5), selon les quantités indiquées sur l'emballage.

Juste avant la plantation, travailler la surface de la plate-bande au râteau pour briser les grosses mottes de terre et niveler le sol.

Il est bon de faire d'abord un tracé sur papier quadrillé, puis de marquer au sol la place de chaque fleur.

1. *Ajouter tourbe et engrais quelques semaines avant la plantation.*

2. *Avant de planter, égaliser la surface du sol avec un râteau.*

Plantation nouvelles

La plantation des vivaces s'effectue en tout temps, pourvu qu'on puisse travailler la terre. Dans les régions à climat froid, le printemps est préférable. Si l'on effectue la plantation à l'automne, la faire assez tôt pour que les plants s'établissent avant l'hiver. Dès que le sol est gelé, entourer les plantes d'un paillis ; les alternances de gel et de dégel risquent de les déchausser et d'exposer leurs racines à l'air et à la sécheresse.

À condition d'être souvent arrosés, les sujets cultivés en pots se transplantent sans problème, même en pleine floraison.

Les vivaces apparaissent généralement sur le marché en état de dormance, et les commandes postales arrivent trop tôt pour les mettre en terre. Dans ce cas, ouvrir le colis, arroser les plantes au besoin et les garder dans un endroit frais de la maison ou dans un coin ombragé et abrité du jardin. Plus vite elles seront plantées, meilleures seront leurs chances de survie. Toujours bien arroser après la plantation.

La profondeur de plantation est très importante. Dans la plupart des cas, le point de jonction des racines et des tiges sera au niveau de la surface du sol. Les racines ne doivent jamais être à découvert. En revanche, le collet, s'il est trop enfoncé dans le sol, pourrit très facilement.

Avec la lame de la houe, reproduire sur le sol le tracé du plan de la plate-bande. Sur une très grande plate-bande, tracer les lignes avec du sable. Elles ne s'effaceront pas, même en cas de pluie.

Planter par section ou en rangées, mais toujours par touffes de trois. Espacer les plants en prévision de l'étalement du feuillage.

Les trous devront être assez grands pour que les racines s'y étalent complètement. Creuser à la bêche si les plants ont une profusion de racines, sinon avec un transplantoir. Installer la plante debout, au centre du trou. Remplir le trou, fouler la terre autour du plant et arroser.

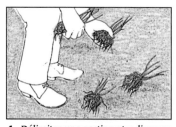

1. *Délimiter une section et y disposer quelques plants à la fois.*

2. *Avec un transplantoir, creuser des trous suffisants pour les racines.*

3. *Installer le plant au centre, étaler les racines et remplir le trou.*

4. *Tasser la terre avec les doigts et le dos du transplantoir.*

MOTTE DE RACINES

Creuser à la bêche un trou assez profond et assez large pour contenir toute la motte. Placer celle-ci au centre et remplir le trou. Fouler la terre autour.

DIVISION DES TOUFFES

Pour diviser les grosses touffes, les séparer en conservant à chaque fragment une partie de collet et quelques racines. Planter immédiatement.

Les fleurs de la monarde attirent les papillons. L'orpin spectabile (Sedum spectabile) 'Brilliant' capte le regard longtemps après que ses fleurs ont fané.

Monarda didyma

Sedum spectabile 'Brilliant'

Travaux de printemps

Sarclage ou suppression des mauvaises herbes

L'arrachage des mauvaises herbes commence dès que les plantes se remettent à croître. Le moindre retard rend la tâche plus ardue et les plantes vivaces sont d'autant plus privées de la nourriture et de l'humidité dont elles ont besoin. Garder un panier à portée de la main et y jeter les mauvaises herbes à mesure qu'on les arrache. Laissées sur le sol humide, elles risquent fort de prendre racine à nouveau. Une fois que le sol est désherbé, pailler les plants pour freiner la reprise de ces herbes. Les paillis ont aussi l'avantage de garder au sol son humidité durant les périodes de sécheresse.

Dans les petites plates-bandes, le désherbage se fait à l'aide d'une griffe sarcleuse. Si la surface à nettoyer est plus grande, il est préférable d'utiliser un outil à long manche.

Pour extirper les mauvaises herbes à la binette, les couper d'un coup sec en ramenant l'outil vers soi. On peut aussi utiliser le dos d'une serfouette, dont les dents serviront à arracher les herbes plus grosses.

Pour couper les mauvaises herbes juste sous la surface du sol, utiliser une ratissoire en esquissant un mouvement de va-et-vient.

Le cultivateur décroûte le sol et déracine du même coup les mauvaises herbes. Lorsque de mauvaises herbes à longues racines tenaces, comme le chiendent ou l'agropyron rampant, s'établissent autour d'une plante, il faut déterrer celle-ci, dégager ses racines de celles de la mauvaise herbe et la replanter. Cette méthode préserve les racines de la bonne plante.

SUPPRESSION DES MAUVAISES HERBES

Autour des plans *Couper les mauvaises herbes avec une binette.*

Entre les rangées *En surface et entre les rangées, on peut utiliser une ratissoire à long manche.*

Dans les touffes *Avec une fourche à bêcher, dégager les mauvaises herbes.*

Ameublissement périodique de la terre

Au début de la période de croissance et de nouveau à la fin de l'automne, il est nécessaire d'ameublir le sol des massifs établis. Cette opération s'impose surtout dans une plate-bande de terre lourde que l'absence de paillis a rendue compacte. L'ameublissement permet à l'air et à l'humidité de rejoindre les racines des plants et déracine en même temps les mauvaises herbes.

Utiliser un cultivateur à trois dents pour les petites plates-bandes.

Fertilisation et arrosage

Pour favoriser la croissance des plantes, il faut leur fournir sous forme d'engrais et en quantité suffisante les trois éléments indispensables à leur équilibre physiologique : azote, phosphore et potassium.

Les engrais organiques à dissolution progressive sont tout spécialement recommandés pour les vivaces car ils libèrent les éléments fertilisants de telle façon que leur effet se prolonge durant toute la période de croissance. Au début du printemps, lorsque la croissance a repris mais avant d'étendre des paillis, épandre l'engrais à la main en évitant d'en verser sur le feuillage. On peut aussi utiliser un engrais minéral de formule 4-12-4.

Au début de l'été, on peut vaporiser les plantes toutes les trois ou quatre semaines avec un engrais foliaire à effet rapide.

Il n'est pas nécessaire d'arroser les plates-bandes paillées, sauf en période prolongée de sécheresse. Le paillis sert à conserver l'humidité du sol. S'il s'avère néanmoins nécessaire d'arroser, on utilisera un asperseur à jet constant et uniforme pour permettre à l'eau de pénétrer profondément dans le sol.

Les sols argileux ont tendance à se durcir sous l'action des fortes pluies. Avant d'arroser, de fertiliser ou d'étendre un paillis, il faut biner ou décroûter leur surface. En plus d'empêcher le compactage du sol, un paillis améliorera la composition des sols argileux ou sablonneux et évitera les éclaboussures de terre sur le dessous des feuilles, facteurs de contamination des plantes. Les paillis freinent en outre la prolifération des mauvaises herbes et en se décomposant apportent au sol des éléments nutritifs.

Pailler le sol à la fin du printemps, après le sarclage, mais au début de la croissance des plantes. Dans les régions où le climat est sec, détremper le sol avant d'étendre les paillis.

Il est préférable de pailler entièrement la plate-bande. Si cela n'est pas possible, entourer chaque plant d'un paillis épais.

PAILLAGE

Étendre un paillis de 5 à 8 cm d'épaisseur autour des pieds. Compost, fumier de jardin, terreau de feuilles ou fibre de noix de coco conviennent. Niveler avec le dos d'un râteau. Dans les régions à climat sec, arroser le sol avant de pailler.

L'aconit (Aconitum) croît aussi bien à l'ombre qu'au soleil, mais l'asphodèle (Asphodelus) exige de la chaleur et beaucoup de soleil.

Aconitum napellus

Asphodelus albus

Tuteurage des plantes vivaces à fleurs lourdes

Certaines plantes vivaces à tiges flexibles et à fleurs très lourdes ont besoin d'être soutenues, surtout au moment de la floraison.

En guise de tuteurs, utiliser des tiges de bambou, des cerceaux ou des filets de fil de fer galvanisé ou des rames. Celles-ci suffisent à supporter les plants ou les touffes moins lourds. Pour maintenir en place les plants plus lourds, il vaut mieux employer du filet métallique ou des tiges de bambou. Mettre les tuteurs en place avant que la croissance des plantes ne soit trop avancée.

Comme le tuteur doit atteindre la base des inflorescences, il faut connaître au préalable la hauteur définitive de la plante.

Les plantes tuteurées avec des rames, des cerceaux ou du filet métallique n'ont pas besoin d'être attachées. Les hautes tiges seront fixées à leur support avec du raphia, de la ficelle ou des attaches métalliques enrobées de plastique.

Supports pour plantes de haute taille

Les fleurs qui poussent très haut — les rudbeckies, les sceaux-de-Salomon, certaines filipendules, certaines espèces d'*Heliopsis,* et les grands delphiniums — ont besoin d'un support plus résistant. On les entoure d'un cylindre en filet métallique.

Pour le confectionner, utiliser du filet (vert de préférence) dont les mailles ont environ 10 cm de côté. Le cylindre doit être assez grand pour encercler tout le plant. L'armature ne se verra plus une fois que la plante se sera développée.

Enfoncer trois grands tuteurs de bambou dans le sol, à l'intérieur du cylindre. Les attacher au filet métallique, d'abord au niveau du sol, puis à mi-hauteur, puis au sommet.

Si la plante est très haute, on installera un second cylindre au-dessus du premier. Les attacher l'un à l'autre avec de la ficelle.

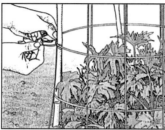

1. *Placer les tuteurs à l'intérieur du cylindre; les fixer avec de la ficelle.*

2. *Au besoin, installer un second cylindre au-dessus du premier.*

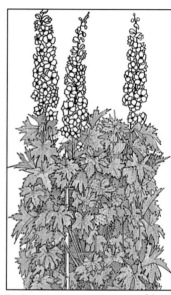

3. *Cette armature supporte parfaitement les longues tiges flexibles.*

Mise en place des tuteurs pour plants moyens

Les tiges de bambou ou de bois tendre et les tuteurs métalliques suffisent à supporter les plantes peu lourdes qui n'ont qu'une tige ou qui poussent en touffes. Encore faut-il que ces plantes aient plus de 60 cm de haut mais ne dépassent pas 1,20 à 1,50 m.

S'il s'agit d'une plante à tige unique, enfoncer le bambou dans le sol près de la plante et fixer la tige au tuteur avec de la ficelle ou du fil métallique plastifié. Au besoin, ajouter des liens à intervalles de 30 cm.

Pour supporter un groupe de plants ou une grosse touffe, enfoncer près de la plante trois tuteurs, à égale distance les uns des autres. Attacher la ficelle à l'un des tuteurs, à 15 ou 20 cm du sol, et l'enrouler autour des deux autres tuteurs. Ajouter d'autres liens au fur et à mesure que la plante grandit.

1. *Tuteurer un pied-d'alouette avec du bambou et de la ficelle.*

2. *Plus tard, donner un autre tour de ficelle à 25 cm au-dessus du premier.*

3. *Les tiges du plan adulte seront retenues par plusieurs tours de ficelle.*

SUPPORT EN ANNEAU

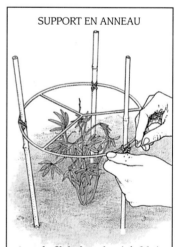

Avec du fil de fer galvanisé, fabriquer un anneau. L'attacher à trois tuteurs de bambou placés autour de la plante. À mesure que celle-ci grandit, relever le support.

Cephalaria gigantea,
qui peut mesurer 1,80 m, ne
convient qu'aux très grands jardins.
Elle fait beaucoup d'effet si on la
plante parmi des arbustes.

Cephalaria gigantea

Culture des plantes vivaces

Tuteurage des tiges flexibles avec des rames

Les plantes qui atteignent 60 cm de hauteur et dont les tiges sont souples risquent de s'affaisser si on ne les supporte pas à l'aide de rames semblables à celles qu'on utilise pour la culture des pois.

Ces rames proviennent de l'élagage des arbustes ou des haies. Presque toutes les espèces conviennent, en particulier la spirée, le gattilier, le bouleau et le chêne.

Avant d'enfoncer une rame dans le sol, tailler son extrémité inférieure en biseau et travailler la terre pour l'ameublir. Ce menu bois est en effet fragile : on ne peut l'enfoncer à grands coups sans le casser. Si le sol est compact, commencer par creuser un trou avec une tige de métal.

Enfoncer les rames assez profondément dans le sol pour supporter la plante. Deux ou trois rames suffisent généralement pour un groupe de plantes, sauf s'il s'agit d'espèces fragiles qui s'affaissent après des pluies violentes et des orages ou de plantes qui poussent en touffes très étalées.

Casser le bout des ramilles en les ramenant vers le centre et les entrelacer pour former une gaine qui soutiendra la tige lourde de fleurs.

Suppression des fleurs et des tiges flétries

À mesure que les fleurs fanent, il faut les enlever. (Chez les delphiniums, les phlox et les achillées à port rampant, cela peut stimuler une seconde floraison.) En plus de soigner l'apparence des vivaces, on évitera ainsi l'apparition de sujets indésirables par germination spontanée de graines.

Après la floraison, rabattre presque au ras du sol les plantes comme les hémérocalles qui ont des tiges florales uniques et nues.

Lorsque la hampe florale est garnie de feuilles à sa base, la couper juste au-dessus des plus hautes feuilles.

Les têtes florales de certaines plantes comme l'achillée qui se dessèchent sur pied gardent une valeur ornementale durant tout l'automne.

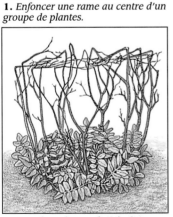

1. *Enfoncer une rame au centre d'un groupe de plantes.*

2. *Casser le bout des ramilles en les ramenant vers le centre du massif.*

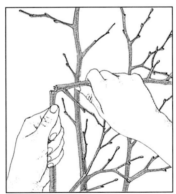

3. *Entrelacer les extrémités des branchages au-dessus des plantes.*

4. *Lorsque la plante grandit, elle dissimule le support.*

Couper au ras du sol les hampes florales nues (à gauche). Rabattre les autres en dessous des feuilles supérieures (à droite).

Nettoyage des plantes touffues après la floraison

Certaines plantes utilisées pour former des tapis floraux dans les rocailles ou des bordures dans les plates-bandes de vivaces deviennent trop touffues après la floraison. L'aubriétie et l'ibéris, ou thlaspi, sont dans ce cas. Les rabattre de moitié ou des deux tiers. Cette taille favorise la repousse et souvent une seconde floraison. Abandonnées à elles-mêmes, les plantes tapissantes deviennent ligneuses, hirsutes et fleurissent moins.

D'autres plantes, comme la camomille et le pyrèthre, qui ont une seule floraison, produisent peu de pousses nouvelles. Les rabattre du tiers environ après la floraison.

Dans le cas des plantes qu'on cultive surtout pour leur feuillage, la suppression des fleurs est aléatoire.

PLANTES TAPISSANTES

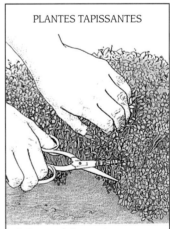

Rabattre sévèrement, en se servant de cisailles ou d'un sécateur, les plantes formant tapis dans une rocaille.

Il y a des asters de toutes les couleurs et de toutes les tailles. L'œil de Christ (Aster amellus) peut prendre différents tons de violet et atteindre 1,80 m, soit quelque 20 cm de plus que A. novi-belgii.

Aster amellus 'King George'

Aster novi-belgii 'Fellowship'

Préparation des plantes vivaces pour l'hiver

Lorsque la croissance s'arrête en automne, vient le moment de nettoyer les plates-bandes de plantes vivaces. Continuer de supprimer au besoin les fleurs fanées, et, dans les régions froides, rabattre jusqu'au sol le feuillage qui ne survivra pas à l'hiver. C'est aussi le moment de diviser et de

repiquer les plants devenus trop volumineux (voir p. 191). Avant le repiquage, ameublir le sol à la bêche et y incorporer au râteau de la poudre d'os ou du superphosphate.

Dans les régions très froides, pour parer aux effets dévastateurs du gel et du dégel à répétition, pailler le sol avec des branches de pin, des feuilles de chêne, du foin de prés salés. Enlever le paillis au printemps.

1. Rabattre presque jusqu'au sol les tiges mortes des vivaces.

2. Pailler avec du foin de prés salés ou des rameaux de conifères.

Soins à donner aux plantes bulbeuses

On plante souvent au printemps des bulbes et des tubercules gélifs (tigridias ou dahlias, par exemple) pour colorer les plates-bandes avant la floraison des vivaces. Dans les régions froides, il faut déterrer ces bulbes à la fin de l'automne et les ranger dans un endroit sec et frais pour l'hiver.

C'est aussi le moment de mettre en terre les bulbes de plantes à floraison printanière comme les jonquilles et les tulipes. Les jonquilles fleurissent printemps après printemps sans demander de soins, mais il faut remplacer les bulbes de tulipes dès qu'on remarque qu'ils fleurissent moins bien. Ne pas oublier de laisser mûrir le feuillage des plantes bulbeuses après la floraison. Toutefois, on peut toujours les dissimuler derrière de hautes plantes vivaces.

On continuera d'extirper les mauvaises herbes jusqu'à ce qu'elles meurent de froid.

Ravageurs et maladies

En présence d'un symptôme non décrit ci-dessous, se reporter au chapitre « Ravageurs et maladies », à la page 474. On y trouvera la description et l'illustration d'autres symptômes. On trouvera aux pages 510 à 512 les appellations commerciales des produits recommandés.

Symptômes	Cause	Traitement*
Sommets des tiges et épis floraux couverts d'insectes gluants. Organes déformés, fleurs ne s'ouvrant pas.	Pucerons	Pulvérisation de savon insecticide ou de perméthrine.
Feuilles rongées.	Chenilles	Pulvérisation de Bacillus thuringiensis ou de roténone.
Jeunes tiges dévorées au niveau du sol et flétries.	Vers gris	Protéger les plants en incorporant du méthoxychlore en poudre dans le sol ; le soir, arracher les tiges atteintes.
Feuilles à taches argent. Feuilles, boutons et fleurs reliés par des toiles ou gravement déformés.	Tarsonèmes du cyclamen, tétranyques à deux points	Pulvérisation ou poudrage de savon insecticide ou de tétradifon ; ou bien vaporisation foliaire ou arrosage du sol au diméthoate.
Jeunes feuilles, boutons floraux ou extrémités des tiges déformés. Feuilles trouées.	Diverses espèces de punaises	Pulvérisation de savon insecticide, de méthoxychlore ou de roténone.
Jeunes pousses rongées ; traces de bave.	Limaces ou escargots	Appâts granulés à base de métaldéhyde ou de méthiocarbe ; soucoupes de bière.
Feuilles, jeunes pousses et même fleurs couvertes d'une poudre blanche et cireuse.	Blanc (champignon)	Pulvérisation de bénomyl, de dinocap ou de soufre.
Feuilles couvertes de pustules rouges ou brunes qui éclatent et laissent voir des spores poudreuses.	Rouille (champignon)	Pulvérisation avec un produit à base de carbamate (ferbame, thirame ou zinèbe). Difficile à combattre.
Feuilles et tiges herbacées se fanent ; la plante entière peut être atteinte (surtout les asters).	Flétrissure verticillienne (champignon)	Suppression des pousses malades. Pulvérisation de bénomyl ou de thirame.
Boutons floraux qui se flétrissent et tombent avant d'ouvrir.	Manque d'eau	Arrosage hebdomadaire (5 litres d'eau par mètre carré) en période de sécheresse. Étendre un paillis.
Tiges maigres et en surnombre ; fleurs petites. Feuilles flétries, surtout par temps chaud. Celles du bas jaunissent et meurent.	Manque d'eau ou d'engrais	Vaporisation d'engrais foliaire. Arrosage généreux. Fumier décomposé ou compost en paillis. Division des touffes.

* Certains produits sont interdits dans les localités qui ont adopté des règlements contre les pesticides. Voir aussi « Recettes maison et produits naturels », p. 512, et « Les amis du jardin », p. 515.

La gracieuse astilbe (Astilbe) affectionne les sols humides comme le voisinage d'un étang. Les épis de la Baptisia font bel effet une fois séchés.

Astilbe 'Feuer'

Baptisia australis

Multiplication des plantes vivaces par division des touffes

Arrachage des touffes trop denses

Un sujet trop dense produit de moins en moins de fleurs. Il devient alors nécessaire de le diviser. Certaines espèces, comme le phlox et l'iris, atteignent ce stade assez rapidement, tandis que pour d'autres, comme les hélénies ou les hémérocalles, il faut compter cinq ans ou davantage. En revanche, quelques espèces, dont les fraxinelles et les pivoines, n'ont presque jamais besoin d'être divisées.

Avant de diviser les plants, il faut les déterrer. Cette opération s'effectue de préférence avant que la croissance reprenne au printemps ou lorsqu'elle s'est ralentie après la floraison. Il vaut mieux diviser en automne les espèces qui fleurissent très tôt et au printemps celles qui, au contraire, fleurissent tardivement. Pour les autres, on a le choix.

En fait, moyennant certains soins particuliers, on peut diviser les plantes vivaces en toute saison. Néanmoins, dans les régions très froides, on préfère pratiquer la division au début de l'automne pour que les plantes aient le temps de bien s'établir avant que le sol gèle.

Arracher les plantes lorsque le sol n'est ni gelé ni détrempé. Si la division est effectuée en automne, commencer par couper les feuilles.

Comme les vivaces sont généralement installées à demeure, profiter de l'occasion pour amender le sol en lui ajoutant de la tourbe ou du compost ainsi que de la poudre d'os ou du superphosphate.

Moins on met de temps à extraire, diviser et replanter la plante, meilleures sont ses chances de reprise. La protéger du soleil et du vent pendant le travail et l'arroser en cas de délai inopiné.

Division des plantes rhizomateuses

Les plantes rhizomateuses se lèvent de terre généralement sans problème, car leur système radiculaire (en fait, une tige souterraine et charnue) est superficiel. Le bergenia, l'iris avec barbe et le sceau-de-Salomon, notamment, sont des espèces rhizomateuses qui se divisent aisément.

La division se pratique de préférence tôt au printemps, dès l'apparition des nouveaux bourgeons (voir p. 298). Après avoir extrait le plant, dégager le rhizome principal. On apercevra alors les petits rhizomes auxquels il a donné naissance. Pour faciliter les manipulations, on peut laver les rhizomes à l'eau courante.

Utiliser un couteau aiguisé pour séparer les petits rhizomes du gros ;

la coupure doit être nette afin de ne pas endommager les tissus. Les mettre immédiatement en terre pour éviter les risques de dessèchement.

Au moment de la plantation, s'assurer que les rhizomes sont complètement recouverts de terre, qu'ils sont bien ancrés dans le sol et enfoncés à la même profondeur que l'était la plante mère. Les iris avec barbe font exception à cette règle : leurs rhi-

zomes doivent être couchés sur le sol et enfoncés des deux tiers seulement (voir p. 298). Enfouis plus profondément, les rhizomes pourriront.

S'il n'est pas possible de mettre les petits rhizomes en terre immédiatement après la division, il faut les placer dans une boîte et les recouvrir de sable ou de tourbe humides. Ne pas les laisser en attente plus d'une journée ou deux.

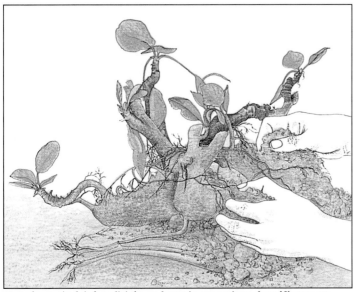

1. *Le bergenia doit être divisé tous les trois ans environ, de préférence au moment de la reprise au printemps. Prélever des rhizomes jeunes et sains mesurant au minimum 5 à 8 cm avec au moins deux bourgeons ou jeunes pousses et des racines fibreuses en bon état. Les sectionner avec soin.*

2. *Couper les jeunes rhizomes au ras du vieux rhizome et jeter celui-ci.*

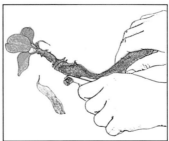

4. *Enlever les chicots, les bouts de tige pourris et les feuilles mortes.*

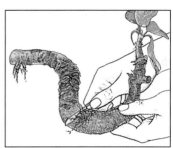

3. *Parer les rhizomes sous un groupe de racines fines et saines.*

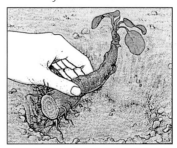

5. *Les jeunes rhizomes sont maintenant prêts à être plantés.*

Le bleuet vivace (Centaurea montana) peut aussi avoir des fleurs blanches ou roses. La campanule glomerata (Campanula glomerata), qui fait partie d'une grande famille, fait de très beaux bouquets.

192   PLANTES VIVACES

Centaurea montana   Campanula glomerata 'Superba'

Division des jeunes plantes vivaces

Certaines plantes vivaces à racines fibreuses, par exemple l'hélénie, la rudbeckie et l'aster vivace, se divisent facilement au printemps dès qu'elles ont deux ou trois ans. Cette méthode permet d'obtenir des plants de façon rapide.

Les gros éclats — ayant au moins deux ou trois pousses — peuvent être plantés tout de suite dans leur place définitive et fleurissent souvent la même année. Repiquer les plus petits dans une plate-bande à l'écart, et attendre l'automne, voire le printemps suivant avant de les transplanter.

1. *Diviser à la main les jeunes plantes vivaces qui ont peu de racines.*

2. *Couper avec un couteau les racines pourries, mortes ou abîmées.*

3. *Mettre en place les gros éclats ; planter les petits à l'écart.*

Division des vieilles plantes vivaces

Chez les vieilles plantes à racines fibreuses, les jeunes pousses sont enchevêtrées dans les racines. Il faut, pour les diviser, enfoncer au centre de la souche deux fourches-bêches placées dos à dos. Les faire jouer comme un levier pour diviser la souche. Partager celle-ci en quatre éclats.

Cette division faite, couper avec un couteau tranchant les parties vieilles et ligneuses. Sectionner ensuite en éclats plus petits comportant chacun au moins six yeux ou pousses. Au moment de la plantation, bien fouler la terre autour des racines et arroser abondamment pour tasser la terre et éliminer les poches d'air.

Il est impossible de diviser avec des fourches les plantes à gros collet ligneux et dur. Sectionner plutôt ces collets avec un couteau très solide et bien aiguisé de façon que chaque éclat comporte quelques racines et quelques yeux. Planter les éclats immédiatement et bien arroser.

Les plantes à racines charnues, telles que l'hémérocalle du Japon, se divisent bien elles aussi avec deux petites fourches. Prendre garde d'abîmer les racines.

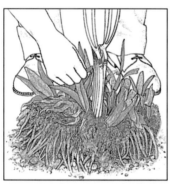

1. *Au cœur des mottes enchevêtrées, enfoncer deux fourches dos à dos.*

2. *Écarter les fourches l'une de l'autre en les actionnant comme un levier pour diviser la motte en deux, puis en quatre.*

3. *Enlever les pousses ligneuses et les racines mortes sur chaque fragment.*

4. *Éliminer les racines charnues qui sont pourries ou abîmées.*

5. *Planter immédiatement les gros éclats à leur place définitive.*

L'espèce Heliopsis *présente des fleurs de plusieurs formes — simple, double ou semi-double — et de divers tons de jaune.*

Heliopsis helianthoides 'Hohlspiegel'

Bouturage des plantes vivaces

Division des plantes à racines tubéreuses

Arracher le plant sans léser aucun organe et débarrasser les tubercules de la terre qui y adhère en prenant soin de ne pas les abîmer. Au besoin, laver les tubercules pour faire clairement apparaître les yeux.

Dans le cas de certaines racines tubéreuses, comme celles de la pivoine commune ou de Chine, les yeux sont situés au point de jonction des tubercules. Couper à travers la souche, du collet vers les racines, pour diviser la plante en plusieurs segments, tous munis de tubercules et de plusieurs yeux.

Mettre immédiatement ces segments en terre. Les segments à un tubercule et un œil prennent du temps à s'établir. Dans les régions froides, pailler les nouveaux plants dès que le sol est gelé.

Les pivoines supportent mal d'être déplacées et ont rarement besoin d'être divisées. N'effectuer la division que si elle s'impose, à la fin de l'été ou au début de l'automne.

Les hémérocalles présentent des tubercules minces et des souches denses qu'il vaut mieux diviser à l'aide de deux petites fourches de jardinage. Des segments très feuillus donneront un meilleur effet, mais une tige feuillue par plant suffit.

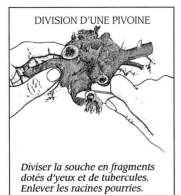

DIVISION D'UNE PIVOINE

Diviser la souche en fragments dotés d'yeux et de tubercules. Enlever les racines pourries.

Bouturage des extrémités de rameaux

Plusieurs plantes vivaces arbustives, en particulier le phlox et l'orpin, se multiplient mieux par boutures apicales. Il en est de même pour les plantes à feuillage décoratif telles que l'anthémis et le galega.

Prélever des boutures aux extrémités des pousses latérales non fleuries, sitôt que les tiges sont semi-fermes.

Prélever des boutures de 8 à 10 cm de long aux extrémités de pousses saines et garnies de feuilles. Chaque bouture doit avoir au moins trois nœuds.

Remplir un pot de mélange composé, à volume égal, de tourbe et de sable grossier ou de perlite. On peut également utiliser un mélange à semis vendu dans le commerce. Un pot de 10 cm de diamètre peut recevoir environ six boutures. Sectionner chaque bouture juste au-dessous du nœud le plus bas. Arracher ou couper la paire de feuilles de la base.

À l'aide d'un crayon, creuser des trous peu profonds dans le mélange terreux. Insérer la bouture de façon que la base de la tige touche le fond du trou sans qu'aucune feuille ne soit enterrée. Fouler le mélange avec les doigts.

Arroser généreusement la plante. Mettre le pot dans un sachet de plastique, en faisant reposer celui-ci sur une armature de fil de fer. Percer le sachet de quelques petits trous et l'attacher avec une bande élastique. Placer la bouture dans un endroit ombragé ou sous châssis froid. Les boutures prélevées par temps froid s'enracineront plus rapidement dans une caissette de multiplication chauffante, à environ 16 °C.

Au bout de cinq à six semaines, vérifier le degré d'enracinement en tirant très légèrement sur les boutures. Si elles semblent solides, les sortir du sac ou de la caissette et les laisser dans leur pot pendant quatre ou cinq jours. Tourner ensuite le pot à l'envers et extraire les boutures d'un seul coup sans rompre la motte.

Séparer les boutures avec le plus grand soin et les rempoter (voir ci-dessous). Fouler la terre, arroser généreusement et laisser les pots s'égoutter.

Dans les régions à climat doux, placer les jeunes plants dans un endroit ombragé ou sous châssis froid durant une semaine environ, avant de les repiquer au jardin. Pincer l'extrémité des tiges pour favoriser la croissance des racines et retarder celle des organes aériens.

Dans les régions froides, garder les boutures sous châssis froid fermé durant leur premier hiver, en enfouissant les pots dans du sable ou de la tourbe. Planter de façon définitive au jardin lorsque tout danger de gel est écarté au printemps.

1. *Prélever des pousses latérales de 10 cm non fleuries et semi-fermes.*

2. *Couper la bouture transversalement, juste sous un nœud.*

3. *Planter les boutures dans un pot de 10 cm rempli du mélange approprié.*

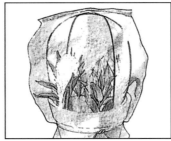

4. *Enfermer le pot dans un sac de plastique supporté par une armature.*

5. *Après cinq ou six semaines, repiquer dans des pots de 7,5 cm.*

6. *Pincer l'extrémité des boutures. Placer sous châssis froid pour l'hiver.*

La monarde fistulosa (Monarda fistulosa) est un bon élément pour une plate-bande de vivaces ou de fleurs sauvages. Saxifraga cebennensis, qui forme un coussin de mousse, est un bon choix pour constituer une bordure.

Monarda fistulosa

Saxifraga cebennensis

Bouturage des tiges de base

La plupart des plantes vivaces qui poussent en touffes — la buglosse, le pied-d'alouette, la scabieuse, et bien d'autres encore — peuvent être multipliées par bouturage des pousses basales naissant au printemps.

Lorsqu'elles ont entre 8 et 10 cm de long, prélever quelques-unes des pousses de base en les sectionnant juste sous le collet avec un couteau bien aiguisé.

Planter les boutures dans un sol poreux sous châssis froid ou dans des pots de 10 à 13 cm de diamètre remplis d'un mélange composé à vo-lume égal de tourbe et de sable ou de perlite. Placer les pots sous châssis froid. Le système des pots permet de déplacer les boutures après l'enraci-nement sans qu'il soit nécessaire de les transplanter. Vaporiser les bou-tures pour que l'humidité soit cons-tante et tenir le châssis fermé. Lors-que la croissance a repris, intensifier l'aération en ouvrant graduellement le châssis durant les heures chaudes de la journée.

Quand les racines se sont dévelop-pées, rempoter les boutures dans des pots individuels. Les transplanter au jardin dès qu'elles se sont enracinées si c'est l'été ; les laisser sous châssis froid si c'est l'hiver.

1. *Gratter la terre autour des souches pour prélever les rejets.*

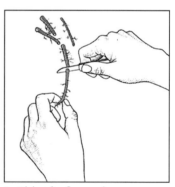

2. *Piquer la bouture dans le mélange ; la placer sous châssis froid.*

Bouturage au moyen de racines charnues

Un grand nombre de plantes vivaces ont des racines charnues qui se prêtent au bouturage. Ce mode de multiplication s'impose d'ailleurs lorsqu'une plante comme le pavot oriental ne présente pas de pousses végétatives bien définies.

Le prélèvement des segments de racines s'effectue sur des plantes adultes au moment où la croissance est au ralenti.

Sectionner les racines charnues en tronçons de 5 à 8 cm ; couper les ra-cines fines en fragments de 5 cm.

Remplir de grands pots ou des caissettes d'un mélange composé à volume égal de tourbe et de sable ou de perlite. Ménager des trous de 5 à 8 cm de profondeur, espacés de 5 cm. Piquer verticalement les tronçons de grosses racines et les recouvrir d'une fine couche de mélange. Coucher les fragments de racines fines à la sur-face du compost et les recouvrir. Gar-der le mélange humide.

Lorsque les boutures présentent deux ou trois paires de feuilles, les re-piquer chacune dans un pot, puis les planter au jardin un peu plus tard. Dans les régions froides, les placer sous châssis froid pendant l'hiver.

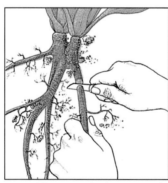

1. *En début ou en fin de saison, préle-ver des tronçons de grosses racines.*

2. *Couper en biseau l'extrémité infé-rieure des boutures de 5 à 8 cm.*

3. *Diviser les fines racines en fragments de 5 cm coupés droit.*

4. *Planter les grosses racines, partie biseautée en bas, sous 1 cm de terre.*

5. *Coucher les fines racines sur le mélange, puis les recouvrir.*

6. *Lorsqu'elles ont des feuilles, em-poter individuellement les boutures.*

*Le pavot oriental (Papaver),
l'hémérocalle (Hemerocallis)
et la pivoine (Paeonia)
ont tous trois des racines
charnues.*

Papaver orientale 'Prinzessin Victoria Louise'   *Hemerocallis 'Ice Carnaval'*   *Paeonia 'Fairy Princess'*

Multiplication des plantes vivaces par semis

Achat ou cueillette des semences

Dans la nature, les graines mûres tombent au sol et attendent sous une couverture de feuilles mortes le moment opportun de germer.

Les plantes cultivées peuvent aussi se reproduire par semis, mais les résultats ne sont pas assurés. Bien que la plupart des plantes de jardin tirent leur origine d'espèces sauvages, elles ont été dans bien des cas soumises à l'hybridation, de façon à produire des formes nouvelles et améliorées. Lorsque ces hybrides sont multipliés à partir de graines récol-

tées au jardin, les sujets obtenus diffèrent de la plante mûre et lui sont habituellement inférieurs en qualité.

Les graines recueillies doivent être conservées dans un contenant fermé et gardées au frais jusqu'au moment des semis. Semer ces graines dans un coin inutilisé du jardin. Ne conserver que les plus beaux sujets qu'elles donneront : ils pourront être à leur tour multipliés par bouturage ou par division si on veut leur conserver leurs caractéristiques.

Les graines du commerce donnent généralement des sujets identiques à l'espèce ou à tout le moins des rejetons de bonne qualité.

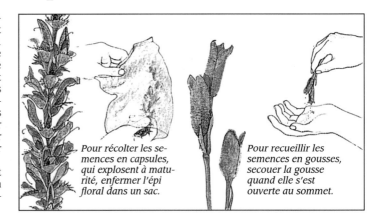

Pour récolter les semences en capsules, qui explosent à maturité, enfermer l'épi floral dans un sac.

Pour recueillir les semences en gousses, secouer la gousse quand elle s'est ouverte au sommet.

Semis et repiquage des plantules

Du milieu à la fin de l'hiver, semer dans une serre ou sous éclairage artificiel. La lumière d'une fenêtre est rarement suffisante. Lorsque la température est plus chaude, semer sous châssis froid ou dans une plate-bande protégée.

Pour des semis à l'intérieur, on utilisera un pot par espèce. Remplir le pot d'un substrat stérilisé composé en parties égales de terre, de tourbe et de perlite. Niveler, tasser légèrement, arroser par vaporisation et laisser égoutter.

Semer clair et en surface ; couvrir les graines d'une couche de 5 mm de mélange. Laisser à découvert les graines très fines.

Couvrir le pot d'une vitre ou l'enfermer dans un sac de plastique pour emprisonner la chaleur et l'humidité nécessaires à la germination. Ne pas exposer le pot au soleil. La plupart des semences germent à une température de 18 à 21 °C. Selon les espèces, les plantules sortent de terre après une à trois semaines. Retirer la vitre ou le sac de plastique.

Quand les plantules sont de taille à être manipulées, les repiquer dans une caissette ou un pot remplis de

terre stérilisée en les espaçant de 2,5 à 5 cm. Leur donner le plus de lumière et de soleil possible. Lorsque les plantules manquent d'espace, les rempoter individuellement.

Avant de les mettre en place au jardin, il faut les acclimater au grand air sous un châssis froid ou dans un coin abrité du jardin. Déposer pots ou caissettes sur le sol, dans un endroit à demi ombragé. Après quelques jours, les exposer graduellement au soleil et au vent. Les repiquer ensuite dans une plate-bande à l'écart pour qu'elles continuent de se développer. Transplanter définitivement à la fin de l'été ou au printemps suivant.

Pour démarrer hâtivement des semis en région froide, utiliser un châssis chauffant réglé à 18 °C. Sous châssis non chauffé, semer six semaines environ avant les dernières gelées. Amender le sol du châssis avec de la tourbe ou de la perlite et semer en surface. On peut aussi semer les graines dans des pots.

Couvrir le châssis de jute durant la germination, jusqu'à ce que les plantules commencent à sortir. Leur donner dès lors une pleine ration d'air, de lumière et d'humidité.

Il faudra ensuite acclimater les plantules sous châssis froid avant de les transplanter dans le jardin.

1. À la fin de l'hiver, semer clair sur le mélange humide ; couvrir à peine.

2. Couvrir le pot d'un sachet, puis le découvrir quand les plantules lèvent.

3. Repiquer les plantules quand elles ont deux paires de feuilles.

4. Un ou deux mois plus tard, empoter les plus vigoureuses.

L'aconit (Aconitum) se développe particulièrement bien dans les sols qui ne sont pas trop secs. Le lys des Incas (Alstroemeria) ne survivra que dans les climats très doux.

Aconitum cammarum 'Bicolor'   Alstroemeria ligtu, hybrides

Petit guide des plantes vivaces

Les plantes décrites ci-dessous, qui présentent beaucoup d'espèces nouvelles, peuvent être cultivées dans des bordures ou être associées à d'autres dans des plates-bandes. On les a classées d'après leur nom botanique avec les espèces et les variétés recommandées. La hauteur (H) de la plante se calcule en mesurant, de la base à la pointe, la tige florale ; l'étalement (E) est le diamètre du feuillage de la plante adulte. La hauteur et l'étalement du genre sont indiqués dans la première colonne du tableau, et la hauteur des espèces est précisée dans la seconde.

Presque toutes les vivaces décrites s'acclimatent facilement. Par ailleurs, tant de facteurs viennent modifier leur degré de rusticité qu'il faudra parfois vérifier la zone de rusticité à l'achat. Le tableau ne pouvait être complet ; c'est pour cela qu'on trouvera des photos d'autres espèces.

Acanthus mollis
(acanthe)

Achillea filipendulina 'Gold Plate'
(achillée)

Aconitum napellus
(aconit)

Alcea rosea
(rose trémière)

Nom botanique et nom vulgaire, description générale	Espèces et variétés	Soins particuliers, remarques	Multiplication (Voir p. 191)
Acanthus (acanthe) Plante à feuilles brillantes et profondément lobées (motif corinthien) poussant en touffes serrées. Les feuilles atteignent souvent 60 cm de longueur et 30 de largeur. Épis de fleurs tubuleuses au début de l'été. Ne pousse que dans les climats doux. H 60-90 cm ; E 75 cm ou plus.	*A. mollis* (acanthe à feuilles molles ou branc-ursine), fleurs blanches, lilas, roses, 60-90 cm. *A. m. latifolius*, comme ci-dessus, feuilles plus grandes, 60-90 cm. *A. spinosus*, épis de fleurs mauve et blanc, 1,20-1,50 m. La plus rustique des espèces.	Se cultive à l'ombre, sauf dans les régions littorales où l'acanthe supporte le soleil. Rabattre au sol après la floraison pour renouveler complètement les organes aériens. En été, garder les feuilles propres en les lavant au tuyau d'arrosage. Racines envahissantes ; plante difficile à déraciner.	Par division, bouturage de racines ou semis, au printemps.
Achillea (achillée) Plante remarquable, parfois dotée de jolies feuilles piquantes ressemblant à des frondes de fougère. Fleurs gracieusement groupées en corymbes lâches ou aplatis qu'on peut faire sécher pour les bouquets d'hiver. H 45-90 cm ; E 30-90 cm.	*A. filipendulina* 'Gold Plate', fleurs jaune moutarde, 0,90-1,20 m. *A. f.* 'Cloth of Gold', fleurs jaune vif, 1,20 m. *A. millefolium* 'Cerise Queen' (achillée millefeuille), fleurs rose vif, 30-45 cm. *A.* 'Moonshine', fleurs jaunes, 45 cm. *A. ptarmica* 'The Pearl' (bouton d'argent), fleurs doubles, blanches, 45 cm. *A. tomentosa*, feuillage gris, fleurs jaunes, 30-45 cm.	Prospère en plein soleil, dans une terre ordinaire. Plante très rustique, résistant à la sécheresse. *A. ptarmica* est une espèce envahissante mais facile à déraciner. *A. filipendulina* peut porter à maturité une centaine d'inflorescences qui persistent plusieurs semaines par temps sec. Toutes se cultivent à peu près sans problème.	Diviser les plants au début de l'automne. Semer les graines de *A. millefolium* et de *A. ptarmica* au printemps.
Aconitum (aconit) Longs épis de grandes fleurs d'une forme particulière naissant la plupart du temps à la fin de l'été et dominant un feuillage profondément découpé. Plante vénéneuse. H 75 cm-2,50 m ; E 30-60 cm.	*A. cammarum* 'Bicolor', fleurs bleu et blanc, 1,20-1,35 m. *A. carmichaelii*, fleurs bleu pâle, 75 cm-1 m. *A. c.* 'Barker's Variety', fleurs bleu-violet foncé, 1,20-1,50 m. *A.* 'Ivorine', fleurs jaune pâle au début de l'été, 90 cm. *A. napellus* (aconit Napel), fleurs de bleu à violet, floraison précoce, 1-1,20 m. *A.* 'Spark's Variety', fleurs bleu-violet foncé, 90 cm-1,20 m.	Prospère à la mi-ombre dans un sol enrichi de compost. Les variétés de haute taille peuvent avoir besoin de tuteurs. Plante non envahissante, parfaite pour la fleur coupée, remplaçant bien le pied-d'alouette. Fleurit en fin de saison, au moment où le jardin se dégarnit. Racines tubéreuses.	Par division ou par semis au printemps. Ne pas déranger la plante à moins que la multiplication des tubercules n'entrave la floraison.
Alcea (rose trémière ou passerose) Grandes hampes florales portant des fleurs simples ou doubles, parfois chiffonnées, de 10 à 15 cm de diamètre, s'épanouissant à la mi-été. Plante peu durable qu'on cultive souvent comme bisannuelle. H 90 cm-2,50 m ; E 45 cm.	*A. rosea*, fleurs simples, nombreux coloris dont le rose, le rouge, l'abricot, le cuivre, le jaune et le blanc, 1,80-2,50 m. *A. r.* 'Chater's Double', fleurs rouges, roses, jaunes, blanches, pourpres ou panachées, 1,80 m. *A. r.* 'Nigra', fleurs simples noires ou rouge foncé, 1,50-1,80 m. *A. r.* 'Powderpuff', fleurs doubles, coloris mélangés, 1,20-1,50 m.	Se cultive en plein soleil, à l'arrière d'une bordure ou près d'une clôture ou d'un mur. Le feuillage est souvent marqué par la rouille. Les variétés de haute taille ont parfois besoin de tuteurs si elles sont exposées au vent.	Semer au printemps ou au début de l'été. Certaines variétés fleurissent l'année même des semis faits au jardin, au printemps.

L'alchémille (Alchemilla), l'anaphalis (Anaphalis), genre auquel appartient l'immortelle de Virginie, et la buglosse (Anchusa) ont toutes besoin d'un sol bien drainé.

Alchemilla mollis

Anaphalis triplinervis

Anchusa azurea 'Loddon Royalist'

Alchemilla mollis (alchémille)	*Amsonia tabernaemontana* (amsonia)	*Anaphalis margaritacea* (immortelle de Virginie)	*Anchusa azurea* 'Dropmore' (buglosse)	*Anemone,* hybride (anémone)

Nom botanique et nom vulgaire, description générale	Espèces et variétés	Soins particuliers, remarques	Multiplication *(Voir p. 191)*
Alchemilla (alchémille) Distinguée mais peu spectaculaire, portant des corymbes de fleurs vert-jaune au milieu de l'été, sur des feuilles rondes, lobées et gaufrées. H 15-45 cm ; E 30 cm ou plus.	*A. alpina* (alchémille des Alpes), fleurs jaune soufre, feuilles grises, 15 cm. *A. erythropoda,* feuilles vert-bleu, 20-30 cm. *A. mollis,* fleurs jaune verdâtre, 45 cm.	Prospère au soleil ou dans la mi-ombre, dans n'importe quel sol pourvu qu'il soit bien drainé. Les fleurs coupées durent deux semaines dans un vase. Bon choix pour une bordure toute verte, un jardin de fleurs sauvages ou une rocaille.	Par division au début du printemps ou par semis.
Althaea (althaée) Plante érigée avec des feuilles lobées légèrement pubescentes. Aime les sols humides. H 1,20-1,80 m ; E 90 cm-1,50 m.	*A. officinalis,* floraison rose pâle à la fin de l'été.	Exige un sol riche en plein soleil. A besoin de tuteurs si elle est exposée au vent. Utilisée autrefois comme plante médicinale.	Par semis en été ou par bouturage au printemps.
Amsonia (amsonia) Bouquets de petites fleurs tubulaires bleu pâle à la fin du printemps et feuilles étroites luisantes recouvrant toute la tige. Longues gousses pointues, intéressantes. H 60-90 cm ; E 30-60 cm.	*A. orientalis,* fleurs bleu violet, 60-90 cm. *A. tabernaemontana,* fleurs bleu pâle, 60-90 cm.	Aime la mi-ombre et beaucoup d'humidité. Généralement facile à cultiver. Les touffes grandissent en beauté et exigent rarement d'être divisées. Démarre tard, attention à ne pas blesser les plants au printemps.	Par division des touffes bien implantées ou par semis au printemps.
Anaphalis (anaphalis) Plante touffue à feuilles lancéolées grises, arborant des capitules parcheminés qui font de belles fleurs séchées pour l'hiver. H 45-60 cm ; E 60 cm.	*A. margaritacea* (immortelle de Virginie), capitules de minuscules fleurs blanches à cœur jaune, 60 cm. *A. m.* 'New Snow', capitules de fleurs toutes blanches, 45 cm.	Exposition au plein soleil ou à la mi-ombre dans un sol fertile bien drainé. Ne pas laisser sécher l'été. Bonne plante de bordure, qui reste en fleur longtemps.	Par semis, division des touffes ou bouturage au printemps.
Anchusa (buglosse ou langue-de-bœuf) Bouquets de petites fleurs bleues, semblables à celles du myosotis, au début ou au milieu de l'été. Pour *A. myosotidiflora,* voir *Brunnera.* H 30 cm-1,50 m ; E 30-45 cm.	*A. azurea* 'Dropmore', fleurs bleues, 1,20-1,50 m. *A. a.* 'Little John', fleurs bleu éclatant, 30 cm. *A. a.* 'Royal Blue', fleurs bleu de roi, bouquets pyramidaux, 90 cm. (Semblable à 'Loddon Royalist' et souvent inscrite sous ce nom.) *A. capensis* 'Blue Angel', fleurs bleues, floraison de courte durée, 30 cm.	Demande beaucoup de soleil et d'eau. Peut refleurir si les tiges fleuries sont rabattues après la première floraison. Les variétés de haute taille ont parfois besoin de tuteurs. Multiplication spontanée qui peut causer des ennuis dans les petits jardins.	Par division des souches ou par semis, au printemps. Se multiplie souvent spontanément. On peut aussi bouturer les racines.
Anemone (anémone) Floraison automnale. Fleurs simples ou doubles, cupuliformes, de 7 cm de diamètre, au-dessus d'un feuillage semblable à celui de la vigne. H 20-90 cm ; E 30-60 cm.	*A. hupehensis japonica* (anémone du Japon), plusieurs cultivars présentant des fleurs simples, blanches ou roses. 'Prinz Heinrich' est rose vif, 75-90 cm. *A. hybrida,* plusieurs cultivars dont 'Honorine Jobert', fleurs blanches, et 'Konigin Charlotte', fleurs semi-doubles, roses, 90 cm-1,20 m.	Requiert un sol riche et bien égoutté. Rustique uniquement là où il y a une bonne couverture de neige. Préfère la mi-ombre. Prend plusieurs années avant de s'établir et se multiplie lentement. *A. vitifolia robustissima* est plus rustique que les formes hybrides d'anémones.	Par division ou par semis, au printemps. Les plants ont rarement besoin d'être divisés.

Chaque fleur jaune d'or de la camomille des teinturiers (Anthemis tinctoria) pousse sur une tige unique. La ravissante ancolie (Aquilegia) fleurit du milieu du printemps au milieu de l'été.

Anthemis tinctoria 'Grallagh Gold'   *Aquilegia flabellata*

Anthemis tinctoria 'Moonlight' (camomille des teinturiers)	*Aquilegia* 'Spring Song' (ancolie)	*Artemisia lactiflora* (armoise blanche)	*Aruncus sylvester* (barbe-de-bouc)	*Asclepias tuberosa* (asclépiade tubéreuse)

Nom botanique et nom vulgaire, description générale	Espèces et variétés	Soins particuliers, remarques	Multiplication *(Voir p. 191)*
Anthemis (anthémis ou camomille) Feuilles très découpées. Fleurs jaunes de 6 cm semblables à la marguerite et s'épanouissant de la mi-été jusqu'au début de l'automne. Les feuilles sont odorantes. Les fleurs coupées durent longtemps. H 30-90 cm ; E 30 cm.	*A. marschalliana*, fleurs jaune vif, 30 cm. *A. nobilis* ou *Chamaemelum nobile* (camomille romaine), blanc et jaune, 30 cm, cultivée comme plante tapissante ou graminée. *A. tinctoria* (camomille des teinturiers), fleurs jaune d'or, 60-90 cm. *A. t.* 'Beauty of Grallagh', fleurs jaune intense. *A. t.* 'E. C. Buxton', fleurs jaune citron. *A. t.* 'Kelwayi', fleurs jaune foncé. *A. t.* 'Moonlight', fleurs jaune clair.	Excellent choix pour les régions chaudes et sèches à sol sablonneux. Plante à tiges faibles pouvant exiger des tuteurs. Diviser fréquemment les souches pour qu'elles ne se dégarnissent pas au centre. Enlever les fleurs fanées pour prolonger la floraison et éviter l'ensemencement spontané.	Par division ou par bouturage de pousses basales au début du printemps ou en automne. On peut se procurer des graines de *A. t.* 'Kelwayi'.
Aquilegia (ancolie) Plante gracieuse donnant à la fin du printemps des fleurs en forme d'entonnoir garnies de longs éperons, au-dessus d'une touffe basale de feuilles segmentées. Il en existe plusieurs variétés. H 40-90 cm ; E 15-30 cm.	*A. caerulea* (ancolie bleue), fleurs bleu et blanc, 75 cm. *A. chrysantha* 'Yellow Queen', fleurs blanches, persistantes, 60-75 cm. *A.* 'Dragonfly Hybrids', fleurs lavande, rouges, jaunes, blanches, 45 cm. *A.* 'McKana Hybrids', mélange de coloris, longs éperons, 90 cm. *A. vulgaris* 'Nora Barlow', fleurs doubles, vert pâle et rouge, sans éperon, 90 cm.	Se cultive au soleil ou à la mi-ombre, dans un sol humide mais bien drainé. Couper les fleurs fanées pour empêcher la multiplication spontanée qui pourrait donner des fleurs de qualité et de coloris inférieurs. Attention à la mineuse des feuilles qui marque le feuillage de raies blanches ; vaporiser du Diazinon ou du malathion à la fin du printemps.	Semer au début du printemps ; au besoin, diviser les plants au tout début du printemps.
Artemisia (armoise) Plante prisée pour son feuillage ornemental gris argenté ou vert-gris et parfumé. Petites fleurs sans éclat. H 15 cm-1,50 m ; E 30-45 cm.	*A. abrotanum* (aurone, citronnelle), tiges ligneuses, 90 cm-1,50 m. *A. lactiflora* (armoise blanche), fleurs blanches en automne, 1,20 m. *A. ludoviciana* 'Silver Queen', feuillage argenté, chatoyant, 60 cm. *A.* 'Powis Castle', feuillage argenté plumeux, 60 cm. *A. schmidtiana* 'Nana', plante caractérisée par un monticule de feuilles argentées très soyeuses au toucher, 30 cm. *A. stelleriana*, originaire de la côte Est, 90 cm.	Préfère une exposition au soleil et une terre légère, bien égouttée. On peut rabattre, s'ils s'étalent trop, les sujets à port prostré, mais cela se produit rarement en plein soleil. L'armoise se cultive généralement sans problème si on lui donne les soins requis.	Diviser au printemps ou à la fin de l'été ; bouturer ou marcotter à la fin de l'été.
Aruncus (barbe-de-bouc) Plante qui attire l'attention par ses belles feuilles composées et ses plumeaux effilés couverts au début de l'été de fleurs blanches qui ressemblent à celles de l'astilbe. H 1,20-1,50 m ; E 90 cm.	*A. aethusifolius*, fleurs crème, belles bordures, 30 cm. *A. dioicus*, fleurs blanches, 90 cm-1,50 m. *A. sylvester*, fleurs blanches, 90 cm-1,50 m. *A. s.* 'Kneiffii', semblable à *A. sylvester*, mais à feuilles découpées plus profondément. Plante rare. 1,20-1,50 m.	Tolère la plupart des sols, mais, pour atteindre son plein développement, préfère un terrain humide en plein soleil ou légèrement ombragé. Plante vivace de haute taille, elle a rarement besoin d'être tuteurée. Elle est particulièrement mise en valeur près d'une pièce d'eau.	Par division au printemps ou au début de l'automne.
Asclepias (asclépiade tubéreuse ou herbe des papillons) Fleur sauvage très répandue que ses inflorescences orange à la mi-été rendent intéressante au jardin, dans une plate-bande de vivaces. Feuilles et gousses ornementales. H 60 cm ; E 30 cm.	*A. incarnata*, fleurs magenta, bon choix en sol humide, 90 cm. *A. tuberosa*, fleurs orange vif, 60 cm.	Cette plante vivace ne présente aucun problème de culture et peut occuper le même emplacement pendant de nombreuses années sans se répandre. Pousses lentes à apparaître au printemps : il vaut mieux indiquer l'endroit où se trouve la plante. Sujet très décoratif avant, pendant et après la floraison.	Par semis au printemps. Il n'est pas recommandé de diviser la plante, car elle est dotée d'une racine pivotante fragile.

*Tous les asters (Aster) fleurissent
à la fin de l'été ou à l'automne;
il leur faut le plein soleil et un sol
bien drainé. Les astilbes (Astilbe),
qui aiment l'ombre, feront bien
au soleil si le sol est humide.*

Aster novi-belgii 'Helen Ballard'   Astilbe chinensis var. pumila

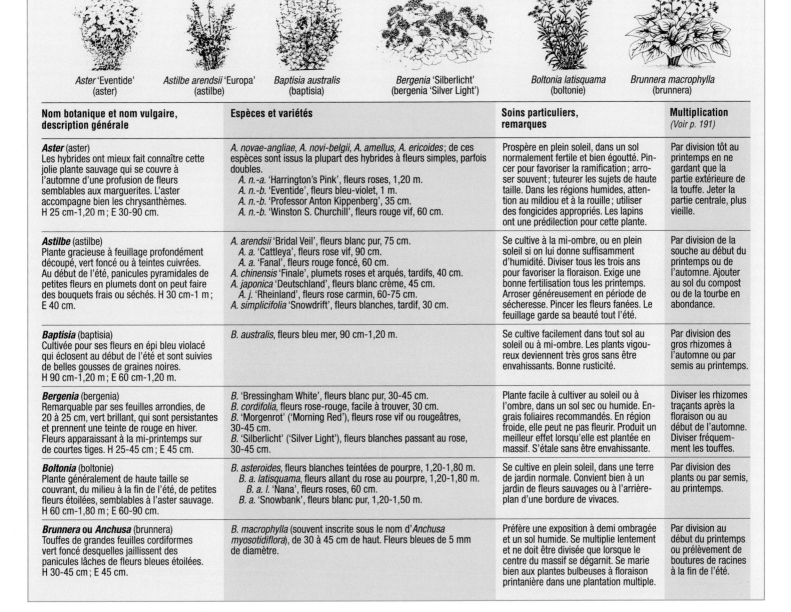

Aster 'Eventide' (aster)	Astilbe arendsii 'Europa' (astilbe)	Baptisia australis (baptisia)	Bergenia 'Silberlicht' (bergenia 'Silver Light')	Boltonia latisquama (boltonie)	Brunnera macrophylla (brunnera)

Nom botanique et nom vulgaire, description générale	Espèces et variétés	Soins particuliers, remarques	Multiplication *(Voir p. 191)*
Aster (aster) Les hybrides ont mieux fait connaître cette jolie plante sauvage qui se couvre à l'automne d'une profusion de fleurs semblables aux marguerites. L'aster accompagne bien les chrysanthèmes. H 25 cm-1,20 m; E 30-90 cm.	A. novae-angliae, A. novi-belgii, A. amellus, A. ericoides; de ces espèces sont issus la plupart des hybrides à fleurs simples, parfois doubles. A. n.-a. 'Harrington's Pink', fleurs roses, 1,20 m. A. n.-b. 'Eventide', fleurs bleu-violet, 1 m. A. n.-b. 'Professor Anton Kippenberg', 35 cm. A. n.-b. 'Winston S. Churchill', fleurs rouge vif, 60 cm.	Prospère en plein soleil, dans un sol normalement fertile et bien égoutté. Pincer pour favoriser la ramification; arroser souvent; tuteurer les sujets de haute taille. Dans les régions humides, attention au mildiou et à la rouille; utiliser des fongicides appropriés. Les lapins ont une prédilection pour cette plante.	Par division tôt au printemps en ne gardant que la partie extérieure de la touffe. Jeter la partie centrale, plus vieille.
Astilbe (astilbe) Plante gracieuse à feuillage profondément découpé, vert foncé ou à teintes cuivrées. Au début de l'été, panicules pyramidales de petites fleurs en plumets dont on peut faire des bouquets frais ou séchés. H 30 cm-1 m; E 40 cm.	A. arendsii 'Bridal Veil', fleurs blanc pur, 75 cm. A. a. 'Cattleya', fleurs rose vif, 90 cm. A. a. 'Fanal', fleurs rouge foncé, 60 cm. A. chinensis 'Finale', plumets roses et arqués, tardifs, 40 cm. A. japonica 'Deutschland', fleurs blanc crème, 45 cm. A. j. 'Rheinland', fleurs rose carmin, 60-75 cm. A. simplicifolia 'Snowdrift', fleurs blanches, tardif, 30 cm.	Se cultive à la mi-ombre, ou en plein soleil si on lui donne suffisamment d'humidité. Diviser tous les trois ans pour favoriser la floraison. Exige une bonne fertilisation tous les printemps. Arroser généreusement en période de sécheresse. Pincer les fleurs fanées. Le feuillage garde sa beauté tout l'été.	Par division de la souche au début du printemps ou de l'automne. Ajouter au sol du compost ou de la tourbe en abondance.
Baptisia (baptisia) Cultivée pour ses fleurs en épi bleu violacé qui éclosent au début de l'été et sont suivies de belles gousses de graines noires. H 90 cm-1,20 m; E 60 cm-1,20 m.	B. australis, fleurs bleu mer, 90 cm-1,20 m.	Se cultive facilement dans tout sol au soleil ou à mi-ombre. Les plants vigoureux deviennent très gros sans être envahissants. Bonne rusticité.	Par division des gros rhizomes à l'automne ou par semis au printemps.
Bergenia (bergenia) Remarquable par ses feuilles arrondies, de 20 à 25 cm, vert brillant, qui sont persistantes et prennent une teinte de rouge en hiver. Fleurs apparaissant à la mi-printemps sur de courtes tiges. H 25-45 cm; E 45 cm.	B. 'Bressingham White', fleurs blanc pur, 30-45 cm. B. cordifolia, fleurs rose-rouge, facile à trouver, 30 cm. B. 'Morgenrot' ('Morning Red'), fleurs rose vif ou rougeâtres, 30-45 cm. B. 'Silberlicht' ('Silver Light'), fleurs blanches passant au rose, 30-45 cm.	Plante facile à cultiver au soleil ou à l'ombre, dans un sol sec ou humide. Engrais foliaires recommandés. En région froide, elle peut ne pas fleurir. Produit un meilleur effet lorsqu'elle est plantée en massif. S'étale sans être envahissante.	Diviser les rhizomes traçants après la floraison ou au début de l'automne. Diviser fréquemment les touffes.
Boltonia (boltonie) Plante généralement de haute taille se couvrant, du milieu à la fin de l'été, de petites fleurs étoilées, semblables à l'aster sauvage. H 60 cm-1,80 m; E 60-90 cm.	B. asteroides, fleurs blanches teintées de pourpre, 1,20-1,80 m. B. a. latisquama, fleurs allant du rose au pourpre, 1,20-1,80 m. B. a. l. 'Nana', fleurs roses, 60 cm. B. a. 'Snowbank', fleurs blanc pur, 1,20-1,50 m.	Se cultive en plein soleil, dans une terre de jardin normale. Convient bien à un jardin de fleurs sauvages ou à l'arrière-plan d'une bordure de vivaces.	Par division des plants ou par semis, au printemps.
Brunnera ou Anchusa (brunnera) Touffes de grandes feuilles cordiformes vert foncé desquelles jaillissent des panicules lâches de fleurs bleues étoilées. H 30-45 cm; E 45 cm.	B. macrophylla (souvent inscrite sous le nom d'Anchusa myosotidiflora), de 30 à 45 cm de haut. Fleurs bleues de 5 mm de diamètre.	Préfère une exposition à demi ombragée et un sol humide. Se multiplie lentement et ne doit être divisée que lorsque le centre du massif se dégarnit. Se marie bien aux plantes bulbeuses à floraison printanière dans une plantation multiple.	Par division au début du printemps ou prélèvement de boutures de racines à la fin de l'été.

Les différentes variétés de campanules (Campanula lactiflora) peuvent avoir des fleurs blanches, roses ou bleues. Chez 'Prichard's Variety', qui atteint 1,50 m de haut, elles sont bleu-violet foncé.

Campanula lactiflora 'Prichard's Variety'

Campanula persicifolia
(campanule à feuilles de pêcher)

Carex morrowi
(carex)

Catananche caerulea
(cupidone bleue)

Centaurea montana
(centaurée de montagne)

Centranthus ruber
(valériane rouge)

Chelone obliqua
(galane)

Nom botanique et nom vulgaire, description générale	Espèces et variétés	Soins particuliers, remarques	Multiplication *(Voir p. 191)*
Campanula (campanule) Groupe de plantes très diversifiées, à petites feuilles et fleurs généralement cupuliformes. Seules les variétés de haute taille sont inscrites ici. On trouvera des formes moins hautes à la p. 311. H 60-90 cm ; E 30-60 cm.	*C. glomerata* (campanule à bouquet), fleurs bleues ou blanches, 60 cm. *C. lactiflora* 'Prichard's Variety', fleurs bleues, 90 cm. *C. latifolia* (campanule à larges feuilles), fleurs violettes, 90 cm. *C. l. macrantha*, fleurs très violet, 90 cm. *C. persicifolia* et hybrides (campanule à feuilles de pêcher), fleurs blanches ou de diverses teintes de bleu, 60-75 cm.	La campanule se cultive en plein soleil ou à la mi-ombre dans une terre moyennement fertile. Les variétés de haute taille ont rarement besoin de tuteurs. On prolonge la floraison en coupant les épis fanés. Belle plante de bordure, donnant des fleurs à couper.	Diviser la souche ou prélever des boutures basales au printemps ; ou, encore, semer au printemps.
Carex (carex, jonc ou laîche) Ressemble aux herbes, mais tiges triangulaires. Aime généralement l'humidité, mais il y a des carex pour toutes les situations. Magnifique feuillage panaché ou très coloré. H 45 cm-1,35 m ; E 60 cm-1,50 m.	*C. buchananii*, feuilles arquées retombantes, 60 cm. *C. morrowi* 'Aureo-variegata', rayures vert et or, 30 cm. *C. muskingumensis*, feuillage vert vif, épis marrons, 75 cm. *C. pendula* (laîche pendante), plante gracieuse formant touffe, feuillage bleu-vert, 1,50 m.	Sol fertile humide au soleil ou à mi-ombre. Ne pas laisser sécher l'été, mais éviter de noyer d'eau. Belle plante décorative contrastant par son feuillage.	Par division au printemps ou au début de l'été. On peut acheter des graines pour semer.

Catananche (catananche ou cupidone)
Fleurs bleues ou blanches semblables à celles de la chicorée sauvage et s'épanouissant vers la mi-été sur des tiges grêles à feuilles étroites et argentées. Les fleurs donnent de beaux bouquets. H 60 cm ; E 30 cm.
	C. caerulea (cupidone bleue), fleurs bleues à cœur bleu foncé, 60 cm.
	  C. c. 'Alba', fleurs blanches, 60 cm.
	  C. c. 'Major', fleurs bleu lilas à cœur foncé, 60 cm.
		Cultiver en plein soleil mais pas en sol spongieux. Diviser fréquemment la souche pour augmenter la longévité de la plante. Produit un meilleur effet si elle est cultivée en groupes. Fleurs à sécher pour l'hiver.	Semer au printemps ou diviser les souches ; prélever des boutures de racines au début de l'été.

Centaurea (centaurée) Fleurs à aigrettes s'épanouissant sur de longues tiges du milieu à la fin de l'été. Certains sujets ont des feuilles rugueuses. La centaurée bleue, *C. montana*, est la plus renommée. H 60 cm-1,20 m ; E 30-60 cm.	*C. dealbata*, fleurs de lilas à carmin, 60 cm. *C. d.* 'Steenbergii', fleurs pourpre vif, 60 cm. *C. hypoleuca* 'John Coutts', fleurs rose vif, 60 cm. *C. macrocephala* (centaurée à grosses fleurs), fleurs jaunes, en forme de chardon, 1,20 m. *C. montana* (centaurée de montagne, bleuet vivace), fleurs bleues ; l'une des meilleures espèces, 60 cm.	Facile à cultiver. Exige un sol bien drainé et un emplacement ensoleillé. Résiste à la sécheresse. *C. montana* est l'espèce la plus répandue. Elle s'étale rapidement et se multiplie spontanément, ce qui peut causer des ennuis dans les petits jardins. Toutes rustiques.	Diviser les plants au tout début du printemps. Semer au printemps, mais les graines sont rares.
Centranthus (valériane) Plantes buissonnantes à feuilles vert-gris de 7 à 10 cm et à fleurs parfumées, cramoisies ou blanches, réunies en panicules serrées le long des tiges. Floraison du début au milieu de l'été. H 60-90 cm ; E 30-60 cm.	*C. ruber* (valériane rouge, barbe-de-Jupiter), fleurs rouge cramoisi, 60-90 cm. A ne pas confondre avec *Valeriana officinalis*. *C. r.* 'Albus', fleurs blanches, 60-90 cm.	Pousse en plein soleil dans une terre de jardin normale. Les plants se multiplient rapidement si la terre est bonne, et gardent leur beauté durant une longue période.	Par semis ou par division des souches au printemps.
Chelone (galane) Courts épis de fleurs apparaissent à la fin de l'été sur de longues tiges non ramifiées. Feuilles alternes vert foncé, larges et fortement nervurées. H 60 cm-1,20 m ; E 60 cm-1,20 m.	*C. glabra*, fleurs blanches ou nuancées de rose, 60 cm. *C. lyonii*, fleurs allant du rose pâle au rose pourpré, 90 cm-1,20 m. *C. obliqua*, fleurs rose vif, 60 cm.	Se cultive à la mi-ombre dans un sol riche qui retient bien l'humidité. Les plants doivent être divisés périodiquement. En principe, aucun ravageur. On trouve plus souvent cette plante dans les catalogues de plantes sauvages.	Diviser les plants au début du printemps. La plante s'étale par stolons souterrains.

L'actée à grappes (Cimicifuga racemosa) est une vivace impressionnante, dont la floraison est longue. Le muguet (Convallaria) se répand rapidement et fait un bon couvre-sol sous les arbres et les arbustes.

Cimicifuga racemosa

Convallaria majalis

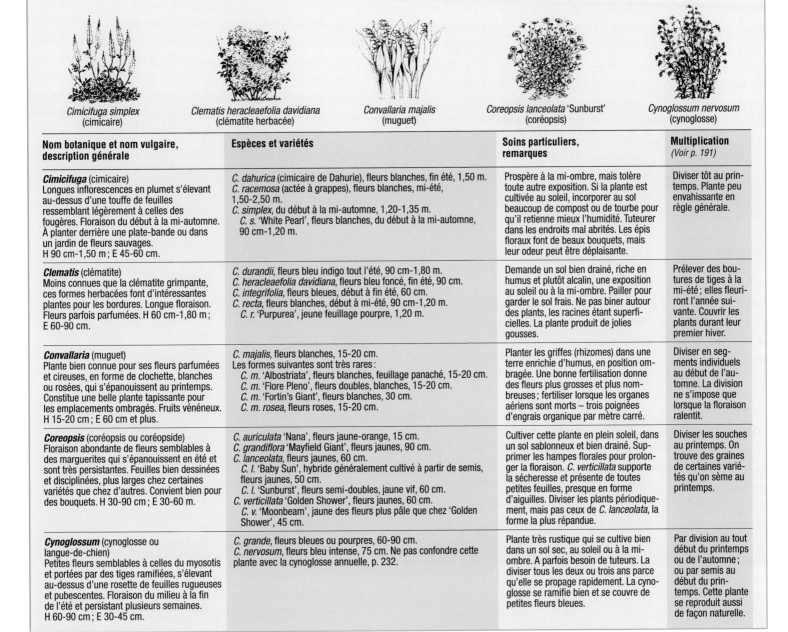

Cimicifuga simplex
(cimicaire)

Clematis heracleaefolia davidiana
(clématite herbacée)

Convallaria majalis
(muguet)

Coreopsis lanceolata 'Sunburst'
(coréopsis)

Cynoglossum nervosum
(cynoglosse)

Nom botanique et nom vulgaire, description générale	Espèces et variétés	Soins particuliers, remarques	Multiplication *(Voir p. 191)*
Cimicifuga (cimicaire) Longues inflorescences en plumet s'élevant au-dessus d'une touffe de feuilles ressemblant légèrement à celles des fougères. Floraison du début à la mi-automne. À planter derrière une plate-bande ou dans un jardin de fleurs sauvages. H 90 cm-1,50 m ; E 45-60 cm.	*C. dahurica* (cimicaire de Dahurie), fleurs blanches, fin été, 1,50 m. *C. racemosa* (actée à grappes), fleurs blanches, mi-été, 1,50-2,50 m. *C. simplex*, du début à la mi-automne, 1,20-1,35 m. *C. s.* 'White Pearl', fleurs blanches, du début à la mi-automne, 90 cm-1,20 m.	Prospère à la mi-ombre, mais tolère toute autre exposition. Si la plante est cultivée au soleil, incorporer au sol beaucoup de compost ou de tourbe pour qu'il retienne mieux l'humidité. Tuteurer dans les endroits mal abrités. Les épis floraux font de beaux bouquets, mais leur odeur peut être déplaisante.	Diviser tôt au printemps. Plante peu envahissante en règle générale.
Clematis (clématite) Moins connues que la clématite grimpante, ces formes herbacées font d'intéressantes plantes pour les bordures. Longue floraison. Fleurs parfois parfumées. H 60 cm-1,80 m ; E 60-90 cm.	*C. durandii*, fleurs bleu indigo tout l'été, 90 cm-1,80 m. *C. heracleaefolia davidiana*, fleurs bleu foncé, fin été, 90 cm. *C. integrifolia*, fleurs bleues, début à fin été, 60 cm. *C. recta*, fleurs blanches, début à mi-été, 90 cm-1,20 m. *C. r.* 'Purpurea', jeune feuillage pourpre, 1,20 m.	Demande un sol bien drainé, riche en humus et plutôt alcalin, une exposition au soleil ou à la mi-ombre. Pailler pour garder le sol frais. Ne pas biner autour des plants, les racines étant superficielles. La plante produit de jolies gousses.	Prélever des boutures de tiges à la mi-été ; elles fleuriront l'année suivante. Couvrir les plants durant leur premier hiver.
Convallaria (muguet) Plante bien connue pour ses fleurs parfumées et cireuses, en forme de clochette, blanches ou rosées, qui s'épanouissent au printemps. Constitue une belle plante tapissante pour les emplacements ombragés. Fruits vénéneux. H 15-20 cm ; E 60 cm et plus.	*C. majalis*, fleurs blanches, 15-20 cm. Les formes suivantes sont très rares : *C. m.* 'Albostriata', fleurs blanches, feuillage panaché, 15-20 cm. *C. m.* 'Flore Pleno', fleurs doubles, blanches, 15-20 cm. *C. m.* 'Fortin's Giant', fleurs blanches, 30 cm. *C. m. rosea*, fleurs roses, 15-20 cm.	Planter les griffes (rhizomes) dans une terre enrichie d'humus, en position ombragée. Une bonne fertilisation donne des fleurs plus grosses et plus nombreuses ; fertiliser lorsque les organes aériens sont morts – trois poignées d'engrais organique par mètre carré.	Diviser en segments individuels au début de l'automne. La division ne s'impose que lorsque la floraison ralentit.
Coreopsis (coréopsis ou coréopside) Floraison abondante de fleurs semblables à des marguerites qui s'épanouissent en été et sont très persistantes. Feuilles bien dessinées et disciplinées, plus larges chez certaines variétés que chez d'autres. Convient bien pour des bouquets. H 30-90 cm ; E 30-60 cm.	*C. auriculata* 'Nana', fleurs jaune-orange, 15 cm. *C. grandiflora* 'Mayfield Giant', fleurs jaunes, 90 cm. *C. lanceolata*, fleurs jaunes, 60 cm. *C. l.* 'Baby Sun', hybride généralement cultivé à partir de semis, fleurs jaunes, 50 cm. *C. l.* 'Sunburst', fleurs semi-doubles, jaune vif, 60 cm. *C. verticillata* 'Golden Shower', fleurs jaunes, 60 cm. *C. v.* 'Moonbeam', jaune des fleurs plus pâle que chez 'Golden Shower', 45 cm.	Cultiver cette plante en plein soleil, dans un sol sablonneux et bien drainé. Supprimer les hampes florales pour prolonger la floraison. *C. verticillata* supporte la sécheresse et présente de toutes petites feuilles, presque en forme d'aiguilles. Diviser les plants périodiquement, mais pas ceux de *C. lanceolata*, la forme la plus répandue.	Diviser les souches au printemps. On trouve des graines de certaines variétés qu'on sème au printemps.
Cynoglossum (cynoglosse ou langue-de-chien) Petites fleurs semblables à celles du myosotis et portées par des tiges ramifiées, s'élevant au-dessus d'une rosette de feuilles rugueuses et pubescentes. Floraison du milieu à la fin de l'été et persistant plusieurs semaines. H 60-90 cm ; E 30-45 cm.	*C. grande*, fleurs bleues ou pourpres, 60-90 cm. *C. nervosum*, fleurs bleu intense, 75 cm. Ne pas confondre cette plante avec la cynoglosse annuelle, p. 232.	Plante très rustique qui se cultive bien dans un sol sec, au soleil ou à la mi-ombre. A parfois besoin de tuteurs. La diviser tous les deux ou trois ans parce qu'elle se propage rapidement. La cynoglosse se ramifie bien et se couvre de petites fleurs bleues.	Par division au tout début du printemps ou de l'automne ; ou par semis au début du printemps. Cette plante se reproduit aussi de façon naturelle.

Le pied-d'alouette (Delphinium grandiflorum) arbore des fleurs bleu gentiane, violettes ou blanches, en forme de trompette. On le traite comme une bisannuelle. La fraxinelle (Dictamnus albus) offre des fleurs blanches ou roses, suivies de jolies gousses.

Delphinium grandiflorum

Dictamnus albus

Delphinium elatum, hybride
(pied-d'alouette)

Dianthus plumarius, hybride
(œillet mignardise)

Dicentra spectabilis
(cœur-saignant)

Dictamnus albus
(fraxinelle)

Nom botanique et nom vulgaire, description générale	Espèces et variétés	Soins particuliers, remarques	Multiplication *(Voir p. 191)*
Delphinium (pied-d'alouette) Genre très prisé de plantes décoratives aux feuilles très découpées. Grands épis chargés de fleurs (formes de *D. elatum*) ou épis plus courts et moins chargés de fleurs (formes de *D. belladonna*) s'épanouissant du début à la fin de l'été. Chaque fleur se compose de 5 sépales de couleur vive, dont un garni d'un éperon. Les pétales, plus petits et souvent serrés, portent le nom d'« œil ». Les inflorescences bicolores sont les plus remarquables. H 75 cm-2,50 m ; E 30-90 cm.	*D. belladonna*, hybrides, fleurs blanches, maculées de bleu, 1-1,50 m. *D.* 'Connecticut Yankee', fleurs bleues, pourpres, lavande ou blanches, 75 cm. *D. elatum*, hybrides : tons de bleu, pourpre, rose et blanc, souvent avec un « œil » de teinte contrastante, 1,80-2,50 m. *D.*, hybrides du Pacifique : semblables à *D. elatum* pour les soins, mais s'obtient par semis. Dure peu, 1,80 m.	Le pied-d'alouette se cultive en plein soleil, dans une terre amendée d'humus et légèrement alcaline. Fertiliser généreusement, arroser abondamment et tuteurer les variétés de haute taille très tôt, avant qu'elles ne plient. Utiliser des fongicides contre le mildiou et la tache noire et un insecticide contre les mites du cyclamen. Pailler en hiver dans les régions froides ou rentrer les plants sous châssis froid.	Diviser les plants tôt au printemps ou prélever des boutures basales ; semer tôt dans la maison : les plants fleuriront à l'été.
Dianthus (œillet) Fleurs simples ou doubles, très persistantes, certaines frangées, la plupart parfumées. Feuilles étroites. Coloris : rose, rouge, saumon, jaune ou blanc, souvent avec une bordure de teinte contrastante autour de l'œil central. H 30-60 cm ; E 30 cm.	*D. allwoodii*, hybrides, fleurs doubles ou simples, 30-45 cm. *D. caryophyllus*, hybrides, (œillet des fleuristes), 45-60 cm. (À ce groupe appartiennent l'œillet grenadin et les divers œillets à grandes fleurs des fleuristes, inscrits dans les catalogues.) *D. plumarius*, hybrides (œillet mignardise), fleurs simples ou doubles, 30-45 cm.	Les œillets poussent mieux en climat frais et doivent être cultivés en plein soleil. Ils préfèrent un sol légèrement alcalin mais très bien drainé. Les hybrides de *D. caryophyllus* demandent une terre plus riche que les autres. Supprimer les fleurs fanées pour prolonger la floraison. Pincer les boutons latéraux de *D. caryophyllus* pour obtenir des fleurs plus grosses.	Par semis au printemps ; à la mi-été, par prélèvement de boutures de tiges latérales vigoureuses et non fleuries.
Dicentra (dicentra ou cœur-saignant) Plante gracieuse dont les fleurs en forme de cœur pendent à l'extrémité de tiges arquées. Elles s'épanouissent à la fin du printemps. Certaines formes fleurissent par intermittence tout l'été. Feuillage vert glauque, similaire aux frondes d'une fougère et qui dure tout l'été ou une partie seulement. H 30-75 cm ; E 30-60 cm.	*D.* 'Bacchanal', fleurs rouge foncé, feuilles gris-vert, 45 cm. *D. eximia* (cœur-saignant), fleurs roses, 30 cm. (Plusieurs hybrides ayant comme parents *D. eximia* et *D. formosa* ou *D. oregana* vont du rose au rouge et fleurissent de façon intermittente tout l'été.) *D. formosa*, fleurs rose foncé, 30-75 cm. *D.* 'Luxuriant', fleurs rouges, floraison tout l'été, 30 cm. *D. spectabilis* (cœur-de-Marie), grosses fleurs roses, 75 cm.	Tous les cœurs-saignants préfèrent un sol riche en humus et tolèrent une exposition au soleil ou à l'ombre. *D. formosa* et *D. eximia* se multiplient spontanément. Placer *D. spectabilis* de façon qu'elle soit cachée par d'autres plantes lorsqu'elle perd son feuillage à la fin de l'été. Repérer l'endroit pour ne pas le bouleverser lors des travaux de printemps ou d'automne.	Diviser les racines charnues et cassantes au tout début du printemps ou prélever des boutures de racines de *D. spectabilis* au printemps. *D. eximia* se multiplie spontanément.
Dictamnus (fraxinelle ou dictamne) Jolie plante de bonne longévité se couvrant d'épis floraux roses ou blancs du début à la mi-été. Feuilles coriaces et aromatiques d'un beau vert, et gousses persistantes qu'on peut faire sécher. H 60-90 cm ; E 60-75 cm.	*D. albus* (souvent appelé *D. fraxinella*), fleurs blanches, 60-90 cm. *D. a. purpureus*, fleurs roses veinées de rose plus sombre, 60-90 cm.	Se cultive au soleil ou à la mi-ombre dans une terre modérément riche. Les feuilles et l'extrémité des tiges de la fraxinelle sont couvertes d'une sorte de résine, censée s'enflammer si on y met le feu à la fin d'une journée chaude et sans vent. Feuilles et gousses vénéneuses, pouvant causer des dermatites.	Il vaut mieux ne pas déranger cette plante. Semer en position définitive, la transplantation étant hasardeuse.

Les hybrides de digitales (Digitalis) ont une floraison courte mais se cultivent facilement à partir de semis. Le panicaut bourgatii (Eryngium bourgatii) aime le soleil. Ses inflorescences bleu argenté font de belles fleurs séchées.

Digitalis purpurea

Eryngium bourgatii

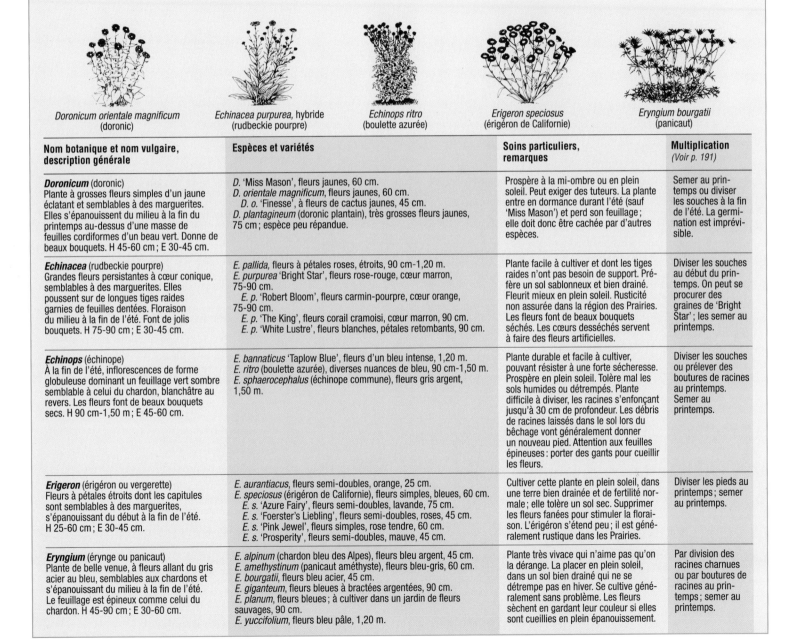

Doronicum orientale magnificum (doronic)	*Echinacea purpurea*, hybride (rudbeckie pourpre)	*Echinops ritro* (boulette azurée)	*Erigeron speciosus* (érigéron de Californie)	*Eryngium bourgatii* (panicaut)

Nom botanique et nom vulgaire, description générale	Espèces et variétés	Soins particuliers, remarques	Multiplication (*Voir p. 191*)
Doronicum (doronic) Plante à grosses fleurs simples d'un jaune éclatant et semblables à des marguerites. Elles s'épanouissent du milieu à la fin du printemps au-dessus d'une masse de feuilles cordiformes d'un beau vert. Donne de beaux bouquets. H 45-60 cm ; E 30-45 cm.	D. 'Miss Mason', fleurs jaunes, 60 cm. D. *orientale magnificum*, fleurs jaunes, 60 cm. D. *o.* 'Finesse', à fleurs de cactus jaunes, 45 cm. D. *plantagineum* (doronic plantain), très grosses fleurs jaunes, 75 cm ; espèce peu répandue.	Prospère à la mi-ombre ou en plein soleil. Peut exiger des tuteurs. La plante entre en dormance durant l'été (sauf 'Miss Mason') et perd son feuillage ; elle doit donc être cachée par d'autres espèces.	Semer au printemps ou diviser les souches à la fin de l'été. La germination est imprévisible.
Echinacea (rudbeckie pourpre) Grandes fleurs persistantes à cœur conique, semblables à des marguerites. Elles poussent sur de longues tiges raides garnies de feuilles dentées. Floraison du milieu à la fin de l'été. Font de jolis bouquets. H 75-90 cm ; E 30-45 cm.	E. *pallida*, fleurs à pétales roses, étroits, 90 cm-1,20 m. E. *purpurea* 'Bright Star', fleurs rose-rouge, cœur marron, 75-90 cm. E. *p.* 'Robert Bloom', fleurs carmin-pourpre, cœur orange, 75-90 cm. E. *p.* 'The King', fleurs corail cramoisi, cœur marron, 90 cm. E. *p.* 'White Lustre', fleurs blanches, pétales retombants, 90 cm.	Plante facile à cultiver et dont les tiges raides n'ont pas besoin de support. Préfère un sol sablonneux et bien drainé. Fleurit mieux en plein soleil. Rusticité non assurée dans la région des Prairies. Les fleurs font de beaux bouquets séchés. Les cœurs desséchés servent à faire des fleurs artificielles.	Diviser les souches au début du printemps. On peut se procurer des graines de 'Bright Star' ; les semer au printemps.
Echinops (échinope) À la fin de l'été, inflorescences de forme globuleuse dominant un feuillage vert sombre semblable à celui du chardon, blanchâtre au revers. Les fleurs font de beaux bouquets secs. H 90 cm-1,50 m ; E 45-60 cm.	E. *bannaticus* 'Taplow Blue', fleurs d'un bleu intense, 1,20 m. E. *ritro* (boulette azurée), diverses nuances de bleu, 90 cm-1,50 m. E. *sphaerocephalus* (échinope commune), fleurs gris argent, 1,50 m.	Plante durable et facile à cultiver, pouvant résister à une forte sécheresse. Prospère en plein soleil. Tolère mal les sols humides ou détrempés. Plante difficile à diviser, les racines s'enfonçant jusqu'à 30 cm de profondeur. Les débris de racines laissés dans le sol lors du bêchage vont généralement donner un nouveau pied. Attention aux feuilles épineuses : porter des gants pour cueillir les fleurs.	Diviser les souches ou prélever des boutures de racines au printemps. Semer au printemps.
Erigeron (érigéron ou vergerette) Fleurs étroites dont les capitules sont semblables à des marguerites, s'épanouissant du début à la fin de l'été. H 25-60 cm ; E 30-45 cm.	E. *aurantiacus*, fleurs semi-doubles, orange, 25 cm. E. *speciosus* (érigéron de Californie), fleurs simples, bleues, 60 cm. E. *s.* 'Azure Fairy', fleurs semi-doubles, lavande, 75 cm. E. *s.* 'Foerster's Liebling', fleurs semi-doubles, roses, 45 cm. E. *s.* 'Pink Jewel', fleurs simples, rose tendre, 60 cm. E. *s.* 'Prosperity', fleurs semi-doubles, mauve, 45 cm.	Cultiver cette plante en plein soleil, dans une terre bien drainée et de fertilité normale ; elle tolère un sol sec. Supprimer les fleurs fanées pour stimuler la floraison. L'érigéron s'étend peu ; il est généralement rustique dans les Prairies.	Diviser les pieds au printemps ; semer au printemps.
Eryngium (érynge ou panicaut) Plante de belle venue, à fleurs allant du gris acier au bleu, semblables aux chardons et s'épanouissant du milieu à la fin de l'été. Le feuillage est épineux comme celui du chardon. H 45-90 cm ; E 30-60 cm.	E. *alpinum* (chardon bleu des Alpes), fleurs bleu argent, 45 cm. E. *amethystinum* (panicaut améthyste), fleurs bleu-gris, 60 cm. E. *bourgatii*, fleurs bleu acier, 45 cm. E. *giganteum*, fleurs bleues à bractées argentées, 90 cm. E. *planum*, fleurs bleues ; à cultiver dans un jardin de fleurs sauvages, 90 cm. E. *yuccifolium*, fleurs bleu pâle, 1,20 m.	Plante très vivace qui n'aime pas qu'on la dérange. La placer en plein soleil, dans un sol bien drainé qui ne se détrempe pas en hiver. Se cultive généralement sans problème. Les fleurs sèchent en gardant leur couleur si elles sont cueillies en plein épanouissement.	Par division des racines charnues ou par boutures de racines au printemps ; semer au printemps.

Les fleurs très colorées des gaillardes (Gaillardia) tiennent longtemps mais les plants ne sont pas toujours vivaces sous nos climats. 'Dazzler' est une annuelle qui atteint 60 cm de haut. Pour être vivace, la gaura (Gaura) a besoin d'un climat chaud.

Gaillardia 'Dazzler'

Gaura lindheimeri

Euphorbia polychroma
(euphorbe polychrome)

Filipendula purpurea
(filipendule)

Gaillardia aristata
(gaillarde vivace)

Galium odoratum
(aspérule odorante)

Gaura lindheimeri
(gaura)

Geranium pratense
(géranium)

Nom botanique et nom vulgaire, description générale	Espèces et variétés	Soins particuliers, remarques	Multiplication (Voir p. 191)
Euphorbia (euphorbe) Fleurs à peu près dépourvues d'intérêt, entourées de spectaculaires bractées blanches ou jaunes ressemblant à des pétales ; floraison à la fin du printemps ou à la mi-été. H 30-75 cm ; E 45-60 cm.	E. amygdaloides (euphorbe des bois), fleurs jaunes, 75 cm. E. corollata, fleurs blanches à la mi-été, 60 cm. E. griffithii 'Fireglow', fleurs rouge orange, 75 cm. E. myrsinites (euphorbe myrsinites), fleurs jaune-vert, 30 cm. E. polychroma (euphorbe polychrome), fleurs jaune chartreuse, 45 cm.	Plante très vivace qu'on doit déranger le moins possible. La cultiver en plein soleil, dans un sol bien drainé et peu riche. Les euphorbes renferment un latex qui irrite la peau. Si l'on coupe les fleurs, passer le bas des tiges sur une flamme.	Diviser les plants ou prélever des boutures basales au printemps.
Filipendula (filipendule) Panicules duveteuses de petites fleurs s'épanouissant au début ou au milieu de l'été. Feuillage parfois profondément découpé, faisant penser à celui des fougères, parfois plus épais. F. vulgaris présente des racines tubéreuses. H 45 cm-1,20 m ; E 30-45 cm.	F. palmata 'Nana', fleurs rose foncé, 60 cm. F. purpurea, fleurs rouge carmin, 1,20 m. F. rubra, fleurs roses, du début au milieu de l'été, 1,20-1,80 m. F. ulmaria (reine-des-prés), fleurs doubles, blanches, à la mi-été, 90 cm-1,20 m. F. vulgaris, fleurs blanches teintées de rouge, 60 cm. F. v. 'Multiplex', fleurs blanches doubles, à la mi-été, 60 cm.	Les sujets de haute taille se placent au centre d'une plate-bande, près d'un cours d'eau ou à l'orée d'une clairière. F. vulgaris préfère un sol humide ; les autres tolèrent un sol sec. Ce sont des plantes de longue durée ayant peu souvent besoin d'être divisées.	Diviser les souches au printemps ; semer au printemps.
Gaillardia (gaillarde) Grandes fleurs simples ressemblant à des marguerites, ornées de panachures de teintes contrastantes aux extrémités des pétales ou près du cœur. Floraison de la mi-été au début de l'automne, ou jusqu'aux froids. Voir p. 233 les gaillardes annuelles. H 15-90 cm ; E 15-45 cm.	G. aristata (gaillarde vivace), fleurs jaunes, souvent avec rouge ou pourpre, 60 cm. G. 'Baby Cole', fleurs rouges bordées de jaune, 15 cm. G. 'Burgundy', fleurs lie-de-vin, 75 cm. G. 'Dazzler', fleurs jaunes à cœur marron, 60-90 cm. G. 'Goblin', fleurs rouges bordées de jaune, 30 cm. G. 'Portola', fleurs rouges panachées de jaune, 75 cm.	La gaillarde se cultive en plein soleil et exige une terre très bien drainée dans les régions froides. A souvent besoin de tuteurs pour rester dressée. Enlever les fleurs fanées pour prolonger la floraison. Excellente plante pour composer des bouquets.	Par division des plants ou par semis au printemps ; par bouturage de racines en été.
Galium (gaillet ou caille-lait) Plantes tapissantes qui se plaisent à l'ombre ou à l'avant des plates-bandes là où les étés ne sont pas trop chauds. Groupes de petites fleurs blanches odorantes au début de l'été. Feuillage à odeur de foin, utilisé autrefois pour bourrer les matelas. H 45 cm ; E 90 cm.	G. odoratum (aspérule odorante ou petit muguet), verticilles de 6 à 9 feuilles d'un beau vert, 45 cm.	Convient à presque tous les genres de sols, mais préfère les sols humides riches en humus. Attire les abeilles.	Par semis au début du printemps ou dès que les graines sont mûres. Par division des rhizomes à l'automne ou au printemps.
Gaura (gaura) Tiges filiformes portant des bourgeons roses qui ouvrent l'été sur des fleurs étoilées blanches virant au rose. H 1,50 m ; E 90 cm.	G. lindheimeri, fleurs blanches qui ouvrent à l'aube, 1,50 m. G. l. 'Whirling Butterflies', sépales rouges, floraison tout au long de l'été, 1,50 m.	Convient à presque tous les genres de sols, même secs. Plein soleil ou mi-ombre. En régions froides, annuelle qui se resème, mais n'est pas envahissante.	Par semis ou par division au printemps, ou par bouturage de pousses tendres.
Geranium (géranium) Cette plante à fleurs généralement simples, d'une grande délicatesse, fleurit du début à la fin de l'été. Il ne faut pas la confondre avec le géranium des fleuristes (Pelargonium), p. 239. H 30-90 cm ; E 30-60 cm.	Formes élevées ci-dessous ; voir p. 315 pour les formes rampantes. G. 'Johnson's Blue', fleurs bleu clair, 45 cm. G. macrorrhizum 'Ingwersen's Variety', fleurs rose pâle, 45 cm. G. maculatum, fleurs rose magenta, 60-75 cm. G. oxonianum 'Claridge Druce', fleurs roses à veines rouges, 45-75 cm. G. pratense, fleurs bleues à veines rouges, 90 cm.	Le géranium se cultive en plein soleil ou à la mi-ombre dans une terre normalement fertile. Un sol trop riche donne des plants à pousses rampantes. Ne diviser les souches que si la floraison devient moins abondante. Les fleurs ne se prêtent pas à la confection de bouquets.	Par division au printemps ou par semis.

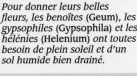

Pour donner leurs belles fleurs, les benoîtes (Geum), les gypsophiles (Gypsophila) et les hélénies (Helenium) ont toutes besoin de plein soleil et d'un sol humide bien drainé.

Geum chiloense 'Mrs. Bradshaw'

Gypsophila repens 'Rosea'

Helenium 'Golden Youth'

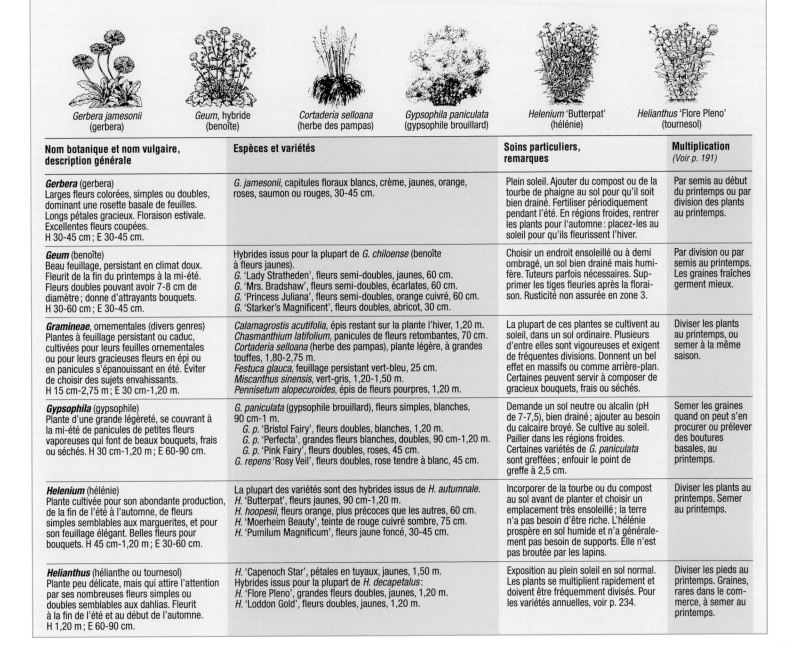

Gerbera jamesonii
(gerbera)

Geum, hybride
(benoîte)

Cortaderia selloana
(herbe des pampas)

Gypsophila paniculata
(gypsophile brouillard)

Helenium 'Butterpat'
(hélénie)

Helianthus 'Flore Pleno'
(tournesol)

Nom botanique et nom vulgaire, description générale	Espèces et variétés	Soins particuliers, remarques	Multiplication (Voir p. 191)
Gerbera (gerbera) Larges fleurs colorées, simples ou doubles, dominant une rosette basale de feuilles. Longs pétales gracieux. Floraison estivale. Excellentes fleurs coupées. H 30-45 cm ; E 30-45 cm.	*G. jamesonii*, capitules floraux blancs, crème, jaunes, orange, roses, saumon ou rouges, 30-45 cm.	Plein soleil. Ajouter du compost ou de la tourbe de phaigne au sol pour qu'il soit bien drainé. Fertiliser périodiquement pendant l'été. En régions froides, rentrer les plants pour l'automne : placez-les au soleil pour qu'ils fleurissent l'hiver.	Par semis au début du printemps ou par division des plants au printemps.
Geum (benoîte) Beau feuillage, persistant en climat doux. Fleurit de la fin du printemps à la mi-été. Fleurs doubles pouvant avoir 7-8 cm de diamètre ; donne d'attrayants bouquets. H 30-60 cm ; E 30-45 cm.	Hybrides issus pour la plupart de *G. chiloense* (benoîte à fleurs jaunes). *G.* 'Lady Stratheden', fleurs semi-doubles, jaunes, 60 cm. *G.* 'Mrs. Bradshaw', fleurs semi-doubles, écarlates, 60 cm. *G.* 'Princess Juliana', fleurs semi-doubles, orange cuivré, 60 cm. *G.* 'Starker's Magnificent', fleurs doubles, abricot, 30 cm.	Choisir un endroit ensoleillé ou à demi ombragé, un sol bien drainé mais humifère. Tuteurs parfois nécessaires. Supprimer les tiges fleuries après la floraison. Rusticité non assurée en zone 3.	Par division ou par semis au printemps. Les graines fraîches germent mieux.
Gramineae, ornementales (divers genres) Plantes à feuillage persistant ou caduc, cultivées pour leurs feuilles ornementales ou pour leurs gracieuses fleurs en épi ou en panicules s'épanouissant en été. Éviter de choisir des sujets envahissants. H 15 cm-2,75 m ; E 30 cm-1,20 m.	*Calamagrostis acutifolia*, épis restant sur la plante l'hiver, 1,20 m. *Chasmanthium latifolium*, panicules de fleurs retombantes, 70 cm. *Cortaderia selloana* (herbe des pampas), plante légère, à grandes touffes, 1,80-2,75 m. *Festuca glauca*, feuillage persistant vert-bleu, 25 cm. *Miscanthus sinensis*, vert-gris, 1,20-1,50 m. *Pennisetum alopecuroides*, épis de fleurs pourpres, 1,20 m.	La plupart de ces plantes se cultivent au soleil, dans un sol ordinaire. Plusieurs d'entre elles sont vigoureuses et exigent de fréquentes divisions. Donnent un bel effet en massifs ou comme arrière-plan. Certaines peuvent servir à composer de gracieux bouquets, frais ou séchés.	Diviser les plants au printemps, ou semer à la même saison.
Gypsophila (gypsophile) Plante d'une grande légèreté, se couvrant à la mi-été de panicules de petites fleurs vaporeuses qui font de beaux bouquets, frais ou séchés. H 30 cm-1,20 m ; E 60-90 cm.	*G. paniculata* (gypsophile brouillard), fleurs simples, blanches, 90 cm-1 m. *G. p.* 'Bristol Fairy', fleurs doubles, blanches, 1,20 m. *G. p.* 'Perfecta', grandes fleurs blanches, doubles, 90 cm-1,20 m. *G. p.* 'Pink Fairy', fleurs doubles, roses, 45 cm. *G. repens* 'Rosy Veil', fleurs doubles, rose tendre à blanc, 45 cm.	Demande un sol neutre ou alcalin (pH de 7-7,5), bien drainé ; ajouter au besoin du calcaire broyé. Se cultive au soleil. Pailler dans les régions froides. Certaines variétés de *G. paniculata* sont greffées ; enfouir le point de greffe à 2,5 cm.	Semer les graines quand on peut s'en procurer ou prélever des boutures basales, au printemps.
Helenium (hélénie) Plante cultivée pour son abondante production, de la fin de l'été à l'automne, de fleurs simples semblables aux marguerites, et pour son feuillage élégant. Belles fleurs pour bouquets. H 45 cm-1,20 m ; E 30-60 cm.	La plupart des variétés sont des hybrides issus de *H. autumnale*. *H.* 'Butterpat', fleurs jaunes, 90 cm-1,20 m. *H. hoopesii*, fleurs orange, plus précoces que les autres, 60 cm. *H.* 'Moerheim Beauty', teinte de rouge cuivré sombre, 75 cm. *H.* 'Pumilum Magnificum', fleurs jaune foncé, 30-45 cm.	Incorporer de la tourbe ou du compost au sol avant de planter et choisir un emplacement très ensoleillé ; la terre n'a pas besoin d'être riche. L'hélénie prospère en sol humide et n'a généralement pas besoin de supports. Elle n'est pas broutée par les lapins.	Diviser les plants au printemps. Semer au printemps.
Helianthus (hélianthe ou tournesol) Plante peu délicate, mais qui attire l'attention par ses nombreuses fleurs simples ou doubles semblables aux dahlias. Fleurit à la fin de l'été et au début de l'automne. H 1,20 m ; E 60-90 cm.	*H.* 'Capenoch Star', pétales en tuyaux, jaunes, 1,50 m. Hybrides issus pour la plupart de *H. decapetalus*: *H.* 'Flore Pleno', grandes fleurs doubles, jaunes, 1,20 m. *H.* 'Loddon Gold', fleurs doubles, jaunes, 1,20 m.	Exposition au plein soleil en sol normal. Les plants se multiplient rapidement et doivent être fréquemment divisés. Pour les variétés annuelles, voir p. 234.	Diviser les pieds au printemps. Graines, rares dans le commerce, à semer au printemps.

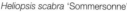

Les tournesols orange (Heliopsis) sont
prisés pour leur floraison de fin d'été.
'Sommersonne' présente des fleurs simples
ou semi-doubles. Chaque fleur d'hémérocalle (Hemerocallis) ne fleurit qu'un jour,
mais d'autres ouvrent le long de la tige.
La culture en est facile en plein soleil.

Heliopsis scabra 'Sommersonne'   Hemerocallis 'Ann Kelley'

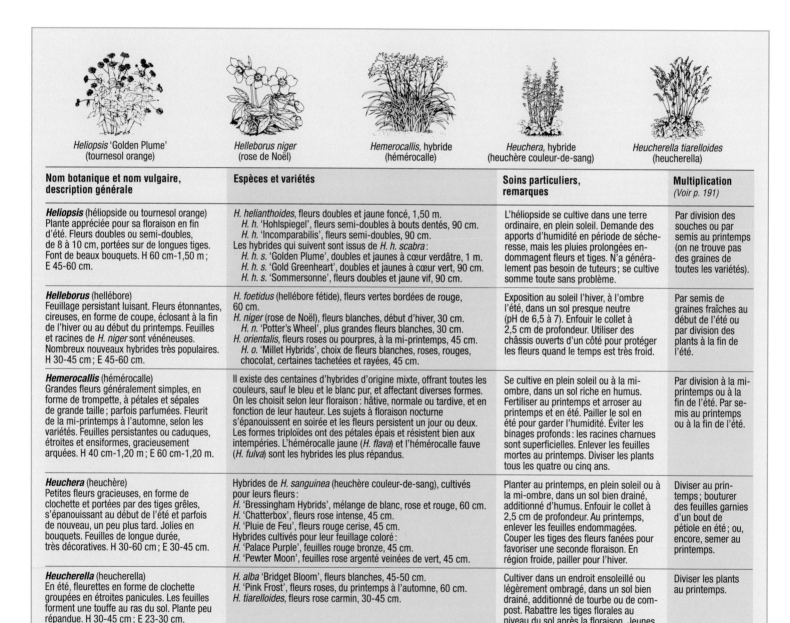

Heliopsis 'Golden Plume'
(tournesol orange)

Helleborus niger
(rose de Noël)

Hemerocallis, hybride
(hémérocalle)

Heuchera, hybride
(heuchère couleur-de-sang)

Heucherella tiarelloides
(heucherella)

Nom botanique et nom vulgaire, description générale	Espèces et variétés	Soins particuliers, remarques	Multiplication (Voir p. 191)
Heliopsis (héliopside ou tournesol orange) Plante appréciée pour sa floraison en fin d'été. Fleurs doubles ou semi-doubles, de 8 à 10 cm, portées sur de longues tiges. Font de beaux bouquets. H 60 cm-1,50 m ; E 45-60 cm.	*H. helianthoides*, fleurs doubles et jaune foncé, 1,50 m. *H. h.* 'Hohlspiegel', fleurs semi-doubles à bouts dentés, 90 cm. *H. h.* 'Incomparabilis', fleurs semi-doubles, 90 cm. Les hybrides qui suivent sont issus de *H. h. scabra* : *H. h. s.* 'Golden Plume', doubles et jaunes à cœur verdâtre, 1 m. *H. h. s.* 'Gold Greenheart', doubles et jaunes à cœur vert, 90 cm. *H. h. s.* 'Sommersonne', fleurs doubles et jaune vif, 90 cm.	L'héliopside se cultive dans une terre ordinaire, en plein soleil. Demande des apports d'humidité en période de séche-resse, mais les pluies prolongées en-dommagent fleurs et tiges. N'a généra-lement pas besoin de tuteurs ; se cultive somme toute sans problème.	Par division des souches ou par semis au printemps (on ne trouve pas des graines de toutes les variétés).
Helleborus (hellébore) Feuillage persistant luisant. Fleurs étonnantes, cireuses, en forme de coupe, éclosant à la fin de l'hiver ou au début du printemps. Feuilles et racines de *H. niger* sont vénéneuses. Nombreux nouveaux hybrides très populaires. H 30-45 cm ; E 45-60 cm.	*H. foetidus* (hellébore fétide), fleurs vertes bordées de rouge, 60 cm. *H. niger* (rose de Noël), fleurs blanches, début d'hiver, 30 cm. *H. n.* 'Potter's Wheel', plus grandes fleurs blanches, 30 cm. *H. orientalis*, fleurs roses ou pourpres, à la mi-printemps, 45 cm. *H. o.* 'Millet Hybrids', choix de fleurs blanches, roses, rouges, chocolat, certaines tachetées et rayées, 45 cm.	Exposition au soleil l'hiver, à l'ombre l'été, dans un sol presque neutre (pH de 6,5 à 7). Enfouir le collet à 2,5 cm de profondeur. Utiliser des châssis ouverts d'un côté pour protéger les fleurs quand le temps est très froid.	Par semis de graines fraîches au début de l'été ou par division des plants à la fin de l'été.
Hemerocallis (hémérocalle) Grandes fleurs généralement simples, en forme de trompette, à pétales et sépales de grande taille ; parfois parfumées. Fleurit de la mi-printemps à l'automne, selon les variétés. Feuilles persistantes ou caduques, étroites et ensiformes, gracieusement arquées. H 40 cm-1,20 m ; E 60 cm-1,20 m.	Il existe des centaines d'hybrides d'origine mixte, offrant toutes les couleurs, sauf le bleu et le blanc pur, et affectant diverses formes. On les choisit selon leur floraison : hâtive, normale ou tardive, et en fonction de leur hauteur. Les sujets à floraison nocturne s'épanouissent en soirée et les fleurs persistent un jour ou deux. Les formes triploïdes ont des pétales épais et résistent bien aux intempéries. L'hémérocalle jaune (*H. flava*) et l'hémérocalle fauve (*H. fulva*) sont les hybrides les plus répandus.	Se cultive en plein soleil ou à la mi-ombre, dans un sol riche en humus. Fertiliser au printemps et arroser au printemps et en été. Pailler le sol en été pour garder l'humidité. Éviter les binages profonds : les racines charnues sont superficielles. Enlever les feuilles mortes au printemps. Diviser les plants tous les quatre ou cinq ans.	Par division à la mi-printemps ou à la fin de l'été. Par se-mis au printemps ou à la fin de l'été.
Heuchera (heuchère) Petites fleurs gracieuses, en forme de clochette et portées par des tiges grêles, s'épanouissant au début de l'été et parfois de nouveau, un peu plus tard. Jolies en bouquets. Feuilles de longue durée, très décoratives. H 30-60 cm ; E 30-45 cm.	Hybrides de *H. sanguinea* (heuchère couleur-de-sang), cultivés pour leurs fleurs : *H.* 'Bressingham Hybrids', mélange de blanc, rose et rouge, 60 cm. *H.* 'Chatterbox', fleurs rose intense, 45 cm. *H.* 'Pluie de Feu', fleurs rouge cerise, 45 cm. Hybrides cultivés pour leur feuillage coloré : *H.* 'Palace Purple', feuilles rouge bronze, 45 cm. *H.* 'Pewter Moon', feuilles rose argenté veinées de vert, 45 cm.	Planter au printemps, en plein soleil ou à la mi-ombre, dans un sol bien drainé, additionné d'humus. Enfouir le collet à 2,5 cm de profondeur. Au printemps, enlever les feuilles endommagées. Couper les tiges des fleurs fanées pour favoriser une seconde floraison. En région froide, pailler pour l'hiver.	Diviser au prin-temps ; bouturer des feuilles garnies d'un bout de pétiole en été ; ou, encore, semer au printemps.
Heucherella (heucherella) En été, fleurettes en forme de clochette groupées en étroites panicules. Les feuilles forment une touffe au ras du sol. Plante peu répandue. H 30-45 cm ; E 23-30 cm.	*H. alba* 'Bridget Bloom', fleurs blanches, 45-50 cm. *H.* 'Pink Frost', fleurs roses, du printemps à l'automne, 60 cm. *H. tiarelloides*, fleurs rose carmin, 30-45 cm.	Cultiver dans un endroit ensoleillé ou légèrement ombragé, dans un sol bien drainé, additionné de tourbe ou de com-post. Rabattre les tiges florales au niveau du sol après la floraison. Jeunes feuilles souvent marquées de taches brunes, ce qui est un phénomène nor-mal. La plante ne produit pas de graines.	Diviser les plants au printemps.

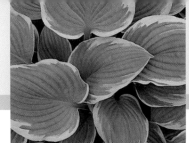

Les hostas (Hosta) sont offerts dans un magnifique choix de formes différentes. Ils se plaisent particulièrement à l'ombre dans un sol humide. L'aunée (Inula), par contre, supportera la sécheresse.

Hosta fortunei var. aureomarginata   *Inula magnifica*

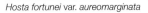

Hibiscus, hybride (hibiscus)	*Hosta,* hybride (hosta)	*Incarvillea delavayi* (incarvillée)	*Inula royleana* (aunée)	*Kniphofia uvaria,* hybride (kniphofia)	*Lamium maculatum* (lamier maculé)

Nom botanique et nom vulgaire, description générale	Espèces et variétés	Soins particuliers, remarques	Multiplication *(Voir p. 191)*
Hibiscus (hibiscus ou ketmie des marais) Très belle plante de haute taille, portant d'énormes fleurs pouvant atteindre 25 cm de diamètre, à 5 pétales ou plus. La floraison se produit du milieu à la fin de l'été. H 1,20-1,80 m ; E 60 cm-1,20 m.	Hybrides issus pour la plupart de *H. moscheutos* : *H.* 'Disco Belle', coloris mélangés, culture par semis, 45-60 cm. *H.* 'Lady Baltimore', fleurs roses à cœur rouge, 1,20 m. *H.* 'Lord Baltimore', fleurs rouge vif, 1,20 m. *H.* 'Mallow Marvels', coloris mélangés, culture par semis, 1,50 m. *H.* 'Southern Belle', coloris mélangés, culture par semis, 1,30 m.	Prospère au soleil, dans une terre amendée de tourbe ou de compost : l'hibiscus a besoin d'eau. Les semis faits tôt au printemps à l'intérieur donnent des plants qui fleurissent la même année. Se transplante mal. Pailler à l'automne.	Diviser les pieds au printemps ; semer au printemps.
Hosta (hosta ou hémérocalle du Japon) Plante cultivée principalement pour son feuillage élégant et varié, bien que certaines formes produisent de jolies fleurs en forme d'entonnoir sur de longues tiges, du milieu à la fin de l'été. H 20-45 cm ; E 30-90 cm.	Il existe des espèces et des hybrides nombreux de hosta, mais une certaine confusion règne dans les noms qu'on leur attribue. Les feuilles peuvent être lisses ou profondément nervurées, petites ou grandes, vertes ou vert bleuté, d'une seule teinte ou marginées de blanc ou de jaune crème, à marge lisse ou ondulée. Les fleurs sont blanches ou lilas, souvent parfumées. Les catalogues présentent un bel assortiment de hostas, mais certaines espèces ne sont pas vraiment rustiques dans les zones inférieures à la zone 4.	Se cultive à l'ombre ou à la mi-ombre, dans un sol additionné de compost ou de tourbe. Supprimer les hampes florales fanées. La multiplication spontanée donne des sujets de qualité inférieure. Attention aux limaces qui font des trous dans les feuilles : épandre des granulés contre ces ravageurs.	Diviser les plants au printemps ou au début de l'automne. La multiplication se fait rarement par semis, plusieurs formes ne produisant pas de graines.
Incarvillea (incarvillée) Fleurs tubuleuses à deux lèvres s'épanouissant à la fin du printemps ou au début de l'été en bouquets qui s'élèvent bien au-dessus du feuillage. Feuilles très découpées. H 45-60 cm ; E 30 cm.	*I. delavayi*, fleurs rouge rosé à gorge jaune, 45-60 cm. *I. d.* 'Bee's Pink', fleurs rose pâle, 30-45 cm. *I. mairei grandiflora*, fleurs cramoisies, 45 cm.	Se cultive dans un sol bien drainé. Les sols qui gardent l'eau en hiver peuvent être fatals à cette plante. Pailler à l'automne ou déterrer les plants et les rentrer au frais en couvrant bien les racines de terre.	Par semis ou par division au printemps des racines charnues. Les plants mettent deux ou trois ans à fleurir.
Inula (aunée) Les capitules floraux de 10 à 12 cm rappellent ceux des tournesols, mais à pétales plus fins et plus gracieux. Feuilles rudes, ovales ou lancéolées. H 45 cm-1,80 m ; E 30-90 cm.	*I. ensifolia*, fleurs jaunes, 45-60 cm. *I. magnifica*, fleurs jaunes à pétales très fins, 1,80 m. *I. orientalis*, fleurs jaunes, 60-90 cm. *I. royleana*, fleurs jaunes, 25 cm ; feuilles, 60 cm.	Installer les plants au printemps au soleil dans un sol qui retient l'eau (même de l'argile). Diviser les souches tous les trois ans. Couper les hampes fanées pour favoriser la floraison.	Par division des plants ou par semis au printemps. On ne trouve pas facilement les graines de cette espèce.
Iris : voir p. 293			
Kniphofia (kniphofia) Épis denses de fleurs tubulaires, qui attirent les colibris, ouvrant du milieu à la fin de l'été. Feuillage ressemblant à celui des graminées. H 60 cm-1,20 m ; E 60-90 cm.	*K.* 'Alcazar', fleurs rose saumon, 1 m. *K.* 'Pfitzeri', fleurs rouge orangé, 90 cm. *K. uvaria* 'Primrose Beauty', fleurs jaune tendre, 60-90 cm.	Se cultive au plein soleil dans un sol riche, très bien drainé. Là où cette plante n'est pas rustique, pailler à l'automne ou rentrer dans un endroit frais.	Par semis ou par division des plants au printemps.
Lamium (lamier) Épis de petites fleurs à capuchon qui éclosent au printemps et persistent plusieurs semaines. Feuilles souvent panachées. Convient à un jardin de fleurs sauvages ou comme plante tapissante. H 25-60 cm ; E 90 cm et plus.	*L. galeobdolon* (ortie jaune), fleurs jaunes, 30-45 cm. *L. g.* 'Herman's Pride', feuilles à rayures argentées, 30 cm. *L. maculatum* (lamier maculé), fleurs pourpres, 25-30 cm. *L. m.* 'Beacon Silver', fleurs roses, feuilles argentées, 22 cm. *L. m.* 'White Nancy', fleurs blanches, 15 cm.	Se cultive à l'ombre ou à la mi-ombre, dans un sol humide. *L. galeobdolon* préfère un sol alcalin ou légèrement acide. On évitera de placer ces plantes dans des plates-bandes, car elles deviennent rapidement envahissantes.	Diviser les plants au printemps ou prélever des boutures en été.

La gesse ou pois de senteur vivace (Lathyrus) de même que le liatris (Liatris) ont besoin de soleil et d'un sol bien drainé.

Lathyrus latifolius 'Albus'

Liatris spicata

Lathyrus latifolius (pois vivace)

Lavandula angustifolia (lavande vraie)

Lavatera (lavatère)

Leucanthemum superbum 'Alaska' (chrysanthème)

Liatris spicata (liatris en épi)

Ligularia clivorum 'Desdemona' (ligulaire)

Limonium latifolium (lavande de mer)

Nom botanique et nom vulgaire, description générale	Espèces et variétés	Soins particuliers, remarques	Multiplication (Voir p. 191)
Lathyrus (pois vivace ou gesse) Plante grimpante ou rampante à bouquets de fleurs durables. Utile pour habiller les clôtures ou pour couvrir le sol. Bonnes fleurs coupées. Voir p. 235 le pois de senteur annuel. H 1,80-2,75 m; E 60 cm.	*L. latifolius* 'White Pearl', fleurs blanches, 1,80-2,75 m. *L. l.* 'Pink Pearl', fleurs roses, 1,80-2,75 m. *L. vernus*, plante formant touffe, fleurs roses au printemps, 45 cm.	Se cultive en plein soleil, dans une terre bien drainée. Doit être tuteuré à moins de pousser sur un talus ou sur des rochers. Supprimer les fleurs fanées pour favoriser la floraison. Facile à cultiver.	Semer au printemps après avoir fait tremper les graines pendant une douzaine d'heures.
Lavandula (lavande) Compose de charmantes bordures avec son feuillage vert-gris et ses épis de petites fleurs lavande qui s'ouvrent au début du printemps. On peut faire sécher les fleurs et les utiliser en sachets pour parfumer les armoires. H 30 cm-1,20 m; E 30-45 cm.	*L. angustifolia*, ou *L. spica* (lavande vraie), fleurs bleu-gris, 90 cm-1,20 m. *L. a.* 'Hidcote', fleurs bleu-violet foncé, 45 cm. *L. a.* 'Munstead Dwarf', fleurs bleu lavande intense, 30 cm. *L. dentata*, fleurs pourprées, 90 cm. *L. stoechas* (lavande pourpre), fleurs violet foncé, 45-90 cm.	Planter au soleil, dans un sol alcalin bien drainé. Plante sous-arbustive dont les formes naines sont cultivées en plates-bandes. Dans les régions à climat doux, les formes de haute taille sont cultivées et taillées pour former une haie basse. Sécher les fleurs au soleil.	Prélever des boutures semi-aoûtées à talon (comportant un petit morceau de la tige principale) en été. Ou multiplier par semis.
Lavatera (lavatère) Belle plante dont les fleurs ressemblent à celles de l'hibiscus, avec des pétales souvent festonnés, du milieu à la fin de l'été. Choisir des hybrides. H 90 cm-1,80 m; E 1,80 m.	*L.* 'Barnsley', fleurs rose pâle à pétales dentelés, 1,80 m. *L.* 'Bredon Springs', fleurs magenta à veines foncées, 1,80 m. *L.* 'Burgundy Wine', fleurs rouge-pourpre, 1,80 m. *L.* 'Shorty', fleurs blanches ou rose très pâle, 90 cm.	Exposition au plein soleil dans un sol fertile et bien drainé. Il faut généralement tuteurer. N'est pas vraiment rustique dans les régions froides: aussi, pailler à l'automne.	Par prélèvement de boutures tendres au printemps ou semi-aoûtées plus tard.
Leucanthemum (chrysanthème) Fleurs simples ou doubles sur de longues tiges, ouvrant au début de l'été, puis plus tard à nouveau si on a coupé des fleurs pour faire des bouquets. Beau feuillage. H 30-90 cm; E 30-45 cm.	*L. superbum* 'Aglaya', fleurs doubles blanches, gaufrées, 60 cm. *L. s.* 'Alaska', fleurs simples blanches à cœur jaune, 60 cm. *L. s.* 'Esther Read', fleurs doubles blanches, 45 cm. *L. s.* 'Little Miss Muffet', fleurs semi-doubles blanches, 35 cm. *L. s.* 'Marconi', très grandes fleurs doubles blanches, 90 cm. *L. s.* 'T. E. Killin', fleurs doubles blanches, à cœur en relief, 60 cm.	Prospère au plein soleil, bien que les variétés à fleurs doubles tolèrent l'ombre, dans un sol riche et humide, mais bien drainé. Traiter au printemps contre les aphids et les coléoptères. Pas vraiment rustique dans les régions froides.	Par semis et par division des plants ou prélèvement de boutures basales au printemps.
Liatris (liatris ou liatride) Hauts épis de fleurs en plumets qui ouvrent au-dessus d'un feuillage linéaire à la fin de l'été, la floraison commençant au sommet de l'épi et se poursuivant en descendant. H 60 cm-1,50 m; E 45 cm.	*L. pycnostachya* (liatris du Kansas), fleurs rose lavande, 1,50 m. *L. scariosa*, fleurs pourpres, 60-90 cm. *L. s.* 'September Glory', fleurs pourpres ouvrant ensemble, 1,50 m. *L. s.* 'White Spire', fleurs blanches ouvrant ensemble, 1,50 m. *L. spicata* (liatris en épi), fleurs pourpres, 90 cm. *L. s.* 'Kobold', fleurs pourpre sombre, port compact, 45-60 cm.	Prospère au soleil ou à l'ombre légère dans une terre bien drainée, modérément fertile. Les espèces de haute taille ont besoin de tuteurs. Diviser tous les quatre ou cinq ans. Plante de culture facile donnant de belles fleurs coupées.	Diviser les tubercules au printemps; semer au printemps.
Ligularia (ligulaire) Plante voyante avec de belles grandes feuilles. Épis érigés de petites fleurs à la mi-été. Excellent couvre-sol ou plante de container. H 75 cm-1,80 m; E 1,20 m et plus.	*L. clivorum* 'Desdemona', fleurs jaune-orange, feuilles vertes, rouges au bout, 1,20-1,50 m. *L. przewalskii*, tiges foncées, fleurs jaunes, 1,80 m. *L. stenocephata* 'The Rocket', élancé, fleurs jaunes, 1,80 m. *L. wilsoniana*, fleurs jaune d'or sur épis dense, 1,50-1,80 m.	La plante a besoin de beaucoup d'eau l'été; aussi amender le sol avec du compost ou de la mousse de tourbe avant la plantation. Arroser pendant les périodes de sécheresse. Planter à mi-ombre.	Par division des plants au printemps.
Limonium (statice ou lavande de mer) Jolies panicules de petites fleurs en été. Feuilles coriaces. H 45-60 cm; E 60-90 cm.	*L. latifolium*, fleurs lavande, 45-60 cm. *L. l.* 'Violetta', fleurs bleu violacé intense, 45 cm.	On obtient les meilleurs résultats en cultivant le limonium en plein soleil, dans un sol sablonneux, ou en bord de mer.	Semer au printemps. Diviser les racines ligneuses.

Les délicates fleurs bleues du lin (Linum) fleurissent constamment du début de l'été jusqu'au mois de septembre, en sol sec et chaud. Les épis des lupins (Lupinus) ouvrent du printemps au milieu de l'été.

Linum narbonense 'Heavenly Blue' *Lupinus* 'Kayleigh Ann Savage'

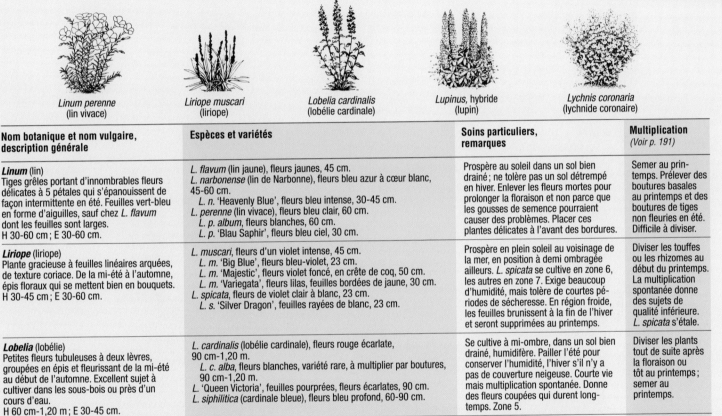

Linum perenne
(lin vivace)

Liriope muscari
(liriope)

Lobelia cardinalis
(lobélie cardinale)

Lupinus, hybride
(lupin)

Lychnis coronaria
(lychnide coronaire)

Nom botanique et nom vulgaire, description générale	Espèces et variétés	Soins particuliers, remarques	Multiplication (Voir p. 191)
Linum (lin) Tiges grêles portant d'innombrables fleurs délicates à 5 pétales qui s'épanouissent de façon intermittente en été. Feuilles vert-bleu en forme d'aiguilles, sauf chez *L. flavum* dont les feuilles sont larges. H 30-60 cm ; E 30-60 cm.	*L. flavum* (lin jaune), fleurs jaunes, 45 cm. *L. narbonense* (lin de Narbonne), fleurs bleu azur à cœur blanc, 45-60 cm. 　*L. n.* 'Heavenly Blue', fleurs bleu intense, 30-45 cm. *L. perenne* (lin vivace), fleurs bleu clair, 60 cm. 　*L. p. album*, fleurs blanches, 60 cm. 　*L. p.* 'Blau Saphir', fleurs bleu ciel, 30 cm.	Prospère au soleil dans un sol bien drainé ; ne tolère pas un sol détrempé en hiver. Enlever les fleurs mortes pour prolonger la floraison et non parce que les gousses de semence pourraient causer des problèmes. Placer ces plantes délicates à l'avant des bordures.	Semer au printemps. Prélever des boutures basales au printemps et des boutures de tiges non fleuries en été. Difficile à diviser.
Liriope (liriope) Plante gracieuse à feuilles linéaires arquées, de texture coriace. De la mi-été à l'automne, épis floraux qui se mettent bien en bouquets. H 30-45 cm ; E 30-60 cm.	*L. muscari*, fleurs d'un violet intense, 45 cm. 　*L. m.* 'Big Blue', fleurs bleu-violet, 23 cm. 　*L. m.* 'Majestic', fleurs violet foncé, en crête de coq, 50 cm. 　*L. m.* 'Variegata', fleurs lilas, feuilles bordées de jaune, 30 cm. *L. spicata*, fleurs de violet clair à blanc, 23 cm. 　*L. s.* 'Silver Dragon', feuilles rayées de blanc, 23 cm.	Prospère en plein soleil au voisinage de la mer, en position à demi ombragée ailleurs. *L. spicata* se cultive en zone 6, les autres en zone 7. Exige beaucoup d'humidité, mais tolère de courtes périodes de sécheresse. En région froide, les feuilles brunissent à la fin de l'hiver et seront supprimées au printemps.	Diviser les touffes ou les rhizomes au début du printemps. La multiplication spontanée donne des sujets de qualité inférieure. *L. spicata* s'étale.
Lobelia (lobélie) Petites fleurs tubuleuses à deux lèvres, groupées en épis et fleurissant de la mi-été au début de l'automne. Excellent sujet à cultiver dans les sous-bois ou près d'un cours d'eau. H 60 cm-1,20 m ; E 30-45 cm.	*L. cardinalis* (lobélie cardinale), fleurs rouge écarlate, 90 cm-1,20 m. 　*L. c. alba*, fleurs blanches, variété rare, à multiplier par boutures, 90 cm-1,20 m. *L.* 'Queen Victoria', feuilles pourprées, fleurs écarlates, 90 cm. *L. siphilitica* (cardinale bleue), fleurs bleu profond, 60-90 cm.	Se cultive à mi-ombre, dans un sol bien drainé, humidifère. Pailler l'été pour conserver l'humidité, l'hiver s'il n'y a pas de couverture neigeuse. Courte vie mais multiplication spontanée. Donne des fleurs coupées qui durent longtemps. Zone 5.	Diviser les plants tout de suite après la floraison ou tôt au printemps ; semer au printemps.
Lupinus (lupin) Plante couronnée d'épis dont les fleurs, semblables à celles des pois, s'épanouissent du milieu à la fin du printemps au-dessus d'un feuillage très divisé. Des formes naines ont fait récemment leur apparition. H 45-90 cm ; E 15-45 cm.	La grande majorité des lupins cultivés au jardin sont issus de croisements entre *L. polyphyllus* et *L. arboreus* et de recroisements entre hybrides. Connues sous le nom de hybrides de 'Russell', ces plantes atteignent 90 cm et leur palette groupe le rouge, le rose, le bleu, le jaune, le saumon et le pourpre ; certaines fleurs sont bicolores. Parmi les formes naines de 45 cm de haut se trouvent 'Little Lulu' et 'Minarette'.	Le lupin préfère un sol bien drainé et amendé par des apports importants de compost ou de tourbe, une exposition en plein soleil. Prospère dans les régions à climat frais. Enlever les hampes de fleurs fanées à moins de vouloir favoriser la multiplication spontanée. Faire tremper les graines 12 heures.	Semer au printemps. Traiter les graines à la poudre de nitrate, comme celles des pois. Prélever des boutures basales au printemps.
Lychnis (lychnide) Les lychnides présentent des fleurs très différentes d'une espèce à l'autre, depuis des épis dressés jusqu'à des inflorescences arrondies et lâches. La floraison se produit du milieu à la fin de l'été selon les espèces. H 45-90 cm ; E 15-30 cm.	*L. chalcedonica* (croix-de-Malte), rouge franc, 75-90 cm. 　*L. c. alba*, fleurs blanches, moins frappantes que les précédentes, 75-90 cm. *L. coronaria* (lychnide coronaire, coquelourde des jardins), fleurs pourpres, 60 cm. *L. haageana* (hybride de *L. fulgens* et *L. sieboldii*), fleurs rouge orangé, 60 cm. *L. viscaria* (lychnide visqueuse), fleurs pourpres, 30-45 cm. 　*L. v.* 'Splendens Pleno', fleurs doubles roses, 30-45 cm.	Cultiver cette plante en plein soleil, dans une terre très bien drainée. Certaines variétés durent peu longtemps, mais elles se renouvellent facilement par semis.	Semer au printemps. Diviser les pieds au printemps.

La lysimaque (Lysimachia) pousse bien près de l'eau. Le macleaya (Macleaya cordata), qui peut dépasser 2,40 m de haut et 1 m de large, a besoin de beaucoup de place. La monarde (Monarda) se distingue par l'odeur marquée de ses feuilles.

Lysimachia punctata

Macleaya cordata

Monarda didyma

Lysimachia clethroides
(lysimaque de Chine)

Macleaya cordata
(macleaya)

Mertensia virginica
(mertensia de Virginie)

Monarda didyma
(monarde pourpre)

Nepeta faassenii
(chataire)

Nom botanique et nom vulgaire, description générale	Espèces et variétés	Soins particuliers, remarques	Multiplication *(Voir p. 191)*
Lysimachia (lysimaque) Plantes très spectaculaires. Les deux espèces décrites ci-contre diffèrent par la forme de leurs fleurs et leur période de floraison. Donnent de bonnes fleurs coupées. H 75-90 cm ; E 30 cm.	*L. clethroides* (lysimaque de Chine), épis de fleurs blanches, arqués comme le cou d'une oie, à la fin de l'été, 90 cm. *L. punctata* (lysimaque ponctuée), petites fleurs jaunes groupées en verticilles, au début de l'été, 75-90 cm.	Les lysimaques préfèrent un endroit ensoleillé ou à demi ombragé, un sol humide, moyennement riche et retenant bien l'humidité. Ajouter au besoin du compost ou de la tourbe et arroser en période de sécheresse. Peut avoir besoin de tuteurs. Cette plante se multiplie rapidement et peut devenir envahissante, mais elle s'arrache facilement.	Diviser les plants au printemps. Plante rhizomateuse.
Macleaya (macleaya) Plantes à haute silhouette pour de très grands jardins. Plumet érigé de minuscules fleurs apparaissant au milieu de l'été ou au début de l'automne. Belles grandes feuilles lobées. H 1,50-2,40 m ; E 90 cm-1,20 m.	*M. cordata*, fleurs blanc crème, du milieu à la fin de l'été, 1,80-2,40 m.	Bien arroser le sol riche en humus. Plante envahissante : contrôler en taillant tous les ans les repousses externes. Mettre la plante en évidence pour qu'on voie bien son feuillage gris-vert sculptural. Fleurs et graines sèchent bien.	Par semis ou par division des plants au printemps. Prélever les gourmands de racine l'été.
Mertensia (mertensia) Floraison à la fin du printemps : boutons roses et fleurs campanulées bleu saphir émergeant au-dessus des feuilles tendres vert pâle. H 45 cm ; E 30-45 cm.	*M. virginica* (mertensia de Virginie), fleurs bleues, 45 cm.	Se plaît à l'ombre partielle dans un sol amendé avec de la mousse de tourbe ou du compost. Le feuillage meurt après la floraison : marquer l'endroit pour ne pas déranger la plante plus tard en saison.	Par semis des graines mûres au début de l'été ou par division des plants à l'automne.

Monarda (monarde)
Fleurs tubuleuses réunies en bouquets très denses et s'épanouissant du milieu à la fin de l'été. Tiges quadrangulaires ; feuillage à odeur de menthe. Bonne plante pour la fleur coupée. H 60-90 cm ; E 60 cm.
	M. didyma (monarde pourpre) :
	  M. d. 'Blue Stocking', fleurs pourpre-violet, 90 cm.
	  M. d. 'Cambridge Scarlet', fleurs écarlate foncé, 90 cm.
	  M. d. 'Croftway Pink', fleurs rose foncé, 90 cm.
	  M. d. 'Gardenview Scarlet', grosses fleurs écarlate vif, 60-90 cm.
	  M. d. 'Marshall's Delight', fleurs rose moyen, 75-90 cm.
	  M. d. 'Snow White', fleurs blanc éclatant, 90 cm.
	M. fistulosa (monarde fistuleuse), fleurs lavande ou blanches, 90 cm ; l'espèce la plus rustique.
		Pour obtenir les meilleurs résultats, cultiver la monarde en plein soleil, même si elle supporte la mi-ombre. L'espèce tolère un sol plus sec que les hybrides, mais toutes les monardes demandent beaucoup d'humidité en été. Divisez les plants tous les trois ans pour stimuler la floraison.	Semer au printemps. Diviser les plants au printemps.

Nepeta (nepeta ou chataire) Plante quelque peu rampante à petites feuilles vert-gris ; épis de 13 cm groupant de petites fleurs lavande qui s'épanouissent à partir du début de l'été et souvent jusqu'à l'automne. H 23-90 cm ; E 45 cm.	*N. cataria* (herbe-aux-chats ou chataire commune) est une espèce peu ornementale dont les chats cependant raffolent. Il vaut mieux la cultiver à l'écart. *N. faassenii*, hybride, fleurs lavande pâle, 45 cm. *N. f.* 'Dropmore', grosses fleurs, 45-60 cm. *N.* 'Six Hills Giant', fleurs bleu lavande, 90 cm.	Se cultive en plein soleil dans un sol sablonneux et bien drainé. Excellente plante pour le voisinage de la mer. La tailler après la première floraison pour en favoriser une seconde. N'a pas besoin de tuteurs lorsqu'elle pousse en plein soleil dans une terre peu riche.	Diviser les plants au printemps. Prélever des boutures de tiges en été. Semer des graines *de N. cataria* ; *N. faassenii* ne produit pas de semences.

Papaver orientale

Paeonia lactiflora 'White Wings'

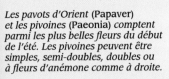

Paeonia officinalis 'Rosea Plena'

Les pavots d'Orient (Papaver) et les pivoines (Paeonia) comptent parmi les plus belles fleurs du début de l'été. Les pivoines peuvent être simples, semi-doubles, doubles ou à fleurs d'anémone comme à droite.

Oenothera fruticosa 'Youngii' (onagre pérennante)	Paeonia lactiflora, hybride (pivoine de Chine)	Papaver orientale, hybride (pavot d'Orient)	Penstemon barbatus (penstémon)	Perovskia atriplicifolia (perovskia à feuilles d'arroche)

Nom botanique et nom vulgaire, description générale	Espèces et variétés	Soins particuliers, remarques	Multiplication (Voir p. 191)
Oenothera (onagre ou œnothère) Grandes fleurs de 4 cm de diamètre ou davantage apparaissant du début à la mi-été et persistant durant de nombreuses semaines. Feuillage de peu d'intérêt. H 20-60 cm ; E 30-45 cm.	*O. fruticosa* 'Fireworks', fleurs jaunes et boutons rouges, 45 cm. *O. f.* 'Highlight', fleurs jaune d'or, 45 cm. *O. f.* 'Yellow River', fleurs jaune serin, 30-45 cm. *O. f.* 'Youngii' (onagre pérennante), fleurs jaunes, 60 cm. *O. missourensis* (onagre du Missouri ou œnothère à gros fruits), fleurs jaunes, 20-30 cm. *O. speciosa* 'Rosea', fleurs rose pâle, 30 cm.	Installer les plants dans un endroit ensoleillé et une terre légère, bien drainée. *O. missourensis* met du temps à sortir de terre au printemps ; repérer son emplacement pour ne pas déranger la plante. Toutes les onagres s'étalent généreusement. Arroser abondamment en période de sécheresse.	Diviser les plants tôt au printemps.
Paeonia (pivoine) Plante durable à grosses fleurs simples, semi-doubles ou doubles, souvent parfumées, s'épanouissant à la fin du printemps. Beau feuillage en toutes saisons. Les fleurs se conservent bien en bouquets. H 60 cm-1,20 m ; E 60 cm-1,20 m.	Hybrides de *P. lactiflora* (pivoine commune ou de Chine). Ce sont les pivoines les plus répandues, à fleurs simples, semi-doubles ou doubles, blanches, crème presque jaune, roses, rose saumoné et rouges. *P. suffruticosa* (pivoine en arbre), plante arbustive comportant plusieurs formes et les mêmes coloris que ci-dessus augmentés du jaune. La plante ne meurt pas en hiver ; seules ses feuilles tombent. Placer dans un endroit abrité. Les variétés n'ont pas toutes la même rusticité ; vérifier sur place.	Les pivoines se cultivent en plein soleil, dans une terre bien drainée, un peu alcaline pour les pivoines ligneuses, légèrement acide pour les autres. Enfouir les yeux des plantes herbacées à 4 cm dans le sol, ceux des plantes arbustives à 15 cm. Pailler le premier hiver. Couper les fleurs dès qu'elles sont fanées. Rabattre les tiges des formes herbacées au ras du sol en automne. Au printemps, vaporiser contre le botrytis.	À la fin de l'été, diviser en segments comportant de 3 à 5 yeux. Les espèces en arbre sont souvent greffées ; on ne les divise pas.
Papaver (pavot) Belles fleurs, simples pour la plupart, présentant souvent un cœur noir. Courte floraison au début de l'été. Feuillage basal, racines charnues. H 75-90 cm ; E 45 cm.	Hybrides de *P. orientale* (pavot d'Orient). Il en existe des douzaines ; en voici quelques-uns : *P. o.* 'Allegro', fleurs orange écarlate, maculées de noir, 90 cm. *P. o.* 'Beauty of Livermore', fleurs cramoisies, 90 cm-1,20 m. *P. o.* 'Helen Elizabeth', fleurs rose saumon, 90 cm-1,20 m. *P. o.* 'Maiden's Blush', fleurs roses bordées de blanc, 60-75 cm. *P. o.* 'Pinnacle', fleurs blanches et rouges, 75 cm.	Demande un sol bien drainé au soleil. Besoin parfois de tuteurs (cannes ou fortes rames). Pour faire des bouquets, brûler le bout des tiges et mettre les fleurs aussitôt dans l'eau. Le feuillage meurt après la floraison pour repousser. De nouvelles plantes germent fin été sous forme de racines sans feuilles.	Diviser au début du printemps. Semer au printemps. Prélever des boutures de racines en été.
Penstemon (penstémon) Plante à feuillage semi-persistant. Épis de fleurs bilabiées, semblables à celles de la digitale, du milieu à la fin de l'été. Fait de magnifiques bouquets. H 30-60 cm ; E 30-60 cm.	*P. barbatus*, fleurs roses ou rouges, 45 cm. *P. b.* 'Elfin Pink', fleurs rose soutenu, 30 cm. *P. digitalis* 'Husker Red', feuillage rougeâtre, fleurs blanches, 75 cm. *P.* 'Garnet', fleurs rouge vin, prolifiques, 75 cm. *P. pinifolius*, fleurs écarlates, feuilles étroites, 45 cm. *P.* 'Prairie Fire', fleurs rouge orangé, 45 cm. *P. strictus*, fleurs bleu foncé ou violettes, 75 cm.	Tous les penstémons ont besoin de plein soleil et d'un sol bien drainé. Certaines variétés ne sont pas rustiques ; vérifiez. Couper les fleurs fanées pour encourager une deuxième floraison. Plante intéressante avec de nombreux hybrides.	Par semis ou par division des touffes au printemps. Prélever des boutures tendres l'été.
Perovskia (perovskia) Du milieu à la fin de l'été, de longs panicules de fleurs bleu-violet s'élancent au-dessus du feuillage gris argenté, qui sent la sauge. H 75-90 cm ; E 30-60 cm.	*P. atriplicifolia* (perovskia à feuilles d'arroche), fleurs bleu lavande, 75-90 cm. *P. a.* 'Filagran', feuillage plus fin, 75 cm. *P. a.* 'Longin', port plus érigé, 90 cm.	Installer la plante en plein soleil dans un sol de préférence alcalin. Les tiges arbustives peuvent mourir mais repartent généralement des racines. Supporte la sécheresse.	Prélever des boutures herbacées.

L'alkékenge ou lanterne japonaise (Physalis) est prisé pour ses calices rouges qui renferment de jolies baies. Le platycodon (Platycodon) aussi fait penser à une lanterne, mais quand il est en bourgeons.

Physalis alkekengi var. franchetii

Platycodon grandiflorus

| *Phlox paniculata*, hybride (phlox) | *Phygelius capensis* (fuchsia du Cap) | *Physalis alkekengi* (lanterne japonaise) | *Physostegia virginiana* (physostégie de Virginie) | *Platycodon grandiflorus* (platycodon) | *Podophyllum* (podophylle) |

Nom botanique et nom vulgaire, description générale	Espèces et variétés	Soins particuliers, remarques	Multiplication *(Voir p. 191)*
Phlox (phlox) Groupe intéressant de plantes à floraison printanière ou estivale. *P. paniculata* est l'espèce la plus frappante avec ses grandes inflorescences qui fleurissent une première fois à la mi-été, puis de façon intermittente jusqu'aux gels. H 13 cm-1 m ; E 30-60 cm.	*P. carolina* 'Miss Lingard', fleurs blanches, début de l'été, 75 cm. *P. divaricata*, fleurs bleues, du milieu à la fin de l'été, 40 cm. Hybrides de *P. maculata*, fleurs blanches ou roses au début de l'été, 90 cm. Hybrides de *P. paniculata* ; tous les coloris sauf le jaune et l'orange, de la mi-été au début de l'automne, 60 cm-1 m. *P. stolonifera* 'Blue Ridge', bleu clair, fin du printemps, 15 cm.	Emplacement ensoleillé sauf pour *P. divaricata* et *P. stolonifera* qui préfèrent l'ombre. *P. paniculata* demande un sol riche, beaucoup d'eau en été, des divisions fréquentes, des arrosages contre le tétranyque à deux points et le mildiou. Enlever les fleurs fanées pour empêcher la multiplication spontanée.	Diviser les plants au printemps. Prélever des boutures terminales en été, et, pour *P. paniculata*, des boutures de racines.
Phygelius (phygelius) Plante arbustive pour climats doux. Ses fleurs tubulaires pendantes éclosent en grappes lâches du milieu de l'été au début de l'automne. H 1-1,50 m ; E 1,50-2 m.	*P. capensis* (fuchsia du Cap ou scrofulaire du Cap), fleurs rouges à gorge jaune, 90 cm-1,20 m.	Emplacement ensoleillé dans un sol riche et bien drainé contenant beaucoup d'humus. Rabattre les tiges presque au sol au printemps, tailler en été pour la beauté. Plante rarement rustique ici.	Par semis ou par division des plants au printemps. Prélever des boutures basales au printemps.
Physalis (coqueret) Cultivé pour ses calices parcheminés très colorés en forme de lampion, qui entrent, séchés, dans la composition des bouquets d'hiver. Fleurs sans intérêt. H 20-75 cm ; E 30-90 cm.	*P. alkekengi* (alkékenge, amour-en-cage ou lanterne japonaise), petites fleurs blanches insignifiantes, fruits entourés d'un calice rouge orange renflé, 60-75 cm. *P. a.* 'Pygmy', mêmes fleurs et mêmes fruits que ci-dessus, 20 cm. (Souvent cultivé en pot.)	Planter dans un endroit ensoleillé ou à peine ombragé, dans un sol moyen. Les plantes se multiplient par leurs rhizomes traçants. Pour sécher les fruits, cueillez-les quand ils sont bien colorés, enlevez les feuilles et suspendez à l'obscurité.	Au printemps, par semis, par division des plants ou par boutures de rhizomes.
Physostegia (physostégie) De la mi-été au début de l'automne apparaissent des épis nombreux de petites fleurs tubuleuses. Feuilles petites, bien découpées. Donne de belles fleurs coupées. H 60-90 cm ; E 45-60 cm.	*P. virginiana* (physostégie de Virginie), pourpre, 90 cm. *P. v.* 'Bouquet Rose', fleurs rose-lilas, 75-90 cm. *P. v.* 'Summer Snow', fleurs blanches, 45-60 cm. *P. v.* 'Variegata', fleurs roses, feuilles vert et blanc, 75 cm. *P. v.* 'Vivid', fleurs rose franc, 60 cm.	Se cultive au soleil ou à la mi-ombre dans une terre bien drainée mais gardant l'humidité. Diviser tous les deux ou trois ans en éliminant le centre de la souche. Plante dite «obéissante» : si l'on pousse une fleur à gauche ou à droite, elle s'y maintient.	Semer au printemps. Diviser les plants au printemps, en éliminant le centre de la souche.
Platycodon (platycodon) Épis de grosses fleurs campanulées qui suivent des boutons ronds très gonflés. La floraison, au milieu de l'été, dure plusieurs semaines. Beau feuillage. Donne de beaux bouquets. H 45-90 cm ; E 30 cm.	*P. grandiflorus*, fleurs bleues, 60-90 cm. *P. g. albus*, fleurs blanches, 60-90 cm. *P. g. apoyama*, fleurs bleu-violet, variété naine, 20 cm. *P. g.* 'Double Blue', fleurs bleu profond, 60 cm. *P. g. mariesii*, fleurs bleu vif, 45 cm. *P. g.* 'Shell Pink', fleurs rose pâle, 45-60 cm.	Plante qui vit longtemps dans un sol bien drainé, au plein soleil ou dans un endroit partiellement ombragé. Pour faire un bouquet, couper les fleurs le soir et les mettre dans l'eau ; le lendemain, couper 1 cm de tige.	Au printemps, par semis ou par division ; la division est difficile à cause des racines pivotantes.
Podophyllum (podophylle) Larges feuilles dentées. Grandes fleurs en coupelle, inclinées, s'ouvrant à la fin du printemps et suivies de fruits en forme de citron, comestibles. Feuilles et racines vénéneuses. H 45 cm ; E 30 cm.	*P. peltatum* (pomme de mai), fleurs blanches, 45 cm. *P. hexandrum*, feuillage tacheté, fleurs blanches, 45 cm.	Se cultive dans un sol de préférence humide. Prospère à l'ombre. Convient à un jardin de fleurs sauvages ou lorsqu'on recherche une plante tapissante à feuillage caduc. Les sujets s'étalent rapidement et ont un système radiculaire épais et fibreux.	Diviser les plants au début de l'automne. Semer en automne.

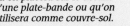

La potentille (Potentilla) et la prunelle (Prunella) sont des vivaces arbustives prostrées qu'on placera sur le devant d'une plate-bande ou qu'on utilisera comme couvre-sol.

Potentilla atrosanguinea

Prunella grandiflora

Polemonium caeruleum (échelle de Jacob)

Polygonatum odoratum (sceau-de-Salomon)

Potentilla nepalensis, hybride (potentille du Népal)

Primula polyanthus, hybride (primevère)

Pulmonaria saccharata (pulmonaire tachetée)

Ranunculus acris 'Flore Pleno' (bouton-d'or)

Nom botanique et nom vulgaire, description générale	Espèces et variétés	Soins particuliers, remarques	Multiplication *(Voir p. 191)*
Polemonium (échelle de Jacob) Cette plante se caractérise surtout par un feuillage finement découpé et par de petites fleurs bleu clair, en entonnoir, groupées en grappes lâches au printemps ou au début de l'été. H 20-90 cm ; E 30-60 cm.	*P. caeruleum*, fleurs bleues, 30-90 cm. *P. c. album*, fleurs blanches, 35 cm. *P. c.* 'Brise d'Anjou', feuilles bordées de crème. *P. reptans* (valériane grecque), fleurs bleues, plante tapissante, 20 cm. *P. r.* 'Blue Pearl', fleurs bleu clair à cœur jaune, 20-25 cm.	Les polémoines préfèrent la mi-ombre et un sol de fertilité moyenne. En plein soleil, leurs feuilles risquent de jaunir à la mi-été, surtout en période de sécheresse. Les formes prostrées sont ravissantes dans les rocailles.	Par semis ou division des plants au printemps, sauf *P. caeruleum* et ses hybrides qui seront divisés à l'automne.
Polygonatum (sceau-de-Salomon) Beau feuillage vert bleuté sur des tiges retombantes ; petites fleurs naissant à la fin du printemps. Cette plante est renommée pour ses feuilles. H 45 cm-1,20 m ; E 60-90 cm.	*P. biflorum* (petit sceau-de-Salomon), fleurs blanches, 45-90 cm. *P. odoratum*, fleurs blanches, 1 m. *P. o.* 'Variegatum', feuilles bordées de blanc, 90 cm.	Préfère un endroit à demi ombragé, un sol fertile, gardant bien l'humidité. Les plants se multiplient par rhizomes traçants. Très beau sujet pour jardin de sous-bois.	Diviser les plants très tôt au printemps ou à la fin de l'été.
Potentilla (potentille) Plante renommée pour ses fleurs simples qui se succèdent en été. Feuilles ayant 3 à 5 folioles. Voir p. 319 les formes à port prostré. On connaît bien la potentille arbustive (p. 118). H 15-30 cm ; E 30-60 cm.	*P.* 'Gibson's Scarlet', fleurs écarlate vif, 45 cm. Hybrides de *P. nepalensis* (potentille du Népal). *P. n.* 'Miss Willmott', fleurs cramoisi rosé vif, 30 cm. *P. recta* 'Warrenii' (potentille droite), fleurs jaunes, 30 cm. *P. tonguei*, fleurs jaunes, 30 cm.	Se cultive au soleil ou à l'ombre dans une terre normalement fertile. Arroser durant les sécheresses. Les plants ont tendance à ramper et doivent être tuteurés. Les diviser tous les trois ou quatre ans. Peu rustique dans les Prairies.	Semer au printemps. Diviser les plants au printemps. Prélever des boutures en été.
Primula (primevère) Plantes ravissantes, renommées pour leur floraison printanière et offrant un vaste assortiment de coloris, de formes et de variétés. Les fleurs coupées se conservent longtemps. H 20-30 cm ; E 30 cm.	Plantes présentant des caractéristiques très variées. On connaît surtout l'hybride *P. polyanthus* et des hybrides de *P. vulgaris, P. auricula, P. beesiana, P. bulleyana, P. cortusoides, P. denticulata, P. japonica, P. sieboldii* et *P. veris*.	Cultiver les primevères à la mi-ombre, en sol acide amendé de compost ou de tourbe pour l'humidité. Diviser les plants trop volumineux, tous les deux ou trois ans. Les primevères prospèrent là où les températures printanières sont fraîches.	Diviser les plants après la floraison à la fin du printemps ou en été. Semer au printemps ou en automne.
Pulmonaria (pulmonaire) Délicats bouquets de fleurs retombantes et minuscules s'épanouissant du milieu à la fin du printemps. Cette plante est très prisée pour son feuillage large qui reste ravissant tout l'été. H 20-25 cm ; E 30-60 cm.	*P. angustifolia* (coucou bleu, petite pulmonaire), bleu vif, 20-25 cm. *P. longifolia*, feuilles lancéolées, feuilles tachetées de blanc, 30 cm. *P. officinalis*, fleurs roses virant au violet, feuilles unies, 25 cm. *P. rubra*, fleurs rouges ou rose saumon, feuilles unies, 45 cm. *P. saccharata* (pulmonaire tachetée), fleurs roses virant au bleu, feuilles tachetées de blanc, 30 cm.	Pousse à l'ombre, là où le sol demeure humide et frais. Les plants s'étalent assez rapidement, aussi quand ils perdent de leur vigueur. Bien arroser après la division. Excellente plante tapissante ou de bordure.	Par division des plants à la fin de l'été.
Pulsatilla (pulsatille) Fleurs printanières, feuilles finement divisées, belles têtes de graines. H 10-20 cm ; E 20 cm.	*P. vulgaris* (anémone pulsatille), fleurs dans les tons de rose, de pourpre et de blanc, 10-20 cm.	Pousse au soleil en sol fertile bien drainé. Difficile à transplanter.	Par semis de graines mûres.
Ranunculus (renoncule ou bouton-d'or) Fleurs doubles, satinées et cireuses, remarquables, apparaissant sur des tiges élancées, à la fin du printemps ou au début de l'été. H 15-60 cm ; E 45 cm.	*R. aconitifolius* 'Flore Pleno' (bouton-d'argent), fleurs doubles, blanches, 45 cm. *R. acris* 'Flore Pleno', fleurs doubles, jaunes, 45-60 cm. *R. repens* 'Pleniflorus' (renoncule rampante), fleurs doubles, jaunes, 30-45 cm.	La renoncule se cultive au soleil ou à la mi-ombre, dans un sol très humide, amendé de compost ou de tourbe. Pailler au printemps. Tuteurer dans les endroits mal protégés. Supprimer les fleurs fanées pour prolonger la floraison.	Diviser les plants au printemps.

La floraison des rudbeckies (Rudbeckia) et de la sauge (Salvia) dure longtemps. Ces vivaces donnent de belles fleurs coupées et de belles fleurs séchées.

Rudbeckia 'Herbstsonne'

Salvia nemorosa 'Ostfriesland'

Romneya coulteri
(romneya)

Rudbeckia fulgida sullivantii
'Goldsturm' (rudbeckie)

Ruta graveolens
(rue des jardins)

Salvia
(sauge)

Santolina rosmarinifolia
(santoline)

Scabiosa caucasica
(scabieuse du Caucase)

Nom botanique et nom vulgaire, description générale	Espèces et variétés	Soins particuliers, remarques	Multiplication *(Voir p. 191)*
Romneya (romneya) Plantes spectaculaires à feuilles très divisées gris-vert. Les longues tiges portent des fleurs odorantes à 6 pétales, de 23 cm de diamètre. Floraison du début à la mi-été. H 90 cm-2,40 m ; E 1,20 m.	*R. coulteri*, fleurs blanc brillant, à pétales gaufrés et à cœur d'étamines jaunes, 2,40 m. *R. c. tricocalyx*, fleurs blanches, 90 cm-1,80 m.	Planter au soleil dans un sol amendé de mousse de tourbe ou de compost. Arroser peu en été pour empêcher une croissance excessive. Plante envahissante, à installer à l'écart. Rustique en zone 8.	Prélever des boutures de racines, ou encore ôter les gourmands et les replanter, au printemps ou à l'été.
Rudbeckia (rudbeckie) Fleurs simples ou doubles, très gracieuses, ressemblant aux marguerites. La floraison, qui se produit vers le milieu ou la fin de l'été, dure longtemps. Les fleurs de 'Goldsturm' sont remarquablement peu sensibles aux intempéries. Belles fleurs coupées. Voir p. 240 la rudbeckie annuelle. H 75 cm-2,10 m ; E 60 cm-1,20 m.	*R. fulgida sullivantii* 'Goldsturm', fleurs d'un jaune intense, cœur noir en forme de cône, 75 cm. *R.* 'Herbstsonne', fleurs jaune vif, à cône vert, 1,80 m. *R. laciniata* 'Golden Glow' (rudbeckie laciniée), fleurs doubles, jaunes, 2,10 m. *R. l.* 'Goldquelle', fleurs doubles, jaunes, 75 cm. *R. maxima*, grand cône brun, pétales retombant, 1,80 m.	La rudbeckie se cultive au soleil ou à la mi-ombre en sol bien drainé, amendé de compost ou de tourbe pour augmenter sa capacité de conserver l'humidité. La division des plants s'impose tous les quatre ou cinq ans environ. Supprimer les fleurs mortes de la variété 'Goldsturm' si l'on veut éviter l'ensemencement spontané.	Semer au printemps. Diviser au printemps.
Ruta (rue) Sous-arbrisseau aux feuilles aromatiques bleu-vert, résistantes en zone 8. Petites fleurs et capsules de graines brunes décoratives. H 60-90 cm ; E 30 cm.	*R. graveolens* (rue des jardins ou rue fétide), fleurs jaune moutarde, 60-90 cm. *R. g.* 'Blue Mound', fleurs jaune moutarde, 45-60 cm.	Se cultive au plein soleil dans un sol bien drainé. Rabattre les plants au printemps. On peut enlever les fleurs pour faire ressortir le bleu des feuilles. On la trouve dans les jardins de fines herbes.	Par semis au printemps et par bouturage en été.
Salvia (sauge) Gracieux épis de petites fleurs très persistantes. L'époque de la floraison varie selon les variétés. Très bonnes fleurs coupées, fraîches ou séchées. H 45 cm-1,20 m ; E 45-60 cm.	*S. argentea* (sauge argentée), feuilles laineuses, fleurs roses, 90 cm. *S. azurea pitcheri* (sauge bleue), fleurs bleu azur, 90 cm-1,20 m. *S. nemorosa* 'Ostfriesland', fleurs d'un bleu soutenu, 45 cm. *S. sclarea* (sauge sclarée), fleurs roses à lilas, 90 cm. *S. sylvestris* 'Mainacht' (ou 'May Night'), fleurs indigo, 45 cm. *S. s.* 'Rose Queen', fleurs roses, feuilles grises, 75 cm.	Se cultive en plein soleil, dans un sol normal ou riche en humus. Peut avoir besoin de tuteurs dans les endroits exposés. Couper les épis fanés pour prolonger la floraison. Rabattre au sol à l'automne. Non rustique en zone 4.	Semer au printemps. Diviser au printemps.
Santolina (santoline) Bien qu'étant en réalité un arbrisseau, la santoline est souvent cultivée en bordure. Petites fleurs et feuillage aromatique, gris ou vert. H 15-60 cm ; E 45-90 cm.	*S. chamaecyparissus* (petit cyprès, santoline blanche), feuillage gris argenté. On peut rabattre les plants à 15 cm. Atteint 75 cm. *S. c.* 'Nana', feuillage gris argent, 20-25 cm. *S. rosmarinifolia*, feuillage vert émeraude, 45 cm.	Se cultive au soleil et dans un sol qui s'assèche facilement. Supporte la taille. Garder les santolines en serre en hiver dans la zone 7 et les zones inférieures.	Prélever des boutures en été.

Scabiosa (scabieuse)
Plante caractérisée par des inflorescences globuleuses à étamines saillantes. La floraison s'étale du début de l'été à l'automne.
H 75 cm ; E 30 cm.
	S. caucasica (scabieuse du Caucase), fleurs bleues, 75 cm.
	    S. c. 'Alba', fleurs blanches, 75 cm.
	    S. c. 'Isaac House Hybrids', tons de bleu lavande, 75 cm.
	S. columbaria (scabieuse colombaire), variétés à fleurs bleues, roses ou blanches, 75 cm.
	    S. c. 'Butterfly Blue', fleurs bleu lavande, feuilles gris-vert, 45 cm.
	    S. c. 'Pink Mist', fleurs roses ou lavande, 45 cm.
		Installer les plants au soleil, dans une terre plutôt alcaline, humide l'été mais bien drainée l'hiver. Couper régulièrement les fleurs fanées pour assurer une floraison durable. Couper les tiges à l'automne. Diviser les plants aussi souvent qu'il le faut pour leur garder leur vigueur. A parfois besoin de tuteurs.	Diviser les plants au printemps. Semer en été.

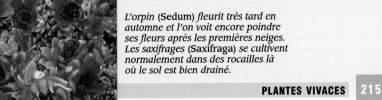

L'orpin (Sedum) fleurit très tard en automne et l'on voit encore poindre ses fleurs après les premières neiges. Les saxifrages (Saxifraga) se cultivent normalement dans des rocailles là où le sol est bien drainé.

Sedum 'Herbstfreude'   *Saxifraga ferdinandi-coburgi*   *Saxifraga* 'Grace Farwell'

Sedum spectabile (orpin des jardins) | *Sidalcea malviflora* (sida à fleurs de mauve) | *Solidago*, hybride (verge d'or) | *Stachys officinalis* (bétoine) | *Stokesia laevis* (stokésie) | *Tanacetum coccineum* (pyrèthre)

Nom botanique et nom vulgaire, description générale	Espèces et variétés	Soins particuliers, remarques	Multiplication *(Voir p. 191)*
Sedum (orpin) Plantes à feuilles succulentes, garnies de grandes panicules composées d'une multitude de petites fleurs naissant à la fin de l'été ou au début de l'automne. L'orpin est ornemental même lorsqu'il n'est pas en fleur. H 38 cm ; E 30-38 cm.	*S. spectabile* (orpin des jardins), fleurs roses, 38 cm. *S. s.* 'Brilliant', fleurs rouge carmin, 38 cm. *S. s.* 'Meteor', fleurs rouge vin, 38 cm. *S. s.* 'Star Dust', fleurs blanc ivoire, feuilles vert-bleu, 38 cm. *S. telephium* 'Herbstfreude' ('Autumn Joy') (grassette), fleurs brun-roux, 38 cm. *S.* 'Vera Jameson', fleurs roses fin de l'été, s'étalant, 30 cm.	Plante de culture facile. Placer en plein soleil et dans une bonne terre bien drainée. Les sols humides, surtout en hiver, entraînent la pourriture du collet. L'orpin supporte la sécheresse et est généralement exempt de ravageurs. Diviser pour maintenir une bonne floraison.	Diviser au printemps. Même les petits fragments sans racines s'établissent facilement.
Sidalcea (sidalcéa) Gracieux épis de fleurs à 5 pétales, semblables aux roses trémières, apparaissant du milieu à la fin de l'été. Les feuilles inférieures n'ont pas la même apparence que les feuilles supérieures. H 45-90 cm ; E 45 cm.	*S. malviflora* (sida à fleurs de mauve) a été croisée avec d'autres espèces pour former des hybrides communément appelés roses trémières miniatures. *S.* 'Brilliant', fleurs rouge carmin, 75 cm. *S.* 'Elsie Heugh', fleurs rose magenta, 90 cm. *S.* 'Party Girl', fleurs rose vif, 60-90 cm. *S.* Stark's, hybrides, fleurs roses ou rouges, 1,50 m.	Se cultive au soleil, en sol bien drainé quoique humifère. Après la première floraison, couper les hampes à 30 cm du sol pour obtenir une deuxième floraison. Plante moins frappante que la rose trémière, mais rarement sujette à la rouille. Rustique dans le sud de la zone 4.	Diviser au printemps. On trouve parfois des graines dans le commerce ; les semer au printemps.
Solidago (verge d'or) Donne de la couleur au jardin à l'automne. Les hybrides de la verge d'or commune sont moins étalés. Le pollen de cette plante ne donne pas le rhume des foins. H 75-90 cm ; E 30-60 cm.	Les variétés cultivées en jardin sont en règle générale des hybrides issus de *S. canadensis* et de *S. virgaurea*. *S.* 'Crown of Rays', port érigé, épis floraux horizontaux, 60 cm. *S.* 'Golden Baby', fleurs plumeuses jaunes, 30-45 cm. *S.* 'Golden Fleece', nombreuses ramifications, 60 cm.	Comme les espèces sauvages, les hybrides exigent un emplacement ensoleillé et une bonne terre assez bien drainée. Diviser tous les trois ou quatre ans. Enlever les fleurs fanées pour éviter la multiplication spontanée.	Diviser les plants au printemps.
Stachys (épiaire) Les espèces mentionnées ici diffèrent en apparence et en utilisation. La première se cultive pour son feuillage gris, les autres pour leurs fleurs à casque qui éclosent l'été. H 30-60 cm ; E 45-60 cm.	*S. byzantina* (oreille de chat), feuilles pubescentes grises, petites fleurs roses insignifiantes, 30 cm. *S. b.* 'Primrose Heron', feuilles jaunâtres, 30 cm. *S. b.* 'Silver Carpet', feuillage gris argenté, pas de fleurs, 30 cm. *S. macrantha* 'Superba', fleurs pourpre-rose, 60 cm. *S. officinalis* (bétoine), fleurs roses, pourpres ou blanches, 60 cm.	Se cultive au soleil dans un sol bien drainé. *S. macrantha* supporte un peu d'ombre et donne une belle fleur coupée. *S. lanata* peut être envahissante mais a un superbe feuillage gris.	Par division des plants au printemps.
Stokesia (stokésie) Fleurs qui évoquent le bleuet et s'épanouissent du milieu à la fin de l'été sur des tiges graciles. Dans les régions à climat doux, le feuillage est persistant. Les fleurs se conservent bien en bouquet. Le genre ne comprend qu'une espèce. H 30-45 cm ; E 30 cm.	*S. laevis* ou *S. cyanea* : hybrides très répandus. *S. l.* 'Blue Danube', fleurs bleu intense, 30-45 cm. *S. l.* 'Blue Moon', fleurs bleu argent à lilas, 30-45 cm. *S. l.* 'Blue Star', fleurs bleu clair, 30-45 cm. *S. l.* 'Silver Moon', fleurs blanches, 30-45 cm.	Cette plante exige pour survivre un sol bien drainé en hiver. La cultiver en plein soleil et diviser les plants dès qu'ils paraissent touffus ; rarement avant trois ou quatre ans.	Semer au printemps. Diviser au printemps. Prélever des boutures de racines en été.
Tanacetum (tanaisie ou pyrèthre) Plante formant d'amples touffes. Grandes fleurs simples ou doubles, sur de longues tiges, dominant des feuilles finement divisées. H 60 cm-1 m ; E 45 cm.	Hybrides de *T. coccineum*. *T. c.* 'Eileen May Robinson', fleurs rose pâle, 75 cm. *T. c.* 'James Kelway', fleurs rose cramoisi, 60 cm. *T. c.* 'Robinson's Hybrids', couleurs variées, très rustique, 45 cm. *T. c.* 'Snow Cloud', fleurs blanches, 60 cm.	Cette plante prospère en plein soleil, dans un sol humide. Rusticité non assurée là où le sol s'égoutte mal. Ne s'épanouit pleinement que par temps chaud. Rabattre après la floraison. Non rustique dans les Prairies.	Diviser les plants au printemps.

Les trilles (Trillium) sont des fleurs des bois qui fleurissent à l'ombre dans un sol humide. Les trolles (Trollius) se plaisent dans les prairies humides au plein soleil; leurs fleurs d'un jaune éclatant leur ont valu le nom de boules d'or.

Trillium grandiflorum

Trollius chinensis 'Golden Queen'

Thalictrum aquilegifolium
(colombine plumacée)

Thermopsis
(faux lupin)

Tiarella cordifolia
(tiarelle cordifoliée)

Tradescantia virginiana 'Snowcap'
(éphémérine)

Trillium grandiflorum
(trille à grandes fleurs)

Trollius
(trolle)

Nom botanique et nom vulgaire, description générale	Espèces et variétés	Soins particuliers, remarques	Multiplication *(Voir p. 191)*
Thalictrum (pigamon) Feuillage vert-gris ou vert-bleu de belle qualité, semblable à celui de la capillaire. Panicules lâches de fleurs minuscules à la fin du printemps ou en été. H 60 cm-1,20 m ; E 45-60 cm.	*T. aquilegifolium* (colombine plumacée), fleurs crème, 60-90 cm. *T. a.* 'Thundercloud', étamines pourpres, 60-90 cm. *T. delavayi* 'Hewitt's Double', touffes plumeuses mauves, 1,50 m. *T. flavum glaucum*, fleurs jaunes, 90 cm-1,20 m. *T. rochebrunianum*, fleurs pourpre pâle, 90 cm-1,20 m. *T. r.* 'Lavender Mist', fleurs et tiges plus foncées, 1,50 m.	Se cultive au soleil ou à la mi-ombre dans un sol bien drainé quoique humifère. Difficile à transplanter. S'étale progressivement, mais ne devient jamais envahissant. Non brouté par les lapins. Facile à cultiver. Feuillage aérien.	Semer les graines dès qu'elles sont mûres au printemps. Diviser les plants au printemps.
Thermopsis (thermopsis ou faux lupin) Épis floraux souples rappelant ceux des lupins. Beau feuillage comme chez les pois de senteur qui reste beau après la floraison estivale. H 60 cm-1,50 m ; E 60-90 cm.	*T. rhombifolia*, fleurs jaune soufre au début de l'été, 90 cm. *T. villosa*, fleurs jaunes, à la fin du printemps, 90 cm-1,50 m.	Cultiver au soleil ou partiellement à l'ombre dans un sol moyennement pauvre. Difficile à transplanter à cause des racines profondes. Tuteurage souhaitable. Les gousses sèchent bien.	Par semis fin été en utilisant les graines dans leur gousse. Par division (difficile) au printemps.
Tiarella (tiarelle) Feuilles cordiformes au ras du sol, desquelles s'élancent de longs épis de petites fleurs blanches et légères s'épanouissant à la fin du printemps. H 20-30 cm ; E 30 cm.	*T. cordifolia* (tiarelle cordifoliée), fleurs blanches, 30 cm. *T. c.* 'Rosalie', fleurs marbrées de rose, 30 cm. *T. wherryi*, fleurs blanches ; plante plus dense que la précédente, 30 cm. *T. w.* 'Oakleaf', larges feuilles lobées, fleurs roses, 20 cm.	Se cultive dans un sol légèrement acide, humifère mais bien drainé. Plante tapissante particulièrement prisée dans un jardin de fleurs sauvages ou dans une rocaille.	Par division des plants au printemps ou au début de l'automne.
Tradescantia (tradescantia ou éphémérine) Groupes de fleurs à 3 pétales s'élevant au-dessus de feuilles longues et étroites, de la mi-été au début de l'automne. Les fleurs se ferment durant les après-midi ensoleillés. H 45-75 cm ; E 60-90 cm.	*T. virginiana* 'Iris Prichard', fleurs blanches lavées de violet, 60-75 cm. *T. v.* 'J. C. Weguelin', fleurs bleu porcelaine, 60-75 cm. *T. v.* 'Pauline', fleurs mauve rosé, 60-75 cm. *T. v.* 'Purple Dome', fleurs pourpre rosé, 60-75 cm. *T. v.* 'Red Cloud', fleurs rouge rosé, 45 cm. *T. v.* 'Snowcap', fleurs blanc pur, 60-75 cm.	Se cultive à la mi-ombre ou au soleil, dans un sol qui garde bien l'humidité. Plante envahissante, difficile à extirper ; la cultiver dans un endroit isolé. Ne présente aucun problème, mais sa rusticité n'est pas assurée dans les Prairies.	Diviser les plants au printemps. Se multiplie parfois par semis ou par boutures.
Trillium (trille) Ravissante fleur sauvage à floraison printanière. Pétales et sépales très voyants, généralement blancs ou dans des tons de rose ou de rouge, au-dessus d'une spirale de 3 feuilles. H 15-45 cm ; E 30 cm.	Espèces nombreuses, offertes par les horticulteurs spécialisés dans les plantes sauvages. *T. grandiflorum* (trille à grandes fleurs), fleurs blanches, l'une des espèces les plus remarquables, 30 cm. On trouve également *T. chloropetalum*, *T. erectum*, *T. nivale*, *T. ovatum*, *T. recurvatum*, *T. sessile* et *T. undulatum*.	Cultiver le trille à la mi-ombre dans un sol additionné de compost ou de tourbe pour lui permettre de mieux conserver son humidité. Le trille préfère une terre acide, mais le degré d'acidité varie selon les espèces. Les plants entrent en dormance durant l'été et les feuilles disparaissent.	Semer les graines quand elles sont mûres au printemps. Racines épaisses : diviser les plants au début de l'automne, pour augmenter leur nombre.
Trollius (trolle ou boule d'or) Feuilles très découpées, vert foncé luisant, d'où émergent de grandes fleurs simples ou doubles, en coupe, à la fin du printemps. Les fleurs coupées durent longtemps. H 60-90 cm ; E 30-45 cm.	*T. chinensis* 'Golden Queen', fleurs jaune vif, 1,20 m. *T. cultorum* 'Canary Bird', fleurs jaune pâle, 60 cm. *T. c.* 'Earliest of All', fleurs jaunes, plus tôt que les autres, 45 cm. *T. c.* 'Feuertroll' ('Fireglobe'), fleurs jaune orange, 60 cm. *T. c.* 'Lemon Queen', grosses fleurs jaune pâle, 60 cm. *T. c.* 'Orange Princess', fleurs orange chatoyant, 60 cm. *T. europaeus* (trolle d'Europe), fleurs jaunes, à la mi-été, 75 cm.	A absolument besoin d'un sol humide et même marécageux. Placer la plante partiellement à l'ombre et incorporer beaucoup de mousse de tourbe ou de compost dans le sol. La plante se multiplie sans aide mais on peut diviser tous les 5 ou 6 ans.	Par division des plants au printemps. Par semis au printemps ou à l'automne. La germination peut prendre plus d'un an.

Verbascum bombyciferum

Veronica austriaca 'Crater Lake Blue'

Viola cornuta

La molène (Verbascum), qui peut atteindre 2,40 m de haut, compte parmi les plus grandes vivaces; la violette (Viola), parmi les plus petites. La véronique (Veronica) occupe le milieu.

PLANTES VIVACES 217

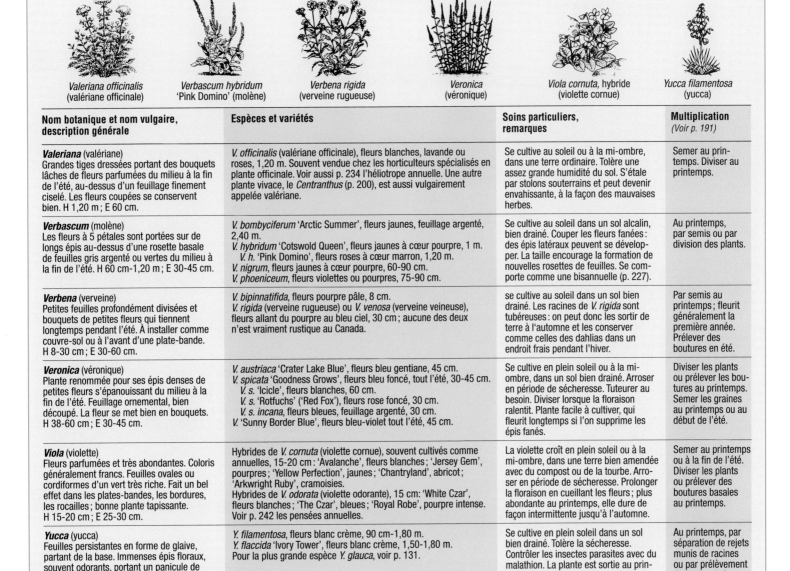

Valeriana officinalis (valériane officinale)   Verbascum hybridum 'Pink Domino' (molène)   Verbena rigida (verveine rugueuse)   Veronica (véronique)   Viola cornuta, hybride (violette cornue)   Yucca filamentosa (yucca)

Nom botanique et nom vulgaire, description générale	Espèces et variétés	Soins particuliers, remarques	Multiplication *(Voir p. 191)*
Valeriana (valériane) Grandes tiges dressées portant des bouquets lâches de fleurs parfumées du milieu à la fin de l'été, au-dessus d'un feuillage finement ciselé. Les fleurs coupées se conservent bien. H 1,20 m; E 60 cm.	*V. officinalis* (valériane officinale), fleurs blanches, lavande ou roses, 1,20 m. Souvent vendue chez les horticulteurs spécialisés en plante officinale. Voir aussi p. 234 l'héliotrope annuelle. Une autre plante vivace, le *Centranthus* (p. 200), est aussi vulgairement appelée valériane.	Se cultive au soleil ou à la mi-ombre, dans une terre ordinaire. Tolère une assez grande humidité du sol. S'étale par stolons souterrains et peut devenir envahissante, à la façon des mauvaises herbes.	Semer au printemps. Diviser au printemps.
Verbascum (molène) Les fleurs à 5 pétales sont portées sur de longs épis au-dessus d'une rosette basale de feuilles gris argenté ou vertes du milieu à la fin de l'été. H 60 cm-1,20 m; E 30-45 cm.	*V. bombyciferum* 'Arctic Summer', fleurs jaunes, feuillage argenté, 2,40 m. *V. hybridum* 'Cotswold Queen', fleurs jaunes à cœur pourpre, 1 m. *V. h.* 'Pink Domino', fleurs roses à cœur marron, 1,20 m. *V. nigrum*, fleurs jaunes à cœur pourpre, 60-90 cm. *V. phoeniceum*, fleurs violettes ou pourpres, 75-90 cm.	Se cultive au soleil dans un sol alcalin, bien drainé. Couper les fleurs fanées: des épis latéraux peuvent se développer. La taille encourage la formation de nouvelles rosettes de feuilles. Se comporte comme une bisannuelle (p. 227).	Au printemps, par semis ou par division des plants.
Verbena (verveine) Petites feuilles profondément divisées et bouquets de petites fleurs qui tiennent longtemps pendant l'été. À installer comme couvre-sol ou à l'avant d'une plate-bande. H 8-30 cm; E 30-60 cm.	*V. bipinnatifida*, fleurs pourpre pâle, 8 cm. *V. rigida* (verveine rugueuse) ou *V. venosa* (verveine veineuse), fleurs allant du pourpre au bleu ciel, 30 cm; aucune des deux n'est vraiment rustique au Canada.	se cultive au soleil dans un sol bien drainé. Les racines de *V. rigida* sont tubéreuses: on peut donc les sortir de terre à l'automne et les conserver comme celles des dahlias dans un endroit frais pendant l'hiver.	Par semis au printemps; fleurit généralement la première année. Prélever des boutures en été.
Veronica (véronique) Plante renommée pour ses épis denses de petites fleurs s'épanouissant du milieu à la fin de l'été. Feuillage ornemental, bien découpé. La fleur se met bien en bouquets. H 38-60 cm; E 30-45 cm.	*V. austriaca* 'Crater Lake Blue', fleurs bleu gentiane, 45 cm. *V. spicata* 'Goodness Grows', fleurs bleu foncé, tout l'été, 30-45 cm. *V. s.* 'Icicle', fleurs blanches, 60 cm. *V. s.* 'Rotfuchs' ('Red Fox'), fleurs rose foncé, 30 cm. *V. s. incana*, fleurs bleues, feuillage argenté, 30 cm. *V.* 'Sunny Border Blue', fleurs bleu-violet tout l'été, 45 cm.	Se cultive en plein soleil ou à la mi-ombre, dans un sol bien drainé. Arroser en période de sécheresse. Tuteurer au besoin. Diviser lorsque la floraison ralentit. Plante facile à cultiver, qui fleurit longtemps si l'on supprime les épis fanés.	Diviser les plants ou prélever des boutures au printemps. Semer les graines au printemps ou au début de l'été.
Viola (violette) Fleurs parfumées et très abondantes. Coloris généralement francs. Feuilles ovales ou cordiformes d'un vert très riche. Fait un bel effet dans les plates-bandes, les bordures, les rocailles; bonne plante tapissante. H 15-20 cm; E 25-30 cm.	Hybrides de *V. cornuta* (violette cornue), souvent cultivés comme annuelles, 15-20 cm: 'Avalanche', fleurs blanches; 'Jersey Gem', pourpres; 'Yellow Perfection', jaunes; 'Chantryland', abricot; 'Arkwright Ruby', cramoisies. Hybrides de *V. odorata* (violette odorante), 15 cm: 'White Czar', fleurs blanches; 'The Czar', bleues; 'Royal Robe', pourpre intense. Voir p. 242 les pensées annuelles.	La violette croît en plein soleil ou à la mi-ombre, dans une terre bien amendée avec du compost ou de la tourbe. Arroser en période de sécheresse. Prolonger la floraison en cueillant les fleurs; plus abondante au printemps, elle dure de façon intermittente jusqu'à l'automne.	Semer au printemps ou à la fin de l'été. Diviser les plants ou prélever des boutures basales au printemps.
Yucca (yucca) Feuilles persistantes en forme de glaive, partant de la base. Immenses épis floraux, souvent odorants, portant un panicule de fleurs, au milieu de l'été. H 90 cm-1,80 m; E 90 cm-1,20 m.	*Y. filamentosa*, fleurs blanc crème, 90 cm-1,80 m. *Y. flaccida* 'Ivory Tower', fleurs blanc crème, 1,50-1,80 m. Pour la plus grande espèce *Y. glauca*, voir p. 131.	Se cultive en plein soleil dans un sol bien drainé. Tolère la sécheresse. Contrôler les insectes parasites avec du malathion. La plante est sortie au printemps. 'Ivory Tower' est la moins rustique. Excellent élément de décoration.	Au printemps, par séparation de rejets munis de racines ou par prélèvement de boutures de racines.

La balsamine (Impatiens) est le meilleur choix pour une plate-bande à l'ombre. Cette plante offre une surprenante variété de coloris et fleurit constamment tout l'été.

Le globe-du-soleil (Eschscholzia) et la nigelle de Damas (Nigella) pousseront n'importe où pourvu qu'ils aient amplement de soleil et un sol bien drainé.

Eschscholzia californica

Nigella damascena

PLANTES ANNUELLES ET BISANNUELLES

On peut rapidement transformer un jardin en une féerie de couleurs grâce aux plantes annuelles et bisannuelles. Elles fleurissent longtemps et comblent bien les vides.

Les plantes annuelles sont des végétaux dont tout le cycle de croissance se déroule entre le début du printemps et la fin de l'automne. Les plus populaires sont évidemment celles dont la période de floraison est plus longue que celle des plantes vivaces ou bulbeuses.

Annuelles et bisannuelles sont faciles à cultiver, offrent un vaste éventail de coloris et de tailles, et leur prix est généralement raisonnable. Parmi leurs autres avantages, mentionnons qu'elles dépannent à merveille le jardinier amateur qui commence son jardin ; qu'elles fournissent presque toutes de belles fleurs à couper ; enfin qu'elles constituent d'intéressante taches de couleur quand on les plante ou qu'on les place en pots au pied d'un arbre ou parmi des arbustes, ou encore au milieu des vivaces à courte période de floraison.

Les bisannuelles sont assez voisines des annuelles : elles poussent une année, fleurissent l'année suivante et meurent. L'une des plus populaires est l'œillet de poète.

Dans les régions à climat doux, certaines annuelles peuvent survivre à l'hiver (ce sont en réalité des vivaces peu résistantes) tandis que quelques bisannuelles se transforment en annuelles.

Dans la plupart des livres, dans beaucoup de catalogues et sur certains sachets de graines, on divise les annuelles, selon la classification britannique, en plantes rustiques et semi-rustiques. Cette classification prête à beaucoup de confusion, cependant, car la rusticité d'une plante peut varier d'une région à l'autre en Amérique du Nord. Elle n'a donc pas été retenue dans ce guide.

Pour décorer rapidement et hâtivement son jardin, il suffit d'acheter de jeunes plants d'espèces annuelles ou bisannuelles au printemps (certaines bisannuelles s'achètent en automne) et de les planter immédiatement dans les plates-bandes.

On peut aussi démarrer ses plants très hâtivement en semant sous abri (surtout dans les régions à climat froid). C'est ce qu'il faut absolument faire pour les bégonias des plates-bandes, dont les graines sont d'une très grande finesse, pour les balsamines dont les graines ne germent qu'à haute température, et pour les pervenches de Madagascar, les pétunias et les agératums qui sont très lents à fleurir lorsqu'on les obtient par semis.

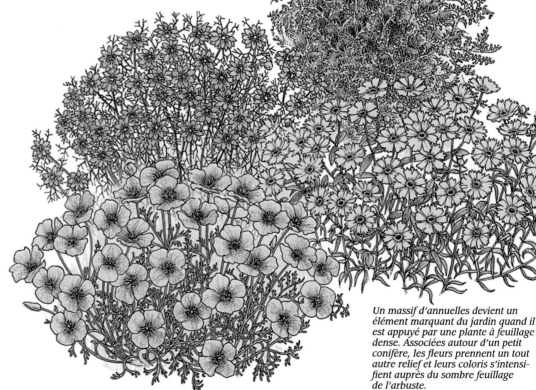

Un massif d'annuelles devient un élément marquant du jardin quand il est appuyé par une plante à feuillage dense. Associées autour d'un petit conifère, les fleurs prennent un tout autre relief et leurs coloris s'intensifient auprès du sombre feuillage de l'arbuste.

Calendula officinalis

Tagetes tenuifolia

Peu exigeant, le souci des jardins (Calendula) pourra être semé en place au jardin. Ce n'est pas le cas des œillets d'Inde (Tagetes tenuifolia) qui, eux, doivent absolument germer à l'intérieur.

On peut semer dans la maison si les conditions de chaleur et d'éclairement nécessaires à la germination sont réunies (voir p. 225) ou au jardin, sous châssis froid ou en couche chaude de façon que les plantules soient à l'abri des intempéries et convenablement orientées.

On peut également semer en place au jardin quand il s'agit d'espèces qui mettent peu de temps à fleurir ou dont les graines sont très grosses (voir p. 222).

Les espèces bisannuelles comptent parmi celles qui offrent les fleurs les plus spectaculaires. Citons la campanule à grandes fleurs, la digitale pourpre, l'œillet de poète, la pensée et la rose trémière. On les sème à la fin du printemps ou au début de l'été dans un coin protégé du jardin.

Lorsque les plantules sont assez développées, on peut les repiquer en rangs et les garder ainsi jusqu'à la fin de l'été. Elles seront alors assez robustes pour être transplantées à leur place définitive ou placées sous châssis froid pour l'hiver.

De nombreuses plantes annuelles et bisannuelles se cultivent au jardin depuis des siècles. D'autres ont fait leur apparition récemment. Ainsi, l'une des plus intéressantes réalisations des dernières années est l'obtention des hybrides F_1 et F_2. Les F_1 ont d'abord nécessité la sélection minutieuse de deux lignées de parents différents dont les caractères étaient très purs. Par pollinisation croisée contrôlée, on a ensuite obtenu des sujets d'une qualité exceptionnelle.

Ces croisements répétés sont forcément coûteux. De ce fait, le prix de ces graines est nettement plus élevé, ce qui décourage certains jardiniers, d'autant plus que les graines récoltées par la suite ne transmettent plus les mêmes caractéristiques. Mais la qualité des plantes issues la première année d'un semis d'hybrides F_1 est tellement supérieure à celle des sujets obtenus avec des graines ordinaires que l'essai en vaut le prix.

Les hybrides F_2 résultent des efforts déployés par les horticulteurs pour obtenir des sujets améliorés, mais à un coût moindre que celui des F_1, et cela grâce à l'autofécondation des F_1. Dans certains cas, pour les pensées notamment, cette méthode a donné de bons résultats. Bref, les hybrides F_2 sont d'une qualité supérieure aux espèces botaniques, mais les résultats obtenus sont certes moins spectaculaires que ceux auxquels on arrive avec les F_1. La plupart des catalogues de graines ne spécifient pas s'il s'agit d'un F_1 ou d'un F_2, mais à leur prix on a vite fait de reconnaître les hybrides F_1 ou les nouvelles variétés.

Il est souvent difficile de faire un choix de graines. L'amateur peut cependant se guider sur l'analyse faite par la société All-America Selections.

Les sujets sélectionnés portent le label de l'association et l'acheteur peut avoir pleine confiance. Les variétés qui ont reçu cette distinction sont de qualité supérieure. Les variations de climat et de sol ne modifient en rien leur rendement.

Parmi les récentes sélections All-America, on remarque le pétunia 'Purple Wave', couvre-sol à floraison abondante ; la célosie 'Prestige Scarlet', qui résiste aux grandes chaleurs et produit des branches latérales remplies de fleurs écarlates en crête-de-coq ; la balsamine 'Victorian Rose', à fleurs semi-doubles rose vif ; le bégonia 'Pin Up Flame', à fleurs jaunes ourlées d'orange et de rouge ; et le pourprier 'Sundial Peach' dont les fleurs semi-doubles couleur corail affectionnent la grande chaleur. Les variétés sélectionnées par la société All-America sont identifiées par un astérisque dans les tableaux qui commencent à la page 228.

Dans ce massif de plantes annuelles, on remarque la présence d'arbustes à feuillage persistant — thuya, mézéréon et spirée — qui forment un beau plan de verdure précédant l'arrivée des fleurs.

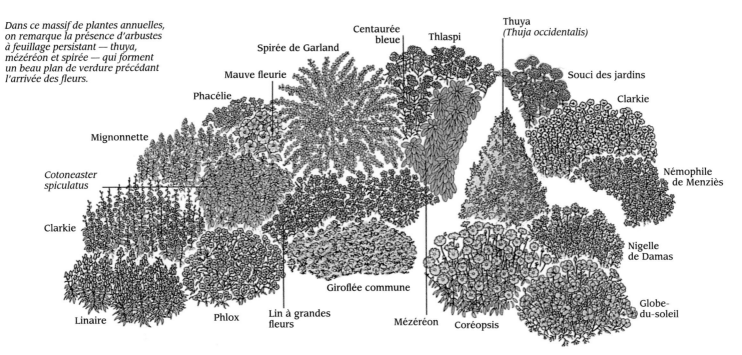

Centaurée bleue
Thlaspi
Thuya *(Thuja occidentalis)*
Spirée de Garland
Mauve fleurie
Souci des jardins
Phacélie
Clarkie
Mignonnette
Némophile de Menziès
Cotoneaster spiculatus
Clarkie
Nigelle de Damas
Linaire
Phlox
Lin à grandes fleurs
Giroflée commune
Mézéréon
Coréopsis
Globe-du-soleil

Pour réussir les semis au jardin

Nettoyage et préparation du sol

On prépare le sol des plates-bandes en automne ou quelques mois avant les semis. Sinon, il faut incorporer au sol une matière organique quelconque avant de semer. Grâce à ces préparatifs, les plantes lèveront mieux, les racines se développeront parfaitement, le sol conservera son humidité et l'entretien sera facile.

Arracher les mauvaises herbes et autres végétaux. Pour amender le sol, épandre une couche de 2,5 cm de tourbe, de compost ou de fumier. (Si la fumure précède immédiatement les semis, le fumier devra être bien décomposé.) Ces matières permettent aux sols légers et sablonneux de mieux garder l'humidité et allègent les sols lourds et argileux. C'est le moment aussi d'ajouter du calcaire s'il en faut. Incorporer les matières organiques au sol à l'aide d'une fourche-bêche ou d'une motobêche.

Si cette préparation s'effectue en automne, ne pas briser les mottes. Sous les climats froids, le gel fait éclater les mottes et donne au sol la texture qu'il faut pour répandre la semence au râteau.

La terre se travaille mieux lorsqu'elle est légèrement humide. Si elle est très sèche, arroser un jour ou deux avant de bêcher. Si par contre la pluie l'a détrempée, la laisser s'assécher pendant quelques jours.

Dans un sol peu fertile et faible en humus il est bon de semer en automne des plantes dites «engrais verts», comme du seigle annuel. Quand elles auront environ 30 cm de hauteur, le printemps suivant, il suffira de retourner la terre pour l'amender. Se renseigner sur les meilleurs engrais verts dans sa région.

Au printemps (en automne si le climat est doux), ou quelques semaines avant de semer, ameublir la terre à une profondeur de 15 à 25 cm avec une fourche à bêcher ou une motobêche. Le sol doit être assez sec pour se désagréger dans la main.

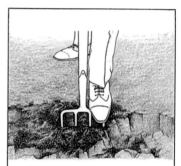

Avant de semer, incorporer de la tourbe ou du compost au sol avec une fourche à bêcher.

Quand et comment faire les semis

Avant de semer, il est préférable d'établir à l'avance un plan des plates-bandes pour associer les couleurs et les tailles des fleurs.

Les semis faits sur place, au jardin, éliminent bien des problèmes. On n'a pas, notamment, à se procurer des contenants spéciaux et à transplanter les plantules à une étape où elles sont très fragiles. Par contre, une pluie violente peut laver les semis.

La plupart des graines sont vendues en sachets. Certaines se présentent sous un enrobage spécial, tandis que d'autres viennent en ruban ou attachées à des bâtonnets.

Les graines enrobées dans une matière décomposable se manient plus facilement. L'enrobage renferme également des matières nutritives et des éléments phytosanitaires qui protègent les plantules.

Les graines en ruban sont espacées avec régularité et coincées entre deux épaisseurs de papier biodégradable ou de plastique. On coupe le ruban à la longueur voulue, on l'étend au fond d'un sillon et on le recouvre de terre.

Les bâtonnets sont des étiquettes en bois à la base desquelles sont attachées quelques graines. On les enfouit dans le sol de façon que les graines se trouvent à la profondeur voulue. Ils sont chers mais pratiques, car ils permettent de semer quelques graines de plusieurs variétés.

Généralement, les semis se font à l'extérieur tout de suite après les derniers gels. Dans les régions où le climat est doux, on peut semer plus tôt au printemps, à la fin de l'été ou en automne si l'on veut obtenir une floraison hivernale ou printanière.

Arroser la veille des semis à moins que le sol ne soit assez humide. Si l'on n'a pas déjà ajouté de l'humus, incorporer au sol de surface un seau de tourbe humide par mètre carré. La tourbe l'empêchera de durcir. Utiliser de la tourbe sèche si la terre est très humide.

On peut semer en lignes, en sillons parallèles ou à la volée, puis ratisser légèrement. Les semis en sillons rendent le binage des mauvaises herbes plus facile. Bien espacer les graines pour réduire l'éclaircissage.

C'est la taille des plantes arrivées à maturité qui détermine la distance qui doit être laissée entre les sillons. Cette taille est généralement indiquée sur les sachets de graines. Laisser un espace égal à la moitié de la hauteur de plantes hautes et étroites. Laisser un espace égal à la hauteur totale de plantes naines et touffues.

Arroser au jet très fin pour ne pas déplacer les graines ou tasser le sol, mais arroser copieusement pour être sûr que l'eau pénètre en profondeur. Le manque d'eau ralentit la germination et donne des plants malingres.

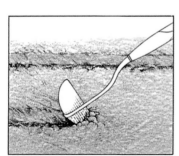

1. *Tracer à la houe un sillon de 5 mm à 1,5 cm de profondeur.*

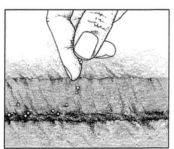

2. *Semer clair pour ne pas avoir à éclaircir plus tard.*

3. *Recouvrir les graines de terre en ratissant légèrement le sillon.*

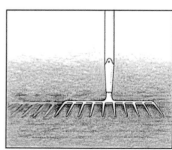

4. *Avec le dos du râteau, bien tasser le sol.*

Avec sa haute taille, la cléome (Cleome) a des fleurs parfumées à pétales étroits et à longues étamines saillantes. Pour sa part, la petite tanaisie (Tanacetum) a sa place dans les bordures et dans les boîtes à fleurs.

Cleome hassleriana

Tanacetum parthenium 'White Stars'

Culture des jeunes plants à l'extérieur

Mise en place des jeunes plants au jardin

Une fois endurcis, les jeunes plants sont prêts à être plantés. À cette fin, préparer les plates-bandes de la façon décrite à la page 226. La date ultime pour semer varie d'une région à l'autre.

Préparer le sol comme il est décrit à la page 220.

N'effectuer de repiquage que lorsque le sol est humide. Soulever les plants un à un, ou dégager une ligne entière de la caissette ou tout un rang dans le châssis froid. Au besoin, se servir d'un couteau pour tailler les rangs. Séparer ensuite les plants en prenant soin de leur laisser le plus de racines possible. Avec le transplantoir, creuser des trous assez larges et assez profonds pour contenir tout le système radiculaire des plants.

Placer les plants de façon que la base de leur tige soit de niveau avec la surface du sol. Remplir le trou et fouler la terre avec les doigts. Ménager une petite rigole pour contenir l'eau de pluie ou d'arrosage.

Arroser pour tasser la terre autour des racines et les empêcher de sécher. Un engrais de démarrage peut aider à ce stade. Au besoin, abriter les plants de la lumière.

Protection contre chats, chiens et oiseaux

Pour écarter les chiens des plates-bandes, tendre tout autour de celles-ci une ficelle imprégnée d'un répulsif. Contre les chats, il existe divers produits répulsifs dont l'efficacité est variable. Pour éloigner les oiseaux, planter de courts piquets autour des plates-bandes et tendre en croix des fils noirs ou colorés. On peut également utiliser ces filets que l'on vend pour supporter les pois grimpants

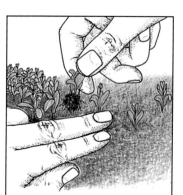

Tendre un filet pour éloigner les oiseaux des plantules.

Tuteurage des plantes hautes

Mettre les tuteurs en place dès qu'on a éclairci les plantules. Les disposer à 30 cm les uns des autres tout autour de chaque groupe de plantules et en enfoncer d'autres au centre du massif. Ces tuteurs doivent avoir une hauteur égale aux deux tiers de celle des plantes adultes, de sorte qu'on finira par ne plus les voir.

Les tuteurs peuvent être en bambou ou en métal plastifié et l'on peut aussi se servir des rames obtenues lors du rabattage des arbustes. En guise de liens, on utilisera des attaches métalliques, du ruban de plastique ou de la ficelle verte.

Tuteurer les plantes de haute taille avec des rames placées autour ou près des plantules.

En éclaircissant, c'est-à-dire en retirant les plantules trop petites, trop tassées ou mal formées, on donne aux autres une meilleure chance de se développer.

Suppression des fleurs fanées

Outre l'apparence négligée qu'elles donnent au jardin, si on ne supprime pas les fleurs fanées, la plante consacrera toute son énergie à produire des graines au lieu de produire d'autres fleurs. Cueillir les fleurs pour en faire des bouquets donne les mêmes résultats escomptés.

Les graines commercialisées sont généralement de meilleure qualité que celles que l'on récolte soi-même. Mais si l'on désire en avoir quand même, laisser une ou deux fleurs fanées sur chaque plante. Cueillir les graines quand elles sont mûres et les faire sécher pour les conserver.

Nettoyage des plates-bandes en automne

Lorsque les plantes annuelles ont perdu leur beauté ou qu'elles ont subi l'assaut des premiers gels, il est temps de les arracher et de les ajouter à la réserve de compost. Cette opération s'effectue de préférence en automne plutôt qu'au printemps. On aura ainsi tout le loisir de travailler le sol en prévision de la prochaine saison de plantation.

Pincement des plants pour favoriser la ramification

Pour aider les plantes à se ramifier et à produire plus de fleurs, pincer l'extrémité de la tige principale. Entre le pouce et l'index, effectuer le pincement juste au-dessus d'un groupe de feuilles. On pourra plus tard pincer aussi les tiges latérales: les plantes n'en seront que plus touffues.

Cette opération peut se faire avant ou après la transplantation au jardin, mais dans un cas comme dans l'autre, prévoir un écart de quelques jours pour le choc de la transplantation. Pincée au jardin, la plante retardera peut-être sa floraison (dont on aura sans doute pincé l'embryon), mais compensera en produisant plus vite des tiges latérales.

Détacher les fleurs par un léger mouvement de torsion ou les couper avec un sécateur. On améliore ainsi l'apparence de la plante et on stimule sa floraison.

C'est en automne, en effet, qu'on amende le sol en y ajoutant de l'humus, sous forme de compost ou de tourbe, et du calcaire si nécessaire. On peut aussi semer un engrais vert, comme de l'ivraie annuelle (voir p. 468), à condition que les plates-bandes soient exclusivement composées de plantes annuelles.

La célosie crête-de-coq (Celosia), avec ses panicules plumeuses, est une annuelle dont la culture se démarre à l'intérieur. La série Century, qui peut avoir différents coloris, atteint 45 cm de hauteur.

Celosia argentea var. plumosa 'Century Red'

Semis de plantes annuelles à l'intérieur

Comment semer les graines à l'intérieur

Les facteurs de réussite sont un éclairement suffisant, un substrat pour semis stérile et une température convenable. C'est souvent la lumière qui fait défaut dans les maisons. Mais il est possible de suppléer à cette insuffisance par un éclairage artificiel. Deux ou quatre tubes fluorescents de 40 watts, placés à 15 cm des semis, fournissent toute la lumière nécessaire. Une température de 21 à 24 °C permet la germination des graines, mais les plantules poussent mieux lorsque la température se situe entre

10 et 16 °C. Une trop grande chaleur et une lumière insuffisante produisent des plants rachitiques.

Semer les graines dans une caissette ou dans des pots. Il existe des contenants de graines tout préparés, fort pratiques. De préférence, on se servira d'un mélange pour semis. Si on prépare soi-même le substrat, on mélangera en parties égales de la tourbe, de la vermiculite et de la perlite. Aucune de ces matières n'a besoin d'être stérilisée, mais ce mélange offre peu d'éléments nutritifs. Il faudra donc remédier à cette carence en ajoutant un engrais soluble à l'eau d'arrosage. On n'a pas besoin de fer-

tiliser lorsqu'on utilise de la terre stérile (voir p. 470) puisque celle-ci renferme des éléments nutritifs.

À moins d'avoir beaucoup d'espace à sa disposition, il ne faut pas semer trop tôt, car un pot de semis donne plusieurs pots de plantules. Pour toutes les plantes, sauf celles dont le développement est très lent, il suffira de faire ses semis six à huit semaines avant le repiquage au jardin. Quatre semaines suffiront pour l'œillet d'Inde mouchet. Par contre, les bégonias des plates-bandes, les balsamines et les pervenches de Madagascar doivent être démarrés trois ou quatre mois avant le repiquage.

Semer en lignes, surtout si plusieurs variétés sont réunies dans la même caissette, ou à la volée, mais semer clair. Des semis trop serrés nécessitent un repiquage prématuré des plantules, alors difficiles à manipuler. Recouvrir très légèrement les graines de mélange. Cependant, les graines très fines, comme celles du bégonia des plates-bandes, peuvent demeurer à découvert.

Arroser avec un brumisateur. Couvrir le contenant d'une plaque de verre ou d'une cloche de plastique. Surveiller les progrès de la germination; dès que les plantules ont levé, découvrir le contenant.

1. *Remplir une caissette de mélange pour semis humide; niveler et tasser.*

2. *Semer à la volée ou en lignes en espaçant les graines uniformément.*

SEMIS EN POT

1. *Remplir un pot de 5-8 cm de diamètre avec un mélange pour semis jusqu'à 2 cm du bord. Arroser la terre avec un brumisateur et laisser l'eau s'évacuer avant de semer. Si le pot est en argile, on peut placer sa base dans l'eau et attendre que celle-ci s'infiltre jusqu'à la surface.*

3. *Recouvrir les graines, grosses ou moyennes, de 5 mm de mélange.*

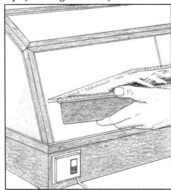

4. *Arroser. Mettre dans une mini-serre ou sous couvercle de plastique.*

2. *Saupoudrer quelques graines à la surface; étendre une mince couche de mélange pour semis. Coiffer le pot d'une tente de plastique bien fermée.*

3. *Laisser germer à l'obscurité à une température de 21°-24 °C. À l'apparition des plantules, retirer la tente et placer le pot à la lumière. Brumiser un peu d'eau au besoin. Quand les plantules sont bien formées, les planter provisoirement en plates-bandes ou en pots jusqu'à ce qu'elles aient la taille suffisante pour aller en terre.*

Avec ses feuilles pulpeuses d'un vert vif, le pourpier (Portulaca), qui pousse à 20 cm, est un bon couvre-sol dans les endroits chauds et secs. Ses fleurs aux couleurs brillantes ouvrent leurs coupes au soleil.

Portulaca grandiflora

Éclaircissage et repiquage des jeunes plants

Lorsque les jeunes plants sont trop tassés pour se développer harmonieusement ou qu'ils ont atteint la taille voulue, il faut les transplanter. Un plant peut supporter le repiquage lorsqu'il porte trois ou quatre feuilles en plus de la paire initiale. Si l'on attend trop avant de le transplanter, il sera plus facile à manipuler, mais il subira un plus grand choc et sa croissance s'en trouvera ralentie.

Le mélange terreux doit être humide pour que les plantules puissent être retirées sans que leurs racines se dénudent. Ne pas tirer sur les plantules. Commencer par les dégager à l'aide d'une petite étiquette. Cela fait, lever d'une main les plantules qui doivent être repiquées; de l'autre, tasser légèrement la terre autour de celles qui restent en place. Arroser immédiatement ces dernières pour fouler complètement le sol.

La distance à ménager entre les plantules repiquées dans un nouveau contenant dépend dans une certaine mesure de leur taille. Habituellement, les plants sont distancés de 2 à 5 cm au premier repiquage. S'ils redeviennent très vite à l'étroit, les repiquer une deuxième fois en laissant plus d'espace entre eux.

On est parfois dans l'impossibilité de mettre en terre immédiatement toutes les plantules qu'on a déterrées; il faut à tout prix les empêcher alors de se dessécher. On recommande généralement de les installer ensemble dans un contenant rempli de terre et de les y laisser temporairement. Même si l'attente doit se prolonger durant plusieurs jours, elles en souffriront très peu.

Au fur et à mesure que les jeunes plants se développent, voir à ce qu'il ne se produise aucun retard dans leur croissance en gardant le substrat de culture toujours humide. Enlever les mauvaises herbes dès qu'elles apparaissent. (Il n'y en aura pas beaucoup si le sol a été stérilisé.)

Avant de repiquer les jeunes plants au jardin, il faut leur faire subir une période d'acclimatation (voir ci-contre). Les plants non endurcis souffriront d'un retard de croissance qui pourrait différer d'autant la période de floraison.

Si l'on a trop de plantules, on ne gardera que les plus vigoureuses. Ne pas laisser les débris des plantules arrachées dans la caissette, car il pourrait apparaître toutes sortes de maladies cryptogamiques ou de ravageurs. Cet inconvénient est encore plus à redouter dans les serres.

Acclimatation des jeunes plants

Lorsqu'on fait passer au jardin des plantules — voire des plantes adultes — qui ont été cultivées à l'intérieur, il faut prévoir une période d'acclimatation pendant laquelle elles seront graduellement exposées à la lumière et à la température extérieures. Sauter cette étape, c'est infliger de graves retards de croissance aux plants et repousser d'autant l'heure de la floraison. Cela peut même les tuer.

Le châssis froid est l'endroit idéal pour endurcir des plants. On peut y placer les contenants dans lesquels se trouvent les plantules ou y mettre celles-ci en terre directement. Il faut surveiller de près l'humidité et l'aération. Fermer le châssis lorsque la nuit s'annonce fraîche et l'ouvrir le lendemain matin. Après une ou deux semaines d'acclimatation, les plants peuvent être mis en place au jardin.

Si l'on n'a pas de châssis froid à sa disposition, exposer les pots de plus en plus longtemps au soleil pendant une semaine en les rentrant le soir si la température risque de tomber en dessous de 10 °C au cours de la nuit. Les repiquer ensuite au jardin.

Il faut suivre le même processus pour les annuelles que l'on achète.

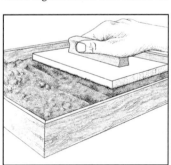

1. *Remplir une caissette pour semis de terre humide. Tasser légèrement.*

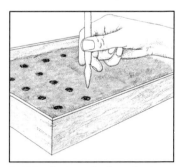

2. *Faire des trous de plantation tous les 2 à 5 cm.*

3. *Soulever délicatement une petite touffe de plantules avec une spatule.*

4. *En tenant chaque plantule par une feuille, la séparer des autres.*

5. *Repiquer chaque plantule dans un trou. Tasser la terre tout autour.*

6. *Arroser les plantules. Les placer sous châssis froid.*

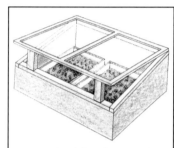

Pour endurcir les plants, ouvrir progressivement le châssis. Le tenir fermé pendant la nuit, mais ne pas oublier de l'ouvrir tôt le matin pour l'empêcher de surchauffer.

En pot, en corbeille suspendue, dans une boîte à fleurs ou une plate-bande, la verveine 'Quartz Burgundy', grande vedette des All-America Selections pour 1999, fleurit depuis l'été jusqu'à l'automne sans jamais être attaquée par le mildiou.

Verbena 'Quartz Burgundy'

Culture des plantes bisannuelles

Les plantes bisannuelles mettent deux ans à accomplir leur cycle végétatif complet. Elles donnent des feuilles et parfois des tiges durant le premier été, mais ne fleurissent que l'année suivante pour ensuite mourir.

Certaines plantes bisannuelles fleurissent l'année même des semis si ceux-ci sont très hâtifs. Mais la floraison a lieu plus tard que d'habitude, au moment des grandes chaleurs, et les fleurs sont de courte durée. Cette particularité se remarque surtout chez les pensées qui produisent des tiges plus robustes et fleurissent plus abondamment par temps frais.

Quelques plantes bisannuelles, la monnaie-du-pape par exemple, se comportent comme des plantes vivaces parce qu'elles se multiplient spontanément chaque année.

On inclut parmi les plantes bisannuelles certaines espèces vivaces mais qui sont cultivées en bisannuelles. Après avoir produit des pousses vigoureuses et d'abondantes fleurs durant leur seconde année, ces plantes s'épuisent tellement que cela ne vaut pas la peine de les conserver. L'œillet de poète, certaines variétés de myosotis et la giroflée de muraille sont de celles-là.

On sème les graines au début de l'été pour que les plants aient le temps de se développer suffisamment et soient assez robustes pour résister à nos rigoureux hivers.

Semer au jardin, dans un endroit partiellement ombragé, comme s'il s'agissait de plantes annuelles (voir p. 224). Semer en lignes ou à la volée. (On peut aussi semer en caissette ou dans un grand pot.) Arroser avec un brumisateur. Couvrir les semis d'une pièce de jute et d'une feuille de plastique. Dès que les plantules lèvent, retirer les couvertures.

Lorsque les plantules sont de bonne taille, les dégager avec le plus grand soin et les repiquer dans une plate-bande de culture, ensoleillée ou légèrement ombragée.

Si on le juge plus pratique, on peut élever les plants dans une serre non chauffée ou sous châssis froid, avant de les faire passer à la plate-bande de culture (voir pp. 224-226). Dans ce cas, on sème au même moment qu'on le ferait au jardin. Il faut prévoir une certaine forme d'ombre au cas où la température menacerait de dépasser 21 °C.

Dans les régions à climat froid, il est impérieux de repiquer les plantes bisannuelles à leur emplacement définitif six à huit semaines avant les premiers grands froids pour qu'elles aient le temps de bien s'établir. Cela vaut également pour les sujets élevés en serre ou sous châssis froid.

Avant le dernier repiquage, nettoyer la plate-bande et retourner le sol en y incorporant du fumier bien décomposé ou du compost, à raison de 150 à 250 g par mètre carré, ainsi qu'un peu de poudre d'os ou de superphosphate.

Pour prélever les plantes bisannuelles de leur emplacement initial, les soulever avec un transplantoir en essayant de conserver autant de racines que possible. Si le sol est sec, commencer d'abord par l'arroser pour faciliter le dégagement des plants.

Les plants doivent ensuite être mis en place dès que possible, avant que leurs racines aient le temps de se dessécher. Bien tasser la terre autour des plants et les arroser.

Dans les régions à climat froid, les plants exposés au vent devront être recouverts de quelques rameaux de conifères une fois que la terre sera gelée. Enlever ce paillis progressivement le printemps suivant. On peut aussi entreposer les plants sous châssis froid pour l'hiver.

Les plantes bisannuelles peuvent être semées directement au jardin, puis éclaircies ensuite.

Certaines plantes dites bisannuelles, comme l'œillet de poète et la digitale pourpre, connaîtront une saison supplémentaire si on rabat les plants jusqu'à la rosette basale de feuilles, immédiatement après que la floraison a eu lieu.

Ravageurs et maladies

Les plantes annuelles et bisannuelles posent peu de problèmes. Mais si elles présentent des symptômes non décrits ci-dessous, se reporter au chapitre « Ravageurs et maladies », page 474. On trouvera aux pages 510 à 512 les appellations commerciales des produits recommandés.

Symptômes	Cause	Traitement*
Les jeunes pousses sont déformées. Les fleurs se développent mal. Les plants sont couverts d'insectes collants, verts ou noirs.	Pucerons	Vaporiser savon insecticide, perméthrine, diméthoate, malathion ou roténone.
Trous irréguliers, à bords déchiquetés, dans les feuilles et les pétales.	Perce-oreilles	Vaporisation ou poudrage de carbaryl, roténone ou savon insecticide. Piéger les ravageurs dans des pots remplis de paille et vidés chaque jour.
Taches argentées sur les feuilles. Feuilles, boutons et fleurs tapissés de toiles d'araignée.	Araignées rouges	Vaporiser savon insecticide, diméthoate, dicofol ou autre miticide.
Pousses et feuilles déformées. Taches ou trous sur les feuilles. Boutons floraux déformés ou inhibés.	Punaises à quatre raies, arlequines ou ternes	Vaporiser pyréthrine, perméthrine, carbaryl, méthoxychlore ou diméthoate.
Feuilles parsemées de petites taches et d'aspect argenté, surtout par temps chaud. Pas de fils d'araignée.	Thrips	Vaporisation ou poudrage d'acéphate, de perméthrine, de malathion ou de roténone.
Jeunes pousses reliées entre elles par un réseau de fils ; bourgeons apicaux dévorés.	Tordeuses	Vaporiser *Bacillus thuringiensis* ou roténone ou supprimer à la main les pousses infestées.
Feuilles trouées, traces de bave (surtout chez les jeunes plants)	Escargots et limaces	Entourer les plants de terre diatomée ; placer des soucoupes de bière.
Petites mouches blanches qui volettent quand on touche à la plante.	Mouches blanches	Vaporiser acéphate, savon insecticide, pyréthrine ou resméthrine.
Les plantules (surtout en pots, en caissettes ou en boîtes sous verre) pourrissent au niveau du sol et tombent.	Fonte des semis (champignon)	Arroser d'eau additionnée de captane ou de thirame. Pour prévenir, semer clair dans un substrat stérile.
Feuilles et jeunes pousses recouvertes d'une pruine grise ou blanche ; plante légèrement déformée ou croissance inhibée.	Mildiou (champignon)	Vaporiser bénomyl, dinocap ou soufre.
Plants déformés. Feuilles petites ou malformées, couvertes de taches ou de veinures jaunes. Floraison déficiente.	Virose	Détruire immédiatement les plants. Arroser avec un insecticide pour éliminer les insectes vecteurs.

* Certains produits sont interdits dans les localités qui ont adopté des règlements contre les pesticides. Voir aussi « Recettes maison et produits naturels », p. 512, et « Les amis du jardin », p. 515.

Les fleurs rouges, comme des balais, de l'amarante queue-de-renard (Amaranthus caudatus) peuvent descendre jusqu'au sol : elles sont remarquables.

Amaranthus caudatus

Petit guide des plantes annuelles et bisannuelles

On trouvera dans le tableau les noms des espèces et des variétés de plantes annuelles et bisannuelles les plus répandues. Celles-ci apparaissent dans la colonne de gauche sous leur nom botanique, suivi de leur nom botanique, suivi de leur nom vulgaire usuel (utilisé dans les catalogues ou sur les sachets de graines).

La hauteur (H) et l'étalement (E) des plantes ne sont donnés qu'à titre indicatif, car ils peuvent différer beaucoup selon les variétés. On devra donc les vérifier avant de faire un choix. Par exemple, l'œillet d'Inde nain n'a que 18 cm de haut tandis que la rose d'Inde, variété de la même espèce, peut atteindre 90 cm. Les variétés dont le nom est suivi d'un astérisque, par exemple buglosse du Cap 'Blue Bird'*, ont été sélectionnées par l'organisme All-America Selections (voir p. 221), parce que leur croissance et leur floraison sont jugées supérieures.

|  Ageratum houstonianum (agérate) |  Amaranthus caudatus (amarante queue-de-renard) | Amaranthus tricolor (amarante tricolore) |  Anchusa capensis (buglosse du Cap) |  Antirrhinum majus (gueule-de-loup) |

Nom botanique et nom vulgaire, description générale	Hauteur et étalement	Espèces et variétés *Sélection All-America	Soins particuliers, remarques
Ageratum houstonianum (agérate ou eupatoire) Plante de petite taille, portant des bouquets serrés de fleurs qui ressemblent à des houppettes. Longue période de floraison. Cultivée en bordure.	H 13-60 cm E 15-23 cm	'Hawaii White', fleurs blanches ; 'Adriatic', 'Bavaria', 'Blue Lagoon', 'Pacific', 'Blue Mink', plusieurs teintes de bleu ; 'Royal Hawaii', pourpres ; 'Swing Pink', roses.	Semer à l'intérieur ; la germination se fait en 10 jours. Plante fragile quand elle est petite ; se cultive au soleil mais tolère une demi-journée d'ombre. Inutile de pincer. Supprimer les fleurs fanées. Semer à la fin de l'été pour obtenir une floraison en automne dans les régions à climat doux.
Amaranthus caudatus (amarante queue-de-renard) Plante touffue renommée pour ses racèmes retombants groupant de petites fleurs faciles à faire sécher.	H 60-75 cm E 45 cm	*A. caudatus*, fleurs rouges. *A. c.* 'Viridis' arbore des racèmes vert vif – un bon choix dans un bouquet de fleurs séchées.	Semer à l'intérieur, six semaines environ avant le repiquage au jardin, ou à l'extérieur lorsque le sol s'est réchauffé. Le repiquage est difficile à réussir. Se cultive en plein soleil, dans un sol bien fertilisé.
Amaranthus tricolor (amarante tricolore) Plante renommée pour les vives couleurs de ses feuilles.	H 90 cm-1,20 m E 45-60 cm	'Early Splendor', feuilles supérieures cramoisies, feuilles inférieures plus sombres ; 'Illumination', feuilles du haut rouge et or, feuilles du bas chocolat ; 'Joseph's Coat', rouge et or au sommet, chocolat à la base.	Pousse au soleil, dans une terre normale. Plus le sol est pauvre, plus les coloris sont vifs. Arroser parcimonieusement. Commencer les semis à l'intérieur pour avoir de gros plants. Se place bien à l'arrière des plates-bandes ou en massif. Ne pas en abuser.
Anchusa capensis (buglosse du Cap) Petites fleurs bleues réunies en bouquets en été. Ne pas confondre cette plante avec le myosotis.	H 23-45 cm E 25 cm	'Blue Angel', fleurs bleu d'outremer à œil blanc, 23 cm. 'Blue Bird'*, bleu gentiane clair, 45 cm. 'Dawn', fleurs bleues, roses ou blanches, 45 cm.	Garder les graines 72 heures au froid avant de les semer pour accélérer la germination. Semer en plein soleil ou à la mi-ombre et garder le sol très humide. Les plantations en groupes serrés sont les plus jolies. Tailler les tiges de moitié après la floraison pour obtenir de nouvelles fleurs.
Antirrhinum majus (muflier ou gueule-de-loup) Fleurs simples réunies en épi et formées d'une corolle à lèvres supérieure et inférieure arrondies s'ouvrant sous la pression des doigts. Elles ont donné son nom à la plante. Belles fleurs pour bouquets.	H 18-90 cm E 25-45 cm	Sachets de graines mélangées ou d'une variété à couleur unique ; coloris de blanc, lavande, rose, jaune, orange et rouge. Le groupe Butterfly présente des fleurs ouvertes en forme de trompette. Vérifier la hauteur des plants, qui varie beaucoup, du groupe des Chimes, à 15 cm, au groupe des Rockets, à 1,20 m.	Semer à l'intérieur, six à huit semaines avant le repiquage ; cultiver à 10 °C. Semer sous châssis froid en zone 6 et dans les zones inférieures. Ou encore acheter des plants au printemps. Se cultive en plein soleil, dans un sol fertile. Supprimer les fleurs fanées pour prolonger la floraison.

Bellis perennis 'Dresden China'

Begonia semperflorens

Les pâquerettes (Bellis) sont une mauvaise herbe des pelouses en climat doux, mais les formes cultivées sont bien dans les boîtes à fleurs. De mai à septembre, les bégonias de plates-bandes offrent une multitude de fleurs roses, rouges ou blanches, sur un feuillage vert, cuivre ou rougeâtre.

Arctotis (arctotis)	*Begonia semperflorens* (bégonia des plates-bandes)	*Begonia tuberhybrida* (bégonia tubéreux)	*Bellis perennis* (pâquerette)	*Bidens ferulifolia* (bidens)	*Brassica oleracea* (chou frisé ornemental)	*Browallia* (browallie)

Nom botanique et nom vulgaire, description générale	Hauteur et étalement	Espèces et variétés	Soins particuliers, remarques
***Arctotis*, espèces et hybrides** (arctotis) Grandes fleurs solitaires semblables aux marguerites, très abondantes, qui se ferment la nuit venue.	H 25 cm E 30 cm	Chez les hybrides, on trouve les coloris suivants : blanc, rose, orange, abricot, rouge et terre de Sienne, avec un cœur plus sombre dans la plupart des cas.	Semer tôt à l'intérieur, ou au jardin lorsque tout risque de gel est écarté. Pousse en plein soleil, dans une terre légère et sablonneuse. Préfère un climat frais, même en été. Résiste à la sécheresse.
Begonia semperflorens (bégonia des plates-bandes) Ravissante plante à floraison prolongée, dont les feuilles cireuses sont vertes ou rougeâtres. Les petites fleurs simples tombent d'elles-mêmes.	H 15-30 cm E 15-40 cm	On trouve de très nombreuses variétés dans le blanc, le rose teinté de blanc et différentes nuances de rose et de rouge. Les formes à feuilles vertes comprennent les séries Ambassy, Avalanche, Olympia et Varsity. Parmi les hybrides à feuilles vert cuivré, il y a les séries Cocktail et Senator.	Acheter des plants ou semer à l'intérieur, deux mois au moins avant la date de plantation au jardin. Les graines sont microscopiques. Espèce difficile à faire lever à l'intérieur. Se cultive en plein soleil ou à la mi-ombre dans un sol additionné de tourbe ou de compost. Empoter et rentrer les plants à l'automne.
Begonia tuberhybrida (bégonia tubéreux) Les bégonias tubéreux obtenus par semis ne donnent un tubercule assez gros pour être rentré l'hiver qu'en climat sans gelées. On les traite normalement comme des annuelles. Grosses fleurs.	H 23-38 cm E 20-30 cm	Il en existe plusieurs séries couvrant chacune des couleurs différentes. Celles de la série Pin Up ont des feuilles sombres et des fleurs simples (Pin Up Flame a été gagnante de la Sélection All-America); Non Stop ont les feuilles vert vif et des fleurs doubles ; Show Angel sont retombantes – elles conviennent particulièrement bien aux boîtes de balcon et aux corbeilles suspendues.	Les graines sont très petites, et lentes à germer et à pousser. Les démarrer à l'intérieur environ 12 semaines avant la dernière date de gelées. Les bégonias tubéreux acceptent mieux le soleil que les précédents, mais prendront également un peu d'ombre.
Bellis perennis (pâquerette) Fleurs généralement doubles, de 2,5 à 5 cm de diamètre, s'épanouissant au printemps et au début de l'été sur des plants courts et compacts. Plante vivace habituellement cultivée de la même manière qu'une bisannuelle.	H 10-15 cm E 8-15 cm	'Buttons Mixture', fleurs doubles mélangées de couleurs différentes incluant du rose, du rouge et du blanc. Série Habanera avec de grosses fleurs dans les tons de rose, de blanc ou de rouge.	Plante vendue d'ordinaire au début du printemps, comme les pensées, mais qu'on peut obtenir par semis, la floraison se produisant l'année d'après. Se cultive en plein soleil ou à la mi-ombre, dans un sol capable de garder l'humidité. Supprimer les fleurs fanées.
Bidens ferulifolia (bidens) Plante s'étalant, à feuillage fin. Floraison abondante tout l'été de fleurs jaune vif. C'est une vivace peu rustique qui se multiplie par bouturage ou peut se resemer.	H 30 cm E 75 cm	'Gold Marie', s'étalant ; 'Goldie', plus compact.	Aime le plein soleil dans un sol humide. Idéal pour les bordures, les boîtes à fleurs sur les balcons et les paniers suspendus. Ne tailler que s'il y a lieu de contrôler la croissance.
Brassica oleracea acephala (chou frisé ornemental) Plante cultivée pour ses feuilles ornementales nuancées de crème, de pourpre, de rose ou de rouge.	H 15 cm E 45 cm	Les nouvelles souches sont incroyables. Rechercher 'Osaka' et 'Peacock' (cette dernière présente des feuilles externes plumeuses), de même que 'Nagoya' ou 'Sparrow' (comestibles de surcroît quoiqu'un peu coriaces).	Faire lever à l'intérieur ou semer directement au jardin. Se cultive en plein soleil. Ce sont en réalité des plantes bisannuelles que le froid fait mourir après la première année, avant qu'elles atteignent l'âge de la floraison.
***Browallia*, espèces** (browallie) Fleurs en forme de trompette, de 5 cm de diamètre, sur des tiges fines et très ramifiées. Petites feuilles.	H 25-60 cm E 25 cm	*B. speciosa*, fleurs bleu-violet. Les séries Bells et Starlight sont dans les teintes de bleu ou de blanc.	Semer tôt à l'intérieur ou acheter des plants. Se cultive à la mi-ombre. Donner beaucoup d'eau. Pincer les tiges quand elles ont 8 cm pour favoriser la ramification.

Le souci des jardins (Calendula) donne de belles fleurs coupées; le buissonnant 'Fiesta Gitana' est une forme naine. La pervenche de Madagascar (Catharanthus roseus) résiste bien à la pollution: elle est donc un bon choix en ville.

Calendula officinalis 'Fiesta Gitana'

Catharanthus roseus

Calendula officinalis (souci)

Callistephus chinensis (reine-marguerite)

Campanula medium (campanule)

Catharanthus roseus (pervenche)

Celosia argentea (célosie argentée)

Centaurea (centaurée)

Nom botanique et nom vulgaire, description générale	Hauteur et étalement	Espèces et variétés *Sélection All-America	Soins particuliers, remarques
Calendula officinalis (souci des jardins) Fleurs simples ou doubles, pouvant atteindre 10 cm de diamètre. Feuilles vert clair à arôme piquant. Belles fleurs pour composer des bouquets. Ne pas confondre ces plantes avec les roses d'Inde et les œillets d'Inde.	H 15-50 cm E 15-30 cm	'Golden Gem', plante naine, fleurs doubles, jaunes; 'Pacific Beauty', fleurs doubles, jaunes, orange ou abricot; 'Orange Gem', fleurs doubles, orange; 'Sunny Boy', plante naine, sachets de graines de variétés de différentes couleurs; 'Bon Bon', plante naine, en jaune, abricot et orange; 'Fiesta Gitana', ports buissonnants mélangés, incluant des fleurs bicolores.	Les graines germent rapidement au jardin; on peut semer en automne ou en hiver dans les régions où il ne gèle pas. Tolère un sol peu fertile, une exposition au soleil ou à l'ombre partielle. Préfère un temps frais; les fleurs doubles deviennent semi-doubles par temps très chaud. Multiplication spontanée.
Callistephus chinensis (reine-marguerite) Ravissantes fleurs doubles, s'épanouissant à la fin de l'été et en automne. Grande gamme de tailles; les plus hautes font de belles fleurs coupées.	H 15-75 cm E 30-45 cm	Plusieurs teintes de blanc, de bleu, de rose et d'écarlate. On trouve des variétés hâtives, normales ou tardives. Choisir les variétés en fonction de leur hauteur. Les pétales peuvent être froncés, spatulés ou tubulés.	Se cultive en plein soleil, dans un sol modérément riche. Pour éviter les maladies contractées dans le sol, ne pas cultiver la reine-marguerite deux ans de suite dans le même terrain. Éliminer les cicadelles qui répandent le virus.
Campanula medium (campanule à grandes fleurs) Épis de grandes fleurs campanulées, simples ou doubles. Cultivée généralement comme plante bisannuelle.	H 60-75 cm E 25 cm	Sachets de graines mélangées: coloris de blanc, bleu, mauve, rose. C. m. 'Calycanthema' (carillon à collerette) offre deux types de fleurs: chez celles qui sont vraiment doubles, la collerette enserre étroitement le carillon; chez les autres, celui-ci repose dessus.	Acheter les plants au printemps, ils fleuriront au début de l'été. Ou encore, semer en été pour obtenir des fleurs l'année suivante. Se cultive en plein soleil, dans un sol fertile et bien drainé. Arroser généreusement en période de sécheresse. Demande parfois des tuteurs.
Catharanthus roseus (pervenche de Madagascar) Fleurs simples à 5 pétales de 2,5 cm de diamètre. Feuillage luisant vert, beau pendant tout l'été.	H 15-25 cm E 30-60 cm	Série Cooler, fleurs rose franc à blanches; Heatwave, cœurs de couleur contrastante; 'Parasol'*, fleurs blanches à cœur rouge; 'Pretty in Rose'*, fleurs rose vif.	Semer à l'intérieur, au moins 12 semaines avant la mise au jardin, ou acheter des plants. Planter au plein soleil ou partiellement à l'ombre dans un sol moyen. Pincer pour encourager les ramifications. Bonne plante pour les jardins et les boîtes à fleurs des villes.
Celosia argentea (célosie argentée) Plante remarquable présentant plusieurs formes. Fleurs très décoratives, ressemblant à une crête de coq ou à un plumet. Donne de très jolies fleurs séchées.	H 15-90 cm E 25-30 cm	C. a. cristata (à crête de coq): 'Big Chief', coloris mélangés; 'Gladiator', fleurs jaunes d'or; 'Toreador'*, fleurs rouges; 'Fireglow'*, fleurs écarlates; 'Prestige Scarlet'*, fleurs rouge vif. C. a. plumosa (à épi plumeux): 'Red Fox'*, fleurs rouge orangé intense; 'Forest Fire'*, fleurs rouges; série Century, différentes couleurs; 'Apricot Brandy', fleurs orange.	Semer au jardin lorsque la terre s'est réchauffée. Pousse en plein soleil et dans un sol fertile. Préfère les climats chauds. Tuteurer les variétés de haute taille. On peut l'acheter en plants. Pour faire sécher les fleurs, les cueillir en plein épanouissement, enlever les feuilles et suspendre les tiges la tête en bas dans un endroit ombragé et bien aéré.
Centaurea cyanus (centaurée bleue ou bleuet des jardins) Plantes hautes ou naines, couvertes d'une multitude de fleurs de 5 cm de diamètre et garnies de petites feuilles gris-vert. Belles fleurs coupées.	H 30-90 cm E 30 cm	'Snowball'*, fleurs blanches; 'Jubilee Gem', fleurs bleues, 30 cm. 'Polka Dot Mixed', coloris de blanc, bleu, lavande, rose et rouge, 40 cm. 'Snow Man', fleurs blanches; 'Blue Boy', fleurs bleues; 'Pinkie', rose clair; 'Red Boy', fleurs rouges, 75-90 cm.	Semer tôt et en place, au jardin, les plants souffrant du repiquage. On peut semer à la fin de l'automne pour obtenir une floraison hâtive. Se cultive en plein soleil, dans un sol léger, de préférence neutre. Fleurit mieux dans les climats frais. Multiplication spontanée dans bien des cas.

Les fleurs odorantes du cléome (Cleome), dont la forme évoque une araignée, se ferment l'après-midi. La clarkie (Clarkia), qui peut être semée directement à l'extérieur, donne de beaux bouquets.

Cleome hassleriana

Clarkia unguiculata

Chrysanthemum
(chrysanthème)

Clarkia
(clarkie)

Cleome spinosa
(cléome)

Coleus blumei
(coléus des maisons)

Consolida ajacis
(bec d'oiseau)

Convolvulus tricolor
(belle-de-jour)

Nom botanique et nom vulgaire, description générale	Hauteur et étalement	Espèces et variétés	Soins particuliers, remarques
Chrysanthemum, espèces et hybrides (chrysanthème annuel) Plante facile à cultiver, à fleurs généralement simples, en forme de marguerite, et à feuilles très divisées.	H 25-75 cm E 23-30 cm	'Paludosum', fleurs blanches ourlées de jaune d'or ; 'Golden Raindrops', fleurs jaunes ; 'Golden Gem', fleurs jaunes et doubles. Plusieurs plantes de type vivace fleuriront l'année des semis si ceux-ci sont faits tôt, 'Korean' notamment. Coloris : blanc, jaune et rouge.	Pousse rapidement à partir de semis faits à l'intérieur ou au jardin. Se cultive en plein soleil. Arroser par temps sec. Pincer les tiges pour favoriser la ramification. Supporte le repiquage, même lorsque la plante est en boutons ou en fleur.
Clarkia elegans, C. pulchella et C. amoena (clarkie) Plante à fleurs simples ou doubles, réunies en bouquets ou en épis peu denses. Joli sujet pour les bordures.	H 30-60 cm E 15-30 cm	Sachets de graines de coloris mélangés comprenant des nuances de blanc, de lavande, de rose, de jaune crème, de saumon et de cramoisi. *C. amoena* présente un port plus buissonnant que les autres.	Préfère les climats frais. Semer tôt en place au jardin. Prospère en plein soleil, dans un sol normal ou pauvre qui peut être assez sec en été. Ne tolère pas une terre très humide. Dans les régions où il ne gèle pas, on peut semer les graines en automne. Souffre un peu du repiquage.
Cleome spinosa (cléome) Plante d'allure très originale avec ses inflorescences légères et parfumées, composées de fleurs à longues étamines qui font penser à des araignées. Longues gousses produisant le même effet. Feuilles palmées.	H 90 cm-1,20 m E 45-60 cm	'Helen Campbell' fleurs blanches ; 'Purple Queen', lilas pourpré ; 'Pink Queen', fleurs roses ; 'Cherry Queen', rose cerise ; 'Ruby Queen', rose rubis ; 'Rose Queen', rose saumoné.	Semer au jardin, de préférence en place, dès que le temps s'est réchauffé ou acheter des plants. Prospère en plein soleil ou une ombre très légère, dans une terre normale de jardin. Les fleurs se referment l'après-midi. Tiges à épines acérées. Germination spontanée. Plante sans problème.
Coleus blumei (coléus des maisons) Feuilles abondantes, de formes et de coloris variés, parfois marginées d'une autre teinte, parfois frangées et étroites. Fleurs insignifiantes.	H 20-90 cm E 20-30 cm	La série Wizard donne des plantes qui se ramifient, dans un éventail de couleurs, 25 cm ; la série Seven Dwarfs (des sept nains) offre des sujets de plus petite taille (22 cm) ; la série Sabre présente des feuilles étroites, 22 cm.	Semer sous abri. Cultiver au jardin, à la mi-ombre pour obtenir des coloris nets. Pincer pour favoriser la ramification. Multiplication rapide par boutures apicales. Se cultive en plante d'intérieur. Traiter les plants au malathion contre les pucerons et les cochenilles farineuses.
Consolida ajacis (bec-d'oiseau ou pied-d'alouette des jardins) Feuilles légères et très découpées, d'un vert vif. Fleurs simples ou doubles réunies en épis hauts et denses, qui s'amenuisent vers le sommet. Les inflorescences font de beaux bouquets.	H 35 cm-1,20 m E 30 cm	Sachets de graines mélangées ou d'une seule teinte. Coloris : différentes nuances de blanc, de bleu, de lavande, de rose, de saumon et de rouge. Deux variétés : l'une ramifiée à la base avec de longs épis latéraux, l'autre à fleurs de jacinthe réunies en épis solitaires de 35 cm.	Semer au jardin au tout début du printemps ou en automne. Dans les régions côtières de la Colombie-Britannique, semer assez tôt pour que la levée précède les froids ; ailleurs, semer juste avant que le sol gèle pour que la germination ne se fasse que le printemps suivant. Fleurit mieux par temps frais. Se cultive en plein soleil ou à la mi-ombre, dans un sol ordinaire. Supporte mal le repiquage.
Convolvulus tricolor (belle-de-jour ou liseron tricolore) Plante buissonnante, courte et quelque peu rampante. Fleurs assez grandes, semblables à celles du volubilis. Elles restent ouvertes toute la journée, contrairement à celles des variétés plus anciennes.	H 23-45 cm E 15-23 cm	Sachets de graines mélangées. Coloris : blanc, bleu, rose et rouge. 'Royal Ensign', bleu roi. Vendues seulement par quelques grainetiers. 'Dwarf Picotee', fleurs de couleurs mélangées, bordées de blanc.	Entailler ou limer le tégument des graines avant les semis pour hâter la germination. Semer en place lorsque le sol s'est réchauffé. La plante prospère au soleil et à la chaleur, dans un sol ordinaire. Se cultive en corbeilles suspendues ou comme bordure dans des bacs. Supprimer les fleurs fanées pour prolonger la floraison.

On recommande de semer les cosmos (Cosmos) à l'intérieur dans nos régions quoiqu'ils peuvent se resemer. Les dahlias (Dahlia) offrent une incroyable variété de fleurs, de formes, de tailles et de couleurs. Les deux donnent de belles fleurs coupées.

Cosmos bipinnatus

Dahlia 'Redskin'

232 **PLANTES ANNUELLES ET BISANNUELLES**

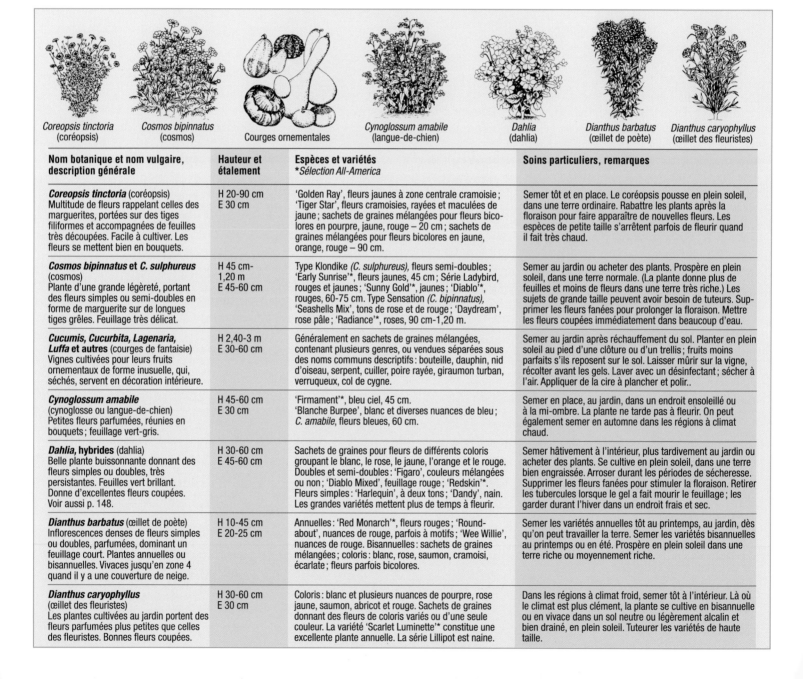

Coreopsis tinctoria (coréopsis) — Cosmos bipinnatus (cosmos) — Courges ornementales — Cynoglossum amabile (langue-de-chien) — Dahlia (dahlia) — Dianthus barbatus (œillet de poète) — Dianthus caryophyllus (œillet des fleuristes)

Nom botanique et nom vulgaire, description générale	Hauteur et étalement	Espèces et variétés *Sélection All-America	Soins particuliers, remarques
Coreopsis tinctoria (coréopsis) Multitude de fleurs rappelant celles des marguerites, portées sur des tiges filiformes et accompagnées de feuilles très découpées. Facile à cultiver. Les fleurs se mettent bien en bouquets.	H 20-90 cm E 30 cm	'Golden Ray', fleurs jaunes à zone centrale cramoisie ; 'Tiger Star', fleurs cramoisies, rayées et maculées de jaune ; sachets de graines mélangées pour fleurs bicolores en pourpre, jaune, rouge – 20 cm ; sachets de graines mélangées pour fleurs bicolores en jaune, orange, rouge – 90 cm.	Semer tôt et en place. Le coréopsis pousse en plein soleil, dans une terre ordinaire. Rabattre les plants après la floraison pour faire apparaître de nouvelles fleurs. Les espèces de petite taille s'arrêtent parfois de fleurir quand il fait très chaud.
Cosmos bipinnatus et *C. sulphureus* (cosmos) Plante d'une grande légèreté, portant des fleurs simples ou semi-doubles en forme de marguerite sur de longues tiges grêles. Feuillage très délicat.	H 45 cm-1,20 m E 45-60 cm	Type Klondike *(C. sulphureus)*, fleurs semi-doubles ; 'Early Sunrise'*, fleurs jaunes, 45 cm ; Série Ladybird, rouges et jaunes ; 'Sunny Gold'*, jaunes ; 'Diablo'*, rouges, 60-75 cm. Type Sensation *(C. bipinnatus)*, 'Seashells Mix', tons de rose et de rouge ; 'Daydream', rose pâle ; 'Radiance'*, roses, 90 cm-1,20 m.	Semer au jardin ou acheter des plants. Prospère en plein soleil, dans une terre normale. (La plante donne plus de feuilles et moins de fleurs dans une terre très riche.) Les sujets de grande taille peuvent avoir besoin de tuteurs. Supprimer les fleurs fanées pour prolonger la floraison. Mettre les fleurs coupées immédiatement dans beaucoup d'eau.
Cucumis, Cucurbita, Lagenaria, Luffa et autres (courges de fantaisie) Vignes cultivées pour leurs fruits ornementaux de forme inusuelle, qui, séchés, servent en décoration intérieure.	H 2,40-3 m E 30-60 cm	Généralement en sachets de graines mélangées, contenant plusieurs genres, ou vendues séparées sous des noms communs descriptifs : bouteille, dauphin, nid d'oiseau, serpent, cuiller, poire rayée, giraumon turban, verruqueux, col de cygne.	Semer au jardin après réchauffement du sol. Planter en plein soleil au pied d'une clôture ou d'un trellis ; fruits moins parfaits s'ils reposent sur le sol. Laisser mûrir sur la vigne, récolter avant les gels. Laver avec un désinfectant ; sécher à l'air. Appliquer de la cire à plancher et polir..
Cynoglossum amabile (cynoglosse ou langue-de-chien) Petites fleurs parfumées, réunies en bouquets ; feuillage vert-gris.	H 45-60 cm E 30 cm	'Firmament'*, bleu ciel, 45 cm. 'Blanche Burpee', blanc et diverses nuances de bleu ; *C. amabile*, fleurs bleues, 60 cm.	Semer en place, au jardin, dans un endroit ensoleillé ou à la mi-ombre. La plante ne tarde pas à fleurir. On peut également semer en automne dans les régions à climat chaud.
Dahlia, hybrides (dahlia) Belle plante buissonnante donnant des fleurs simples ou doubles, très persistantes. Feuilles vert brillant. Donne d'excellentes fleurs coupées. Voir aussi p. 148.	H 30-60 cm E 45-60 cm	Sachets de graines pour fleurs de différents coloris groupant le blanc, le rose, le jaune, l'orange et le rouge. Doubles et semi-doubles : 'Figaro', couleurs mélangées ou non ; 'Diablo Mixed', feuillage rouge ; 'Redskin'*. Fleurs simples : 'Harlequin', à deux tons ; 'Dandy', nain. Les grandes variétés mettent plus de temps à fleurir.	Semer hâtivement à l'intérieur, plus tardivement au jardin ou acheter des plants. Se cultive en plein soleil, dans une terre bien engraissée. Arroser durant les périodes de sécheresse. Supprimer les fleurs fanées pour stimuler la floraison. Retirer les tubercules lorsque le gel a fait mourir le feuillage ; les garder durant l'hiver dans un endroit frais et sec.
Dianthus barbatus (œillet de poète) Inflorescences denses de fleurs simples ou doubles, parfumées, dominant un feuillage court. Plantes annuelles ou bisannuelles. Vivaces jusqu'en zone 4 quand il y a une couverture de neige.	H 10-45 cm E 20-25 cm	Annuelles : 'Red Monarch'*, fleurs rouges ; 'Roundabout', nuances de rouge, parfois à motifs ; 'Wee Willie', nuances de rouge. Bisannuelles : sachets de graines mélangées ; coloris : blanc, rose, saumon, cramoisi, écarlate ; fleurs parfois bicolores.	Semer les variétés annuelles tôt au printemps, au jardin, dès qu'on peut travailler la terre. Semer les variétés bisannuelles au printemps ou en été. Prospère en plein soleil dans une terre riche ou moyennement riche.
Dianthus caryophyllus (œillet des fleuristes) Les plantes cultivées au jardin portent des fleurs parfumées plus petites que celles des fleuristes. Bonnes fleurs coupées.	H 30-60 cm E 30 cm	Coloris : blanc et plusieurs nuances de pourpre, rose jaune, saumon, abricot et rouge. Sachets de graines donnant des fleurs de coloris variés ou d'une seule couleur. La variété 'Scarlet Luminette'* constitue une excellente plante annuelle. La série Lillipot est naine.	Dans les régions à climat froid, semer tôt à l'intérieur. Là où le climat est plus clément, la plante se cultive en bisannuelle ou en vivace dans un sol neutre ou légèrement alcalin et bien drainé, en plein soleil. Tuteurer les variétés de haute taille.

Les gaillardes (Gaillardia) se
cultivent facilement et se resèment.
La digitale (Digitalis) donne des
épis de fleurs colorées de 90 cm
à 1,50 m. Ces bisannuelles ont
besoin d'un sol humide.

Gaillardia 'Kobold'

Digitalis purpurea f. albiflora

Dianthus chinensis (œillet de Chine)	Digitalis purpurea (digitale pourpre)	Dorotheanthus bellidiformis (ficoïde)	Erysimum cheiri (giroflée de muraille)	Eschscholzia californica (pavot de Californie)	Euphorbia marginata (euphorbe panachée)	Gaillardia pulchella (gaillarde)

Nom botanique et nom vulgaire, description générale	Hauteur et étalement	Espèces et variétés *Sélection All-America	Soins particuliers, remarques
Dianthus chinensis (œillet de Chine) Fleurs simples, semi-doubles ou doubles, parfumées, portées en abondance sur des tiges raides, au-dessus d'un feuillage aux lignes nettes. Belles fleurs pour bouquets.	H 18-30 cm E 15-30 cm	'Baby Doll', fleurs simples et bicolores : blanc et rose ou rouge, 20 cm ; 'Magic Charms'*, fleurs simples, dentées, blanches, roses ou rouges. 'Telstar Picotee'*, fleurs rouges bordées de blanc ; 'Ideal Violet'*, grosses fleurs ; 'Snowfire'*, fleurs blanches à cœur rouge.	Semer à l'extérieur dès que le sol est malléable ou à l'intérieur six à huit semaines avant le repiquage. Se cultive en plein soleil, dans un sol bien drainé et plutôt alcalin. Supprimer les fleurs fanées pour prolonger la floraison.
Digitalis purpurea (digitale pourpre) Grands épis de fleurs tubuleuses. Grandes feuilles basales. Se comporte comme une bisannuelle à moins d'être semée très tôt. Feuilles toxiques.	H 90 cm-1,50 m E 30-45 cm	Sachets de graines mélangées ; coloris : blanc, pourpre, rose et jaune. 'Excelsior' et 'Shirley' portent des fleurs tout autour de la tige ; elles sont plus horizontales que retombantes chez 'Excelsior'. 'Foxy'* fleurit en cinq mois.	Semer tôt à l'intérieur pour avoir des fleurs le même été ; à la fin de l'été au jardin en prévision d'une floraison l'année suivante. Se cultive à la mi-ombre dans un sol bien drainé, mais qui garde l'humidité. Recouvrir le sol d'un paillis léger après les premiers gels.
Dorotheanthus bellidiformis ou **Mesembryanthemum criniflorum** (ficoïde) Plante grasse portant des fleurs de 5 cm ressemblant à des marguerites. Feuilles succulentes vert vif.	H 10 cm E 30 cm	Sachets de graines mélangées dans un assortiment de couleurs comprenant : chamois, rose, or, abricot et cramoisi. Plante parente de *Mesembryanthemum crystallinum* et de *Cryophytum crystallinum*.	Semer les graines à l'intérieur au moins deux mois avant la transplantation à l'extérieur ou semer directement dehors lorsque tout risque de gel est passé. On en trouve parfois en pied dans les pépinières. Placer au plein soleil dans un sol bien drainé. Convient mieux aux régions chaudes.
Erysimum cheiri (giroflée de muraille) Épis denses de fleurs parfumées, à 4 pétales de 2,5 cm de diamètre. Préfère les régions côtières à climat frais.	H 38-60 cm E 20-30 cm	Plante inscrite sous divers noms dans les catalogues. *E. cheiri* présente des fleurs pourpres, jaunes, orange et rouges ; *E. allionii*, des fleurs jaunes et orange.	Pour cultiver en annuelle, semer 8 à 10 semaines avant le repiquage au jardin ; pour cultiver en bisannuelle, semer au début de l'été. *E. cheiri* est rustique jusqu'en zone 6 seulement ; *E. allionii* jusqu'en zone 4.
Eschscholzia californica (pavot de Californie) Masses de fleurs en forme de coupe sur un feuillage bas, finement découpé. Les fleurs ferment la nuit pour réouvrir au jour.	H 30 cm E 15 cm	'Ballerina', fleurs rouges ou roses ; semi-doubles ou doubles, jaunes. 'Mission Bells', semi-doubles ou doubles, dans les tons de rose, jaune, orange, cramoisi ; plusieurs bicolores. 'Apricot Flambeau', corail bordé de jaune. Série Thai Silk, fleurs élancées, tons de rouge.	Semer au début du printemps à sa place (la transplantation en est difficile). Placer au plein soleil dans un sol normal. Tolère la sécheresse. Les fleurs tiennent plus longtemps s'il fait frais. Par temps chaud, le feuillage jaunit. Le pavot de Californie se resème souvent.
Euphorbia heterophylla et **E. marginata** (euphorbe) Ces euphorbes sont cultivées pour leurs feuilles ornementales et leurs bractées colorées, qui ressemblent à des fleurs. Ces deux variétés sécrètent un latex irritant pour l'épiderme.	H 45-90 cm E 30 cm	*E. heterophylla* (poinsettia annuel), feuilles vertes devenant rouge vif au sommet en été. *E. marginata* (euphorbe panachée), feuilles vertes marginées ou rayées de blanc. Jusqu'à 60 cm de hauteur.	Semer des graines de *E. heterophylla* à l'intérieur ou plus tardivement au jardin, lorsque le sol s'est réchauffé. Semer *E. marginata* très tôt à l'extérieur (la germination est souvent spontanée). Ces deux espèces se cultivent en plein soleil et dans un sol sablonneux. Cautériser la plaie ou la plonger dans l'eau bouillante pour arrêter l'écoulement du latex quand on veut faire un bouquet.
Gaillardia amblyodon et **G. pulchella** (gaillarde) Fleurs simples ou doubles ; extrémité des pétales parfois ponctuée d'une teinte contrastante. Belles fleurs coupées.	H 30-60 cm E 30-45 cm	Sachets de graines mélangées ou de la même couleur. Coloris : rose, jaune, orange, écarlate et acajou. 'Lollipop', fleurs doubles en boule ; 'Red Plume'*, fleurs doubles ; 'Portola Giants', fleurs écarlates, ourlées d'or.	Semer tôt à l'intérieur ou plus tard au jardin. Prospère dans un emplacement chaud et ensoleillé et dans presque tous les sols. Résiste à la sécheresse. Supprimer les fleurs fanées pour prolonger la floraison. Germination spontanée.

Le tournesol (Helianthus) *est spectaculaire : non seulement il est une des plus grandes annuelles, certaines variétés pouvant atteindre 4,50 m, comme 'Moonwalker', mais sa fleur a la taille d'une assiette.*

Helianthus 'Moonwalker'

Gomphrena globosa (amarantoïde)

Graminées ornementales

Gypsophila elegans (gypsophile élégante)

Helianthus (tournesol)

Heliotropium (héliotrope)

Hibiscus moscheutos (ketmie des marais)

Iberis (thlaspi)

Nom botanique et nom vulgaire, description générale	Hauteur et étalement	Espèces et variétés *Sélection All-America	Soins particuliers, remarques
Gomphrena globosa (amarantoïde) Petite fleur ronde, parcheminée sur des plants élevés ou nains. Fleurs qui durent bien en bouquets et sèchent bien.	H 22-45 cm E 15-20 cm	'Dwarf Buddy', fleurs d'un pourpre riche ; série Gnome, plusieurs teintes. 'Strawberry Fields' (*G. haageana*), plus haute, porte des fleurs rouge vif.	Semer tôt à l'intérieur ou directement dehors après réchauffement du sol. Cette plante germe en deux semaines. Elle aime les étés chauds. Pour le séchage, cueillir les fleurs quand elles ouvrent et les pendre tête en bas.
Gramineae (de plusieurs genres) Ces jolies plantes sont généralement cultivées pour leurs aigrettes ou épis de semences de formes et de coloris divers qu'on peut faire sécher et utiliser en bouquets d'hiver.	H 30 cm-1,20 m E impossible à préciser, ces plantes étant groupées	Sachets de graines mélangées ou d'un seul genre. Avoine animée (*Avena sterilis*) ; agrostide nébuleuse (*Agrostis nebulosa*) ; millet d'Italie (*Setaria italica*) ; queue-de-lièvre (*Lagurus ovatus*) ; larmes-de-Job (*Coix lacryma*) ; grande brize (*Briza maxima*).	Semer en place au jardin. Ces graminées se cultivent en plein soleil, dans une terre de jardin ordinaire. Cueillir les tiges avant que les semences ne soient mûres. Les garder dans un endroit sec et bien aéré.
Gypsophila elegans (gypsophile élégante) Plante caractérisée par une abondance de petites fleurs étoilées que mettent en relief des plantes plus lourdes. Feuilles étroites. Compose de beaux bouquets.	H 38-45 cm E 20-25 cm	'Covent Garden', grandes fleurs blanches ; 'Snow Fountain', encore plus belle que 'Covent Garden' ; 'Rosea', fleurs roses ; 'Gipsy'*, fleurs blanches marbrées de rose. Pour la gypsophile vivace, voir p. 205.	Semer en place au jardin ; éclaircir au besoin. Prospère en plein soleil, dans une terre alcaline. Semer toutes les quatre ou cinq semaines pour obtenir une floraison continue, chaque sujet fleurissant peu longtemps.
Helianthus, espèce (tournesol ou soleil) Les petites variétés conviennent à tous les jardins ; les variétés de grande taille se placent à l'arrière-plan des massifs. Voir aussi les vivaces à *Helianthus*, p. 205.	H 45 cm-3 m E 30-60 cm	'Italian White', fleurs simples, de blanc à crème ; 'Teddy Bear', doubles, jaunes ; 'Sonja', orange, port buissonnant, 45 cm-1,20 m. 'Sungold', fleurs doubles jaunes ; 'Autumn Beauty', rouge sombre à jaunes ; 'Mammoth Russian', jaune d'or ; 'Valentine', jaune citron, 1,80-3 m.	Semer de préférence en place, la plante étant difficile à transplanter. Croît rapidement, de sorte qu'il est inutile de semer à l'intérieur. Prospère en plein soleil, dans une terre plutôt pauvre. Les oiseaux raffolent des graines.
Heliotropium, hybrides (héliotrope) Plante très cultivée autrefois, renommée pour ses inflorescences de petites fleurs parfumées. Pousse bien en bac ; cultivée parfois comme sujet de plein vent.	H 38-60 cm E 30-45 cm	'Blue Opal', fleurs bleu foncé ; 'Marine', fleurs violet intense ; 'Mini Marine', forme naine.	Semer à l'intérieur deux mois avant le repiquage au jardin. Ne pas transplanter à l'extérieur avant que le sol se soit bien réchauffé, la plante craignant le froid. Prospère au soleil ou à l'ombre légère, dans une terre riche, sans excès d'humidité.
Hibiscus moscheutos (ketmie des marais ou hibiscus) Grandes fleurs (25 cm de diamètre) en forme de bol sur des tiges de haute taille. Plante de croissance rapide. Une variété récente, qui fleurit l'année des semis, permet de l'inclure parmi les annuelles.	H 1,50 m E 60 cm	'Southern Belle'*, variété vendue en sachets de graines mélangées ou non ; coloris : blanc, blanc assorti à une autre teinte et rose. 'Disco Belle' est une forme naine (60 cm), à fleurs rouges, roses ou blanches.	Semer à l'intérieur six mois avant le repiquage au jardin ; prend trois semaines à germer. Installer les semis près d'une fenêtre ensoleillée. Repiquer en pots individuels. Planter au jardin dans un endroit ensoleillé quand tout danger de gel est écarté. Arroser en période de sécheresse. Pailler pour l'hiver dans les régions à climat froid.
Iberis, espèces (thlaspi) Nombreuses petites fleurs réunies en ombelles ou en épis semblables à ceux de la jacinthe.	H 20-45 cm E 15-30 cm	*I. amara* (à fleurs de jacinthe) : 'Empress', fleurs géantes blanches ; 'Iceberg', grandes fleurs blanches. *I. umbellata* (à fleurs en ombelles) : 'Dwarf Fairy', coloris de blanc, lavande, pourpre, rose et rouge ; 'Red Flash', fleurs rouges à cœur jaune.	Semer en place, tôt au printemps, dans un endroit ensoleillé. Préfère un été frais. Supprimer les fleurs fanées pour encourager une seconde floraison, à moins de vouloir que la plante se reproduise spontanément. Supporte la pollution de l'air.

Le thlaspi (Iberis) fait un bon couvre-sol. Il est odoriférant et se resèmera sauf dans les climats les plus rudes. Chaque fleur du volubilis (Ipomoea) ne dure qu'un jour mais la plante est en fleur de juillet aux premiers gels.

Iberis amara

Ipomoea purpurea

Impatiens balsamina (balsamine)

Impatiens Nouvelle-Guinée

Impatiens walleriana (impatiente)

Ipomoea (liseron)

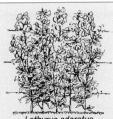

Lathyrus odoratus (pois de senteur)

Lavatera trimestris (mauve fleurie)

Nom botanique et nom vulgaire, description générale	Hauteur et étalement	Espèces et variétés *Sélection All-America	Soins particuliers, remarques
Impatiens balsamina (balsamine) Fleurs cireuses et généralement doubles ressemblant aux camélias, portées au sommet des tiges.	H 25-75 cm E 30-45 cm	Nombreux coloris : blanc, pourpre, rose, saumon, rouge, parfois avec macules blanches sur les pétales. Hauteur variable.	Semer hâtivement à l'intérieur ou au jardin lorsque tout risque de gel est écarté. Se cultive en plein soleil ou à la mi-ombre, dans un sol humide. Ne supporte pas les temps froids et humides.
Impatiens, hybrides de Nouvelle-Guinée Plantes de plus en plus populaires pour leur feuillage coloré et leurs larges fleurs. Supportent mieux le soleil que les autres impatientes. La plupart des variétés viennent de boutures, certaines de semis.	H 30-60 cm E 30-45 cm	Nombreuses formes obtenues à partir de boutures. À partir de semis : 'Spectra', feuilles vert foncé, fleurs dans les tons de rose, rouge et saumon ; 'Tango'*, fleurs orange vif.	Semer comme il est expliqué ci-dessous pour les autres hybrides d'impatientes. Acheter des plantules des formes bouturées. Planter à l'extérieur dans un endroit ensoleillé quand tout danger de gel est passé.
Impatiens walleriana, hybrides (impatiente) Fleurs simples ou doubles, de teintes généralement franches. Feuilles cireuses, vert foncé. Fleurit tout l'été. Demande peu de soins.	H 15-60 cm E 30-60 cm	Sachets de graines mélangées ou d'une seule couleur. Coloris : blanc, pourpre, rose, orange, saumon, carmin et rouge. Certaines fleurs ont le cœur plus foncé ou des pétales rayés ou maculés. Série Blitz 2000, 35 cm ; série Accent, 20 cm ; série Déco, feuilles foncées, 20 cm ; série Tempo, précoce, 22 cm.	Acheter des plants ou semer à l'intérieur 8 à 10 semaines avant le repiquage au jardin. Se cultive à la mi-ombre dans un sol amendé par des apports de compost ou de tourbe. Arroser en période de sécheresse. Il n'est pas utile de supprimer les fleurs fanées. Plante vivace dans les régions où il ne gèle pas. Se multiplie facilement par boutures.
Ipomoea purpurea et I. tricolor (volubilis ou liseron) Plante grimpante à fleurs simples ou parfois doubles, certaines ourlées ou rayées de blanc, et pouvant atteindre 20 cm de diamètre. Les fleurs des variétés anciennes se ferment l'après-midi ; celles des nouvelles restent ouvertes presque tout le jour.	H 3 m E 30 cm	'Pearly Gates'*, fleurs blanches ; 'Flying Saucers', rayées blanc et bleu ; 'Early Call', bleues, roses ou bicolores ; 'Heavenly Blue', bleu azur ; 'Wedding Bells', rose lavande ; 'Scarlet O'Hara'*, cramoisies ; 'Japanese Imperial', coloris mélangés, grandes fleurs ; 'Tinkerbell's Petticoat', doubles. Voir *Convolvulus*, pour les espèces naines, p. 231.	Pour accélérer la germination, enfermer les graines dans une serviette de papier mouillée et les garder 48 heures à 24-27 °C avant les semis ou entailler l'extrémité pointue de chaque graine. Semer tôt en pots, à l'intérieur (la plante n'aime pas être dérangée), ou en place au jardin dans un endroit ensoleillé et un sol moyennement riche. Palisser les plants.
Lathyrus odoratus (pois de senteur) Plante depuis longtemps cultivée ; variétés grimpantes et variétés non grimpantes. Quelques-unes ont des fleurs parfumées. Compose de beaux bouquets.	H 20 cm-3 m E 90 cm-1,80 m	Plusieurs variétés grimpantes de grande taille sont offertes en graines ; sachets de graines mélangées ou de fleurs d'une seule couleur. Coloris : blanc, bleu, lavande, rouge orangé, saumon, écarlate. Mêmes teintes dans les variétés naines : 'Bijou' et 'Little Sweetheart'. À mi-chemin entre les deux : 'Jet Set', 70 cm ; 'Knee-Hi', 75 cm.	Semer au jardin dès qu'on peut travailler le sol. Auparavant, faire tremper les graines plusieurs heures dans l'eau et les immuniser contre les bactéries (voir p. 436). Prospère en plein soleil et dans une terre riche. Préfère un climat frais, mais de nouvelles variétés résistent mieux à la chaleur. Tuteurer les variétés de grande taille.
Lavatera trimestris (mauve fleurie) Plante buissonnante à fleurs simples, satinées, semblables à celles de la rose trémière. Floraison du milieu à la fin de l'été. Les feuilles rappellent par leur forme celles de l'érable.	H 75-90 cm E 60 cm	'Loveliness', rose intense ; 'Tanagra', fleurs roses ; 'Silver Cup', fleurs rose pâle ; 'Mont Blanc', fleurs blanc immaculé. Voir aussi au tableau des annuelles *Lavatera*, p. 208.	Semer au printemps dès qu'on peut travailler le sol et à sa place définitive, la plante supportant mal le repiquage. Prospère en plein soleil, dans une terre ordinaire. Supprimer les fleurs fanées pour prolonger la floraison. A parfois besoin de tuteurs.

L'alysse (Lobularia) donne un couvre-sol très apprécié pour ses nombreux bouquets de fleurs très parfumées. Elle se cultive facilement et se resème sauf sous les climats les plus rudes.

Lobularia maritima 'Oriental Night'

Limonium sinuatum (statice)

Linaria maroccana (linaire)

Linum grandiflorum (lin à grandes fleurs)

Lobelia erinus (lobélie érine)

Lobularia maritima (alysse odorante)

Lunaria annua

Lupinus (lupin annuel)

Nom botanique et nom vulgaire, description générale	Hauteur et étalement	Espèces et variétés *Sélection All-America	Soins particuliers, remarques
Limonium sinuatum (statice) Épis ou panicules de petites fleurs à texture de paille, portés sur des tiges raides et élancées au-dessus d'un feuillage court. Supporte le voisinage de la mer. Fleurs qui se conservent longtemps, fraîches ou séchées.	H 30-75 cm E 30 cm	'Iceberg', fleurs blanches; 'Heavenly Blue', bleues; 'Midnight Blue', bleu foncé; 'Gold Coast', jaunes; 'American Beauty', roses; 'Apricot Beauty', fleurs bicolores, pêche et jaune. Sachets de graines mélangées.	Semer à l'extérieur dès qu'on peut travailler la terre. Pour obtenir une floraison plus hâtive, semer à l'intérieur huit semaines avant le repiquage. Dans les sachets, on trouve souvent des inflorescences entières séchées; dégager les graines avant de les semer. Se cultive en plein soleil, dans un sol bien drainé et relativement sec.
Linaria maroccana (linaire) Fleurs semblables à des mufliers miniatures et portées sur de courts épis. Compose de jolis bouquets.	H 23-60 cm E 15-30 cm	'Fairy Bouquet'*, sachets de graines mélangées comportant des variétés de teinte chamois, lavande, pourpre, rose, or ou cramoisi. 'Northern Lights' est similaire mais plus haute.	Semer tôt en place au jardin dans une terre ordinaire: la plante se repique avec difficulté. Préfère les étés frais. Fleurit rapidement. Bonne plante de bordure; compose de beaux massifs.
Linum grandiflorum (lin à grandes fleurs) Fleurs de texture délicate, à 5 pétales, de 5 cm de diamètre. Elles sont portées sur des tiges élancées. Feuilles étroites. Voir aussi à vivaces, *Linum*, p. 209.	H 40 cm E 20-25 cm	'Caeruleum', fleurs bleu-pourpre; 'Rubrum', rouge cramoisi vif; 'Bright Eyes', blanc-crème, à cœur sombre.	Semer au printemps sitôt qu'on peut travailler le sol ou à la fin de l'automne. Se cultive en plein soleil, dans un sol bien drainé. Répéter les semis, la floraison étant de courte durée. Préfère les étés frais.
Lobelia erinus (lobélie érine) Abondance de petites fleurs à 5 pétales, parfois à œil central blanc. Petites feuilles vertes ou vert bronze. À cultiver en bordure ou en bac. (Voir aussi p. 209.)	H 10-30 cm E 30 cm	'White Lady', fleurs blanches; 'Crystal Palace', bleu poudre; 'Blue Eyes', bleu-violet à œil blanc; 'Rosamond', rouge carmin à œil blanc, 10-15 cm. 'Sapphire', bleu azur à œil blanc, 30 cm (retombante). 'Color Cascade', couleurs mélangées.	Semer à l'intérieur trois mois avant le repiquage au jardin ou acheter des plants au printemps. Préfère la mi-ombre et une terre ordinaire. Rabattre les plants de 3 à 5 cm après la première floraison.
Lobularia maritima (alysse odorante) Petits bouquets de fleurs parfumées s'épanouissant tout l'été. Plante dense à port prostré, idéale en bordure.	H 7-23 cm E 30 cm	'Carpet of Snow', 'Snow Crystals', fleurs blanches; 'Royal Carpet'*, 'Violet Queen', fleurs violettes; 'Rosie O'Day'*, fleurs roses, 7-13 cm. La série Basket convient aux boîtes à fleurs et aux corbeilles suspendues.	Fleurit rapidement à partir de semis. Semer en place sitôt que le sol est réchauffé. Pousse au soleil, dans une terre normalement fertile. Lorsque les premières fleurs se sont fanées, tailler les plants pour qu'ils fleurissent de nouveau.
Lunaria annua (monnaie-du-pape) Petites fleurs légèrement parfumées, feuilles sans finesse. Cette plante produit des fruits qui renferment des disques papyracés argentés qui lui ont donné son nom et qui sont utilisés dans les bouquets séchés.	H 60 cm E 30 cm	'Alba Variegata', fleurs blanches et feuilles bordées de blanc.	Semer au printemps les sujets cultivés comme plantes annuelles; en été, les bisannuelles. Semer en place, en plein soleil ou à la mi-ombre, dans un sol bien drainé. Cueillir les fruits dès qu'ils sont bruns; enlever la pellicule extérieure de la gousse (silique). Se multiplie spontanément; peut devenir envahissante.
Lupinus, espèces et hybrides (lupin annuel) Fleurs réunies en épis, dominant un feuillage profondément divisé. Courte période de floraison en été. Voir aussi à vivaces, *Lupinus*, p. 209.	H 30-90 cm E 30 cm	Coloris: blanc, bleu, lavande, rose et jaune. Les appellations du lupin annuel varient beaucoup d'un catalogue à l'autre. Rechercher le mot « annuel » dans la description. 'Pixie Delight' est le plus commun.	Semer au jardin dès que le sol peut être travaillé. Choisir une terre riche, non calcaire, un emplacement ensoleillé ou à demi ombragé. Préfère des printemps et des étés frais.

Les fleurs des mimulus (Mimulus) rappellent un peu par leur forme celles des capucines. Le quatre-heures (Mirabilis jalapa) doit son nom au fait que ses fleurs s'ouvrent tard dans l'après-midi; à placer dans un écran floral ou une haie.

Mimulus 'Highland Orange'

Mirabilis jalapa

Malcolmia maritima (Julienne de Mahon)

Matthiola bicornis (giroflée)

Mimulus luteus (mimulus)

Mirabilis jalapa (quatre-heures)

Molucella laevis (clochette d'Irlande)

Myosotis (myosotis)

Nemesia strumosa (némésie d'Afrique)

Nom botanique et nom vulgaire, description générale	Hauteur et étalement	Espèces et variétés *Sélection All-America	Soins particuliers, remarques
Malcolmia maritima (Julienne de Mahon) Racèmes lâches de fleurs odorantes à 4 pétales. Feuilles gris-vert. Voir aussi Matthiola.	H 23 cm E 15 cm	Plante vendue en sachets de graines de coloris assortis : blanc, lilas, rose, jaune (rare) et rouge. Ne se trouve pas facilement en Amérique du Nord.	Semer dès que le sol peut se travailler au printemps. Planter au plein soleil dans un sol de fertilité moyenne. Fleurit rapidement, en six semaines environ, après les semis. Se resème.
Matthiola bicornis et **M. incana annua** (giroflée des jardins, giroflée quarantaine) Fleurs parfumées, simples ou doubles, portées en épis sur des plantes buissonnantes. Les fleurs coupées donnent de jolis bouquets.	H 30-45 cm E 23-30 cm	M. bicornis, fleurs lilas, simples, en épis de 30 à 45 cm de haut ; M. incana annua (giroflée annuelle), sachets de graines mélangées ou de fleurs d'une seule couleur : blanc, lilas, pourpre, rose, jaune ; 'Trysomic Seven Week' et 'Dwarf Ten Week' fleurissent très vite.	Semer au jardin sitôt que le sol s'est réchauffé ou acheter des plants. À l'intérieur, les semis exigent une température constante de 10 °C. Se cultive bien en pots et en serre fraîche. Prospère en plein soleil, dans un sol humide et moyennement riche.
Mimulus luteus et hybrides (mimulus) Fleurs voyantes à pétales tachetés, sur des plants bas et compacts. Cultivé principalement comme annuelle.	H 30 cm E 23 cm	Plante disponible en sachets de graines mélangées dans différentes teintes de jaune et de rouge tachetés. Il existe une variété à larges fleurs.	Semer les graines à l'intérieur deux mois avant la transplantation une fois que le danger de gel est passé. Placer à mi-ombre dans un sol riche et humide. Ou semer à l'extérieur pour une floraison tardive. Bon choix pour un pot ou une corbeille suspendue.
Mirabilis jalapa (quatre-heures) Fleurs en forme de trompette, pouvant atteindre 2,5 cm de diamètre ; elles s'ouvrent en fin d'après-midi et se referment le lendemain matin. Feuillage touffu, vert foncé. Vivace dans les régions à climat doux.	H 45 cm-1,20 m E 30-60 cm	Plante généralement vendue en sachets de graines mélangées ; coloris de blanc, lavande, rose, jaune et saumon. 'Jingles', fleurs rayées ; 'Pygmy', 45 cm de hauteur ; 'Petticoat', donnant l'effet d'une fleur qui pousserait dans une autre fleur.	Semer à l'extérieur en plein soleil et dans un sol bien drainé. Pousse rapidement. Déterrer les tubercules quand la terre commence à geler. Les conserver comme ceux des dahlias, voir p. 154. Plante utile comme écran ou haie ; supporte la pollution atmosphérique.
Molucella laevis (clochette d'Irlande) Plante particulière, présentant des épis couverts de calices vert pâle renfermant chacun une petite fleur blanche. Bonne fleur coupée, fraîche ou séchée.	H 60-90 cm E 23 cm	M. laevis, calices vert pâle en forme d'entonnoir renfermant chacun une minuscule fleur blanche. C'est la seule espèce que l'on trouve sur le marché.	Semer les graines tôt, mais après que tout danger de gel soit écarté, à un endroit où les plantules n'auront pas à être transplantées. La germination (quatre semaines) réussit mieux par temps frais. Exposition au plein soleil. Pour faire sécher, enlever les feuilles et pendre les tiges.
Myosotis, espèces (myosotis) Petites fleurs groupées en bouquets et s'épanouissant en même temps que les tulipes ; souvent dans les mêmes plates-bandes. Plante cultivée de préférence en bisannuelle, mais aussi en annuelle.	H 18-30 cm E 10-23 cm	Sachets de graines de fleurs de divers coloris – blanc, bleu et rose – ou d'une seule couleur qui est ordinairement le bleu. Certains catalogues mentionnent des variétés bisannuelles (M. alpestris ou M. rupicola) et des variétés annuelles (M. sylvatica ou M. oblongata).	Pour cultiver en bisannuelle, semer à la fin de l'été ; pour cultiver en annuelle, semer sitôt que le sol s'est réchauffé au printemps. Dans les régions froides, protéger les plants en hiver. Se cultive à la mi-ombre ou au soleil, dans une terre moyennement fertile. Multiplication spontanée ; enlever les plants lorsque les graines se sont répandues.
Nemesia strumosa (némésie d'Afrique) Plante buissonnante et touffue se cultivant en bordures ou en bacs. Petites fleurs qui composent de jolis bouquets.	H 25-30 cm E 15 cm	Sachets de graines mélangées. Coloris : blanc, rose, jaune, orange et cramoisi.	Préfère des étés frais. Semer à l'intérieur ou sous châssis froid six à huit semaines avant les derniers gels. Dans les régions à climat doux, semer en automne ou en hiver pour obtenir une floraison hâtive au printemps. Se cultive en plein soleil, dans une terre riche et humide. Pincer les tiges.

Cultivé pour ses formes ornementales,
le pavot à opium (Papaver somniferum)
peut atteindre 1 m de haut; il porte
habituellement des fleurs doubles.
Nicotiana sylvestris est le plus parfumé
des tabacs ornementaux; il reste
en fleur longtemps.

Papaver somniferum

Nicotiana sylvestris

Nemophila
(némophile)

Nicotiana (tabac)

Nierembergia
(nierembergie)

Nigella damascena
(nigelle de Damas)

Ocimum basilicum
(basilic ornemental)

Osteospermum
(osteospermum)

Papaver rhoeas
(coquelicot)

Nom botanique et nom vulgaire, description générale	Hauteur et étalement	Espèces et variétés *Sélection All-America	Soins particuliers, remarques
Nemophila menziesii (némophile) Petites fleurs en coupe, à 5 pétales de 4 cm de diamètre, sur des tiges graciles et un feuillage de type fougère.	H 15-20 cm E 15 cm	Fleurs bleues à centre blanc.	Aime les étés frais ou les hivers sans gel pour fleurir à la fin de l'hiver ou au début du printemps. Semer au printemps dès que le sol peut être travaillé à l'emplacement où la plante poussera : la transplantation en est difficile.
Nicotiana, espèces et hybrides (tabac) Plante très florifère. Groupes de fleurs parfumées, en trompette ; grandes feuilles basales. *N. sylvestris* donne les fleurs les plus parfumées et les plants atteignent 1,80 m.	H 25-75 cm E 25-60 cm	*N. alata* (tabac odorant), fleurs odorantes : 'Daylight Sensation', lavande à blanches ; série Nicki, plusieurs couleurs incluant le vert. *N. sanderae* : séries Domino, Havana et Metro, plantes naines dans un grand choix de coloris. *N. sylvestris,* fleurs blanches tubulaires, très odorantes sur un haut plant très ramifié.	Semer à l'intérieur, quatre à six semaines avant le repiquage ; la lumière favorise la germination : ne pas couvrir les semis. Les plantules lèvent en deux ou trois semaines. On peut acheter des plants au printemps. Se cultive en plein soleil ou à la mi-ombre et tolère la chaleur.
Nierembergia, espèces et hybrides (nierembergie) Fleurs à 5 pétales, en forme de coupe de 2,5 cm de diamètre, portées au sommet de tiges élancées. Petites feuilles très étroites. Longue période de floraison.	H 15-60 cm E 10-15 cm	*N. caerulea*, fleurs bleu-violet ; floraison ininterrompue. 'Purple Robe' très répandue. 'Mont Blanc', fleurs blanches, 15 cm.	Semer à l'intérieur, 8 à 10 semaines avant le repiquage ; transplanter les plantules quand tout risque de gel est écarté. Se cultive au soleil, dans une terre riche et humide. Tolère la mi-ombre dans les régions où la chaleur est intense. Souvent vivace en zone 8. En région froide, placer les plantes sous châssis froid en hiver.
Nigella damascena (nigelle de Damas ou cheveux-de-Vénus) Fleurs de 4 cm de diamètre au bout de tiges frêles. Feuilles très finement découpées. Gousses de graines séchées pour les bouquets d'hiver.	H 38-45 cm E 23-30 cm	'Miss Jekyll', fleurs bleues ; 'Monarch Persian Rose', fleurs roses ; 'Mulberry Rose', fleurs doubles roses ; 'Persian jewels', sachets de graines mélangées de coloris assortis : blanc, rose, pourpre, rouge carmin.	Semer les graines en place (la transplantation est difficile) dès que le sol peut être travaillé au printemps. Planter au plein soleil dans un sol bien drainé. Faire plusieurs semis espacés pour prolonger la période de floraison.
Ocimum basilicum (basilic ornemental) Cultivé principalement pour ses feuilles ornementales et aromatiques utilisées en cuisine. Petites fleurs blanches ou pourpres, sans intérêt.	H 30-45 cm E 30 cm	*O. basilicum*, feuilles vertes ; *O. b.* 'Dark Opal'*, feuilles pourpre foncé, très souvent cultivé comme plante d'ornement. 'Siam Queen'*, feuilles étroites et remarquables fleurs pourpres.	Semer à l'intérieur, six à huit semaines avant le repiquage. Se cultive en plein soleil, dans un sol léger et sablonneux. Pincer les tiges pour favoriser la ramification. Pour le séchage, couper les tiges en fleur et les suspendre à l'envers au frais et au sec. On peut rabattre les plants, les empoter et les rentrer dans la maison à l'automne.
Osteospermum, hybrides (osteospermum) Fleurs ressemblant à des marguerites souvent avec une bande ou un disque de couleur contrastante.	H 30-45 cm E 30 cm	'Passion Mix'*, fleurs roses, pourpres ou blanches ; 'Whirligig', pétales en forme de petite cuillère, blancs, lavande sur le dessous.	Semer à l'intérieur, au moins 12 semaines avant les derniers gels, ou acheter des plantules. Placer dans un sol bien drainé au plein soleil. Tolère la sécheresse. Fleurit jusqu'à l'automne.
Papaver rhoeas (coquelicot) Fleurs satinées, simples ou doubles, sur des tiges filiformes. Feuillage découpé. Donne de belles fleurs coupées. Voir aussi Pavot d'Orient vivace, p. 211.	H 45 cm E 30 cm	Fleurs simples ou doubles, souvent bicolores. Sachets de graines mélangées ; coloris : rose, jaune, saumon, abricot et rouge ; fleurs parfois teintées ou frangées d'une autre couleur. *P. somniferum* (pavot à opium), fleurs doubles, frangées, roses, rouges ou blanches.	Semer en place à la fin de l'automne ou au printemps, dès que le sol est malléable. Souffre du repiquage. Se cultive en plein soleil, dans une terre normale.

Il existe un large éventail et une grande variété de pétunias (Petunia). Leur longue floraison les a rendus très populaires, en particulier pour les boîtes à fleurs. L'espèce multiflora propose une abondance de fleurs moyennes.

Petunia multiflora 'Fantasy Pink Morn'

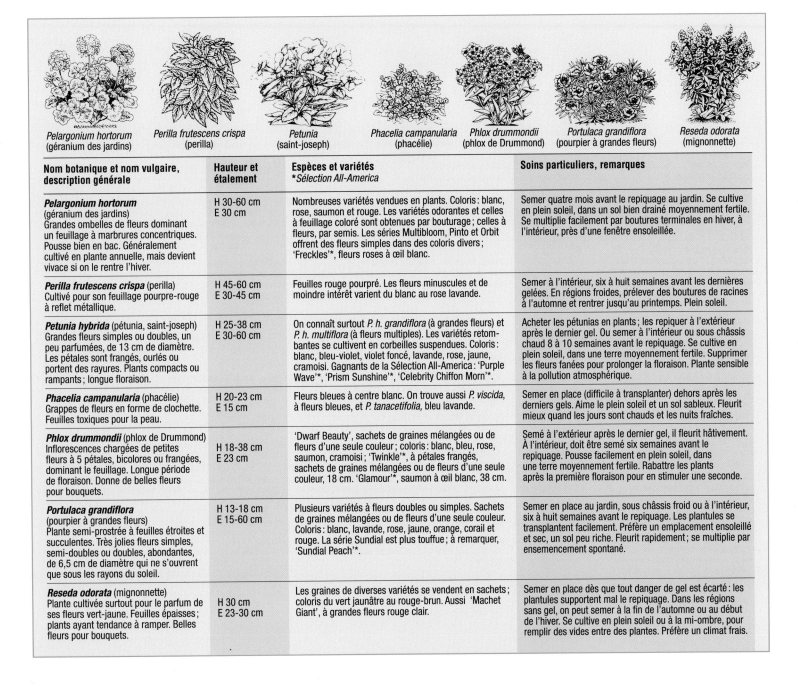

Pelargonium hortorum (géranium des jardins) — Perilla frutescens crispa (perilla) — Petunia (saint-joseph) — Phacelia campanularia (phacélie) — Phlox drummondii (phlox de Drummond) — Portulaca grandiflora (pourpier à grandes fleurs) — Reseda odorata (mignonnette)

Nom botanique et nom vulgaire, description générale	Hauteur et étalement	Espèces et variétés *Sélection All-America	Soins particuliers, remarques
Pelargonium hortorum (géranium des jardins) Grandes ombelles de fleurs dominant un feuillage à marbrures concentriques. Pousse bien en bac. Généralement cultivé en plante annuelle, mais devient vivace si on le rentre l'hiver.	H 30-60 cm E 30 cm	Nombreuses variétés vendues en plants. Coloris : blanc, rose, saumon et rouge. Les variétés odorantes et celles à feuillage coloré sont obtenues par bouturage ; celles à fleurs, par semis. Les séries Multibloom, Pinto et Orbit offrent des fleurs simples dans des coloris divers ; 'Freckles'*, fleurs roses à œil blanc.	Semer quatre mois avant le repiquage au jardin. Se cultive en plein soleil, dans un sol bien drainé moyennement fertile. Se multiplie facilement par boutures terminales en hiver, à l'intérieur, près d'une fenêtre ensoleillée.
Perilla frutescens crispa (perilla) Cultivé pour son feuillage pourpre-rouge à reflet métallique.	H 45-60 cm E 30-45 cm	Feuilles rouge pourpré. Les fleurs minuscules et de moindre intérêt varient du blanc au rose lavande.	Semer à l'intérieur, six à huit semaines avant les dernières gelées. En régions froides, prélever des boutures de racines à l'automne et rentrer jusqu'au printemps. Plein soleil.
Petunia hybrida (pétunia, saint-joseph) Grandes fleurs simples ou doubles, un peu parfumées, de 13 cm de diamètre. Les pétales sont frangés, ourlés ou portent des rayures. Plants compacts ou rampants ; longue floraison.	H 25-38 cm E 30-60 cm	On connaît surtout P. h. grandiflora (à grandes fleurs) et P. h. multiflora (à fleurs multiples). Les variétés retombantes se cultivent en corbeilles suspendues. Coloris : blanc, bleu-violet, violet foncé, lavande, rose, jaune, cramoisi. Gagnants de la Sélection All-America : 'Purple Wave'*, 'Prism Sunshine'*, 'Celebrity Chiffon Morn'*.	Acheter les pétunias en plants ; les repiquer à l'extérieur après le dernier gel. Ou semer à l'intérieur ou sous châssis chaud 8 à 10 semaines avant le repiquage. Se cultive en plein soleil, dans une terre moyennement fertile. Supprimer les fleurs fanées pour prolonger la floraison. Plante sensible à la pollution atmosphérique.
Phacelia campanularia (phacélie) Grappes de fleurs en forme de clochette. Feuilles toxiques pour la peau.	H 20-23 cm E 15 cm	Fleurs bleues à centre blanc. On trouve aussi P. viscida, à fleurs bleues, et P. tanacetifolia, bleu lavande.	Semer en place (difficile à transplanter) dehors après les derniers gels. Aime le plein soleil et un sol sableux. Fleurit mieux quand les jours sont chauds et les nuits fraîches.
Phlox drummondii (phlox de Drummond) Inflorescences chargées de petites fleurs à 5 pétales, bicolores ou frangées, dominant le feuillage. Longue période de floraison. Donne de belles fleurs pour bouquets.	H 18-38 cm E 23 cm	'Dwarf Beauty', sachets de graines mélangées ou de fleurs d'une seule couleur ; coloris : blanc, bleu, rose, saumon, cramoisi ; 'Twinkle'*, à pétales frangés, sachets de graines mélangées ou de fleurs d'une seule couleur, 18 cm. 'Glamour'*, saumon à œil blanc, 38 cm.	Semé à l'extérieur après le dernier gel, il fleurit hâtivement. À l'intérieur, doit être semé six semaines avant le repiquage. Pousse facilement en plein soleil, dans une terre moyennement fertile. Rabattre les plants après la première floraison pour en stimuler une seconde.
Portulaca grandiflora (pourpier à grandes fleurs) Plante semi-prostrée à feuilles étroites et succulentes. Très jolies fleurs simples, semi-doubles ou doubles, abondantes, de 6,5 cm de diamètre qui ne s'ouvrent que sous les rayons du soleil.	H 13-18 cm E 15-60 cm	Plusieurs variétés à fleurs doubles ou simples. Sachets de graines mélangées ou de fleurs d'une seule couleur. Coloris : blanc, lavande, rose, jaune, orange, corail et rouge. La série Sundial est plus touffue ; à remarquer, 'Sundial Peach'*.	Semer en place au jardin, sous châssis froid ou à l'intérieur, six à huit semaines avant le repiquage. Les plantules se transplantent facilement. Préfère un emplacement ensoleillé et sec, un sol peu riche. Fleurit rapidement ; se multiplie par ensemencement spontané.
Reseda odorata (mignonnette) Plante cultivée surtout pour le parfum de ses fleurs vert-jaune. Feuilles épaisses ; plants ayant tendance à ramper. Belles fleurs pour bouquets.	H 30 cm E 23-30 cm	Les graines de diverses variétés se vendent en sachets ; coloris du vert jaunâtre au rouge-brun. Aussi 'Machet Giant', à grandes fleurs rouge clair.	Semer en place dès que tout danger de gel est écarté : les plantules supportent mal le repiquage. Dans les régions sans gel, on peut semer à la fin de l'automne ou au début de l'hiver. Se cultive en plein soleil ou à la mi-ombre, pour remplir des vides entre des plantes. Préfère un climat frais.

Le ravissant salpiglossis (Salpiglossis) est aussi beau dans une bordure que dans un pot. Le rhodanthe (Rhodanthe), une annuelle qui fleurit longtemps, peut être séché en prévision des bouquets d'hiver.

Salpiglossis 'Casino'

Rhodanthe chlorocephala rosea

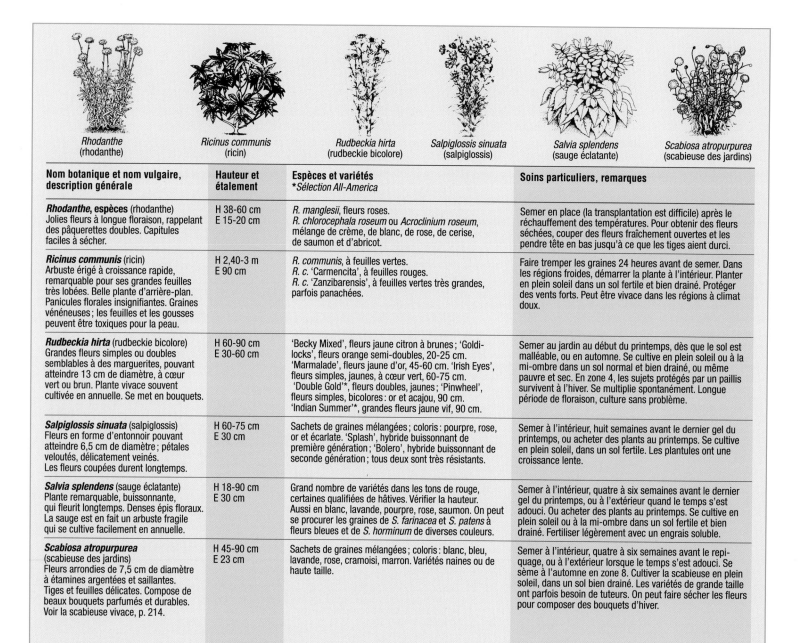

Rhodanthe (rhodanthe)

Ricinus communis (ricin)

Rudbeckia hirta (rudbeckie bicolore)

Salpiglossis sinuata (salpiglossis)

Salvia splendens (sauge éclatante)

Scabiosa atropurpurea (scabieuse des jardins)

Nom botanique et nom vulgaire, description générale	Hauteur et étalement	Espèces et variétés *Sélection All-America	Soins particuliers, remarques
Rhodanthe, espèces (rhodanthe) Jolies fleurs à longue floraison, rappelant des pâquerettes doubles. Capitules faciles à sécher.	H 38-60 cm E 15-20 cm	*R. manglesii*, fleurs roses. *R. chlorocephala roseum* ou *Acroclinium roseum*, mélange de crème, de blanc, de rose, de cerise, de saumon et d'abricot.	Semer en place (la transplantation est difficile) après le réchauffement des températures. Pour obtenir des fleurs séchées, couper des fleurs fraîchement ouvertes et les pendre tête en bas jusqu'à ce que les tiges aient durci.
Ricinus communis (ricin) Arbuste érigé à croissance rapide, remarquable pour ses grandes feuilles très lobées. Belle plante d'arrière-plan. Panicules florales insignifiantes. Graines vénéneuses; les feuilles et les gousses peuvent être toxiques pour la peau.	H 2,40-3 m E 90 cm	*R. communis*, à feuilles vertes. *R. c.* 'Carmencita', à feuilles rouges. *R. c.* 'Zanzibarensis', à feuilles vertes très grandes, parfois panachées.	Faire tremper les graines 24 heures avant de semer. Dans les régions froides, démarrer la plante à l'intérieur. Planter en plein soleil dans un sol fertile et bien drainé. Protéger des vents forts. Peut être vivace dans les régions à climat doux.
Rudbeckia hirta (rudbeckie bicolore) Grandes fleurs simples ou doubles semblables à des marguerites, pouvant atteindre 13 cm de diamètre, à cœur vert ou brun. Plante vivace souvent cultivée en annuelle. Se met en bouquets.	H 60-90 cm E 30-60 cm	'Becky Mixed', fleurs jaune citron à brunes; 'Goldi-locks', fleurs orange semi-doubles, 20-25 cm. 'Marmalade', fleurs jaune d'or, 45-60 cm. 'Irish Eyes', fleurs simples, jaunes, à cœur vert, 60-75 cm. 'Double Gold'*, fleurs doubles, jaunes; 'Pinwheel', fleurs simples, bicolores: or et acajou, 90 cm. 'Indian Summer'*, grandes fleurs jaune vif, 90 cm.	Semer au jardin au début du printemps, dès que le sol est malléable, ou en automne. Se cultive en plein soleil ou à la mi-ombre dans un sol normal et bien drainé, ou même pauvre et sec. En zone 4, les sujets protégés par un paillis survivent à l'hiver. Se multiplie spontanément. Longue période de floraison, culture sans problème.
Salpiglossis sinuata (salpiglossis) Fleurs en forme d'entonnoir pouvant atteindre 6,5 cm de diamètre; pétales veloutés, délicatement veinés. Les fleurs coupées durent longtemps.	H 60-75 cm E 30 cm	Sachets de graines mélangées; coloris: pourpre, rose, or et écarlate. 'Splash', hybride buissonnant de première génération; 'Bolero', hybride buissonnant de seconde génération; tous deux sont très résistants.	Semer à l'intérieur, huit semaines avant le dernier gel du printemps, ou acheter des plants au printemps. Se cultive en plein soleil, dans un sol fertile. Les plantules ont une croissance lente.
Salvia splendens (sauge éclatante) Plante remarquable, buissonnante, qui fleurit longtemps. Denses épis floraux. La sauge est en fait un arbuste fragile qui se cultive facilement en annuelle.	H 18-90 cm E 30 cm	Grand nombre de variétés dans les tons de rouge, certaines qualifiées de hâtives. Vérifier la hauteur. Aussi en blanc, lavande, pourpre, rose, saumon. On peut se procurer les graines de *S. farinacea* et *S. patens* à fleurs bleues et de *S. horminum* de diverses couleurs.	Semer à l'intérieur, quatre à six semaines avant le dernier gel du printemps, ou à l'extérieur quand le temps s'est adouci. Ou acheter des plants au printemps. Se cultive en plein soleil ou à la mi-ombre dans un sol fertile et bien drainé. Fertiliser légèrement avec un engrais soluble.
Scabiosa atropurpurea (scabieuse des jardins) Fleurs arrondies de 7,5 cm de diamètre à étamines argentées et saillantes. Tiges et feuilles délicates. Compose de beaux bouquets parfumés et durables. Voir la scabieuse vivace, p. 214.	H 45-90 cm E 23 cm	Sachets de graines mélangées; coloris: blanc, bleu, lavande, rose, cramoisi, marron. Variétés naines ou de haute taille.	Semer à l'intérieur, quatre à six semaines avant le repiquage, ou à l'extérieur lorsque le temps s'est adouci. Se sème à l'automne en zone 8. Cultiver la scabieuse en plein soleil, dans un sol bien drainé. Les variétés de grande taille ont parfois besoin de tuteurs. On peut faire sécher les fleurs pour composer des bouquets d'hiver.

Les fleurs de la scaevola (Scaevola aemula) sont de véritables petits éventails. Le port retombant de cette plante, comme chez les schizanthes (Schizanthus), en fait un bon choix pour les corbeilles suspendues.

Scaevola aemula 'Blue Wonder'

Schizanthus 'Hit Parade'

Scaevola aemula (scaevola)

Schizanthus pinnatus (schizanthe)

Senecio cineraria (cinéraire maritime)

Sutera cordata (bacopa)

Tagetes erecta (rose d'Inde)

Tagetes tenuifolia (œillet d'Inde mouchet)

Tanacetum parthenium (matricaire commune)

Nom botanique et nom vulgaire, description générale	Hauteur et étalement	Espèces et variétés *Sélection All-America	Soins particuliers, remarques
Scaevola aemula (scaevola) Fleurs en éventail à 5 pétales, groupées au-dessus de feuilles sombres, dentées. Plants érigés ou rampants, très tolérants à la chaleur. Originaire d'Australie.	H 30-45 cm E 30-45 cm	'Blue Wonder' (ou 'New Wonder'), bleu lilas, longue floraison ; 'Mauve Clusters', port plutôt retombant.	Acheter les plants au printemps. Le sol ne doit être ni trop sec ni trop humide. Préfère un sol légèrement acide : aussi traiter au fer chélaté si le feuillage ou les fleurs se mettent à pâlir.
Schizanthus pinnatus (schizanthe) Petites fleurs peu densément groupées, dominant un feuillage profondément découpé. Les fleurs ressemblent un peu aux orchidées. Souvent cultivé en pot.	H 30-45 cm E 30 cm	'Angel Wings' et 'Hit Parade' sont deux variétés améliorées, à port plus compact, offertes en sachets de graines variées. Les fleurs généralement bicolores présentent des teintes de blanc, de violet, de pourpre, de rose et d'écarlate.	Semer les graines à l'intérieur, six à huit semaines avant les derniers gels du printemps, ou au jardin quand le temps s'est réchauffé. Préfère un climat frais. En serre, semer en automne. Germination lente. Se cultive en plein soleil ou à la mi-ombre, dans une terre humide.
Senecio cineraria (cinéraire maritime) Plante cultivée pour ses feuilles gris argent, très découpées. Port buissonnant. Donne à l'occasion de petites fleurs jaunes.	H 20-75 cm E 30-90 cm	'Cirrus', feuilles blanches finement découpées ; 'Silverdust', feuillage argenté et très finement découpé. D'autres plantes vendues comme des cinéraires incluent *Centaurea cineraria* et *C. gymnocarpa*. Elles se ressemblent toutes.	Dans les régions à climat froid, acheter des plants ou semer à l'intérieur, deux mois avant le repiquage au jardin. Se cultive en plein soleil, dans un sol ordinaire. Résiste à la sécheresse et aux embruns.
Sutera cordata (ancien nom botanique, *Bacopa*) Fleurs en forme de soucoupe, à 5 pétales, avec des étamines jaunes très visibles sur un plant rampant à feuilles vertes brillantes.	H 8 cm E 30-45 cm	'Snowflake' offre des fleurs blanches de 1 cm de diamètre ; 'Snowstorm' (aussi appelée 'Snow Falls') a des fleurs de plus grande taille ; 'Pink Domino', à fleurs roses, pousse un peu plus haut.	Se procurer les plants dans une pépinière. Bien arroser et planter dans un sol normal, partiellement ensoleillé ; l'ombre est préférable là où les étés sont chauds. Belle plante pour les corbeilles suspendues.
Tagetes erecta (rose d'Inde) et *T. patula* (œillet d'Inde) Plantes à fleurs simples, semi-doubles ou doubles, souvent bicolores et à floraison prolongée. Feuillage très découpé, à parfum piquant. Bonnes fleurs coupées. *T. tenuifolia* (œillet d'Inde mouchet) Plante compacte qui se couvre d'innombrables petites fleurs sur un feuillage comme de la dentelle.	H 18 cm- 1,20 m E 15-45 cm	*T. erecta* : grandes fleurs doubles blanches, crème, jaunes ou orange, sur des plants de haute taille. 'Antigua Gold', fleurs jaunes ; 'First Lady'*, jaune citron ; 'Orange Marvel', fleurs doubles. *T. patula* : fleurs plus petites mais en général doubles, jaunes, orange ou rouge acajou, sur des plants trapus. 'Queen Sophia'*, fleurs rouille bordées d'or ; 'Golden Gate'*, orange à cœur rouge ; 'Bonanza Bolero'*, orange vif. *T. tenuifolia* : fleurs simples. Série Gem en jaune et en orange : 'Lulu', jaune citron.	Semer à l'intérieur, six semaines avant le repiquage au jardin, ou à l'extérieur lorsque le temps s'est adouci. Se cultive en plein soleil et dans une terre ordinaire. *T. erecta* fleurit plus hâtivement que les autres variétés. Supprimer les fleurs fanées pour prolonger la floraison.
Tanacetum parthenium (matricaire commune) Petites fleurs doubles et sphériques poussant en groupes sur des plants dressés ou trapus. Parfum piquant. Plante vivace souvent cultivée en annuelle.	H 15-60 cm E 23 cm	'Snowball', fleurs blanches ; 'White Stars', blanches à cœur jaune ; 'Golden Ball', fleurs jaunes, 15-25 cm. 'Balls' Double White' et 'White Wonder', fleurs blanches, 60 cm.	Pour avoir une floraison hâtive, semer à l'intérieur, six à huit semaines avant le repiquage au jardin. Ou semer en place en prévision d'une floraison tardive. Se cultive en plein soleil ou à la mi-ombre.

Les plantes grimpantes ornementales à croissance rapide, comme la Suzanne-aux-yeux-noirs (Thunbergia alata) embellissent les clôtures et les treillis.

Thunbergia alata

Tithonia
(soleil de Californie)

Torenia fournieri
(torénia de Fournier)

Tropaeolum majus (capucine)

Verbena
(verveine des jardins)

Thunbergia alata
(Suzanne-aux-yeux-noirs)

Viola
(pensée)

Zinnia elegans
(zinnia élégant)

Nom botanique et nom vulgaire, description générale	Hauteur et étalement	Espèces et variétés *Sélection All-America	Soins particuliers, remarques
Tithonia rotundifolia (soleil de Californie) Larges fleurs de 8 cm de diamètre ressemblant aux zinnias. Floraison tardive.	H 1,20-1,50 m E 60 cm	'Torch'*, fleurs rouge orangé, à cœur jaune ; 'Goldfinger', fleurs orange, port compact.	La plante met trois à quatre mois avant de fleurir à partir des semis. Aussi vaut-il mieux la démarrer à l'intérieur six à huit semaines avant les dernières gelées. Planter en plein soleil dans un terreau moyen. Résiste à la sécheresse.
Torenia fournieri compacta (torénia de Fournier) Fleurs tubuleuses et bicolores, maculées de jaune au centre. Plante à fleurs remarquables, à cultiver à la mi-ombre.	H 20-30 cm E 15 cm	'Clown Mix'*, fleurs blanches, roses, pourpres et lavande.	Semer à l'intérieur 8 à 10 semaines avant le repiquage au jardin ; ou repiquer des plants au jardin quand la température nocturne ne descend pas en dessous de 16 °C. En climat frais, cultiver en plein soleil ; sinon, à la mi-ombre.
Tropaeolum majus (capucine) Plante courte et compacte, grimpante ou rampante, à fleurs simples ou doubles. Les feuilles ont le goût du cresson d'eau et se mangent en salade. Belles fleurs pour bouquets.	H 20-60 cm E 15-60 cm	Sachets de graines d'une ou de plusieurs couleurs : rose, jaune, orange, cramoisi, acajou ; 'Cherry Rose', rose cerise, fleurs doubles ; 'Whirlybird', fleurs simples, 20 cm. Grimpantes ou rampantes, 60 cm : sachets de graines mélangées ou de fleurs d'une seule couleur, comme ci-dessus ; 'Gleam'*, fleurs doubles.	Semer en place au jardin quand le temps s'est adouci : la plante tolère mal le repiquage. Se cultive en plein soleil et dans une terre ni trop riche ni trop humide. Les formes grimpantes sont utilisées pour masquer une clôture ou se cultivent dans des corbeilles suspendues.
Verbena, hybrides (verveine des jardins) Petites fleurs parfumées, simples ou semi-doubles, réunies en bouquets de 8 cm. Plante courte et étalée.	H 20-25 cm E 30 cm	V. canadensis 'Homestead Purple', plante rampante. V. hybrida, coloris assortis : 'Quartz Burgundy'* et 'Peaches and Cream', de l'abricot au crème ; 'Imagination', violet, retombant. V. bonariensis, fleurs lilas, 1,80 m.	Semer à l'intérieur, 12 semaines avant le repiquage, ou acheter des plants. Prospère en plein soleil, dans une terre normale. Supprimer les fleurs fanées pour prolonger la floraison et empêcher la plante de s'étioler.
Vignes (ornementales, plusieurs genres) À part les gloires du matin (Ipomoea, p. 235) et les pois de senteur (Lathyrus odoratus, p. 235), de nombreuses vignes annuelles fleuries monteront sur les clôtures et les treillis.	H 1,80-3 m E 1,80-3 m	Thunbergia alata (Suzanne-aux-yeux-noirs), fleurs crème, jaune ou orange à gorge rouge ; Cobaea scandens (cobée grimpante), fleurs bleues ; Tropaeolum peregrinum (capucine des Canaries), fleurs jaunes ; Ipomoea (Quamoclit) lobata (ipomée quamoclit), fleurs rouges ou orange.	Semer à l'intérieur, 8 à 10 semaines avant les dernières gelées du printemps. Planter au plein soleil dans un sol moyen. Les plantes grimpantes annuelles ont toutes besoin de support. La capucine des Canaries ne convient qu'aux régions qui ont des étés frais.
Viola, espèces et hybrides (pensée, violette ou viola) Les pensées à grandes fleurs et les violettes à petites fleurs qui leur sont apparentées portent des fleurs parfumées à 5 pétales, avec ou sans macules. Plante à cultiver en bordure ou en bac.	H 15-23 cm E 23-30 cm	Plusieurs variétés de pensées et de violettes dans les coloris suivants : blanc, bleu, pourpre, jaune et rouge. Les pensées hybrides de première génération sont celles qui tolèrent le mieux la chaleur ; les pensées la tolèrent mieux que les violettes.	Acheter au printemps des plants en fleurs. Ou semer tôt à l'intérieur ; les plants fleuriront le même été. Se cultive comme une plante bisannuelle en semant au jardin à la mi-été. Protéger les plants en hiver à partir de la zone 5.
Zinnia elegans, hybrides (zinnia élégant) Fleurs simples ou doubles, à pétales tubulés parfois bicolores. Différentes tailles. Plante facile à cultiver et qui fleurit longtemps. Compose de jolis bouquets.	H 15-45 cm E 15-45 cm	Vaste assortiment de formes. Coloris : blanc, chartreuse, pourpre, rose, jaune, orange. Consulter les catalogues pour choisir les variétés désirées. 'Crystal White'* fait de belles bordures, 20 cm ; 'Profusion Orange'* résiste aux maladies.	Semer à l'intérieur, quatre à six semaines avant le repiquage au jardin ou semer en place après le dernier gel du printemps. Prospère dans un endroit chaud, au plein soleil, dans un sol bien fertilisé. Supprimer les fleurs fanées pour prolonger la floraison. Le zinnia est sujet au blanc.

Outre les belles touches de couleur qu'ils apportent au jardin, les glaïeuls composent de magnifiques bouquets qui durent longtemps. 'Green Woodpecker', hybride de grande taille, est d'un jaune verdâtre inusité.

BULBES, CORMES ET TUBERCULES

Depuis le précoce perce-neige du printemps jusqu'au tardif crocus d'automne, les plantes bulbeuses rehaussent les plates-bandes de nos jardins.

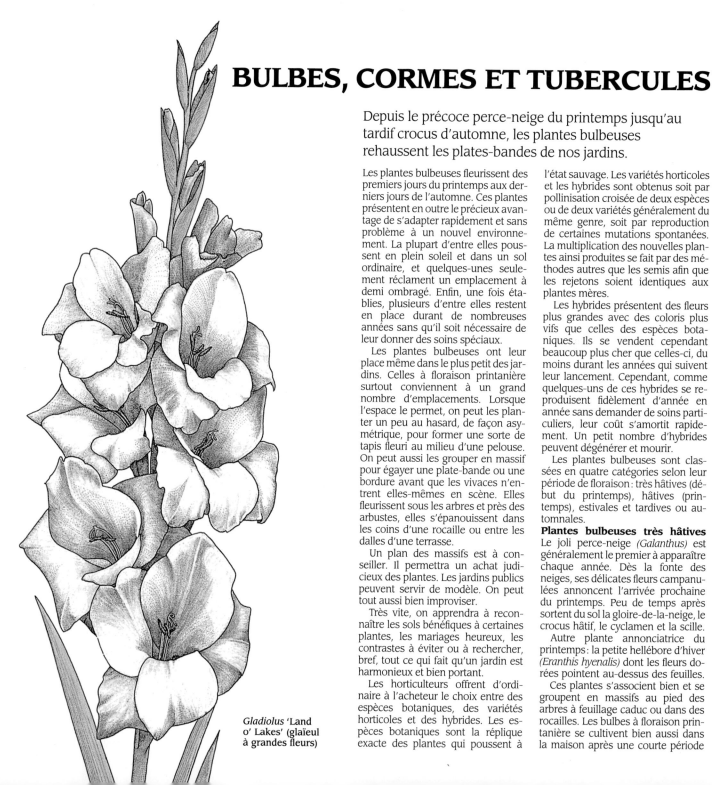

Gladiolus 'Land o' Lakes' (glaïeul à grandes fleurs)

Les plantes bulbeuses fleurissent des premiers jours du printemps aux derniers jours de l'automne. Ces plantes présentent en outre le précieux avantage de s'adapter rapidement et sans problème à un nouvel environnement. La plupart d'entre elles poussent en plein soleil et dans un sol ordinaire, et quelques-unes seulement réclament un emplacement à demi ombragé. Enfin, une fois établies, plusieurs d'entre elles restent en place durant de nombreuses années sans qu'il soit nécessaire de leur donner des soins spéciaux.

Les plantes bulbeuses ont leur place même dans le plus petit des jardins. Celles à floraison printanière surtout conviennent à un grand nombre d'emplacements. Lorsque l'espace le permet, on peut les planter un peu au hasard, de façon asymétrique, pour former une sorte de tapis fleuri au milieu d'une pelouse. On peut aussi les grouper en massif pour égayer une plate-bande ou une bordure avant que les vivaces n'entrent elles-mêmes en scène. Elles fleurissent sous les arbres et près des arbustes, elles s'épanouissent dans les coins d'une rocaille ou entre les dalles d'une terrasse.

Un plan des massifs est à conseiller. Il permettra un achat judicieux des plantes. Les jardins publics peuvent servir de modèle. On peut tout aussi bien improviser.

Très vite, on apprendra à reconnaître les sols bénéfiques à certaines plantes, les mariages heureux, les contrastes à éviter ou à rechercher, bref, tout ce qui fait qu'un jardin est harmonieux et bien portant.

Les horticulteurs offrent d'ordinaire à l'acheteur le choix entre des espèces botaniques, des variétés horticoles et des hybrides. Les espèces botaniques sont la réplique exacte des plantes qui poussent à

l'état sauvage. Les variétés horticoles et les hybrides sont obtenus soit par pollinisation croisée de deux espèces ou de deux variétés généralement du même genre, soit par reproduction de certaines mutations spontanées. La multiplication des nouvelles plantes ainsi produites se fait par des méthodes autres que les semis afin que les rejetons soient identiques aux plantes mères.

Les hybrides présentent des fleurs plus grandes avec des coloris plus vifs que celles des espèces botaniques. Ils se vendent cependant beaucoup plus cher que celles-ci, du moins durant les années qui suivent leur lancement. Cependant, comme quelques-uns de ces hybrides se reproduisent fidèlement d'année en année sans demander de soins particuliers, leur coût s'amortit rapidement. Un petit nombre d'hybrides peuvent dégénérer et mourir.

Les plantes bulbeuses sont classées en quatre catégories selon leur période de floraison : très hâtives (début du printemps), hâtives (printemps), estivales et tardives ou automnales.

Plantes bulbeuses très hâtives
Le joli perce-neige *(Galanthus)* est généralement le premier à apparaître chaque année. Dès la fonte des neiges, ses délicates fleurs campanulées annoncent l'arrivée prochaine du printemps. Peu de temps après sortent du sol la gloire-de-la-neige, le crocus hâtif, le cyclamen et la scille.

Autre plante annonciatrice du printemps : la petite hellébore d'hiver *(Eranthis hyenalis)* dont les fleurs dorées pointent au-dessus des feuilles.

Ces plantes s'associent bien et se groupent en massifs au pied des arbres à feuillage caduc ou dans des rocailles. Les bulbes à floraison printanière se cultivent bien aussi dans la maison après une courte période

Tôt au printemps, Anemone blanda *produit des fleurs blanches, bleues, mauves et roses. À la fin de la saison, c'est au tour de 'Apeldoorn's Elite', une tulipe hybride de Darwin, de déployer ses grosses fleurs rouge orangé.*

BULBES, CORMES ET TUBERCULES 245

Anemone blanda 'Ingramii'

Tulipa 'Apeldoorn's Elite'

d'enracinement au froid. Après la floraison, on les repique dans des plates-bandes.

Plantes bulbeuses hâtives C'est en mars, avril et mai que la plupart des plantes bulbeuses à floraison printanière entrent en scène. Le crocus du printemps vient en premier ; ses pousses vertes sortent de terre, révélant bientôt des fleurs à corolles élancées dont la palette groupe le jaune, le lavande, le blanc, le mauve et le violet. Certaines sont rayées ou fortement maculées d'une teinte contrastante. En plein soleil, elles s'ouvrent largement, laissant voir leurs anthères orangées ou d'un jaune d'or sombre.

Du début au milieu du printemps s'épanouissent les nombreux narcisses, dont plusieurs sont délicieusement parfumés. On donne le nom de jonquille à certains narcisses trompette de grande taille et l'on réserve celui de narcisse aux espèces à petite coronule. En botanique, toutes ces plantes appartiennent au genre *Narcissus*. Elles poussent sans problème pendant de nombreuses années dans des plates-bandes de plantes vivaces. Certaines formes naturalisées se cultivent dans les pelouses et d'autres composent des massifs dans les rocailles.

Le début du printemps voit aussi apparaître les jacinthes et les muscaris, les tulipes hâtives et les nivéoles printanières *(Leucojum vernum)*, petites plantes à fleurs arrondies et blanches, teintées de vert.

Crocus et narcisses viennent bien en massifs, au pied des arbres ou parmi les plantes vivaces. Mais certaines plantes bulbeuses à floraison printanière, par exemple les tulipes, conviennent à des jardins plus classiques et on peut leur réserver des plates-bandes entières. Dans les zones à climat doux, comme les régions côtières de la Colombie-Britannique, on cultive les muscaris et les grands crocus dans des bacs.

Les jacinthes tolèrent la culture en jardinière. Pour les plantations en plates-bandes, il est préférable de choisir des bulbes de taille moyenne (15 cm de circonférence) et de garder les gros bulbes pour la culture à l'intérieur. Les épis floraux sont alors plus petits, mais ils résistent mieux à la pluie et au vent.

Les espèces hâtives de tulipes, idéales dans des rocailles ou des plates-bandes surélevées, s'ouvrent au tout début du printemps, tandis que les hybrides à grandes fleurs fleurissent du milieu à la fin du printemps. Les simples tardives et les hydrides de Darwin sont parmi les tulipes les plus renommées avec leurs longues tiges robustes portant des fleurs en forme de coupe. On les plante en groupe pour former des massifs majestueux ou on les aligne si l'on prévoit en faire des bouquets. Les hybrides de Darwin et les Triomphe fleurissent quelques semaines avant les simples tardives.

À la fin du printemps, on voit aussi s'y épanouir quelques plantes bulbeuses moins connues mais non dépourvues d'intérêt : les fritillaires, plusieurs anémones, les scilles rustiques aux jolies teintes de bleu *(Hyacinthoides hispanica)* qui s'acclimatent bien, les nivéoles estivales *(Leucojum aestivum)*, les renoncules, les gracieuses camassies, et les nombreuses sortes d'oignon ornemental *(Allium)*.

Plantes bulbeuses d'été L'été venu, les ixias précèdent l'éclosion des glaïeuls ; leurs délicats épis floraux ornent les plates-bandes ensoleillées.

Un peu plus tard, en plein cœur de l'été, naissent les majestueux glaïeuls hybrides et les bégonias tubéreux, amis de l'ombre, ainsi que les dahlias et les lis. On peut les cultiver isolément ou en massifs. Les bégonias tubéreux, en particulier, se cultivent aussi en pots ou en bacs. Quant aux glaïeuls, on peut les planter en lignes dans le jardin potager pour obtenir des fleurs coupées.

Toutes les couleurs de l'arc-en-ciel se retrouvent chez les glaïeuls hy-

Plusieurs petites plantes bulbeuses viennent bien dans les rocailles : Iris reticulata, Anemone blanda, Narcissus triandrus, *ainsi que le muscari. On peut aussi les placer au premier rang d'une bordure.*

brides, sauf le bleu franc. Leurs fleurs en forme de trompette, groupées le long de hampes robustes, s'ouvrent à partir de la base. On connaît les hybrides à fleurs géantes, à grandes fleurs, «papillons», nains et à fleurs de primevère. Leur floraison se prolonge jusqu'à la fin de l'automne.

Plantes bulbeuses d'automne et d'hiver Le début de l'automne voit apparaître les colchiques *(Colchicum)* et certains crocus qui prennent la relève des glaïeuls tardifs. Ces plantes se cultivent de préférence en massifs, au pied des arbres à feuillage caduc ou groupées pour former des taches de couleur dans les rocailles. Les colchiques, en particulier, avec leurs superbes coloris, prennent un grand relief parmi les plantes tapissantes de courte taille et ne demandent que peu de soins pendant de nombreuses années.

Dans les régions où le climat est doux, l'automne est aussi la saison du cyclamen à fleurs cramoisies, roses ou blanches, et du narcisse tardif, plante de petite taille dont les fleurs jaune vif sont semblables à celles du crocus, qui décore le jardin pendant plusieurs semaines.

Pour ensoleiller les courtes journées d'hiver, il suffit de mettre en pots, trois mois avant la date de floraison prévue, des jacinthes, des crocus, des tulipes ou des jonquilles qui fleuriront dans la maison. Parmi les plantes d'intérieur, on trouve aussi des bulbes exotiques dont certains sont spécialement traités pour pouvoir fleurir précocement dans l'atmosphère tempérée d'une maison.

L'intérieur des pétales du crocus 'Blue Bird' est blanc ; l'extérieur est gris-bleu. Les jonquilles comme Narcissus 'Suzy' portent jusqu'à cinq têtes florales par hampe.

Crocus chrysanthus 'Blue Bird'   Narcissus 'Suzy'

Principales plantes bulbeuses

Narcissus 'Unsurpassable' (narcisse trompette)

Narcissus 'Barrett Browning' (narcisse à petite coronule)

Crocus 'Remembrance' (crocus du printemps)

Perce-neige

Le perce-neige est l'une des plantes bulbeuses les plus hâtives. L'hiver n'est pas terminé qu'il pousse déjà à travers la neige des petits boutons verts qui s'ouvrent dès que le soleil les réchauffe.

On est porté à confondre le perce-neige *(Galanthus)* avec la nivéole *(Leucojum)* dont la floraison, dans les régions froides, est plus tardive. Pourtant, le perce-neige présente des fleurs dont les trois pétales intérieurs sont plus courts que les trois pétales extérieurs, tandis que la nivéole a six pétales de même longueur et teintés de vert aux extrémités. De plus, celle-ci porte deux ou trois fleurs sur une même tige, alors que le perce-neige n'en porte qu'une seule.

C'est parmi des plantes tapissantes ou près d'arbres et d'arbustes à feuilles caduques que le perce-neige est particulièrement en beauté.

Comme les bulbes sèchent rapidement, il faut se hâter de les mettre en terre si on les divise après la floraison. (Les bulbes achetés en automne seront trempés dans l'eau pendant 24 heures.) Ils fleurissent peu la première année, mais, une fois établis, demandent peu de soins. Contrairement à la plupart des bulbes, ils prospèrent dans une terre lourde et humide et à la mi-ombre.

On peut cultiver le perce-neige en pots dans la maison, tout comme le crocus et la jacinthe. Le placer si possible sous châssis froid jusqu'à la sortie des boutons floraux, puis le garder dans une pièce fraîche.

Crocus

Les crocus apparaissent au début du printemps, quand le jardin est plutôt dégarni. Ils s'épanouissent avant les jonquilles et peuvent être plantés dans les pelouses ou au pied des arbustes et des arbres.

Outre les crocus du printemps, il existe des variétés qui fleurissent en automne et tard en hiver. Toutes ces plantes proviennent de petits cormes

aplatis. Les crocus du printemps et d'été produisent en même temps leurs feuilles et leurs fleurs. Les espèces d'automne ont leurs feuilles au printemps suivant. Tous se multiplient abondamment.

La fleur de crocus, qui a entre 7,5 et 13 cm de long, présente six pétales. Ils sont arrondis chez les hybrides et les variétés qui ont reçu un nom, et pointus chez les espèces botaniques. En plein soleil, la fleur s'ouvre largement, révélant de belles anthères orangées ou jaune d'or. Elle se referme le soir.

Le crocus d'hiver, qui s'épanouit au jardin à partir de la mi-hiver selon le climat, dérive de *C. chrysanthus* et d'autres espèces. Ses fleurs peuvent être jaunes, bleues ou pourpres et ont 7,5 cm de long. Plusieurs présentent des rayures de teinte contrastante ou des macules à la base. Enfin, les pétales sont parfois d'une teinte à l'intérieur et d'une autre à l'extérieur.

Les crocus à grandes fleurs qui s'épanouissent au début du printemps sont souvent des variétés de *C. vernus* développées dans les Pays-Bas. De tous les crocus, ce sont les plus imposants. Leur palette comprend le blanc, le bleu, le lilas, le rouge pourpré et le jaune d'or avec, dans certains cas, des rayures d'une teinte contrastante.

Les crocus à floraison automnale apparaissent du début à la fin de l'automne. Les fleurs ont entre 10 et 13 cm de long et leurs coloris incluent le blanc pur, le lavande et le bleu violacé. Ils ne sont pas aussi rustiques que les autres.

Jonquilles et autres narcisses

De toutes les plantes bulbeuses, les narcisses sont les plus rustiques et les plus variées. Non seulement les bulbes se multiplient d'année en année, mais leur saveur amère rebute les rongeurs. En outre, les narcisses sont des plantes faciles à acclimater au jardin parce qu'ils croissent bien

sous les arbres à feuillage caduc et dans les sous-bois peu denses.

La plupart des variétés horticoles de narcisses descendent du narcisse sauvage. Il en existe maintenant plus de 30000, classées en différentes catégories selon la forme et la lignée parentale.

La fleur présente une coupe ou une trompette centrale entourée de six pétales. Chez la jonquille, cette trompette est aussi sinon plus longue que les pétales qui l'entourent.

Généralement, la trompette est plissée ou évasée, tandis que les pétales, légèrement superposés, se terminent en pointe. Les coloris sont variés. Chez certaines variétés ('King Alfred'), trompette et pétales sont jaune clair. Chez d'autres, les pétales sont d'une nuance plus intense ou plus claire que la trompette. Les jonquilles bicolores peuvent avoir des trompettes jaunes ou orange et des pétales blancs. Il existe aussi des variétés toutes blanches ('Beersheba').

Le terme «narcisse» est communément employé pour désigner les variétés à petite couronne centrale, même si la jonquille à grande coupe ou trompette fait botaniquement partie aussi du genre *Narcissus*. Entre le narcisse à petite couronne et celui à grande coupe, il existe des variétés intermédiaires: la taille et les coloris de leur trompette varient beaucoup. Leur palette comprend le blanc, le rose, le rouge, l'orange, le crème et le jaune. Les coupes sont souvent froncées et d'une teinte contrastante.

Chez les variétés à fleurs doubles, on distingue mal la trompette des pétales qui l'entourent. La plupart sont d'une seule teinte, comme la variété 'Ingelescombe' qui est jaune, mais certaines créations récentes présentent des fleurs bicolores, telle la variété 'Texas' qui est jaune et orange.

Le narcisse triandrus et le narcisse du Portugal se signalent par des trompettes campanulées et retombantes et par des pétales repliés vers l'arrière. Les narcisses à bouquets (pour le forçage et les climats doux

Le perce-neige (Galanthus) est le premier arrivant au jardin. Les jacinthes et la tulipe perroquet vont suivre dès que le sol se sera réchauffé.

Galanthus nivalis

Hyacinthus 'Pink Pearl'

Tulipa 'Hamilton'

seulement) portent plusieurs inflorescences sur chaque tige, tandis que le narcisse des poètes se caractérise par des couronnes frangées et colorées, ainsi que par des pétales voyants qui ne se superposent pas. Plusieurs narcisses sont parfumés.

Les jonquilles (hybrides de *Narcissus jonquilla*) sont très renommées pour leur parfum. Chaque tige porte une petite touffe de fleurs à coupe centrale peu profonde, crème, jaune ou orange, entourée de pétales d'une teinte contrastante.

Jacinthes

Bien que fort répandues comme plantes d'intérieur, les jacinthes n'en sont pas moins cultivées au jardin dans les régions à climat doux.

Des bulbes traités sont vendus dans certaines pépinières. Plantés en automne, ils fleurissent à l'intérieur au début de l'hiver. On trouvera aux pages 253 et 254 la méthode à suivre pour le forçage des bulbes.

La majorité des jacinthes est issue d'une seule espèce, *Hyacinthus orientalis*, et la plupart des variétés modernes arborent le long épi floral qui caractérise cette plante. Elles portent le nom de jacinthes de Hollande.

Les gros bulbes qui donnent des épis imposants se cultivent à l'intérieur. Pour le jardin, on donne la préférence aux petits bulbes qui produisent des épis moins volumineux, mais qui résistent mieux aux fortes pluies et aux grands vents. Après plusieurs années passées au jardin, les bulbes et les épis se multiplient, mais leur taille diminue.

Les jacinthes présentent une vaste gamme de coloris: blanc, crème, jaune, saumon, rose, rouge, bleu clair, bleu intense et pourpre.

La jacinthe d'Italie (*H. orientalis albulus*) se distingue par des épis floraux moins gros que ceux des hybrides de Hollande. Toutefois, ces bulbes produisent plusieurs épis. Les fleurs sont aussi plus espacées sur les épis. Beaucoup moins rustique que celle de Hollande, la jacinthe d'Italie

se cultive surtout à l'intérieur. Ses fleurs sont blanches, roses ou bleues.

Tulipes

Il y a plus de 300 ans, les tulipes faisaient leur entrée en Europe, précisément en Hollande. Il en existe aujourd'hui plusieurs catégories.

Les tulipes naissent d'un bulbe pointu, recouvert d'un épiderme fin, qui produit une seule hampe florale dressée (ramifiée chez les tulipes à bouquets). Une ou deux feuilles lancéolées apparaissent au ras du sol, suivies de deux ou trois autres plus petites sur la tige. La fleur typique à la forme d'un gobelet et comporte six pétales. Certaines tulipes ont des pétales très pointus, d'autres des pétales doubles. Certaines produisent des pétales étalés donnant des inflorescences étoilées (*Tulipa kaufmanniana*); d'autres, qu'on appelle tulipes perroquet, ont des pétales frangés et tordus.

Les tulipes dites à bouquets, qui donnent cinq ou six fleurs par bulbe sur une hampe ramifiée, produisent au jardin de remarquables taches de couleur. La tulipe fleur-de-lis a de longs pétales pointus formant une coupe arrondie au sommet.

Les tulipes offrent une gamme complète de coloris à l'exception du véritable bleu et plusieurs sont bicolores. Elles prospèrent dans les régions où les hivers sont longs et devraient être mises en terre entre le début et la mi-automne.

On peut trouver des espèces botaniques qui conviennent tout particulièrement aux rocailles. Elles ont des tiges courtes et robustes, et leurs fleurs en forme de gobelet ont des coloris d'une exceptionnelle vivacité.

Contrairement à beaucoup de plantes à grandes fleurs qui ont tendance à se détériorer avec le temps, plusieurs espèces de tulipes se multiplient d'année en année. Certaines, comme *T. tarda*, peuvent même être acclimatées pour aller au jardin rejoindre les crocus et se multiplier par elles-mêmes.

Glaïeuls

Le terme «gladiolus», nom botanique des glaïeuls, dérive d'un mot latin (*gladius*) signifiant épée, qui décrit bien la forme de la feuille. Les fleurs sont d'une grande beauté.

La gamme des coloris est extrêmement vaste, aussi étendue que celle des tulipes. Et les glaïeuls font de sperbes fleurs coupées. Les inflorescences se caractérisent par de nombreuses fleurs le long d'une tige robuste, orientées dans la même direction. L'épi floral peut atteindre 1,50 m de longueur et comporter 16 à 26 fleurs en forme de trompette composées de six pétales. Les trois pétales inférieurs sont légèrement recourbés. Parfois d'une seule couleur, les glaïeuls sont généralement bicolores et même tricolores, et leur gorge est marquée de macules.

Les glaïeuls sont des plantes issues de cormes, qu'on divise en cinq groupes selon la forme et les dimensions de leurs inflorescences.

Les hybrides à grandes fleurs, très recherchés, conviennent mieux à l'ornementation du jardin qu'à la décoration intérieure. Ils produisent des épis floraux pouvant atteindre 1,80 m de longueur, chargés de fleurs à demi superposées, de 12 à 18 cm.

Les glaïeuls à fleurs de primevère présentent des épis floraux plus élancés, de 40 cm de long environ, garnis de fleurs de 7 à 9 cm de diamètre bien espacées, et disposées en zigzag. Les pétales supérieurs se recourbent sur les anthères et les stigmates.

Les glaïeuls miniatures ont des fleurs de 6,5 cm ou moins de diamètre. Le pétale supérieur est capuchonné et les autres pétales sont froncés.

Les glaïeuls papillons s'apparentent aux variétés à grandes fleurs par la disposition de leurs fleurs et la forme de leurs pétales, mais les épis ont moins de 45 cm et les pétales sont souvent froncés ou ruchés. Les fleurs ont environ 7,5 cm de diamètre et présentent les plus belles macules.

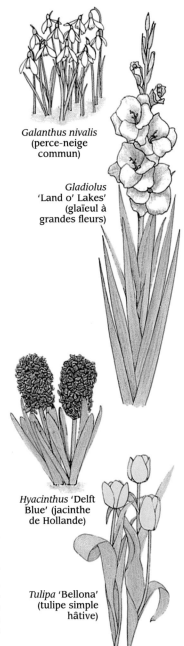

Galanthus nivalis (perce-neige commun)

Gladiolus 'Land o' Lakes' (glaïeul à grandes fleurs)

Hyacinthus 'Delft Blue' (jacinthe de Hollande)

Tulipa 'Bellona' (tulipe simple hâtive)

'White Parrot' est une tulipe ravissante pour les arrangements floraux. 'Peach Blossom', dont le rose est particulièrement soutenu, est une variété hâtive à fleurs doubles.

Tulipa 'White Parrot'

Tulipa 'Peach Blossom'

Plantation des bulbes et des cormes

Choix de l'emplacement et préparation du sol

La plupart des plantes bulbeuses poussent facilement dans un sol fertile et bien drainé, à l'abri des vents violents. Elles peuvent être cultivées en plates-bandes, en bordures et en bacs. Certaines peuvent même être plantées dans les rocailles. Les plus petites se placent bien au pied des arbustes et des arbres ou au milieu de plantes tapissantes. Tels sont les perce-neige, les hellébores d'hiver et les crocus. Enfin, les bulbes qui s'acclimatent bien dans l'herbe, comme les crocus, peuvent demeurer en place pendant de nombreuses années.

Sauf les cyclamens, les scilles, les érythrones, les perce-neige et les hellébores d'hiver, les bulbes préfèrent un emplacement ensoleillé. L'acidanthera et la nérine sont sensibles au froid; il vaut mieux les cultiver en plein soleil et à l'abri des vents vio-lents, au pied, par exemple, d'un mur orienté au sud.

Lorsqu'on plante des bulbes à floraison printanière dans une pelouse, se rappeler que celle-ci ne devra pas être tondue avant que le feuillage des bulbes ait atteint sa pleine maturité.

Planter les bulbes à floraison printanière du milieu à la fin de l'automne, la plupart de ceux à floraison estivale au début du printemps (du milieu à la fin du printemps s'il s'agit de bulbes peu rustiques). Planter les bulbes à floraison automnale de la fin du printemps à la fin de l'été.

Commencer par bêcher la terre sur une profondeur d'environ 25 cm.

Incorporer au sol du compost bien décomposé (plutôt que de la tourbe), à raison d'un seau par mètre carré. Attendre quelques jours avant de planter. Ajouter aussi de la poudre d'os ou du Milorganite (à raison de 2,2 kg/10 m²). On peut, si on le préfère, en mettre une petite quantité au fond de chaque trou de plantation.

Dans les rocailles et entre des dalles

Peu importe leur époque de floraison, les bulbes de petite taille s'établissent sans difficulté dans les rocailles ou entre les dalles d'une terrasse.

Mettre la terre à nu et creuser des trous avec un transplantoir (voir la profondeur dans le tableau des pages 256 à 266). Planter les bulbes par groupes de trois ou quatre. Après la plantation, niveler le sol avec le transplantoir, remettre le paillis et étiqueter l'emplacement. Si la terre est sèche, arroser abondamment sans tarder; arroser de nouveau un peu plus tard s'il n'a pas plu.

Parmi les bulbes qui fleurissent au tout début du printemps, il faut mentionner tout particulièrement le perce-neige (*Galanthus*), les crocus à floraison hivernale, la gloire-de-la-neige (*Chionodoxa luciliae*), l'hellébore d'hiver (*Eranthis hyemalis*), le narcisse nain et *Scilla*.

Ensuite, c'est au tour des oignons ornementaux nains à prendre la relève. Ils sont plus rares que d'autres bulbes, mais certains bulbiculteurs les vendent. Après eux viendront les colchiques et les crocus à floraison d'automne et d'hiver.

Les bulbes de petite taille prennent un relief particulier parmi des plantes tapissantes comme le thym rampant et les *Dianthus*. Les feuillages verts ou gris font ressortir la beauté des plantes bulbeuses en fleurs et conservent leurs caractéristiques ornementales après que les fleurs se sont fanées.

Si les plantes tapissantes sont fortement enracinées, dégager doucement le sol avec une petite fourche, puis planter les bulbes à l'aide d'un plantoir à pointe émoussée.

Lorsque la plante n'a qu'une racine pivotante, comme *Gypsophila repens*, rouler le tapis de verdure et planter les bulbes en dessous à l'aide d'un transplantoir étroit.

Plantation en massif symétrique

Avant de planter de gros bulbes en massif, il est préférable de les disposer sur le sol en les espaçant régulièrement. Avec un transplantoir, creuser des trous à la profondeur recommandée (voir le tableau des pages 256 à 266). Lorsqu'on a beaucoup de bulbes à planter, il peut être plus rapide de creuser toute la plate-bande à la profondeur voulue. Recouvrir les bulbes de terre et arroser généreusement si celle-ci est sèche.

La plantation terminée, insérer une étiquette au centre du massif pour identifier les sujets. Ensuite, délimiter le massif pour ne pas y planter ultérieurement d'autres plantes.

Si l'on a l'intention d'ajouter de la couleur dans le jardin en faisant pousser entre les bulbes des plantes comme le myosotis, les pensées ou les primevères de jardin, laisser un plus grand espace entre les bulbes. Mettre ces plantes en place avant d'enfouir les bulbes ou dès que les pousses des bulbes sortent de terre au printemps.

Culture des bulbes pour la fleur coupée

Lorsqu'on cueille des fleurs pour les mettre en bouquet, il faut prendre le moins de feuilles possible pour ne pas épuiser les bulbes.

On réservera au besoin une partie du jardin à la culture des fleurs pour les bouquets.

Préparer le sol comme à l'accoutumée et laisser entre les bulbes un espace légèrement inférieur à l'étalement qu'aura la plante (voir p. 256 à 266). Laisser un espace de 45 à 60 cm entre les rangs.

Il est préférable de cueillir les fleurs tôt le matin ou tard le soir en se servant de ciseaux ou d'un couteau bien aiguisés. Placer immédiatement les fleurs dans un pot profond rempli d'eau tiède et les garder dans un endroit frais et sombre pendant plusieurs heures ou une demi-journée. Gorgées d'eau, elles ne se faneront pas de si tôt.

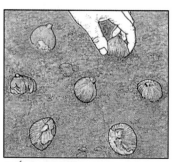

1. *Étaler les bulbes sur le sol. Les espacer uniformément.*

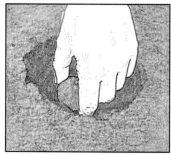

2. *Placer chaque bulbe dans un trou au double de profondeur du bulbe.*

3. *Recouvrir les bulbes avec la terre qu'on a enlevée. Étiqueter l'endroit.*

Tulipa aucheriana est une tulipe à floraison hâtive qui embellira une rocaille ensoleillée. 'Spring Green' appartient à la division Viridiflora. Ces tulipes, caractérisées par des touches verdâtres dans leurs pétales, font bel effet devant un massif d'arbustes.

Tulipa aucheriana

Tulipa 'Spring Green'

Culture des bulbes printaniers

Acclimatation dans l'herbe et sous les arbres

Les jonquilles, les narcisses, les perce-neige et les crocus produisent un meilleur coup d'œil quand ils sont disposés de façon asymétrique.

Les narcisses et les crocus s'adaptent facilement à une pelouse bien drainée. Les engrais complets recommandés pour le gazon conviennent aussi aux bulbes.

Jeter une poignée de bulbes au hasard et les planter là où ils sont tombés en creusant des trous avec un transplantoir ou avec un plantoir cylindrique qui extrait des carottes de terre. Déposer le bulbe au fond du trou et remettre la carotte de terre et de gazon par-dessus.

Pour planter un groupe de bulbes dans une pelouse, tracer d'abord une entaille en forme de H avec une bêche ou un coupe-bordure. Soulever des plaques de gazon de chaque côté de l'entaille et les rabattre en dénudant l'emplacement.

Ameublir la terre avec une fourche à bêcher et creuser des trous avec le transplantoir. Toujours placer les bulbes au hasard. Les recouvrir ensuite de terre et niveler. Remettre le gazon en place, bien tasser et arroser abondamment.

BULBES DANS LE GAZON

Épars *Avec un plantoir, enlever une carotte de terre et de gazon ; planter le bulbe et remettre la carotte en place, par-dessus.*

En massif 1. *Découper un H dans la pelouse avec un coupe-bordure.*

2. *Replier le gazon ; ameublir le sol avec une fourche. Planter les bulbes au transplantoir.*

Pourvu qu'ils soient correctement mis en terre et cultivés, un grand nombre de bulbes et de cormes à floraison printanière poussent aussi facilement dans le nord du Canada que dans les zones tempérées. Dans les régions les plus septentrionales tout comme dans les zones montagneuses, il faut planter les bulbes rustiques à floraison printanière trois semaines au moins avant que le sol gèle pour qu'ils aient le temps de former des racines. (Ce point est tout particulièrement important pour les narcisses.) On recommande en plus dans les régions montagneuses, où les écarts de température sont souvent très marqués, de protéger les bulbes en leur donnant un emplacement ombragé et en recouvrant le sol d'un paillis pendant l'hiver.

Les profondeurs de plantation sont les mêmes en zone tempérée qu'en zone froide. Mais la floraison tarde un peu dans les régions froides.

Dans les zones les plus tempérées du Canada, mettre les bulbes en terre très tard à l'automne. Toujours bien préparer l'emplacement avant la plantation. Bêcher le sol et enlever cailloux et mauvaises herbes.

Achat des bulbes et des cormes

Comment reconnaît-on la qualité d'un bulbe ou d'un corme ? À la fermeté du bulbe et à l'aspect lisse de la tunique. La plupart des bulbes à floraison printanière sont importés des Pays-Bas, où ils sont soumis à un contrôle très strict. Ils sont donc généralement en bon état à leur arrivée.

C'est au cours de la période entre leur arrivée et leur mise en vente qu'ils se détériorent souvent. Il suffit qu'ils soient gardés dans un magasin très chaud, ou qu'ils soient manipulés sans précaution par la clientèle, pour qu'ils s'altèrent rapidement. Et même lorsqu'ils sont en bon état au moment de l'achat, leur qualité diminue rapidement s'ils sont gardés dans un sac étanche ou dans un endroit chaud.

Les centres de jardinage vendent parfois les bulbes trop tôt en automne pour qu'on puisse les mettre immédiatement en terre. Dans ce cas-là, on peut les garder au réfrigérateur en attendant le moment de la plantation. Les laisser dans leur emballage et les placer dans le bac à légumes. Ne pas les congeler. La température idéale pour cette période d'attente se situe autour de 4 °C. On peut les faire attendre ainsi jusqu'à huit semaines ou jusqu'à ce que le sol se soit suffisamment refroidi, c'est-à-dire jusqu'à la fin de l'automne ou jusqu'au début de l'hiver.

Dans les régions où le climat est doux, ajouter du compost, de la tourbe ou quelque autre matière organique à la terre avant la plantation pour en améliorer l'égouttement et la garder humide. Choisir un emplacement à demi ombragé plutôt qu'ensoleillé et pailler aussitôt que les pousses apparaissent.

Parmi les bulbes à floraison printanière qui prospèrent dans les zones tempérées, mentionnons les jacinthes, plusieurs petits narcisses, ainsi que les tulipes estivales et tardives, telles les Triomphe et les Darwin.

La grosseur des bulbes est aussi un point à considérer. Les plus gros coûtent plus cher mais donnent de plus grandes fleurs. Par ailleurs, le prix des nouvelles variétés est plus élevé que celui des anciennes. Cependant, de petits bulbes peuvent parfaitement convenir et, avec le temps, on ne verra pas la différence.

Lorsqu'on a de grandes quantités de bulbes à acheter, on a intérêt à profiter des rabais qu'offrent parfois les marchands pour les commandes postales hâtives faites en juillet ou en août. L'été est en effet le meilleur moment pour se procurer les variétés les plus populaires qui s'épuisent plus rapidement que les autres.

Le narcisse 'Salome', une belle variété de jardin, peut être soumis au forçage. On recommande surtout 'Geranium', un hybride vigoureux à coupe aplatie portant plusieurs fleurs sur chaque tige.

Narcissus 'Salome'   *Narcissus 'Geranium'*

Culture des bulbes

Bulbes établis dans les bordures et les pelouses

La plupart des bulbes et des cormes rustiques demandent peu de soins pendant leur période active.

Désherber, à la main ou à la binette, sitôt que les pousses pointent. Prendre garde de ne pas endommager les pousses et autant que possible ne pas utiliser d'herbicides.

Il n'est généralement pas nécessaire de faire des apports d'engrais, à moins que les bulbes ne soient laissés en terre pendant plusieurs années. Pour ceux-là, utiliser un engrais spécial pour bulbes et l'incorporer doucement à la surface du sol au moment des travaux d'amendement de l'automne.

S'il se produit de longues périodes de sécheresse au printemps ou en été, arroser abondamment. Lorsqu'elles sont en fleurs, arroser les plantes par la base en évitant d'asperger les organes aériens. Par temps sec, continuer l'arrosage après que les fleurs se sont fanées. La période active se continue en effet jusqu'à ce que les feuilles jaunissent et meurent.

À moins de vouloir faire de la place pour d'autres plantes, il est préférable de laisser les bulbes en terre pour permettre au feuillage de mûrir naturellement. Le bulbe peut alors emmagasiner les éléments nutritifs dont il aura besoin par la suite. Les perce-neige, cependant, doivent être transplantées si nécessaire pendant leur cycle de croissance. Après la floraison, les repiquer immédiatement et arroser.

Ne jamais attacher les feuilles des plantes bulbeuses, car cela diminuerait la surface foliaire exposée au soleil et freinerait l'assimilation des éléments nutritifs par les bulbes.

Faire des apports d'engrais liquide aux glaïeuls d'été toutes les trois semaines, depuis la formation des boutons jusqu'à leur plein épanouissement. Ils donneront de grandes inflorescences pour les bouquets.

Suppression des fleurs fanées
Dès que les bulbes printaniers — jacinthes et autres narcisses, tulipes et jonquilles — ont fini de fleurir, il faut couper leurs fleurs. Mais attention, il faut couper les fleurs fanées juste au-dessous de leur tête et laisser sur le pied le reste des tiges ainsi que les feuilles pour que le bulbe continue à se nourrir.

Supprimer les fleurs des jacinthes en faisant glisser la main de bas en haut sur la hampe florale. Laisser la hampe nue en place : elle aidera le bulbe à se nourrir.

Couper les épis floraux des glaïeuls fanés, mais laisser au moins quatre paires de feuilles.

Certaines plantes à bulbes et à cormes se multiplient spontanément. Tels sont les perce-neige, les scilles, les hellébores d'hiver, les muscaris, les chionodoxes et les cyclamens. Dans le cas de ces plantes, il ne faut supprimer les fleurs fanées que si l'on en abandonne la culture.

Tuteurage des plantes hautes
Rares sont les plantes bulbeuses plantées profondément qui ont besoin d'un support. Cependant, quand elles sont exposées au vent, les plus grandes variétés de jacinthes, de glaïeuls, d'acidantheras et d'oignons ornementaux peuvent exiger le soutien d'une tige de bambou.

Les glaïeuls cultivés en lignes pour la fleur coupée n'ont généralement pas besoin de supports. Si nécessaire, enfoncer un piquet aux deux extrémités du rang et tendre des ficelles solides entre les deux en les passant devant et derrière les plants.

Protection contre le froid Bien qu'il soit nécessaire de lever de terre certains bulbes et de les mettre à l'abri pour l'hiver, les glaïeuls, les ixias et les nérines peuvent rester dans le sol protégés avec un paillis : foin salé, paille ou feuilles mortes maintenues avec des branches de conifères (éviter la tourbe qui se détrempe). Le paillage des bulbes rustiques ne doit se faire que lorsque le sol est gelé.

Multiplication

Quand ils sont laissés dans le sol, la plupart des bulbes et des cormes rustiques se multiplient par les rejets qu'ils émettent. Lorsqu'une touffe devient trop dense et donne des fleurs moins nombreuses et de qualité inférieure, il faut la diviser.

À ce stade, les rejets peuvent être prélevés et cultivés dans des plates-bandes spéciales jusqu'à ce qu'ils aient la maturité voulue pour fleurir. La floraison peut mettre sept ans à se

Division et replantation des touffes trop denses

La division des bulbes et des cormes s'effectue tous les trois ou quatre ans. Les bulbes naturalisés dans les gazons peuvent toutefois rester en place plusieurs années. Lorsque les bulbes sont dans un emplacement favorable, ils se multiplient vite et forment des touffes denses, de moins en moins florifères. Le temps est alors venu de les diviser.

La levée doit être faite quand le feuillage commence à jaunir mais

produire, mais les lis, les crocus et les glaïeuls fleurissent après deux ans. Le délai de floraison dépend aussi de la taille des rejets et des soins qu'on leur prodigue.

On peut multiplier les plantes bulbeuses par semis, mais c'est au prix d'une grande patience. En outre, les sujets hybrides — narcisses, jacinthes, glaïeuls et tulipes — donneront des rejetons inférieurs aux plantes mères ou en seront différents.

qu'il adhère encore solidement au bulbe. Soulever la touffe sans la briser et secouer la terre. Séparer les bulbes et les cormes ; garder les petits pour la multiplication et replanter les autres.

On peut replanter les bulbes des narcisses, des tulipes et des crocus immédiatement ou en automne. Les bulbes des perce-neige ou des hellébores doivent être divisés tout de suite après la floraison et remis en terre sans délai. Dans tous les cas, surtout pour les tulipes, il faut replanter dans un endroit différent.

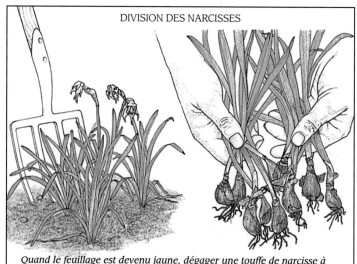

DIVISION DES NARCISSES

Quand le feuillage est devenu jaune, dégager une touffe de narcisse à l'aide d'une fourche. Nettoyer et diviser les bulbes avec soin.

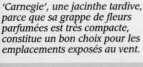

'Carnegie', une jacinthe tardive, parce que sa grappe de fleurs parfumées est très compacte, constitue un bon choix pour les emplacements exposés au vent.

Hyacinthus 'Carnegie'

1. *Détacher délicatement les caïeux du corme ou du bulbe parent.*

2. *Creuser une tranchée étroite ; mettre au fond une couche de sable.*

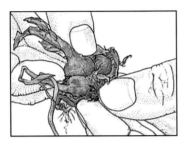

3. *Laisser entre les caïeux un espace égal au double de leur largeur.*

4. *Les recouvrir de 2,5 cm de sable ; remplir la tranchée avec de la terre.*

Culture de bulbes et de cormes à partir de caïeux

Les bulbes et les cormes qu'on arrache montrent souvent des caïeux. Ceux-ci peuvent être utilisés pour produire de nouvelles plantes identiques aux parents.

Les caïeux apparaissent de chaque côté des bulbes, et, sur les cormes, ils sont placés soit à la base, soit sur les côtés. Lorsque bulbes et cormes sont bien secs, détacher les caïeux avec les doigts.

Planter les caïeux des bulbes et des cormes rustiques dans un coin non utilisé du jardin, durant l'été ou au début de l'automne. Dans les régions où le climat est froid, les caïeux des bulbes et des cormes de faible rusticité seront gardés à l'abri du gel durant tout l'hiver et mis en terre le printemps suivant.

Choisir un emplacement ensoleillé ou à demi ombragé et creuser une tranchée étroite dont la profondeur sera proportionnelle à la taille des caïeux. Les plus gros, c'est-à-dire ceux dont les dimensions sont égales à la moitié de celles des parents, doivent être enfouis à une profondeur qui équivaut au double ou au triple de leur hauteur ; les plus petits, à 5 cm de profondeur ; et les minuscules, à 2,5 cm de profondeur.

Si le sol ne s'égoutte pas parfaitement, déposer au fond de la tranchée une couche de 1,5 à 2,5 cm de sable avant de planter. Laisser entre les caïeux un espace égal au double de leur largeur. Les recouvrir de 2,5 cm de sable avant de remplir la tranchée de terre. Le sable améliore l'égouttement du sol.

La première année, les caïeux ne produiront que des feuilles. Les plus gros fleuriront la deuxième année, les plus petits la troisième. Les toutpetits peuvent mettre plusieurs années encore. Il faut attendre que les caïeux aient fleuri pour les planter dans leur emplacement définitif.

Ravageurs et maladies qui s'attaquent aux bulbes

Si une plante bulbeuse présente des symptômes non décrits dans ce tableau, se reporter au chapitre intitulé « Ravageurs et maladies », page 474. On trouvera à la page 510 les appellations commerciales des produits chimiques recommandés.

Symptômes	Cause	Traitement*
Tiges, feuilles ou boutons floraux couverts de petits insectes verts ou noirs ; malformation des organes.	Pucerons (verts ou noirs)	Vaporisation de savon insecticide, de malathion ou d'un insecticide systémique comme du diméthoate.
Feuilles et fleurs rayées de roux, particulièrement celles des narcisses en pots. Étiolement des fleurs et des feuilles.	Acariens ou tarsonèmes des bulbes	Détruire les bulbes infestés. Faire geler les bulbes deux ou trois nuits au cours de la dormance, ou les laisser tremper trois heures dans de l'eau chaude (45 °C). Avant la plantation, poudrer de dicofol.
Sous une légère pression du doigt, les bulbes (jonquilles et autres narcisses) paraissent mous aux deux bouts. Mis en terre, ils ne poussent pas.	Mouches des narcisses	Avant de les planter, tester les bulbes et détruire ceux qui sont mous. Ne pas planter dans un endroit clos ou trop chaud qui attire les insectes.
Les feuilles des jacinthes, narcisses et tulipes portent des raies pâles ; elles se déforment, s'étiolent et peuvent même mourir.	Anguillules des tiges ou des bulbes	Détruire les bulbes infestés ; repiquer ailleurs ceux qui sont sains.
Fleurs et feuilles des glaïeuls portent des traces argentées qui finissent par virer au brun.	Thrips	Vaporiser les régions affectées avec malathion ou perméthrine.
Les plantes ne grandissent pas, le feuillage est normal en couleur mais petit. Les fleurs ne s'ouvrent pas ou s'ouvrent et s'affaissent.	Bulbes trop peu enfoncés (tulipes surtout)	Lorsque le feuillage jaunit, sortir le bulbe de terre et le replanter ou le conserver jusqu'à l'année suivante.
Les feuilles des anémones sont tachées de pruine blanche ; feuilles parfois tordues.	Mildiou (champignon)	Vaporisation de zinèbe.
Les feuilles des glaïeuls jaunissent et pendent, souvent avant la floraison. Taches noires ou lésions sur les cormes qui se dessèchent.	Pourriture sclérotique (champignon)	Détruire les sujets atteints. Poudrer les autres de thirame et de les ranger. Replanter ailleurs. Incorporer du thirame dans le sol avec un râteau.
Taches et raies imbibées d'eau sur les feuilles des tulipes qui brunissent. Pétales maculés. Pourriture brune sur les tiges qui tombent.	Feu ou botrytis (champignon)	Détruire les sujets atteints. Faire comme ci-dessus mais avec du captane au lieu du thirame. Vaporiser les feuilles avec du bénomyl.

* Certains produits sont interdits dans les localités qui ont adopté des règlements contre les pesticides. Voir aussi « Recettes maison et produits naturels », p. 512, et « Les amis du jardin », p. 515.

Crocus vernus *a de plus grosses fleurs que* Crocus chrysanthus, *mais l'un et l'autre se plantent très bien dans une pelouse ou sous des arbustes.*

Crocus vernus

Crocus chrysanthus 'Ladykiller'

Arrachage, séchage et conservation des bulbes

On déterre les bulbes pour faire de la place, parce ce qu'ils ne sont pas assez rustiques pour passer l'hiver en terre, ou quand ils sont trop vieux.

Les plantes bulbeuses à floraison printanière — jacinthes, narcisses, tulipes — doivent demeurer en terre jusqu'à jaunissement du feuillage. Si on coupe les feuilles trop vite, le rendement des bulbes en sera diminué. S'il y a un problème d'espace, on déterrera les bulbes pour les repiquer ailleurs. La meilleure façon de déterrer les bulbes consiste à enfoncer une fourche à bêcher dans le sol, en prenant garde d'endommager les bulbes. Manipuler la fourche comme un levier et soulever les bulbes. Supprimer les bulbes mous ou pourris.

Creuser une tranchée de 13 à 15 cm de profondeur, de 30 cm de large et assez longue pour recevoir tous les bulbes. Coucher au fond de la tranchée un morceau de grillage ou de filet de plastique et déposer les bulbes dessus en les inclinant légèrement. Ils peuvent être tassés, mais la moitié des tiges et des feuilles doit être au-dessus du niveau du sol. Laisser dépasser une petite partie du grillage ou du filet aux deux extrémités du trou pour faciliter l'arrachage plus tard. Remplir à moitié la tranchée de terre et bien arroser. (Réarroser en cas de sécheresse.)

Si on n'a que quelques bulbes à repiquer, il est plus simple de les placer dans des caissettes profondes remplies de tourbe humide. Recouvrir les bulbes avec d'autre tourbe et garder les caissettes à la semi-obscurité. La tourbe doit demeurer humide.

Quand les feuilles sont bien mûres, retirer les bulbes des caissettes ou de la tranchée. Arracher les feuilles et les racines mortes ainsi que les tuniques desséchées. Prélever les caïeux qui se sont formés sur les bulbes ; s'en servir pour obtenir d'autres plantes ou les jeter. Placer les bulbes côte à côte dans des plateaux non couverts, et les garder dans un endroit sec et frais, à l'abri des rongeurs.

Cela dit, il est préférable de laisser en terre les bulbes rustiques jusqu'au moment où le feuillage est arrivé à maturité, puis de les diviser avant de les replanter (voir p. 250).

Dans les régions où le climat est très doux, on peut laisser les cormes en terre. Ailleurs cependant, les arracher lorsque les feuilles deviennent brunes en automne. Les soulever avec une fourche à bêcher, couper les tiges et les feuilles à 2,5 cm environ du corme et placer tous les cormes dans des plateaux découverts. Les garder dans un endroit bien aéré ; ils mettront 7 à 10 jours à sécher. Prolonger cette étape s'il le faut avant de les nettoyer.

Détacher les vieux cormes ratatinés et prélever les caïeux. Jeter les caïeux ou les conserver jusqu'à la période de plantation.

Débarrasser les gros cormes de leur tunique externe, qui est très coriace, et détruire tous ceux qui portent des traces de lésion ou de pourriture. Poudrer ceux qui restent avec du carbaryl contre les thrips et du thirame contre la pourriture sclérotique et la gale. C'est une opération importante qu'il ne faut pas négliger si l'on veut que les plantes fleurissent bien la saison suivante. Conserver les cormes dans des caissettes ou des sacs en filet et les mettre dans un endroit frais mais à l'abri du gel jusqu'au printemps suivant. Leur ménager une bonne aération.

Dans les régions froides, déterrer en automne les bulbes d'acidanthéras et ceux des autres plantes bulbeuses non rustiques, les faire sécher et les traiter comme les glaïeuls.

1. *Après la floraison, lever les bulbes avec une fourche ; dégager la terre.*

2. *S'il y a peu de bulbes, les mettre en caissette remplie de tourbe humide. S'il y en a beaucoup, les étaler sur un filet dans une tranchée ; couvrir de tourbe.*

3. *Quand tiges et feuilles sont sèches, lever de nouveau les bulbes.*

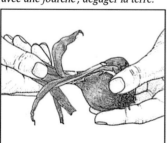
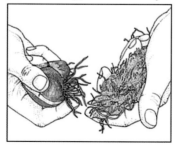
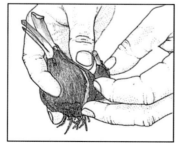

4. *Supprimer les feuilles mortes, les tuniques desséchées.*

5. *Nettoyer le bulbe et détacher les vieilles racines.*

6. *Préparer le bulbe pour la saison suivante en le divisant au besoin.*

7. *Conserver les bulbes étiquetés dans un endroit frais et sec.*

Les formes doubles de narcisse, comme 'White Lion', n'ont pas de trompette. Les acidantheras non rustiques (Gladiolus callianthus) sont très odorants; les planter près d'un endroit où l'on s'assoit.

Narcissus 'White Lion'   Gladiolus callianthus

Floraison des plantes bulbeuses à l'intérieur

Crocus 'Golden Yellow'
(à floraison printanière)

Mise en pot des bulbes à forcer

L'empotage des bulbes se fait de préférence dans des pots ou des contenants spéciaux munis de trous de drainage par lesquels on pourra voir si les racines se développent bien.

Employer des pots de plastique pour le forçage, mais l'argile est préférable pour les tulipes et les narcisses qui ont tendance à plier sous leur propre poids et à renverser le pot; arroser plus souvent car l'argile se dessèche. Si les pots comportent des trous, recouvrir ceux-ci de gravillons ou de tessons de grès. Couvrir d'une couche de mélange humide dont l'épaisseur sera proportionnelle aux dimensions du pot et des bulbes. Le collet des bulbes doit arriver au niveau du bord supérieur du pot ou légèrement au-dessus.

Presser légèrement sur les bulbes pour bien les asseoir sur le mélange terreux. Les petits bulbes peuvent se toucher, mais on laissera 2,5 cm entre les gros. Déposer tout autour des bulbes du mélange terreux afin que leurs racines soient bien soutenues lorsqu'elles commenceront à pousser. Recouvrir complètement de mélange les petits bulbes, mais laisser le collet des gros bulbes émerger un peu du sol. Niveler le mélange terreux à environ 1,5 cm du rebord.

Enfin, étiqueter les pots et indiquer la date de plantation.

FORÇAGE DANS UN POT PEU PROFOND

Enlever le surplus de racine, boucher les trous d'écoulement, étendre une mince couche de mélange. Espacer les bulbes et les recouvrir.

Un grand nombre de bulbes rustiques à floraison printanière peuvent fleurir plus tôt à l'intérieur. Mis en terre au début de l'automne et gardés assez longtemps au froid, ils développeront des racines et pourront être soumis au « forçage ».

Les jacinthes, les crocus, les narcisses, les iris et les tulipes peuvent être forcés à fleurir après un repos de 10 à 13 semaines à 4 °C.

Les catalogues indiquent d'ordinaire les cultivars qui se cultivent bien à l'intérieur. Parmi les bonnes variétés de narcisses trompette, on remarque 'Dutch Master' (fleurs jaunes), 'Mount Hood' (fleurs blanches) et 'Salome' (fleurs blanches à trompette rose tendre). Les Narcissus tazetta 'Paperwhite' et 'Soleil d'Or', à petites fleurs parfumées, n'ont pas besoin de période de froid. Chez les tulipes, ce sont les simples hâtives, les Triomphe, quelques hybrides de Darwin ainsi que certains Perroquet qui sont les plus prisés. Citons aussi les jacinthes de Hollande à grandes fleurs, les crocus Crocus chrysanthus 'Blue Pearl' et les variétés à grandes fleurs de C. vernus, dont 'Remembrance' et 'Pickwick'.

Il se vend divers mélanges terreux pour le forçage des bulbes, mais on peut composer le sien en mélangeant de la terre de jardin tamisée, du compost tamisé et de la tourbe pulvérisée en parties égales. (On allège les sols argileux en leur incorporant du sable et de la vermiculite.) Il n'est pas nécessaire d'ajouter de l'engrais au substrat de culture.

Planter chaque gros bulbe dans un pot de 7,5 à 10 cm ou en grouper quelques-uns dans un même pot.

COMMENT OBTENIR UN BOUQUET DE NARCISSES

Placer trois bulbes sur une couche de 5 cm de mélange humide dans un pot de 15 cm. Les recouvrir jusqu'au collet. En planter trois autres au-dessus.

Le cyclamen de l'île de Cos (Cyclamen coum), qui fleurit dès février, devrait être planté en petits ensembles au pied des arbres et arbustes. 'Album' a des feuilles foncées parfois soulignées de gris argenté.

Cyclamen coum 'Album'

Tulipa 'Apricot Beauty' ➡

Entreposage des bulbes après la mise en pot

Les bulbes soumis au forçage ont besoin d'une période de froid et d'obscurité d'environ trois mois.

Il faut donc les entreposer dans un endroit frais et obscur à une température maximale de 10 °C. Toutefois, les bulbes ne doivent pas geler. Un réfrigérateur d'appoint est l'endroit idéal dans les régions où le climat est doux.

L'entreposage à l'extérieur, dans une tranchée ou sous châssis froid, convient parfaitement pourvu que les bulbes soient protégés du gel et d'accès facile.

À cette fin, creuser une tranchée d'au moins 15 cm plus profonde que le plus gros des pots. Déposer ceux-ci avec leurs bulbes dans la tranchée. Pour éloigner les rongeurs, recouvrir les pots d'un grillage et contre les limaces, déposer des appâts.

Recouvrir les pots d'une couche de 7,5 cm de perlite, de sable ou de polystyrène expansé (Styrofoam) déchiqueté. Déposer par-dessus une couche de 7,5 à 15 cm de feuilles sèches, de foin ou d'un paillis quelconque et la maintenir en place avec des branches de conifères. Cette couverture empêche le sol de geler en profondeur et permet de retirer les pots sans difficulté le moment venu.

On procède de la même façon lorsqu'on place les pots sous châssis froid. Mettre un couvercle sur le châssis lorsque le temps est très mauvais ou que la nuit s'annonce glaciale. Soulever ce couvercle ou le retirer quand la journée est ensoleillée. Si possible, placer le châssis du côté nord de la maison. Ceci évitera d'avoir à soulever le couvercle.

Une autre solution consiste à ranger les pots dans un hangar ou un garage non chauffé. La température doit s'y maintenir au-dessus du point de congélation tout en étant assez basse pour que le système radiculaire des bulbes se développe de façon normale. À cet égard, un grenier, bien qu'obscur, serait trop chaud.

Si l'emplacement choisi est accessible aux souris et aux écureuils, protéger les bulbes en les couvrant d'une toile huilée de 2 cm d'épaisseur ou d'une toile moustiquaire.

Laisser 15 cm de jeu au-dessus des bulbes pour faciliter l'aération.

Quand les pots ne sont pas enfouis dans le sol, il faut s'assurer, par des vérifications périodiques, que les bulbes ne manquent pas d'eau, surtout s'ils se trouvent dans des pots en grès. Le mélange s'assèche plus vite quand les racines sont formées. Ne pas trop arroser pour autant. Lorsqu'il fait très froid, par exemple, les bulbes demandent moins d'eau et sont en même temps plus exposés à pourrir.

Les bulbes ne peuvent pas être forcés deux années de suite, mais on peut les laisser fleurir au jardin de façon normale. Attendre que tout danger de gel soit écarté avant de sortir les pots. Quand les fleurs ont fané, les éliminer pour que la plante ne dépense pas d'énergie à produire des graines. Placer les pots près d'une fenêtre ensoleillée et arroser au besoin. Une fois sur trois, ajouter une demi-dose d'engrais liquide.

Quand le feuillage commence à mourir, laisser la plante se dessécher. Puis nettoyer les bulbes et les entreposer jusqu'à l'automne suivant.

Retour des bulbes à l'intérieur pour le forçage

Après 10 à 13 semaines d'enracinement au froid, le forçage des bulbes peut commencer. Retirer les pots entreposés et les installer dans une pièce bien éclairée et bien aérée, à une température de 10 à 15 °C.

Dans cet environnement, les fleurs commenceront à apparaître. Leur garder une terre humide en tout temps.

Entourer la tige des jacinthes d'un cône de papier sombre pendant deux semaines. De cette façon, la grappe de fleurs se détachera du feuillage.

Pour étaler la floraison des bulbes, installer les pots, à raison d'un pot à la fois chaque semaine, près d'une fenêtre ensoleillée, dans une pièce où la température se maintient entre 16 et 18 °C. Une chambre à coucher fraîche ou un solarium non chauffé conviendraient très bien. Garder les pots à la vue, mais les remettre au frais tous les soirs.

Cette méthode permet de prolonger la floraison et d'avoir des fleurs toutes fraîches plus longtemps.

Culture des crocus en pots spéciaux

On trouve des pots spéciaux en céramique émaillée pour la culture des bulbes de crocus. Ces pots offrent des trous sur les côtés et il suffit d'y placer les bulbes de façon que leur nez pointe à travers. On obtiendra une fleur dans chaque ouverture.

Remplir un pot de mélange terreux humide jusqu'à la première rangée de trous. Disposer les bulbes dans les trous. Ajouter du mélange et installer d'autres bulbes au-dessus. Quand le pot est plein, asseoir les bulbes de façon que leur nez pointe vers l'ouverture supérieure du pot.

Les bulbes doivent demeurer au frais et dans l'obscurité pendant 13 semaines. Les placer ensuite dans une pièce chauffée et éclairée.

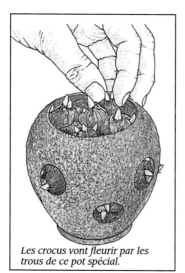

Les crocus vont fleurir par les trous de ce pot spécial.

Culture des jacinthes en carafe

Les jacinthes se cultivent bien dans l'eau. Il existe à cette fin des carafes munies d'un col rétréci qui s'évase en une coupe plate. Il faut une carafe pour chaque bulbe.

Remplir la carafe d'eau jusqu'au goulot rétréci et y mettre un petit morceau de charbon de bois pour garder l'eau douce. Asseoir un bulbe dans la partie supérieure de la carafe. L'eau doit affleurer le bulbe.

Garder la carafe dans un endroit frais et obscur jusqu'à ce que les racines aient environ 10 cm de long et que des pousses apparaissent.

Mettre la carafe dans une pièce plus chaude et bien éclairée. Ajouter de l'eau de temps à autre. Après la floraison, le bulbe ne refleurira plus.

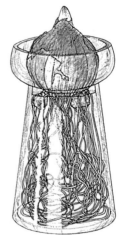

Les bulbes de jacinthe pousseront dans cette carafe remplie d'eau.

L'ail doré (Allium moly) fleurit tôt, est facile à cultiver et se développe rapidement. Les fleurs roses odorantes de l'amaryllis (Amaryllis belladonna) s'épanouissent du début au milieu de l'automne.

Allium moly   Amaryllis belladonna

Petit guide des plantes bulbeuses

Toutes les plantes figurant dans le tableau qui suit peuvent être cultivées à l'extérieur. Certaines d'entre elles, comme l'amaryllis, ne sont pas assez rustiques pour séjourner l'hiver au jardin. Il faudra donc les lever après la floraison et les mettre à l'abri du gel. On trouvera des précisions à ce sujet dans la colonne intitulée « Description générale, remarques ».

Les plantes sont présentées dans le tableau sous leur nom botanique le plus récent, par ordre alphabétique ; s'il a changé, on trouvera aussi l'ancien nom, mais avec un renvoi au nouveau. C'est pratique quand on veut consulter des catalogues qui ne sont pas toujours à jour.

Les dates de floraison indiquées valent pour les régions à climat doux. La floraison est plus hâtive ou plus tardive selon que le climat est plus chaud ou plus froid. On tiendra compte également des microclimats.

Allium oreophilum
(ail ornemental)

Amaryllis belladonna
(amaryllis)

Anemone coronaria
(anémone des fleuristes)

Nom botanique et nom vulgaire	Hauteur et étalement	Description générale, remarques	Plantation et multiplication
Acidanthera (acidanthera)		Voir *Gladiolus callianthus*	
Allium (ail ou oignon ornemental)		Bulbes faciles à cultiver. Placer les variétés courtes dans les rocailles ; les variétés de haute taille peuvent avoir besoin de tuteurs et se placent bien en massifs parmi d'autres plantes. Plusieurs peuvent être séchées pour les bouquets d'hiver. Les espèces répertoriées ici poussent bien à partir de la zone 5.	Planter les bulbes à une profondeur de 20 cm, du début au milieu de l'automne ou plus tôt. Choisir un endroit ensoleillé, un sol bien drainé. Diviser en automne ou au tout début du printemps, au besoin.
Allium aflatunense	H 75-90 cm E 23 cm	Fleurs rose lilas au début de l'été. *A. aflatunense* est moins rustique que les autres variétés.	
A. cristophii	H 75-90 cm E 30 cm	Inflorescence globuleuse de 20-25 cm de diamètre, portant des fleurs en étoile violettes au début de l'été ; belle à sécher.	
A. moly (ail doré)	H 30-45 cm E 30 cm	Fleurs jaunes de 7,5 cm de diamètre, au début de l'été. Rustique en zone 3.	Planter à 5 cm de profondeur.
A. oreophilum	H 25-30 cm E 7,5 cm	Fleurs roses au début de l'été. Excellent choix pour les rocailles. Très rustique.	Planter à 4-5 cm de profondeur.
A. sphaerocephalon	H 60-90 cm E 10 cm	Inflorescences ovoïdes denses de fleurs rouge foncé au milieu de l'été. Rustique en zone 4.	Planter à 7-10 cm de profondeur.
Amaryllis (amaryllis) *Amaryllis belladonna*	H 60 cm E 30 cm	Fleurs roses, parfumées, en forme de trompette ouvrant au début de l'automne. Les feuilles apparaissent avant la fleur, puis meurent. Peut être cultivée à l'intérieur en pots : rentrer la plante à la fin de l'été. Rustique en zone 8.	Planter au milieu de l'été à 15 cm de profondeur, au soleil, contre un mur exposé au sud. Séparer les caïeux quand ils deviennent trop nombreux.
Anemone (anémone) *Anemone blanda*	H 15 cm E 10 cm	Fleurs blanches ou de diverses teintes de bleu ou rose-mauve, de la fin de l'hiver à la mi-printemps. Planter en petits groupes dans les rocailles. Rustique en zone 4. Dans les régions froides, pailler abondamment.	*A. blanda* : Planter les tubercules à 5-7 cm de profondeur du début au milieu de l'automne, en situation ensoleillée ou mi-ombragée. Prélever des rejets ou diviser les rhizomes à la fin de l'été. Repiquer rejets et rhizomes immédiatement.
A. coronaria (anémone des fleuristes)	H 15-30 cm E 10-15 cm	Fleurs blanches, lavande, mauves, roses, cramoisies et écarlates, au début du printemps ou de l'été. Excellentes fleurs coupées. Des apports d'engrais riche en azote, comme du sulfate d'ammoniaque, quand les boutons apparaissent, donnent des tiges plus longues. Prospère sur la côte du Pacifique. Racines tubéreuses non rustiques au-delà des régions méridionales de la zone 5.	*A. coronaria* : Planter les tubercules à 4-5 cm de profondeur, en situation ensoleillée ou semi-ombragée, à la fin de l'automne (ou au début du printemps sur la côte Ouest.)

Camassia leichtlinii

Canna generalis 'Wyoming'

Le quamash (Camassia),
qui est bien rustique, est
peu connu. Le canna (Canna
generalis) l'est beaucoup plus,
mais il ne survit pas au gel.

	Nom botanique et nom vulgaire	Hauteur et étalement	Description générale, remarques *Sélection All-America	Plantation et multiplication
Begonia tuberhybrida (bégonia tubéreux)	**Begonia** (bégonia) Begonia evansiana	H 45-60 cm E 30 cm	Fleurs blanches ou roses de la mi-été à l'automne. Bon sujet pour endroits ombragés. Le bulbe n'est pas assez rustique pour être laissé à l'extérieur, quelle que soit la zone. Garder en hiver entre 5 et 10 °C.	*B. evansiana*: Planter les tubercules à 5 cm de profondeur, au printemps, à mi-ombre. Prélever les bulbilles à l'aisselle des pétioles. Les mettre en pots, à la surface du mélange terreux; couvrir d'une plaque de verre jusqu'à apparition des pousses. Repiquer au printemps.
Brodiaea coronaria (jacinthe de Californie)	B. tuberhybrida (bégonia tubéreux)	H 60 cm E 30 cm	Fleurs blanches, roses, jaunes, orange et rouges, de la mi-été à l'automne. Souvent désigné selon la forme de la fleur : à fleurs de camélia, à fleurs d'œillet. Se cultive bien en bac. Déterrer les tubercules avant les premiers gels ou quand la floraison ralentit; les conserver dans de la tourbe entre 5 et 10 °C. Démarrer les tubercules à l'intérieur deux ou trois mois avant de les planter au jardin. Garder le mélange à peine humide près d'une fenêtre bien éclairée ou en serre jusqu'à ce que des pousses apparaissent. Plusieurs races hybrides ont des fleurs de formes différentes. Voir aussi p. 229.	*B. tuberhybrida*: Planter les tubercules à une profondeur de 2-5 cm, au printemps, à mi-ombre. Prélever des boutures de pousses émanant des tubercules au printemps. Les repiquer quand elles ont pris racine.
Caladium bicolor (oreilles d'éléphant)	**Brodiaea** (brodiéa ou jacinthe de Californie) Brodiaea coronaria B. laxa (brodiéa divergent), voir Triteleia laxa, p. 265.	H 45 cm E 7,5-15 cm	Fleurs étoilées, bleu-pourpre, à la fin du printemps et au début de l'été. Planter en groupes de 5 ou 6, en plein soleil. Ne pas arroser en été. Originaire de la côte Ouest. Rustique en zone 9.	Planter en automne, ou de préférence au printemps, à 7-10 cm de profondeur. Séparer les caïeux des cormes à l'automne et les planter.
	Caladium (caladium) Caladium bicolor (oreilles d'éléphant)	H 30 cm E 30 cm	Plante appréciée pour ses feuilles de couleur franche ou panachées de blanc, vert, rose ou rouge, selon la variété. Ornementale de la mi-été jusqu'aux froids. Pousse au soleil ou à l'ombre. Déterrer en automne; laisser sécher pendant une semaine. Conserver dans de la tourbe ou de la perlite sèches à une température de 13 à 16 °C.	Planter au jardin, à 5 cm de profondeur, dès qu'il fait 21 °C ou démarrer en pots à l'intérieur. Au printemps, prélever des boutures de tubercules portant au moins un œil. Poudrer avec un fongicide avant la plantation.
Camassia cusickii (camassie)	**Camassia** (camassie ou quamash) Camassia cusickii C. leichtlinii (quamash des Indiens)	H 75-90 cm E 45-60 cm H 60-90 cm E 45 cm	Fleurs bleu clair à la fin du printemps. Pousse au soleil ou à la mi-ombre. Se plante avec des fleurs sauvages ou près d'une piscine. Bulbes rustiques jusqu'au sud de la zone 5. Fleurs de blanc à bleu intense à la fin du printemps.	Planter à 15 cm de profondeur en automne dans un sol qui reste humide. Prélever les rejets en automne; les repiquer immédiatement.
Canna generalis (canna)	**Canna** (canna ou balisier) Canna generalis	H 45 cm-1,20 m E 30-45 cm	Grandes fleurs en épis, blanches, roses, jaunes ou écarlates, au-dessus de grandes feuilles. Fleurit de la mi-été jusqu'aux froids. Planter dans les régions où les étés sont longs et chauds. Se cultive en plates-bandes ou en bacs. Lever les rhizomes à l'automne quand les feuilles ont noirci; les laisser sécher quelques jours; les garder à l'envers dans de la tourbe ou de la vermiculite sèches à une température de 10 à 16 °C.	Planter les rhizomes au printemps quand la température nocturne reste au-dessus de 10 °C et recouvrir de 8 cm de terre. Diviser les rhizomes au printemps. 'Tropical Rose'* et 'Seven Dwarfs' se cultivent à partir de semis.

*Le lis du Bengale (Crinum),
une fleur tropicale, et le
cyclamen de Naples (Cyclamen
hederifolium), peu rustique,
fleurissent tard en été.*

Crinum powellii 'Album'

Cyclamen hederifolium

	Nom botanique et nom vulgaire	Hauteur et étalement	Description générale, remarques	Plantation et multiplication
Chionodoxa luciliae (gloire-de-la-neige)	**Chionodoxa** (chionodoxa ou gloire-de-la-neige) *Chionodoxa luciliae*	H 15 cm E 10 cm	Fleurs blanches, bleu clair ou roses, à la mi-printemps. Planter en massifs dans les rocailles ou à l'avant des bordures. Rustique dans presque toutes les régions du Canada.	Planter à une profondeur de 5 cm au début de l'automne, dans un endroit dégagé et ensoleillé. Se multiplie spontanément. Diviser les bulbes au besoin.
Colchicum autumnale (safran bâtard)	**Colchicum** (colchique) *Colchicum autumnale* (colchique d'automne, safran bâtard) *C. speciosum*	H 15 cm E 23 cm H 15-25 cm E 23-30 cm	Fleurs blanches ou rose lilas, simples ou doubles, au début de l'automne. Elles ressemblent au crocus et précèdent les feuilles à l'automne. Celles-ci apparaissent au printemps, puis meurent. Planter en groupes sous les arbres et les arbustes. Rustique en zone 5. Fleurs blanches ou pourpres du milieu à la fin de l'automne. Plusieurs hybrides sont nés de *C. speciosum* et *C. autumnale*.	Planter les cormes à une profondeur de 8-10 cm à la fin de l'été, en situation ensoleillée ou semi-ombragée. *C. speciosum* se plante à une profondeur de 10-15 cm. Prélever les caïeux à la mi-été et les repiquer immédiatement.
Crinum powellii (crinole)	**Crinum** (crinole ou lis du Bengale) *Crinum longifolium* *C. powellii*	H 90 cm E 45-60 cm H 1,50 m E 30-45 cm	Fleurs blanches ou roses à la fin de l'été. L'espèce la plus rustique ; peut être cultivée dans les régions à climat rigoureux, à la condition d'être abrité. Fleurs blanches ou roses à la fin de l'été. Peut être cultivé à l'extérieur, contre un mur orienté au sud, en zone 8. Bien pailler en hiver ou garder les bulbes en pots à l'abri du gel.	Planter à 15 cm de profondeur ou davantage, au printemps ou en automne dans les régions chaudes et au printemps dans les autres régions. Prélever les rejets au début du printemps et les empoter séparément. Ils fleurissent en trois ans.
Crocus speciosus (crocus d'automne) *Crocus vernus* (crocus de printemps)	**Crocus** (crocus ou safran) CROCUS D'HIVER *Crocus chrysanthus* et autres espèces CROCUS DU PRINTEMPS *C. vernus* CROCUS D'AUTOMNE *C. speciosus*, etc.	H 8 cm E 8 cm H 10-13 cm E 10 cm H 10-13 cm E 8-10 cm	Fleurs blanches, bleues, mauves, jaunes ou bronze, parfois rayées d'une teinte contrastante, à la fin de l'hiver et au début du printemps. Se place dans les rocailles, sous les arbres et les arbustes, au premier plan des plates-bandes et des bordures et se naturalise dans les pelouses. On peut soumettre au forçage les variétés à grandes fleurs telles que 'E. A. Bowles'. Tous rustiques en zone 5 et souvent jusqu'en zone 3. Mêmes coloris que les crocus d'hiver. Floraison du début au milieu du printemps. Même utilisation que les crocus d'hiver. C'est cette catégorie qui donne les plus grandes fleurs. Il n'est pas recommandé de les forcer à l'intérieur, ni de les installer dehors dans des zones inférieures à la zone 5.	Planter à 8 cm de profondeur en situation ensoleillée, le plus tôt possible à l'automne. Les variétés à floraison automnale, en particulier, doivent être plantées très tôt. Lever de terre quand les feuilles brunissent. Retirer les caïeux et les repiquer aussitôt en plaçant les plus petits dans un coin isolé jusqu'à ce qu'ils soient aptes à fleurir.
Cyclamen hederifolium (cyclamen de Naples)	**Cyclamen** (cyclamen rustique) *Cyclamen coum* (cyclamen de l'île de Cos) *C. hederifolium* (cyclamen de Naples) *C. purpurascens*	H 8 cm E 15 cm H 10 cm E 15 cm H 10 cm E 15 cm	Fleurs allant du rose au carmin, parfois blanches, à la mi-hiver et à la mi-printemps. Se plante en petites touffes sous les arbres et les arbustes ou au pied d'un mur orienté au nord. Pailler au printemps. Rustique en zone 5. Fleurs allant du rose au blanc, à la fin de l'été. Espèces les moins rustiques, zone 8. Fleurs cramoisies et parfumées à la fin de l'été et au début de l'automne. Rustique en zone 6.	Planter à une profondeur de 2,5-5 cm, du milieu à la fin de l'été, en situation semi-ombragée. Les cormes du cyclamen ne se divisent pas et ne donnent pas de rejets. Se multiplie aussi par semis, en été.

Erythronium dens-canis

Fritillaria meleagris

Les érythrones (Erythronium), qui fleurissent au printemps, peuvent être facilement plantés sous des arbres. La fritillaire pintade (Fritillaria meleagris) doit son nom au motif de ses pétales, qui rappelle le plumage de cet oiseau; on en plantera plusieurs sujets groupés.

	Nom botanique et nom vulgaire	Hauteur et étalement	Description générale, remarques	Plantation et multiplication
Eranthis hyemalis (hellébore d'hiver)	**Eranthis** (éranthe ou helléborine) *Eranthis hyemalis* (hellébore d'hiver)	H 10 cm E 8 cm	Fleurs jaune bouton-d'or à la fin de l'hiver ou au début du printemps. À planter en groupes sous des arbres et des arbustes à feuillage caduc. Marier l'hellébore d'hiver à la perce-neige *(Galanthus)* pour prolonger la période de floraison. Bien arroser au printemps. Rustique dans toutes les régions, sauf dans celles qui sont très froides.	Planter à 2,5 cm de profondeur à la fin de l'été ou au début de l'automne, en plein soleil ou à la mi-ombre. Diviser les tubercules à la fin du printemps; les repiquer sans délai. Se resème.
Erythronium (érythrone)	**Erythronium, espèces et variétés** (érythrone)	H 15 cm E 10-15 cm	Fleurs blanches, pourpres, roses ou jaunes, du milieu à la fin du printemps. Planter en groupes dans les sous-bois ou dans un endroit semi-ombragé. Ne pas déranger les plants lorsqu'ils sont établis. Au besoin, les lever et les replanter après flétrissement des feuilles. Espèces et variétés nombreuses, certaines rustiques dans la partie méridionale de la zone 4.	Planter à une profondeur de 5-8 cm à la fin de l'été ou aussitôt que possible, en situation semi-ombragée. Pailler. Au besoin, prélever des rejets en été; les repiquer immédiatement et les laisser se développer quelques années.
Fritillaria imperialis (couronne impériale)	**Fritillaria** (fritillaire) *Fritillaria imperialis* (couronne impériale)	H 60-90 cm E 23-40 cm	Fleurs jaunes, orange ou rouges, au milieu et à la fin du printemps. À planter en groupes dans les bordures. S'établit parfois difficilement, mais se multiplie rapidement lorsqu'elle est dans le site qui lui convient. Diviser au besoin. Cultiver au sud de la zone 4.	Coucher les bulbes à 20 cm de profondeur, à la mi-automne, en plein soleil ou à la mi-ombre. Planter *F. meleagris* à 10 cm de profondeur. Prélever des rejets à la fin de l'été; cultiver sous châssis froid ou en pots. Les semis d'été mettent 4 à 6 ans à fleurir. Planter les bulbes de *F. persica* à 15 cm de profondeur.
	F. meleagris (méléagre, fritillaire pintade)	H 30 cm E 15 cm	Fleurs blanc pur ou pourpre et blanc, au milieu et à la fin du printemps. Demande les mêmes soins que *F. imperialis*; se naturalise dans les gazons ras. Rustique en zone 3.	
	F. persica	H 90 cm E 23 cm	Longs épis de fleurs en forme de clochette brun-pourpre. *F. persica* 'Adiyaman' fleurit avec plus de profusion.	
Galanthus nivalis (perce-neige commune)	**Galanthus** (perce-neige) *Galanthus elwesii*	H 15-25 cm E 10-15 cm	Fleurs blanches à pétales internes teintés de vert, à la fin de l'hiver et au début du printemps. À planter en groupes sous les arbres ou les arbustes, parmi des plantes tapissantes ou avec d'autres plantes bulbeuses printanières : *Chionodoxa* et *Eranthis*. Espèce qui s'implante difficilement, mais se multiplie aisément par la suite. Rustique en zone 4.	Planter à une profondeur de 8-10 cm au début de l'automne ou tout de suite après la floraison, dans un endroit qui est à demi-ombragé en été. Diviser après la floraison; repiquer immédiatement.
	G. nivalis (perce-neige commune)	H 10-25 cm E 10-15 cm	Fleurs semblables à celles de *G. elwesii*. Convient aux rocailles. 'S. Arnott' atteint 25 cm et présente de grandes fleurs parfumées. Il existe une variété à fleurs doubles.	
Galtonia candicans (jacinthe du Cap)	**Galtonia** *Galtonia candicans* (jacinthe du Cap)	H 90 cm- 1,20 m E 23 cm	Fleurs blanches teintées de vert, s'épanouissant au milieu et à la fin de l'été. À planter en massifs dans des plates-bandes de vivaces ou d'arbustes. Lever et conserver comme les glaïeuls.	Planter à une profondeur de 10-15 cm à la fin du printemps, sauf en climat doux où on peut planter en automne dans un endroit ensoleillé. Prélever les rejets (peu nombreux) au besoin; les mettre en réserve pour l'hiver et les repiquer au printemps.

'Green Woodpecker' est un glaïeul à fleur de taille moyenne, qui fleurit à la fin de l'été et donne une excellente fleur d'exposition. La scille espagnole (Hyacinthoides hispanica), qui fleurit au printemps, aime l'ombre.

Gladiolus 'Green Woodpecker'

Hyacinthoides hispanica

Gladiolus (hybride à grandes fleurs)

Gladiolus (hybride papillon)

Gladiolus callianthus (acidanthera)

Gloriosa 'Rothschildiana' (lis du Malabar)

Hippeastrum, hybride (amaryllis)

Hyacinthoides hispanica (scille espagnole)

Nom botanique et nom vulgaire	Hauteur et étalement	Description générale, remarques	Plantation et multiplication
Gladiolus (glaïeul) HYBRIDES À GRANDES FLEURS	H 90 cm-1,50 m E 10-15 cm	Les fleurs présentent toutes les couleurs du prisme; certaines sont bicolores et joliment maculées. La floraison dépend du climat et de l'époque de plantation; elle est estivale dans les régions froides et va de juillet à octobre dans les régions tempérées. À planter en massifs, ou en lignes si l'on veut des fleurs coupées. Les grandes variétés ont parfois besoin de tuteurs. Déterrer les cormes et les mettre en réserve tout l'hiver.	Commencer la plantation quand tout danger de gel est écarté et l'étaler jusqu'à la mi-été afin de prolonger la floraison. Enfouir les bulbes à 10-15 cm de profondeur, en plein soleil. Diviser les caïeux en automne ou quand le feuillage est jaune. Les garder à l'intérieur pendant l'hiver et les repiquer au printemps. Les faire tremper dans l'eau pendant 2 jours avant de les planter pour accélérer l'enracinement. Les caïeux fleuriront après 2 ou 3 ans. Planter G. callianthus à 12 cm de profondeur après le dernier gel, en plein soleil. Diviser les caïeux au moment de la plantation.
HYBRIDES PAPILLON	H 60 cm-1,20 m E 10-15 cm	Fleurs de toutes les couleurs, plus petites que celles de la catégorie précédente. Ont rarement besoin de tuteurs. Composent de jolis bouquets.	
HYBRIDES PRIMULINUS ET MINIATURES	H 45-90 cm E 8-15 cm	Gamme complète de coloris. Les fleurs, en forme de primevère, ont des segments supérieurs (pétales) capuchonnés. Pas besoin de tuteurs.	
Gladiolus callianthus (acidanthera)	H 45-60 cm E 10-15 cm	Fleurs blanches à cœur pourpre, parfumées, fleurissant à la fin de l'été. Longue période de croissance; dans les régions plus froides que la zone 7, démarrer les cormes en pots dans la maison un mois plus tôt. Repiquer par la suite au jardin. Lever les cormes et les entreposer pendant tout l'hiver.	
Gloriosa (gloriosa) *Gloriosa superba* 'Rothschildiana' (lis du Malabar)	H 90 cm-1,20 m E 30 cm	Fleurs rouges à pétales ourlés de jaune, au début de l'été ou à d'autres moments en régions tempérées. Plante grimpante qu'on peut palisser sur des treillages ou planter en pots et tuteurer. Déterrer les tubercules à l'automne; les conserver dans de la tourbe sèche à environ 13-16 °C.	Coucher les tubercules à 10 cm de profondeur au printemps. Choisir un endroit ensoleillé, tuteurer les plants. Diviser au printemps et repiquer immédiatement. Les plants obtenus par semis mettent 2 ou 3 ans à fleurir. Certaines espèces peuvent être cultivées toute l'année en serre froide.
Hippeastrum, hybrides (hippeastrum ou amaryllis)	H 60 cm E 30-45 cm	Fleurs blanches, roses, saumon ou rouges; certaines sont rayées. Floraison au printemps à l'extérieur, en hiver ou au printemps à l'intérieur. Les fleurs précèdent habituellement les feuilles. Souvent cultivé comme plante d'intérieur; se place au jardin dans les régions à climat doux. Parmi les hybrides les plus répandus, on remarque 'Apple Blossom' (rose tendre), 'Jeanne d'Arc' (fleurs blanches), 'Belinda' (fleurs rouges). Voir aussi *Amaryllis*.	Planter les bulbes à la mi-automne, dans un endroit semi-ombragé, à 15-20 cm de profondeur. Planter en pots de l'automne au printemps en laissant le tiers du bulbe à découvert. Prélever les caïeux qui se forment autour du bulbe en automne. Les plants semés mettent 3 ou 4 ans à fleurir.
Hyacinthoides ou *Scilla* *Hyacinthoides hispanica* ou *Scilla campanulata* (scille espagnole) *H. non-scripta* (jacinthe des bois)	H 30 cm E 15 cm H 30-45 cm E 15 cm	Fleurs blanches, bleues ou roses, à la fin du printemps. À planter sous les arbres et les arbustes ou dans le sous-bois. Vient bien à l'ombre et donne de belles fleurs coupées. Belle fleur campanulée d'un beau bleu. Peut-être pas aussi rustique que la scille espagnole.	Planter à 10 cm de profondeur, en plein soleil ou à la mi-ombre. Se multiplie spontanément ou par division des bulbes après flétrissement des feuilles.

Leucojum vernum

Hymenocallis festalis

Comme son nom l'indique, la nivéole perce-neige (Leucojum vernum) fleurit dès mars. C'est au milieu de l'été que les fleurs parfumées de l'hymenocallis (Hymenocallis festalis) apparaissent.

	Nom botanique et nom vulgaire	Hauteur et étalement	Description générale, remarques	Plantation et multiplication
Hyacinthus orientalis 'Pink Pearl' (jacinthe)	**Hyacinthus** (jacinthe) JACINTHE COMMUNE D'ORIENT ou JACINTHE DE HOLLANDE *Hyacinthus orientalis,* hybrides	H 20-23 cm E 15-20 cm	Fleurs blanches, bleues, mauves, jaunes, roses, rouges ou orange, du début à la fin du printemps. À planter en massifs aux abords de la maison, là où l'on peut apprécier son parfum. A parfois besoin de tuteurs. Rustique en zone 4. Parmi les variétés, mentionnons 'L'Innocence' (fleurs blanches), 'Delft Blue' (bleu de Delft), 'City of Haarlem' (fleurs jaunes), 'Pink Pearl' (fleurs roses) et 'Jan Bos' (fleurs cramoisies).	Planter à une profondeur de 13-15 cm à la mi-automne, sauf dans les régions tempérées où il est préférable de planter à la fin de l'automne ou au début de l'hiver. Choisir un emplacement ensoleillé ou à demi ombragé. Lever les bulbes quand les feuilles sont jaunes ; diviser et repiquer.
	JACINTHE D'ITALIE *H. o. albulus*	H 15 cm E 15-23 cm	Fleurs blanches, plus petites que les précédentes, très parfumées, du début à la fin du printemps. Se prête bien au forçage. Non rustique dans le nord de la zone 5.	
Hymenocallis narcissiflora (hymenocallis)	**Hymenocallis** (hymenocallis) *Hymenocallis narcissiflora,* ou *Ismene calathina*	H 45-60 cm E 25-30 cm	Les fleurs blanches, qui font penser à des araignées, éclosent au milieu de l'été. Rustique dans le sud de la zone 7 ; dans les régions plus froides, retirer du sol à l'automne et garder tête en bas dans de la vermiculite ou de la mousse de tourbe à 18 °C. Variétés : 'Advance' et 'Festalis' (fleurs blanches) et 'Sulphur Queen' (fleurs jaunes).	Planter les bulbes à 15-20 cm de profondeur au printemps quand les températures nocturnes atteignent 16 °C en moyenne ; les placer en plein soleil ou à la mi-ombre. À l'automne, lever et séparer les caïeux. Remettre en terre au printemps.
Ipheion uniflorum (iphéion)	**Ipheion** (iphéion) *Ipheion uniflorum,* ou *Brodiaea uniflora,* ou *Triteleia uniflora*	H 15-20 cm E 10 cm	Fleurs blanches tournées vers le haut, à pétales teintés de bleu, au début du printemps ; parfum de menthe. Le feuillage apparaît à l'automne. À planter en massifs sous les arbustes ou dans les rocailles. Rustique à partir des régions méridionales de la zone 5.	Planter à 8-10 cm de profondeur au début de l'automne, en plein soleil ou à la mi-ombre. Prélever les caïeux quand le feuillage meurt en été ; les repiquer aussitôt.
	Iris, bulbeux, voir p. 311			
Ixia maculata, hybride (ixia)	**Ixia** (ixia) *Ixia maculata*	H 45 cm E 10 cm	Plante hybride à fleurs crème, roses, jaunes, orange ou rouges. Floraison à la fin du printemps et au début de l'été. Les cormes mûrissent en été dans un sol sec. À planter en massifs. Se cultive aussi en pots. Rustique dans le sud de la zone 7.	Planter du début à la fin de l'automne dans le sud de la zone 7 ; planter au printemps dans le nord de cette zone. Placer en situation ensoleillée et enfouir les bulbes à une profondeur de 8-10 cm. Prélever les caïeux lorsque le feuillage meurt.
Leucojum vernum (nivéole perce-neige)	**Leucojum** (nivéole) *Leucojum aestivum* (nivéole estivale)	H 30 cm E 15 cm	Fleurs blanches teintées de vert (4 à 8 par hampe), naissant du milieu à la fin du printemps. À planter en massifs dans les rocailles ou les coins ensoleillés. Rustique en zone 2. Fleurs blanches solitaires plus petites que les précédentes. Floraison du début au milieu du printemps. La nivéole printanière et la nivéole estivale poussent mieux en régions tempérées que *Galanthus*.	Planter à une profondeur de 8-10 cm au début de l'automne, en plein soleil ou à la mi-ombre. *L. vernum* croît mieux à l'ombre. Prélever les caïeux quand les feuilles sont mortes ; les repiquer immédiatement.
	L. vernum (nivéole printanière ou perce-neige)	H 15-20 cm E 10 cm		

Captions (illustrations de gauche) :

Hyacinthus orientalis 'Pink Pearl' (jacinthe)

Hymenocallis narcissiflora (hymenocallis)

Ipheion uniflorum (iphéion)

Ixia maculata, hybride (ixia)

Leucojum vernum (nivéole perce-neige)

'Ice Follies' est un narcisse à grande coronule. Il fleurit au printemps comme tous les narcisses et toutes les jacinthes.

Narcissus 'Ice Follies'

Nom botanique et nom vulgaire	Hauteur et étalement	Description générale, remarques	Plantation et multiplication
Lycoris (lycoride) *Lycoris radiata*	H 45 cm E 25-30 cm	Fleurs de rose intense à rouge à la fin de l'été ou au début de l'automne. Les feuilles précèdent les fleurs ; garder le sol plutôt sec jusqu'à l'apparition des fleurs. Pousse mieux lorsque les souches sont touffues. Se cultive bien en bacs pour obtenir une floraison tardive. Rustique dans la moitié sud de la zone 7.	Planter au jardin à la mi-été. Enfouir les bulbes à 15-20 cm de profondeur ; en pots, laisser sortir la pointe des bulbes. À la limite de sa zone de rusticité, *L. squamigera* sera planté plus profondément. Se cultive à mi-ombre. Lever les bulbes lorsque le feuillage est mort (avant la floraison) ; prélever les caïeux et repiquer.
L. squamigera (lycoride à écailles)	H 60 cm E 25-30 cm	Fleurs rose lilas et parfumées à la fin de l'été. Plus rustique que *L. radiata*. Se cultive à l'extérieur dans le sud de la zone 5.	
Muscari (muscari) *Muscari armeniacum* (muscari d'Arménie)	H 20 cm E 10 cm	Fleurs bleu foncé marginées de blanc, au milieu et à la fin du printemps. À planter en touffes à l'avant des bordures et dans les rocailles. Un des bulbes les plus rustiques ; pousse partout en zone 2 et plus au sud.	Planter à 8 cm de profondeur, du début à la fin de l'automne, en plein soleil. Donne beaucoup de graines là où il prospère. Diviser tous les 3 ans quand les feuilles sont jaunes ; repiquer les caïeux immédiatement ou les mettre en réserve jusqu'à l'automne suivant.
M. botryoides (muscari raisin)	H 18 cm E 10 cm	Fleurs bleu azur, du début au milieu du printemps. Variétés à fleurs blanches.	
M. comosum (muscari chevelu)	H 30 cm E 10-15 cm	Fleurs supérieures de bleu à mauve, stériles ; fleurs inférieures de teinte olive, fertiles. Pétales très découpés. Fleurit de la fin du printemps au début de l'été.	
Narcissus NARCISSE TROMPETTE Trompette aussi longue ou plus longue que les pétales. Une fleur par tige.	H 35-45 cm E 15-20 cm	Fleurs toutes jaunes ou toutes blanches, ou à trompette d'une couleur et pétales d'une autre couleur. Floraison du début à la fin du printemps en zone 4. À planter en massifs dans des plates-bandes d'arbustes ou de vivaces, ou sous les arbres. Donne de belles fleurs coupées. Quelques variétés renommées : 'Dutch Master', 'King Alfred', 'Unsurpassable' (fleurs jaunes) ; 'Beersheba', 'Mount Hood' (fleurs blanches) ; 'Spellbinder' (jaune et ivoire) ; et 'Pink Glory' (blanc et rose).	Planter à 15 cm de profondeur et laisser un espace de 15 cm entre les bulbes. La plantation se fait du milieu à la fin de l'automne, en plein soleil ou à la mi-ombre. Lever les bulbes au début de l'été, quand le feuillage est jaune ; prélever les caïeux et les repiquer immédiatement ou les mettre en réserve jusqu'au début de l'automne.
NARCISSE À GRANDE CORONULE La coupe ou coronule fait plus du tiers de la longueur des pétales et est parfois festonnée. Une fleur par tige.	H 35-55 cm E 15-20 cm	Trompettes et pétales sont souvent de couleur différente. Mariage de jaune, rose et blanc. Quelques bonnes variétés : 'Gigantic Star' (fleurs jaunes), 'Ice Follies' (fleurs blanches), 'Flower Record' (jaune et blanc), 'Mrs. R.O. Backhouse' (rose et blanc) et 'Professor Einstein' (blanc et orange).	
NARCISSE À PETITE CORONULE La coronule fait au plus le tiers de la longueur des pétales. Une fleur par tige.	H 35-45 cm E 15 cm	Fleurs toutes blanches, jaune et blanc ou en d'autres combinaisons de coloris. Floraison du début à la fin du printemps. Quelques variétés : 'Barrett Browning' (blanc et orange), 'Verger' (blanc et rouge) et 'Angel' (fleurs blanches).	Voir narcisse trompette (ci-dessus).
NARCISSE DOUBLE Tous les types présentent plus d'un rang de pétales. Une ou plusieurs fleurs par tige.	H 30-45 cm E 15 cm	Fleurs blanches, jaunes ou bicolores, du début à la fin du printemps. Quelques variétés : 'Ice King' (fleurs blanches et jaunes), 'Petit Four' (crème et abricot) et 'Sir Winston Churchill' (crème, ivoire et orange, parfumé).	Voir narcisse trompette (ci-dessus).
NARCISSE TRIANDRUS La coronule fait environ les deux tiers de la longueur des pétales. De 1 à 6 fleurs par tige ; parfois retombantes.	H 20-40 cm E 15 cm	Quelques variétés : 'Hawara' (fleurs jaunes), 'Thalia', 'Tresamble' (fleurs blanches) et 'Tuesday's Child' (blanc et jaune).	Voir narcisse trompette (ci-dessus).

Lycoris squamigera (lycoride à écailles)

Muscari botryoides (muscari raisin)

Narcissus (narcisse trompette)

Narcissus (narcisse à petite coronule)

Narcissus (narcisse double)

La jacinthe de mai (Ornithogalum nutans) sera du plus bel effet dans un boisé. La nérine se cultive essentiellement en pots; on peut très bien en couper les fleurs pour un bouquet.

Ornithogalum nutans

Nerine bowdenii

	Nom botanique et nom vulgaire	Hauteur et étalement	Description générale, remarques	Plantation et multiplication
Narcissus cyclamineus (narcisse cyclamen)	NARCISSE CYCLAMEN Longue trompette étroite avec pétales récurvés. Une fleur par tige.	H 20-38 cm E 8-15 cm	Fleurs blanches, jaunes ou bicolores. Parmi les variétés, mentionnons 'February Gold' (fleurs jaunes), 'Jack Snipe' (blanc et jaune) et 'Jenny' (fleurs blanches).	Voir narcisse trompette, p. 262.
Jonquilla (jonquille)	JONQUILLE Coronule plus longue ou plus courte que les pétales. De 2 à 6 fleurs parfumées par tige. Feuilles tubuleuses.	H 18-35 cm E 10-15 cm	Fleurs jaunes ou bicolores, souvent avec une coronule rouge, rose ou orange. Fleurit à la fin du printemps. 'Trevithian' (jaune clair), 'Suzy' (jaune et rouge orangé) et 'Lintie' (blanc et rose clair).	Voir narcisse trompette, p. 262.
	NARCISSE DE CONSTANTINOPLE ou TAZETTA (incluant poetaz) De 4 à 8 fleurs parfumées et à courte coronule par tige.	H 35 cm E 15-20 cm	Fleurs blanches ou jaunes, à coronule d'une teinte différente, simples ou doubles. Au jardin, fleurit du début à la fin du printemps; les bulbes forcés peuvent fleurir du début de l'hiver au printemps. Se cultivent plutôt en pots (p. 253). *N. poetaz* réclame les mêmes soins que les narcisses trompettes. Parmi les variétés, nommons 'Paper-white' (fleurs blanches) et 'Soleil d'Or' (fleurs jaunes). *N. poetaz* comprend les variétés 'Geranium' (blanc et rouge orangé) et 'Cheerfulness' (fleurs jaunes doubles).	Se cultive uniquement en pots, sauf dans la partie méridionale de la zone 7 et plus au sud. Cultiver *N. poetaz* comme le narcisse trompette. Jeter les bulbes cultivés dans des gravillons et de l'eau après la floraison.
Narcissus poeticus (narcisse des poètes)	NARCISSE DES POÈTES Pétales blancs, coronule courte d'une teinte contrastante, fleurs parfumées. Une fleur par tige.	H 43-50 cm E 15 cm	Fleurs blanches à coronule jaune ourlée de rouge, très parfumées. Floraison du milieu à la fin du printemps. Excellentes fleurs à couper. Prospère dans les climats froids. La variété la plus répandue est 'Actaea' (fleurs blanches à coronule jaune bordée de rouge).	Voir narcisse trompette, p. 262.
Narcissus nanus (narcisse nain)	NARCISSE NAIN Espèce botanique, ou sauvage, de narcisse. Plante trapue à petites fleurs dans la plupart des cas; une ou plusieurs fleurs par tige.	H 8-15 cm E 5-8 cm	Fleurs blanches ou jaunes de la fin de l'hiver à la mi-printemps. À planter en touffes dans les rocailles, bien en vue. Certains de ces narcisses ne sont rustiques qu'à partir du sud de la zone 7. Les plus répandus sont *Narcissus bulbocodium* (fleurs jaunes) et *N. triandrus albus* (fleurs blanc crème); *N.* 'Tête-à-Tête' (jaune et orange); *N.* 'Jumblie' (jaune d'or).	Planter à au moins trois fois la hauteur du bulbe, à l'automne, en plein soleil ou à mi-ombre. Se multiplie comme le narcisse trompette, mais aussi par semis au début de l'été. Prend 3 à 7 ans pour fleurir.
Nerine bowdenii (nérine)	**Nerine** (nérine) *Nerine bowdenii*	H 60 cm E 15 cm	Fleurs roses à la fin de l'automne. Empoter et garder à l'intérieur, à 10 °C, durant l'hiver. Ne pas arroser avant que la croissance reprenne; arroser ensuite régulièrement et fertiliser une fois par mois avec un engrais polyvalent. Les feuilles poussent durant l'hiver et le printemps. Réduire puis cesser les arrosages lorsque les feuilles commencent à jaunir; ne les reprendre que lorsque la période active recommence.	Se cultive généralement en pot, sauf dans les climats doux. En pots, enterrer le bulbe à demi (au jardin, l'enfouir à 10-15 cm de profondeur à l'automne). Prélever et empoter les rejets des plantes cultivées en pots.
Ornithogalum thyrsoides (ornithogale)	**Ornithogalum** (ornithogale) *Ornithogalum nutans* (jacinthe de mai)	H 30 cm E 15 cm	Fleurs blanches et vert pâle, du milieu à la fin du printemps. À planter en touffes à l'avant des bordures, dans les rocailles ou les sous-bois. Rustique dans le sud de la zone 5.	Planter à 5-8 cm au milieu de l'automne, en plein soleil ou à mi-ombre. Enfouir les gros bulbes à 10-15 cm. *O. thyrsoides* n'est planté dehors que dans les régions tempérées. Quand on l'empote, couvrir à peine le bulbe de mélange terreux. Prélever les caïeux quand les feuilles sont jaunies; procéder aussitôt au repiquage des caïeux.
	O. thyrsoides	H 45 cm E 10 cm	Fleurs de blanc à crème à la fin du printemps et à la mi-été. Cultiver en pots dans une serre froide (10 °C la nuit) pour une floraison printanière. Peut être placé à proximité d'une fenêtre. Les fleurs coupées durent longtemps. Rustique dans le sud de la zone 7.	
	O. umbellatum (étoile de Bethléem ou dame-d'onze-heures)	H 23-30 cm E 15 cm	Fleurs blanches, de la fin du printemps au début de l'été. Se multiplie rapidement; peut même devenir envahissant. Rustique dans presque toute la zone 2.	

Puschkinia et la scille (Scilla) sont de bons choix pour une rocaille ou pour être plantés au hasard dans une pelouse.

Puschkinia scilloides   Scilla sibirica 'Spring Beauty'

	Nom botanique et nom vulgaire	Hauteur et étalement	Description générale, remarques	Plantation et multiplication
Oxalis adenophylla (oxalide)	**Oxalis** (oxalide) *Oxalis adenophylla*	H 8-10 cm E 5-8 cm	Petites fleurs campanulées de 4 cm, rose lavande, à pétales veinés d'une teinte plus intense ; fleurit à la fin du printemps et à la mi-été. À cultiver dans les rocailles.	Planter à la mi-automne en situation ensoleillée et dans un sol bien drainé. Enfouir les bulbes à une profondeur de 5-8 cm et les distancer de 10-12 cm. Rustique en zone 5. Ailleurs rentrer comme pour les glaïeuls.
Puschkinia scilloides libanotica (puschkinia)	**Puschkinia** (puschkinia) *Puschkinia scilloides libanotica*	H 10-15 cm E 5-8 cm	Fleurs bleu clair à rayures bleu plus foncé ; il existe une variété exquise d'un blanc pur. Fleurit du début au milieu du printemps. À planter en massifs dans les rocailles, au pied d'un groupe d'arbustes ou dans une pelouse rase ; déplacer les plants le moins possible.	Planter du début au milieu de l'automne, en plein soleil ou à la mi-ombre. Enfouir les bulbes à 8 cm de profondeur. Prélever les caïeux après le flétrissement des feuilles ; les repiquer immédiatement ou les garder au frais jusqu'à l'automne. Ils devraient fleurir en 2 ans.
Ranunculus asiaticus (renoncule d'Orient)	**Ranunculus** (renoncule) *Ranunculus asiaticus* (renoncule d'Orient ou renoncule des fleuristes)	H 30-45 cm E 15 cm	Fleurs blanches, roses, jaune d'or, orange ou cramoisies, à la fin de l'hiver, du printemps et au début de l'été. À planter en massifs dans les bordures, ou en lignes si l'on veut des fleurs coupées. Garder les racines humides et le collet sec. Cultiver dans les régions où le printemps est long et frais. Peut avoir besoin de tuteurs.	Planter les tubercules, griffes en dessous, à 5 cm de profondeur, vers la première semaine de mai. Les faire tremper une nuit pour accélérer l'enracinement. Lever et diviser les tubercules en automne, les garder à l'abri du gel.
Scilla tubergeniana (scille)	**Scilla** (scille) *Scilla sibirica* (scille de Sibérie) *S. tubergeniana*	H 15 cm E 10 cm / H 10 cm E 8 cm	Fleurs d'un bleu lumineux du début au milieu du printemps. Grouper les plants à l'extrémité des bordures, au pied des arbres et des arbustes, dans les rocailles ou dans une pelouse rase. On trouve aussi une variété à fleurs blanches. Fleurs bleu argent, au tout début du printemps. S'associe bien avec *Eranthis* et *Galanthus*. Voir *S. hispanica* à *Hyacinthoides hispanica*.	Planter à 10 cm de profondeur, au début de l'automne, au soleil ou à la mi-ombre. Se resème. On peut aussi diviser les touffes. Repiquer les caïeux immédiatement ; ils fleuriront en 2 ou 3 ans.
Sparaxis tricolor (sparaxis)	**Sparaxis** (sparaxis) *Sparaxis tricolor*	H 30-45 cm E 10 cm	Les variétés ont des fleurs blanches, bleues, pourpres, jaunes ou rouges avec des marques contrastantes, qui éclosent à la fin du printemps. Le feuillage, sorti à l'automne, reste en place tout l'hiver. Planter groupées ou en rangées si l'on recherche des fleurs coupées. Après que le feuillage a fané, l'été, les cormes doivent rester secs ; dans les régions humides, on lèvera les cormes à ce moment-là pour les repiquer en automne. Peut être planté en pots dans une serre froide. Excellent choix pour les côtes de la Colombie-Britannique.	Planer les cormes à 8-10 cm de profondeur au milieu de l'automne. Lever les cormes après que le feuillage a fané l'été ; séparer les bulbilles et replanter aussitôt.
	Sternbergia (sternbergie) *Sternbergia lutea*	H 15-23 cm E 10 cm	Fleurs jaune vif, ovoïdes, de 4 cm de long, éclosant au début de l'automne, en même temps que le feuillage rubané, qui peut atteindre 30 cm de long. Planter groupées au bord de plates-bandes ou dans des rocailles. Peut prendre 1 an avant de s'établir ; déranger seulement si les plants deviennent trop serrés. Rustique en zone 7. Pailler l'hiver dans les régions plus froides.	Planter les bulbes à 12-15 cm de profondeur, au soleil, dans un sol sec. Séparer les bulbilles à la fin de l'été après que le feuillage a fané et les replanter aussitôt.

La fleur de l'œil de paon (Tigridia) ne fleurit qu'un seul jour. La floraison, cependant, s'étale de juillet à septembre. Les hybrides de tulipes Greigii, comme 'Zampa', sont vraiment idéals pour les rocailles.

Tigridia pavonia

Tulipa 'Zampa'

	Nom botanique et nom vulgaire	Hauteur et étalement	Description générale, remarques	Plantation et multiplication
Sternbergia lutea (sternbergie)	**Tigridia** (tigridie) Tigridia pavonia (œil de paon)	H 30-45 cm E 10 cm	Fleurs blanches, jaunes, orange ou rouges à macules de teinte contrastante. Floraison du milieu à la fin de l'été. À planter en massifs dans les bordures mixtes. Lever les bulbes après la floraison et les entreposer jusqu'au printemps.	Planter au printemps, quand les températures nocturnes sont au-dessus de 16 °C. Enfouir les bulbes à 8-10 cm de profondeur. Emplacement ensoleillé. Lever les bulbes à la fin de l'été pour prélever les caïeux. Mettre ceux-ci en réserve pour l'hiver.
Tigridia pavonia (œil de paon)	**Triteleia** Triteleia laxa	H 60 cm E 60-90 cm	Fleurs bleu-pourpre, très rarement blanches, au début du printemps et au début de l'été. Rustique en zone 7.	Planter en automne, à 7-10 cm. Dans les régions froides, planter au printemps. Séparer les caïeux des cormes au moment de la plantation.
Tulipa (simple hâtive)	**Tulipa** (tulipe) SIMPLE HÂTIVE Plus courte que la tulipe à floraison tardive ; fleur formant presque une coupe.	H 20-35 cm E 10-15 cm	Fleurs, blanches, violettes, roses, jaunes, rouges ou de deux teintes à la mi-printemps. Se plante en plates-bandes, en bordures mixtes ou en massifs devant des touffes d'arbustes. Prospère dans toutes les régions si elle est plantée avant les gels. Variétés recommandées : 'Christmas Marvel' (fleurs roses), 'Bellona' (jaunes) et 'Keizerskroon' (rouge et jaune).	Planter du milieu à la fin de l'automne, en situation ensoleillée. Enfouir les bulbes à 15-20 cm de profondeur. Protéger contre les écarts de température printaniers. Quand les souches sont trop touffues, après plusieurs années, lever les bulbes (quand les feuilles sont flétries) et les garder au sec dans un endroit bien aéré jusqu'au moment de la plantation. Planter les petits bulbes à l'écart, car ils mettront plusieurs années à fleurir.
Tulipa (double hâtive)	DOUBLE HÂTIVE Ressemble à la pivoine double.	H 30-38 cm E 15 cm	Fleurs blanches, roses, jaunes, orange et écarlates à la mi-printemps. Citons 'Peach Blossom' (fleurs roses), 'Electra' (fleurs rouges), 'Monte Carlo' (fleurs rouges) et 'Schoonoord' (fleurs écarlates).	
	TRIOMPHE Fleur anguleuse sur une tige robuste de longueur moyenne.	H 40-65 cm E 15 cm	Fleurs blanches, lavande, roses, jaunes, orange, rouges ou bicolores du milieu à la fin du printemps. Excellent sujet pour massifs ; se prête au forçage. Le feuillage mûrit tôt. Nommons 'Peerless Pink' (fleurs rose satin), 'Golden Melody' (fleurs jaunes) et 'Albury' (rouge cerise).	
Tulipa (Darwin)	DARWIN, hybrides Grande fleur carrée sur une longue tige robuste.	H 60-75 cm E 15-20 cm	Fleurs crème, jaunes, orange ou rouges à la fin du printemps. La tulipe la plus cultivée en plates-bandes et en bordures. Parmi les variétés renommées, on trouve 'Golden Oxford' (fleurs jaunes), 'Apeldoorn' (écarlates), 'Pink Impression' (roses) et 'Gudoshnik' (jaune sur rouge).	
	SIMPLE TARDIVE Fleur arrondie mais de forme variable.	H 60-70 cm E 15-20 cm	Fleurs blanches, vertes, lilas, roses, jaunes, orange, rouges ou bicolores, du milieu à la fin du printemps. Pétales légèrement recourbés et tiges gracieuses. Parmi les variétés, nommons 'Modern Style' (fleurs roses), 'Queen of the Night' (presque noires) et 'Renown' (rouge carmin).	Voir tulipe simple hâtive (ci-dessus).
Tulipa (fleur-de-lis)	FLEUR-DE-LIS Fleur allongée à pétales effilés et recourbés vers l'extérieur.	H 45-60 cm E 15 cm	Fleurs blanches, lavande, roses, jaunes, rouges ou bicolores du milieu à la fin du printemps. Fleurs très gracieuses à tige robuste. Mentionnons 'White Triumphator' (fleurs blanches), 'Maytime' (fleurs violet rougeâtre ourlées de crème), 'China Pink' (fleurs roses), 'West Point' (fleurs jaunes), 'Red Shine' (fleurs rouges) et 'Queen of Sheba' (fleurs brun écarlate marginées de jaune).	Voir tulipe simple hâtive (ci-dessus).
	FRANGÉE Fleurs en coupe à pétales frangés.	H 45-60 cm E 15-20 cm	Fleurs blanches, jaunes, roses, rouges et violettes. Leur forme est intrigante. Parmi les variétés : 'Blue Heron' (fleurs lilas), 'Burgundy Lace' (rouge vin) et 'Fancy Frills' (rose tendre).	Voir tulipe simple hâtive (ci-dessus).

La fleur du calla d'Éthiopie (Zantedeschia aethiopica) est formée d'une spathe blanche entourant un spadice jaune en forme de massue. Les hybrides Kaufmanniana, tels que 'Princeps', sont les premières tulipes à fleurir au printemps.

Zantedeschia aethiopica

Tulipa 'Princeps'

	Nom botanique et nom vulgaire	Hauteur et étalement	Description générale, remarques	Plantation et multiplication
Tulipa (simple tardive)	***Tulipa** (suite)* VIRIDIFLORA Fleurs en forme de bol à pétales verts ou partiellement verdâtres.	H 45-60 cm E 15-20 cm	Coloris inhabituel, qui se fait remarquer. Floraison tardive. Variétés : 'Groenland' (fleurs vertes à marge rose), 'Artist' (saumon marbré de vert) et 'Spring Green' (vert pâle virant au blanc en fanant ; reste longtemps en fleurs).	Voir tulipe simple hâtive, p. 265.
Tulipa (perroquet dragonne)	RACE PERROQUET Grande fleur frangée, souvent avec des pétales bicolores tordus.	H 60 cm E 20 cm	Fleurs blanches, lavande, roses, jaunes, orange, rouges ou bicolores, à pétales ondulés. Floraison du milieu à la fin du printemps. 'Flaming Parrot' (fleurs rouges et jaunes) et 'Estella Rijnveld' (rouges et blanches).	Voir tulipe simple hâtive, p. 265.
	DOUBLE TARDIVE Fleur de longue durée ressemblant à la pivoine.	H 45-55 cm E 15-20 cm	Fleurs blanches, roses, jaunes ou rouges à la fin du printemps. Planter dans un endroit protégé du vent, car ses lourdes fleurs cassent facilement. 'Mount Tacoma' (fleurs blanches), 'Angélique' (roses) et 'Carnaval de Nice' (rouge rayé de blanc).	Voir tulipe simple hâtive, p. 265.
Tulipa (Kaufmanniana)	KAUFMANNIANA, hybrides Fleur formant une étoile à 6 pointes.	H 15-25 cm E 13 cm	Fleurs généralement bicolores au début du printemps. Feuilles parfois tachetées. Quelques variétés : 'Ancilla' (fleurs blanches ou rosées), 'Yellow Dawn' (fleurs jaunes nuancées de rose) et 'Shakespeare' (fleurs saumon).	Voir tulipe simple hâtive, p. 265.
	FOSTERIANA, hybrides Très grande fleur ; feuillage parfois tacheté ou rayé.	H 30-45 cm E 15 cm	Très grandes fleurs roses, jaunes, orange, rouges ou bicolores à la mi-printemps. Parmi les variétés, citons 'Purissima' (fleurs blanches), 'Candela' (fleurs jaunes) et 'Red Emperor' (fleurs rouges).	Voir tulipe simple hâtive, p. 265.
Tulipa (greigii)	GREIGII, hybrides Très grande fleur ; feuilles mouchetées ou rayées.	H 18-35 cm E 15 cm	Fleurs de diverses teintes de rouge, parfois alliées au jaune, du milieu à la fin du printemps. Magnifique feuillage moucheté. Mentionnons 'Cape Cod' (fleurs abricot ourlées de jaune), 'Red Riding Hood' (fleurs rouges) et 'Plaisir' (rouge et jaune).	Voir tulipe simple hâtive, p. 265.
	TULIPES DIVERSES (ou BOTANIQUES) La plupart du temps, petites fleurs sur des plants nains ou de petite taille.	H 8-45 cm E 8-23 cm	Nombreuses espèces idéales pour les rocailles ou les pelouses. Dans de bonnes conditions, elles se multiplient spontanément. Parmi les espèces : *T. tarda* (fleurs jaunes et blanches, 10 cm), *T. pulchella* (violettes, 25 cm), *T. praestans* (écarlates, 20 cm), *T. batalinii* (jaune clair, 20 cm) et *T. clusiana* (rouges et blanches à pétales pointus, 30 cm).	Planter dans un sol bien drainé à une profondeur équivalant à quatre fois la taille du bulbe.
	***Zantedeschia** (zantedeschia, calla ou arum)* *Zantedeschia aethiopica* (calla d'Éthiopie)	H 90 cm E 45-60 cm	Les spathes blanches apparaissent au début de l'été. Ôter les fleurs fanées. Cette espèce peut être cultivée dans les jardins aquatiques des régions les plus douces. Lever les rhizomes après la première gelée ; sécher pendant quelques jours ; garder dans de la mousse de tourbe ou de la vermiculite sèches à 4-10 °C.	Démarrer à l'intérieur au début du printemps et mettre en pleine terre après que tout danger de gel est écarté. Planter *Z. elliottiana* à 5 cm de profondeur. Pour régions à climat doux ; dans les régions froides, plante de serre. Sauf dans le cas de *Z. elliottiana*, on peut diviser les touffes à l'automne. Les callas aimant l'humidité, ils s'avèrent un bon choix pour les jardins d'eau : semer au printemps, ils fleuriront en 1 ou 2 ans.
	Z. albomaculata	H 60 cm E 45-60 cm	Spathes blanches marbrées de pourpre pendant l'été. Feuilles tachetées de blanc.	
	Z. elliottiana	H 45-60 cm E 45-60 cm	Spathes jaunes du début au milieu de l'été. Supporte mieux le soleil que les espèces à fleurs blanches. Il existe aussi des variétés naines.	
Zantedeschia aethiopica (calla d'Éthiopie)	*Z. rehmannii* (arum rose)	H 30-45 cm E 45-60 cm	Spathes roses ou rouges, à la fin du printemps ou au début de l'été. Feuilles vert uni ou maculées de blanc. Supporte mieux le soleil que les espèces à fleurs blanches. Hybrides lavande, pourpres et orange.	

Nénuphars et lis d'eau sont les plus belles fleurs ornementales des étangs, des bassins et des jardins aquatiques. Les pétales rose tendre du Nymphaea 'Mrs. Richmond' sont rouge vif à la base.

PLANTES AQUATIQUES

Eaux murmurantes, miroirs d'eau, fontaines, bassins peuplés de poissons et de plantes où les oiseaux viennent boire : charme et poésie des jardins aquatiques.

Déjà, la réalisation d'une pièce d'eau est une aventure fascinante. Aucun jardin n'est si petit qu'il ne puisse s'orner d'un bassin ou d'une cascade ; sur une terrasse ou un balcon, en pleine ville, on peut loger un bac assez grand pour y mettre un lis d'eau, de petites plantes et quelques poissons ; une vasque de 60 à 90 cm de diamètre et de profondeur suffit aux lis d'eau miniatures.

Dans un jardin de ville, il y a souvent assez d'espace pour mettre dans le sol un bassin préformé en fibre de verre. Avec une petite pompe immergée et branchée au secteur, on peut alimenter une fontaine ou une cascade. Le recyclage de l'eau limite les coûts d'entretien à ceux de l'électricité ; or, la pompe ne consomme pas plus d'énergie qu'une ampoule de 75 watts.

Les grands jardins offrent, bien sûr, plus de champ à l'imagination. On peut aménager un bassin garni de cailloutis ou, avec une pompe, faire couler de l'eau dans des bassins situés à différents niveaux ; la même pompe peut alimenter une fontaine ou un jet d'eau décoratif. Bref, avec elle, bien des fantaisies sont simultanément permises.

On ne construit plus guère de bassins en maçonnerie, trop exposés à se fissurer sous l'effet des géotensions ou de l'alternance des gels et

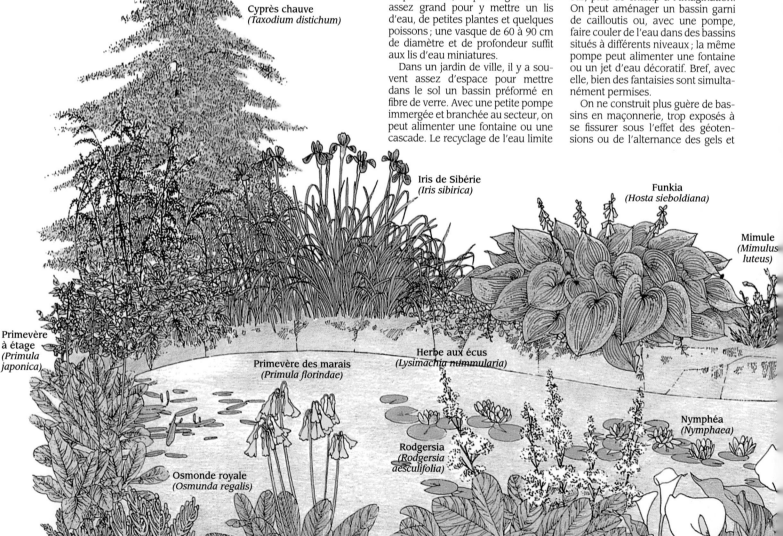

Cyprès chauve
(Taxodium distichum)

Iris de Sibérie
(Iris sibirica)

Funkia
(Hosta sieboldiana)

Mimule
(Mimulus luteus)

Primevère
à étage
(Primula japonica)

Primevère des marais
(Primula florindae)

Herbe aux écus
(Lysimachia nummularia)

Nymphéa
(Nymphaea)

Rodgersia
(Rodgersia aesculifolia)

Osmonde royale
(Osmunda regalis)

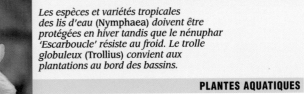
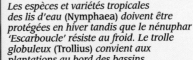

Les espèces et variétés tropicales des lis d'eau (Nymphaea) doivent être protégées en hiver tandis que le nénuphar 'Escarboucle' résiste au froid. Le trolle globuleux (Trollius) convient aux plantations au bord des bassins.

Nymphaea 'Escarboucle'

Trollius cultorum

des dégels en hiver. La plupart se font avec des bassins préfabriqués en fibre de verre ou des toiles robustes en plastique ; on peut même installer une toile sur un bassin de béton en mauvais état. Préfabriqués et toiles sont offerts en différentes dimensions dans les catalogues d'achats postaux des jardineries ou chez les spécialistes de jardins aquatiques.

Le grand avantage des bassins, c'est qu'ils permettent de cultiver une abondance de fleurs fascinantes : des nymphéas à floraison nocturne ou diurne — les grandes dames des plantes d'eau, immortalisées par le peintre Monet ; des plantes oxygénantes dont certaines ont un feuillage flottant et d'autres, au contraire, immergé ; de nombreuses fleurs d'une grande beauté comme le spectaculaire lotus, l'une des plantes sacrées de l'hindouisme, qui prospère

dans une eau peu profonde en bordure du bassin. Enfin, une belle gamme de plantes des marais viennent bien dans le sol humide qui entoure pièces d'eau et ruisseaux.

Pour fleurir, les plantes aquatiques ont besoin de beaucoup de lumière. Les nénuphars, avec leurs grandes feuilles, ne doivent pas couvrir plus des deux tiers du bassin. Ainsi, le miroir d'eau portera bien son nom : il reflétera les nuages, scintillera au soleil, frissonnera sous la brise et révélera les mouvements ondoyants des poissons.

L'eau d'un bassin ne demeure limpide que si l'on y maintient un juste équilibre entre le règne animal et le règne végétal, à défaut de quoi l'eau devient glauque et les poissons risquent de mourir.

Les grandes coupables sont les algues, plantes microscopiques qui

prolifèrent au soleil et se nourrissent des sels minéraux libérés par la décomposition des feuilles, brindilles et autres matières organiques. On doit donc nettoyer le bassin avec assiduité et s'assurer que la terre, dans le fond, ne contient pas d'humus.

Il est impossible d'empêcher tout débris végétal de tomber dans l'eau. On peut toutefois protéger le bassin en y faisant pousser des plantes oxygénantes ; en assimilant les sels minéraux, elles affament les algues et, en créant des zones d'ombre, les privent de soleil.

En outre, ces plantes absorbent le gaz carbonique dégagé par les animaux et, leur nom le dit, libèrent de l'oxygène. Un cycle bénéfique est donc ainsi créé, les membres du règne végétal neutralisant les déchets des membres du règne animal et réciproquement.

Les poissons ont un rôle décoratif, mais ils ont aussi leur utilité puisqu'ils se nourrissent de larves de moustiques — limitant ainsi leur nombre —, d'œufs d'escargots, de pucerons, de vers d'eau, d'un certain nombre d'algues et de débris végétaux immergés.

Les meilleurs poissons pour pièces d'eau sont les poissons rouges — comets, ides, shubunkins et diverses sortes de fantails. Ils ont des couleurs brillantes, nagent en surface et, moyennant un peu de patience, se laissent apprivoiser et viennent manger dans la main.

On trouve aussi dans les animaleries des escargots et des têtards, tous deux friands d'algues. Les têtards dévorent aussi des matières organiques ; devenus grenouilles ou crapauds, ils consomment au jardin des quantités incroyables d'insectes.

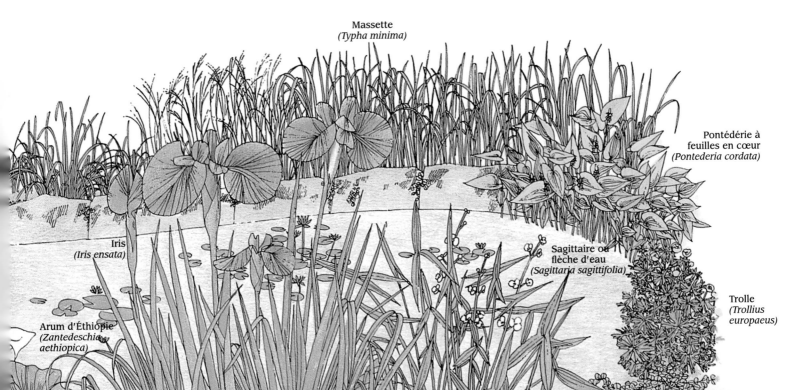

Massette
(Typha minima)

Pontédérie à feuilles en cœur
(Pontederia cordata)

Iris
(Iris ensata)

Sagittaire ou flèche d'eau
(Sagittaria sagittifolia)

Trolle
(Trollius europaeus)

Arum d'Éthiopie
(Zantedeschia aethiopica)

Les nénuphars, aussi appelés lis d'eau ou nymphéas (Nymphaea), ont des fleurs rouges, roses, blanches ou jaunes. Les variétés illustrées à droite ont environ 25 cm de diamètre.

Nymphaea 'Madame Wilfon Gonnère'

Nymphaea 'Colonel A. J. Welch'

Conception et réalisation d'une pièce d'eau

Déterminer un emplacement ensoleillé et dégagé, près d'un tuyau d'arrosage ; choisir la forme du bassin en évitant les modèles à étranglement, en haltère ou en croix qui font perdre de l'espace ; tracer le contour sur le sol avec un tuyau d'arrosage ou une corde. On voudra peut-être prévoir un palier à 15 ou 20 cm sous l'eau pour les plantes de petit fond.

Ensuite, creuser une fosse et y déposer le bassin préfabriqué ou y déployer une toile en plastique robuste. Le chlorure de polyvinyle (PVC) d'une épaisseur de 1 mm (32 mils) dure de 10 à 15 ans. Néanmoins, là où la température descend sous les –23 °C, il est préférable de prendre une toile en butylcaoutchouc, matière qui résiste mieux aux grands froids et qui peut durer 50 ans.

Bassin en matière souple Pour déterminer la quantité de toile dont on a besoin, mesurer la longueur et la largeur maximales du bassin (sans oublier la margelle) et ajouter à chacune de ces mesures le double de la profondeur maximale du bassin. Ainsi, pour un bassin de 4 m de long sur 2 m de large et 1 m de profondeur, il faut une toile de 6 m (4 plus 2) sur 4 m (2 plus 2). Prévoir une petite marge pour les erreurs et le rétrécissement, mais non pour les paliers ou les chevauchements.

Creuser un trou ayant la forme délimitée sur le sol ; les bords auront une pente graduelle. Si le bassin comporte un palier pour plantes de petit fond, s'assurer qu'il est parfaitement horizontal. Avec une planche placée en travers du trou, vérifier

avec un niveau que les bords du bassin sont partout sur le même plan. À défaut, rectifier avec la terre enlevée. Le bassin dont les bords ne sont pas de niveau aura piètre allure une fois rempli d'eau. Retirer du trou tous les cailloux à angles pointus, épandre dans le fond 2,5 cm de sable et mettre par-dessus un vieux tapis ou un morceau de caoutchouc mousse.

Déployer la toile dans le trou de façon qu'elle dépasse tout autour d'au moins 15 cm ; assujettir la marge avec des briques ou des pavés. Remplir lentement le bassin d'eau en faisant de nombreux petits plis dans la toile pour qu'elle épouse la forme du trou. Les fixer. Retirer briques ou pavés quand le bassin est plein.

Avec un couteau bien coupant, tailler la toile en laissant un rebord de

15 cm tout autour. Le recouvrir de dalles ou de pavés de façon à donner à la margelle un surplomb de 2 à 5 cm. Jointoyer dalles ou pavés avec du mortier pour les empêcher de basculer et obtenir une margelle continue : la toile sera ainsi entièrement camouflée.

Le bassin doit être constamment plein d'eau. Exposée au soleil, la toile s'endommage rapidement.

Bassin préfabriqué Creuser un trou de la forme du préfabriqué, mais un peu plus large. Ôter les cailloux et damer la terre.

Installer le préfabriqué dans le trou. Mettre une planche en travers du bassin et vérifier avec un niveau qu'il est partout sur le même plan. Remblayer de terre le pourtour du bassin et bien la tasser.

PIÈCE D'EAU EN TOILE DE PLASTIQUE

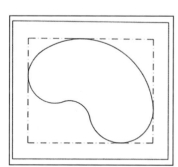
1. *Mesurer longueur et largeur ; leur ajouter le double de la profondeur.*

2. *Faire le trou et les paliers ; niveler. Ôter les cailloux ; mettre du sable.*

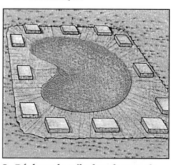
3. *Déployer la toile dans le trou ; la fixer avec des briques ou des pavés.*

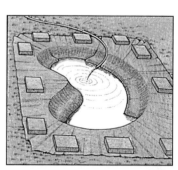
4. *Remplir le bassin d'eau lentement pour que la toile se mette en forme.*

5. *Faire les petits plis qu'il faut pour que la toile épouse la forme du trou.*

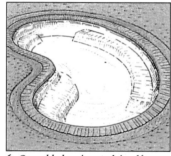
6. *Quand le bassin est plein, dégager la toile et la tailler à 15 cm du bord.*

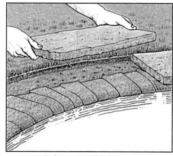
7. *Couvrir la margelle de dalles ou de pavés. Ménager un léger surplomb.*

8. *À la fin des travaux, s'assurer que toute la toile est camouflée.*

Les pétales blancs du lis d'eau 'Albida' sont teintés de rose tendre en dessous et la fleur, de 20 cm de diamètre, exhale un parfum suave.

Nymphaea 'Albida'

Jardins d'eau vive

Circulation d'eau pour fontaines et cascades

Fontaines, cascades, petites chutes ou ruisseaux, tous ces jeux d'eau agrémentent le jardin de leur musique ravissante tout en régénérant l'eau.

L'eau mise en circulation devrait être celle du bassin. Faire constamment appel à l'eau de l'aqueduc serait non seulement du gaspillage, mais comme elle est très froide, cela nuirait aux plantes et menacerait l'équilibre organique du bassin.

Il existe deux types de pompes pour faire circuler l'eau : l'une est immergée, l'autre est en surface. L'une et l'autre se branchent au panneau de distribution d'électricité de la maison.

La pompe immergée repose dans le fond du bassin et peut comporter des accessoires pour alimenter une fontaine, un jet d'eau, une cascade ou un ruisseau.

Dissimulée près du bassin, la pompe non immergée aspire l'eau et la refoule par des tuyaux de plastique. Plus chère que la pompe immergée, elle peut exiger des travaux de plomberie.

La capacité d'une pompe à circulation d'eau s'exprime en litres par heure de débit (LPH). Elle décroît selon la hauteur à laquelle l'eau doit être amenée.

Ainsi donc, la pompe qui fournit 800 LPH par un tube de 5 mm à une hauteur de 30 cm aura un débit de 480 LPH à une hauteur de 1,50 m et de 312 LPH à une hauteur de 1,80 m. Utilisée pour alimenter une fontaine, elle aurait un débit constant jusqu'à une hauteur de 1,20 m, selon le jet de la fontaine.

En plaçant le jet à une hauteur égale à la moitié de la largeur de la vasque, on évite d'arroser les alentours. Le jet d'un bassin de 1,20 m de largeur, par exemple, ne devrait pas dépasser 60 cm de hauteur.

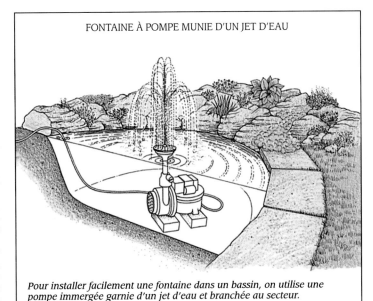

FONTAINE À POMPE MUNIE D'UN JET D'EAU

Pour installer facilement une fontaine dans un bassin, on utilise une pompe immergée garnie d'un jet d'eau et branchée au secteur.

Construction d'une chute ou d'une cascade

On obtient une chute lorsque, grâce à une pompe, l'eau du bassin principal parvient à un bassin secondaire d'où elle tombe en franchissant un seuil horizontal. La cascade est une série de petites chutes sur un plan incliné.

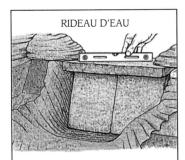

RIDEAU D'EAU

L'eau tombe en rideau quand le seuil est bien horizontal.

Il se vend des chutes et des cascades préformées. On peut aussi s'en fabriquer avec une toile identique à celle utilisée pour le bassin.

Pour créer une cascade, découper une série de gradins (ou déversoirs) de 10 cm de profondeur, chacun servant de petit bassin ; aménager des seuils peu profonds aux endroits appropriés. Dissimuler le tube de la pompe sous la terre et les cailloux.

Couvrir le lit du ruisseau avec une feuille de chlorure de polyvinyle (PVC) maintenue par des pierres à la lisière. Dissimuler la chute verticale de la toile, dans les gradins, avec une grande roche plate montée debout et en coucher une autre en surplomb sur le seuil de chaque bassin pour simuler une véritable cascade. Remplir le lit du ruisseau de galets ou de gravillons pour donner plus de naturel à l'ouvrage.

On ne peut pas cultiver de plantes dans les bassins d'une cascade : l'eau courante emporterait la terre.

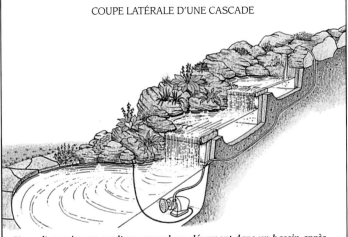

COUPE LATÉRALE D'UNE CASCADE

L'eau d'un ruisseau ou d'une cascade se déversant dans un bassin après avoir traversé une rocaille compose un paysage enchanteur. Pour que la cascade paraisse naturelle, faire dévier l'eau durant sa chute. Une toile de plastique installée dans le lit du ruisseau délimite la région où sera installée la cascade. Une pompe électrique renvoie l'eau en haut.

'James Brydon,' un lis d'eau à odeur de pomme, exige un bassin de 90 cm de profondeur. Très étalé, le jaunet d'eau ou nénuphar jaune (Nuphar lutea) ne convient qu'aux grandes vasques. Aponogeton distachyos émet un parfum vanillé et prospère en plein soleil.

Nymphaea 'James Brydon'   Nuphar lutea   Aponogeton distachyos

L'acclimatation des plantes aquatiques

Culture des lis d'eau en pots

Le lis d'eau, aussi appelé nymphéa et nénuphar *(Nymphaea)*, est la plante aquatique de grand fond la plus cultivée en bassin. Les espèces rustiques à rhizome ont une longue durée si on protège leurs racines contre le gel. Les espèces tropicales à racines tubéreuses se cultivent en annuelles (comme elles coûtent cher, on peut les rentrer l'hiver dans un sous-sol frais), sauf dans les régions les plus chaudes du Canada.

Là où le climat est clément, on peut les mettre en bassin à n'importe quel moment. Sinon, il vaut mieux attendre la fin du printemps ou le début de l'été pour que l'eau reste tiède.

Les plants en début de croissance se vendent moins cher. Achetés à ce stade, les lis d'eau rustiques se plantent à la mi-printemps — là où la température est clémente — ou en fin de printemps. Les espèces tropicales se mettent en place quand on est sûr que l'eau du bassin ne descendra pas sous les 21 °C.

Remplir le bassin au moins une semaine avant la plantation des lis d'eau rustiques et deux semaines avant celle des lis d'eau tropicaux. Ce délai permet au chlore de se dissiper. Si l'eau est traitée à la chloramine, on doit ajouter un neutralisant à l'eau avant d'installer plantes et poissons dans le bassin. Consulter un vendeur d'aquariums.

On a intérêt à planter les lis d'eau dans des pots qu'on peut sortir au besoin du bassin. Il se vend des paniers de plastique à cette fin, mais on peut utiliser des pots de plastique de 30 cm percés latéralement de beaucoup de trous de 5 mm.

Boîtes ou bacs en bois font l'affaire si on y perce de nombreux trous pour laisser circuler l'eau. Les doubler de grosse toile épaisse et propre.

Remplir les contenants de bon terreau pris au jardin et débarrassé des racines les plus visibles. Rejeter les matières organiques, mousse de tourbe ou compost, qui se décomposent dans l'eau, la brouillent, favorisent la croissance des algues et nuisent aux poissons.

Dans chaque seau de terreau, ajouter soit deux poignées de poudre d'os, soit une poignée de superphosphate, soit plusieurs comprimés d'engrais pour lis d'eau.

Les lis d'eau ont de grosses racines d'ancrage et de petites radicelles d'alimentation. Du milieu à la fin du printemps, de nouvelles pousses foliaires ou bourgeons émergent des rhizomes des lis d'eau rustiques. Ne pas y toucher : ce sont des organes très fragiles.

Pendant qu'il est hors de l'eau, le lis d'eau doit rester très humide. Ses tissus délicats sèchent rapidement. Garder un vaporisateur près de soi.

Si les plants n'ont pas été nettoyés à la pépinière ou si le transport les a endommagés, supprimer les feuilles mortes ou brisées ainsi que les racines brunes. Coucher le rhizome dans un contenant partiellement rempli de substrat préparé ; orienter la pousse vers le milieu du contenant. Ajouter du substrat humide, mais laisser émerger la pousse. Tasser la terre sans excès avec les doigts et en rajouter au besoin.

Planter les tubercules des espèces tropicales à la verticale, au centre du pot, racines vers le bas. Le substrat doit couvrir la base des tiges, mais non le collet des plants. Pour ne pas brouiller l'eau, couvrir le substrat de serviettes de papier. Si on a l'intention de mettre des poissons dans le bassin, recouvrir le substrat d'une fine couche de sable grossier ou de gravillons pour empêcher les poissons de déranger les racines.

Lis d'eau rustiques : placer le pot pour que le dessus du substrat soit de 45 à 60 cm sous la surface de l'eau (de 15 à 30 cm pour les miniatures). Dans les bassins profonds, installer le pot sur une pile de briques et l'enfoncer de 30 cm par semaine (en enlevant des briques).

Lis d'eau tropicaux : enfoncer le pot de quelques centimètres durant la première ou les deux premières semaines. Aller ensuite jusqu'à 15 cm, profondeur idéale pour ces espèces bien qu'elles puissent survivre à 30 cm. Dans ce dernier cas, cependant, enfoncer le pot de 5 à 7 cm par semaine.

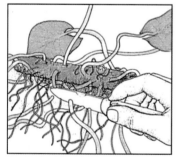

1. *Couper les racines brunes; raccourcir les blanches à 9 ou 10 cm.*

2. *Planter dans un pot doublé de jute et rempli de terreau humide.*

3. *Recouvrir de gros sable ou de gravillons s'il doit y avoir des poissons.*

4. *Immerger le pot pour que le dessus du substrat soit juste sous l'eau.*

Alimentation et engrais

Les lis d'eau ne vivront pas indéfiniment sans l'apport de substances nutritives. Cet apport se fait une fois l'an au moins. Pour stimuler la floraison, la deuxième année, il serait bon,

en plus, de leur donner de l'engrais une fois par mois en été.

Les plantes qui manquent d'engrais sont peu vigoureuses ; leur feuillage jaunit et diminue de taille, leurs fleurs sont peu nombreuses et petites. Rempoter et donner de l'en-

grais spécial pour plantes aquatiques, vendu en comprimés.

Pour fabriquer des comprimés de poudre d'os, mélanger dans un pot de 7 cm de la poudre d'os stérilisée à suffisamment d'argile pour former deux pilules rondes ; les envelopper

d'une serviette de papier. Sortir le lis de l'eau dans son contenant, enfoncer un comprimé entre les racines (deux si la plante est très développée) et le remettre dans l'eau. Un comprimé devrait suffire à un lis d'eau de taille moyenne.

Le jonc fleuri (Butomus umbellatus) se couvre d'ombelles roses de juin à septembre, puis de jolis fruits rouges. Au début du printemps, le souci d'eau ou populage des marais (Caltha) fleurit en abondance et avec éclat.

Butomus umbellatus

Caltha palustris

Des plantes de petit fond en bordure du bassin

Un bassin artificiel paraît plus naturel s'il est entouré de plantes de petit fond comme des quenouilles ou du jonc fleuri. On peut doter la pièce d'eau, à 5 ou 7 cm de la surface, d'un palier où les plantes trouveront l'habitat qui leur convient ; on peut aussi les cultiver dans des pots montés sur des piles de briques.

Des plantes comme le calla des marais (Calla palustris) à rhizome traçant se cultivent dans des contenants assez grands pour loger leur système racinaire. Débarrasser le rhizome des feuilles mortes et des racines brunes. Le coucher sur le substrat ; avec les doigts, tasser la terre autour des racines, mais sans excès : le rhizome lui-même doit demeurer à découvert. Couvrir le substrat de sable grossier ou de gravillons et immerger le pot juste assez pour que les racines soient recouvertes de 5 à 7 cm d'eau.

Pour ce qui est des plantes aquatiques de petit fond à racines tubéreuses, comme la pontédérie à feuilles en cœur (Pontederia cordata), supprimer les feuilles mortes ou décolorées, rabattre les grosses pousses avec un couteau tranchant, ôter les vieilles racines brunes et raccourcir les autres racines à 7 cm.

Pratiquer dans le substrat un trou assez profond pour que la motte de racines y entre à la verticale et que la terre atteigne la base des pousses. Bien tasser le substrat autour du plant, ajouter du sable grossier ou des gravillons en surface et plonger le pot à une profondeur de 5 à 7 cm.

Des plantes oxygénantes pour maintenir l'équilibre

Tout jardin aquatique doit comporter des plantes oxygénantes. Leurs avantages sont nombreux. Elles protègent l'équilibre écologique du bassin en absorbant le gaz carbonique émis par les poissons et autres animaux et en leur fournissant l'oxygène dont ils ont besoin pour vivre. Elles procurent aux poissons de l'ombre et des lieux pour frayer, limitent la croissance des algues en les privant de lumière et d'éléments nutritifs et, par là, contribuent à garder l'eau limpide et fraîche. Enfin, comme elles sont submergées, elles camouflent les pots des lis d'eau.

La plupart de ces plantes, telles l'élodée du Canada ou peste d'eau (Elodea canadensis) ou Cabomba caroliniana, se vendent en bottes de boutures sans racines. Celles-ci se développant vite, on leste les plants avec des plombs à pêche et on les dépose dans le fond du bassin s'il est couvert de terre. Sinon, on peut les cultiver dans des pots et les déposer dans le bassin.

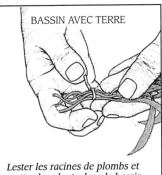

BASSIN AVEC TERRE

Lester les racines de plombs et mettre les plants dans le bassin.

BASSIN SANS TERRE

Les planter dans un petit pot et mettre celui-ci dans le bassin.

Culture des plantes nageantes

Certaines plantes, comme la laitue d'eau (Pistia stratiotes), nagent à la surface de l'eau. Leurs racines traçantes absorbent les éléments nutritifs solubles laissés dans l'eau par la terre des autres plantes ou les déjections des poissons. La plantation consiste à les mettre dans l'eau.

Certaines plantes nageantes, telles les lentilles d'eau (Lemna minor), la jacinthe d'eau (Eichhornia) et l'azolle (Azolla caroliniana), sont tellement proliférantes qu'elles finissent par envahir tout le bassin. Il suffit alors d'en enlever.

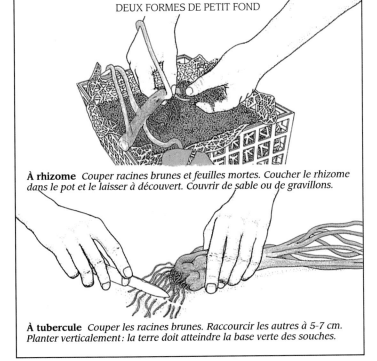

DEUX FORMES DE PETIT FOND

À rhizome Couper racines brunes et feuilles mortes. Coucher le rhizome dans le pot et le laisser à découvert. Couvrir de sable ou de gravillons.

À tubercule Couper les racines brunes. Raccourcir les autres à 5-7 cm. Planter verticalement : la terre doit atteindre la base verte des souches.

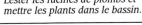

Pistia stratiotes (laitue d'eau)

Lemna minor (lentilles d'eau)

Entretien du jardin aquatique

Poissons et escargots

La vie animale concourt à l'équilibre écologique du bassin. Poissons et escargots rejettent du gaz carbonique essentiel à la photosynthèse et les plantes libèrent l'oxygène dont les premiers ont besoin pour respirer. En outre, les poissons mangent les larves de moustiques et les escargots se nourrissent d'algues et de débris végétaux. Enfin, les poissons sont décoratifs et se laissent apprivoiser.

Il ne faut pas introduire d'espèces animales dans le bassin avant qu'il se soit écoulé six à huit semaines après la plantation. Si l'eau est chlorée, il faut y mettre un déchlorant avant d'ajouter les poissons. Le ven-deur vous dira quels poissons vous procurer. Il faut compter environ 280 cm^2 de surface par poisson.

Les poissons sont vendus en sacs de plastique gonflés d'air. Laisser d'abord flotter le sac 20 minutes dans le bassin pour que les températures s'équilibrent. Ensuite l'ouvrir: le poisson nage hors du sac.

Les poissons vivant dans un bassin à l'air libre ont rarement besoin de nourriture artificielle. Attention à la suralimentation! Interrompre toute addition de nourriture de la fin de l'automne au début du printemps, l'eau étant trop froide pour que le poisson digère bien les aliments.

Les nourrir en automne, avant le jeûne hivernal, puis au printemps.

Protection des poissons et plantes en hiver

La meilleure protection qu'on puisse offrir aux poissons et aux plantes en hiver, sauf en climat très froid, c'est de garder le bassin plein d'eau. Dès lors que l'eau ne se transforme pas en un bloc de glace compact, poissons et plantes rustiques devraient survivre. Là où les hivers sont très rigoureux, il est préférable d'avoir un bassin de 90 cm de profondeur: l'eau gèle sur 30 cm, laissant 60 cm d'eau pour les poissons. Autrement, il faut rentrer plantes et poissons dans des aquariums.

En automne, empêcher les feuilles de tomber dans le bassin en le couvrant d'un grillage fin ou d'un filet de plastique tendu sur un cadre de bois léger. Ôter avec une épuisette ou un râteau les débris qui s'y trouveraient.

Quand le froid prend, couper les vieilles pousses des plantes de petit fond pour prévenir la maladie et empêcher les ravageurs d'hiverner entre les feuilles. Ôter les feuilles mortes des lis d'eau rustiques; jeter (ou rentrer pour l'hiver) les espèces tropicales. C'est surtout le pourrissement de la vieille végétation qui brouille l'eau des bassins négligés.

On peut limiter l'épaisseur de la glace sur le bassin en y mettant une couverture isolante. Poser des planches étroites à claire-voie pour que l'air circule. Étendre sur ces planches de la toile épaisse ou du filet de plastique et mettre dessus une couche de 7 à 10 cm de feuilles, de paille ou de paillis. Recouvrir avec une toile ou un filet et l'assujettir pour l'hiver. Là où le climat est moins rigoureux, l'eau d'un bassin ainsi protégé pourrait fort bien ne pas geler.

Autre méthode: avant que l'eau du bassin ne gèle, y jeter un gros ballon de caoutchouc ou une pièce de bois pour absorber la pression de la glace. On protège ainsi la structure du bassin durant les grands froids. S'il est de grande taille, il faudra multiplier ballons ou pièces de bois.

De temps à autre durant l'hiver, on appuie sur le ballon ou la pièce de bois pour casser la glace et faire pénétrer l'oxygène dans la mince couche d'air qui se trouve sous la calotte glacée. Ne pas briser la glace avec un outil quelconque comme un marteau: on risque de blesser les poissons et d'endommager le bassin. On peut aussi installer un appareil de chauffage submersible pour garder un petit espace dégagé.

Maladies et ravageurs

N'employez pas de pesticides dans un bassin qui renferme des poissons ou quelque forme de vie animale. Dans le cas d'un symptôme non abordé ici, se reporter à la section commençant à la page 474. Les appellations commerciales des produits chimiques sont à la page 510.

Symptômes	Causes	Traitement*
Jeunes feuilles et tiges florales déformées; fleurs décolorées et qui ne s'épanouissent pas correctement.	Puceron	Arroser les feuilles au tuyau pour déloger les insectes ou les caler avec du grillage lesté pendant 24 heures. Vaporiser de savon insecticide.**
Les feuilles des lis d'eau ont des trous déchiquetés dont le contour pourrit. Insectes parfois visibles.	Gélaruque du nénuphar ou hydrocampe	Ôter les feuilles malades. Vaporiser du captane ou du ferbame. Ou du carbaryl s'il n'y a pas de poisson.
Eau verdâtre ou trouble.	Algues	Mettre des plantes flottantes et oxygénantes; ôter les matières qui pourrissent. Aussi composé de cuivre (p. 525).
Feuilles des lis d'eau tachées de brun.	Tache foliaire du lis d'eau	Ôter les feuilles malades. Vaporiser captane ou ferbame.
Pellicule sale à la surface de l'eau.	Écume	Nettoyer la surface de l'eau en y traînant des journaux.
Feuilles et fleurs petites et clairsemées au sommet de la plante. Feuilles parfois pâles.	Manque de nourriture	Mettre la plante dans un pot plus grand; renouveler le substrat; diviser et rempoter.

*Certains produits sont interdits dans les localités qui ont adopté des règlements contre les pesticides. Voir aussi «Recettes maison et produits naturels», p. 512, et «Les amis du jardin», p. 515.

** **Note:** *Utiliser avec la plus grande prudence les pesticides en vaporisateur si le bassin renferme des poissons ou s'il est utilisé par des êtres humains.*

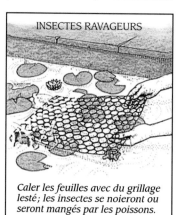

INSECTES RAVAGEURS

Caler les feuilles avec du grillage lesté; les insectes se noieront ou seront mangés par les poissons.

FEUILLES FLOTTANTES

Prendre une fourche enveloppée de filet ou un râteau pour retirer les feuilles de l'eau.

Le lis d'eau 'Froebelii' (Nymphaea 'Froebelii') vient mieux dans une eau profonde de 60 cm. Comme d'autres variétés d'iris, l'iris des marais (Iris pseudacorus) se cultive en plates-bandes, mais atteint plus de hauteur dans l'eau.

Nymphaea 'Froebelii'

Iris pseudacorus

Plantes paludéennes autour du bassin

Mise en valeur d'un espace marécageux

Les plantes paludéennes, aussi appelées plantes palustres ou plantes de marais, demandent beaucoup d'eau sans pour autant vivre en milieu aquatique. Elles sont précieuses en bordure de bassin parce qu'elles font la transition entre la pièce d'eau et le jardin.

Les plantes de marais ont une beauté qui leur est propre, même sans bassin, et permettent de tirer parti d'un endroit naturellement marécageux.

Comme l'excès et le manque d'eau leur sont également néfastes, il faut surveiller le degré d'humidité de leur substrat aussi bien durant les périodes de grande pluie que pendant les périodes de sécheresse.

Il y a généralement assez d'eau dans la terre lourde et argileuse. Pour inhiber l'évaporation, on la recouvre d'un paillis de feuilles compostées au milieu ou à la fin du printemps. Mais si les plantes paludéennes sont en contrebas, elles risquent d'être inondées en cas de fortes pluies.

Par contre, si elles sont en terre sableuse ou bien égouttée, elles peuvent manquer d'eau. À défaut de construire une plate-bande spéciale (voir ci-dessous), la seule solution est d'arroser souvent et beaucoup.

La plupart des plantes de marais sont des herbacées vivaces. Il faut les planter en début d'automne, quand le sol est encore chaud. Creuser un trou assez grand pour bien étaler les racines. Tasser la terre autour de celles-ci, sans la rendre compacte si elle est humide.

Laisser peu d'espace entre les plants: l'effet sera plus saisissant que s'ils sont éparpillés. Là où le sol est humide et riche, certaines plantes de marais, comme les primevères et les iris, forment d'agréables massifs en se multipliant par dispersion naturelle des graines; au fil des ans, elles donnent naissance à des bancs de fleurs dans le jardin.

Pour en savoir davantage, se reporter à la section des vivaces herbacées, à la page 182.

PLANTATION EN AUTOMNE

Étaler les racines des plantes de marais; tasser le sol tout autour.

Création d'un jardin paludéen

Pour créer de toute pièce un jardin paludéen, creuser un trou de 30 cm de profondeur (la longueur et la largeur n'ont pas d'importance) et y étendre 2,5 cm de sable. Tapisser le trou d'une toile en plastique robuste. Perforer la toile sur les côtés, à partir de 15 cm du fond, pour que l'excès d'eau s'égoutte. Étendre dans le fond une couche de pelouse roulée, herbe en dessous.

Enfin, pour surélever la plate-bande, remplir le trou de 30 cm de terre à jardin mélangée à une quantité égale de mousse. La toile de plastique retient l'eau, et l'herbe, en se décomposant, fournit la nourriture.

Entretien des plantes

Il faut voir à ce que la terre des plantes de marais soit constamment humide. Il s'agit donc d'arroser beaucoup par temps sec.

Si le jardin est situé en contrebas d'un bassin, on peut l'inonder de temps à autre en permettant au bassin de s'y déverser. On peut aussi, sur le côté du bassin, installer une fontaine à jet qui aérera l'eau tout en arrosant les plantes de marais.

En automne, rabattre à la souche le feuillage mort des herbacées vivaces et ôter les débris. Épandre ensuite 2 à 5 cm de compost bien décomposé ou de mousse mélangée à du fumier de vache déshydraté, puis 2 à 5 cm de feuilles ou d'écorce déchiquetées. Ce traitement nourrit le sol et l'aide à conserver son humidité, l'année suivante.

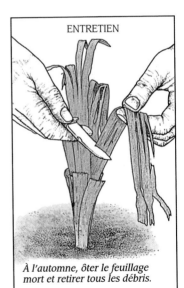

ENTRETIEN

À l'automne, ôter le feuillage mort et retirer tous les débris.

UN JARDIN DE PLANTES DE MARAIS EN QUATRE ÉTAPES

1. *Creuser un trou de 30 cm; y mettre 2,5 cm de sable et le tapisser d'une toile en plastique.*

2. *À 15 cm du fond, perforer la toile pour que l'excès d'eau s'égoutte.*

3. *Couvrir la toile d'une couche de pelouse roulée, herbe en dessous.*

4. *Par-dessus, monter une plate-bande avec de la terre enrichie.*

Multiplication par division ou par semis

Les plantes de marais — primevères, rodgersias, iris, lobélies et choux puants — se multiplient aisément par division au printemps.

Les graines des primevères et du chou puant germent en serre ou sous châssis froid si on les sème à maturité dans une terre riche, humide et partiellement ombragée. Pour avoir plus de détails, se reporter aux pages 191-195 et 276-277.

Les inflorescences étoilées du lis d'eau 'Sioux' (Nymphaea 'Sioux') sont d'abord jaunes, puis orange et enfin rouge écarlate. La plante pousse à une profondeur de 60 cm.

276   PLANTES AQUATIQUES

Nymphaea 'Sioux'

Multiplication des plantes aquatiques par division

Division des vieux lis d'eau devenus trop gros

Après deux à quatre ans, les lis d'eau sont étouffés par la prolifération de leurs pousses dont le feuillage, dressé en monticule hors de l'eau, cache les fleurs. Il devient nécessaire de les diviser.

Cette opération se fait de préférence au printemps, avant la reprise ou pendant que les feuilles sont encore petites. Dans les climats chauds, on peut diviser en automne. Retirer d'abord les racines du pot et bien les laver. Garder la plante mouillée en tout temps.

Dans le cas des lis d'eau tubéreux, diviser la motte de racines en plusieurs sujets, chacun garni d'une pousse. Avant de les replanter, supprimer les feuilles brisées, couper les racines brunes d'ancrage et raccourcir les blanches. Pour plus de détails, se reporter à la page 272.

Dans le cas des lis d'eau à rhizome, couper un segment de 15 à 20 cm portant une pousse et le replanter. Jeter le reste à moins de vouloir augmenter sa collection.

Multiplication de lis d'eau par rejets et pousses

On obtient de nouveaux sujets à partir des pousses des tubercules et des rejets issus des rhizomes.

Pour diviser les lis à tubercules, repérer les yeux ou pousses sur les racines et les couper. Les mettre dans un pot de terre lourde, juste sous la surface de celle-ci. Plonger le pot dans un contenant d'eau. Placer ce contenant en serre ou sous châssis froid, dans un endroit partiellement ombragé: de robustes petites pousses apparaissent en trois ou quatre semaines. Si l'opération n'a pas lieu au printemps, les garder ainsi jusqu'au printemps suivant. Sinon, les replanter dans le bassin, en plaçant les pots à 10 ou 15 cm de profondeur.

Pour multiplier les lis d'eau rhizomateux, détacher les jeunes rejets issus du rhizome principal et les mettre en surface dans un pot de 15 à 20 cm plein de terre riche. Garder les pots en serre ou sous châssis froid, et dans un endroit ombragé, jusqu'au printemps.

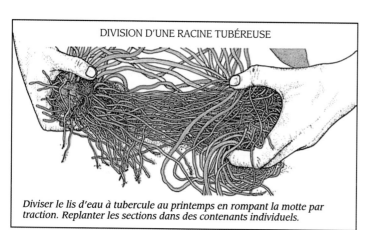

DIVISION D'UNE RACINE TUBÉREUSE

Diviser le lis d'eau à tubercule au printemps en rompant la motte par traction. Replanter les sections dans des contenants individuels.

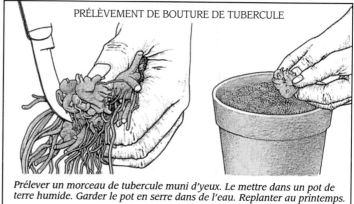

PRÉLÈVEMENT DE BOUTURE DE TUBERCULE

Prélever un morceau de tubercule muni d'yeux. Le mettre dans un pot de terre humide. Garder le pot en serre dans de l'eau. Replanter au printemps.

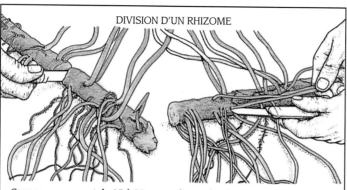

DIVISION D'UN RHIZOME

Couper un segment de 15 à 20 cm sur la souche d'un vieux rhizome. Ôter les racines brunes, raccourcir les blanches. Rempoter dans le pot.

DIVISION PAR REJETS ISSUS DU RHIZOME PRINCIPAL

Prélever et empoter les rejets un à un en terre humide. Garder les pots dans l'eau, en serre ou sous châssis froid. Planter dehors au printemps.

Les fleurs blanches du plantain d'eau (Alisma plantago-aquatica) s'ouvrent l'après-midi, en été. Les longues tiges florales émergent d'entre les feuilles lancéolées, au-dessus de l'eau.

Alisma plantago-aquatica

Division des plantes de petit fond

La multiplication des plantes rhizomateuses de petit fond, comme le calla des marais *(Calla palustris)*, se fait par division du rhizome traçant. Déplanter la motte au printemps et prélever une pousse de 15 à 20 cm. Supprimer les feuilles mortes et les racines brunes; planter comme on le dit à la page 273: même les pousses de 1 cm de longueur reprennent. L'enracinement se fait mieux en serre, à 16°C. Les repiquer dehors au début ou au milieu de l'été.

Les plantes de petit fond à racines fibreuses issues d'une souche épaisse, comme la sagittaire *(Sagittaria)* et la pontédérie à feuilles en cœur *(Pontederia cordata)*, se multiplient par division des racines. Supprimer les feuilles mortes et les racines brunes. Couper les racines blanches à 6 ou 7 cm et replanter comme on l'indique à la page 273.

CALLA

Sur le rhizome traçant des plantes de petit fond, prélever un segment de 15 à 20 cm garni d'une pousse et le coucher à l'horizontale dans un pot de substrat humide.

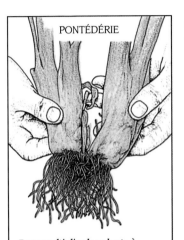

PONTÉDÉRIE

Pour multiplier les plants à racines tubéreuses, diviser le système racinaire par traction, supprimer feuilles mortes et vieilles racines et raccourcir les racines nouvelles à 7 cm. Replanter les segments séparément.

Multiplication des plantes nageantes et oxygénantes

Plusieurs plantes nageantes rustiques se multiplient par division des racines en automne. Sectionner la souche par traction et remettre les segments dans le bassin — ou les jeter si le bassin est envahi. La châtaigne d'eau *(Trapa natans)* et la lentille d'eau *(Lemna minor)* se prêtent notamment à cette opération.

La multiplication de l'élodée du Canada *(Elodea canadensis)* et du potamot luisant *(Potamogeton crispus)* se fait par boutures herbacées au printemps et en été.

Sectionner des boutures de 7 à 10 cm garnies de pousses et les planter dans des pots étanches, dans lesquels on aura mis 5 cm de terre, assez profonds pour qu'on puisse couvrir la bouture de 15 à 22 cm d'eau. Pour que l'enracinement soit rapide, il est important que l'eau demeure à 16°C environ.

Multiplication des plantes aquatiques par semis

La multiplication des plantes aquatiques par division est la plus facile à réaliser, mais certaines plantes, comme *Aponogeton distachyos*, se multiplient par semis. Recueillir les graines sur les inflorescences après la floraison. Les meilleures graines viendront des cosses mûres en fin d'été. Ne pas les faire sécher. Au contraire, les garder humides et froides; autrement, elles prendront plus de temps à germer.

Remplir de terre un plat peu profond et éparpiller les graines en surface. Mettre le plat dans un bassin d'eau assez profond pour que la terre soit couverte d'environ 2 cm d'eau.

Au début, il est possible que les graines flottent, mais quand elles auront relâché l'air qu'elles contiennent, elles caleront.

Déposer le bassin dans un endroit partiellement ombragé, dans la serre ou sous châssis froid. Les graines germeront le printemps suivant. Quand va apparaître la première paire de vraies feuilles, après deux ou trois semaines, les repiquer en pot ou en caissette, toujours immergées dans l'eau.

Le printemps suivant, déposer les plantes dans le bassin quand l'eau s'est réchauffée.

1. Recueillir les graines après la floraison. Ne pas les faire sécher.

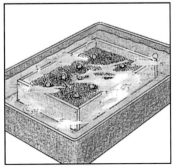

2. Éparpiller les graines sur de la terre lourde. Couvrir de 2,5 cm d'eau.

3. Quand les plants ont deux vraies feuilles, les repiquer en pot.

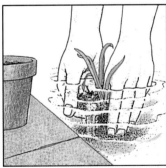

4. Les garder dans l'eau, en serre ou sous abri, jusqu'au printemps.

Le faux-nénuphar (Nymphoides peltata) se répand rapidement. Il arbore des fleurs jaunes à pétales frangés, de 2,5 cm de diamètre, qui se maintiennent au-dessus de la surface de l'eau.

Nymphoides peltata

Petit guide des plantes aquatiques

Un jardin aquatique et ses environs donnent l'occasion de cultiver des plantes fascinantes qui ne pousseraient pas dans un autre environnement. Les plus colorées de ces plantes sont les lis d'eau (dits aussi nénuphars ou nymphéas), qui peuvent être rustiques ou tropicaux.

Les lis d'eau rustiques peuvent être laissés à l'extérieur pendant toute l'année à condition d'être suffisamment couverts d'eau ou de terre pour les empêcher de geler. Leurs fleurs et leurs feuilles flottent à la surface de l'eau. Quand il fait soleil, les fleurs ouvrent dans la matinée pour se refermer l'après-midi; elles existent dans toutes les couleurs sauf le bleu.

Chez les lis d'eau tropicaux, il y en a à floraison diurne et d'autres à floraison nocturne. Dans nos régions froides, on peut les traiter comme des annuelles et les remplacer tous les ans. Mais ce sont des plantes chères, et il est intéressant de les rentrer pour l'hiver dans un endroit frais, tel qu'un sous-sol ou un garage, dans un bassin d'eau en métal ou en bois. Leurs feuilles flottent et leurs fleurs s'élèvent au-dessus de l'eau.

Parmi les plantes oxygénantes, il y a des plantes dites nageantes, parce qu'elles ne sont pas enracinées, d'autres qui sont totalement submergées. Elles se répandent rapidement et il en faut dans tous les bassins pour maintenir l'équilibre écologique. Les plantes de petit fond et les plantes paludéennes permettent une transition visuelle entre le milieu aquatique et le reste du jardin. Nous proposons aussi dans ce tableau (voir p. 283), comme plantes de transition, des graminées qui ont besoin de beaucoup d'humidité.

Les plantes ont été classées par sous-catégories d'après leur nom botanique, suivi de leur nom vulgaire.

PLANTES À FEUILLAGE FLOTTANT

Aponogeton distachyos (aponogeton)

Nymphaea (lis d'eau)

Nymphaea 'Green Smoke' (nymphéa tropical à floraison diurne)

Nymphaea 'Colorata' (nymphéa miniature)

Nymphoides peltata (faux-nénuphar)

Nom botanique et nom vulgaire	Description générale, soins particuliers et remarques	Multiplication *(Voir aussi p. 276)*
Aponogeton (aponogeton) *A. distachyos*	Feuilles vertes lancéolées de 10 cm. Petites fleurs blanches en épis avec de petites « antennes » pourpres. Parfum de vanille. Pas rustique.	Par division ou par semis
Nymphaea (lis d'eau, nénuphar) *N.*, hybrides RUSTIQUES *N.* 'Attraction' *N.* 'Chromatella' *N.* 'Gladstone' *N.* 'Paul Hariot' *N.* 'Sioux' TROPICAUX, FLORAISON DIURNE *N.* 'Director George T. Moore' *N.* 'General Pershing' *N.* 'Green Smoke' *N.* 'Margaret Randig' *N.* 'Talisman' *N.* 'Yellow Dazzler' TROPICAUX, FLORAISON NOCTURNE *N.* 'Emily Grant Hutchings' *N.* 'H. C. Haarstick' *N.* 'Missouri' *N.* 'Omarana' PYGMÉES OU MINIATURES *N.* 'Aurora' *N.* 'Colorata'	Les fleurs flottent à la surface de l'eau. Planter à 15-30 cm de profondeur. Fleurs rouge foncé à étamines jaunes, jusqu'à 25 cm de diamètre. Feuillage moucheté. Fleurs jaune clair, en forme de coupe. Larges fleurs blanches à étamines jaunes, 15-20 cm de diamètre. Fleurs jeunes couleur abricot, virant au rose avec l'âge. Fleurs jaune bronze devenant orange cuivré en ouvrant. Les grandes fleurs s'élèvent au-dessus de l'eau. Planter à 10-15 cm. Fleurs pourpres à étamines jaunes, très odorantes. Grandes fleurs doubles roses, ouvrant tôt et se refermant tard. Larges feuilles vertes festonnées, tachetées de bronze. Fleurs verdâtres très particulières, mordorées de bleu fumée. Fleurs bleu pâle à larges pétales. Longue floraison. Fleurs jaunes marquées de rose, très odorantes. Plante franchement vivipare (des plantules complètes se développent à la surface de la feuille). Fleurs remarquables, jaune chromé, très odorantes. Abondante floraison. Les grandes fleurs s'ouvrent au crépuscule pour se refermer au petit matin. Fleurs en coupe rose vif, pesque lumineuses sous la lune. Abondante floraison odorante. Feuillage cuivre. Fleurs odorantes, rouge vif, de 30 cm de diamètre. Fleurs blanc crème pouvant atteindre 33 cm de diamètre, avec de grands pétales texturés qui reluisent magnifiquement sous la lune. Fleurs rose bleuté, presque lavande, à étamines rouge-orange, pouvant atteindre 30 cm de diamètre. Très odorantes. Ils n'ont pas besoin de plus de 60-90 cm de surface d'eau. En ouvrant, les fleurs sont jaune rosé, elles tournent à l'orange rosâtre le deuxième jour, et au rouge franc le troisième jour. Rustique. Fleurs violet pâle de 5 à 7 cm de diamètre. Tropical à floraison diurne.	Par division Par division ou, dans certains cas, en détachant les nouvelles plantules qui se développent à la surface des feuilles Par division Par division
Nymphoides (faux-nénuphar) *N. indicum* *N. peltata*	Feuilles vertes rondes ou cordiformes, parfois ponctuées de taches brunes. Feuilles de 20 cm de diamètre. Petites fleurs blanches à pétales frangés et à étamines jaunes. Rustique en climat doux seulement. Feuilles de 10 cm. Fleurs jaune vif. Rustique à condition que la souche de racines ne gèle pas.	Par division

*Le souci d'eau ou populage des marais (**Caltha palustris**), qui fleurit au printemps et l'été, se plaît dans les sols très humides. La variété double 'Flore Pleno' est plus intéressante que la forme simple.*

Caltha palustris 'Flore Pleno'

 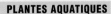

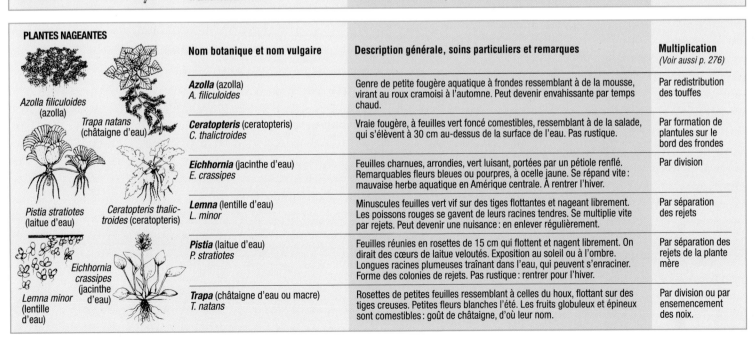

PLANTES OXYGÉNANTES

Ludwigia alternifolia (ludwigia)

Elodea (élodée)

Cabomba (cabomba)

Myriophyllum spicatum (myriophylle)

Vallisneria americana (vallisnérie)

Sagittaria graminea (sagittaire)

Potamogeton crispus (potamot)

Nom botanique et nom vulgaire	Description générale, soins particuliers et remarques	Multiplication (Voir aussi p. 276)
Cabomba (cabomba) C. caroliniana	Feuilles vertes, luisantes, en éventail, finement divisées. Tiges rouges ou vertes. S'enracine facilement. Plante entièrement submergée.	Par bouturage
Elodea (élodée ou peste d'eau) E. canadensis (élodée du Canada)	Spirales de feuilles vert foncé sur de longues tiges vert clair. Plante vigoureuse, entièrement submergée. Planter à 30 cm ou plus de profondeur.	Par bouturage
Ludwigia (ludwigia) L. alternifolia	Feuilles rondes, aplaties, vertes au-dessus, rouges dessous. Les tiges érigées, qui portent des fleurs blanches ou jaunes, s'élèvent au-dessus de la surface de l'eau. Se plaît à 15-20 cm de profondeur.	Par bouturage
L. natans	Feuilles cuivrées sur le dessus, rouge vif dessous. 10-15 cm de profondeur.	
Myriophyllum (myriophylle) M. aquaticum	Feuilles coriaces vertes, rappelant celles du cabomba, mais plus fournies. Feuilles vert-jaune, dont le bout tourne au rouge à l'automne. Elle émerge de l'eau de quelques centimètres.	Par bouturage
M. spicatum	Feuilles vert foncé en verticilles plumeux. Très rustique.	
Potamogeton (potamot) P. crispus	Les feuilles vertes, à limbe ondulé, sont densément groupées sur de longues tiges. Petites fleurs verdâtres sortant de l'eau au début de l'été.	Par bouturage
Sagittaria (sagittaire ou flèche d'eau) S. graminea S. subulata (miniature)	Feuilles vert foncé en forme de lance partant directement du tubercule. Les feuilles peuvent atteindre 1 m de long. Pour les bassins profonds. Semblable à S. graminea mais pas plus de 30-35 cm.	Par séparation des stolons munis de racines
Vallisneria (vallisnérie) V. americana	Longues feuilles vertes rubanées, immergées, partant directement de la souche racinaire. Rustique ; entre en dormance l'hiver.	Par séparation des stolons enracinés

PLANTES NAGEANTES

Azolla filiculoides (azolla)

Trapa natans (châtaigne d'eau)

Pistia stratiotes (laitue d'eau)

Ceratopteris thalictroides (ceratopteris)

Lemna minor (lentille d'eau)

Eichhornia crassipes (jacinthe d'eau)

Nom botanique et nom vulgaire	Description générale, soins particuliers et remarques	Multiplication (Voir aussi p. 276)
Azolla (azolla) A. filiculoides	Genre de petite fougère aquatique à frondes ressemblant à de la mousse, virant au roux cramoisi à l'automne. Peut devenir envahissante par temps chaud.	Par redistribution des touffes
Ceratopteris (ceratopteris) C. thalictroides	Vraie fougère, à feuilles vert foncé comestibles, ressemblant à de la salade, qui s'élèvent à 30 cm au-dessus de la surface de l'eau. Pas rustique.	Par formation de plantules sur le bord des frondes
Eichhornia (jacinthe d'eau) E. crassipes	Feuilles charnues, arrondies, vert luisant, portées par un pétiole renflé. Remarquables fleurs bleues ou pourpres, à ocelle jaune. Se répand vite : mauvaise herbe aquatique en Amérique centrale. À rentrer l'hiver.	Par division
Lemna (lentille d'eau) L. minor	Minuscules feuilles vert vif sur des tiges flottantes et nageant librement. Les poissons rouges se gavent de leurs racines tendres. Se multiplie vite par rejets. Peut devenir une nuisance : en enlever régulièrement.	Par séparation des rejets
Pistia (laitue d'eau) P. stratiotes	Feuilles réunies en rosettes de 15 cm qui flottent et nagent librement. On dirait des cœurs de laitue veloutés. Exposition au soleil ou à l'ombre. Longues racines plumeuses traînant dans l'eau, qui peuvent s'enraciner. Forme des colonies de rejets. Pas rustique : rentrer pour l'hiver.	Par séparation des rejets de la plante mère
Trapa (châtaigne d'eau ou macre) T. natans	Rosettes de petites feuilles ressemblant à celles du houx, flottant sur des tiges creuses. Petites fleurs blanches l'été. Les fruits globuleux et épineux sont comestibles : goût de châtaigne, d'où leur nom.	Par division ou par ensemencement des noix.

L'oronce aquatique (Orontium) a beaucoup de racines: il lui faut un sol d'au moins 35 cm de profondeur. La sagittaire (Sagittaria) et la quenouille (Typha) n'en ont pas besoin d'autant.

Orontium aquaticum

Sagittaria sagittifolia

Typha latifolia

PLANTES PALUDÉENNES ET PLANTES DE PETIT FOND

Acorus calamus
(acorus roseau)

Alisma lanceolatum
(plantain d'eau)

Butomus umbellatus
(jonc fleuri)

Caltha palustris
(populage des marais)

Colocasia esculenta
(taro)

Cyperus papyrus
(papyrus)

Hosta sieboldiana
(hosta)

Nom botanique et nom vulgaire	Description générale, soins particuliers et remarques	Multiplication (Voir aussi p. 276)
Acorus (acorus) A. calamus (acorus roseau ou belle angélique) A. c. 'Variegatus' A. gramineus 'Variegatus'	Feuilles vertes effilées en forme d'épée, qui sortent de 60 à 90 cm hors de l'eau. Spadice cylindrique et jaunâtre couvert de fleurs à la mi-été. Pousse dans 5 à 10 cm d'eau. Feuilles panachées de blanc crème. Odorantes quand on les froisse. Feuilles très étroites, herbacées, rayées de blanc. Atteint 15 à 30 cm de haut. Pas odorant.	Par division
Alisma (plantain d'eau) A. lanceolatum A. plantago-aquatica	Verticilles de petites fleurs blanches ou blanc-rose s'élevant comme des candélabres au-dessus des feuilles. Croît dans 5 à 15 cm d'eau. Rustique. Feuilles en forme d'épée, 30 cm de long. Grandes feuilles vert vif oblongues, portées par des tiges de 90 cm.	Par division ou par semis
Butomus (butome ou jonc fleuri) B. umbellatus	Feuilles vert foncé étroites, pourpres à la base, et fleurs roses odorantes réunies en corymbes ; floraison l'été. Pousse dans les marécages ou dans 25 cm d'eau. Rustique.	Par division ou par semis
Calla (calla des marais) C. palustris	Feuilles cordiformes vert vif s'élevant de 15 à 25 cm au-dessus de l'eau. Petites fleurs formées d'une spathe blanc-crème et d'un spadice jaune, éclosant du début au milieu de l'été, et donnant une grappe de baies rouges à l'automne. Pousse dans 15 cm d'eau. Rustique.	Par division
Caltha (populage ou souci d'eau) C. leptosepala (populage à sépales minces) C. palustris (populage des marais) C. p. alba C. p. 'Flore Pleno'	Pousse en rosettes portant de jolies feuilles cordiformes. Très rustique. Plante des marais. Plante indigène des montagnes Rocheuses, 15 à 30 cm de haut ; feuilles vertes ovales. Fleurs blanc bleuté au début et à la mi-été. Feuilles vertes en forme de cœur. Plante couverte de fleurs simples, jaune d'or, au printemps. Meurt à la fin de l'été. Atteint 30 à 90 cm de haut. Fleurs blanches ; longue floraison. Grandes fleurs doubles, jaune d'or. Plante prolifique.	Par division ou par semis
Colocasia (colocasia) C. esculenta (taro, madère) C. e. 'Illustris'	Énormes feuilles coriaces, portées chacune par une tige de 60 cm à 1,20 m de long. Feuilles et racines tubéreuses comestibles. À rentrer pour l'hiver. Feuillage vert profond, souvent à nervures proéminentes blanches. Variétés à tiges rouges, pourpres ou violettes. Feuilles vertes, maculées de brun foncé et de violet.	Par division
Cyperus (souchet et papyrus) C. alternifolius (souchet) C. a. 'Gracilis' C. papyrus (papyrus) C. profiler (papyrus nain)	Espèces rustiques (souchets) et espèces tropicales (papyrus). Touffes de tiges rondes de 90 cm de haut, surmontées d'un verticille foliaire. Pas rustique. Doit être installé dans des pots à trous, dans 5 à 15 cm d'eau. L'hiver, l'utiliser comme plante d'intérieur. Forme naine, de 30 cm de haut. Tiges triangulaires qui atteignent 1,50 à 2,40 m de haut, surmontées de verticilles de feuilles fines comme des aiguilles. Doit être installé dans des pots à trous, dans 5 à 15 cm d'eau. Rentrer pour l'hiver ou jeter. Semblable à *C. papyrus*, mais atteignant seulement 60 cm de haut.	Par division
Hosta (hosta) H. sieboldiana	Plante paludéenne rustique, avec de grandes feuilles vert bleuté nervurées et ridées, de 30 à 38 cm, presque aussi larges que longues. Donne des grappes denses de fleurs lavande en forme de trompette, à la fin du printemps. Exposition à mi-ombre. Voir aussi p. 207, les autres hostas.	Par division

	Nom botanique et nom vulgaire	Description générale, soins particuliers et remarques	Multiplication *(Voir aussi p. 276)*
Hydrocleys nymphoides (hydrocleys)	**Hydrocleys** (hydrocleys) *H. nymphoides*	Feuilles vert foncé, arrondies, flottant à la surface de l'eau. La fleur jaune vif rappelle par sa forme le coquelicot ; floraison à partir du début de l'été. Les nouvelles plantes se développent sur des stolons. Pousse idéalement dans 5 à 10 cm d'eau mais peut tolérer plus de profondeur. À rentrer l'hiver.	Par division ou par séparation des stolons
Iris ensata (iris)	**Iris** (iris) *I. ensata*	Nombreuses variétés avec des fleurs de différentes couleurs ; fleurit au milieu et à la fin de l'été. Les racines doivent être bien drainées l'hiver.	Par division ou par semis (voir p. 299)
	I. laevigata (iris japonais)	Belles fleurs bleu foncé au milieu de l'été. Il existe des variétés avec des fleurs blanches, roses, violettes et dans les tons de bleu. Plante des marais. Atteint 60 cm si elle est immergée dans 5 cm d'eau.	
	I. pseudacorus (iris faux-acore ou iris des marais)	Fleur jaune d'or vif à la fin du printemps ou au début de l'été. Atteint 60 à 90 cm dans 5 à 45 cm d'eau (plus dans l'eau plus profonde).	
	I. sibirica (iris de Sibérie)	Fleurs blanches, roses, mauves ou bleues au début de l'été. Atteint 60 cm à 1,20 m dans un marais ou dans 5 à 10 cm d'eau.	
	I. versicolor (iris versicolore)	Semblable à *I. pseudacorus*, mais avec des fleurs bleues ou violettes. Atteint environ 60 cm de hauteur dans 5 à 30 cm d'eau.	
Lobelia cardinalis (lobélie du cardinal)	**Lobelia** (lobélie) *L. cardinalis* (lobélie du cardinal)	Feuilles vert foncé étroites. Épis floraux rouge vif à la fin de l'été et au début de l'automne sur des tiges vigoureuses de 90 cm à 1,20 m. Pousse dans les marais ou dans 5 à 10 cm d'eau. *L. c. alba* a des fleurs blanches ; *L. c. rosea* présente des fleurs roses.	Par division ou par bouturage
Ludwigia (ludwigia)	**Ludwigia** (ludwigia) *L. longifolia*	Feuillage pleureur un peu comme celui du saule. Fleurs jaune primevère éclosant au soleil. Hauteur 60 à 90 cm, feuilles pointues. Plante paludéenne qui pousse dans 5 à 15 cm d'eau. Plante tropicale à traiter en annuelle et à rentrer pour l'hiver, mais toujours baignant dans l'eau.	Par division ou par semis
	L. peploides	Plante grimpante, à feuilles vert luisant sur des tiges rouges. Les fleurs jaunes éclosent juste au-dessus de la surface de l'eau. Plante de petit fond, acceptant 30 cm d'eau. Modérément rustique. Peut survivre dans les régions les plus douces du Canada.	
Lysimachia nummularia (herbe aux écus)	**Lysimachia** (lysimaque) *L. nummularia* (herbe aux écus ou mannayère)	Petites feuilles rondes, opposées, sur des tiges rampantes. Fleurs jaune vif en profusion pendant tout l'été. Pousse dans les marécages ou dans 5 cm d'eau. Rustique.	Par division
	L. n. 'Aurea'	Feuillage jaune. S'étend rapidement.	
Mimulus ringens (mimule à fleurs entrouvertes) *Nasturtium officinale* (cresson de fontaine)	**Mimulus** (mimule)	Plante vivace buissonnante des lieux humides. Les fleurs ressemblent à des « gueules », avec deux lèvres bien distinctes. Si on les pince, elles ouvrent. Exposition à l'ombre ou à la mi-ombre, dans un sol riche en humus.	Par division ou par bouturage
	M. luteus	Plante qui s'étend, 15 à 30 cm de haut. Couverte tout l'été de fleurs jaunes tachetées de rouge ou de pourpre. Pousse dans les marécages ou dans 10 cm d'eau. Pas rustique à −18 °C.	
	M. ringens (mimule à fleurs entrouvertes)	Buissonnant, jusqu'à 45 cm de haut. Fleurs pourpres, lavande ou blanches éclosant à la fin de l'été ou au début de l'automne. Pousse dans les marécages ou dans les petits fonds, jusqu'à 15 cm. Très rustique.	
	Nasturtium (cresson) *N. officinale* (cresson de fontaine)	Comestible ; grappes de feuilles vertes rondes, au bord des bassins et des ruisseaux. Petites fleurs blanches pendant tout l'été, au soleil ou à l'ombre partielle. Planter à 10 à 15 cm de profondeur. Rustique ; croissance rapide.	Par division ou par bouturage

Si la primevère (Primula) affectionne les jardins d'eau et les abords des ruisseaux, on la retrouve dans des habitats très variés. P. beesiana porte des verticilles de fleurs lilas sur des tiges vigoureuses.

Primula beesiana

PLANTES PALUDÉENNES ET PLANTES DE PETIT FOND *(suite)*

	Nom botanique et nom vulgaire	Description générale, soins particuliers et remarques	Multiplication *(Voir aussi p. 276)*

Nelumbo nucifera (lotus des Indes)	**Nelumbo** (lotus)
	
	N. lutea (lotus jaune d'Amérique)
	
	N. nucifera (lotus des Indes)
	  N. n. 'Alba Grandiflora'
	  N. n. 'Alba Striata'
	  N. n. 'Rosea Plena'
		Très grandes feuilles rondes, comme des parasols au-dessus de l'eau. Superbes fleurs odorantes à centre en pomme d'arrosoir, de 1,80 à 2,40 m de haut. Planter dans 15 à 23 cm d'eau. Rustique si les racines ne gèlent pas.
		Grandes feuilles vert bleuté. Fleurs jaune tendre de 20 à 25 cm de diamètre. La plante fleurit pendant tout l'été.
		Fleurs odorantes roses, tout l'été, plus grandes que celles de *N. lutea*.
		Feuilles vert foncé. Fleurs blanc neige, délicatement parfumées.
		Fleurs blanches bordées de rouge carmin.
		Fleurs doubles roses, de 30 cm de diamètre, extrêmement parfumées.
			Par division

Orontium aquaticum (oronce aquatique)	**Orontium** (oronce) *O. aquaticum* (oronce aquatique)	Feuilles étroites flottantes ou aériennes. Spadice florifère jaune, ressemblant à une bougie, au début de l'été. Plante de marais ou de petit fond ; exposition au plein soleil. Peut avoir besoin de protection dans nos régions.	Par division ou par semis
Primula florindae (primevère des marais)	**Osmunda** (osmonde) *O. cinnamomea* (osmonde cannelle) *O. claytoniana* (osmonde de Clayton) *O. regalis* (osmonde royale)	Fougère rustique des terres humides de l'Est, portant de longues frondes plumeuses de la mi-printemps aux premières gelées. Pousse partiellement à l'ombre et en sol acide. Voir d'autres fougères, pp. 330-336. Frondes de 60 cm à 1,20 m de long et de 15 à 20 cm de large, vertes jeunes, cannelle quand les frondes fertiles se développent. Jeunes pousses enroulées comestibles au printemps. Frondes : 30 à 60 cm de long, 20 à 30 cm de large. Sol très acide, humide. Très belle fougère : frondes de plus de 2 m de long et de 30 à 45 cm de large, vert pâle, très divisées. Les sporanges bruns, groupés au sommet des frondes, ressemblent à des fleurs. Peut pousser dans 10 cm d'eau. Variétés à frondes rougeâtres ou bronze.	Par division ou par spores
Osmunda regalis (osmonde royale)	**Pontederia** (pontédérie) *P. cordata* (pontédérie à feuilles en cœur)	Tiges d'environ 60 cm de haut, portant des feuilles vert olive luisantes en forme de lance ou de cœur. Épi floral bleu azur ou bleu-violet, durant tout l'été. Pousse dans 5 à 30 cm d'eau. Très rustique.	Par division
	Primula (primevère) *P. beesiana* *P. florindae* (primevère des marais) *P. japonica* (primevère à étage)	Plante aimant l'ombre et l'humidité. Rustique. Atteint 60 cm de haut. Feuilles oblongues vertes. Fleurs lilas rose à cœur jaune du début au milieu de l'été. Rosettes de feuilles longues, larges, vert luisant, sur des pétioles rouges. Fleurs jaune vif en forme de clochette sur des tiges de 60 à 90 cm, à la fin de l'été. Peut pousser dans 5 à 7 cm d'eau. Petites feuilles vertes. Verticilles de fleurs blanches, roses, rouges ou pourpres, le long des tiges de 45-60 cm, de la fin du printemps au milieu de l'été.	Par division ou par semis
Rodgersia pinnata (rodgersia)	**Rodgersia** (rodgersia) *R. aesculifolia* *R. pinnata*	Plantes des marais arborant de grandes feuilles vertes, velues. Plumets de fleurs blanches sur des tiges de 45 à 90 cm, pendant tout l'été. Tiges florales de 90 cm à 1,20 m de haut ; panicules de fleurs rougeâtres. Variétés à fleurs rouges, roses ou blanches.	Par division
Sagittaria sagittifolia (flèche d'eau)	**Sagittaria** (sagittaire) *S. latifolia* (sagittaire à larges feuilles) *S. sagittifolia* (flèche d'eau) *S. s.* 'Flore Pleno'	Grandes feuilles en tête de flèche, à 60 à 90 cm au-dessus de l'eau. Plante indigène très rustique, portant de grands épis de fleurs blanches, du milieu à la fin de l'été. Pousse dans 5 à 15 cm d'eau. Feuillage parfois panaché. Fleurs plus petites que celles de *S. latifolia*, avec des points rouges à la base des pétales. Fleurs doubles pendant tout l'été.	Par division
Symplocarpus foetidus (chou puant)	**Symplocarpus** (symplocarpe) *S. foetidus* (chou puant)	Plante des marais rustique, portant de grandes feuilles ovales qui ont une odeur désagréable au froissement. Spathe pourpre, mouchetée de vert, de 15 à 30 cm de haut, enfermant un spadice de fleurs noires, au printemps.	Par division ou par semis

Le trolle porte bien son autre nom de boule d'or. Ici, les inflorescences jaune-orange du trolle 'Golden Queen' sont parmi les fleurs les plus vibrantes du début de l'été.

Trollius cultorum 'Golden Queen'

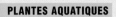

	Nom botanique et nom vulgaire	Description générale, soins particuliers et remarques	Multiplication (Voir aussi p. 276)
Thalia dealbata (thalia) *Trollius cultorum* (trolle)	**Thalia** (thalia) *T. dealbata*	Feuilles vertes, ressemblant à la feuille de canne, marron à la base, couverte d'une pruine blanche, sur des pétioles de 1 à 1,20 m. Grappes de fleurs pourpres à la fin de l'été, sur des tiges de 1 à 1,50 m. Pousse dans 10 à 15 cm d'eau. Pas rustique. À rentrer pour l'hiver.	Par division
	Trollius (trolle ou boule d'or) *T. cultorum*	Petites feuilles palmées ou ressemblant à des frondes de fougères. Grosses fleurs globuleuses orange ou jaunes, de la fin du printemps au milieu de l'été. Atteint 90 cm de haut. Nombreuses variétés. Rustique.	Par division ou par semis
Typha minima (quenouille) *Zantedeschia* (calla)	**Typha** (quenouille, massette ou canne de jonc) *T. angustifolia* (quenouille à feuilles étroites) *T. latifolia* (quenouille à feuilles larges) *T. minima*	Feuilles rubanées s'élevant droit au-dessus de l'eau. Épis floraux bruns sur une forte tige. Rustique. Feuilles très étroites. Fleurs apparaissant au milieu de l'été sur des hampes de 1,20 à 1,80 m de haut. Pousse dans 10 à 15 cm d'eau. Planter dans de grands contenants pour contrôler la croissance. Hampes florales pouvant atteindre 3 m. Épis floraux brun-pourpre sur des hampes de 30 à 45 cm seulement. Planter dans des pots dans 5 à 15 cm d'eau.	Par division ; Ou semer dans un pot et mettre en eau peu profonde au printemps
	Zantedeschia (calla ou arum) *Z. aethiopica* (calla d'Éthiopie)	Grandes feuilles vert luisant en forme de flèche, 60 à 90 cm de haut. Spathe florifère blanche ouvrant de la fin du printemps à l'automne. Plante paludéenne. Peut rester à l'extérieur en climat doux. Voir aussi p. 266.	Par division ou par séparation des rejets

GRAMINÉES DES SOLS HUMIDES BIEN DRAINÉS

	Nom botanique et nom vulgaire	Description générale, soins particuliers et remarques	Multiplication (Voir aussi p. 276)
Fargesia nitida (bambou) *Arundo donax* (canne de Provence)	**Arundo** (canne) *A. donax* (canne de Provence)	Feuilles longues et arquées, gris-vert, sur des pétioles de 3,50 à 4,50 m de long. Denses panicules érigées d'épillets blancs ou rougeâtres, à l'automne. Rustique en zone 7.	Par division ou par semis ; enraciner dans l'eau
	Bambusa (bambous : plusieurs genres) *Fargesia nitida* *Phyllostachys niger* *Sasa palmata*	Tiges gracieuses et arquées portant de jolies feuilles rubanées. Cannes de 3,50 à 6 m de haut. Rustique jusqu'en zone 5. Tiges cannelées, 2,40 à 4,50 m, vertes la première année, virant au noir pourpré ensuite. Jeunes pousses comestibles. Ne peut survivre à −12 °C. Longues feuilles vertes à dessous argenté sur des cannes de 2,40 m. Feuillage persistant là où les hivers sont doux ; rustique au sud de la zone 8. Peut devenir envahissant : couper les stolons.	Par division
Pennisetum (pennisetum) *Miscanthus sinensis* (miscanthus)	**Miscanthus** (miscanthus) *M. sacchariflorus* *M. sinensis* *M. s.* 'Gracillimus' *M. s.* 'Zebrinus'	Feuilles herbacées longues sur des tiges ressemblant à des roseaux. Floraison fin été d'épillets bruns à barbe. Tiges de 1,80 à 2,40 m. Feuillage soyeux, argenté. Peut atteindre 3 m de haut, avec des feuilles de 60 à 90 cm. Panicules en forme d'éventail d'épis blanc rosé à la fin de l'été. Rustique. Forme miniature, ne dépassant pas 90 cm de haut. Feuilles étroites portant une rayure centrale blanche ou jaune. Feuillage zébré de bandes blanches ou jaunes.	Par division ou par semis
	Pennisetum (pennisetum) *P. alopecuroides* *P. setaceum*	Graminée très ornementale. Pas rustique. À cultiver comme annuelle. Feuilles très étroites de 60 cm de long sur des tiges de 1 à 1,20 m. Plumets de fleurs argentées à soies pourpres, suivies de gousses de graines. Gracieuses feuilles très étroites. Les gousses de graines, de 30 cm de long, sont remarquables et très colorées : pourpres, orange cuivré, rouges et roses.	Par semis

Le lis hybride 'Côte d'Azur' est parfait pour la culture en pots. En forme de cloche dressée, ses fleurs de 10 cm de diamètre, d'une teinte exotique de rose avec des taches d'un ton plus soutenu, s'ouvrent avec l'été.

LIS

Avec leur port majestueux, la beauté exotique de leurs fleurs, la richesse et la diversité de leurs coloris, les lis sont l'une des plus belles parures d'un jardin.

Le lis est cultivé depuis au moins 3 000 ans et il était fort prisé aussi bien dans l'Égypte ancienne qu'en Grèce, à Rome, en Chine et au Japon. Pendant de nombreux siècles, on n'en a connu que quelques espèces parmi lesquelles le beau lis blanc *(Lilium candidum)*, originaire de la Méditerranée orientale et symbole traditionnel de pureté, était le plus prisé. *L. martagon* était aussi assez répandu en Europe.

Peu de plantes sont aussi variées que le lis. Le genre *Lilium* groupe maintenant près de 90 espèces de taille et de couleur différentes.

Comme plusieurs autres plantes sauvages, les lis se sont d'abord révélés difficiles à acclimater à la culture en jardin. Leurs exigences étaient souvent mal comprises. Lorsque la transplantation réussissait, les sujets végétaient péniblement pendant un an ou deux.

Des spécialistes en hybridation, fascinés par la beauté de ces fleurs, ont obtenu des plantes hybrides qui s'avèrent supérieures en tous points à leurs parents.

Aucune plante ornementale ne se compare tout à fait aux lis hybrides. Leur floraison commence quand se termine celle de la plupart des plantes vivaces printanières et se poursuit jusqu'à la fin de l'été. Chaque jour voit l'épanouissement d'un nouveau bouton. À l'exception du bleu, les lis peuvent se parer de toutes les couleurs. Grâce à leur gamme presque illimitée de tailles et de formes, les lis hybrides conviennent à tous les jardins.

Il existe aujourd'hui des variétés perfectionnées qui fleurissent à profusion, sont robustes et résistent bien aux maladies. Plusieurs d'entre elles surpassent les sujets dont elles descendent. Ayant été multipliées par méthode végétative à partir de bou-

tures d'écailles de bulbes, elles ont conservé les caractéristiques des plantes mères.

Certains lis sont élevés commercialement à partir de graines prélevées sur des hybrides sélectionnés. Ils coûtent relativement peu cher et ne varient que sur le plan de la couleur. On les vend sous le nom de leur race : Burgundy, Golden Splendor et Imperial. On peut les cultiver aussi bien dans des bordures mixtes composées d'arbustes à feuillage persistant ou caduc qu'au milieu de plantes vivaces. Ils font de beaux bouquets.

Les lis se divisent en plusieurs catégories selon la forme de leurs fleurs. Il y a les lis à trompette, par exemple le lis Sentinel et le lis à grandes fleurs *(L. longiflorum)*. Il y a également les lis à coupe tels que 'Enchantment', 'Connecticut King' et Impérial. On connaît aussi les lis à turban ou lis martagon représentés par le lis tigré *(L. tigrinum)* et par *L. davidii* ainsi que par la plupart de leurs hybrides. Les lis 'Nutmegger' et les hybrides Harlequin appartiennent aussi à cette catégorie.

Plusieurs lis sont parfumés. Les hybrides Trumpet, Aurelian et Oriental le sont même tellement que leur parfum peut devenir trop lourd dans un très petit jardin.

La plupart des espèces ne peuvent être croisées qu'avec quelques espèces spécifiques. Après plusieurs décennies, cependant, des résultats significatifs ont été obtenus par de petits éleveurs au Canada, aux États-Unis, en Nouvelle-Zélande et au Japon. De leurs travaux sont nés des hybrides plus vigoureux, plus faciles à acclimater et présentant une gamme plus complète de coloris. Enfin, grâce à l'amélioration des méthodes de croisement, les horticulteurs peuvent maintenant se procurer un grand nombre de lis hybrides.

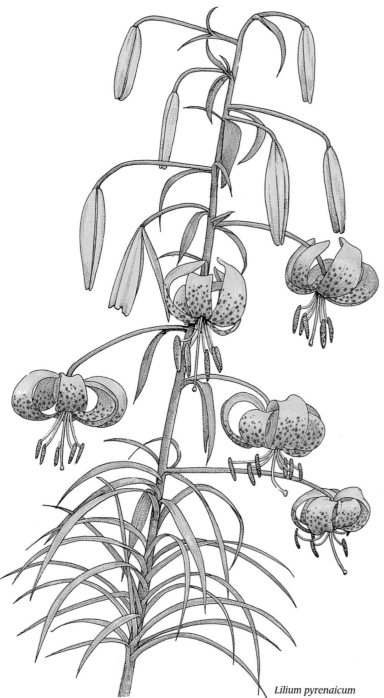

Lilium pyrenaicum

Lilium candidum

Lilium davidii

Le traditionnel lis blanc (Lilium candidum) est un lis à trompette typique. L. davidii, un lis à turban, est plus rustique mais moins robuste.

Les lis peuvent prendre place dans des bordures mixtes qui ne sont pas trop chargées. L'idéal cependant est de les cultiver avec des plantes basses qui ne font pas de tort à leurs racines. Comme les lis sont moins décoratifs après leur période de floraison, ces plantes compenseront.

On peut composer des massifs tout à fait ravissants en associant de grands lis Trumpet, des Asiatic à floraison hâtive ou des Oriental à floraison plus tardive, et des petites annuelles. Un groupe de lis en fleur devant un bouquet d'arbustes fait un très bel effet. Pendant deux ou trois semaines, leurs beaux coloris se détachent avec netteté sur cet arrière-plan de verdure.

Les lis hybrides ont été groupés sous des noms qui rappellent ou bien l'origine des espèces dont ils descendent, ou bien la forme de leurs fleurs, mais il y a des chevauchements. Par exemple, les hybrides Asiatic d'origine chinoise sont généralement des lis issus de *L. tigrinum*, *L. davidii* et *L. cernuum* qui s'hybrident facilement entre eux.

De tous les hybrides, ce sont les Asiatic qui offrent le plus grand choix de formes et de couleurs. Les uns ont des fleurs dressées, les autres des fleurs tournées vers l'horizon. D'autres encore se distinguent par leurs pétales recourbés vers l'arrière. Un massif bien établi d'hybrides Asiatic fleurit depuis le début jusqu'au milieu de l'été. Ce sont aussi les lis les plus rustiques et les plus robustes. Enfin, selon plusieurs éleveurs, ils présentent les plus grandes dispositions à l'hybridation.

Les hybrides américains mentionnés dans ce chapitre descendent tous d'espèces indigènes. Les mieux connus sont les hybrides Bellingham.

Les hybrides Martagon sont souvent plantés à l'extrémité d'un bosquet. Ce sont les premiers à fleurir. Une fois mis en terre, ils ne doivent pas être déplacés, car les fleurs peuvent mettre deux ans à apparaître après une transplantation.

Les hybrides Backhouse sont nés en Angleterre avant 1900. Ce sont des rejetons de *L. martagon*, lis originaire des régions montagneuses d'Europe et de l'Asie occidentale et de *L. hansonii* qui nous vient du Japon, de Corée et de Sibérie. Leurs fleurs sont petites mais nombreuses et poussent bien à l'ombre. Les hybrides Backhouse sont assez rares, mais la nouvelle race Paisley leur ressemble.

Les hybrides Trumpet descendent de quatre espèces chinoises : *L. regale, L. sargentiae, L. leucanthum* et *L. sulphureum*. Un massif d'hybrides Trumpet blancs, jaunes ou roses, de 1,20 à 1,80 m de haut, produit à la mi-été un spectacle remarquable. Leurs fleurs parfumées sont habituellement tournées vers l'extérieur ou parfois inclinées. Ces hybrides sont cependant moins rustiques que les Asiatic.

Les hybrides Aurelian résultent de croisements entre les hybrides Trumpet et l'espèce chinoise, *L. henryi*, ils ont de grandes possibilités d'acclimatation et leur rusticité est encore plus remarquable. La forme de leurs fleurs varie, depuis l'étoile à pointes récurvées jusqu'aux coupes et aux trompettes largement étalées. Leurs tiges, très souples, ont besoin d'être tuteurées. Ils fleurissent du milieu à la fin de l'été.

Les hybrides les plus exotiques et les plus capricieux sont les Oriental avec leurs fleurs magnifiques dans les tons de blanc, rose ou rouge sur des tiges robustes. Ils sont malheureusement exposés à la pourriture du bulbe et aux viroses. Aussi préfère-t-on souvent les cultiver en annuelles ou bisannuelles. Ils descendent de *L. auratum* et de *L. speciosum*. Les hybrides Jamboree ressemblent davantage à *L. speciosum* ; ce sont les moins fragiles du groupe et ils fleurissent à la fin de l'été.

Enfin, parmi les espèces botaniques, *L. candidum, L. henryi, L. martagon, L. regale, L. tigrinum, L. speciosum* et *L. superbum* sont les plus faciles à obtenir et à cultiver.

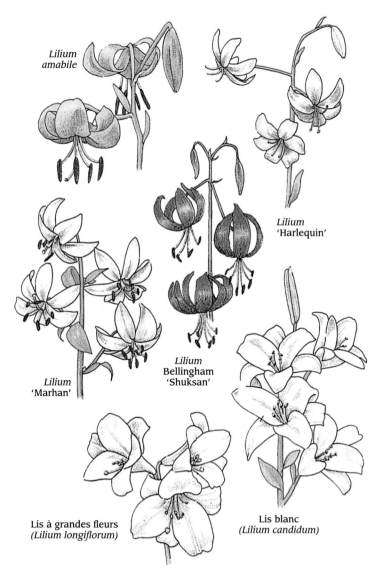

Lilium amabile

Lilium 'Harlequin'

Lilium 'Marhan'

Lilium Bellingham 'Shuksan'

Lis à grandes fleurs (Lilium longiflorum)

Lis blanc (Lilium candidum)

Forme des fleurs *Les lis sont regroupés en diverses catégories d'après la forme de leurs fleurs. On voit ici des lis à turban et des lis à trompette. Les lis à turban — tous ceux qui figurent ci-dessus sauf le lis blanc et le lis à grandes fleurs — ont des fleurs retombantes qui font environ 4 cm de long, avec des pétales tantôt enroulés, tantôt récurvés. Quant à la forme du lis à trompette, elle peut aller du tube étroit à embouchure évasée jusqu'à la grande corolle en coupe.*

La palette des hybrides Bellingham s'étend du rose tendre à l'orangé, tandis que Lilium henryi se reconnaît par sa teinte orange foncé. L'un et l'autre sont des lis à turban, comme l'atteste la forme récurvée de leurs pétales.

Lilium, hybrides Bellingham

Lilium henryi

Plantation et culture des lis

Préparation du sol et choix des bulbes

La culture des lis peut se pratiquer dans tout sol bien drainé et quelque peu acide. Le lis blanc, toutefois, préfère un sol neutre ou légèrement alcalin. Bien qu'ils tolèrent une ombre légère, les lis seront beaucoup plus vigoureux s'ils se trouvent en situation ensoleillée.

La préparation du sol avant la plantation est aussi importante pour la culture des lis que pour celle des autres plantes bulbeuses. Si la terre est légère, on l'amendera par de bons apports de tourbe ou de matière organique bien décomposée. Cependant, les bulbes et les racines des lis ne supportent pas le fumier frais.

Si le sol est argileux, on lui ajoutera du sable grossier ou du gravier fin. Un apport de superphosphate enrichira le sol pour plusieurs années (voir p. 464 à 467).

L'eau ne devant pas s'accumuler autour des bulbes, choisir un emplacement où le sous-sol s'égoutte bien.

Quand on ne dispose pas d'un tel site, former des plates-bandes surélevées composées de terre bien drainée ou des plates-bandes en pente légère.

N'acheter que des bulbes bien dodus et sains. On les obtient à la fin de l'automne, parfois aussi au début du printemps, dans des pépinières, chez des horticulteurs spécialisés ou par commande postale. Les bulbes doivent être fermes avec des écailles bien fermées, et avoir des racines fournies. Si les bulbes sont mous ou meurtris, enlever les écailles extérieures qui se soulèvent et placer les bulbes dans des sacs de plastique ; les y enfouir dans un peu de tourbe légèrement humide additionnée d'une pincée de fongicide (bénomyl ou captane). Fermer les sacs et les garder dans un endroit obscur et frais jusqu'à ce que les bulbes aient retrouvé toute leur vigueur.

Les bulbes de taille moyenne sont toujours préférables. Ils sont moins chers et s'acclimatent mieux à un nouvel environnement.

Quand et comment planter les bulbes

La meilleure saison pour planter les bulbes de lis est l'automne. On peut effectuer les plantations à d'autres saisons à la condition toutefois que le sol ne soit pas gelé. Le lis blanc, cependant, doit être planté à la fin de l'été si l'on veut qu'il se couvre de feuilles avant la venue de l'hiver.

Si la plantation doit être remise à plus tard, placer les bulbes dans un sac de plastique rempli de tourbe légèrement humide et les garder dans un endroit sombre et frais. Si on doit les mettre en attente tout l'hiver, on les empotera. Dans les régions où le climat est rigoureux, creuser, à l'avance, si possible, les trous de plantation, pailler généreusement pour empêcher le sol de geler et mettre les bulbes en terre sitôt qu'on les reçoit.

La profondeur du trou doit être égale au triple de la hauteur du bulbe. La plupart des lis cultivés en Amérique du Nord ont un système radiculaire à la base de la tige, si bien qu'un important chevelu couvre le sommet du bulbe : ceci facilite l'absorption des nutriments par la plante et lui sert de support en cas d'intempéries. Les autres bulbes ont leurs racines à la base du bulbe.

Au moment de la plantation, étaler les racines et poser le bulbe de façon que la pointe soit sous environ 10 cm de terre. (Couvrir les bulbes de lis blanc de 2,5 cm seulement de terre.)

Dans les régions où il ne gèle pas, lever les bulbes à l'automne et les garder 8 à 10 semaines au réfrigérateur en guise d'hivernage.

Tuteurage, arrosage et fertilisation

Les lis qui atteignent 90 cm de hauteur peuvent être endommagés par le vent s'ils ne sont pas tuteurés solidement. Quant aux espèces à tige arquée, telles que *L. davidii, L. henryi* et leurs hybrides, elles ont plus fière allure si elles sont maintenues droites.

Choisir un tuteur solide pour chaque pied. Prendre garde de ne pas perforer le bulbe en enfonçant le tuteur. Au fur et à mesure que la plante grandit, attacher la tige au tuteur.

Les lis ont besoin d'humidité durant toute leur période active. Pailler les pieds durant l'été pour empêcher l'eau du sol de s'évaporer, freiner la croissance des mauvaises herbes et garder le sol frais au niveau des racines. Le paillis peut être composé de feuilles de chêne, d'aiguilles de pin, de foin de prés salés et avoir une épaisseur de 7,5 à 10 cm.

Faire des apports d'engrais complet quand les pousses sortent. Fertiliser de nouveau lorsque les boutons se forment. Enfin, une dernière fertilisation s'impose après la floraison.

Cueillette de fleurs pour faire des bouquets

Les lis composent de merveilleux bouquets. Mais pour ne pas affaiblir le plant, il vaut mieux ne couper ses fleurs que tous les deux ou trois ans.

Laisser sur le pied la plus grande longueur de tige possible pour que le bulbe puisse continuer à se nourrir, et au moins la moitié du feuillage.

Laisser les tiges fraîchement coupées plusieurs heures dans de l'eau tiède avant de les mettre dans un vase. Enlever les feuilles du bas pour qu'elles ne baignent pas dans l'eau. Changer celle-ci tous les jours si possible. Ainsi, tous les boutons s'épanouiront et les fleurs se conserveront plus longtemps.

1. *Étaler les racines au fond d'un trou creusé dans un sol bien drainé.*

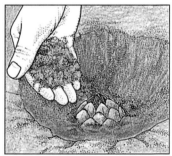

2. *Couvrir les racines de terre, puis finir de remplir le trou.*

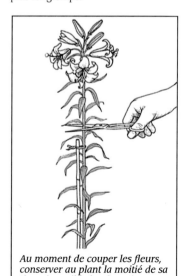

Au moment de couper les fleurs, conserver au plant la moitié de sa tige, si possible les deux tiers.

Le lis de Pâques (Lilium longiflorum)
porte des fleurs pouvant mesurer 20 cm
de long, d'un blanc pur. 'Connecticut
King', un hybride asiatique, est robuste.
Il convient à la culture au jardin et
à la culture en pot.

Lilium longiflorum

Lilium 'Connecticut King'

Suppression des fleurs fanées

Supprimer les fleurs fanées empêche la montée en graine, étape de croissance qui affaiblit les plants. À mesure que la tige meurt, n'en supprimer que la partie desséchée. Ne pas ajouter ces déchets au compost au cas où il y aurait maladie.

Si l'on veut récolter des graines, laisser une ou deux capsules sur chaque plant. Les hybrides issus de semis diffèrent légèrement des plantes mères. Mais s'il se trouve des variétés différentes aux alentours, les abeilles peuvent transporter les pollens et ménager des surprises.

Recueillir les capsules lorsqu'elles virent au jaune et les laisser s'ouvrir dans la maison ; dehors, les graines se disperseraient au vent.

En général, on supprime les fleurs sitôt qu'elles sont fanées.

Ravageurs et maladies qui menacent les lis

Le tableau ci-dessous indique les principales maladies qui affectent les lis et les ravageurs qui généralement s'y attaquent. Dans le cas d'un symptôme qui n'est pas énuméré ici, consulter le chapitre « Ravageurs et maladies » à la page 474.

Symptômes	Cause	Traitement*
Insectes roses ou verts sur les pousses et les boutons floraux. Dessous des feuilles collant.	Pucerons	Vaporiser du savon insecticide, du carbaryl, du Diazinon ou du malathion.
Feuilles et fleurs mangées.	Scarabées ou chenilles	Vaporiser ou poudrer de carbaryl ou de méthoxychlore.
Feuilles mangées du jour au lendemain. Insectes rouge vif.	Araignées rouges	Vaporisation de perméthrine ou arrosage en profondeur avec du diméthoate.
Écailles de bulbes endommagées ; racines détruites.	Tarsonème des bulbes	Détruire les bulbes abîmés. Poudrer de soufre.
Feuilles et pousses mangées ; traînées de bave.	Limaces ou escargots	Appâts à base de métaldéhyde ou soucoupes de bière.
Taches grises ou blanches sur les feuilles mouillées. Les tiges pourrissent et tombent.	Botrytis ou pourriture grise (champignon)	Vaporisation de captane ou de ferbam.
Lignes et taches pâles ou jaunes sur les feuilles.	Virose	Détruire les plants. Vaporiser contre les insectes vecteurs.

* Certains produits sont interdits dans les localités qui ont adopté des règlements contre les pesticides. Voir aussi « Recettes maison et produits naturels », p. 512, et « Les amis du jardin », p. 515.

Culture des lis en pots ou en bacs

On peut cultiver les lis en pots jusqu'à leur complète floraison, ou les démarrer hâtivement à l'intérieur et les repiquer au jardin.

Pour ce type de culture, on donne la préférence aux variétés à tige courte et à floraison hâtive, comme les hybrides Mid-Century 'Enchantment' et 'Cinnabar'.

De nouvelles variétés aux coloris variés continuent d'apparaître sur le marché. On connaît déjà 'Connecticut King', issu de 'Connecticut Lemon Glow' et de la race Sundrop. La variété 'Red Carpet' donne de beaux lis à tige courte d'un rouge franc. Ce sont des plants rustiques qui se prêtent sans difficulté au forçage toute l'année ou presque.

Les bulbes achetés en automne seront empotés et gardés sous châssis froid pendant deux ou trois mois pour être ensuite soumis au forçage à l'intérieur. On vend aussi des bulbes de lis ayant déjà fait un stage au froid et pouvant être démarrés sans préparation. Cependant, si le forçage est effectué à la mi-hiver, il faudra augmenter l'éclairement. Enfin les bulbes de lis achetés au prin-temps devraient être empotés tout de suite.

Remplir des pots de mélange composé de sable grossier ou de perlite, de tourbe et de bonne terre de jardin.

Bien arroser au moment de la plantation. Par la suite, garder le mélange à peine humide jusqu'à ce que les lis soient en pleine croissance. Les températures diurnes ne doivent pas dépasser 20 °C, et les températures nocturnes tomber en dessous de 4 °C.

Fertiliser les plants toutes les deux semaines jusqu'à la fin de la floraison. Ensuite, transplanter les lis au jardin ou les garder en pots jusqu'à l'année suivante. Dans les deux cas, laisser le feuillage jaunir pour ne pas priver les bulbes de nourriture.

Pour obtenir de bons résultats l'année suivante, garder les bulbes sous châssis froid durant l'hiver ou les planter dans un coin abrité du jardin.

On peut également cultiver les lis dans de grands bacs. Utiliser pour cela le mélange terreux recommandé pour les lis en pots et les cultiver comme les lis en plates-bandes. Les lis font beaucoup d'effet sur un patio. Comme ils ne sont pas très chers, on peut s'offrir le luxe de s'en débarrasser à l'automne.

Variétés à cultiver

Les lis sont classés par divisions selon les lignées dont ils sont issus. Les plus populaires sont celles des hybrides Asiatic (division I), du lis à trompette (division VI) et des Oriental (division VII). Chaque division comporte à son tour des sous-catégories (plusieurs pour Asiatic) qui dépendent de la position des fleurs sur la tige. Les meilleures sont :

Division Ia (fleurs dressées) : 'Connecticut King' (jaune), 'Enchantment' (vermillon, points foncés au centre), 'Corina' (rouge vif), 'Red Carpet' (rouge), 'Sterling Star' (crème).

Division Ib (fleurs tournées vers l'extérieur) : 'Black Velvet' (rouge sombre), 'Bold Knight' (rouge), 'Dawn Star' (jaune pâle), 'Fire King' (rouge-orange), 'Moulin Rouge' (orange taché de brun).

Division Ic (fleurs pendantes) : 'Citronella' (jaune), 'Katinka' (pêche piqué de brun), 'Nutmegger' (jaune pailleté de brun), 'Sally' (saumon à centre tacheté), 'Viva' (rouge orangé, récurvée).

Variétés à trompette : 'African Queen' (jaune), 'Black Dragon' (blanc à revers sombre), Pink Perfection Strain (jaune, coupe peu profonde).

Variétés orientales : 'Casa Blanca' (blanc), 'Imperial Gold' (jaune), 'Journey's End' (violet), 'Star Gazer' (rouge).

Les fleurs jaune vif du lis à turban (Lilium pyrenaicum) sont maculées de violet et leur odeur n'est pas très agréable.

Lilium pyrenaicum

Multiplication des lis

Multiplication par bouturage d'écailles

La méthode la plus simple et la plus couramment utilisée pour multiplier les lis consiste à bouturer les écailles qui constituent le bulbe. En deux ou trois ans, on obtient de la sorte des plants qui sont en état de fleurir.

On peut détacher des écailles du bulbe à tout moment durant l'année. Ne retenir que les bulbes dodus et sains ; les écailles infectées ou endommagées ne produisent pas de nouveaux bulbes ou ceux qu'elles donnent ne poussent pas normalement. Ne pas prélever d'écailles sur des bulbes atteints de virose, car elles transmettront la maladie.

Prélever des écailles saines, bien en chair, en les détachant le plus près possible de la base du bulbe. Deux ou trois écailles suffisent à donner quelques nouveaux bulbes. Pour obtenir une plus grande quantité de bulbes d'une variété précise, bouturer toutes les écailles.

Quelques variétés se reproduisent mal par cette méthode. S'il s'agit d'un lis de grande valeur, tenter l'expérience avec quelques écailles seulement. Si les résultats sont bons, on pourra la répéter.

Laver minutieusement les écailles et les laisser sécher durant plusieurs heures. Les planter comme expliqué ci-dessous ou les enfermer dans un sac de plastique avec juste assez de tourbe humide pour qu'elles ne se touchent pas. Ajouter une pincée de poudre fongicide à base de bénomyl ou de captane. Fermer hermétiquement le sac, étiqueter et dater.

Garder le sac dans un endroit chaud, placard ou armoire. Vérifier l'humidité du mélange tous les 7 à 15 jours. Si les écailles semblent atteintes de mildiou ou d'un autre champignon, les laver et les enfermer de nouveau dans le sac.

Huit à 10 semaines plus tard, de petits caïeux devraient apparaître. Lorsqu'ils ont 6 mm ou plus de diamètre, les mettre au réfrigérateur (à l'endroit où la température convient le mieux) ou les garder à environ 4 °C pendant six à huit semaines. On peut réfrigérer tout le sac et les écailles qu'il contient ou prélever les caïeux et les enfermer dans un autre sac avec de la tourbe humide additionnée de poudre fongicide.

On peut aussi planter les écailles dans une terrine à semis comme illustré ci-dessous. Cette opération doit se pratiquer à une époque où il est possible de mettre la terrine sous châssis froid pendant au moins six semaines avant que le temps se réchauffe.

Lorsque les caïeux donnent des signes de reprise, les cultiver comme des plantules (voir p. 306). Au bout de deux ou trois ans, les plants seront assez gros pour fleurir.

Arrachage et division de bulbes de lis

Certaines variétés de lis se multiplient spontanément avec une telle rapidité qu'il faut les diviser tous les trois ou quatre ans. Cette division doit se faire au début de l'automne.

Lever délicatement les touffes de lis avec une fourche ou une pelle ; secouer la terre qui adhère aux racines et laver les bulbes sous un filet d'eau. Les diviser avec soin et les replanter.

Certains caïeux peuvent être assez avancés pour donner des plants qui fleurissent dès la première année. Planter les autres à l'écart ou en pots et les transplanter au jardin lorsqu'ils sont de taille à fleurir.

Certains lis ont des bulbes rhizomateux (voir ci-dessous) qu'il faut diviser de temps à autre. Après les avoir sectionnés, les couvrir de poudre fongicide et les replanter.

Après la transplantation, les lis mettent un an à s'établir. La première année, la floraison est restreinte. Aussi vaut-il mieux ne diviser qu'une partie des plants chaque année.

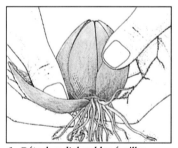

1. *Détacher d'abord les écailles externes qui sont desséchées.*

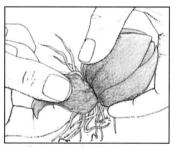

2. *Détacher des écailles charnues avec un peu de substance du bulbe.*

3. *Enfouir les écailles à mi-hauteur et recouvrir d'un sac de plastique.*

4. *Des caïeux se formeront en 10 semaines. Réfrigérer 6 semaines.*

5. *Au début du printemps, rempoter chaque nouveau plant.*

6. *Enfouir dans du sable ou de la tourbe. Couvrir avec 2,5 cm de sable.*

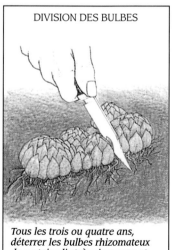

DIVISION DES BULBES

Tous les trois ou quatre ans, déterrer les bulbes rhizomateux de certains lis très vigoureux et les diviser avec un bon couteau.

Le lis royal (Lilium regale) a de grandes fleurs de 15 cm. Tout comme les lis du groupe Pink Perfection, il dégage un parfum exceptionnellement fort. Ce sont des lis tout indiqués pour les bacs et les boîtes à fleurs.

Lilium regale

Lilium du groupe Pink Perfection

Multiplication des lis au moyen des bulbilles

Les bulbilles sont de petits bulbes verts ou pourpres qui se forment à l'aisselle des feuilles de certains lis, par exemple le lis tigré.

À la fin de l'été ou en automne, détacher ces bulbilles. Les planter à 2,5 cm de profondeur dans des caissettes remplies d'un substrat composé en parties égales de terre, de tourbe et de sable. Les espacer de 2,5 cm.

Placer les caissettes sous châssis froid ou les garder sous un paillis léger dans un endroit abrité pendant tout l'hiver. Au printemps, installer les caissettes à la mi-ombre ; arroser et fertiliser comme s'il s'agissait de lis cultivés en pots. À l'automne, repiquer les plants au jardin.

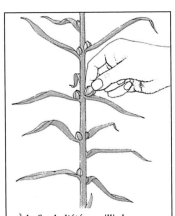

À la fin de l'été, cueillir les bulbilles axillaires de certaines espèces de lis. Elles produisent de nouvelles plantes.

Multiplication des lis au moyen des caïeux

Certaines variétés de lis produisent des caïeux ou petits bulbes qui poussent parmi les racines de la tige ou à la base du bulbe. Si ces caïeux sont petits et dépourvus de racines, les traiter de la même façon que des bulbilles. Lorsqu'ils sont plus gros et qu'ils ont des racines, les planter immédiatement.

À la fin de l'été, dégager la terre qui entoure la tige de chaque plant et détacher délicatement les petits bulbes. La première année, il vaut mieux cultiver en terrines à semis les bulbes de moins de 1,5 cm de diamètre (voir la multiplication par bulbilles). Planter les gros caïeux immédiatement au jardin. Les recouvrir de 2,5 à 5 cm de terre, selon leur taille.

Détacher et planter à la fin de l'été les caïeux qui poussent entre les racines des tiges ou à la base des bulbes.

Multiplication des lis par semis

La multiplication par semis permet d'obtenir à peu de frais une grande collection de lis. Les graines de lis hybrides ne donnent pas des plantes identiques aux parents, mais celles-ci sont presque toujours jolies. On obtient parfois même un nouveau lis de qualité supérieure. Les fleurs apparaissent le deuxième ou le troisième été, mais n'atteindront leur apogée qu'un ou deux ans plus tard.

Il faut utiliser de la terre stérile, du moins au début (voir p. 470). Semer en pots ou en terrines. Espacer les graines de 2,5 cm et les recouvrir d'environ 1 cm de terre. Placer les contenants dans une serre froide ou sur l'appui d'une fenêtre qui reçoit un peu de soleil. La température doit se situer entre 13 et 24 °C. Arroser et fertiliser régulièrement. S'assurer que la terre est bien drainée.

Les semis peuvent se faire en toute saison. Donner aux plantules 14 à 16 heures d'éclairement par jour. Installer des tubes fluorescents 5 à 8 cm au-dessus des contenants ; maintenir cet espacement à mesure que les plantules grandissent.

Il existe deux types de graines de lis : les épigées (qui donnent des pousses émergeant du sol) et les hypogées (qui donnent des bulbes souterrains sans pousse aérienne). Les graines épigées germent vite et produisent une feuille trois à six semaines après les semis. À ce type se rattachent les lis Asiatic et la plupart des lis à trompette. Les graines hypogées ne produisent d'organes aériens qu'après une période de réchauffement de trois ou quatre mois suivie d'une période de refroidissement de deux ou trois mois à 1 à 3 °C. L. speciosum appartient à ce type.

Lorsque les plantules ont deux ou trois feuilles, on peut les repiquer, en les espaçant de 2,5 à 5 cm, dans un contenant plus grand ou les laisser un an dans leur premier contenant.

Repiquer au jardin, à la fin du premier cycle végétatif, les plantules qui présentent des bulbes de plus de 1,5 cm de diamètre et un bon système radiculaire ou les cultiver dans des pots d'environ 10 cm de diamètre pendant une autre année.

DEUX TYPES DE SEMIS DE LIS

Enfouir à 1,5 cm dans une terre stérile et espacer de 2,5 cm les graines épigées ou hypogées. Leur procurer chaleur et humidité.

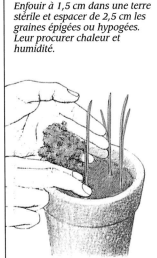

Épigé Lorsque la seconde feuille apparaît, repiquer les plants en les espaçant de 2,5 cm.

Hypogé Après plusieurs mois, quand des feuilles sortent, repiquer les plantules individuellement.

Certains iris ne poussent que dans les sols marécageux ou partiellement immergés dans l'eau. L'iris japonais (Iris ensata), quoiqu'il ait besoin d'humidité, ne pousse pas dans l'eau. Les fleurs de 'Rose Queen' sont d'une teinte lilas tirant sur le rose.

IRIS

Depuis les grands iris majestueux à sépales barbus jusqu'aux petits iris bulbeux, ces plantes aux fleurs gracieuses donnent un cachet poétique au jardin.

Les iris sont des plantes très anciennes qui étaient cultivées couramment en Asie bien avant l'ère chrétienne.

On les divise en deux groupes: ceux qui proviennent d'un épais rhizome et ceux qui naissent d'un bulbe.

Les iris rhizomateux donnent des feuilles rubanées et pointues, qui s'étalent à l'extrémité des rhizomes, et des hampes portant une ou plusieurs fleurs. Les coloris sont variés.

Les plus appréciés dans cette catégorie sont les iris à barbe, ainsi appelés parce que leurs pétales extérieurs sont couverts de poils charnus.

En botanique, on divise les iris rhizomateux en deux groupes: les Eupogon, qui comprennent le grand iris à barbe, et les Arille. Ces deux groupes se composent d'authentiques iris à barbe qui se cultivent de la même façon. On y trouve aussi des espèces botaniques ainsi que de nombreux hybrides. Les Arille, plus exotiques et plus capricieux, diffèrent des autres iris à barbe par la forme et les panachures de leurs fleurs. Leurs barbes sont plus étroites mais tout à fait remarquables et souvent colorées. Les fleurs sont veinées, grenées et réunies en bouquets serrés. Leurs feuilles sont courtes et en forme de faucille.

Les nombreux hybrides des iris Eupogon sont en outre classés selon leur hauteur à partir des grandes formes de plein vent qui font au moins 70 cm. Viennent ensuite quatre groupes de taille moyenne par ordre décroissant de grandeur: bordure, grand miniature, intermédiaire et nain standard. Les plus petits iris à barbe, appelés iris nains miniatures, ont 7,5 à 25 cm de haut.

La plupart des iris Eupogon fleurissent du milieu à la fin du printemps ou au début de l'été. Certaines variétés fleurissent au début du printemps. Les iris remontants, qui groupent des variétés appartenant à la catégorie des grands iris à barbe, sont susceptibles de refleurir en automne si le climat le permet.

Les iris Arille, dont la hauteur va de 13 à 45 cm, commencent à fleurir jusqu'à un mois avant la plupart des iris Eupogon.

Il est préférable de consacrer une plate-bande entière aux grands iris à barbe ou de les grouper en massif devant des bordures de plantes vivaces ou d'arbustes. Les variétés de petite taille se placent bien au premier rang d'une bordure ou dans un jardin de rocaille.

Les iris nains à barbe s'associent mal à d'autres genres de plantes. Il vaut mieux les planter dans des rocailles ou les grouper en massif devant des plantes courtes.

Le groupe des iris rhizomateux comprend aussi de très beaux iris sans barbe. Mentionnons *Iris dichotoma* à fleurs lavande qui s'ouvrent en août et *I. foetidissima* dont les graines vermillon compensent largement ses fleurs gris terne et l'odeur désagréable que dégagent ses feuilles lorsqu'on les froisse.

Les Apogon constituent une section importante du groupe des iris sans barbe. On y trouve les sous-groupes suivants, dont la hauteur varie de 10 cm à 1,50 m.

Le sous-groupe Laevigata renferme l'iris japonais et quelques espèces d'iris américains, ainsi que le grand iris des marais *(I. pseudacorus)*. On les qualifie souvent d'aquatiques parce qu'ils croissent mieux en bordure des étangs ou des cours d'eau. Les espèces botaniques américaines *I. versicolor* et *I. virginica* sont proches parentes de ces iris.

Les espèces à longs pétales, par exemple *I. longipetala* et *I. missou-*

'Gold Galore', un iris à barbe jaune d'or.

Iris pumila *et* I. attica *font partie des formes naines des iris à barbe. 'White Swirl', qui atteint 90 cm, est une variété moderne d'iris sibérien.*

Iris pumila

Iris attica

Iris sibirica 'White Swirl'

riensis, originaires d'Amérique, demandent du soleil et sont rarement cultivées dans les jardins. Au printemps, elles nécessitent un sol marécageux et en été un sol plutôt sec. *I. longipetala* se caractérise par des inflorescences blanches veinées de violet et des feuilles presque persistantes. *I. missouriensis* présente des fleurs blanches ou de diverses nuances de pourpre.

Les iris de Louisiane peuvent être cultivés dans certaines régions du Canada si on les protège en hiver.

D'autres iris très rustiques sont cultivés dans la plupart des régions du Canada. Il s'agit de l'iris de Sibérie, *I. sibirica*, qui a donné naissance à de nombreux hybrides, et de l'iris de Mandchourie, *I. sanguinea* ou *I. orientalis*; tous les deux produisent des fleurs dans les tons de pourpre, de bleu ou de blanc.

Bien qu'ils soient faciles à cultiver à partir de semis, les iris de la côte du Pacifique se rencontrent rarement en dehors de cette région car ils s'adaptent mal à tout autre climat.

Il existe deux autres sous-groupes d'Apogon qui sont remarquables. Ce sont les iris Spuria qui appartiennent à une espèce extrêmement diversifiée et très hybridée, et les iris miniatures qui sont originaires d'un territoire qui s'étend du Japon à la Roumanie.

Les iris à crête ou Evansia (qui font partie des Apogon à barbe) ont des fleurs qui rappellent celles des orchidées. Ils présentent une crête sur les sépales qui ont entre 7,5 et 25 cm de long. Leurs feuilles, larges et vernissées, sont persistantes.

Seuls les iris bulbeux peuvent être soumis au forçage en pot, à l'intérieur. Au jardin, ils doivent être cultivés en plein soleil et donnent une floraison continue. On les divise en trois sections dont deux, Juno (*Scorpiris*) et Xiphion (*Xiphium*), se rencontrent souvent dans les jardins.

Les iris de la section Juno, de 23 à 38 cm de haut, ont un feuillage qui les fait ressembler à des plants de

maïs miniatures. Leurs racines nourricières charnues s'abîment facilement, mais ces plantes se cultivent aisément en plein soleil. Sauf *I. tubergeniana*, de couleur jaune, les iris Juno présentent des crêtes et leur floraison se produit à la mi-printemps.

Connus depuis longtemps, les iris de Hollande, d'Espagne et d'Angleterre font partie du groupe des Xiphion. Ils se cultivent très facilement et ont une hauteur de 45 à 60 cm.

Les iris de Hollande, renommés pour leurs grandes inflorescences qui tiennent longtemps et se prêtent bien à la composition de bouquets, sont les plus grands des iris bulbeux. Ils fleurissent au début de l'été, deux semaines environ avant les iris d'Espagne.

Les iris de Hollande et d'Espagne se couvrent d'un second feuillage en automne et doivent être paillés contre les hivers rigoureux. Leurs fleurs sont blanches ou bleu et jaune.

En fleur du début au milieu de l'été, les iris d'Angleterre préfèrent le climat humide des régions côtières de la Colombie-Britannique. Ils fleurissent parfois ailleurs si on les plante à mi-ombre, dans un sol un peu acide, humide mais bien drainé.

Les iris reticulata sont tout à fait différents, avec leurs feuilles tubuleuses à quatre côtes. Ils fleurissent à la fin de l'hiver ou au début du printemps et certaines variétés ont des fleurs parfumées. Comme ils ne dépassent pas 10 cm de hauteur, ils sont destinés aux jardins de rocaille ensoleillés et à l'abri du vent. Ils se multiplient rapidement.

Outre *I. reticulata* à fleurs d'un violet riche et ses variétés dont les inflorescences vont du violet au bleu clair, on connaît *I. histrioides major* à fleurs bleues et *I. bakeriana*, venus respectivement du Caucase et d'Asie mineure. Le premier a des fleurs bleues, tandis que les fleurs du second ont des pétales bleus, des sépales pourpres et un cœur tacheté d'une teinte sombre. En contraste, *I. danfordiae* a des fleurs d'un jaune vif.

Les iris rhizomateux se divisent en trois groupes : à barbe, sans barbe et à crête. I. germanica *(ci-dessus), du groupe des iris à barbe, peut avoir plusieurs couleurs. Classé dans le sous-groupe dit intermédiaire, il s'apparente à plusieurs iris de jardins.*

Les iris sans barbe, avec des fleurs comme ci-dessus, se répartissent en cinq grandes sections. La section des iris de Sibérie renferme des plantes rustiques qui conviennent bien dans une plate-bande herbacée ou au bord d'une piscine.

Les iris à crête ont des feuilles persistantes et un rhizome délicat. À première vue, on croirait voir un iris à barbe, mais ce qui ressemble à des poils charnus sur les pétales est en réalité un renflement. Ces fleurs s'ouvrent comme des orchidées et sont à leur place dans une serre.

Les iris qui cherchent le voisinage de l'eau sont des iris sans barbe du sous-groupe Laevigata. Plusieurs sont dérivés de l'iris japonais (I. ensata). I. laevigatae *est le seul qui exige de pousser dans l'eau. Les autres iris aquatiques se contenteront d'un sol bien humidifié.*

Les iris bulbeux se divisent en trois sections : Reticulata (qui renferme les plus petits comme celui qu'on voit ci-dessus), Juno et Xiphion.

Les iris de Hollande, d'Espagne et d'Angleterre, tous de la section Xiphion, sont les iris les plus faciles à cultiver dans les climats tempérés.

Iris sibirica

Iris sibirica 'Anniversary'

Les iris de Sibérie modernes sont bien supérieurs aux espèces d'origine et présentent un grand choix de couleurs. Ils poussent bien en bordure d'un étang mais ne survivront pas dans l'eau.

Culture des iris rhizomateux

Préparation d'un sol fertile et bien drainé

Les iris rhizomateux s'accommodent d'à peu près tous les sols dans la mesure où ils s'égouttent bien.

Les terres argileuses ou sablonneuses exigent un peu plus de soin. Pour alléger les premières, on ajoutera beaucoup de sable, d'humus et de tourbe. Aux secondes, on incorporera de l'humus ou de la tourbe pour les aider à retenir l'eau.

S'il y a un problème de drainage, si la plate-bande repose sur du roc, il faut la retourner en deux temps. En empilant le terreau sur le côté, commencer par creuser une portion de la plate-bande. À l'aide d'une fourche, incorporer à la terre, sur au moins 12 cm de profondeur, du compost, du fumier bien décomposé ou de la tourbe. Retourner une seconde portion de la plate-bande en déposant le terreau par-dessus la portion qui vient d'être enrichie. Répéter l'opération précédente. Poursuivre de la même façon jusqu'à ce que toute la plate-bande ait été retournée. Sur la dernière portion, étaler le terreau de la première.

La plupart des sols auront de toute façon besoin d'être enrichis. Faire pénétrer à la fourche à bêcher, dans les 25 cm de surface, une couche de 2 à 5 cm de fumier bien décomposé. Épandre à la surface un engrais à faible teneur en azote — à raison de 4,5 kg par 50 m^2 — et le mélanger à la terre avec un motoculteur ou une binette. Attendre quelques semaines que la terre se tasse avant de procéder à la plantation.

S'il s'avère que le sol a besoin de calcaire, le chaulage s'effectue avant la préparation immédiate du lit de plantation, à l'aide d'un épandeur à engrais pour la pelouse. En général, les iris nécessitent un sol neutre ou légèrement acide (avec un pH de 6 à 7,2). Les iris du Japon, eux, ne tolèrent ni le calcaire ni la poudre d'os. Leur sol doit être franchement acide, avec un pH de 5 à 6.

Plantation des iris à barbe en surface

Les rhizomes d'iris à barbe doivent être plantés entre la mi-été et le début de l'automne. Dans les régions où les étés sont chauds et secs, faire les plantations au début de l'automne.

Avant la plantation, examiner les rhizomes avec soin pour détecter les insectes perceurs ou les marques de pourriture. Supprimer, avec un couteau aiguisé, les parties abîmées et les racines endommagées. Poudrer les plaies avec de la fleur de soufre ou faire tremper les rhizomes pendant une demi-heure dans une solution à base de streptomycine.

On recommande de planter ensemble trois à sept rhizomes de la même variété. Les feuilles font face à l'extérieur et le bulbe doit affleurer le sol, tandis que les racines s'enfoncent de part et d'autre dans la terre.

Fouler fermement le sol autour des rhizomes pour éliminer les poches d'air. Identifier les massifs

Arrosage et fertilisation des iris à barbe

Tout de suite après la plantation, arroser le sol abondamment en utilisant un jet très fin. Continuer à arroser beaucoup durant les trois semaines qui suivent la plantation, en particulier par temps sec.

Les iris à barbe et tout spécialement les variétés de grande taille ont besoin d'une bonne fertilisation. Épandre de l'engrais 5-10-10 au début du printemps et de nouveau un mois après que les fleurs sont fanées, à raison d'une poignée par massif la première fois et d'une demi-poignée la seconde fois. (Compter la moitié pour les iris nains.) Saupoudrer cet engrais tout près des racines, mais non directement dessus, et arroser.

L'engrais recommandé contient peu d'azote, ingrédient qui favorise la croissance des feuilles au détriment de celle des fleurs.

1. *Avant la plantation, tailler les feuilles en éventail.*

2. *Creuser la terre de façon que le bulbe soit au ras du sol.*

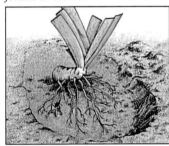

3. *Orienter les éventails de feuilles vers l'extérieur. Abaisser les racines.*

4. *Fouler le sol autour des rhizomes pour favoriser l'enracinement.*

MÉFAITS DU GEL

Pour que le gel ne déchausse pas les rhizomes, les butter avec de la terre ou du sable. Ne pas appuyer dessus, car cela peut abîmer les racines et affaiblir les plants.

NETTOYAGE PRINTANIER

Rabattre le feuillage au début du printemps pour soustraire le plant à l'emprise du vent. Supprimer toutes les feuilles mortes qui pourraient abriter des limaces.

Les iris à barbe comme 'Jane Phillips' and 'Maui Moonlight' sont appelés ainsi à cause du duvet qui recouvre leurs pétales.

Iris 'Jane Phillips'   Iris 'Maui Moonlight'

Plantation des iris sans barbe dans le sol

Avant la plantation, les moyens à prendre contre la pourriture et les ravageurs sont les mêmes pour les iris sans barbe que pour les iris à barbe.

Les iris sans barbe préfèrent un sol bien drainé. Les iris du Japon, de Louisiane et d'Amérique croissent au contraire dans des sols humides.

Les iris du Japon et d'Amérique exigent beaucoup d'humus et nécessitent plus d'engrais que les autres espèces. Ce sont des plantes qui aiment les sols acides et pour lesquelles il faut utiliser des fertilisants acides comme ceux des azalées.

La plantation doit s'effectuer au début de l'automne, sauf pour les iris de la côte du Pacifique qui réagissent mieux à une plantation printanière. Planter les iris Spuria entre le milieu et la fin de l'automne.

À l'exception des iris de Louisiane et des iris à crête, enfouir toutes les variétés de rhizomes à 5 cm de profondeur et les espacer de 38 à 45 cm.

Pour les iris de Louisiane, une profondeur de 4 cm suffit. Les longs rhizomes étroits des iris à crête seront tout juste recouverts de terre.

Si l'on associe plusieurs variétés dans la même plate-bande, s'assurer que les divers coloris font un heureux mariage. Pour éviter les discordances, planter ensemble des variétés hâtives et des variétés tardives.

Arroser abondamment les nouvelles plantations et garder le sol humide tant que les rhizomes ne sont pas bien établis.

Étaler un paillis autour des plants pour aider le sol à conserver son humidité, diminuer le choc de la transplantation et contrer les mauvaises herbes. Le paillage s'impose pour les iris à crête qui sont plantés moins profondément et risquent de se dessécher.

En guise de paillis, utiliser une matière qui ne retient pas l'eau à l'excès. Ne pas étaler de paille d'avoine ou de blé autour des plants d'iris du Japon qui sont sensibles à la rouille, dont le blé et l'avoine sont porteurs.

1. *Avant de planter les iris sans barbe et à crête, rabattre les feuilles à 25 cm.*

2. *Creuser un trou assez grand et assez profond pour contenir les racines.*

3. *Déposer de l'humus. Étaler les racines. Remplir le trou. Fouler le sol.*

4. *Arroser. Étiqueter. Garder le sol humide jusqu'à établissement.*

Soins particuliers à donner aux iris sans barbe

Dans les endroits où les hivers sont rigoureux, il arrive souvent que les feuilles des iris sans barbe meurent. À moins que les limaces et autres ravageurs ne constituent un réel danger, ne pas les supprimer, car elles protègent les racines des dommages que peut leur causer le gel.

Au printemps, enlever et détruire toutes les feuilles mortes. Ne pas les mettre dans le tas de compost à cause des maladies ou des œufs d'insectes qu'elles peuvent receler.

Éviter d'ameublir la terre à proximité des plants car les iris sans barbe ont des racines superficielles. Arracher les mauvaises herbes à la main ou disposer un épais paillis autour des plants au début du printemps. Le paillis empêche la croissance des graminées indésirables, réduit l'éva-

poration et garde la terre fraîche durant les grandes chaleurs.

Supprimer les fleurs fanées, sinon elles formeront des graines, privant ainsi la plante d'une grande somme d'énergie. En outre, ces graines pourraient tomber sur le sol et y germer. Il naîtrait des plantules qui finiraient par étouffer le massif.

S'il ne pleut pas beaucoup au printemps, arroser généreusement les plates-bandes, en se rappelant qu'un seul arrosage abondant est préférable à plusieurs arrosages parcimonieux.

Fertiliser le sol dès qu'il est devenu malléable au printemps et recommencer après la floraison. Donner les doses suggérées par le fabricant.

Ne pas s'inquiéter si les iris Spuria ne fleurissent pas tout de suite. Ils sont en effet lents à s'établir et peuvent mettre jusqu'à deux ans avant de fleurir normalement

PAILLER AU PRINTEMPS

Combler les paillis dispersés par le vent pour éviter mauvaises herbes et sécheresse.

SUPPRIMER LES GRAINES

Les capsules de graines doivent être supprimées pour empêcher la germination spontanée.

Les hybrides modernes d'iris ont de grosses fleurs de couleurs claires. L'iris à barbe 'Stepping Out' a mérité la plus haute récompense de l'American Iris Society.

Iris 'Stepping Out'

Tuteurage et taille des iris à barbe

Les quelques grands iris à barbe dont les tiges ne sont pas rigides doivent être tuteurés à la fin du printemps, dès l'apparition des hampes florales. Utiliser des tuteurs de 90 cm et y assujettir la hampe au moyen d'une ficelle souple.

Il arrive qu'une partie du feuillage brunisse ou se flétrisse aux extrémités avant la floraison. Déchirer à la main les morceaux de feuilles abîmés ou couper les extrémités brunies avec des ciseaux.

Après la floraison, on remarque parfois que les grands rhizomes ont produit de petits rhizomes garnis d'un éventail de feuilles. Dans ce cas, rabattre les hampes florales au ras des rhizomes pour que l'eau n'imprègne pas les tiges, ce qui entraînerait la pourriture des rhizomes.

S'il ne s'est pas formé de rejets, rabattre les hampes jusqu'à un point situé sous la fleur la plus basse. Cela encouragera les iris à en produire.

TUTEURAGE

À la fin du printemps, tuteurer les tiges faibles des grands iris à barbe. Les fixer au tuteur par un nœud lâche.

SUPPRESSION DES HAMPES FLEURIES

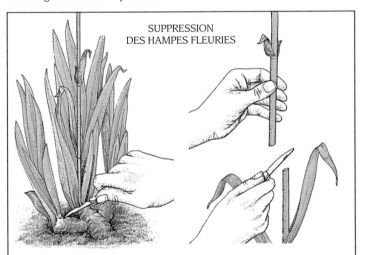

Lorsque les fleurs sont fanées, supprimer les hampes avant que les graines se forment. S'il y a des rejets (à gauche), couper les hampes près du rhizome pour empêcher l'accumulation néfaste d'eau. S'il n'y en a pas (à droite), couper les hampes sous les fleurs les plus basses.

Ravageurs et maladies qui menacent les iris

Vérifier souvent le feuillage et les rhizomes des iris pour dépister ravageurs et maladies. Voir au chapitre « Ravageurs et maladies », à la page 474, les symptômes non décrits ici, et les noms commerciaux des produits recommandés aux pages 510 à 512.

Symptômes	Cause	Traitement*
Tiges et hampes déformées.	Pucerons	Application de savon insecticide ou de pyréthrine sur le feuillage une fois par semaine.
À la mi-printemps, entailles en dents de scie sur les marges des jeunes feuilles. Plus tard, galeries creusées par les larves dans les rhizomes.	Tenthrèdes de l'iris	Vaporisation du feuillage au roténone ou au pyrèthre une fois par semaine du début du printemps jusqu'à la floraison. Détremper le sol avec du diméthoate.
Par temps humide, grandes taches irrégulières sur les feuilles ; un liquide visqueux s'en échappe.	Feu bactérien	Éliminer les feuilles atteintes et les débris de feuilles dans les plates-bandes. Détremper le plant et le sol alentour avec de la streptomycine.
Rhizomes pulpeux, malodorants ; boutons de fleurs souvent détruits. Apparition des symptômes du début du printemps à la mi-été quand les tenthrèdes sont actifs.	Pourriture molle bactérienne	Ôter les parties molles. Traiter les plaies à l'eau de Javel diluée de moitié. Application préventive de streptomycine au début du printemps ou en période humide.
Pourriture sèche à la base des feuilles ; extrémités nécrosées. La pourriture gagne les rhizomes. De fines toiles couvrent le sol et finissent par sécher et ressembler à des graines.	Pourridié sclérotique (sclérotium)	Enlever et détruire les parties atteintes du rhizome. Si le rhizome de l'iris à barbe est invisible, gratter la terre alentour.
Taches ovales et jaunes sur les feuilles en début d'été. Souvent, les feuilles brunissent et meurent.	Tache foliaire (champignon)	Détruire le feuillage mort. Couper le feuillage vert en dessous des taches. Vaporisation hebdomadaire de manèbe ou de zinèbe, printemps et été.
Rayures vert-jaune et pâles sur le feuillage. Pétales tachetés par temps humide.	Mosaïque (virus)	Choisir des variétés qui résistent aux viroses. Employer du savon insecticide contre les pucerons.
Chez les grands iris à barbe. Rhizomes et feuilles brunissent. Feuillage maladif d'aspect brûlé.	Insolation	Aucun traitement connu. Arracher et détruire les plants atteints.
Pourriture visible sur les racines et les rhizomes. La maladie pénètre par des blessures dans les rhizomes ; se produit par temps froid.	Pourriture hivernale (champignon)	Couper et détruire les organes atteints. Faire tremper les plants sains 15 minutes dans une solution de calomel. Pailler les rhizomes en hiver.

* Certains produits sont interdits dans les localités qui ont adopté des règlements contre les pesticides. Voir aussi « Recettes maison et produits naturels », p. 512, et « Les amis du jardin », p. 515.

Division des rhizomes d'iris à barbe

Les rhizomes d'iris à barbe se ramifient à plusieurs reprises au fil des ans, si bien que les souches finissent par devenir un enchevêtrement qu'étouffent les vieux rhizomes dépourvus de feuilles. Ne pas diviser les souches, c'est épuiser le sol et laisser la masse du feuillage priver les racines d'air et de soleil. Les souches enchevêtrées fleurissent mal et sont plus exposées aux ravageurs et aux maladies.

La division s'effectue de préférence à l'époque recommandée pour la plantation initiale. Dégager et soulever délicatement chaque touffe avec une fourche à bêcher plutôt qu'avec une pelle qui risque d'endommager racines et rhizomes.

Avec un couteau à lame solide et bien aiguisée, diviser les jeunes rhizomes en plusieurs segments munis de quelques bonnes racines et de un ou deux éventails de feuilles saines. Laver les racines au tuyau d'arrosage réglé à faible pression. Supprimer les vieux rhizomes du centre.

Tailler les feuilles comme indiqué ci-contre et repiquer les segments de rhizomes en suivant les instructions données à la page 295.

1. *Les grosses touffes d'iris à barbe ne fleurissent plus.*

2. *Ameublir le sol. Dégager la touffe avec un mouvement de balancement.*

3. *Couper les jeunes rhizomes externes en gardant un ou deux éventails.*

4. *Éliminer à la main les feuilles abîmées. Ne garder que les saines.*

5. *Couper le feuillage en éventail. Supprimer les racines abîmées.*

6. *Remplir le trou en laissant les feuilles à découvert. Arroser.*

Division des rhizomes d'iris sans barbe

Lorsque le centre des grosses touffes s'anémie, on peut en conclure que le sol est épuisé. Diviser alors les rhizomes à l'époque recommandée pour la plantation.

Les rhizomes de certains iris sans barbe doivent être manipulés avec le plus grand soin: ils sont en effet beaucoup plus petits et plus minces que ceux des iris à barbe.

La touffe sera plus facile à arracher si l'on rabat le feuillage à environ 25 cm. Supprimer en même temps les feuilles mortes qui encombrent le centre de la touffe. Ameublir le sol autour de la souche à l'aide d'une fourche à bêcher en la manipulant comme un levier. Diviser chaque pied en segments comportant cinq à neuf pousses.

Ne laisser que six feuilles environ par segment. Enlever délicatement à l'eau courante la terre qui adhère aux racines et supprimer les racines abîmées ou pourries.

Ne pas laisser les segments se dessécher. S'il est impossible de les repiquer immédiatement, les enfermer dans des sacs de plastique en laissant les feuilles à l'extérieur, et les garder dans un endroit ombragé et protégé du vent. Effectuer le repiquage comme indiqué à la page 296.

1. *Avant de déterrer les iris sans barbe, rabattre les feuilles et les jeter.*

2. *Diviser les touffes, couper les racines, puis repiquer les éclats.*

Iris forrestii

Iris sibirica 'Butter & Sugar'

Iris chrysographes

Les iris ici sont tous du groupe de Sibérie. I. forrestii *s'élève à 45 cm de hauteur,* 'Butter & Sugar' *atteint le double, tandis que* I. chrysographes, *avec ses fleurs d'un noir violacé, s'arrête à 50 cm.*

Comment obtenir des iris hybrides

L'amateur consciencieux peut essayer d'obtenir des iris hybrides au moyen de la pollinisation croisée. Ce sont les iris à barbe qui se multiplient le plus facilement de cette façon.

Prendre deux plants ayant chacun des fleurs. Au moyen d'une petite pince, prélever sur une fleur d'un des plants une anthère couverte de pollen. Sur le second plant, dégager les trois stigmates d'une fleur et secouer le pollen pour qu'il tombe sur la lèvre ou le bord extérieur des stigmates. N'employer que du pollen sec.

Enlever les sépales de la deuxième fleur pour éviter tout risque de pollinisation par des insectes.

Étiqueter chaque fleur en indiquant le nom des parents (mère d'abord) et la date de la fécondation.

Lorsque la capsule commence à gonfler, enlever les bractées foliaires de la tige pour l'empêcher de pourrir. Tuteurer chaque capsule.

La maturation demande environ huit semaines. Quand la capsule s'ouvre, les graines sont mûres.

Planter les graines dans un mélange de terre végétale tamisée, de tourbe et de sable grossier. Placer sous châssis froid. On peut aussi semer les graines en plates-bandes pourvu qu'on puisse les y laisser jusqu'à germination (parfois trois ans), en gardant toujours le sol humide.

Repiquer les plantules à la fin du printemps quand elles ont entre 2,5 et 5 cm de haut. Laisser 20 à 25 cm d'espace entre les grands iris à barbe, et 8 cm entre les iris miniatures. Espacer les lignes d'au moins 40 cm. Arroser; fertiliser avec un engrais fortement dilué.

Lorsque les jeunes plants commencent à fleurir, voir si les éventails de feuilles sont satisfaisants et si les hampes florales ne sont ni trop épaisses ni trop fines. Les tiges porteront trois branches et un rameau terminal garni de six à huit boutons floraux.

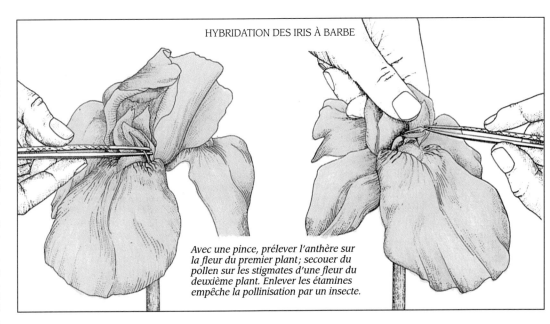
HYBRIDATION DES IRIS À BARBE

Avec une pince, prélever l'anthère sur la fleur du premier plant; secouer du pollen sur les stigmates d'une fleur du deuxième plant. Enlever les étamines empêche la pollinisation par un insecte.

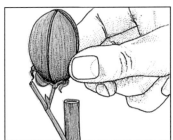
1. *Quand la capsule gonfle, enlever les bractées de la tige et tuteurer.*

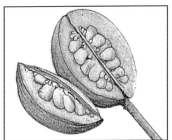
2. *Quand la capsule brunit et s'ouvre, recueillir les graines.*

3. *Les semer à 1,5 cm de profondeur dans du mélange humide.*

4. *Arroser peu mais fréquemment, surtout durant la germination.*

5. *Un châssis froid protège les plantules de la pluie et du froid.*

6. *Repiquer les plantules au printemps. Fertiliser plus tard. Arroser.*

Iris 'Harmony' et I. danfordiae *font partie du groupe reticulata. Ils sont destinés aux rocailles et fleurissent au printemps.*

Iris 'Harmony'

Iris danfordiae

Iris laevigata ➡

Culture des iris bulbeux

Grâce à leurs fleurs qui s'épanouissent successivement, les iris bulbeux sont des sujets intéressants pour constituer le jardin.

D'abord apparaissent les iris reticulata qui fleurissent à partir de la fin de l'hiver jusqu'à la mi-printemps. Leur forme unique et leurs couleurs voyantes ne manquent jamais d'attirer l'attention.

Plantation des iris bulbeux

À l'exception de certaines divergences mineures précisées ci-dessous, tous les iris bulbeux exigent un sol bien drainé et une exposition au soleil.

Un sol bien drainé est essentiel. Il est donc préférable de planter les iris dans des plates-bandes surélevées de terre presque neutre (pH de 6,5 à 7) et argileuse. Au début de l'automne, enfouir les bulbes à une profondeur de 5 cm en les espaçant de 15 à 25 cm. Les manipuler délicatement pour ne pas abîmer les racines longues et fragiles d'où émaneront en saison les racines nourricières.

Les iris reticulata doivent être mis en terre entre le début et le milieu de

Soins à donner aux iris bulbeux

Durant la période active, examiner fréquemment les plates-bandes pour détecter ravageurs et maladies. Les dommages sont généralement réparables lorsqu'ils sont pris à temps.

Supprimer les fleurs fanées. Une fois la période de floraison terminée, épandre de l'engrais 5-10-10 sur les plates-bandes et le faire pénétrer par griffage à 2,5 cm dans le sol. Arroser abondamment, surtout par temps sec, et cesser les arrosages en été.

Refaire les paillis si nécessaire. Si des mauvaises herbes pointent à travers, les arracher à la main.

Laisser le feuillage arriver à maturité avant de le supprimer, sinon les

Ils sont suivis des iris Juno dont la période de floraison, qui se situe à la mi-printemps, chevauche un peu celle des iris reticulata.

Du début au milieu de l'été, c'est au tour des iris de Hollande, d'Espagne et d'Angleterre d'apparaître.

On se souviendra que les périodes de floraison varient évidemment en fonction du climat.

l'automne, à 7,5 cm de profondeur, dans des plates-bandes surélevées; les espacer de 7,5 cm également. Mélanger beaucoup de sable grossier au sol; un drainage insuffisant leur serait fatal.

Planter les iris de Hollande et d'Espagne dans le même genre de plates-bandes à la mi-automne, à une profondeur de 10 cm en climat froid et de 6,5 cm en climat doux. Ces bulbes ont besoin d'être remplacés tous les deux ans, même s'ils sont cultivés correctement.

Les iris d'Angleterre durent un peu plus longtemps que les précédents. ils demandent un sol légèrement acide et une exposition semi-ombragée. Les planter à 15 cm de profondeur au début de l'automne.

bulbes ne donneront pas de bons résultats l'année suivante.

Pour dissimuler le feuillage des iris durant cette période, on suggère parfois de semer entre eux des plantes annuelles. Ne pas le faire cependant si l'on doit diviser les bulbes.

Pour diviser les iris de Hollande et d'Espagne, les déterrer quand le feuillage est flétri, et les laisser sécher pendant trois semaines dans un endroit ombragé et bien aéré. Lorsqu'ils sont prêts, les diviser et les entreposer dans un endroit sec. Les planter au milieu de l'automne.

Dans les régions à climat froid, protéger au moyen d'un paillis les iris de Hollande et d'Espagne, car le feuillage se développe en automne chez ces deux espèces.

Multiplication par division des iris bulbeux

Tous les iris bulbeux se multiplient par séparation des bulbes et des caïeux. Cette opération s'effectue quand le feuillage est flétri.

Déterrer délicatement les bulbes avec une fourche à bêcher. Enlever la terre qui adhère aux racines et laisser sécher les bulbes en surface pendant quelques semaines. Les diviser ensuite en prélevant les caïeux un à un et en leur conservant quelques racines. Jeter ceux qui sont pourris.

Les planter à l'époque recommandée pour chaque variété. Suivre à la lettre les recommandations concernant la nature et le drainage du sol, l'exposition au soleil et la profondeur de plantation.

Les gros caïeux fleuriront l'année suivante et les petits deux ans plus tard. Les planter à 2,5 cm de profondeur dans des plates-bandes à semis composées d'une terre légère et meuble. Mélanger au sol une poignée de poudre d'os par mètre carré.

Les caïeux d'iris Juno doivent être munis d'au moins une racine nourricière. Prendre grand soin de ne pas abîmer cette racine. Les bulbes qui n'en ont pas doivent refaire leur système radiculaire au complet, ce qui les affaiblit et peut retarder la floraison de deux ans. Ne pas non plus laisser les racines des iris Juno se dessécher. Remettre les caïeux en terre après la division.

Si les bulbes des iris de Hollande et d'Espagne ne fleurissent pas après avoir été divisés, les remplacer.

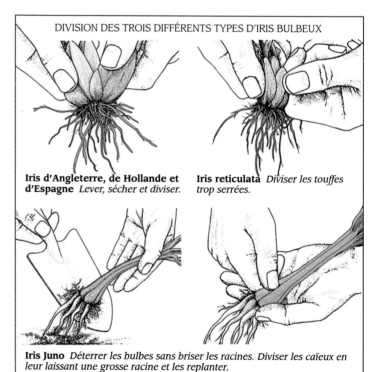

DIVISION DES TROIS DIFFÉRENTS TYPES D'IRIS BULBEUX

Iris d'Angleterre, de Hollande et d'Espagne *Lever, sécher et diviser.*

Iris reticulata *Diviser les touffes trop serrées.*

Iris Juno *Déterrer les bulbes sans briser les racines. Diviser les caïeux en leur laissant une grosse racine et les replanter.*

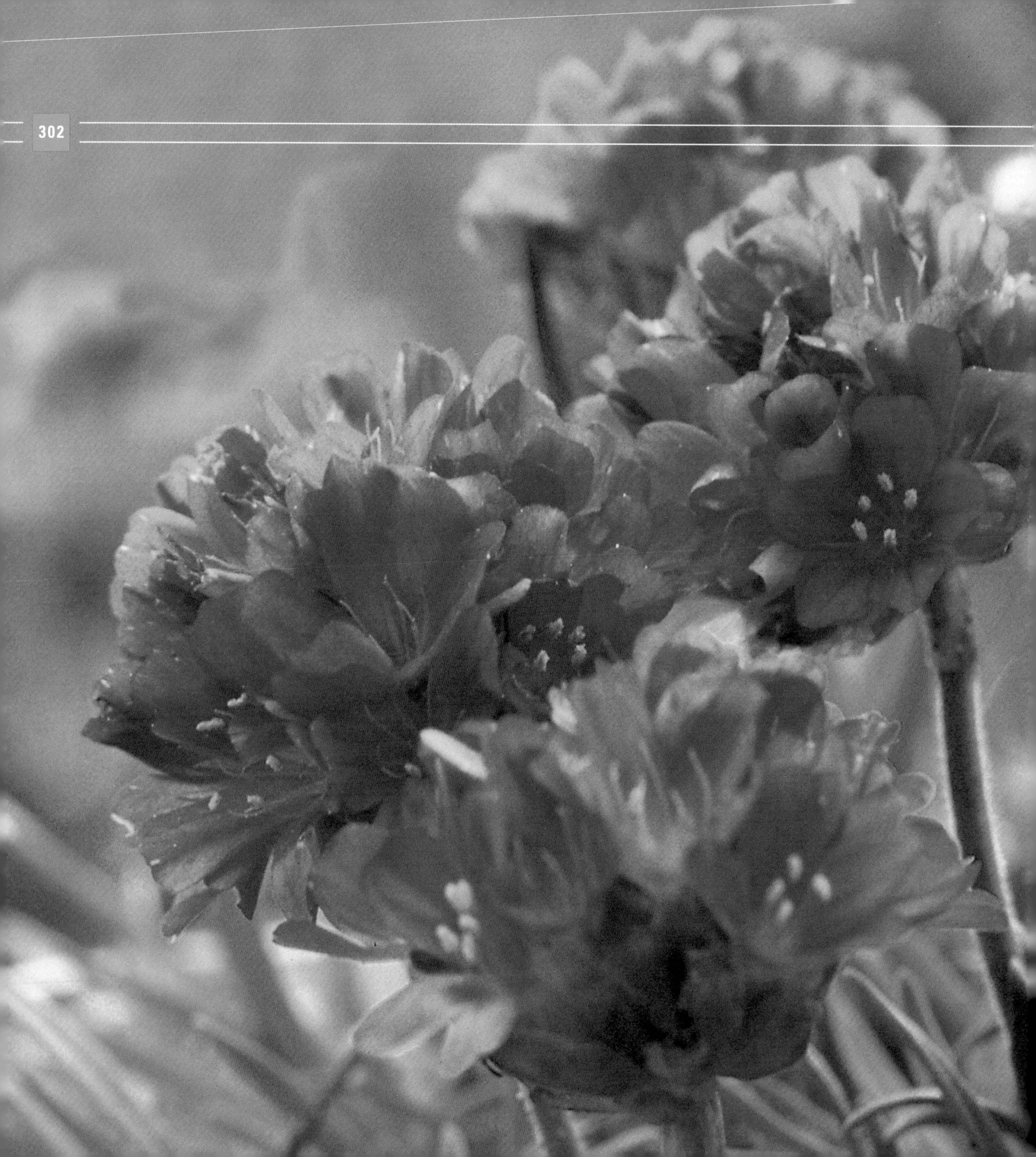

On l'appelle
œillet marin
ou gazon d'Espagne
(Armeria maritima).
Ses fleurs globuleu-
ses, rose fuchsia chez
'Dusseldorf Pride',
atteignent 20 cm.

PLANTES DE ROCAILLE

Le jardin de rocaille évoque en petit un paysage de montagne. Il se compose de plantes alpines aux formes raffinées, habituées à vivre en terrain rocailleux.

La plupart des plantes de rocaille sont originaires de régions montagneuses. Elles sont très rustiques et s'accommodent d'une terre ingrate. Certaines d'entre elles tolèrent aussi les vents desséchants. Elles se cultivent facilement dans un sol bien drainé.

Les plantes alpines ont bien des atouts. Leurs couleurs éclatantes en font un bel ornement au jardin, tandis que leur taille permet de les installer partout, aussi bien dans des bacs que dans la plus petite des plates-bandes. Enfin, dès qu'elles sont établies, elles ne réclament qu'un désherbage périodique.

Dans leur milieu d'origine, ces plantes ont l'habitude d'être protégées en hiver par une épaisse couche de neige. Elles ont une courte période active et ne souffrent pas de la chaleur et de l'humidité qui existent sous nos climats.

Là où les hivers, bien que rigoureux, ne s'accompagnent pas d'importantes chutes de neige, les plantes alpines exigeront la protection d'un paillis léger, de rameaux de pin par exemple. Le paillis doit être mis en place une fois que le sol est gelé.

Certaines plantes d'altitude se cultivent de préférence en serre « alpine », c'est-à-dire dans une serre froide ou à peine chauffée. La plupart d'entre elles, cependant, doivent être cultivées à l'extérieur, dans des jardins de rocaille conçus spécialement pour elles.

Le jardin de rocaille est généralement construit en pente. S'il est en terrain plat, on doit voir à ce qu'il s'égoutte bien. Son aménagement fait appel au principe de l'affleurement des couches. Enfouir à demi de grosses pierres dans le sol pour simuler un roc dont seule la partie supérieure apparaît. Choisir de préférence des pierres à arête, les pierres rondes devant être enfoncées plus profondément.

On peut aussi cultiver des plantes alpines dans un terrain plat entre des dalles ou dans un gazon alpin. Dans le premier cas, coucher les dalles sur un lit de sable ; laisser entre elles suffisamment d'espace pour y planter des espèces aromatiques qui dégageront leur parfum lorsqu'on les foulera du pied. Le gazon alpin se compose d'un tapis de plantes rampantes parmi lesquelles poussent des plantes bulbeuses. On s'en sert pour décorer les degrés inférieurs d'un jardin de rocaille.

Plantes de rocaille et plantes alpines se cultivent aussi en plates-bandes surélevées. On peut ainsi offrir à celles qui sont calcifuges, calcicoles ou de plein soleil, la terre, le drainage et la place qui leur conviennent.

Divers matériaux peuvent servir à construire des plates-bandes surélevées. Le plus souvent, on utilise des pierres que l'on superpose comme dans un mur de pierres sèches et dont on remplit les interstices de terre. Les plantes sont ensuite disposées de sorte qu'à la longue elles recouvrent les murets.

Des briques cimentées entre lesquelles on laisse des orifices pour l'égouttement conviennent aussi. Les traverses de chemin de fer ou de simples planches remplaceront avantageusement les pierres et les briques. Les blocs de ciment peuvent se prêter également à de jolis arrangements. Ces terrasses auront entre 15 et 90 cm, selon les goûts.

Avant d'entreprendre l'édification d'un jardin de rocaille, il est bon d'avoir un plan en tête et même de le mettre sur papier. On visitera avec profit les rocailles qui se trouvent dans les jardins botaniques ou les jardins privés. On s'adressera également aux clubs locaux de jardinage et aux sociétés horticoles ; consulter aussi les chroniques consacrées à l'horticulture dans les journaux.

Pour construire de toutes pièces un jardin de rocaille réussi et qui paraisse naturel, il faut tenir compte d'un certain nombre de principes fondamentaux. En aucun cas il ne faut essayer de reproduire dans son jardin une véritable montagne : l'effet serait tout bonnement désastreux. Les proportions seront plus justes — et le coup d'œil beaucoup plus évocateur — si l'on s'efforce de simuler un affleurement de rochers.

Le rapport entre la hauteur et la largeur est important. Prévoir 1,20 à 1,50 m de surface à la base pour chaque 30 cm d'élévation. Une rocaille qui s'élève à 1,20 m, par exemple, devrait mesurer 6 m de côté à la base. Une cascade murmurante ou un miroir d'eau peuplée de poissons ou de plantes aquatiques feront beaucoup d'effet, à condition de paraître naturels. (La façon de les aménager est décrite à la page 270.)

Il y a toujours une place au jardin pour des plantes de rocaille : en cascade du haut d'un muret, entre des dalles ou dans des contenants. Elles poussent en plein soleil mais tolèrent la mi-ombre et exigent un sol bien drainé.

L'ancolie alpine (Aquilegia alpina) étale dès le printemps ses fleurs d'un bleu sombre. Celles de la campanule cochleariifolia (Campanula cochleariifolia), en forme de clochette, attendent le milieu de l'été pour se répandre entre les roches.

Aquilegia alpina

Campanula cochleariifolia

Aménagement d'un jardin de rocaille

Lorsqu'on peut choisir ses pierres, on essaiera de garder l'uniformité de la couleur et de la texture. S'il faut en acheter, commander des pierres de tailles variées. Les plus grosses seront difficiles à déplacer et à installer, mais ce sont elles qui auront l'air le plus naturel une fois en place. Il en faut aussi de petites. On calcule que pour une rocaille de 3 m sur 5, il faut 1,5 à 2 tonnes de pierres.

On aura aussi besoin de cailloutis (pierres concassées de 5 mm de diamètre) qu'on disposera en surface autour des plants. Le choisir autant que possible d'une teinte qui se marie à celle des pierres.

Pour un jardin de rocaille, l'emplacement idéal est un terrain en pente douce, à l'abri des vents dominants. La plupart des plantes alpines prospèrent en plein soleil, mais elles tolèrent un site à demi ombragé par le feuillage d'un grand arbre placé à plusieurs mètres de là. Elles ne s'en portent que mieux lorsque le soleil est brûlant.

Il ne faut pas établir une rocaille sous un ou plusieurs arbres, ou dans un lieu très ombragé, à moins d'y cultiver seulement des plantes de sous-bois. Si le seul emplacement dont on dispose est très ombragé, on remédiera à la situation en éclaircissant la ramure des arbres ou en rabattant les branches inférieures.

Avant tout aménagement, débarrasser le sol des mauvaises herbes en les arrachant à la main ou en se servant d'un herbicide.

Les sols légers associés à des sous-sols caillouteux offrent un bon égouttement naturel. Mais lorsqu'on se trouve en présence d'une terre de surface argileuse sur un sous-sol argileux, il faut exécuter des travaux de drainage pour améliorer la situation, surtout si le terrain est plat.

Creuser des tranchées inclinées de 45 cm de profondeur en les espaçant de 90 cm à 1,80 m. Les remplir à mi-hauteur de cailloux, de briques concassées ou de pierraille. Les recouvrir ensuite d'une couche de gazon re-

tourné ou de plusieurs centimètres de gravier ou de tourbe grossière. Combler avec de la terre.

Il n'est pas recommandé de retourner en profondeur les sols sablonneux qui s'égouttent bien, avant d'y installer les pierres.

Une fois le site nettoyé et le bon égouttement assuré, on peut entreprendre la construction de la rocaille. Clore le terrain avec des pierres disposées en L. Utiliser la plus grosse comme pierre d'angle, puis former les deux branches du L avec des pierres de grosseur décroissante, les dernières disparaissant presque dans le sol. Si l'effet est réussi, on aura l'impression qu'un roc affleure à cet endroit.

Lorsque la rocaille est en pente, il faut placer les pierres de façon qu'elles empêchent l'eau de ruisseler en surface et lui permettent au contraire de pénétrer dans le sol.

Pour obtenir une pente exposée au sud alors même que le terrain présente une inclinaison vers le nord, superposer des pierres dans l'angle du L de manière à changer l'orientation de la déclivité du sol.

Pour améliorer l'égouttement, disposer les pierres de façon que leurs points de jonction s'alignent horizontalement et verticalement. Ne pas recouvrir d'une pierre le point de jonction de deux autres pierres. Enfin, les strates de toutes les pierres doivent se trouver à l'horizontale.

Une fois que les pierres sont toutes installées et bien assises dans leur lit, remplir l'espace entre les branches du L avec une terre qui s'égoutte bien, préparée selon la recette suivante. Mélanger du cailloutis (½) de 5 mm, de l'humus (¼) et de la tourbe (¼). Étendre à la pelle ce mélange entre les branches du L jusqu'à ce qu'il soit à égalité avec le dessus des pierres. Le fouler légèrement pour le tasser. Garder une partie du mélange pour terminer le remplissage après que la terre se sera affaissée.

Lorsqu'on a terminé une terrasse, on peut en entreprendre une ou plu-

sieurs autres en gradins derrière celle-ci ou à côté.

Dix jours plus tard environ (plus tôt s'il a beaucoup plu), le sol se sera tassé. Rajouter alors du mélange jusqu'au niveau voulu et niveler la surface avec un râteau. Enfin, épandre en guise de paillis une couche de 1,5 à 2,5 cm de cailloutis de 5 mm et niveler avec le râteau.

1. *Former un L avec une grosse pierre d'angle et d'autres progressivement plus petites. Remplir les interstices d'une terre qui s'égoutte bien.*

2. *Construire d'autres terrasses derrière ou à côté de la première. De petites pierres placées au hasard peuvent décorer chacune d'elles.*

3. *Continuer de la sorte tant que l'espace le permet. Se rappeler que la largeur d'une rocaille doit être quatre à cinq fois supérieure à sa hauteur.*

Le daphné odorant (Daphne cneorum) est un arbuste miniature à feuillage persistant. La variété 'Eximia' porte des fleurs rose foncé.

Daphne cneorum 'Eximia'

Plantes de rocaille sans rocaille

Une plate-bande surélevée

La plate-bande surélevée convient à merveille aux rhododendrons nains, aux bruyères et à toutes les plantes qui prospèrent en sol acide et humifère. On peut la construire avec des traverses de chemin de fer, des rondins ou des madriers à la hauteur qu'on désire ; néanmoins, il est d'usage de ne pas dépasser 60 cm.

Elle doit être placée dans un lieu dégagé, mais près d'arbres qui lui donneront un peu d'ombre durant les grandes chaleurs. Si elle exige plus qu'une seule section du matériau choisi, on peut dissimuler le point de jonction en y faisant pousser des plantes qui raffolent des fissures verticales, comme les fougères, et demandent un sol acide, comme l'arbousier, la ramonde ou l'airelle des montagnes.

Remplir la plate-bande d'un mélange à volume égal de terreau et de mousse. Fertiliser chaque printemps en choisissant un engrais acide pour rhododendrons. Arroser généreusement en périodes de sécheresse.

Une plate-bande surélevée remplie d'une terre acide et humifère permet de cultiver des rhododendrons nains, des bruyères et des fougères en sol calcaire.

Sentiers, terrasses, murets et plantes de rocaille

Pour égayer un sentier de jardin, surtout quand il est droit, on peut le border — ou le parsemer — de plantes de rocaille.

On peut, de la même façon, ajouter un charme particulier à une terrasse dallée. Il suffit, dès sa construction, de prévoir des vides entre les dalles. On y fera pousser des plantes tapissantes robustes comme le thym qui résiste au piétinement et émet une odeur délectable.

Pour obtenir un effet tridimensionnel, mettre une ou deux plantes plus hautes dans les coins ou les bordures, là où l'on ne marche pas. Iris, conifères et arbustes nains y feront merveille.

Si on fréquente peu le sentier ou la terrasse en hiver, on peut y planter des bulbes nains, comme des crocus ou des muscaris, qui mettront de la couleur au début du printemps.

Les murets protégés du violent soleil de midi sont l'endroit idéal où faire pousser des plantes de rocaille vigoureuses dont les fleurs et les feuilles produiront le plus charmant effet. En choisissant les bonnes variétés, on peut en faire des centres d'intérêt à longueur d'année.

Si le mur est à l'ombre ou en milieu humide, certaines plantes comme les fougères et les saxifrages mousses s'y plairont et y prospéreront.

Le jardin de cailloutis : joli et peu encombrant

Quand on manque d'espace, le jardin de cailloutis est une heureuse alternative au jardin de rocaille car il permet d'y cultiver à peu près les mêmes plantes. Certaines y prospèrent même mieux que dans une véritable rocaille à cause de son excellent égouttement.

Choisir un terrain en pente légère. Une orientation sud ou ouest est idéale, de même que la présence d'un affleurement rocheux. Mais il faut surtout que les pierres assurent le drainage du sol, ainsi que son hydratation au printemps et en été.

Creuser un trou de 60 à 90 cm de profondeur. Mettre au fond une couche de 15 cm de cailloux, de briques ou de pierraille pour assurer l'égouttement. Couvrir avec du gazon en rouleaux, herbe dessous, si vous en avez, ou avec du foin de prés salés, de la paille ou des feuilles.

Remplir le trou avec un mélange comportant deux volumes de cailloutis de 5 mm, un volume de compost de feuille ou de mousse et un volume de terre. Si la terre est lourde, l'alléger avec du sable.

Au début du printemps, chaque année, surfacer sur 1 cm avec un mélange à volume égal de mousse (ou de compost) et de cailloutis (ou de sable grossier), additionné de 2 c. à soupe de superphosphate ou de poudre d'os par seau du mélange.

La plupart des plantes à vasques ou à bacs viennent bien en cailloutis.

On en trouvera la liste dans le tableau qui commence à la page 308.

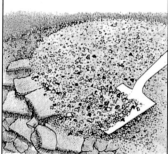

FAIRE UN JARDIN DE CAILLOUTIS

Creuser un trou de 60 à 90 cm. Y mettre 15 cm de matériaux de drainage. Couvrir de compost ou de feuilles. Remplir avec un mélange de cailloutis, de mousse et de terre.

Murs et murets, sentiers et terrasses dallées peuvent s'orner de fleurs tout l'été. Pour les sentiers, choisir des plantes qui supportent d'être piétinées.

L'œillet deltoïde (Dianthus deltoides), une vivace tapissante, affectionne la mi-ombre. La dryade à huit pétales (Dryas octopetala), quant à elle, recherche le soleil.

Dianthus deltoides 'Brilliant'

Dryas octopetala

Plantation d'un jardin de rocaille

La meilleure façon de réussir ses plantes de rocaille, c'est de les mettre en terre au printemps ou au début de l'automne. Lorsqu'on les achète en pots, cependant, on peut les repiquer en été puisque leurs racines seront peu touchées par la transplantation.

Pour dépoter un plant, le tenir à l'envers, en maintenant la tige entre deux doigts. Dégager le pot ou le déchirer s'il est en papier ou en matière fibreuse. S'il est en plastique ou en grès, frapper fermement le rebord contre un objet dur pour décoller la motte de terre et de racines.

Avec un transplantoir, creuser un trou d'une profondeur égale à la hauteur de la motte de racines. Asseoir le plant dans le trou et remplir de terre. Fouler avec les doigts ou le manche du transplantoir ; remettre en place le cailloutis qu'on a dû d'abord enlever et arroser modérément.

Les plantules obtenues par semis à l'intérieur, les boutures enracinées ou les éclats de plante seront repiqués directement dans la rocaille.

Arbustes et conifères dressés sont placés de préférence au pied des pierres, tandis que les formes prostrées paraissent mieux dans les terrasses supérieures où leurs rameaux, en poussant, pourront descendre en cascade du haut des murets.

Les plantes à rosettes seront placées dans des fissures verticales où elles courront moins le risque de pourrir. Commencer par les dépoter, puis enlever le matériel d'égouttement qui adhère aux mottes. Vérifier ensuite si elles tiennent dans la fissure. Le cas échéant, mettre de la terre dans le trou, y installer une plante et finir de remplir avec un mélange de terre et de gravier. Cette plantation se fait de préférence au moment où l'on installe la rocaille.

Les grosses plantes iront dans les angles que forment les pierres entre elles. Les transplanter par temps humide, en gardant une grosse motte de terre autour des racines. Au besoin, utiliser un levier pour soulever les pierres et insérer la racine. Pour finir, fouler la terre et arroser.

Placer les plantes à croissance rapide à des endroits où elles ne peuvent pas nuire aux autres. Pour plus de détails sur le choix des plantes, consulter le tableau, page 308.

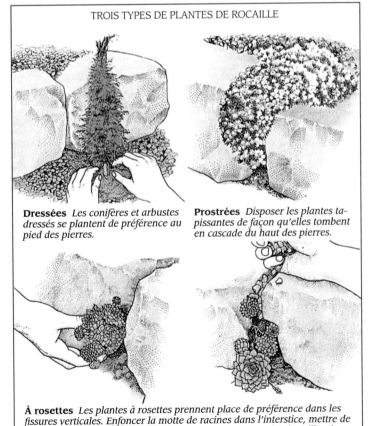

TROIS TYPES DE PLANTES DE ROCAILLE

Dressées *Les conifères et arbustes dressés se plantent de préférence au pied des pierres.*

Prostrées *Disposer les plantes tapissantes de façon qu'elles tombent en cascade du haut des pierres.*

À rosettes *Les plantes à rosettes prennent place de préférence dans les fissures verticales. Enfoncer la motte de racines dans l'interstice, mettre de la terre en dessous et par-dessus et recouvrir d'une couche de cailloutis.*

Ravageurs et maladies des plantes de rocaille

Si un sujet présente des symptômes non décrits ici, se reporter au chapitre «Ravageurs et maladies», qui commence à la page 474. On trouvera à partir de la page 510 les noms commerciaux des produits chimiques recommandés.

Symptômes	Cause	Traitement*
Tiges florales ou jeunes pousses malingres ou déformées ; insectes gluants verts, roses ou noirs.	Pucerons	Vaporisation de savon insecticide, pyréthrine ou perméthrine.
Feuilles dévorées. Pas de traces de bave.	Chenilles	Vaporisation de carbaryl, de *Bacillus thuringiensis* ou de roténone. Dépister les chenilles et les enlever à la main.
Tiges attaquées au ras du sol ou juste en dessous.	Vers gris (aussi certaines chenilles)	Imbiber le sol de Diazinon, de malathion ou de méthoxychlore.
Feuilles et jeunes pousses dévorées. Traces de bave apparentes sur les plants ou autour.	Limaces ou escargots	Appâts à base de métaldéhyde autour des plants ou soucoupes de bière.
Moisissure grise sur des taches brunes par temps humide.	Pourriture grise (botrytis)	Vaporisation de bénomyl ou de thirame.
Taches brunes sur les plantes tapissantes.	Vieillissement.	Bouturer les organes sains.
	Des nids de fourmis mènent l'eau trop rapidement vers les couches profondes du sol.	Arrosage d'insecticide à fourmis et foulage du sol autour des plants. Si les taches brunes ont tout envahi, prélever les organes sains, supprimer le reste.
	Sécheresse excessive.	Arroser régulièrement durant les périodes de sécheresse.

* Certains produits sont interdits dans les localités qui ont adopté des règlements contre les pesticides. Voir aussi «Recettes maison et produits naturels», p. 512, et «Les amis du jardin», p. 515.

Plusieurs espèces
d'alyssum sont
des plantes prostrées
à feuillage persistant
qui fleurissent
au début de l'été.

Alyssum wulfenianum

Petit guide des plantes de rocaille

Les plantes ci-dessous se cultivent bien dans un jardin de rocaille. Bon nombre peuvent servir à décorer des allées, des sites alpins, des jardins de cailloutis et des murs de soutènement. On peut également les installer à l'avant de bordures mixtes dont le sol est bien drainé. Toutes viennent très bien dans des contenants.

La plupart des plantes alpines fleurissent au printemps. En faisant un choix judicieux, cependant, on peut réunir des espèces qui fleuriront à tour de rôle tout l'été. Autre solution : associer quelques plantes bulbeuses naines à floraison hâtive et tardive.

Le terme « plante de rocaille » évoque l'habitat naturel du sujet. Il peut s'agir d'arbustes, de plantes vivaces ou de bulbes. Pour avoir plus de détails sur leurs modes de reproduction et sur la façon de les multiplier, on se reportera aux chapitres traitant de ces rubriques.

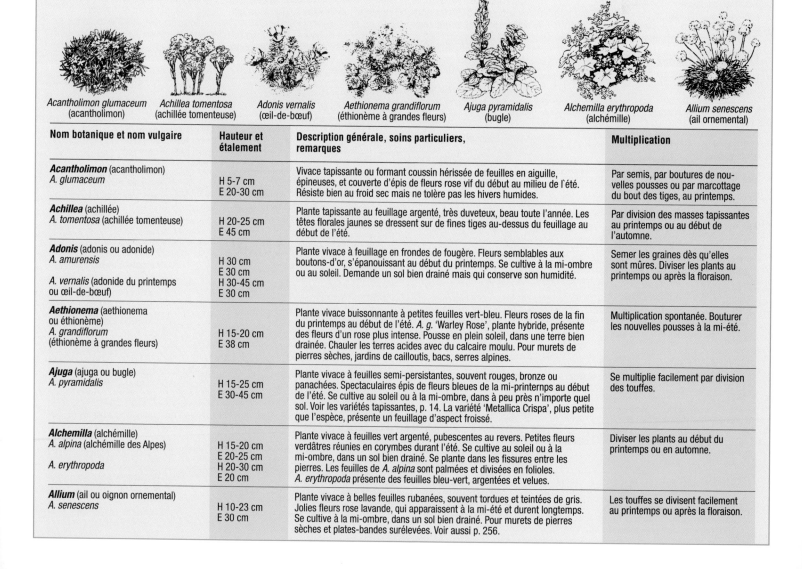

Acantholimon glumaceum (acantholimon) — *Achillea tomentosa* (achillée tomenteuse) — *Adonis vernalis* (œil-de-bœuf) — *Aethionema grandiflorum* (éthionème à grandes fleurs) — *Ajuga pyramidalis* (bugle) — *Alchemilla erythropoda* (alchémille) — *Allium senescens* (ail ornemental)

Nom botanique et nom vulgaire	Hauteur et étalement	Description générale, soins particuliers, remarques	Multiplication
Acantholimon (acantholimon) *A. glumaceum*	H 5-7 cm E 20-30 cm	Vivace tapissante ou formant coussin hérissée de feuilles en aiguille, épineuses, et couverte d'épis de fleurs rose vif du début au milieu de l'été. Résiste bien au froid sec mais ne tolère pas les hivers humides.	Par semis, par boutures de nouvelles pousses ou par marcottage du bout des tiges, au printemps.
Achillea (achillée) *A. tomentosa* (achillée tomenteuse)	H 20-25 cm E 45 cm	Plante tapissante au feuillage argenté, très duveteux, beau toute l'année. Les têtes florales jaunes se dressent sur de fines tiges au-dessus du feuillage au début de l'été.	Par division des masses tapissantes au printemps ou au début de l'automne.
Adonis (adonis ou adonide) *A. amurensis* *A. vernalis* (adonide du printemps ou œil-de-bœuf)	H 30 cm E 30 cm H 30-45 cm E 30 cm	Plante vivace à feuillage en frondes de fougère. Fleurs semblables aux boutons-d'or, s'épanouissant au début du printemps. Se cultive à la mi-ombre ou au soleil. Demande un sol bien drainé mais qui conserve son humidité.	Semer les graines dès qu'elles sont mûres. Diviser les plants au printemps ou après la floraison.
Aethionema (aethionema ou éthionème) *A. grandiflorum* (éthionème à grandes fleurs)	H 15-20 cm E 38 cm	Plante vivace buissonnante à petites feuilles vert-bleu. Fleurs roses de la fin du printemps au début de l'été. *A. g.* 'Warley Rose', plante hybride, présente des fleurs d'un rose plus intense. Pousse en plein soleil, dans une terre bien drainée. Chauler les terres acides avec du calcaire moulu. Pour murets de pierres sèches, jardins de cailloutis, bacs, serres alpines.	Multiplication spontanée. Bouturer les nouvelles pousses à la mi-été.
Ajuga (ajuga ou bugle) *A. pyramidalis*	H 15-25 cm E 30-45 cm	Plante vivace à feuilles semi-persistantes, souvent rouges, bronze ou panachées. Spectaculaires épis de fleurs bleues de la mi-printemps au début de l'été. Se cultive au soleil ou à la mi-ombre, dans à peu près n'importe quel sol. Voir les variétés tapissantes, p. 14. La variété 'Metallica Crispa', plus petite que l'espèce, présente un feuillage d'aspect froissé.	Se multiplie facilement par division des touffes.
Alchemilla (alchémille) *A. alpina* (alchémille des Alpes) *A. erythropoda*	H 15-20 cm E 20-25 cm H 20-30 cm E 20 cm	Plante vivace à feuilles vert argenté, pubescentes au revers. Petites fleurs verdâtres réunies en corymbes durant l'été. Se cultive au soleil ou à la mi-ombre, dans un sol bien drainé. Se plante dans les fissures entre les pierres. Les feuilles de *A. alpina* sont palmées et divisées en folioles. *A. erythropoda* présente des feuilles bleu-vert, argentées et velues.	Diviser les plants au début du printemps ou en automne.
Allium (ail ou oignon ornemental) *A. senescens*	H 10-23 cm E 30 cm	Plante vivace à belles feuilles rubanées, souvent tordues et teintées de gris. Jolies fleurs rose lavande, qui apparaissent à la mi-été et durent longtemps. Se cultive à la mi-ombre, dans un sol bien drainé. Pour murets de pierres sèches et plates-bandes surélevées. Voir aussi p. 256.	Les touffes se divisent facilement au printemps ou après la floraison.

La toute petite Androsace sarmentosa, qui atteint à peine 5 cm de haut, demande un sol bien drainé. Anemonella a besoin de sol riche en humus, dans un coin ombragé.

Androsace sarmentosa

Anemonella thalictroides 'Rosea Plena'

Alyssum spinosum (alysse)	*Andromeda polifolia* (andromède)	*Androsace sarmentosa* (androsace)	*Anemone sylvestris* (anémone sauvage)

Anemonella thalictroides (anemonella)	*Antennaria dioica* (pied-de-chat)	*Anthyllis vulneraria* (anthyllis)	

Nom botanique et nom vulgaire	Hauteur et étalement	Description générale, soins particuliers, remarques	Multiplication
Alyssum (alysse ou alyssum) A. spinosum	H 15-20 cm E 23-25 cm	Sous-arbrisseau vivace à petites feuilles grises. Fleurs blanches ou roses réunies en bouquets touffus au début de l'été. Se cultive au soleil, dans un sol bien drainé. Voir aussi *Aurinia*.	Semer au printemps ou en automne. Multiplier par bouturage ou marcottage après la floraison.
A. wulfenianum	H 10-15 cm E 45 cm	Plante prostrée arborant des fleurs jaune vif, fleurissant longtemps, au début de l'été et parfois à nouveau à l'automne. Pour murets ou allées.	
Andromeda (andromède) A. polifolia (andromède glauque)	H 30 cm E 30 cm	Arbuste nain et étalé dont le feuillage persistant a des reflets bleutés. Délicates fleurs blanches ou roses du milieu à la fin du printemps. Se cultive en plein soleil ou à la mi-ombre, dans un sol riche en humus. Se marie bien aux rhododendrons et aux azalées nains, dans des plates-bandes surélevées ou des terrains marécageux.	Semer dans de la mousse de sphaigne. Diviser les touffes au printemps. Les boutures aoûtées s'enracinent dans un mélange de sable et de tourbe. Marcotter au printemps.
Androsace (androsace) A. sarmentosa	H 10-15 cm E 60 cm	Rosettes de feuilles persistantes velues. Porte des ombelles de petites fleurs roses du milieu à la fin du printemps. Se plaît dans une exposition au soleil ou à mi-ombre, dans un sol bien drainé. Pailler avec du gravier. Pour murs de pierres sèches, jardins de cailloutis et pots.	Séparer les nouvelles rosettes (qui se forment après la floraison) de la plante-mère et les laisser s'enraciner au milieu de l'été ; transplanter au printemps suivant.
A. sempervivoides	H 5-10 cm E 23-30 cm		
Anemone (anémone) A. ranunculoides (anémone fausse-renoncule)	H 5-10 cm E 45 cm	Feuilles vert foncé, très divisées, et fleurs jaune soutenu au printemps. Les organes aériens meurent après la floraison. La plante se multiplie lentement par ses rhizomes souterrains. Ombre partielle, boisés ou allées.	Diviser les touffes au début du printemps ou au début de l'automne.
A. sylvestris (anémone sauvage)	H 30-45 cm E 38-45 cm	Plante vivace poussant en touffes. Petites fleurs blanches, inclinées et parfumées, de 5 cm de diamètre, apparaissant à la fin du printemps. Se cultive à la mi-ombre, dans un sol riche en humus. La planter en groupes de plusieurs sujets dans un boisé ou dans une grosse rocaille.	
Anemonella (anemonella) A. thalictroides	H 10-25 cm E 13 cm	Plante vivace à racines tubéreuses portant de délicates folioles trilobées. Fleurs blanches ou roses, simples, semi-doubles ou doubles, de 1,5 cm, apparaissant de la fin du printemps au début de l'été. Se cultive à la mi-ombre, dans une terre riche en humus. Boisé ou poche ombragée d'une rocaille.	Diviser délicatement les tubercules (ils ressemblent à ceux du dahlia) après la floraison. Le feuillage meurt durant l'été.
Antennaria (antennaire) A. dioica (pied-de-chat)	H 5-10 cm E 45 cm	Plante vivace formant tapis, présentant des feuilles grises et laineuses à revers blancs. Inflorescences denses composées de fleurons gris parfois teintés de rose, du début au milieu de l'été. Se cultive en plein soleil, dans un sol sec et pauvre. S'associe bien à des petites plantes bulbeuses printanières ; convient aussi à un espace dallé ou un pot.	Se divise facilement au printemps ou en automne.
Anthyllis (anthyllis) A. vulneraria	H 8-15 cm E 25 cm	Plante légumineuse vivace formant tapis, à feuilles composées grises. Fleurs roses ou rouges ressemblant à celles du trèfle et s'épanouissant au début de l'été. Se cultive en plein soleil, dans un sol bien drainé. Murs de soutènement, espaces dallés, bacs.	Se multiplie par semis ou par division au début du printemps.

Les astilbes (Astilbe) se plaisent dans les sols humides, riches en humus. Sur un mur de pierres sèches, en plein soleil, les coussins d'aubriette (Aubrieta) éclatent en fleurs au début du printemps. 'Gurgedyke' a des fleurs simples pourpres.

Astilbe chinensis pumila

Aubrieta 'Gurgedyke'

Aquilegia flabellata alba (ancolie) — Arabis caucasica (arabette) — Arctostaphylos uva-ursi (raisin d'ours) — Arenaria montana (sabline des montagnes) — Armeria maritima (gazon d'Espagne) — Asarum europaeum (asaret d'Europe)

Nom botanique et nom vulgaire	Hauteur et étalement	Description générale, soins particuliers, remarques	Multiplication
Aquilegia (ancolie) A. alpina (ancolie alpine) A. caerulea (ancolie bleue) A. canadensis (ancolie du Canada) A. flabellata alba	H 30 cm E 30 cm H 75 cm E 45 cm H 30-60 cm E 45 cm H 15-30 cm E 30 cm	Plante vivace à nombreuses feuilles composées de folioles gracieuses, profondément découpées. Fleurs remarquables à éperons saillants à la fin du printemps et au début de l'été. Se cultive au soleil ou à la mi-ombre, dans un sol pauvre contenant de la tourbe et bien drainé. *A. f. alba*, à fleurs blanches et feuilles de teinte glauque, constitue une belle plante de rocaille qui vit assez longtemps. *A. alpina* a des fleurs bleues, *A. caerulea* des fleurs bleu et blanc, *A. canadensis* des fleurs rouge et jaune.	Semer au printemps ou en automne ; la germination est parfois lente. La plupart des ancolies se multiplient spontanément et abondamment. Certaines, comme *A. f. alba*, demeurent identiques à l'espèce.
Arabis (arabette ou arabis) A. caucasica (corbeille d'argent) A. c. 'Flore Pleno'	H 15-25 cm E 60 cm H 2,5-7,5 cm E 60 cm	Plante vivace tapissante à feuillage gris de texture douce. Grappes de fleurs parfumées et blanches apparaissant du milieu à la fin du printemps. *A. c.* 'Flore Pleno' présente des fleurs doubles qui durent longtemps. Se cultive en plein soleil, dans un sol bien drainé. Rabattre après la floraison. Murs de pierres sèches, espaces dallés et jardins de cailloutis.	Par semis. (La plante se multiplie spontanément si on ne la rabat pas après la floraison.) Par division ou par bouturage à la mi-été.
Arctostaphylos (arctostaphyle ou bousserole) A. uva-ursi (raisin d'ours)	H 5-10 cm E 38 cm	Arbuste rampant à feuilles persistantes et luisantes qui rougissent en hiver. Fleurs roses en forme d'urne apparaissant à la fin du printemps. Baies rouges, rustiques, en automne et en hiver. Se cultive au soleil ou à la mi-ombre, dans un sol acide, sablonneux ou pierreux, mais bien drainé. Bonne plante tapissante pour talus sablonneux ou rocailleux. 'Vancouver Jade' est de plus haute taille.	Les plantes sauvages se transplantent mal. Les boutures s'enracinent bien, cependant, dans un mélange de tourbe et de sable. Utiliser des caissettes à couvercle, en plastique. Repiquer les boutures au printemps ou en été.
Arenaria (sabline) A. montana (sabline des montagnes)	H 5-10 cm E 45 cm	Plante vivace rampante ou retombante, à feuilles étroites. Fleurs blanches et étoilées, de 1,5 cm, s'épanouissant de la fin du printemps au début de l'été. Se cultive en plein soleil, dans un sol riche en humus et bien drainé. Murets, jardins de cailloutis et espaces dallés.	Se multiplie facilement par semis, plus difficilement par division au début de l'automne ou par bouturage à la mi-été.
Armeria (armerie) A. juniperifolia A. maritima (gazon d'Espagne ou œillet marin)	H 5-7,5 cm E 15 cm H 15-30 cm E 30 cm	Plante vivace formant des coussinets. Feuillage persistant et rigide ressemblant à de l'herbe. Inflorescences blanches ou roses, de texture papyracée, apparaissant de la fin du printemps à la mi-été. Se cultive au soleil, dans un sol bien drainé. Planter *A. juniperifolia* sur des murets de pierres sèches, dans des jardins de cailloutis ou des bacs. *A. maritima* et ses variétés sont plus faciles à cultiver. Variétés suggérées : 'Bloodstone', fleurs rouge foncé, 'Dusseldorf Pride', fleurs roses, 'Vindictive', fleurs roses, port compact.	*A. maritima*, par division ou semis de graines fraîches. *A. juniperifolia*, par enracinement de boutures basales dans un mélange de tourbe et de sable au début de l'été : succès incertain.
Asarum (gingembre sauvage ou asaret) A. europaeum (asaret d'Europe ou cabaret) A. shuttleworthii A. virginicum (asaret de Virginie)	H 13 cm E 25 cm H 20 cm E 40 cm H 18 cm E 35 cm	Plante vivace formant tapis et présentant des rhizomes rampants à saveur de gingembre. Belles feuilles persistantes et cordiformes, souvent mouchetées d'argent, cachant des fleurs tubuleuses brunes ou marron poussant près du sol au début du printemps. Se cultive à l'ombre, dans un sol riche en humus et bien drainé. Plante prisée pour les sous-bois et les rocailles ombragées.	Diviser les rhizomes au printemps et les repiquer dans une terre humifère. Garder le sol humide jusqu'à complet épanouissement de la plante.

Du milieu à la fin du printemps, la cassiope (Cassiope) forme un tapis couvert de minuscules fleurs en forme de clochette, portées par des tiges délicates.

Cassiope lycopodioides

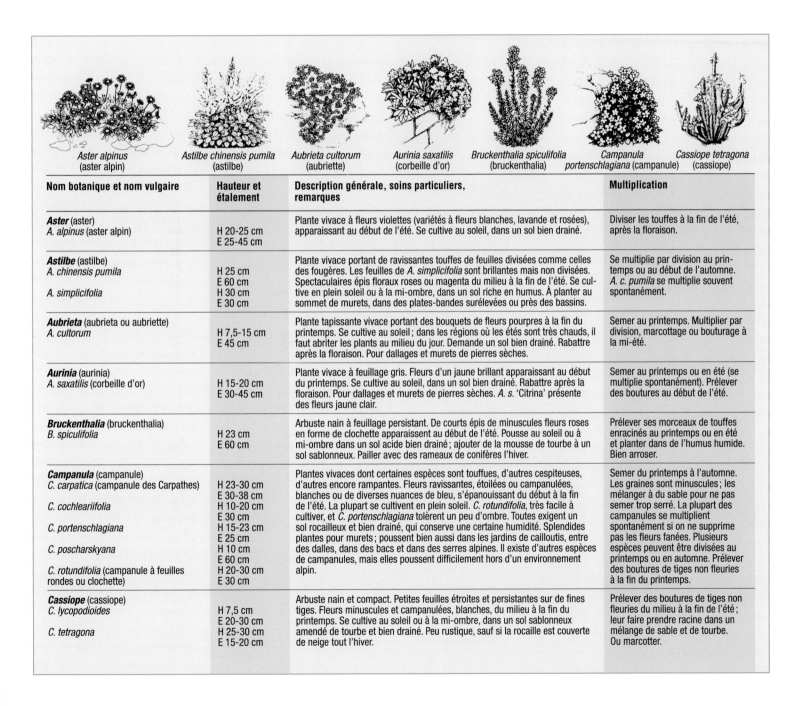

Aster alpinus (aster alpin)	Astilbe chinensis pumila (astilbe)	Aubrieta cultorum (aubriette)	Aurinia saxatilis (corbeille d'or)	Bruckenthalia spiculifolia (bruckenthalia)	Campanula portenschlagiana (campanule)	Cassiope tetragona (cassiope)

Nom botanique et nom vulgaire	Hauteur et étalement	Description générale, soins particuliers, remarques	Multiplication
Aster (aster) A. alpinus (aster alpin)	H 20-25 cm E 25-45 cm	Plante vivace à fleurs violettes (variétés à fleurs blanches, lavande et rosées), apparaissant au début de l'été. Se cultive au soleil, dans un sol bien drainé.	Diviser les touffes à la fin de l'été, après la floraison.
Astilbe (astilbe) A. chinensis pumila A. simplicifolia	H 25 cm E 60 cm H 30 cm E 30 cm	Plante vivace portant de ravissantes touffes de feuilles divisées comme celles des fougères. Les feuilles de *A. simplicifolia* sont brillantes mais non divisées. Spectaculaires épis floraux roses ou magenta du milieu à la fin de l'été. Se cultive en plein soleil ou à la mi-ombre, dans un sol riche en humus. À planter au sommet de murets, dans des plates-bandes surélevées ou près des bassins.	Se multiplie par division au printemps ou au début de l'automne. *A. c. pumila* se multiplie souvent spontanément.
Aubrieta (aubrieta ou aubriette) A. cultorum	H 7,5-15 cm E 45 cm	Plante tapissante vivace portant des bouquets de fleurs pourpres à la fin du printemps. Se cultive au soleil ; dans les régions où les étés sont très chauds, il faut abriter les plants au milieu du jour. Demande un sol bien drainé. Rabattre après la floraison. Pour dallages et murets de pierres sèches.	Semer au printemps. Multiplier par division, marcottage ou bouturage à la mi-été.
Aurinia (aurinia) A. saxatilis (corbeille d'or)	H 15-20 cm E 30-45 cm	Plante vivace à feuillage gris. Fleurs d'un jaune brillant apparaissant au début du printemps. Se cultive au soleil, dans un sol bien drainé. Rabattre après la floraison. Pour dallages et murets de pierres sèches. *A. s.* 'Citrina' présente des fleurs jaune clair.	Semer au printemps ou en été (se multiplie spontanément). Prélever des boutures au début de l'été.
Bruckenthalia (bruckenthalia) B. spiculifolia	H 23 cm E 60 cm	Arbuste nain à feuillage persistant. De courts épis de minuscules fleurs roses en forme de clochette apparaissent au début de l'été. Pousse au soleil ou à mi-ombre dans un sol acide bien drainé ; ajouter de la mousse de tourbe à un sol sablonneux. Pailler avec des rameaux de conifères l'hiver.	Prélever ses morceaux de touffes enracinés au printemps ou en été et planter dans de l'humus humide. Bien arroser.
Campanula (campanule) C. carpatica (campanule des Carpathes) C. cochleariifolia C. portenschlagiana C. poscharskyana C. rotundifolia (campanule à feuilles rondes ou clochette)	H 23-30 cm E 30-38 cm H 10-20 cm E 30 cm H 15-23 cm E 25 cm H 10 cm E 60 cm H 20-30 cm E 30 cm	Plantes vivaces dont certaines espèces sont touffues, d'autres cespiteuses, d'autres encore rampantes. Fleurs ravissantes, étoilées ou campanulées, blanches ou de diverses nuances de bleu, s'épanouissant du début à la fin de l'été. La plupart se cultivent en plein soleil. *C. rotundifolia*, très facile à cultiver, et *C. portenschlagiana* tolèrent un peu d'ombre. Toutes exigent un sol rocailleux et bien drainé, qui conserve une certaine humidité. Splendides plantes pour murets ; poussent bien aussi dans les jardins de cailloutis, entre des dalles, dans des bacs et dans des serres alpines. Il existe d'autres espèces de campanules, mais elles poussent difficilement hors d'un environnement alpin.	Semer du printemps à l'automne. Les graines sont minuscules ; les mélanger à du sable pour ne pas semer trop serré. La plupart des campanules se multiplient spontanément si on ne supprime pas les fleurs fanées. Plusieurs espèces peuvent être divisées au printemps ou en automne. Prélever des boutures de tiges non fleuries à la fin du printemps.
Cassiope (cassiope) C. lycopodioides C. tetragona	H 7,5 cm E 20-30 cm H 25-30 cm E 15-20 cm	Arbuste nain et compact. Petites feuilles étroites et persistantes sur de fines tiges. Fleurs minuscules et campanulées, blanches, du milieu à la fin du printemps. Se cultive au soleil ou à la mi-ombre, dans un sol sablonneux amendé de tourbe et bien drainé. Peu rustique, sauf si la rocaille est couverte de neige tout l'hiver.	Prélever des boutures de tiges non fleuries du milieu à la fin de l'été ; leur faire prendre racine dans un mélange de sable et de tourbe. Ou marcotter.

Les fleurs étoilées du chrysogone de Virginie (Chrysogonum virginianum) durent longtemps. La plante se plaît aussi bien au soleil qu'à mi-ombre.

Chrysogonum virginianum

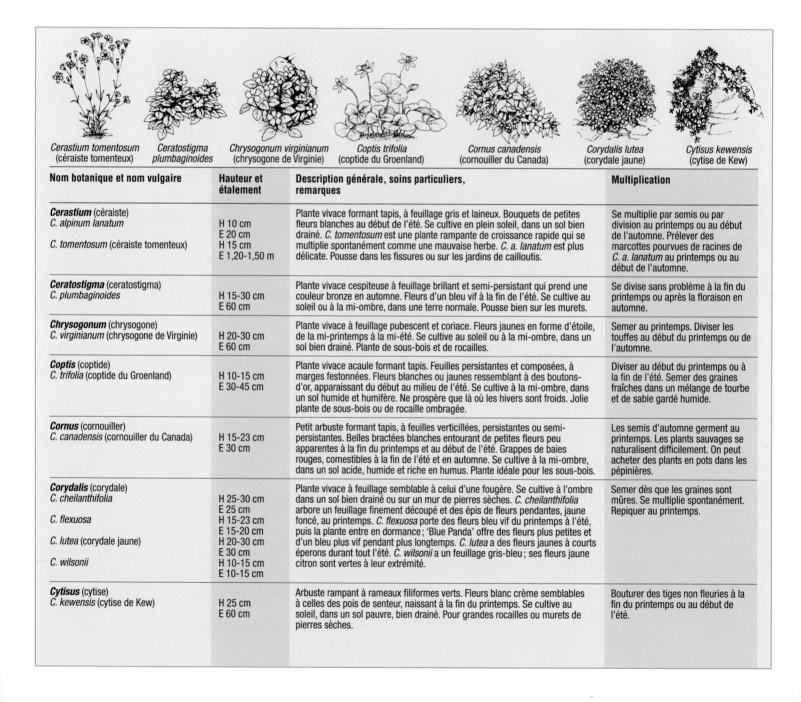

Cerastium tomentosum (céraiste tomenteux)	*Ceratostigma plumbaginoides*	*Chrysogonum virginianum* (chrysogone de Virginie)	*Coptis trifolia* (coptide du Groenland)	*Cornus canadensis* (cornouiller du Canada)	*Corydalis lutea* (corydale jaune)	*Cytisus kewensis* (cytise de Kew)

Nom botanique et nom vulgaire	Hauteur et étalement	Description générale, soins particuliers, remarques	Multiplication
Cerastium (céraiste) *C. alpinum lanatum* *C. tomentosum* (céraiste tomenteux)	H 10 cm E 20 cm H 15 cm E 1,20-1,50 m	Plante vivace formant tapis, à feuillage gris et laineux. Bouquets de petites fleurs blanches au début de l'été. Se cultive en plein soleil, dans un sol bien drainé. *C. tomentosum* est une plante rampante de croissance rapide qui se multiplie spontanément comme une mauvaise herbe. *C. a. lanatum* est plus délicate. Pousse dans les fissures ou sur les jardins de cailloutis.	Se multiplie par semis ou par division au printemps ou au début de l'automne. Prélever des marcottes pourvues de racines de *C. a. lanatum* au printemps ou au début de l'automne.
Ceratostigma (ceratostigma) *C. plumbaginoides*	H 15-30 cm E 60 cm	Plante vivace cespiteuse à feuillage brillant et semi-persistant qui prend une couleur bronze en automne. Fleurs d'un bleu vif à la fin de l'été. Se cultive au soleil ou à la mi-ombre, dans une terre normale. Pousse bien sur les murets.	Se divise sans problème à la fin du printemps ou après la floraison en automne.
Chrysogonum (chrysogone) *C. virginianum* (chrysogone de Virginie)	H 20-30 cm E 60 cm	Plante vivace à feuillage pubescent et coriace. Fleurs jaunes en forme d'étoile, de la mi-printemps à la mi-été. Se cultive au soleil ou à la mi-ombre, dans un sol bien drainé. Plante de sous-bois et de rocailles.	Semer au printemps. Diviser les touffes au début du printemps ou de l'automne.
Coptis (coptide) *C. trifolia* (coptide du Groenland)	H 10-15 cm E 30-45 cm	Plante vivace acaule formant tapis. Feuilles persistantes et composées, à marges festonnées. Fleurs blanches ou jaunes ressemblant à des boutons-d'or, apparaissant du début au milieu de l'été. Se cultive à la mi-ombre, dans un sol humide et humifère. Ne prospère que là où les hivers sont froids. Jolie plante de sous-bois ou de rocaille ombragée.	Diviser au début du printemps ou à la fin de l'été. Semer des graines fraîches dans un mélange de tourbe et de sable gardé humide.
Cornus (cornouiller) *C. canadensis* (cornouiller du Canada)	H 15-23 cm E 30 cm	Petit arbuste formant tapis, à feuilles verticillées, persistantes ou semi-persistantes. Belles bractées blanches entourant de petites fleurs peu apparentes à la fin du printemps et au début de l'été. Grappes de baies rouges, comestibles à la fin de l'été et en automne. Se cultive à la mi-ombre, dans un sol acide, humide et riche en humus. Plante idéale pour les sous-bois.	Les semis d'automne germent au printemps. Les plants sauvages se naturalisent difficilement. On peut acheter des plants en pots dans les pépinières.
Corydalis (corydale) *C. cheilanthifolia* *C. flexuosa* *C. lutea* (corydale jaune) *C. wilsonii*	H 25-30 cm E 25 cm H 15-23 cm E 15-20 cm H 20-30 cm E 30 cm H 10-15 cm E 10-15 cm	Plante vivace à feuillage semblable à celui d'une fougère. Se cultive à l'ombre dans un sol bien drainé ou sur un mur de pierres sèches. *C. cheilanthifolia* arbore un feuillage finement découpé et des épis de fleurs pendantes, jaune foncé, au printemps. *C. flexuosa* porte des fleurs bleu vif du printemps à l'été, puis la plante entre en dormance ; 'Blue Panda' offre des fleurs plus petites et d'un bleu plus vif pendant plus longtemps. *C. lutea* a des fleurs jaunes à courts éperons durant tout l'été. *C. wilsonii* a un feuillage gris-bleu ; ses fleurs jaune citron sont vertes à leur extrémité.	Semer dès que les graines sont mûres. Se multiplie spontanément. Repiquer au printemps.
Cytisus (cytise) *C. kewensis* (cytise de Kew)	H 25 cm E 60 cm	Arbuste rampant à rameaux filiformes verts. Fleurs blanc crème semblables à celles des pois de senteur, naissant à la fin du printemps. Se cultive au soleil, dans un sol pauvre, bien drainé. Pour grandes rocailles ou murets de pierres sèches.	Bouturer des tiges non fleuries à la fin du printemps ou au début de l'été.

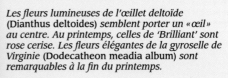

Les fleurs lumineuses de l'œillet deltoïde (Dianthus deltoides) semblent porter un «œil» au centre. Au printemps, celles de 'Brilliant' sont rose cerise. Les fleurs élégantes de la gyroselle de Virginie (Dodecatheon meadia album) sont remarquables à la fin du printemps.

Dianthus deltoides 'Brilliant'

Dodecatheon meadia album

Daphne cneorum (daphné odorant)	*Delosperma* (delosperma)	*Dianthus alpinus* (œillet alpin)	*Dicentra eximia* (cœur saignant)	*Dodecatheon meadia* (gyroselle de Virginie)

Nom botanique et nom vulgaire	Hauteur et étalement	Description générale, soins particuliers, remarques	Multiplication
Daphne (daphné) *D. blagayana* (daphné des Balkans) *D. cneorum* (daphné odorant) *D. retusa*	H 15-30 cm E 1,80 m H 15 cm E 60 cm H 90 cm E 45-90 cm	Petit arbuste à feuillage persistant. Fleurs parfumées à la fin du printemps. Se cultive au soleil ou à la mi-ombre, dans un sol bien drainé, enrichi de terreau de feuilles ou de tourbe. Pousse bien au pied d'un mur, dans des tourbières ou dans des plates-bandes surélevées. *D. blagayana* présente des fleurs blanc crème sur des branches presque prostrées, *D. cneorum* des fleurs roses sur des branches rampantes ; cette espèce demande le plein soleil. *D. retusa* donne des boutons pourpres d'où sortent des fleurs roses. Le daphné est une plante à croissance lente.	Il est préférable d'acheter des plants en pots. Bouturer *D. cneorum* et *D. retusa* en été dans un mélange de tourbe et de sable. Marcotter *D. blagayana* et *D. cneorum*.
Delosperma (delosperma) *D. cooperi* *D. nubigerum*	H 5 cm E 60 cm H 5 cm E 60 cm ou plus	Plante tapissante à feuilles succulentes, originaire d'Afrique du Sud, et pourtant rustique. Les fleurs apparaissent du milieu à la fin de l'été. Pousse dans un sol bien drainé au plein soleil. Dans les régions froides, empoter à l'automne et ramener à l'intérieur de la maison.	Par prélèvement de boutures au printemps ou en été.
Dianthus (œillet) *D. alpinus* (œillet alpin) *D. deltoides* (œillet deltoïde ou œillet couché) *D. neglectus* (œillet des glaciers)	H 7,5-13 cm E 15 cm H 10-38 cm E 30-45 cm H 5-15 cm E 15 cm	Plante vivace formant tapis ou coussins, à feuillage persistant semblable à des brins d'herbe. Belles fleurs roses, souvent garnies d'un œil remarquable, à la fin du printemps et au début de l'été. Se cultive en plein soleil dans un sol bien drainé et rocailleux. (Ajouter du calcaire aux sols acides.) Utile pour décorer les murs de soutènement, les jardins de cailloutis, les dalles ou les bacs. Il existe de nombreux autres œillets, espèces ou hybrides, qui se cultivent en rocaille.	Diviser les touffes ou prélever des boutures après la floraison. Semer à la fin du printemps ou au début de l'été. La plupart des œillets se multiplient spontanément, mais les fleurs peuvent perdre les caractères de l'espèce.
Dicentra (dicentre) *D. canadensis* (dicentre du Canada) *D. cucullaria* (dicentre à capuchon) *D. eximia* (cœur saignant)	H 10-25 cm E 25 cm H 25-30 cm E 30 cm H 30-60 cm E 20-25 cm	Plante vivace dont le feuillage ressemble beaucoup à celui d'une fougère. Grappes de fleurs délicates en forme de cœur s'épanouissant du milieu à la fin du printemps. Se cultive à la mi-ombre dans un sol riche en humus. (Ajouter du calcaire broyé aux sols très acides.) Vient bien dans les sous-bois, les fissures des murs ou les jardins de rocaille. *D. canadensis* présente des fleurs blanches à courts éperons. *D. cucullaria* a des fleurs blanches ou rosées à longs éperons. *D. eximia* se distingue par des fleurs roses en forme de cœur réunies en épis. Pour d'autres dicentres, voir p. 202.	Diviser les touffes en segmentant les tubercules après la floraison. Les graines sont lentes à germer. Semer à l'automne pour obtenir une levée au printemps.
Dodecatheon (gyroselle) *D. dentatum* *D. meadia* (gyroselle de Virginie) *D. pulchellum*	H 18-25 cm E 25-30 cm H 15-50 cm E 15-25 cm H 15 cm E 12-15 cm	Vivace à rosettes basales. Tard au printemps, au bout de fortes tiges nues, ombelles de gracieuses fleurs blanches, roses ou pourpres, à pétales réfléchis et à étamines proéminentes. Le feuillage meurt après la floraison. Pousse à mi-ombre dans un sol riche en humus, retenant beaucoup d'eau. À placer dans les sous-bois ou dans les rocailles, dans un endroit où le sol est profond.	Par division des racines charnues ou par bouturage des racines après la floraison. Les semis germent rapidement mais les plantules poussent lentement, ne donnant des fleurs qu'au bout de trois ans.

Le chapeau-d'évêque (Epimedium grandiflorum) donne un bon couvre-sol dans les grandes rocailles. Erinus alpinus sera à son mieux sur des murs de pierres sèches ou à proximité de formations rocheuses.

Epimedium grandiflorum 'Rose Queen'

Erinus alpinus

| Draba aizoides (drave faux-aizoon) | Dryas octopetala (dryade à huit pétales) | Epigaea repens (fleur de mai) | Epimedium grandiflorum (chapeau-d'évêque) | Erinus alpinus (erinus) | Euphorbia myrsinites (euphorbe) | Galax urceolata (galax) |

Nom botanique et nom vulgaire	Hauteur et étalement	Description générale, soins particuliers, remarques	Multiplication
Draba (drave) D. aizoides (drave faux-aizoon) D. rigida D. sibirica	H 10 cm E 15-23 cm H 5-8 cm E 15-20 cm H 5-15 cm E 30-60 cm	Vivace formant des coussinets avec des rosettes de feuillage velu, souvent gris. Grappes de petites fleurs blanches ou jaunes du début au milieu du printemps. Aime le soleil avec un peu d'ombre à midi. Exige un sol bien drainé, graveleux, mélangé à du terreau de feuilles. Les draves sont des plantes alpines. Se plaît dans les jardins de cailloutis, les espaces dallés, les serres alpines, les rocailles et à un endroit où le sol est profond.	Par division des rosettes ou par semis. On peut aussi ajouter autour des rosettes du terreau, des feuilles et du gravier pour encourager l'enracinement, puis couper délicatement un peu plus tard.
Dryas (dryade) D. octopetala (dryade à huit pétales)	H 8-10 cm E 60 cm	Sous-arbrisseau rampant à feuilles persistantes arrondies. Les fleurs blanches, en coupe, apparaissent au début de l'été. Planter au soleil dans un sol cailouteux, bien drainé. Les plants bien établis se transplantent mal.	Par prélèvement de boutures ligneuses dans la première partie de l'été. Par marcottage au printemps.
Epigaea (épigée) E. repens (épigée rampante ou fleur de mai)	H 2,5-8 cm E 45-60 cm	Sous-arbrisseau tapissant à feuilles persistantes de 7,5 cm de long. Fleurs roses ou blanches, campanulées et parfumées, à la mi-printemps. Se cultive à l'ombre partielle ou totale, dans un sol acide, riche en humus. Pailler en hiver dans les régions à climat froid. Garder les plantes récemment repiquées dans un sol humide jusqu'à complet établissement. Se plante bien dans les sous-bois, dans les coins ombragés d'une rocaille, entre les pierres ou dans les terrains boisés.	Acheter l'épigée rampante en pots ; l'entourer d'un paillis de terreau de feuilles ou d'aiguilles de pin. Bouturer les racines en été dans un mélange de tourbe et de sable.
Epimedium (épimède) E. alpinum E. grandiflorum (chapeau-d'évêque) E. youngianum 'Niveum'	H 15-23 cm E 30 cm H 23 cm E 60 cm H 23-30 cm E 25-30 cm	Plante vivace à port étalé et à feuillage persistant remarquable. Gracieuses grappes de fleurs à éperons dans les teintes de blanc, rose, violet ou jaune, de la mi-printemps au début de l'été. Se cultive au soleil ou à la mi-ombre, dans un sol bien drainé, riche en humus et conservant l'humidité. Se place bien au pied des murs, dans les sous-bois, devant des arbustes et sur des talus rocailleux. Grand nombre de variétés et d'hybrides.	Se divise facilement au début du printemps, après la floraison, ou au début de l'automne. Déterrer les touffes et séparer les tiges souterraines.
Erinus (erinus) E. alpinus	H 8-15 cm E 10-15 cm	Vivace buissonnante à fleurs roses ou blanches qui éclosent à la fin du printemps. L'erinus a une courte durée de vie mais se resème. Planter au soleil ou à mi-ombre dans un sol bien drainé. Murets et allées pavées.	Au printemps, semer à l'emplacement choisi ou faire enraciner des rosettes.
Euphorbia (euphorbe) E. myrsinites	H 10-20 cm E 30 cm	Plante vivace prostrée présentant un feuillage gris-bleu sur des tiges charnues. Bractées jaune soufre à la fin du printemps. Se cultive en plein soleil, dans un sol bien drainé.	Se multiplie par semis, par division ou par bouturage du milieu à la fin du printemps.
Galax (galax) G. urceolata	H 15-30 cm E 30-60 cm	Plante vivace acaule. Feuilles persistantes et cordiformes devenant bronze en automne et en hiver. Myriades de petites fleurs blanches à la fin du printemps. Se cultive à la mi-ombre, dans un sol acide et riche en humus. Se plaît dans les sous-bois, sur les talus ombragés ou parmi les pierres.	Diviser les plants établis au début du printemps ou de l'automne en séparant les rhizomes. La croissance des plantules obtenues par semis est très lente.

En septembre, la gentiane d'automne (Gentiana sino-ornata) ouvre ses fleurs bleu azur de 5 cm de long; elles sont striées de bleu foncé et de blanc. Les fleurs bleu soutenu de la gentiane d'été (G. septemfida) ont la gorge rayée de bleu foncé.

 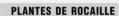

Gentiana sino-ornata

Gentiana septemfida

Genista pilosa
(genêt velu)

Gentiana acaulis
(gentiane acaule)

Geranium sanguineum
(bec-de-grue)

Geum montanum
(benoîte des montagnes)

Nom botanique et nom vulgaire	Hauteur et étalement	Description générale, soins particuliers, remarques	Multiplication
Genista (genêt) *G. pilosa* (genêt velu) *G. sagittalis* (genêt à tige ailée)	H 10-30 cm E 60-90 H 10-15 cm E 60 cm	Petits arbustes prostrés, à tiges vertes et ailées ressemblant au feuillage des conifères. Fleurs jaunes semblables à celles des pois, de la fin du printemps au début de l'été. Se cultive au soleil, dans un sol sablonneux, profond et bien drainé. Ne se transplante pas facilement; acheter les plants en pots ou bouturer les jeunes sujets pour les planter ensuite à un autre endroit. Convient aux climats chauds.	Prélever des boutures de nouvelles pousses au début de l'été. Ou semer en automne ou au printemps.
Gentiana (gentiane) *G. acaulis* (gentiane acaule) *G. scabra* *G. septemfida* *G. sino-ornata*	H 8-10 cm E 45 cm H 30 cm E 30 cm H 23-45 cm E 30 cm H 5-8 cm E 20-30 cm	Plante vivace dont quelques variétés présentent un feuillage persistant; fleurs d'un bleu intense. Se cultive au soleil ou à la mi-ombre dans un sol bien drainé, mais humide et riche en humus. *G. acaulis*, au feuillage persistant, a de grandes fleurs bleues en trompette à la fin du printemps; elle est difficile à cultiver. *G. scabra* se signale par de grandes fleurs d'un bleu intense, du milieu à la fin de l'automne; elle convient aux jardins ombragés. *G. septemfida* donne de grandes fleurs campanulées d'un bleu prononcé à la mi-été. Enfin, *G. sino-ornata* porte des fleurs solitaires bleu vif, rayées de bleu foncé.	Diviser *G. acaulis* au début du printemps. *G. septemfida* se multiplie par bouturage. Toutes se reproduisent par semis, et tout spécialement *G. scabra* et *G. septemfida*.
Geranium (géranium ou bec-de-grue) *G. cinereum* 'Ballerina' *G. c. subcaulescens* *G. dalmaticum* *G. macrorrhizum* *G. renardii* *G. sanguineum* *G. sessiliflorum novae-zelandiae* 'Nigrescens'	H 15-23 cm E 30 cm H 10-15 cm E 30 cm H 8-15 cm E 23-30 cm H 30-45 cm E 45-60 cm H 20-25 cm E 25 cm H 15-23 cm E 30 cm H 8 cm E 15 cm	Plante vivace à beau feuillage profondément découpé, formant un coussin. Fleurs ravissantes apparaissant au début de l'été. Se cultive au soleil ou à la mi-ombre, dans une terre à rocaille normale. Utiliser comme couvre-sol, sur les murs de pierres sèches, entre les dalles et dans des bacs. *G. c.* 'Ballerina' présente des fleurs roses; *G. c. subcaulescens*, de petites feuilles festonnées et des fleurs rose carmin; *G. dalmaticum*, un feuillage sombre et luisant et des fleurs rose nacré ou blanches; *G. macrorrhizum*, un feuillage odorant vert pâle et des fleurs roses ou magenta; *G. renardii*, des feuilles grises, ridées, et des fleurs blanches ou rose pâle; *G. sanguineum*, des fleurs roses veinées de rose plus foncé; *G. s. n.* 'Nigrescens', un feuillage vert bronze foncé et des fleurs pâles nichées au milieu des feuilles. Les géraniums ne durent pas longtemps mais ils se resèment.	La plupart de ces géraniums se multiplient par division des touffes au début du printemps ou après la floraison, ainsi que par boutures de racines ou par semis.
Geum (benoîte) *G. borisii* (benoîte hybride) *G. montanum* (benoîte des montagnes) *G. reptans* (benoîte rampante)	H 25 cm E 30 cm H 30 cm E 30 cm H 15 cm E15-20 cm	Plante vivace à feuillage nettement découpé, formant un coussin. Fleurs semblables aux roses, apparaissant du début au milieu de l'été. Se cultive au soleil ou à la mi-ombre, dans une terre de rocaille normale. Pousse sur les murs de soutènement et dans des plates-bandes surélevées. *G. borisii* présente des fleurs orange, *G. montanum* des fleurs jaune d'or. *G. reptans*, à feuillage léger et doré, demande un peu d'ombre le midi et une terre humide et fraîche. Pour les espèces vivaces, voir p. 205.	Se multiplie facilement par division des touffes au début du printemps ou après la floraison, à la fin de l'été ou au début de l'automne. Se reproduit aussi par semis.

Ces trois plantes ont en commun une croissance rapide. La gypsophile rampante (Gypsophila repens) ainsi que toutes les variétés d'hélianthème (Helianthemum) et de millepertuis (Hypericum) ont besoin de plein soleil pour fleurir abondamment.

Gypsophila repens 'Rosea' *Helianthemum* 'Wisley Primrose' *Hypericum olympicum minus*

316 **PLANTES DE ROCAILLE**

Gypsophila repens
(gypsophile rampante)

Hedyotis caerulea
(houstonie bleue)

Helianthemum nummularium
(hélianthème)

Hepatica nobilis
(anémone hépatique)

Hypericum cerastioides
(millepertuis)

Nom botanique et nom vulgaire	Hauteur et étalement	Description générale, soins particuliers, remarques	Multiplication
Gypsophila (gypsophile) *G. repens* (gypsophile rampante)	H 10-13 cm E 60 cm	Plante vivace à port prostré ou rampant et à feuilles étroites, vert-gris. Légers bouquets de petites fleurs blanches du début au milieu de l'été. Se cultive au soleil, dans un sol bien drainé et légèrement alcalin. Se prête à diverses utilisations dans les rocailles. *G. r.* 'Rosea' présente des fleurs roses sur des tiges de 10 cm.	Se multiplie de préférence par semis.
Hedyotis (ou **Houstonia**) (hedyotis ou houstonie) *H. caerulea* (houstonie bleue) *H. serpyllifolia*	H 8-15 cm E 10 cm H 2,5 cm E 8-10 cm	Vivace formant des tapis de feuillage fragile. Petites fleurs étoilées à quatre pétales apparaissant à la fin du printemps : bleu laiteux pour *H. caerulea*, bleu plus prononcé pour *H. serpyllifolia*. À planter au soleil ou à mi-ombre dans un sol humide. Plante délicate et coquette à placer contre les murs de soutènement, et aux abords des allées et des piscines.	Les tapis se divisent aisément après la floraison. Facile à démarrer à partir de semis. Laisser la plante se multiplier spontanément.
Helianthemum (hélianthème) *H. alpestre* *H. lunulatum* *H. nummularium*	H 8-15 cm E 30 cm H 15-23 cm E 30 cm H 10-30 cm E 60 cm	Sous-arbrisseau à feuillage persistant ou semi-persistant. Fleurs abondantes, ayant la forme de roses, du début au milieu de l'été. Se cultive au soleil, dans une couche épaisse de sol pauvre. Rabattre après la floraison. Acheter des plants en pots. *H. alpestre* présente des fleurs jaunes sur des plants rameux ; *H. lunulatum*, des fleurs jaune d'or, tandis que celles de *H. nummularium* sont simples ou doubles, jaunes, roses ou blanches. Plusieurs variétés de cette dernière espèce portent des noms distinctifs. Il faut protéger l'hélianthème en hiver dans la plupart des régions.	Bouturer en été les variétés identifiées. Multiplier les autres variétés de la même façon ou par semis au printemps.
Hepatica (hépatique) *H. acutiloba* *H. nobilis* (anémone hépatique) *H. transsilvanica*	H 15-23 cm E 15-25 cm H 10-23 cm E 23-30 cm H 10-15 cm E 25 cm	Plante vivace à feuilles persistantes trilobées ; de nouvelles feuilles apparaissent après la floraison. Jolies fleurs de bleu violacé à presque blanc portant des étamines spectaculaires au début du printemps. Se cultive à l'ombre, dans un sol bien drainé, riche en humus et qui ne se dessèche pas. Pousse dans les sous-bois, les plates-bandes surélevées, sur les murs de soutènement et les talus rocailleux. Les espèces botaniques sont similaires.	Diviser les touffes au début de l'automne ou après la floraison. Semer des graines fraîches à l'automne : elles germeront au printemps. Se multiplie spontanément.
Houstonia, voir **Hedyotis**			
Hypericum (millepertuis) *H. cerastioides* *H. coris* *H. olympicum* (millepertuis de l'Olympe)	H 13 cm E 20 cm H 15-30 cm E 30 cm H 23-30 cm E 30 cm	Petit arbuste rampant, à feuillage souvent persistant dans les climats doux. Fleurs jaune d'or remarquables, à étamines saillantes du début au milieu de l'été. Se cultive au soleil, dans un sol bien drainé. Supporte mal le repiquage. À planter dans des fissures ou des crevasses de terre profondes sur des murs ou dans des rocailles. Utile aussi entre les dalles, dans les jardins de cailloutis et sur les talus ensoleillés. *H. o. minus* est de plus petite taille que l'espèce.	Prélever des boutures au début de l'été ; leur faire prendre racine dans un mélange de sable et de tourbe. Se multiplie aussi par semis si l'on arrive à se procurer des graines.

La corbeille-d'argent (Iberis sempervirens) *est un petit arbuste à feuilles persistantes et à port étalé.* 'Mignon' *est une variété d'edelweiss* (Leontopodium alpinum) *qui fleurit à profusion de juin à août.*

Iberis sempervirens

Leontopodium alpinum 'Mignon'

Iberis sempervirens (corbeille-d'argent)	**Iris cristata** (iris à crête)	**Jeffersonia dubia** (jeffersonia)	**Leiophyllum buxifolium** (lédum à feuilles de buis)

Leontopodium alpinum (edelweiss)	**Lewisia cotyledon** (lewisia)

Nom botanique et nom vulgaire	Hauteur et étalement	Description générale, soins particuliers, remarques	Multiplication
Iberis (ibéride ou thlaspi) *I. saxatilis* *I. sempervirens* (thlaspi toujours vert ou corbeille-d'argent)	H 15 cm E 30 cm H 30 cm E 60 cm	Plante vivace étalée ou sous-arbrisseau portant d'étroites feuilles persistantes. Fleurs blanches de longue durée, réunies en ombelles et apparaissant à la fin du printemps. Se cultive en plein soleil dans un sol bien drainé. *I. sempervirens* 'Autumn Snow' fleurit au printemps, puis de nouveau en automne.	Prélever des boutures après la floraison. Les repiquer le printemps suivant. Se multiplie aussi par marcottage et par division des touffes.
Iris (iris) *I. cristata* (iris à crête) *I. gracilipes* *I. pumila* (iris nain) *I. verna*	H 8-10 cm E 30 cm H 20-25 cm E 20 cm H 8 cm E 15-20 cm H 25 cm E 25 cm.	Plante vivace formant tapis, à feuillage herbacé. Petites fleurs identiques à celles des grands iris de jardin, du début du printemps au début de l'été. *I. cristata* à crête et *I. verna* sans barbe ont des fleurs bleu lilas et poussent bien à la mi-ombre dans un sol humifère. *I. gracilipes*, ravissante espèce cristée originaire du Japon, présente des fleurs rosées de 2,5 cm à crête ondulée orange. L'iris nain à barbe, *I. pumila*, fleurit au début du printemps et offre plusieurs variétés désignées dans une grande gamme de coloris. Toutes se cultivent en plein soleil, dans un sol riche et bien drainé. Voir aussi Iris, p. 292.	Diviser et repiquer les touffes après la floraison. Bien arroser jusqu'à complet établissement. Les espèces botaniques se multiplient par semis en automne pour que la germination se fasse le printemps suivant.
Jeffersonia (jeffersonia) *J. diphylla* *J. dubia*	H 25 cm E 20 cm H 15 cm E 10-13 cm	Plante vivace à feuilles opposées, réniformes ou cordiformes. Jolies fleurs blanches ressemblant à celles des anémones (bleues chez *J. dubia*, forme asiatique rare), au milieu du printemps. Se cultive à la mi-ombre, dans un sol humifère. Pour sous-bois et jardin de rocaille ombragé.	Diviser au début du printemps après le flétrissement du feuillage qui suit de près la floraison. Semer des graines fraîches à la fin de l'été ; la germination est lente.
Leiophyllum (leiophyllum) *L. buxifolium* (lédum à feuilles de buis)	H 25-30 cm E 45 cm	Arbuste à croissance lente portant de petites feuilles persistantes et vernissées qui virent au vert-brun en automne. Bouquets serrés de fleurs roses ou blanches à la fin du printemps. Se cultive au soleil ou à la mi-ombre dans une terre grasse et sablonneuse enrichie de tourbe. Supporte le voisinage de la mer et les embruns. La variété 'Nanum' est quatre fois plus petite.	Semer sous verre au début du printemps. Prélever des boutures semi-aoûtées à la mi-été ou multiplier par marcottage.
Leontopodium (leontopodium) *L. alpinum* (edelweiss)	H 20 cm E 23 cm	Vivace rampante présentant des feuilles laineuses, de couleur grise. Les fleurs blanches en étoile, à cœur jaune, apparaissent au début de l'été. Planter en plein soleil dans un sol sablonneux ou graveleux, bien drainé. N'aime pas les hivers humides. Pousse dans les murs, les espaces pavés, les jardins de cailloutis ou les serres alpines.	Diviser les touffes au début du printemps. Ou semer les graines au printemps dans un sol léger ou mélangé à du sable.
Lewisia (lewisia) *L. brachycalyx* *L. cotyledon* *L. rediviva* (lewisia amère) *L. tweedyi*	H 5-8 cm E 15-23 cm H 20-25 cm E 15 cm H 10-15 cm E 10-20 cm H 10-15 cm E 23 cm	Vivace à racine farineuse et à rosettes de feuilles charnues. Ravissantes fleurs cireuses, texturées, roses, blanches ou abricot, à la fin du printemps. Pousse au soleil mais a besoin d'ombre à midi. Demande un sol bien drainé (sable ou gravier fin pour la moitié ; mélange de terre glaise et de terreau de feuilles pour l'autre moitié), recouvert d'éclats de cailloux. Certaines espèces sont difficiles à cultiver en dehors de leur habitat naturel de l'ouest de l'Amérique du Nord, sauf pour les nouveaux hybrides de *L. cotyledon*. Crevasses rocheuses, jardins de cailloutis, tout site qui connaît des printemps humides et des étés secs et frais.	Par enracinement de rejets coupés avec un morceau de la couronne de racine dans de la mousse de tourbe et du sable après la floraison. Pousse à partir de semis frais mais peut mettre un an à germer.

La linnée boréale (Linnaea borealis) porte le nom du grand naturaliste suédois Charles Linné. Ses fleurs, délicates et odorantes, roses ou blanches, ouvrent deux par deux sur des tiges frêles à la fin du printemps.

Linnaea borealis

Linaria alpina (linaire des Alpes)	*Linnaea borealis* (linnée boréale)	*Linum perenne alpinum* (lin alpin)	*Lithodora diffusa* (grémil)	*Lychnis alpina* (lychnide)	*Myosotis alpestris* (myosotis des Alpes)	*Omphalodes verna* (petite bourrache)	*Papaver alpinum* (pavot alpin)

Nom botanique et nom vulgaire	Hauteur et étalement	Description générale, soins particuliers, remarques	Multiplication
Linaria (linaire) *L. alpina* (linaire des Alpes)	H 8-23 cm E 30 cm	Plante vivace rampante à feuilles bleutées. Petites fleurs pourpre et jaune semblables à celles du muflier et s'épanouissant tout l'été. Se cultive au soleil ou à la mi-ombre, dans un sol bien drainé. Pour murs et murets.	Semer au printemps. Ne vit pas longtemps mais se multiplie spontanément.
Linnaea (linnée) *L. borealis* (linnée boréale)	H 5-8 cm E 60 cm	Arbrisseau rampant à petites feuilles persistantes. Fleurs campanulées roses, groupées par deux sur des tiges de 5 cm à la fin du printemps. Se cultive à la mi-ombre, dans un sol de rocaille humide, acide et riche en humus.	Diviser en éclats pourvus de racines ou marcotter au printemps ; garder le sol humide.
Linum (lin) *L. perenne alpinum* (lin alpin)	H 10-25 cm E 20 cm	Plante vivace à feuilles étroites gris-bleu. Jolies fleurs bleues au début de l'été. Se cultive au soleil, dans un sol bien drainé. Pour *L. flavum* et *L. narbonense*, voir p. 209.	Se multiplie facilement par semis. Repiquer les plantules à leur place définitive.
Lithodora (grémil) *L. diffusa* *L. oleifolia*	H 20-30 cm E 30-38 cm H 15 cm E 30 cm	Sous-arbrisseau prostré donnant des grappes de fleurs en entonnoir à la fin du printemps. Planter au soleil dans un sol riche en humus et bien drainé, contenant des granules de chaux. Pour murs de pierres sèches et rocailles. *L. diffusa* a des feuilles persistantes et des fleurs d'un bleu intense. *L. oleifolia* a des feuilles soyeuses blanchâtres, caduques et des fleurs violettes.	Par bouturage des racines en été ; placer les boutures dans un mélange de mousse de tourbe et de sable.
Lychnis (lychnis ou lychnide) *L. alpina*	H 10 cm E 10 cm	Plante vivace à touffes de feuilles étroites. Fleurs rose pourpré s'épanouissant au début de l'été. Se cultive au soleil ou à la mi-ombre, dans un sol normal. Pour jardins de cailloutis, espaces dallés, bacs et serres alpines.	Se multiplie facilement par semis à la mi-été.
Myosotis (myosotis) *M. alpestris* ou *M. rupicola* (myosotis des Alpes)	H 5-15 cm E 10-15 cm	Délicate plante vivace à courtes inflorescences d'un bleu lumineux au début de l'été. Se cultive au soleil ou à la mi-ombre, dans un sol rocailleux et bien drainé, qui retient l'humidité. Plante pour cailloutis, dallages et bacs.	Semer à la fin de l'été : les plants fleuriront deux ans plus tard. Ou diviser les rosettes des feuilles.
Omphalodes (omphalodes) *O. verna* (petite bourrache ou cynoglosse printanière)	H 20 cm E 30 cm	Plante vivace rampante à feuillage léger, persistant dans le Sud. Fleurs bleu vif de 1,5 cm de diamètre au début du printemps. Se cultive à la mi-ombre, dans un sol riche en humus. Plante utile pour couvrir le sol ; à cultiver dans les sous-bois et sur les murs de pierres sèches.	Diviser les touffes au printemps ou après la floraison. Se multiplie par semis, mais les graines sont difficiles à trouver sur le marché.
Papaver (pavot) *P. alpinum* (pavot alpin)	H 10-25 cm E 10-25 cm	Plante vivace à feuillage finement découpé. Fleurs délicates dans une grande gamme de couleurs au début de l'été. Se cultive au soleil, dans un sol rocailleux additionné d'humus et bien drainé. Pailler avec du cailloutis. Pour murs de soutènement, dallages, jardins de cailloutis et bacs.	Semer les graines à l'emplacement définitif au début du printemps ou en automne : pas de repiquage. La plante peut aussi se resemer.
Penstemon (penstémon) *P. davidsonii menziesii* *P. fruticosus* 'Purple Haze' *P. pinifolius* *P. rupicola*	H 10-15 cm E 38-50 cm H 20 cm E 30 cm H 20-30 cm E 30 cm H 10-13 cm E 30 cm	Sous-arbrisseau ou petit arbuste prostré à feuillage persistant. Remarquables fleurs tubulaires. Emplacement ensoleillé protégé du soleil du midi, dans un sol graveleux, bien drainé. Plantes difficiles à cultiver ; pour les murs, crevasses, jardins de cailloutis. *P. d. menziesii* a des fleurs bleu fort au début de l'été ; *P. f.* 'Purple Haze' a des fleurs pourpres au début de l'été ; *P. pinifolius* a des feuilles comme des aiguilles et des fleurs rouges au milieu de l'été ; *P. rupicola* a des fleurs rouge rosé durant l'été. *(Voir l'illustration page ci-contre.)*	Prélever des boutures l'été. Les semis sont longs à germer, demandant parfois 1 an ou plus.

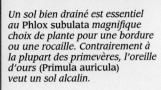

Un sol bien drainé est essentiel au Phlox subulata *magnifique choix de plante pour une bordure ou une rocaille. Contrairement à la plupart des primevères, l'oreille d'ours (Primula auricula) veut un sol alcalin.*

Phlox subulata 'Amazing Grace'   *Primula auricula* 'Prince John'

Penstemon fruticosus (penstémon)	Phlox subulata (phlox subulé)	Polygala chamaebuxus (polygale faux-buis)	Potentilla nitida (potentille)	Primula auricula (primevère oreille d'ours)

Nom botanique et nom vulgaire	Hauteur et étalement	Description générale, soins particuliers, remarques	Multiplication
Phlox (phlox) P. douglasii P. pilosa (phlox pileux) P. stolonifera (phlox rampant) P. subulata (phlox subulé ou phlox mousse)	 H 20 cm E 25-30 cm H 25-30 cm E 38 cm H 20-25 cm E 38-50 cm H 8-15 cm E 50 cm	Plante vivace à fleurs spectaculaires du début à la fin du printemps. Forme un coussin peu compact de tiges ligneuses ; fleurs de blanc à bleu violacé à la fin du printemps. Demande un emplacement ensoleillé ainsi qu'un sol sablonneux. Fleurs blanches, roses ou pourprées réunies en petites touffes. Mi-ombre ou soleil et sol normal. Fleurs de rose à lavande. Se cultive à la mi-ombre, dans un sol riche en humus. Fleurs étoilées en diverses nuances de rose, rouge, pourpre, bleu et blanc. Feuillage persistant. Plein soleil et sol bien drainé. Voir *P. divaricata*, p. 212.	Diviser les touffes ou coussins au début du printemps ou après la floraison. Les phlox se multiplient aussi par marcottage.
Polygala (polygale) P. chamaebuxus (polygale faux-buis)	 H 15-30 cm E 23-30 cm	Sous-arbrisseau à port étalé et à petites feuilles persistantes. Jolies petites fleurs irrégulières en deux tons de jaune au début de l'été. Pousse à mi-ombre dans un sol riche en humus. Demande une protection hivernale. Premier plant d'une plate-bande arbustive, jardins de cailloutis.	Semer des graines fraîches. Ou prélever des boutures de racines ou de tiges au milieu de l'été (substrat de sable et de mousse de tourbe).
Potentilla (potentille) P. alba (potentille blanche) P. aurea, ou P. verna aurea P. nitida P. tonguei P. tridentata (potentille tridentée)	 H 8 cm E 30-38 cm H 10 cm E 15-20 cm H 2,5-8 cm E 30 cm H 20 cm E 60 cm H 5-30 cm E 30-60 cm	Plante annuelle ou vivace à feuilles composées de 3 à 5 folioles. Fleurs simples à 5 pétales. Se cultive au soleil dans un sol bien drainé. Utile sur les murets de pierres sèches, entre les dalles, dans les jardins de cailloutis. *P. alba* présente des folioles soyeuses et produit des fleurs blanches au début de l'été ; *P. aurea*, des fleurs jaunes au début du printemps sur des coussins de feuilles vert sombre ; *P. nitida*, des fleurs rose pâle au début de l'été sur des coussins de feuilles soyeuses. *P. tonguei* est une plante annuelle à racines traçantes et à fleurs abricot à la fin de l'été. Enfin, *P. tridentata* offre des feuilles vernissées et semi-persistantes qui rougissent en automne, ainsi que des fleurs blanches à la mi-été.	Diviser les coussins ou les touffes au début du printemps ou après la floraison à la fin de l'été. Se multiplie aussi par semis. Plusieurs variétés se multiplient spontanément.
Primula (primevère) P. auricula (auricule ou oreille d'ours) P. juliae (primevère de Mᵐᵉ Julia) P. polyantha (primevère des jardins) P. sieboldii (primevère de Siebold) P. vulgaris (coucou ou primevère commune)	 H 15-20 cm E 15-25 cm H 8 cm E 15 cm H 25-30 cm E 25-30 cm H 15-23 cm E 23-25 cm H 15-23 cm E 15-38 cm	Plante vivace à feuillage en touffes, en rosettes ou en coussins. Jolies fleurs de teintes éclatantes au printemps. Se cultive à la mi-ombre dans un sol fertile et humifère. Se plante dans les sous-bois, devant un massif d'arbustes, sur les murets de pierres sèches, dans les serres alpines et les jardins de cailloutis. *P. auricula* présente des fleurs richement colorées. *P. juliae* est une plante naine cespiteuse qui se distingue par des fleurs roses, rouges ou écarlates et offre plusieurs hybrides. *P. polyantha* a des fleurs de plusieurs coloris, *P. sieboldii* des fleurs blanches ou roses et des feuilles festonnées et délicates. *P. vulgaris* a des fleurs jaunes et solitaires ; plusieurs races et hybrides à fleurs bleues, roses, rouges et blanches. Voir aussi p. 213 et p. 282.	Diviser les plants tous les trois ou quatre ans pour les garder en bonne santé. Après la floraison, déterrer et diviser les plants ; repiquer immédiatement dans un sol enrichi d'humus. Semer à la mi-été ou en automne en prévision d'une germination au printemps ; ce procédé donne des résultats inégaux et des plantules qui se développent lentement.

La saxifrage 'Cranbourne' est un des nombreux hybrides que l'on peut se procurer dans les jardineries. La saponaire des rocailles (Saponaria ocymoides) se déploie dans les sols alcalins qui se drainent bien.

Saxifraga 'Cranbourne'

Saponaria ocymoides

Ramonda myconi (ramonda)	Ranunculus gramineus (renoncule)	Sanguinaria canadensis (sanguinaire du Canada)	Saponaria ocymoides (saponaire des rocailles)	Saxifraga grisebachii (saxifrage)	Saxifraga umbrosa (désespoir des peintres)

Nom botanique et nom vulgaire	Hauteur et étalement	Description générale, soins particuliers, remarques	Multiplication
Ramonda (ramonda) R. myconi R. nathaliae	H 10-15 cm E 23 cm H 10 cm E 15-20 cm	Plante vivace à rosettes de feuilles pubescentes. Bouquets de fleurs bleu lavande à étamines jaune d'or au début de l'été. Se cultive à l'ombre dans un sol humifère et humide. Pousse dans les fissures d'un mur. *R. myconi* présente des feuilles plus duveteuses et des fleurs à 5 pétales. Parente des violettes africaines.	Diviser les collets, comme pour les violettes du Cap. On peut aussi bouturer des feuilles avec leur pétiole ou semer des graines.
Ranunculus (renoncule) R. alpestris (renoncule des Alpes) R. gramineus R. montanus (renoncule des montagnes)	H 15 cm E 15 cm H 30 cm E 20-30 cm H 15 cm E 30 cm	Plante vivace formant un tapis ou des touffes de feuilles découpées, d'un vert-gris chez *R. alpestris* et *R. gramineus*. Fleurs jaunes (blanches chez *R. alpestris*) à la mi-printemps. Se cultive au soleil ou à la mi-ombre, dans un sol rocailleux, riche en humus. (*R. alpestris* préfère une terre riche, humide ou même marécageuse, et pousse bien près de pièces d'eau.)	Les touffes se divisent facilement au début du printemps ou après la floraison.
Sanguinaria (sanguinaire) S. canadensis (sanguinaire du Canada)	H 10-23 cm E 23-30 cm	Plante vivace à rhizomes et à feuilles grises et lobées. Le feuillage se flétrit d'ordinaire à la mi-été. Ravissantes fleurs blanches (doubles et de plus longue durée chez *S. c.* 'Flore Pleno') au début du printemps. Se cultive à la mi-ombre, dans un sol riche en humus. Bon choix pour les sous-bois et les talus ombragés.	Après la floraison, diviser les rhizomes en segments dotés d'au moins un œil chacun. La plante se multiplie aussi spontanément.
Saponaria (saponaire) S. ocymoides (saponaire des rocailles)	H 8 cm E 15-30 cm	Plante vivace rampante à bouquets de petites fleurs roses très voyantes à la fin du printemps. Se cultive au soleil, dans un sol profond, bien drainé et frais, à cause de ses racines pivotantes. Rabattre tout de suite après la floraison. Plante traditionnelle pour une rocaille ou un muret; bon choix également pour les endroits dallés ou les serres alpines.	Semer au printemps; transplanter les plantules le plus tôt possible dans leur emplacement définitif. Bouturer les beaux plants.
Saxifraga (saxifrage) S. apiculata S. cotyledon (saxifrage cotylédon) S. grisebachii S. longifolia S. moschata S. sarmentosa ou S. stolonifera (saxifrage sarmenteuse) S. umbrosa (saxifrage ombreuse ou désespoir des peintres)	H 10 cm E 30-45 cm H 60 cm E 30-38 cm H 15-23 cm E 23-30 cm H 45 cm E 30 cm H 2,5-8 cm E 30-45 cm H 60 cm E 30-45 cm H 30 cm E 30-45 cm	Plante vivace formant un coussin ou des rosettes de feuilles argentées ou panachées, semblable tantôt à une mousse, tantôt à une plante grasse. Fleurs blanches, roses, pourpres ou jaunes, de la fin du printemps au début de l'été. Se cultive au soleil ou à la mi-ombre, dans un sol rocailleux bien drainé (ajouter de la tourbe ou du terreau de feuilles pour *S. sarmentosa* et *S. umbrosa*). Plante peu exigeante pouvant croître sur des murs de soutènement, dans des fissures, entre des dalles, dans des jardins de caillloutis, des bacs ou des serres alpines (surtout *S. apiculata* et *S. grisebachii*). *S. sarmentosa* doit être protégée en hiver dans la plupart des régions et pousse dans les sous-bois. Dans les catalogues, on retrouve parfois cette espèce dans les géraniums fraisiers.	Diviser et repiquer les rosettes enracinées après la floraison; démarrer les rosettes sans racines plus tôt dans du sable humide. Certaines espèces, dont *S. cotyledon*, *S. longifolia* et *S. sarmentosa*, doivent être divisées après la floraison. Effectuer les semis dans une terre rocailleuse renfermant un peu d'humus mélangé à du terreau de feuilles ou à de la tourbe. Les plants seront prêts à fleurir trois ans plus tard.

L'ombre et l'humidité sont essentielles à Shortia uniflora, remarquable par ses fleurs campanulées et ses feuilles veinées. Le silène (Silene schafta) a besoin, au contraire, d'une exposition ensoleillée dans un sol bien drainé.

Shortia uniflora

Silene schafta 'Shell Pink'

Sedum sieboldii (orpin de Siebold)

Sempervivum arachnoideum (toile d'araignée)

Shortia uniflora (shortia)

Silene acaulis (silène acaule)

Soldanella alpina (soldanelle des Alpes)

Nom botanique et nom vulgaire	Hauteur et étalement	Description générale, soins particuliers, remarques	Multiplication
Sedum (orpin) *S. cauticola* *S. dasyphyllum* (orpin à feuilles épaisses) *S. ewersii* (orpin d'Ewers) *S. sieboldii* (orpin de Siebold)	H 8-20 cm E 25-60 cm H 2,5-5 cm E 30 cm H 10-30 cm E 30-38 cm H 15-23 cm E 30 cm	Plante vivace à port étalé et à feuillage succulent. Se cultive au soleil, dans un sol bien drainé. Pousse sur les murs et entre les dalles et peut servir de couvre-sol. *S. cauticola* présente un feuillage grisâtre et des fleurs rose-rouge à la mi-été ; *S. dasyphyllum*, un coussin de feuilles bleutées et des fleurs roses au début de l'été ; *S. ewersii*, un port arbustif, des feuilles vert-gris et des fleurs roses à la fin de l'été ; *S. sieboldii*, des feuilles grises sur des branches arquées et des fleurs roses à la fin de l'été et en automne.	La méthode la plus rapide consiste à diviser les plants au printemps ou en été.
Sempervivum (joubarbe) *S. arachnoideum* (joubarbe ou toile d'araignée) *S. fauconnettii* *S. tectorum* (joubarbe des toits) *S. wulfenii*	H 2,5-10 cm E 30 cm H 20 cm E 25-30 cm H 5-8 cm E 30 cm H 15-30 cm E 25 cm	Plante vivace rampante formant de petites rosettes de feuilles succulentes. Panicules de fleurs étoilées en été. Se cultive au soleil, dans un sol bien drainé. Pousse dans les fissures, sur les corniches, les murets et entre les dalles. *S. arachnoideum* est une plante de rocaille remarquable avec ses feuilles en rosettes reliées par des fils gris et ses fleurs rose-rouge voyantes. *S. fauconnettii* présente un feuillage teinté de rouge ou de pourpre et des fleurs d'un rouge vif ; *S. tectorum*, des feuilles grises et des fleurs roses ; *S. wulfenii*, des fleurs jaune pâle. Hybrides et variétés en grand nombre.	Se multiplie facilement par division des rosettes. La multiplication par semis ne donne pas toujours des sujets identiques à l'espèce.
Shortia (shortia) *S. galacifolia* *S. uniflora*	H 15-20 cm E 30-90 cm H 15-20 cm E 30-35 cm	Plante vivace rampante à beau feuillage persistant. Fleurs campanulées blanches ou roses à la mi-printemps. Se cultive à l'ombre, dans un sol humide, riche en humus. Pailler avec des feuilles de chêne pour l'hiver. Pousse bien dans les jardins ombragés, devant des massifs d'arbustes.	Diviser après la floraison ; garder le sol humide jusqu'à complet établissement. Repiquer les éclats pauvres en racines dans un mélange humide de tourbe et de sable.
Silene (silène) *S. acaulis* (silène acaule) *S. alpestris* *S. schafta*	H 5 cm E 30-45 cm H 15-20 cm E 20 cm H 15-40 cm E 15-25 cm	Vivace à racine charnue formant des coussins ou des touffes de feuilles étroites et pointues. Fleurs à cinq pétales dentées roses, rouges ou blanches du début à la fin de l'été. Placer au soleil dans un sol graveleux bien drainé. *S. acaulis* a des fleurs pourpre-rouge ; crevasses rocheuses étroites. *S. alpestris* à fleurs blanches et *S. schafta* à fleurs roses sont faciles à cultiver dans une rocaille.	Diviser les touffes de *S. acaulis*, *S. alpestris* et de *S. schafta*. Enraciner les boutures de tiges de *S. acaulis* dans du sable et de la mousse de tourbe, en été. On peut semer toutes les espèces.
Soldanella (soldanelle) *S. alpina* (soldanelle des Alpes) *S. montana*	H 8-15 cm E 23 cm H 15 cm E 30 cm	Vivace à feuilles coriaces en forme de cœur ou arrondies. Les jolies fleurs bleu lavande, très frangées, éclosent au début du printemps. Cette plante rare et assez difficile à cultiver a besoin de lumière et d'un sol riche en humus et de beaucoup d'humidité. Couvrir le sol d'éclats de cailloux. Installer une protection hivernale dans les régions peu neigeuses. Pour les serres alpines.	Diviser les touffes après la floraison, ou semer des graines fraîches dès qu'elles sont mûres.

Le thym serpolet (Thymus serpyllum) *forme des tapis de fleurs blanches, roses, cramoisies ou rouges. Les uvulaires* (Uvularia) *forment des touffes particulièrement denses.*

Tiarella wherryi ➡

Thymus serpyllum var. albus

Uvularia grandiflora

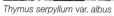

| Thalictrum kiusianum (pigamon) | Thymus serpyllum (thym serpolet) | Uvularia grandiflora (uvulaire à grandes fleurs) | Vaccinium vitis-idaea minus (airelle) | Vancouveria hexandra (vancouveria) | Veronica prostrata (véronique couchée) | Viola biflora (violette à deux fleurs) |

Nom botanique et nom vulgaire	Hauteur et étalement	Description générale, soins particuliers, remarques	Multiplication
Thalictrum (pigamon) *T. alpinum* (pigamon alpin) *T. kiusianum*	H 15-20 cm E 30-35 cm H 5-20 cm E 25-30 cm	Plante vivace à gracieux feuillage de fougère. Fleurs dépourvues de pétales et dotées d'étamines jaunes ou roses à la mi-été. Se cultive à la mi-ombre, dans un sol humide et rocailleux pour *T. alpinum*, humifère et bien drainé pour *T. kiusianum*. Bon choix de couvre-sol pour sous-bois, plate-bande surélevée ou mur de soutènement. Voir aussi les espèces vivaces, p. 216.	Les touffes se divisent facilement au début du printemps ou au début de l'automne.
Thymus (thym) *T. serpyllum* (thym serpolet)	H 2,5-8 cm E 60 cm	Plante vivace formant tapis, ou petit arbuste à petites feuilles aromatiques et persistantes. Fleurs rose-pourpre du début à la fin de l'été. Se cultive au soleil, dans un sol bien drainé. Utile entre les dalles ou sur les murets de pierres sèches. Autres couleurs disponibles dans des formes spécifiques.	Diviser les touffes ou prélever des stolons enracinés. La plante se multiplie spontanément.
Uvularia (uvulaire) *U. grandiflora* (uvulaire à grandes fleurs)	H 30-45 cm E 30 cm	Vivace à rhizomes rampants. Gracieuses fleurs jaune pâle en forme de campanule, à la fin du printemps. Exposition à mi-ombre dans un sol riche en humus. À placer dans une plate-bande surélevée au milieu de fougères, dans des sous-bois ou le long d'un mur à l'ombre.	Diviser les touffes après la floraison en séparant les rhizomes.
Vaccinium (airelle ou bleuet) *V. vitis-idaea minus* (airelle vigne d'Ida)	H 10-20 cm E 45 cm	Sous-arbrisseau rampant à petites feuilles persistantes, luisantes. Grappes de fleurs campanulées blanc rosé à la fin du printemps. Placer au soleil ou dans un endroit partiellement ombragé dans un sol humide. Une bonne couche de neige ou une protection hivernale protègent les feuilles de la brûlure du froid. Pour plates-bandes surélevées, jardins de bruyères, avant-plan d'un aménagement paysager d'arbustes.	Sectionner les plantules obtenues par marcottage au printemps ; bien arroser jusqu'à l'enracinement complet.
Vancouveria (vancouveria) *V. hexandra* (vancouveria à six étamines)	H 20-30 cm E 60 cm	Plante vivace à port étalé et à feuillage de fougère. Bouquets de petites fleurs ivoire au début de l'été. Se cultive à la mi-ombre, dans un sol riche en humus. Pour les sous-bois ou l'avant-plan d'un arrangement arbustif.	Diviser les touffes au début du printemps ou à la fin de l'été ; les repiquer dans un sol riche en humus.
Veronica (véronique) *V. prostrata* (véronique couchée) *V. spicata incana* (véronique argentée ou véronique en épis)	H 8-20 cm E 30-45 cm H 30-45 cm E 30-45 cm	Plante vivace formant tapis et portant un feuillage vert ou grisâtre. Grands épis floraux, bleus ou roses, au début de l'été. Se cultive au soleil ou à la mi-ombre, sur des murs ou dans des rocailles. *V. s. incana* présente un feuillage gris et des fleurs bleues ; *V. s. i.* 'Rosea', des fleurs roses ; et *V. prostrata*, des fleurs bleues.	Diviser les touffes après la floraison ; semer au printemps ou au début de l'été.
Viola (violette) *V. biflora* (violette à deux fleurs) *V. blanda* (violette agréable) *V. rupestris rosea*	H 8-15 cm E 8 cm H 5 cm E 8 cm H 10 cm E 10-13 cm	Plante vivace à feuilles cordiformes et fleurs bleues, jaunes ou blanches au printemps. Se cultive dans les sous-bois, entre des dalles et sur les murs. Genre varié et très répandu, dont certaines espèces sont semblables à des mauvaises herbes. *V. biflora* présente des fleurs jaunes à labelle rayé de pourpre-noir ; *V. blanda*, des fleurs blanches très délicates ; *V. r. rosea*, des fleurs roses et des feuilles en rosettes plates. Voir *V. cornuta*, p. 217.	Diviser les touffes après la floraison ou semer. La plupart se multiplient spontanément et abondamment.

La bruyère vagabonde (Erica vagans) tolère assez bien le calcaire, et ses fleurs, qui vont du blanc au lilas, attirent les papillons. On taille après la floraison pour fortifier la croissance. Plusieurs variétés atteignent 60 cm de hauteur, mais 'Birch Glow', illustrée ici, ne dépasse pas 30 cm.

BRUYÈRES

Les bruyères sont renommées pour l'étonnante palette de leur feuillage et de leurs fleurs. Sous des cieux cléments, elles peuvent fleurir toute l'année.

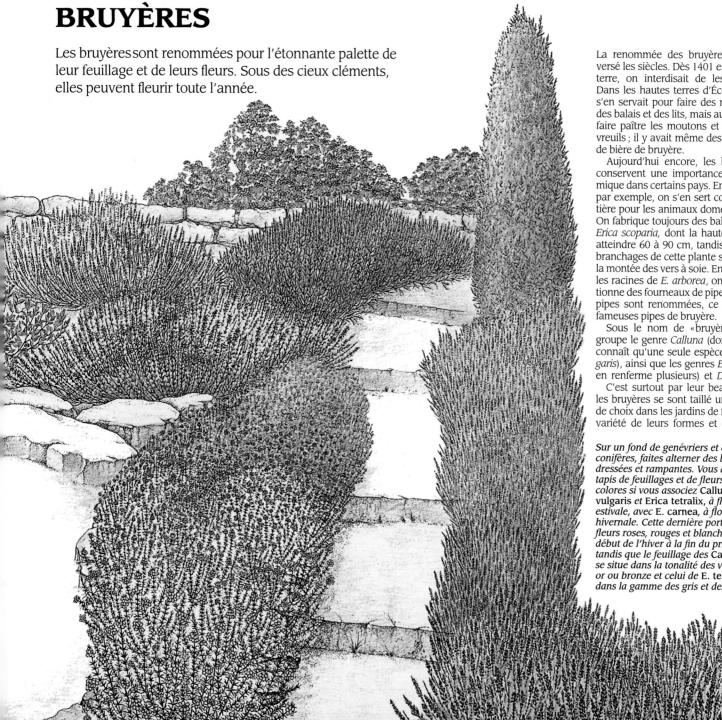

La renommée des bruyères a traversé les siècles. Dès 1401 en Angleterre, on interdisait de les brûler. Dans les hautes terres d'Écosse, on s'en servait pour faire des maisons, des balais et des lits, mais aussi pour faire paître les moutons et les chevreuils ; il y avait même des recettes de bière de bruyère.

Aujourd'hui encore, les bruyères conservent une importance économique dans certains pays. En France, par exemple, on s'en sert comme litière pour les animaux domestiques. On fabrique toujours des balais avec *Erica scoparia*, dont la hauteur peut atteindre 60 à 90 cm, tandis que les branchages de cette plante servent à la montée des vers à soie. Enfin, avec les racines de *E. arborea*, on confectionne des fourneaux de pipes ; et ces pipes sont renommées, ce sont les fameuses pipes de bruyère.

Sous le nom de «bruyères», on groupe le genre *Calluna* (dont on ne connaît qu'une seule espèce, *C. vulgaris*), ainsi que les genres *Erica* (qui en renferme plusieurs) et *Daboecia*.

C'est surtout par leur beauté que les bruyères se sont taillé une place de choix dans les jardins de fleurs : la variété de leurs formes et de leurs

Sur un fond de genévriers et de conifères, faites alterner des bruyères dressées et rampantes. Vous aurez un tapis de feuillages et de fleurs multicolores si vous associez **Calluna vulgaris** *et* **Erica tetralix**, *à floraison estivale, avec* **E. carnea**, *à floraison hivernale. Cette dernière porte des fleurs roses, rouges et blanches du début de l'hiver à la fin du printemps, tandis que le feuillage des* **Calluna** *se situe dans la tonalité des verts, or ou bronze et celui de* **E. tetralix**, *dans la gamme des gris et des verts.*

Si certaines bruyères (Calluna vulgaris) atteignent 60 cm de haut, 'White Lawn' ne dépasse pas 5 cm. Daboecia cantabrica se couvre de fleurs rose-pourpre. Les feuilles jaunes à pointes bronze de Erica carnea virent à l'orangé l'hiver; les fleurs rose pâle de 'Foxhollow Fairy' foncent avec l'âge.

Calluna vulgaris 'White Lawn'   Daboecia cantabrica   Erica carnea 'Foxhollow Fairy'

Les meilleures variétés de bruyères

noms traduit bien leur immense popularité. La plupart des bruyères sont des plantes arbustives à feuillage persistant qui viennent bien en sol acide. Mais vous choisirez *E. carnea*, *E. darleyensis* et *E. erigena* si la terre de votre jardin est calcaire.

Parmi les bruyères, on trouve des plantes prostrées et d'autres pouvant atteindre 6 m de hauteur — certaines espèces à bois tendre d'Afrique du Sud sont encore plus grandes. La tonalité des feuillages épouse la gamme des jaunes, rouges, orangés, verts et pourpres. Certaines variétés conservent leur coloris à longueur d'année, tandis que d'autres changent selon la saison. Leurs petites fleurs campanulées, que l'on trouve dans les tons de blanc, de rose, de pourpre ou de rouge, sont plus jolies encore en effet de masse; ce sont elles qui ont valu aux bruyères leur immense popularité.

Là où les étés sont tempérés, les bruyères s'associent avec bonheur à d'autres plantes acidophiles — rhododendrons, azalées, piéris et kalmias; si vous avez le choix, elles peuvent embellir le jardin quand les autres fleurs se sont flétries.

On plante également les bruyères en plates-bandes autonomes ponctuées, ici et là, d'un conifère pour créer un effet de hauteur; en les disposant ainsi, on met en valeur leur admirable feuillage. Il est préférable de planter ensemble trois à cinq sujets de la même variété et de grouper les espèces en tenant compte de leurs périodes de floraison et des coloris de leurs feuilles et de leurs fleurs, surtout quand ces coloris varient selon la saison.

Bien que les bruyères aient une attirance pour les sols humides, elles en tolèrent d'autres. Leurs racines étant superficielles, on peut surfacer la plate-bande avec un substrat acide qui pourvoit à leurs besoins. Il suffit alors d'épandre un paillis de feuilles de chêne ou d'aiguilles de pin et de saupoudrer le sol de temps à autre avec du soufre pulvérisé.

Calluna La callune ou bruyère commune est un arbuste nain, presque prostré, dont les feuilles, petites, vertes, écailleuses et persistantes, se teintent de mauve en fin d'été. Comme il en existe quelque 500 variétés bien identifiées, on se trouve devant une vaste gamme de hauteurs, d'étalements et de coloris.

Les planter en situation dégagée et ensoleillée, en terre humifère, acide et bien égouttée. Elles sont rustiques en zone 3 s'il y a une bonne couverture de neige. Sinon, les couvrir de paille ou de foin de prés salés et de rameaux de pin contre les dégels.

Daboecia La bruyère de Saint-Daboec (*D. cantabrica*), indigène de l'Irlande aux Açores, est un arbuste prostré ou dressé de 2 m de hauteur et d'étalement, à feuilles vertes lancéolées. Les fleurs, qui vont du blanc au rose et au mauve foncé, viennent en été et en automne. Même avec une bonne couverture neigeuse, elle ne survit pas sous −20 °C.

Erica Il existe environ 700 espèces de ce genre dont plusieurs, originaires d'Afrique du Sud, ne sont rustiques que là où les hivers sont sans gel. Mais les sujets qui le sont font merveille dans les jardins septentrionaux où les formes nommées des différentes espèces donnent des fleurs durant plusieurs mois.

Bruyères à floraison hivernale
Elles doivent leur popularité aux magnifiques tapis de fleurs qu'elles donnent en hiver, bien évidemment dans les climats tempérés.

E. carnea (bruyère des neiges). Espèce rampante de 15 à 18 cm de hauteur, à feuilles vert foncé devenant cuivre au froid. Plusieurs variétés sont renommées pour leur feuillage jaune, vert clair, orangé ou cuivré; d'autres, pour leurs fleurs blanches ou de plusieurs nuances de rose, toutes tournées du même côté. Rustique à −30 °C et peut-être en dessous à condition qu'il y ait une bonne couverture de neige.

E. darleyensis. Forme hybride qui fleurit tard et pousse plus haut que la bruyère des neiges, mais qui est plus vulnérable au froid. Le feuillage nouveau est d'un coloris différent et les fleurs vont du blanc au rose et au rouge. Rustique jusqu'à −25 °C.

E. erigena. La plus vulnérable au froid (rustique jusqu'à −18 °C). Arbuste dressé pouvant atteindre 2,50 m de hauteur et 90 cm d'étalement. Branches cassantes, feuillage allant du vert foncé au jaune et fleurs roses à parfum de miel.

Bruyères à floraison printanière
E. arborea. Grande bruyère pouvant atteindre 6 m de hauteur. Feuilles vert foncé et fleurs blanc-gris. La

variété *alpina*, plus courte (1,80 m), offre de beaux épis de fleurs blanches. Rustique jusqu'à −10 °C.

Bruyères à floraison estivale et automnale *E. ciliaris*. Arbuste de 60 cm de hauteur et d'étalement. Feuillage gris-vert et petites fleurs ovoïdes, allant du rose au blanc. Rustique jusqu'à −20 °C.

E. cinerea (bruyère cendrée). L'une des bruyères les plus cultivées. Nombreuses variétés qui diffèrent entre elles par les coloris des fleurs et du feuillage. Arbuste compact de 60 cm de hauteur, à feuilles vert foncé (jaunes chez certaines variétés); fleurs blanches, roses ou rouge vif du début de l'été jusqu'en automne. Rustique jusqu'à −25 °C.

E. tetralix (bruyère tétragone). Plante remarquable à feuillage laineux et vert-gris, disposé en croix. Fleurs allant du blanc au rose; les vieilles fleurs persistent tout l'hiver. Rustique jusqu'à −35 °C.

E. vagans (bruyère vagabonde). Plante étalée de 75 cm de hauteur; feuilles vert clair devenant vert mat. Fleurs allant du blanc au pourpre clair en été. Rustique jusqu'à −30 °C.

Toutes ces espèces présentent des variétés dotées de feuillages diversement colorés, de fleurs aux coloris plus vifs ou d'inflorescences de deux ou plusieurs couleurs.

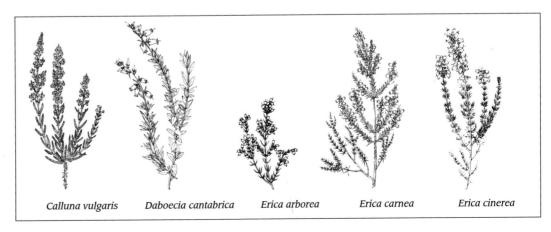

Calluna vulgaris   Daboecia cantabrica   Erica arborea   Erica carnea   Erica cinerea

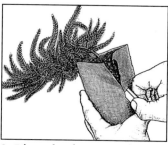

La bruyère des neiges (Erica carnea) doit son nom à sa floraison hâtive qui commence en février. Certaines variétés sont cultivées principalement pour la beauté de leur feuillage.

Erica carnea 'Praecox Rubra'   *Erica carnea* 'Golden Starlet'

Culture des bruyères

Choisir un sol bien égoutté mais qui garde son humidité; *Daboecia cantabrica* supporte un excès d'eau. Les sols tourbeux ou sableux sont les mieux indiqués; alléger les terres lourdes par un apport de sable de rivière ou de gravier fin.

Retourner la terre à la profondeur d'une bêche en enlevant les mauvaises herbes; lui incorporer une couche de 8 à 10 cm de fumier bien décomposé, de compost ou de mousse humide.

Avec une trousse maison d'analyse des sols, vérifier le pH de la terre: il doit se situer entre 4,5 et 5. S'il est supérieur à 6, ajouter une demi-tasse de soufre pulvérisé par mètre carré: cela l'abaisse d'un point. Mais la quantité nécessaire dépend de la nature du substrat; aussi faut-il refaire l'analyse quelques jours plus tard. En terre alcaline, cultiver les bruyères dans des plates-bandes surélevées; autrement, l'eau de pluie neutralise les apports d'acide.

Choisir un endroit dégagé et ensoleillé; le vent ne les gêne pas car ce sont des plantes de landes. Dans les limites septentrionales de leur aire, un écran en bois ou en toile les protège de la sécheresse et favorise l'accumulation de la neige; pour la même raison, les recouvrir de rameaux de pins. Planter au printemps ou en automne. Les grands plants cultivés en pots peuvent être mis en terre en tout temps, sauf durant la canicule.

Les jeunes plants étant empotés dans un mélange riche en mousse qui s'effrite facilement, les dépoter avec soin. Creuser un trou assez grand pour recevoir les racines; y mettre le plant et tasser la terre en ménageant une petite dépression où s'accumule l'eau. Bien arroser: l'arrosage est capital la première année et en période de sécheresse.

L'espacement entre les plants dépend des variétés et peut aller de 25 cm pour des espèces à floraison hivernale à 90 cm pour les bruyères arborescentes.

1. *Bêcher la terre, incorporer la tourbe et vérifier le pH.*

2. *Dépoter les plants avec soin pour ne pas endommager les racines.*

3. *Les enfoncer au même niveau que dans le pot et tasser le sol.*

4. *Bien arroser après la plantation et le premier été.*

Taille des plants

Après quelques années, les plants non taillés deviennent hirsutes et portent moins de fleurs. Si la situation se prolonge, la taille devient impossible à pratiquer, car les nouvelles pousses ne viennent que sur du bois neuf. Trois exceptions: *Erica arborea,* *E. vagans* et *Daboecia* repartiront à nouveau. Rabattre les tiges après la floraison avec des cisailles ou un sécateur pour favoriser l'apparition de pousses latérales qui produiront plus de fleurs.

Tailler les bruyères à floraison hivernale et printanière après la floraison. Rabattre tôt au printemps les espèces à floraison estivale dont les fleurs restent en place tout l'hiver. Les variétés cultivées pour le feuillage sont taillées en fin d'été. Rabattre tous les printemps les bruyères du genre *Calluna.*

TAILLER LES VIEILLES FLEURS

En rabattant les vieux épis floraux, on protège le port de la plante et améliore sa floraison.

Ravageurs et maladies

Si une plante présente des symptômes non décrits ci-dessous, se reporter à la section illustrée commençant à la page 474. On trouvera dans la section qui commence à la page 509 des renseignements sur les produits chimiques dont l'emploi est autorisé.

Symptômes	Causes	Traitement*
Fleurs et nouvelles feuilles déchiquetées; présence de gros insectes luisants.	Scarabées japonais	Les ôter à la main ou vaporiser du savon insecticide ou du méthoxychlore.
Pousses rabougries; tiges à plaques subéreuses.	Cochenilles	Couper les branches infectées. Vaporiser du malathion ou du carbaryl au printemps.
Les feuilles deviennent argentées; les pousses fanent et finissent par mourir.	Flétrissure (champignon)	Ôter et détruire les plants infectés et la terre autour. Améliorer le drainage.
Le feuillage vert jaunit en été.	Chlorose ferriprive (pH élevé)	Vaporiser les plants de chélates de fer et abaisser le pH du sol avec du soufre.

* Certains produits sont interdits dans les localités qui ont adopté des règlements contre les pesticides. Voir aussi «Recettes maison et produits naturels», p. 512, et «Les amis du jardin», p. 515.

Erica cinerea 'Steven Davis'

Erica tetralix 'Alba Mollis'

*La bruyère cendrée (Erica cinerea)
et la bruyère tétragone (E. tetralix)
sont deux espèces à floraison estivale.
La seconde doit sa réputation à son
feuillage argenté, mais la première
produit plus de fleurs.*

Multiplication par marcottage

Quand les plants ont trois ou quatre ans et sont devenus hirsutes, on peut en tirer de nouveaux plants par marcottage. C'est une technique utile que l'on peut réaliser soi-même.

Au printemps, choisir les branches qui peuvent s'incliner jusqu'au sol. Avec un couteau tranchant ou une lame de rasoir, pratiquer une incision partielle à l'oblique là où elles touchent le sol ou enlever un peu d'écorce. Poudrer les blessures de poudre à enracinement pour bois dur et appuyer doucement pour favoriser un contact étroit avec le sol. Garder la terre humide tout l'été.

À l'automne, des racines devraient être sorties de l'incision. Attendre l'été suivant avant de détacher le nouveau plant. Le dégager doucement et le replanter ailleurs. S'il s'agit d'une bruyère dressée, marcotter plusieurs branches autour de la souche et tasser la terre en monticule à la base du plant.

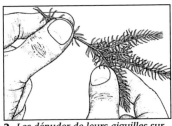

1. *Au printemps, choisir les branches capables de toucher le sol.*

2. *Couvrir l'incision de terre et maintenir en place avec une roche.*

Multiplication par bouturage

C'est une opération facile qui permet d'obtenir plusieurs plants de la même variété ou quelques-uns de plusieurs nouvelles variétés. Les boutures semblent prendre plus facilement quand on en installe plusieurs dans un pot plutôt que deux ou trois seulement. Pratiquer le bouturage en juillet ou en août, lorsque les nouvelles pousses commencent à se lignifier, ou en novembre et décembre. Les boutures de bois tendre s'enracinent mal dans la maison.

Stériliser les vieux pots avec une solution javellisante à 10 p. 100. Rincer parfaitement. Prévoir 2,5 à 4 cm d'espace entre les boutures. Préparer le substrat en mélangeant à volume égal de la mousse et de la perlite; le sable de rivière peut remplacer la perlite mais il est moins efficace. Remplir les pots et tasser le substrat avec la base d'un autre pot.

Prélever des boutures de 7 à 8 cm sur des pousses de l'année et les dénuder sur 2,5 cm dans le bas. Les passer dans un bain de captane ou de bénomyl pour tuer les spores fongiques et plonger le bas des boutures dans des hormones pour bois demi-dur. L'enracinement se fait sans cette opération, mais il est plus lent. Avec un crayon, pratiquer des trous dans le substrat, y mettre les boutures et tasser. Arroser; laisser l'eau s'égoutter et couvrir d'un sac de plastique.

Mettre les pots sur un rebord de fenêtre bien éclairé mais non ensoleillé ou à 15 cm sous une lampe fluorescente. Les racines viennent en un à trois mois. Quand apparaissent des pousses, retirer peu à peu le sac. Rempoter chaque bouture dans un petit pot rempli d'un substrat riche en mousse et les installer au soleil: les rebords des fenêtres orientées vers l'est ou vers l'ouest sont les meilleurs. Acclimater les plants avant de les transplanter au jardin.

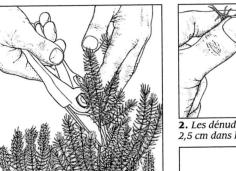

1. *En fin d'été, prélever des boutures sur de nouvelles pousses.*

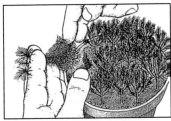

2. *Les dénuder de leurs aiguilles sur 2,5 cm dans le bas.*

5. *Retirer une à une les boutures quand elles sont bien enracinées.*

3. *Les enfoncer de 1,5 cm dans un mélange de mousse et de perlite.*

6. *Les empoter individuellement dans un mélange riche en mousse.*

4. *Un sac en plastique favorise la croissance; l'ôter quand elle reprend.*

7. *Tasser et arroser. Placer les pots sur une fenêtre ensoleillée.*

*P*armi les fougères indigènes,
on connaît bien la fausse capillaire
(Asplenium trichomanes) *avec ses feuilles
duveteuses vert vif et ses tiges noires pouvant
atteindre 1,80 m. Cette fougère robuste tolère
la sécheresse, croît dans presque n'importe
quel sol, même argileux, et ne dédaigne pas
les crevasses dans la pierre.*

Différents types de fougères peuvent recréer le charme du sous-bois dans un coin ombragé du jardin, qu'il est difficile de mettre en valeur.

FOUGÈRES

Ces plantes au feuillage remarquable s'associent bien aux primevères et aux ancolies, autres espèces qui aiment la fraîcheur et qui se plaisent à l'ombre.

Les fougères sont parmi les plus anciennes plantes du monde. Leur apparition sur la Terre remonte à environ 400 millions d'années et précède même celle des plantes florifères.

On a dénombré dans le monde entier plus de 12 000 espèces de fougères dont la grande majorité est originaire des régions tropicales. Des 360 espèces natives d'Amérique du Nord, la plupart se trouvent dans le Nord et dans l'Est, là où une abondante humidité assure leur fertilisation. À cette flore indigène se sont ajoutées récemment quelques espèces originaires des autres régions tempérées du globe et qu'on trouve maintenant sur le marché local.

La plupart des fougères sauvages se transplantent au jardin. Elles offrent de la variété et supportent bien l'ombre. On peut y mêler des espèces différentes et des plantes florifères qui sont en mesure de partager leur habitat ombragé.

Parmi ces plantes, mentionnons tout particulièrement le cœur-de-Jeannette *(Dicentra spectabilis)* et l'astilbe qui s'harmonisent aux grandes dryoptères *(Dryopteris)* et aux osmondes. Certaines fleurs sauvages, par exemple les géraniums et les violettes, ont des couleurs vives qui font ressortir le vert acidulé des frondes de fougères. Les ancolies et les primevères offrent une gamme de coloris qui s'associent de même très bien aux tons des fougères. Certains arbustes florifères, les azalées notamment, font merveille au printemps auprès de ces plantes.

Avec leurs feuilles panachées ou unies, les hostas ou hémérocalles du Japon se marient agréablement aux fougères. Plusieurs autres plantes à feuillage panaché de vert et de blanc pourront admirablement mettre en relief le vert sombre des fougères. Toutefois, il faut utiliser prudemment certaines de ces plantes, comme l'herbe aux goutteux *(Aegopodium)*: parfois envahissantes, elles pourraient nuire à la longue aux fougères.

Il est préférable de laisser assez d'espace entre les fougères pour que leurs frondes ne s'entremêlent pas. Les espaces vides pourront être comblés par des plantes vivaces de courte taille: bergénias ou muguet. Ce dernier ayant tendance à proliférer, on entourera les touffes d'ardoises, de tuiles ou de plaques en plastique ou en aluminium ondulé qui, enfoncées dans le sol, limitent l'extension des rhizomes.

Des torénias de Fournier ou des bégonias des plates-bandes peuvent également border un massif de fougères. Des bégonias tubéreux et des bégonias rustiques *(Begonia evansiana)*, aux tiges et aux feuilles rouges, disséminés entre les fougères, créent un bel effet.

Il est préférable d'associer les narcisses et jonquilles aux grandes fougères et non aux petites. Après la floraison, les frondes cacheront le feuillage flétri de ces fleurs. Quant aux grands lis, ils ont encore plus de grâce lorsque leur svelte silhouette s'élève parmi les gracieuses frondes arquées d'un groupe de fougères.

Il n'y a pas lieu toutefois de limiter la culture des fougères aux seules zones d'ombre. Certaines espèces, et notamment le dennstaedtia à lobules ponctués *(Dennstaedtia punctiloba)*, prospèrent presque en plein soleil.

De nombreuses fougères ont un feuillage persistant. Les dryoptères et les polypodes *(Polypodium)* en particulier sont ravissants lorsque leurs frondes sont délicatement frangées de givre en hiver. Dans la rocaille, l'asplénie à frondes persistantes conserve son éclat alors que la plupart des plantes ont perdu leur beauté.

La fougère à l'autruche (Matteuccia struthiopteris) atteint 1,50 m et s'accommode d'à peu près tous les sols à condition que l'humus ait un pH d'acide à neutre.

Matteuccia struthiopteris

Plantation des fougères rustiques

Les fougères poussent partout, sauf dans des sols lourds et mal drainés. Toutes doivent être protégées du plein soleil et des vents dominants.

Au pied d'un mur ou d'une clôture exposés au nord, les fougères trouvent la lumière atténuée dont elles ont besoin. Elles se plaisent aussi à l'ombre des arbres, pourvu qu'elles reçoivent par intermittence les rayons du soleil.

L'automne et le printemps sont les saisons les plus favorables à la plantation des fougères. On peut les planter aussi en été, à condition de garder le sol humide tant que les plants ne sont pas bien établis. Ne pas laisser leurs racines se dessécher avant la plantation.

Ameublir le sol à 30 cm et briser les mottes de terre. Épandre de la poudre d'os à raison d'une petite tasse par mètre carré ; ajouter une couche de 8 cm de terreau de feuilles ou de compost à jardin et faire pénétrer ces additifs à la fourche à bêcher dans le sol.

D'un point de vue morphologique, on divise les fougères en trois catégories selon qu'elles ont des souches compactes, des souches rhizomateuses ou des souches courtes et fibreuses.

Chez les premières, les frondes émergent en couronne au-dessus d'une souche dense et trapue. C'est le cas de la fougère dryoptère *(Dryop-*

teris) et de la fougère à l'autruche *(Matteuccia).*

Avant de les planter, couper les bases lignifiées des anciennes frondes pour encourager la formation de nouvelles racines. Creuser un trou assez profond pour recevoir les racines. Y installer la plante et le remplir de façon que la base de la couronne soit juste au niveau du sol. Bien fouler la terre au pied du plant.

Les fougères à souche rhizomateuse émettent des frondes tout le long du rhizome, mais ne forment pas de couronne. Les dennstaedtias à lobules ponctués et les polypodes font partie de cette catégorie.

Pour les planter, creuser un trou peu profond dans le sol avec une fourche. Placer le rhizome dans le trou ; remplir et bien fouler la terre avec les doigts.

Les fougères à souche courte et fibreuse se développent mieux lorsqu'elles sont installées à l'horizontale dans un jardin de rocaille ou sur un mur de pierres sèches, et à la mi-ombre. L'asplénie chevelue *(Asplenium trichomanes)* et les woodsies se rangent dans ce groupe.

Pour les planter, commencer par retirer une pierre du mur ou de la rocaille. Placer ensuite la fougère sur le côté dans l'espace dégagé et couvrir généreusement ses racines de terreau de feuilles. Puis remettre la pierre en place.

PRÉPARATION DU SOL AVANT LA PLANTATION

1. *Creuser en automne ou au printemps ; épandre de la poudre d'os.*

2. *Ajouter 8 cm de terreau de feuilles, faire pénétrer dans le sol.*

TROIS TECHNIQUES DE PLANTATION

Souche compacte *Enlever les vieilles frondes. Installer la souche pour que la couronne affleure. Exemples : dryoptère et fougère à l'autruche.*

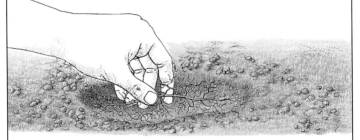

Souche rhizomateuse *Coucher le rhizome dans un trou peu profond. Couvrir et fouler. Ex.: dennstaedtias à lobules ponctués et polypodes.*

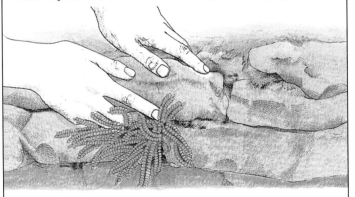

Souche courte et fibreuse *Soulever une pierre de la rocaille pour y coucher la fougère dans du terreau de feuilles. Ex.: capillaire, asplénie.*

Les frondes de la splendide osmonde royale (Osmunda regalis) sont d'abord brunes, puis verdissent et finalement jaunissent avec l'arrivée de l'automne.

Osmunda regalis

Culture des fougères

Arrosage, fertilisation, soins de routine

Une fois établies, les fougères ne demandent à être arrosées que par temps chaud, lorsque le sol est sec.

Après la mise en terre, recouvrir le pied des fougères d'une couche de 7,5 cm de compost, de terreau de feuilles ou de tourbe. Renouveler les paillis deux fois par an, au printemps et en automne.

Avant d'étendre le paillis sur la plate-bande, au printemps, épandre de la poudre d'os autour des plantes à raison d'une tasse par mètre carré.

Désherber les massifs de fougères à la main pour ne pas endommager le système radiculaire. Enfin, au printemps, supprimer les frondes mortes en les coupant aussi près que possible de la couronne pour encourager les nouvelles frondes, mais ne pas les supprimer tout à fait car elles forment une protection.

PAILLAGE

Au printemps et en automne, pailler avec du terreau de feuilles ou de la tourbe.

Ravageurs et maladies qui attaquent les fougères

Si les fougères présentent des symptômes qui ne sont pas décrits dans le tableau ci-dessous, se reporter au chapitre «Ravageurs et maladies», page 474. On trouvera aux pages 509 à 511 les appellations commerciales des produits chimiques en cause.

Symptômes	Cause	Traitement*
Plaques poisseuses, parfois recouvertes de fumagine. Frondes parfois déformées.	Pucerons ou punaises	Pucerons : savon insecticide. Punaises : carbaryl ou méthoxychlore.
Flétrissure ou effondrement des frondes lors de chaleurs ou de sécheresses.	Larves du charançon de la vigne	Problème difficile à corriger. Vaporiser du bendiocarbe ou du méthoxychlore, ou épandre une poudre de ces produits.
Rayures brun-noir ou marques étroites sur les frondes, qui meurent.	Anguillules des feuilles (nématodes)	Détruire les plants infestés. Sur les autres, vaporiser un insecticide systémique (diméthoate).
Frondes dévorées.	Limaces ou escargots	Déposer des appâts granulés autour des plants ou des soucoupes de bière.
Jeunes frondes entaillées sur les bords.	Cloportes	Épandre de la poudre à base de carbaryl sur le sol près des couronnes (pas dessus). Terre diatomée.

* Certains produits sont interdits dans les localités qui ont adopté des règlements contre les pesticides. Voir aussi «Recettes maison et produits naturels», p. 512, et «Les amis du jardin», p. 515.

La division — méthode de multiplication facile

C'est par la division des souches, à la mi-printemps, qu'il est le plus facile de multiplier les fougères à couronne comme la fougère dryoptère et la fougère à l'autruche.

À l'aide d'une fourche à bêcher, déterrer délicatement un plant et en couper les frondes.

Si le plant est petit, on pourra diviser la couronne à la main. S'il est de bonne taille, on se servira de deux fourches à bêcher. Les enfoncer dos à dos au centre de la touffe en prenant garde de ne pas transpercer la couronne. Avec un mouvement de va-et-vient, écarter progressivement les manches des fourches jusqu'à ce que la touffe se sectionne en deux éclats. Il est parfois préférable de terminer l'opération avec un couteau tranchant qui donne une coupe nette. Diviser de la même façon les deux demi-souches. Les mettre en terre comme suggéré à la page 333 pour les fougères à souche compacte.

On peut suivre cette même méthode pour reproduire les fougères à souche rhizomateuse. À la mi-printemps, déterrer une touffe de fougères et en couper les frondes. Avec un couteau tranchant, sectionner le rhizome en fragments. Chaque fragment doit porter au moins un bourgeon de croissance.

Mettre les fragments en terre de la façon décrite à la page 333 pour les fougères à souche rhizomateuse.

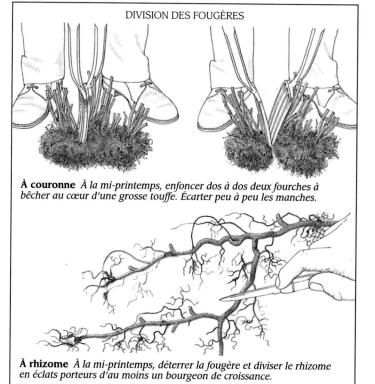

DIVISION DES FOUGÈRES

À couronne *À la mi-printemps, enfoncer dos à dos deux fourches à bêcher au cœur d'une grosse touffe. Écarter peu à peu les manches.*

À rhizome *À la mi-printemps, déterrer la fougère et diviser le rhizome en éclats porteurs d'au moins un bourgeon de croissance.*

Blechnum spicant

Adiantum pedatum

Le blechnum à épi (Blechnum spicant) pousse dans toute terre où il n'y a pas de calcaire. La capillaire du Canada (Adiantum pedatum) est un bon choix pour une rocaille à l'ombre ou pour masquer un mur.

Multiplication des fougères

Multiplication à partir des spores

Pour obtenir un très grand nombre de fougères, semer les spores qui se trouvent sur la face inférieure des frondes fertiles.

Ne sélectionner que les plants parfaits, les malformations pouvant se transmettre à la descendance.

Effectuer l'opération entre le début de l'été et le début de l'automne. Prélever une fronde, l'étaler sur la moitié d'une feuille de papier blanc. Replier l'autre moitié de la feuille et ranger le tout dans un endroit sec.

Un ou deux jours plus tard, une fine poussière, les spores, se sera échappée des sporanges.

Rassembler les spores dans le pli du papier. Puis placer le papier soigneusement dans une enveloppe.

On peut semer les spores immédiatement ou le printemps suivant ; dans certains cas, elles demeurent viables pendant plusieurs années.

Semis de spores Désinfecter une terrine à semis ou un pot de 10 cm avec une solution à base de chlore (1 volume de désinfectant pour 10 volumes d'eau) ou y verser de l'eau bouillante.

Déposer au fond une couche d'environ 1,5 cm de gravier ou de tessons de grès. Terrines et pots doivent être munis de trous de drainage.

Prendre un mélange terreux ordinaire ou le substrat de culture pour violettes du Cap qu'on trouve dans le commerce. Le passer au tamis (mailles de 5 mm). Mettre d'abord au fond du contenant les résidus qui restent dans le tamis ; une couche de 2,5 cm suffit. Ajouter ensuite environ 1,5 cm de mélange tamisé. Tasser avec le fond d'un autre pot.

Poser une feuille de papier sur le mélange et y verser de l'eau bouillante. Ajouter de l'eau jusqu'à ce que le contenant devienne brûlant.

Laisser ensuite refroidir la terrine, puis enlever le papier et couvrir le contenant d'une plaque de verre. Quand le mélange terreux est froid,

prélever avec la pointe d'un canif quelques spores contenues dans l'enveloppe.

Retirer la plaque de verre qui recouvre la terrine. Faire tomber délicatement les spores sur le mélange en les répartissant le plus uniformément possible. Étiqueter et dater les semis.

Recouvrir immédiatement la terrine de la plaque de verre et la placer dans une serre ombragée ou sur l'appui d'une fenêtre ombragée ou encore sous des tubes fluorescents. Ne plus soulever la plaque de verre.

Si le mélange terreux semble se dessécher, placer la terrine dans un bassin rempli d'eau bouillie et refroidie, s'assurant ainsi que le mélange ne contient aucun organisme vivant.

Les prothalles Un ou deux mois après les semis, des petites lames vertes, ou prothalles, se forment à la surface du mélange terreux. La formation des prothalles représente le stade sexué intermédiaire dans le cycle de reproduction des fougères. Trois mois après les semis, les prothalles prennent l'apparence de petits organismes plats en forme de cœur.

Cinq ou six mois après les semis, de minuscules fougères se développent à la face inférieure des prothalles. Quand elles atteignent une hauteur de 2,5 à 4 cm, les repiquer dans une caissette ou une terrine plus grande. On recommande de placer environ 35 petites fougères dans une caissette de 15 cm sur 22.

Étaler au fond de la caissette une mince couche de gravillons qui recouvre les trous de drainage. Disposer par-dessus une couche de terre stérilisée. (Pour stériliser la terre, la mettre dans un contenant troué et l'ébouillanter.) Remplir la caissette jusqu'à 1,5 cm du bord. Tasser la terre en frappant délicatement la caissette contre une surface dure. À l'aide d'un canif, prélever une touffe de fougères dans la terrine.

Séparer les fougères les unes des autres pour les planter dans la terre

en s'assurant que leurs racines sont bien couvertes. Tasser la terre.

Plonger la caissette jusqu'à mi-hauteur dans l'eau jusqu'à ce que la surface de la terre prenne une teinte plus sombre. Mettre alors la caissette dans une boîte et la couvrir d'une plaque de verre. La ranger dans un endroit frais et ombragé, dans une

serre, sur un appui de fenêtre ou sous des tubes fluorescents. Si la terre se dessèche, l'arroser modérément par le haut.

Lorsque les jeunes fougères ont produit de nouvelles frondes (six semaines plus tard environ), il faut les endurcir. Si elles se trouvent dans une boîte munie d'un couvercle, sou-

CUEILLETTE DES SPORES

La face inférieure des frondes porte des sporanges remplis de spores. Placer une fronde dans une feuille de papier blanc repliée. Un ou deux jours plus tard, des spores se seront déposées sur le papier sous la forme d'une fine poussière.

La fougère Polystichum aculeatum apporte de la verdure dans un jardin d'hiver.

Polystichum aculeatum

lever celui-ci progressivement 10 à 15 jours après l'apparition des frondes, en insérant des cales de plus en plus grandes entre la boîte et le couvercle. Deux ou trois semaines plus tard, enlever définitivement le couvercle.

Au bout de quelques jours, les fougères se seront endurcies et pourront être exposées à leur nouveau milieu.

Empotage des fougères Le temps est maintenant venu d'empoter individuellement les jeunes fougères. Se servir de pots de 6,5 cm et les remplir avec un mélange terreux léger jusqu'à 1,5 cm du bord.

Avec un petit transplantoir, prélever les fougères et les planter. Tasser la terre avec les doigts. Pour garder le mélange au frais et éviter la formation d'une croûte au moment des arrosages, recouvrir de gravillons la surface du mélange. Placer les pots dans une serre ombragée, au bord d'une fenêtre peu éclairée ou sous des tubes fluorescents.

Deux mois plus tard, examiner les racines. Extraire les plantes en retournant le pot à l'envers et en cognant légèrement le rebord contre une surface dure pour dégager la motte.

Si les racines ont atteint la périphérie de la motte, ameublir la base de celle-ci et rempoter les fougères dans des pots de 7,5 cm. Les remettre dans un emplacement ombragé.

Les repiquer au jardin lorsqu'elles sont bien enracinées et que le temps s'est réchauffé.

DE LA SPORE À LA FOUGÈRE EN 12 ÉTAPES

1. *Tamiser le mélange et en placer la partie la plus fine sur le dessus.*

2. *Stériliser à l'eau bouillante en protégeant la surface avec du papier.*

3. *Répartir les spores sur la surface et couvrir d'une plaque de verre.*

4. *Arroser en plongeant la terrine dans une soucoupe d'eau bouillie.*

5. *Un ou deux mois plus tard, les prothalles (premier stade) apparaissent.*

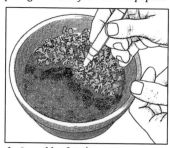

6. *Quand les fougères ont entre 2,5 et 4 cm, il est temps de les repiquer.*

7. *Les planter une à une dans une caissette en tassant le mélange.*

8. *Couvrir. Les garder six semaines dans un endroit frais et ombragé.*

9. *Quand elles ont des frondes, les déplanter avec un petit transplantoir.*

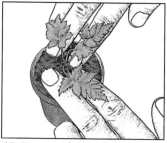

10. *Les empoter en pots de 6,5 cm remplis de mélange léger. Tasser.*

11. *Couvrir de gravier pour éviter la formation d'une croûte à l'arrosage.*

12. *Rempoter deux mois plus tard si la croissance des racines l'exige.*

Avec son feuillage semi-persistant, la fausse capillaire (Asplenium trichomanes) peut supporter les rigueurs de l'hiver du moment qu'elle est placée dans un endroit protégé. Elle sied bien dans un jardin de rocaille.

Asplenium trichomanes

Des fougères pour les jardins ombragés

Le tableau ci-dessous propose une vaste sélection de fougères qu'on peut cultiver à l'extérieur. Elles vont de la minuscule asplénie chevelue *(Asplenium trichomanes)*, qui ne dé-passe pas 13 cm de hauteur, à l'os-monde royale *(Osmunda regalis)*, qui peut atteindre jusqu'à 1,80 m.

Ces fougères ne sont pas rustiques dans toutes les régions du Canada.

Aussi, avant de faire un choix, est-il préférable de se renseigner pour connaître leur zone de rusticité.

La colonne intitulée «Multiplica-tion» donne les méthodes recom-mandées pour chaque espèce. Le terme «dimorphe», dans la colonne «Remarques», décrit les fougères dont les frondes fertiles n'ont pas la même forme que les frondes stériles.

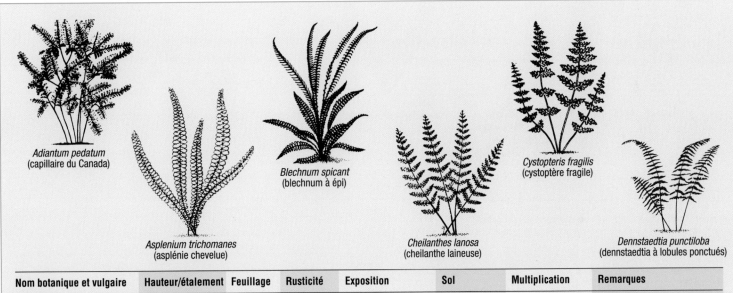

Adiantum pedatum (capillaire du Canada)

Asplenium trichomanes (asplénie chevelue)

Blechnum spicant (blechnum à épi)

Cheilanthes lanosa (cheilanthe laineuse)

Cystopteris fragilis (cystoptère fragile)

Dennstaedtia punctiloba (dennstaedtia à lobules ponctués)

Nom botanique et vulgaire	Hauteur/étalement	Feuillage	Rusticité	Exposition	Sol	Multiplication	Remarques
Adiantum							
A. capillus-veneris (capillaire, cheveux-de-Vénus)	45 cm/45 cm	Caduc	Semi-rustique	Mi-ombre	Sol alcalin	Par division ou par spores	Pour terre calcaire en climat doux.
A. pedatum (capillaire du Canada)	45 cm/45 cm	Caduc	Très rustique	Mi-ombre	Sol neutre	Par division ou par spores	Feuillage attrayant.
Asplenium							
A. platyneuron (asplénie noire ou doradille ébène)	30 cm/30 cm	Persistant	Rustique	Mi-ombre	Sol légèrement acide	Par division ou par spores	Pour plates-bandes ou rocailles.
A. trichomanes (asplénie chevelue ou fausse capillaire)	13 cm/20 cm	Persistant	Rustique	Ombre	De neutre à acide	Par division ou par spores	Prospère dans les fissures.
Blechnum							
B. spicant (blechnum à épi ou fougère pectinée)	30 cm/45 cm	Persistant	Très rustique	Ombre	Sol acide, humide	Par division	Pousse partout où le sol n'est pas calcaire.
Cheilanthes							
C. lanosa (cheilanthe laineuse)	20 cm/25 cm	Caduc	Semi-rustique	Soleil ou mi-ombre	Sol légèrement acide	Par division	Pour rocailles.
Cystopteris							
C. fragilis (cystoptère fragile)	20 cm/20 cm	Caduc	Très rustique	Ombre	Sol neutre	Par division ou par spores	Pour plates-bandes ou rocailles.
Dennstaedtia							
D. punctiloba (dennstaedtia à lobules ponctués)	60 cm/60 cm	Caduc	Rustique	Soleil ou mi-ombre	De neutre à acide	Par division	Se propage vite et peut devenir envahissant.

L'onoclée sensible (Onoclea sensibilis), dont le feuillage flétrit au premier gel, porte de petits épis de fruits très spectaculaires en hiver.

Onoclea sensibilis

Dryopteris cristata
(dryoptère à crêtes)

Gymnocarpium dryopteris
(gymnocarpe fougère-du-hêtre)

Matteuccia struthiopteris
(fougère à l'autruche)

Onoclea sensibilis
(onoclée sensible)

Osmunda regalis
(osmonde royale)

Nom botanique et vulgaire	Hauteur/étalement	Feuillage	Rusticité	Exposition	Sol	Multiplication	Remarques
Dryopteris							
D. cristata (dryoptère à crêtes)	60-90 cm/60 cm	Persistant	Rustique	Ombre	Sol acide, tourbeux	Par division ou par spores	Les folioles s'étalent en gradins.
D. goldiana (dryoptère de Goldie)	1,20 m/1,20 m	Persistant	Rustique	Ombre	Sol neutre	Par division ou par spores	Plante massive qui ne passe pas inaperçue.
D. intermedia (dryoptère spinuleuse)	60 cm/60 cm	Persistant	Rustique	Ombre	De neutre à acide	Par division ou par spores	Remarquable par ses feuilles vert-bleu.
D. marginalis (dryoptère à sores marginaux)	60-90 cm/75 cm	Persistant	Rustique	Mi-ombre	Sol neutre	Par division ou par spores	S'établit facilement. Présente des frondes vert-gris.
Gymnocarpium							
G. dryopteris (gymnocarpe fougère-du-hêtre)	23 cm/23 cm	Caduc	Rustique	Ombre	Sol acide	Par division	L'une des plus belles. Se plaît au jardin, en sol humifère.
Matteuccia							
M. struthiopteris (fougère à l'autruche)	90 cm-1,50 m/ 1,20-2,40 m	Caduc	Rustique	Mi-ombre	De neutre à acide, humide	Par division	Se place bien aux abords d'une maison. Frondes dimorphes.
Onoclea							
O. sensibilis (onoclée sensible)	60-90 cm/60 cm	Caduc	Rustique	Soleil ou mi-ombre	De neutre à acide, humide	Par division	Croît n'importe où. Frondes dimorphes. Le feuillage vert se flétrit au premier gel.
Osmunda							
O. cinnamomea (osmonde cannelle)	1,20-1,80 m/ 60 cm-90 cm	Caduc	Très rustique	Mi-ombre	Sol acide, humide	Par division ou par spores	Première fougère au printemps. Crosses laineuses.
O. regalis (osmonde royale)	1,20-1,80 m/ 1,20-2,40 m	Caduc	Rustique	Mi-ombre	De neutre à acide, humide	Par division ou par spores	Sporanges terminaux dorés ressemblant à des fleurs.

La fougère Cyrtomium et la woodwardie de l'Est (Woodwardia unigemmata) ont toutes deux un feuillage persistant. Elles sont rustiques en Amérique du Nord seulement dans les régions chaudes.

Cyrtomium fortunei

Woodwardia unigemmata

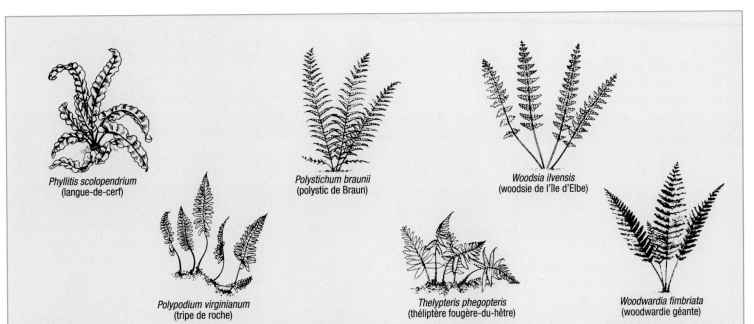

Phyllitis scolopendrium
(langue-de-cerf)

Polystichum braunii
(polystic de Braun)

Woodsia ilvensis
(woodsie de l'île d'Elbe)

Polypodium virginianum
(tripe de roche)

Thelypteris phegopteris
(théliptère fougère-du-hêtre)

Woodwardia fimbriata
(woodwardie géante)

Nom botanique et vulgaire	Hauteur/étalement	Feuillage	Rusticité	Exposition	Sol	Multiplication	Remarques
Phyllitis P. scolopendrium (langue-de-cerf ou scolopendre)	38 cm/45 cm	Persistant	Rustique	Mi-ombre	Sol alcalin	Par division ou par spores	Plusieurs variétés cristées et crénelées.
Polypodium P. virginianum (polypode de Virginie ou tripe de roche)	15-20 cm/30 cm	Persistant	Rustique	Mi-ombre	Sol neutre	Par division	Pousse mieux sur des pierres moussues.
Polystichum P. braunii (polystic de Braun)	60 cm/60 cm	Persistant	Rustique	Ombre	Sol acide	Par division ou par spores	Frondes remarquable, vernissées et vert sombre.
P. munitum (polystic de l'Ouest ou polystic épineux)	90 cm/ 90 cm-1,20 m	Persistant	Rustique	Ombre	Sol acide	Par division ou par spores	Plante très décorative qui croît facilement si l'humus est riche.
Thelypteris T. noveboracensis T. phegopteris (théliptère fougère-du-hêtre)	45-60 cm/60 cm 15-30 cm/30-45 cm	Caduc Caduc	Rustique Rustique	Mi-ombre Mi-ombre	Sol acide Sol acide	Par division Par division	Se propage très rapidement. Pousse bien dans les rocailles ombragées.
Woodsia W. ilvensis (woodsie de l'île d'Elbe)	15 cm/20 cm	Caduc	Rustique	Mi-ombre	Sol neutre	Par division ou par spores	Les crosses au printemps sont couvertes d'écailles argentées. Convient aux rocailles.
Woodwardia W. areolata (woodwardie aréolée) W. fimbriata (woodwardie géante)	60 cm/45 cm 1,20-2,40 m/ 1,20-2,40 m	Caduc Persistant	Rustique Semi-rustique	Ombre Ombre	Sol acide Sol acide	Par division Par division ou par spores	Frondes dimorphes. Pousse dans un sol humifère.

Arbres fruitiers et jardin potager

FRUITS

Tout jardin, quelles que soient ses dimensions, peut permettre la culture des fruits et même des petits arbres fruitiers palissés contre un mur ou poussant librement.

Petits fruits

À l'exception du fraisier qui est une plante basse cultivée en plate-bande, les petits arbustes fruitiers se caractérisent par une charpente pérenne et des rameaux prenant naissance au niveau du sol ou sur un tronc très court. Ils atteignent environ 1,20 m de hauteur et d'étalement.

Les groseilliers taillés à une, deux ou trois branches charpentières peuvent être cultivés à plat sur un mur ou un treillage.

Certains arbustes fruitiers se caractérisent par des tiges sarmenteuses qui prennent naissance au niveau du sol ou juste en dessous et qu'il est préférable, pour cette raison, de palisser contre des échalas ou sur du fil métallique. Comme les pousses meurent après avoir fructifié, il faut les supprimer tous les ans pour favoriser l'apparition de nouvelles pousses.

Arbustes fruitiers

Les modes de conduite les mieux adaptés à un verger familial sont le cordon, la palmette simple, la palmette en éventail et le fuseau. On maintient de bonnes proportions en utilisant des formes greffées sur un système radiculaire nanisant. Les formes demi-tige et haute tige sont réservées à la culture commerciale.

Arbres basses tiges Cette forme est employée surtout pour la culture des pommiers et des poiriers. La variété choisie est greffée sur un système radiculaire à basse tige ou à demi-tige. L'arbre fruitier comporte alors un tronc de 60 à 68 cm de haut, couronné de branches charpentières formant la frondaison. Sa hauteur et son étalement ne dépassent pas 1,80 à 3 m si on le taille régulièrement. À défaut de quoi il se déploiera sur 4,50 à 6 m, ce qui demeure néanmoins

une taille inférieure à un arbre normal, mais qui pourrait être excessive compte tenu de l'emplacement.

Cordons Cette forme est l'une des plus recommandées pour un petit jardin. Elle comprend un axe unique sans ramifications latérales importantes. Les cordons occupent très peu d'espace, sont faciles à conduire et produisent abondamment en dépit de leur faible volume.

Les cordons sont palissés sur des fils de fer. On peut les conduire verticalement, mais la conduite est généralement horizontale ou inclinée à 45 degrés afin de permettre à l'axe d'atteindre une plus grande longueur. Le développement d'un cordon moyen variant de 2,45 à 3 m, la hauteur du cordon oblique sera de 2,10 m environ. Le double cordon en U, variante du précédent, est habituellement conduit à la verticale. Ces formes sont destinées surtout aux pommiers et aux poiriers.

Palmettes simples Cette forme se caractérise par un axe central muni de charpentières horizontales et opposées, supportées par un palissage. Elle exige une taille et une conduite attentives. Les palmettes simples conviennent aux pommiers et aux poiriers, dans les petits jardins. Leur hauteur moyenne est de 2,45 m, et leur étalement de 1,80 à 3 m.

Palmettes en éventail Dans cette forme, les charpentières sont palissées en éventail, généralement contre un mur. Tous les arbres fruitiers étudiés ici peuvent être conduits de cette façon, mais les palmettes en éventail demandent beaucoup d'espace et une taille soignée. Leur hauteur est en moyenne de 3 m, et leur étalement de 3 à 4,50 m.

Fuseaux nains Ils sont de forme conique et comportent un axe central muni de charpentières qui naissent à environ 40 cm du sol. Cette forme

convient aux pommiers, aux poiriers et à certains pruniers. La hauteur se situe entre 2,10 et 3 m, et l'étalement entre 90 cm et 1,80 m.

Pollinisation

Les fleurs ne donnent de fruits que si elles sont fécondées par le pollen que transportent le vent et les insectes.

La plupart des arbres fruitiers ont des fleurs bisexuées, mais tous ne sont pas autofertiles, c'est-à-dire fécondables par leur propre pollen. Il faut alors les cultiver avec une autre variété fleurissant en même temps de façon que leurs fleurs se fécondent mutuellement.

À l'exception des bleuets, les arbustes à petits fruits sont autofertiles.

Taille

La taille des arbres fruitiers se fait en deux étapes. La première, ou taille de

formation, a pour but de donner au jeune arbre ou au buisson la forme désirée, et la deuxième, ou taille d'entretien, de maintenir cette forme une fois qu'elle est établie.

Pour l'ensemble des arbres fruitiers, la taille de formation est généralement identique à celle qui se pratique sur les pommiers. Les tailles d'entretien, cependant, peuvent varier considérablement d'un arbre à l'autre. Comme la taille a pour principal objectif des récoltes régulières et des fruits de qualité, elle se fait toujours en fonction du type de croissance de l'arbre.

Les pommiers, les cerisiers à fruits doux et les poiriers produisent la plus grande partie de leurs fruits sur du bois d'au moins deux ans. La taille vise donc principalement à maintenir un équilibre entre les anciennes et les nouvelles pousses.

Par contre, les mûres, les groseilles, le cassis, les bleuets, les pêches, les framboises d'été (non remontantes) et les cerises acides viennent surtout du bois d'un an. Le raisin poussant sur du bois de l'année, les vignes doivent être débarrassées au printemps des pousses qui ont déjà fructifié. Les framboises d'automne sont généralement remontantes, la fructification estivale se faisant sur le bois qui a donné des fruits l'automne précédent. La taille consiste alors à supprimer les tiges qui ont fructifié pendant l'été.

Les prunes, le cassis et les groseilles à grappes viennent sur du bois qui a deux ou trois ans. Il faut donc encourager les buissons à produire de nouvelles pousses en abondance.

La taille de fructification des arbres fruitiers s'effectue généralement à la fin de l'automne ou de l'hiver. Effectuée au début de l'automne, elle risque d'entraîner une mauvaise cicatrisation des plaies. Les grandes plaies devront, de toute façon, être enduites d'un produit cicatrisant. Pour que la plaie soit la moins grande possible, tailler la branche dans son étranglement en vous servant d'un outil bien aiguisé.

Les arbres de petite forme peuvent avoir besoin d'une première taille en été et d'une deuxième en période de dormance.

Multiplication

Un arbre fruitier issu de semis diffère notablement de ses parents. La seule méthode sûre pour perpétuer une variété est la greffe.

Même si cette opération délicate devrait être laissée aux pépiniéristes expérimentés, il est bon de savoir comment on y arrive. Il faut prélever sur la variété qu'on veut multiplier un fragment de pousse appelé greffon et l'insérer dans un porte-greffe d'une autre variété comprenant un système radiculaire et une portion de tige. L'union du porte-greffe et du greffon s'appelle point de greffe ; il est souvent repérable à un renflement sur la tige.

Le porte-greffe détermine la taille, la vigueur et la production fruitière de l'arbre. Aussi, pour chaque espèce, a-t-on normalisé et classifié de nombreux porte-greffes. En conséquence, lors de l'achat d'un arbre fruitier, il est bon de préciser au pépiniériste le mode de conduite que l'on veut adopter, ainsi que les conditions de culture et le type de sol qu'on a à offrir. Il pourra alors proposer le porte-greffe le mieux adapté.

Les petits fruits sont cultivés sur leurs propres racines.

Achat des arbres fruitiers

Les arbres d'un an demandent une formation complète, tandis que ceux de deux ans sont déjà partiellement formés. Il n'est pas recommandé d'acheter des arbres plus vieux, car leur reprise est plus lente.

On peut calculer l'âge d'un arbre à la ramification des charpentières inférieures. La première année, seul l'axe principal croît. La deuxième année, on voit apparaître des ramifications latérales qui seront les futures charpentières. L'année suivante, ces charpentières se ramifient à leur tour.

Par conséquent, si la charpentière inférieure d'un arbre possède une ramification latérale elle-même ramifiée, on peut en déduire que l'arbre a quatre ans. Chez le pêcher, cependant, la pousse de l'année s'accompagne de ramifications anticipées.

Bien étaler les racines   *Remplir le trou*   *Faire une taille équilibrée*

Plantation des arbres et arbustes fruitiers

À moins qu'ils ne soient achetés en contenants, les arbres fruitiers doivent être plantés au plus tôt, entre la mi-automne et le début du printemps. En climat froid, la plantation s'effectue au début du printemps seulement. Si leurs racines sont développées, les arbres vendus en contenants peuvent être plantés quand le sol est malléable.

Éviter de planter lorsque le sol est gelé ou détrempé. Le sol est prêt lorsqu'une poignée de terre tient fermement lorsqu'on la presse, mais se défait lorsqu'on la laisse tomber.

Creuser le jour même un trou assez large pour que les racines y soient à l'aise une fois étendues, et assez profond pour que les racines supérieures soient recouvertes de 8 à 10 cm de terre. Ameublir le fond du trou avec une fourche à bêcher pour que les racines puissent s'y enfoncer.

En principe, il ne faut pas cultiver les arbres fruitiers dans un sol lourd qui s'égoutte mal. S'il n'y a pas d'autre possibilité, creuser un trou d'un tiers plus profond que le trou de plantation normal et disposer des pierres au fond pour le drainage. Au moment du remplissage, incorporer au sol une bonne brouettée de terre sablonneuse ou de gravier fin. Cette solution n'est efficace que si le sous-sol est perméable. On peut le vérifier en remplissant le trou d'eau et en calculant le temps qu'elle met à disparaître. Si le niveau ne baisse pas à raison de 5 cm ou plus l'heure, choisir un autre emplacement.

Enfoncer aussi profondément et solidement que possible un tuteur au centre du trou. Ce tuteur doit être assez grand pour atteindre l'endroit où le tronc se ramifie. Disposer au fond du trou 10 à 15 cm de fumier bien décomposé ou de compost. Bien l'ameublir et le répartir également pour que les racines n'adhèrent pas à de gros morceaux de ces substances.

Si les racines sont sèches, les faire tremper dans de l'eau pendant deux heures. Rabattre en biseau au sécateur celles qui sont abîmées. Rabattre

le bois mort au ras du tronc et éliminer les extrémités endommagées.

Ne pas enfouir l'arbre plus profondément qu'il ne l'était précédemment. Il faut l'aide d'une autre personne pour le maintenir en place.

Remplir le trou en utilisant d'abord la terre de surface. Secouer l'arbre pour que la terre glisse bien entre les racines. Quand celles-ci sont entièrement recouvertes, fouler la terre. Puis finir de remplir le trou avec le reste de la terre en la laissant meuble.

Aplanir la surface à l'aide de la fourche et ménager un léger monticule sur la circonférence du trou pour empêcher l'eau de ruisseler. Attacher l'arbre à son tuteur (voir p. 17).

Après la plantation, on doit tout juste apercevoir l'ancienne marque laissée sur le tronc par la terre, et le point de greffe doit se trouver à au moins 10 cm au-dessus du sol. Mettre des collets à 45 cm de hauteur si l'on craint les ravageurs.

Cordons, palmettes simples ou en éventail Avant la plantation, fixer les fils de support avec leurs tendeurs à des poteaux ou au mur. Pour les cordons, tendre les fils à 30 cm, 90 cm, 1,50 et 2,10 m au-dessus du sol ; pour les palmettes simples, tous les 30 à 40 cm ; pour les palmettes en éventail, tous les 23 à 30 cm.

Si les arbres sont plantés contre un mur, placer les troncs à 15 cm au moins de celui-ci. Incliner légèrement les arbres vers le mur pour faciliter le palissage.

Dans les cordons, orienter les troncs vers le nord pour qu'ils reçoivent le plus de lumière possible. Placer le point de greffe en haut pour qu'il n'y ait pas de rupture si l'on doit à nouveau incliner le cordon. Enfin, planter le dernier arbre de la rangée à au moins 2,45 m du dernier piquet ou de l'extrémité du mur pour pouvoir modifier au besoin l'inclinaison.

Autres fruits Pour les figues, raisins, framboises et fraises, voir les chapitres appropriés. Les autres arbustes à fruit seront traités comme des arbustes (voir p. 46).

Que faire si l'on ne peut planter immédiatement

Si, pour une raison quelconque, on n'est pas en mesure de planter les arbres et arbustes fruitiers le jour de leur réception, on peut les placer en jauge. Ceci consiste à les installer temporairement dans une tranchée en recouvrant leurs racines de terre. Le sol ne doit être ni trop sec ni trop humide.

Lorsqu'on doit recourir à la jauge durant une saison pluvieuse, choisir un emplacement au pied d'un mur : le sol y est rarement détrempé. On pourra l'arroser s'il devient trop sec.

Pour conserver l'emplacement humide tout en l'empêchant de geler, le

couvrir d'une feuille de plastique et disposer par-dessus de la paille sèche, des déchets de gazon ou des feuilles. Terminer avec une deuxième feuille de plastique.

À l'arrivée des arbres et des arbustes, découvrir la jauge et y creuser une tranchée de la manière suivante. Délier les plants et les adosser contre la partie inclinée de la jauge. Remplir la tranchée de façon à couvrir complètement les racines. Ne pas dépasser la marque laissée précédemment par la terre sur la tige. Tasser le sol.

Si les plants arrivent à une époque où il est impossible de les mettre en jauge, les délier et les placer, pas trop longtemps, dans un endroit frais. Couvrir les racines de tourbe.

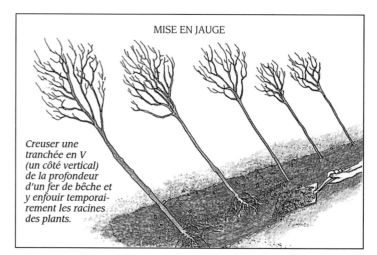

MISE EN JAUGE

Creuser une tranchée en V (un côté vertical) de la profondeur d'un fer de bêche et y enfouir temporairement les racines des plants.

Distance de plantation

Les distances de plantation mentionnées dans le tableau ci-contre ne sont qu'indicatives et conviennent à des porte-greffes peu vigoureux ou à des formes naines. On se renseignera précisément lors de l'achat des arbres. Ces distances seront d'autant plus importantes que les porte-greffes seront plus vigoureux et que le sol de culture sera plus fertile.

Forme de l'arbre	Distance entre les arbres	Distance entre les rangs
Basse tige	2,45-4,50 m	2,45-4,50 m
Demi-tige	3-3,65 m	3-3,65 m
Fuseau nain	1-1,20 m	2,10-3 m
Cordon	75-90 cm	1,80-3 m
Palmette simple	3-4,50 m	2,45-3 m
Palmette en éventail	4,50-7,25 m	2,45-3 m

Tuteurer solidement les branches lourdes

Un filet protège les fruits contre les oiseaux

Pour empêcher les branches de casser sous le poids des fruits, il faut les soutenir avec des tuteurs. Les filets constituent le seul moyen de protection efficace contre le pillage des oiseaux.

Mise à fruit d'un arbre improductif

Quand un arbre se développe avec beaucoup de vigueur mais qu'il produit peu de fruits ou n'en produit pas du tout, il est bon de réduire son alimentation azotée en semant de l'herbe autour du pied. Tondre régulièrement ce gazon pour l'encourager à croître et, par le fait même, diminuer la teneur du sol en azote.

Une autre méthode consiste à tailler les racines de l'arbre pendant sa période de dormance. Dessiner autour de l'arbre un demi-cercle d'un rayon légèrement inférieur à l'étalement de sa frondaison. Creuser sur le pourtour une tranchée étroite et assez profonde pour exposer les racines horizontales. Couper net toutes celles qui ont été ainsi dégagées en utilisant une bêche coupante pour les petites racines et des cisailles pour les grosses. Quand les racines ont été sectionnées, remplir la tranchée et tasser la terre. L'année suivante, répéter l'opération de l'autre côté de l'arbre.

Pour les pommiers et les poiriers, pratiquer une décortication annulaire au moment de la floraison. L'arbre risque cependant de mourir si le travail n'est pas fait de la façon suivante : à 15 cm au-dessous de l'insertion des premières branches, retirer une étroite bande d'écorce sur une demi-circonférence et effectuer la même opération sur l'autre moitié du tronc à 8 cm sous la première. Plus l'arbre est petit ou jeune, plus cette bande doit être étroite. Même sur de grands arbres, elle ne doit pas avoir plus de 3 mm de large.

Utiliser un couteau tranchant et inciser l'écorce superficielle seulement. Dès qu'on a détaché la bande d'écorce, couvrir la plaie d'un ruban isolant. Ne pas faire l'incision trop profonde. Si l'on entaille le cambium et qu'on y pratique une incision sur toute la circonférence du tronc, l'arbre mourra. La décortication constitue donc un dernier recours.

Protection des fruits contre ravageurs et maladies

Les bourgeons à fruits et les fruits en croissance peuvent être gravement endommagés par les oiseaux. La seule protection vraiment efficace consiste à recouvrir les arbres et arbustes fruitiers d'un filet de nylon ou de polyéthylène à mailles de 2,5 cm.

Les petits fruits et les arbres conduits en espaliers seront plus facilement protégés si l'on emploie des cages grillagées. On peut aussi ensacher les fruits dans des sacs de polyéthylène, des bas de nylon, des cônes en papier journal ou des manchons en plastique. Épouvantails, produits répulsifs ou assiettes en aluminium sont moins efficaces.

Les arbres fruitiers sont sujets aux dommages causés par les mammifères : souris qui grignotent l'écorce en hiver, ratons laveurs qui cassent les branches pour atteindre les fruits, porcs-épics qui s'attaquent à l'écorce toute l'année. Sans parler des menaces de la tondeuse mal dirigée.

Les maladies cryptogamiques, les bactérioses et les viroses, ainsi que les ravageurs, peuvent causer des dégâts importants aux arbres et même les faire mourir.

On peut bien sûr utiliser des pesticides. Certains même sont spécialement conçus pour les vergers domestiques. Il faut cependant les utiliser avec prudence et ne jamais en appliquer au moment où arbres et arbustes sont en fleurs, de crainte de tuer les insectes pollinisateurs.

Mais les ravageurs peuvent développer une accoutumance à l'égard de produits chimiques. On sait par exemple que les araignées rouges résistent à de nombreux acaricides.

La lutte contre les ravageurs exige une attention sans relâche, mais on n'aura recours à un traitement chimique que lorsqu'on peut apercevoir l'insecte ou que la plante a été attaquée de façon identique l'année précédente. Ne traiter que le sujet infesté et ceux qui l'entourent.

On trouve dans les centres de jardinage des produits polyvalents pour arbres fruitiers. Ce sont les plus commodes pour un petit verger.

Le maintien de la propreté du jardin aide à freiner maladies et ravageurs. Ne pas abandonner sur le sol les déchets de la taille. En automne, cueillir et détruire les fruits gâtés.

Pour obtenir les meilleures récoltes, on devra suivre le programme de traitements établi par les producteurs commerciaux. Voici le programme annuel recommandé aux pomiculteurs du sud de l'Ontario.

Quand les boutons ont 1,5 cm de vert, faire des traitements contre les cochenilles et les ériophyes.

Au moins sept jours plus tard, mais avant que les fleurs s'ouvrent, traiter contre la tavelure et les pucerons. Puis attendre que 90 p. 100 des pétales des fleurs soient tombés pour traiter contre les charançons, les chenilles, les ériophyes et de nouveau la tavelure.

Quatorze jours plus tard, traiter encore contre la tavelure et les charançons, plus les carpocapses.

Deux semaines plus tard, traiter contre la tavelure et les carpocapses.

Vingt et un jours plus tard, traiter contre la tavelure, la pourriture du fruit, les mouches de la pomme et les pucerons. Répéter trois fois à trois semaines d'intervalle.

La nature et l'époque des traitements varient selon les régions. Confirmer ces directives auprès de votre ministère de l'agriculture.

Les branches lourdement chargées de fruits doivent être soutenues si l'on ne veut pas qu'elles cassent. Deux techniques peuvent être utilisées : cordages reliés à un tuteur ou étais fourchus. Dans les deux cas, insérer un coussinet entre la branche et son support pour éviter les frottements.

Pomme

Pomme 'Golden Delicious'

Bien que croissant dans la plupart des sols, les pommiers préfèrent des terres bien drainées, à réaction neutre ou légèrement alcaline et qui ne se dessèchent pas en été.

Ces arbres n'aiment guère le voisinage de la mer: les vents chargés d'embruns les endommagent. Ils ne prospèrent pas non plus dans les régions où il ne gèle pas en hiver, quoiqu'il existe maintenant des variétés acclimatées aux climats doux.

Généralement, les pommiers exigent une pollinisation croisée qui leur est assurée par une variété différente, mais fleurissant au même moment (voir p. 366). Pour contourner cette particularité, les pépiniéristes ont mis au point des arbres provenant de variétés multiples en greffant sur un même système radiculaire trois à cinq variétés différentes, susceptibles de se polliniser.

Une plantation de six pommiers nains (ou de quatre pommiers en éventail, de quatre en espalier, de huit fuseaux nains, ou de 12 cordons) donne une récolte suffisante pour quatre personnes. Les fruits mûrissent entre la mi-été et l'automne, et il est possible de conserver certaines variétés jusqu'au printemps suivant.

Les meilleures époques de plantation sont l'automne et le printemps dans les régions tempérées, et le printemps dans les régions à climat froid (voir p. 344). Les racines d'un pommier nouvellement planté exigent beaucoup d'eau; il faut donc voir à ce que le sol demeure humide.

Durant les trois premières années, couvrir le sol au printemps de paille ou d'un autre paillis en laissant 60 cm de dégagement autour du pied. À la fin de l'hiver, et encore une fois au printemps si les pommiers manquent de vigueur, fertiliser avec un engrais complet. Pour un pommier nain adulte à étalement de 1,80 m, donner entre 250 et 500 g d'engrais 10-10-10.

Épandre l'engrais sur une surface excédant légèrement la frondaison pour atteindre les racines nourricières. Le laisser pénétrer dans le sol. Désherber en binant superficiellement et arroser en périodes prolongées de sécheresse.

Éclaircissage des jeunes fruits trop abondants

L'éclaircissage des jeunes fruits a pour effet de permettre à ceux qu'on garde d'atteindre leur pleine croissance. Il se pratique à la fin du printemps ou avant la chute anticipée des fruits. Celle-ci est un phénomène normal qui, toutefois, peut s'aggraver si le sol est pauvre et sec. On y remédiera par la fertilisation et le paillage du sol.

Au moment de l'éclaircissage, ne pas arracher les fruits à la main de crainte d'endommager la lambourde. Se servir de ciseaux. Sur chaque bouquet, supprimer d'abord le fruit central, s'il est déformé.

Continuer l'éclaircissage en ne conservant que deux pommes par bouquet, et qu'une seule si les bouquets sont très rapprochés. Éclaircir de nouveau à la mi-été si nécessaire. Laisser un espace de 10 à 15 cm entre les pommes à couteau, et un espace de 15 à 23 cm entre les pommes à cuire. Ne conserver qu'une pomme par lambourde.

Au début de l'été, éclaircir à deux fruits par bouquet.

Récolte des pommes selon la saison

Pour s'assurer que les pommes sont à point pour la cueillette, en soulever une à l'horizontale avec la paume de la main et exécuter un léger mouvement de torsion. Elle est bonne à cueillir si elle se détache facilement de l'arbre en gardant son pédoncule.

Pour atteindre les fruits qui sont hors de portée, utiliser un filet de cueillette monté sur une perche. Appuyer le cadre du filet contre le pédoncule du fruit. Si la pomme est bonne à cueillir, elle tombera d'elle-même. Déposer délicatement les fruits dans un récipient coussiné.

Les pommes précoces se conservent mal et doivent être consommées sitôt cueillies. Les variétés de demi-saison ou celles qui sont tardives sont cueillies à la mi-automne avant d'être tout à fait mûres; elles mûriront pendant leur conservation.

Ranger les variétés de demi-saison qui seront consommées de la fin de l'automne au début de l'hiver à l'écart des variétés tardives qui seront prêtes à manger à partir de la mi-hiver. En mûrissant, les premières dégagent des gaz éthyléniques qui feront mûrir précocement les secondes.

Certaines pommes tardives se conservent jusqu'au milieu et même jusqu'à la fin du printemps si elles sont gardées dans de bonnes conditions. Après la récolte, placer les pommes dans une pièce ou un hangar frais et bien aéré où elles pourront «transpirer» pendant deux ou trois jours. Ensuite, éliminer les pommes abîmées, ainsi que celles qui ont perdu leur pédoncule.

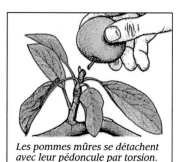

Les pommes mûres se détachent avec leur pédoncule par torsion.

Les pommes sont sujettes non seulement à l'attaque des insectes comme les pucerons, mais à celle des virus et des champignons.

Tavelure

Pourriture

Conservation des pommes

La meilleure technique de conservation des pommes consiste à envelopper les fruits individuellement dans du papier ciré ou dans un morceau de 25 cm de côté de papier journal. L'emballage ne doit pas être étanche. Rabattre simplement un coin de la feuille de papier sur le fruit; replier le coin opposé par-dessus, puis les deux autres. Sans cette précaution, les pommes risquent de pourrir ou de se dessécher.

Choisir un local sombre, humide et frais dont la température se situe entre 2 et 4 °C. Une ventilation excessive provoque un flétrissement tandis qu'une aération insuffisante peut faire pourrir l'intérieur du fruit.

Aligner les pommes emballées sur des rayonnages à claire-voie ou en deux ou trois couches dans une boîte bien ventilée. Éliminer régulièrement les fruits marqués de pourriture.

Plutôt que de les emballer individuellement, on peut ranger les pommes dans des sacs en polyéthylène d'une capacité de 2 ou 3 kg. Percer des petits trous car les fruits pourriraient dans des sacs hermétiques.

Ne pas mettre plusieurs variétés de pommes dans le même sac. Le gaz éthylénique dégagé par les fruits les plus précoces hâterait la maturation des fruits plus tardifs.

Ravageurs et maladies qui attaquent les pommes

La majorité des ravageurs peuvent être détruits par un traitement effectué pendant la période de dormance et des traitements appliqués ensuite régulièrement. Le premier traitement doit être fait au moment où les boutons s'ouvrent. Les autres s'échelonnent ainsi : avant l'épanouissement des fleurs, après la chute des pétales, puis à des intervalles d'une, deux, quatre, six et huit semaines.

Se reporter au tableau commençant à la page 509 pour connaître les appellations commerciales des produits phytosanitaires recommandés.

Symptômes	Cause	Traitement*
Feuilles enroulées, parfois teintées de rouge; pousses déformées. Présence d'insectes gluants.	Pucerons (pucerons verts et autres espèces)	Traiter avant la floraison avec un savon insecticide, du carbaryl ou du malathion. Répéter après la floraison au besoin.
Petites flétrissures sur la pelure du fruit. Dans le fruit, marques liégeuses brunes; le ver est visible.	Larves de la mouche de la pomme	Ramasser et jeter les fruits attaqués. Vaporiser tous les 7 à 10 jours avec du méthoxychlore depuis le début jusqu'à la mi-été.
Petits trous bruns dans la peau des jeunes fruits, entourés d'un halo brun. Les fruits atteints tombent prématurément. L'intérieur des fruits dégage une odeur nauséabonde et révèle la présence de vers.	Tenthrèdes de la pomme (larves)	Tout de suite après la chute des pétales, vaporisation de roténone, de perméthrine ou de méthoxychlore.
À partir de la mi-été, apparition sur les fruits de petits trous sans halo. Pas d'odeur quand on les ouvre, mais chenilles blanches en train de se nourrir de pulpe.	Carpocapses (larves)	Suspendre des trappes dans les arbres pour éliminer l'insecte mâle. Au début de l'été, vaporiser du carbaryl ou de la perméthrine. Recommencer au bout de trois semaines.
Feuilles tachetées, virant au jaune ou au roux.	Araignées rouges, tétranyques	Au début de l'été, vaporiser avec du savon insecticide. Répéter au besoin.
Déposés sur les brindilles, les œufs éclosent quand les fleurs sont rose sombre. Les larves dévorent le feuillage.	Tordeuses (chenilles) ou lieuses	Vaporiser avec de l'huile de dormance à la fin de l'hiver ; et avec du *Bacillus thuringiensis* dès l'instant où l'on aperçoit des chenilles.

Symptômes	Cause	Traitement*
Les charançons vont pondre au cœur des très jeunes fruits. Après éclosion, les larves se nourrissent de la pomme.	Charançons de la prune	Vaporiser à la chute des pétales avec du savon insecticide ou du carbaryl. Ramasser les fruits tombés au fur et à mesure.
Dépôts écailleux blancs, gris ou bruns sur les brindilles, l'écorce et les fruits. Les insectes sucent la sève. La croissance de l'arbre ralentit.	Cochenilles (de San José, écailleuses et autres)	Vaporisation avec un insecticide à base d'huile miscible avant la reprise au printemps. Utiliser ensuite un insecticide systémique, tel que le diméthoate.
Feuilles et jeunes tiges déformées, couvertes d'une poudre blanche.	Blanc (champignon)	À la fin du printemps et au début de l'automne, vaporisation de captane, de dinocap ou de soufre.
Taches brunes ou noirâtres sur fruits, feuilles et pousses, qui deviennent liégeuses et peuvent se craqueler.	Tavelure (champignon)	Depuis la chute des écailles des bourgeons jusqu'à la mi-été au besoin, arrosage à base de bénomyl, captane, ferbame ou thirame. Couper et détruire les parties atteintes.
Les feuilles brunissent et paraissent brûlées, pendent au bout des branches mais ne tombent pas. Petites dépressions d'écorce nécrotique sur les branches.	Chancre du pommier (champignon)	Couper les branches affectées pour enrayer le problème à sa source dès son apparition. Vaporiser avec de la bouillie soufrée à la fin de l'hiver et avec un fongicide à base de cuivre aussitôt que les feuilles commencent à se dérouler.
Au début de l'été, taches foliaires orange devenant sombres, croûtées et tavelées. Dépressions ou taches orange sur les fruits.	Rouille (de la pomme de cèdre ou de l'aubépine)	Éliminer les cèdres rouges (*Juniperus*) dans un rayon de 800 m. Supprimer les tumeurs hivernales des cèdres. Vaporiser de carbamate (ferbame, manèbe ou thirame) quand les boutons rosissent. Répéter à l'épanouissement, à la chute des pétales et trois autres fois à 10 jours d'intervalle.

* Certains produits sont interdits dans les localités qui ont adopté des règlements contre les pesticides. Voir aussi « Recettes maison et produits naturels », p. 512, et « Les amis du jardin », p. 515.

Les poiriers ont besoin d'être davantage rabattus que les pommiers, tandis que les cognassiers n'ont pas du tout besoin d'être taillés.

Poires 'Williams Bon Chrétien'   Pommes 'Jonagold'   Coings 'Ronda'

Taille et conduite des pommiers

Pendant les quatre premières années, le but de la taille est de donner au pommier une charpente solide et régulière.

Par la suite, la taille vise à ouvrir la frondaison et à maintenir un équilibre entre la mise à fruit et la croissance.

La taille hivernale (fin automne ou début hiver) dirige la poussée végétative vers les yeux à bois. La taille estivale (mi-été jusqu'à fin été) a pour but d'éclaircir le feuillage pour laisser la place aux fruits.

Boutons à fruits et yeux à bois Avant de tailler un arbre fruitier, il faut savoir distinguer entre un bouton à fruit et un œil à bois. Le premier, gros et arrondi, produit une fleur puis un fruit. Le second, plus pe-tit, est le bourgeon qui va donner une branche. Les deux types de bourgeons sont illustrés ci-dessous. Il peut arriver qu'un œil à bois se transforme en bouton à fruit. Une coupe estivale stimule la croissance des boutons à fruits.

Prolongement et latérales On ap-pelle prolongement la pousse termi-nale d'une branche charpentière, et latérales les branches situées de part et d'autre de cette branche.

Lambourdes et rameaux couron-nés Certaines variétés produisent leurs fruits à l'extrémité d'un court rameau nommé lambourde. Parmi celles-ci se rangent la 'Golden Deli-cious', la 'McIntosh' et la 'Stayman'. D'autres variétés portent leurs fruits sur les rameaux de l'année précé-dente. Ces variétés incluent la 'Rome Beauty' et la 'Jonathan'.

On a maintenant ce qu'on appelle les races à lambourdes, dont la taille est plus petite que celle des autres

Manière d'effectuer une coupe

d'environ un tiers et qui foisonnent de lambourdes. 'Golden Delicious', 'Red Delicious', 'McIntosh', 'Rome Beauty' et 'Winesap' sont disponibles sous cette forme. Pour une cour ar-rière, on aura intérêt à choisir des pommiers à basse tige d'une race à lambourdes.

Technique de taille Utiliser un sé-cateur bien affûté pour éviter de mâcher le bois, ce qui favorise la pénétration de germes. Couper juste au-dessus d'un œil extérieur et dans le même sens que celui-ci. Ne pas laisser un chicot au-dessus de l'œil.

Mise à fruit Durant l'année qui suit la plantation, ne garder qu'un fruit ou deux. Le cordon est mis à fruit l'an-née qui suit la plantation, mais un arbre nain monté sur un porte-greffe vigoureux ne l'est qu'après cinq ans.

Le temps requis pour atteindre la maturité varie entre 4 et 15 ans, en fonction de la variété, du porte-greffe et de la taille qu'on lui fait.

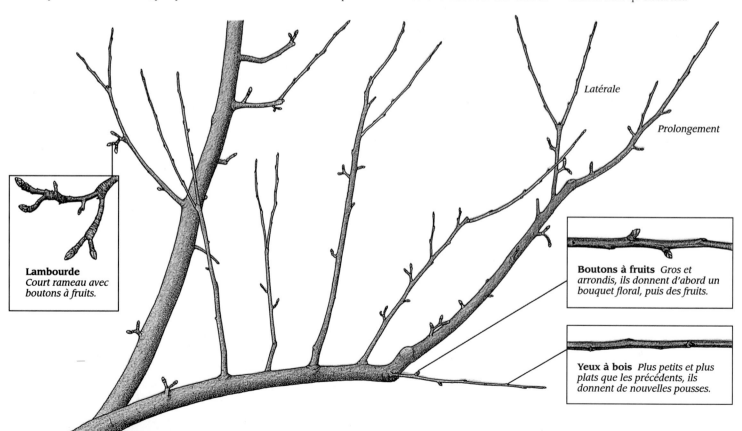

Lambourde
Court rameau avec boutons à fruits.

Latérale

Prolongement

Boutons à fruits *Gros et arrondis, ils donnent d'abord un bouquet floral, puis des fruits.*

Yeux à bois *Plus petits et plus plats que les précédents, ils donnent de nouvelles pousses.*

Prune 'Stanley'

Cerise sur 'Meteor'

La méthode pour former un arbre portant des fruits à pépins et des fruits à noyaux est la même pour les trois premières années. Mais les cerisiers et les pruniers demandent à être taillés au début du printemps, et non pas en hiver.

FRUITS 349

Taille et formation d'un jeune pommier nain

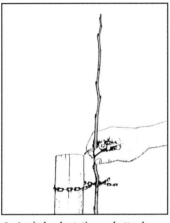

1. *Après la plantation, rabattre la tige à 45-60 cm au-dessus d'un œil.*

Formation de 1re année d'un pommier nain

Espacer les arbres nains de 3 à 5 m selon la vigueur de leur porte-greffe.

Si l'on achète un arbre d'un an, rabattre la tige à une hauteur de 45 à 60 cm au-dessus d'un œil à bois, après la plantation, laquelle doit avoir lieu en automne ou au printemps (voir p. 344).

2. *Garder trois ou quatre yeux pour les branches. Éborgner les autres.*

Les yeux ou petites pousses situées juste en dessous de la coupe se développeront l'été suivant. En choisir trois ou quatre pour former les premières charpentières. Ces yeux doivent être répartis régulièrement autour du tronc et aucun ne doit pointer vers le tuteur. Éborgner les yeux indésirables avec le pouce.

Formation de 2e année d'un pommier nain

Un arbre nain de deux ans présente en hiver les trois ou quatre branches qui se sont développées durant l'été. Rabattre ces futures charpentières au-dessus d'un œil extérieur et selon la vigueur de l'arbre.

Si les pousses sont fortes, les rabattre de moitié. Si elles sont faibles, les rabattre des deux tiers. Éborgner avec le pouce les yeux juste en dessous des coupes et tournés vers le tronc.

Formation de 3e année d'un pommier nain

Lors du troisième hiver, l'arbre présente des pousses latérales qui se sont formées sur les branches. Choisir les plus vigoureuses pour constituer, avec les premières branches, la future charpente de l'arbre.

Les rameaux choisis doivent tous pointer vers l'extérieur et leurs extrémités, après rabattage, doivent être distantes les unes des autres d'au moins 45 cm.

Rabattre les prolongements des branches principales du tiers si la poussée végétative a été vigoureuse, et de moitié si elle a été normale, en coupant au-dessus d'un œil pointant vers l'extérieur. Si la poussée végétative a été faible, rabattre la nouvelle pousse des deux tiers.

Les latérales qui n'ont pas été choisies pour former la charpente du pommier doivent être rabattues à quatre yeux de leur base.

Rabattre sur leur empattement tous les rameaux secondaires de la tige principale.

L'achèvement de cette taille de troisième année marque la fin de la formation de base d'un pommier.

Taille d'un pommier nain produisant sur lambourdes

Les pommiers nains établis qui portent presque tous leurs fruits sur des lambourdes (c'est le cas des pommiers 'Golden Delicious' et 'McIntosh') doivent être taillés chaque hiver selon une méthode appelée taille de renouvellement. Cette taille a pour but de favoriser l'apparition, chaque année, de nouvelles lambourdes qui remplaceront une partie de celles qui ont déjà porté des fruits. Elle est faite en fonction d'un cycle de fructification de trois ans.

Le premier été, un œil à bois devient un rameau. Le deuxième été, ce rameau produit des boutons à fruits. Le troisième été, les boutons à fruits évoluent en lambourdes qui fructifient le même été et les étés suivants.

Durant le deuxième été, le rameau ne produit pas que des lambourdes. Il donne aussi une pousse terminale, de sorte que le rameau de deux ans se termine par une pousse d'un an. Le rameau de trois ans présente, pour sa part, à la fois un prolongement de deux ans et une pousse terminale d'un an.

Dans la taille de renouvellement, on rabat un certain nombre de pousses de deux ans et de trois ans pour éviter une surproduction de fruits et de rameaux, améliorer la qualité des fruits et favoriser l'apparition de nouvelles lambourdes.

On ne taille pas les pousses d'un an qu'émet une branche principale. Mais il va de soi qu'on perd des pousses terminales d'un an lorsqu'on supprime du bois de deux ou trois ans. Au moment de la sélection des pousses à tailler, remonter jusqu'au vieux bois en partant des extrémités d'un an.

RAMEAUX D'UN AN

Les rameaux d'un an issus d'une charpentière n'ont que des yeux à bois. Ne pas les tailler.

RAMEAUX DE DEUX ANS

Les rameaux de deux ans ont des boutons à fruits. En conserver deux si les rameaux sont faibles, plus s'ils sont forts.

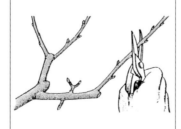

RAMEAUX DE TROIS ANS

Les rameaux de trois ans portent des lambourdes. En rabattre quelques-uns à la plus basse lambourde.

Les fleurs d'arbres fruitiers nous préparent non seulement de délicieux fruits à manger, mais elles sont aussi de ravissantes parures par elles-mêmes.

Pomme 'Golden Delicious' ➡

Fleur de pommier 'Red Delicious'

Fleur de cognassier 'Smyma'

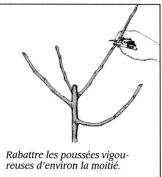

Rabattre les poussées vigoureuses d'environ la moitié.

Si la poussée végétative du pommier est faible, rabattre les pousses de deux ans au deuxième bouton à fruit à partir de la base. Épargner un plus grand nombre de boutons si l'arbre est vigoureux. Rabattre les pousses de trois ans à la lambourde la plus basse. Les yeux à bois produiront de nouveaux rameaux et le cycle de fructification recommencera.

Le prolongement annuel des charpentières sera rabattu du tiers si la branche est vigoureuse, de moitié si sa poussée végétative est normale,

Une branche arquée de cette façon est sujette à casser.

En étalant une branche, essayer de l'arquer le moins possible.

des deux tiers si elle est faible. Quand les charpentières ont atteint leur taille maximale (environ 2,50 m) tailler leurs prolongements tout comme les pousses latérales.

Pommiers produisant sur rameaux couronnés

Les variétés naines de ce type sont relativement rares. On peut nommer : 'Rome Beauty', 'Jonathan' et 'Stayman'. Une grande partie de leurs boutons à fruits apparaissent à l'extrémité des rameaux, le reste étant produit sur des lambourdes.

Leur cycle de croissance est le même que celui des pommiers fructifiant sur des lambourdes, sauf qu'un grand nombre de leurs pousses d'un an se couronnent d'un bouton à fruit.

Chaque hiver, tailler les rameaux non couronnés, c'est-à-dire sans bouton à fruit terminal, en les rabattant sur le bouton à fruit le plus haut, ou sur le quatrième ou cinquième œil à bois à partir de la base du rameau s'il n'y a pas de bouton à fruit.

Les rameaux couronnés ne seront taillés que si leurs extrémités sont à moins de 30 cm les unes des autres. Éclaircir alors la frondaison en rabattant quelques-uns des rameaux à deux yeux de la base, mais de préférence au-dessus d'un bouton à fruit. Rabattre les prolongements couronnés des charpentières au-dessus d'un œil à bois.

Un nouveau type d'arbre nain

En 1962, à Kelowna, en Colombie-Britannique, on assista à la mutation spontanée d'une branche qui n'avait aucune pousse latérale, seulement des lambourdes chargées de fruits. En peu de temps, Agriculture Canada s'efforça de reproduire cette branche unique pour en faire un arbre d'un nouveau style ayant, au lieu de branches, des lambourdes.

On effectua des croisements avec d'autres variétés de pommiers et de pommetiers comestibles et cela donna lieu finalement à quatre nouvelles variétés qui furent présentées en 1989, à la Foire de Chelsea, en Angleterre, sous le nom de « Ballerina ». En Amérique du Nord, le nom de Ballerina étant déjà une marque dépo-

sée, on adopta le nom de « Colonnade ». Les arbres de ce type forment un mince cordon d'environ 50 cm de diamètre pouvant atteindre 1,80 m en hauteur s'ils ne sont pas taillés.

À l'heure actuelle, on connaît trois pommiers de ce type : 'Emeraldspire', variété hâtive à pommes vertes, 'Ultraspire', qui produit en mi-saison des pommes rouges, et 'Scarletspire', variété tardive à pommes rouges ; et un pommetier, 'Maypole', dont les fleurs sont couleur rouge carmin.

Ce sont des choix judicieux pour un petit jardin. Rustiques en zone 4, ils requièrent des soins spéciaux si on les garde dans des contenants : en hiver, envelopper le tronc et isoler le contenant, lequel devrait avoir au moins 38 cm de diamètre. Il faut de fréquents apports de fertilisant si on veut que l'arbre soit productif.

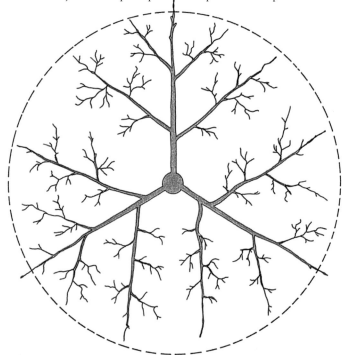

Une vue en plongée sur ce parfait étalement montre trois branches charpentières également distancées les unes des autres sur la tige principale.

Ces branches ont été taillées trop près du tronc et enduites de peinture (à droite), leur cicatrisation sera longue. Les courçons enchevêtrés (à l'extrême-droite) doivent être sévèrement rabattus.

Ces blessures seront lentes à cicatriser

Un cas typique de pommier négligé

Taille d'un pommier négligé

Les pommiers nains ou les pleins-vents dont la taille a été négligée peuvent être sauvés par une taille hivernale. Si la croissance de l'arbre a été faible cette année-là, toute la taille de reprise peut être effectuée d'un coup. Dans les autres cas, étaler le travail sur deux ou trois ans.

En premier lieu, éliminer les branches mortes ou malades. Puis, ouvrir la frondaison en supprimant des grosses branches au centre afin de prévoir des espaces de 60 à 90 cm entre elles à la périphérie de la ramure où pourront se développer les nouvelles pousses. Supprimer également toutes les branches mal placées ou qui se croisent. Rabattre les charpentières des arbres très grands jusqu'à une latérale.

Lorsqu'on doit éliminer une grosse branche, commencer par identifier son collet, un renflement près de la base. La couper juste à l'extérieur du collet. Ne pas couvrir la plaie d'un enduit cicatrisant.

Éclaircir le courçonnage en supprimant certains courçons et en simplifiant les autres. En règle générale, les lambourdes doivent être espacées de 25 à 30 cm. Étaler ce travail sur plusieurs années chez tous les sujets.

Éliminer l'herbe et les mauvaises herbes au pied de l'arbre. Biner le sol dans un rayon de 2,50 m.

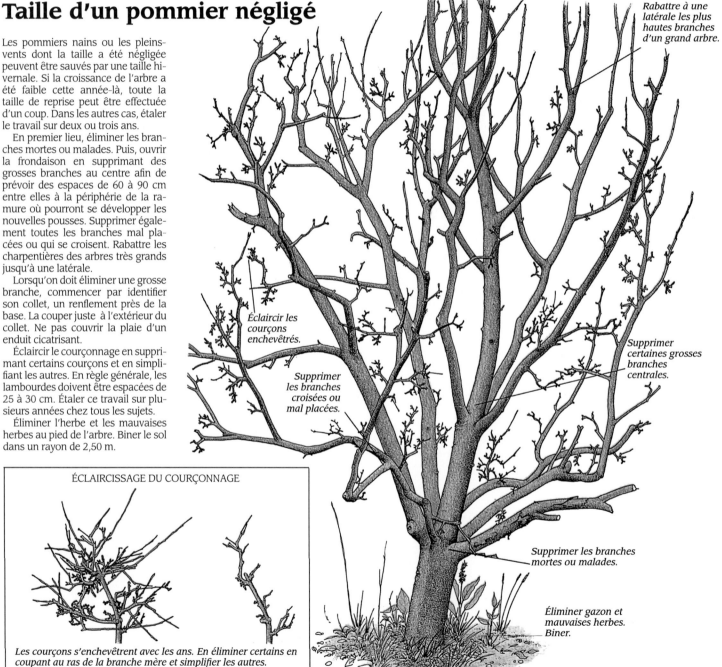

Rabattre à une latérale les plus hautes branches d'un grand arbre.

Éclaircir les courçons enchevêtrés.

Supprimer certaines grosses branches centrales.

Supprimer les branches croisées ou mal placées.

Supprimer les branches mortes ou malades.

Éliminer gazon et mauvaises herbes. Biner.

ÉCLAIRCISSAGE DU COURÇONNAGE

Les courçons s'enchevêtrent avec les ans. En éliminer certains en coupant au ras de la branche mère et simplifier les autres.

Un mur baigné de soleil constitue, pour ces cordons verticaux, une protection et un appui. Avec ce type de cordon, les arbres sont plantés plus près les uns des autres.

Cordon vertical

Taille et formation d'un cordon

Planter les cordons à 75 cm les uns des autres — à 90 cm en sol fertile (voir p. 344). Espacer les rangs d'au moins 1,80 m.

Après la plantation de l'arbre, quel que soit son âge, fixer une tige de bambou de 2,50 à 3 m de long aux fils horizontaux en lui donnant la même inclinaison que celle de l'arbre (généralement 45 degrés).

Attacher la tige de l'arbre au bambou avec un lien souple. Retirer le bambou lorsque le cordon atteint le haut du palissage.

Il n'est pas nécessaire de tailler le pommier au moment de la plantation. Par la suite, le tailler chaque été, au moment de la maturation du nou-

veau bois, c'est-à-dire entre le milieu et la fin de l'été ou au début de l'automne. La pousse adulte est ligneuse à sa base et mesure au moins 25 cm.

Lorsque la taille a lieu en été, il y a une repousse au cours des mois suivants. Si l'été est sec et la repousse peu vigoureuse, rabattre toutes les nouvelles pousses à un œil au début de l'automne. Si l'été est humide et la repousse abondante, tailler jusqu'au début de l'hiver au besoin.

Sur les cordons adultes, éclaircir en hiver (voir p. 365) les courçons qui sont devenus trop touffus.

Délier le cordon et le palisser. Lorsqu'il dépasse le fil métallique supérieur, lui donner une plus grande

inclinaison en le palissant. Ne pas l'incliner à plus de 35 degrés cependant: il pourrait casser. Lorsqu'il n'est plus possible de l'abaisser davantage, rabattre son prolongement

Inclinaison d'un cordon

à 1,5 cm de la coupe précédente, au-dessus d'un œil. Pratiquer cette taille vers la fin du printemps.

TAILLE D'AUTOMNE

En début d'automne, rabattre à un œil la repousse qui se produit après la taille de mi-été.

À la mi-été, rabattre les latérales à trois feuilles au-dessus de la rosette de base.

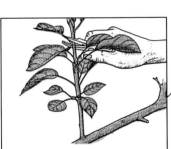

Rabattre les pousses issues de latérales ou de courçons à une feuille de la rosette.

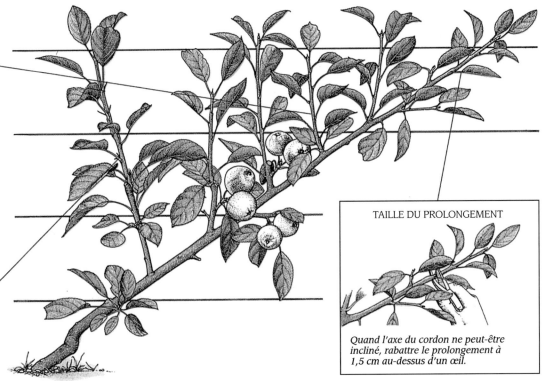

TAILLE DU PROLONGEMENT

Quand l'axe du cordon ne peut-être incliné, rabattre le prolongement à 1,5 cm au-dessus d'un œil.

La palmette simple est constituée généralement de quatre ou cinq paires de branches qui s'étendent sur environ 3,60 m. Un simple cordon peut être amené à former une arche.

Palmette simple à l'horizontale

Simple cordon en forme d'arche

Taille et formation d'une palmette simple

Formation de 1re année d'une palmette simple

Au moment de la plantation, espacer les palmettes de 3 à 4,50 m selon la vigueur du porte-greffe. Se renseigner à ce sujet auprès du pépiniériste au moment de l'achat.

Si l'arbre est âgé d'un an, le rabattre tout de suite après la plantation. Couper au-dessus d'un œil ou d'une pousse, à environ 35 cm du sol et à 5 cm au-dessus du fil de support le plus bas.

Avant de choisir quel œil va constituer le sommet de l'arbre, s'assurer qu'il y a bien, juste au-dessous, deux autres yeux (ou deux pousses) qui pointent en direction opposées, précisément dans l'axe du fil. L'œil supérieur va produire une pousse érigée qui servira d'axe principal, tandis que les deux autres formeront le premier étage. Éborgner les autres yeux en frottant avec l'ongle et couper les autres pousses.

L'œil inférieur risque d'être plus faible que les deux autres. Pour stimuler sa croissance, pratiquer une entaille avec un couteau bien aiguisé en enlevant un morceau d'écorce juste au-dessus de l'œil.

L'été suivant, palisser ces trois pousses dans les directions requises au moyen de tiges de bambou. Conduire l'axe principal verticalement. Conduire les deux pousses latérales en oblique.

Fixer un bambou verticalement par rapport aux fils de fer et y attacher avec un lien souple l'axe principal issu de l'œil supérieur. De chaque côté de ce bambou, en fixer deux autres en leur donnant un angle de 45 degrés. Avec un lien souple, attacher à ces deux tiges les deux pousses latérales issues des yeux inférieurs.

S'il est nécessaire d'équilibrer la vigueur des deux rameaux latéraux, modifier leur inclinaison respective. Incliner davantage le rameau plus vigoureux et redresser le rameau moins développé. Prolonger ces mesures correctives tant que les deux rameaux ne seront pas égaux.

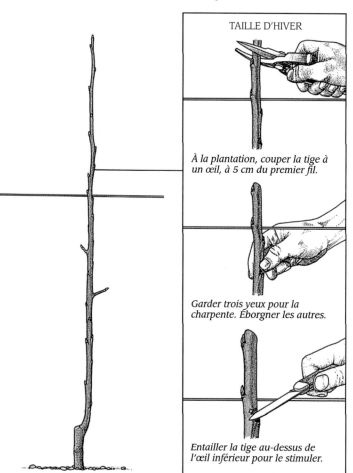

TAILLE D'HIVER

À la plantation, couper la tige à un œil, à 5 cm du premier fil.

Garder trois yeux pour la charpente. Éborgner les autres.

Entailler la tige au-dessus de l'œil inférieur pour le stimuler.

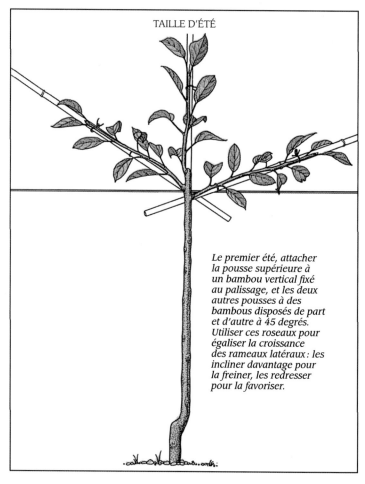

TAILLE D'ÉTÉ

Le premier été, attacher la pousse supérieure à un bambou vertical fixé au palissage, et les deux autres pousses à des bambous disposés de part et d'autre à 45 degrés. Utiliser ces roseaux pour égaliser la croissance des rameaux latéraux: les incliner davantage pour la freiner, les redresser pour la favoriser.

Formation de 2ᵉ et de 3ᵉ année

Au cours du second hiver, abaisser les deux rameaux latéraux à l'horizontale, de part et d'autre de la tige principale. Enlever les bambous et attacher les branches au fil de fer.

Pour favoriser la croissance des courçons, tailler les prolongements des branches juste au-dessus d'un œil. Les rabattre de moitié, un peu moins s'ils sont vigoureux, un peu plus s'ils sont faibles. Cette taille donnera deux charpentières égales.

Rabattre l'axe principal à 5 cm environ au-dessus du deuxième fil en coupant juste au-dessus d'un œil. Sous cette coupe, choisir deux yeux qui formeront la deuxième paire de charpentières horizontales. Éborgner les autres yeux en frottant avec l'ongle et couper les pousses.

Comme précédemment, pratiquer dans l'écorce, au-dessus de l'œil le plus bas, une entaille en demi-lune.

L'été suivant, fixer les deux nouvelles charpentières à des bambous placés à 45 degrés sur le palissage, de part et d'autre de l'axe principal. Conduire les branches de la façon indiquée pour le premier étage. Palisser à l'horizontale les pousses terminales des prolongements des charpentières du premier étage.

À la mi-été, tailler sur du bois adulte la pousse de l'année en cours. Dans certaines régions, cette taille doit être faite au début de l'automne.

La pousse adulte mesure au moins 23 cm de long ; elle est ligneuse à la base et porte des feuilles vert foncé. Rabattre les branches latérales adultes à trois feuilles au-dessus de la rosette de base.

Si cette taille a été effectuée en été, il se peut qu'une repousse apparaisse en automne. La rabattre à un seul œil. Après un été pluvieux, propice à ce genre de situation, il faut retarder cette taille le plus possible.

Le troisième hiver, encore une fois rabattre le prolongement des charpentières et choisir les yeux qui donneront naissance à un autre étage.

Le quatrième été, former le troisième étage et tailler les rameaux adultes comme durant l'été précédent. Les pousses issues des latérales ou des courçons seront rabattues à une feuille au-dessus de la rosette de base.

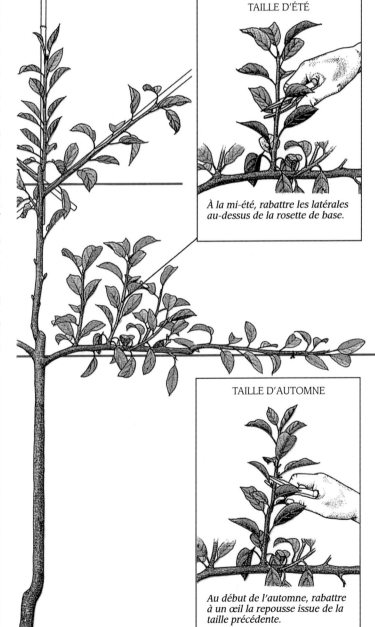

TAILLE D'ÉTÉ

À la mi-été, rabattre les latérales au-dessus de la rosette de base.

TAILLE D'AUTOMNE

Au début de l'automne, rabattre à un œil la repousse issue de la taille précédente.

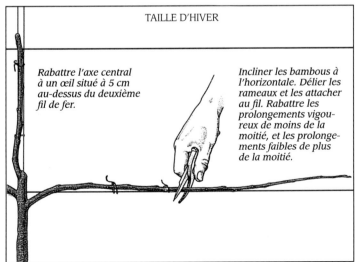

TAILLE D'HIVER

Rabattre l'axe central à un œil situé à 5 cm au-dessus du deuxième fil de fer.

Incliner les bambous à l'horizontale. Délier les rameaux et les attacher au fil. Rabattre les prolongements vigoureux de moins de la moitié, et les prolongements faibles de plus de la moitié.

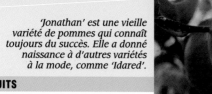

'Jonathan' est une vieille variété de pommes qui connaît toujours du succès. Elle a donné naissance à d'autres variétés à la mode, comme 'Idared'.

Pomme 'Jonagold' ➡

'Jonathan'

'Idared'

Dernier étage d'une palmette simple

La taille de formation du dernier étage a lieu en hiver. Rabattre l'axe principal au-dessus de deux yeux latéraux et éborgner les yeux inutiles. Cette opération empêche la palmette de pousser en hauteur.

Au début de l'été suivant, palisser à 45 degrés sur des bambous les pousses nées des deux yeux qui ont été conservés l'hiver précédent. Équilibrer la croissance des deux rameaux.

L'hiver suivant, abaisser les branches à l'horizontale, retirer les bambous et palisser les rameaux sur les fils de fer.

La palmette simple n'a généralement pas plus de quatre ou cinq étages. L'arbre atteint une hauteur de 1,80 à 2,45 m et la palmette présente une largeur d'environ 3,60 m, les branches de l'arbre ayant une extension de 1,80 m de part et d'autre de l'axe vertical.

Si l'on veut 10 étages de charpentières, on limitera la largeur de la palmette à 1,80 m pour obtenir une bonne récolte. De même, on peut se limiter à un seul étage à 30 ou 40 cm du sol.

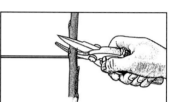

Former le dernier étage en rabattant l'axe à deux yeux.

Palmette simple achevée : taille de fructification

Chaque été, rabattre la pousse de l'année sitôt qu'elle est adulte. Elle aura alors plus de 23 cm de long, son écorce aura commencé à brunir à la base et ses feuilles seront vert foncé.

Rabattre les latérales adultes issues des charpentières à trois feuilles au-dessus de la rosette de base.

Rabattre les tiges ou les courçons adultes issus de ces latérales à une feuille au-dessus de leur rosette de base.

Lorsque la nouvelle pousse n'est pas encore adulte à la mi-été, attendre la fin de l'été avant de la tailler. Dans les régions plus au nord, il faut parfois même reporter cette taille au début de l'automne.

Si la taille a eu lieu à la mi-été, il se sera sans doute produit une repousse quand arrivera l'automne. La rabattre à un seul œil. Après un été pluvieux, la repousse est généralement très abondante et il faut, dans ce cas, attendre le début de l'hiver pour effectuer la taille.

Lorsque les charpentières ont atteint 1,80 m ou qu'elles occupent tout l'espace dont on dispose, il faut commencer à les tailler en été comme on le fait pour les latérales adultes.

Les courçons aussi deviennent parfois trop nombreux sur les arbres adultes. Les éclaircir en hiver en coupant certains d'entre eux au ras de la tige dont ils sont issus et en simplifiant les autres (voir p. 365).

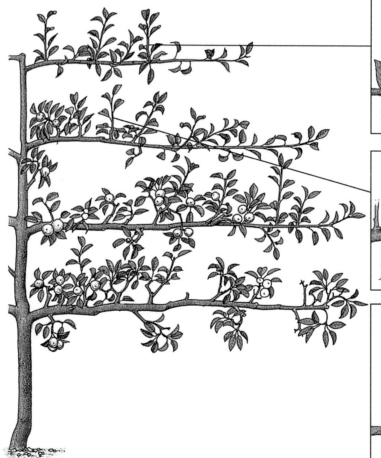

À la mi-été, rabattre les latérales à trois feuilles de la rosette.

Toujours à la mi-été, rabattre les tiges issues des latérales à une feuille au-dessus de la rosette.

TAILLE D'AUTOMNE

En automne, rabattre la repousse à un œil seulement.

Tout en restant petit, un pommier bien entretenu peut donner des centaines de fruits. Les variétés à fruits sûrs servent à faire du cidre.

Pommes à croquer

Pommes à cidre

Taille et formation d'une palmette en éventail

Formation de 1ʳᵉ année d'un pommier en éventail

Effectuer la plantation en automne ou au printemps (voir p. 344) en espaçant les palmettes de 4,50 à 6 m, selon le porte-greffe.

S'il s'agit d'un scion d'un an, rabattre la tige principale à 60 cm du sol immédiatement après la plantation. Tailler au-dessus de deux yeux latéraux opposés.

L'été suivant, des pousses de 25 à 30 cm seront issues des deux yeux. Les palisser à des bambous fixés aux fils en les inclinant à 45 degrés. Éborgner les yeux ou couper les pousses au-dessous de ces rameaux.

Équilibrer la croissance des deux charpentières en abaissant le bambou qui supporte la plus vigoureuse et en redressant l'autre.

Lorsque les charpentières sont de même taille, les palisser à 45 degrés. Enlever les bambous et attacher les branches aux fils métalliques lorsqu'elles sont devenues ligneuses.

TAILLE D'HIVER

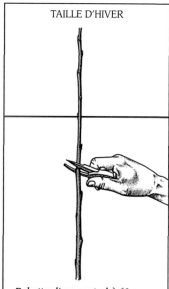

Rabattre l'axe central à 60 cm du sol, au-dessus de deux yeux.

TAILLE D'ÉTÉ

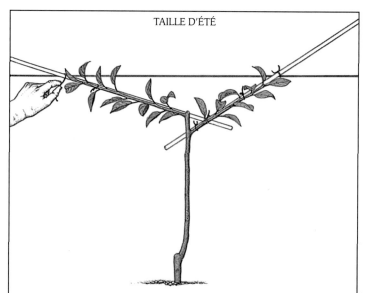

Fixer les pousses de 23 à 30 cm à des bambous inclinés à 45 degrés. Redresser ou abaisser les bambous pour accélérer ou freiner la croissance.

Formation de 2ᵉ année d'un pommier en éventail

Le deuxième hiver, rabattre les charpentières au-dessus d'un œil à bois. Elles n'auront que 30 à 45 cm.

Le deuxième été, attacher les prolongements à un bambou.

Choisir deux pousses espacées régulièrement sur le dessus de chacune des deux charpentières et une autre en dessous. Enlever avec le pouce toutes les autres. Lorsque les trois pousses choisies sont suffisamment longues, attacher six bambous au palissage et les y fixer.

TAILLE D'HIVER

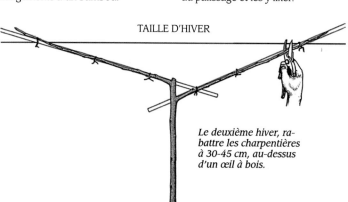

Le deuxième hiver, rabattre les charpentières à 30-45 cm, au-dessus d'un œil à bois.

TAILLE D'ÉTÉ

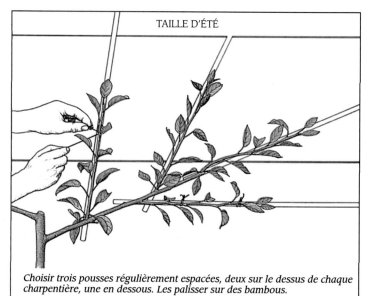

Choisir trois pousses régulièrement espacées, deux sur le dessus de chaque charpentière, une en dessous. Les palisser sur des bambous.

Pour une conduite en espalier, les charpentières peuvent être amenées à pousser de biais, en forme de U ou en éventail. La forme définitive est atteinte après le troisième hiver.

Conduite en forme de cordon

Formation de 3ᵉ année d'un pommier en éventail

Le troisième hiver, rabattre les huit charpentières à 60-75 cm en coupant juste au-dessus d'un œil à bois.

Au cours de l'été suivant, palisser le prolongement de chaque charpentière sur le bambou qui la supporte.

Garder sur chaque charpentière trois pousses espacées régulièrement, dont deux sur le dessus et une en dessous. Rabattre les autres pousses adultes à trois feuilles au-dessus de la rosette de base.

Palisser sur des bambous les 24 nouvelles charpentières de l'éventail qui en compte maintenant 32. Enlever les bambous et palisser les branches ligneuses sur les fils de fer.

TAILLE D'HIVER

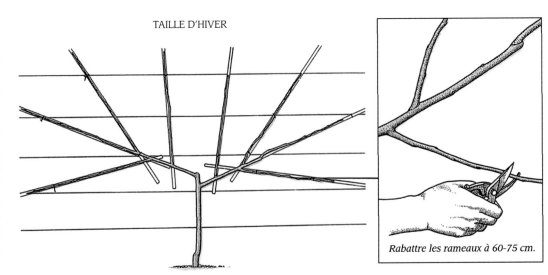

Rabattre les rameaux à 60-75 cm.

TAILLE D'ÉTÉ

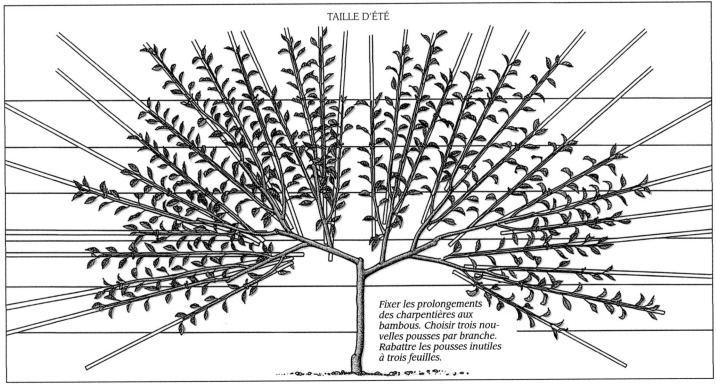

Fixer les prolongements des charpentières aux bambous. Choisir trois nouvelles pousses par branche. Rabattre les pousses inutiles à trois feuilles.

'Red Delicious' est une
variété rustique. Tendre et
parfumée, la pomme 'Cox
Orange' exige un milieu
de croissance privilégié.

'Red Delicious'

'Cox Orange'

Éventail achevé : taille de fructification

Lorsque la forme de la palmette en éventail est bien établie, on ne la taille que pour éclaircir le courçonnage devenu trop abondant. Cette opération hivernale permet à l'arbre de donner des récoltes régulières et des fruits de meilleure qualité.

Éclaircir les courçons en rabattant certains d'entre eux au ras du ra-

meau dont ils sont issus. Réduire la taille des autres et éclaircir les boutons à fruit (voir p. 365).

En été, rabattre les nouvelles pousses devenues adultes. Cette opération peut se prolonger durant un mois environ. Les pousses adultes ont au moins 23 cm de long, sont ligneuses à la base et portent des feuilles vert foncé.

Rabattre les nouvelles pousses latérales adultes issues des charpen-

tières à une feuille au-dessus de la rosette basale. Palisser les pousses de remplacement sur les fils métalliques.

Les pousses qui ne sont pas encore assez mûres à la mi-été seront rabattues à la fin de l'été seulement. Dans les régions septentrionales, il faut parfois reporter cette taille au début de l'automne.

Lorsque la taille a lieu à la mi-été, une repousse se produit parfois sur

les branches qui ont été taillées. Si cette repousse est peu vigoureuse, il suffit de la rabattre à un seul œil en automne.

Si l'été a été très pluvieux, cette repousse peut s'avérer très abondante. En ce cas, on effectuera une seconde taille au début de l'hiver.

Si les charpentières prennent trop d'espace, les rabattre à une latérale robuste qu'on palissera comme si c'était une pousse de remplacement.

Si une charpentière excède l'espace qui lui est réservé, la rabattre à une latérale robuste et palisser celle-ci.

À la mi-été, rabattre les pousses latérales adultes à une feuille au-dessus de la rosette de base.

TAILLE D'ÉTÉ

'Melba', une variété de
mi-saison, est rustique dans
les zones 5 à 9. C'est une
excellente pomme à croquer.

'Melba'

Taille et formation d'un fuseau nain

Formation de l^{re} année d'un fuseau nain

Les fuseaux nains atteignent d'ordinaire une hauteur d'environ 2,10 m. Les charpentières, très courtes, sont étagées sur le tronc.

La plantation doit être effectuée à la mi-automne ou au début du printemps. Prévoir un espacement de 1 m entre les sujets (1,20 m si le sol est très fertile) et laisser un espace de 2,10 à 3 m entre les rangs (voir p. 344).

Dans le cas d'un scion (jeune arbre d'un an), rabattre la tige principale à 50 cm environ au-dessus du sol, tout

de suite après la plantation. Faire la coupe au-dessus d'un œil à bois ou d'une pousse latérale. Enlever ensuite l'œil ou la pousse qui suit, de crainte de voir apparaître une seconde tige principale.

Choisir sous l'œil supérieur trois ou quatre yeux qui donneront naissance aux premières charpentières. Ces yeux doivent être bien répartis autour du tronc. Supprimer les autres yeux ou pousses.

Pour favoriser la croissance des pousses issues des deux yeux situés le plus bas, effectuer une entaille au-dessus de chacun de ces yeux, en prélevant un croissant d'écorce.

Taille d'hiver d'un jeune fuseau nain

Au cours du deuxième hiver, rabattre l'axe central à 45 cm environ au-dessus de la coupe de l'année précédente. Pour que l'axe soit bien droit, effectuer la coupe au-dessus d'un œil pointant dans la direction opposée à celle de l'œil qui a été conservé l'hiver précédent.

Éliminer le deuxième œil situé au-dessous de la coupe qui vient d'être

faite. Choisir trois ou quatre yeux répartis autour du tronc pour former le deuxième étage. Faire une entaille au-dessus des deux yeux inférieurs.

Répéter cette taille de formation chaque hiver jusqu'à ce que l'axe central de l'arbre ait 2 m de haut.

Au cours du deuxième hiver uniquement, rabattre les charpentières du premier étage à 23 cm en coupant au-dessus d'un œil logé en dessous de la branche. Par la suite, ne tailler les charpentières qu'en été.

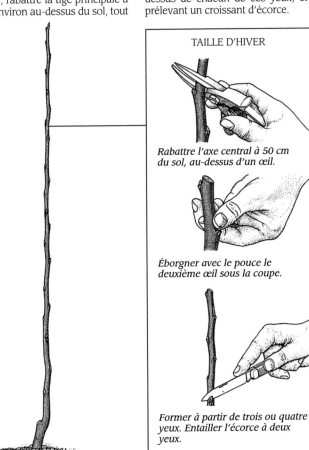

TAILLE D'HIVER

Rabattre l'axe central à 50 cm du sol, au-dessus d'un œil.

Éborgner avec le pouce le deuxième œil sous la coupe.

Former à partir de trois ou quatre yeux. Entailler l'écorce à deux yeux.

TAILLE D'HIVER

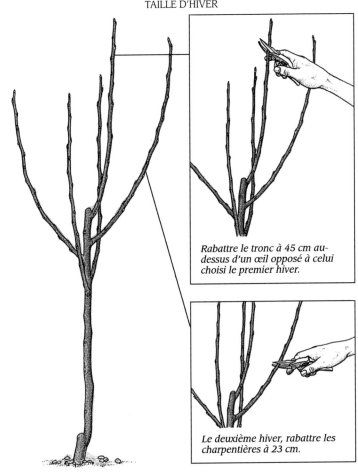

Rabattre le tronc à 45 cm au-dessus d'un œil opposé à celui choisi le premier hiver.

Le deuxième hiver, rabattre les charpentières à 23 cm.

Excellente à la fois à croquer et à cuire, Golden Delicious' se conserve jusqu'à 120 jours après la récolte.

'Golden Delicious'

Taille d'été d'un jeune fuseau nain

Un scion ne nécessite aucune taille durant l'été de sa plantation.

En revanche, sur les arbres plus âgés, les rameaux doivent être taillés au fur et à mesure qu'ils deviennent adultes. (Le rameau adulte se reconnaît aux traits suivants : il a au moins 23 cm de long, il est ligneux à la base et porte des feuilles vert foncé.)

Cette opération commence au milieu de l'été et se prolonge pendant un mois environ.

Rabattre les prolongements des charpentières à cinq ou six feuilles au-dessus de la rosette de base. Effectuer la coupe au-dessus d'un œil situé sur la face inférieure du rameau.

Rabattre les ramifications latérales adultes issues des charpentières à trois feuilles au-dessus de la rosette de base.

Si les ramifications latérales ou les courçons portent eux-mêmes des pousses secondaires adultes, les rabattre à une feuille au-dessus de la rosette de base jusqu'au quatrième

été, rabattre à leur empattement toutes les nouvelles pousses sur la tige centrale.

Si la pousse de l'année n'est pas suffisamment lignifiée à la mi-été pour être taillée, attendre la fin de l'été, ou même l'automne.

La taille d'été encourage parfois une poussée végétative secondaire. Si cette repousse est peu vigoureuse, la rabattre, en automne, à un seul œil de la tige mère. Si elle est abondante, notamment après un été pluvieux, il ne faudra pas hésiter à poursuivre la taille jusqu'au début de l'hiver.

Fin de la formation d'un fuseau nain

Les tailles d'hiver et d'été comme on vient de les décrire doivent se poursuivre d'année en année jusqu'à ce que l'axe central ait atteint une hauteur d'environ 2,10 m. (L'arbre aura alors sept ou huit ans.) À ce stade, le pommier devrait posséder au moins six étages de charpentières.

Dès lors, à la fin du printemps, on rabat l'axe central à la moitié de la pousse de l'année précédente. La période de formation du fuseau nain est terminée.

Lorsque le pommier atteint l'âge de 15 ans, il perd sa silhouette pyramidale. À partir de ce moment-là, on maintiendra la longueur de toutes les charpentières à 45 cm au moyen d'une taille d'entretien.

À la mi-été, rabattre à cinq ou six feuilles de la rosette basale les prolongements des charpentières uniquement.

Rabattre les latérales adultes issues des charpentières à trois feuilles de la rosette basale.

TAILLE DE L'AXE CENTRAL

Lorsque l'axe central a 2,10 m de haut, le rabattre en fin de printemps à la moitié de la pousse de l'année précédente.

TAILLE D'AUTOMNE

Au début de l'automne, rabattre à un œil la repousse issue de la taille d'été.

Rabattre à une feuille de la rosette basale les rameaux adultes issus des latérales.

'Idared', pomme à croquer
robuste, est néanmoins
sujette au pourrissement.
De taille moyenne à grosse,
et de couleur pâle à rouge
foncé, elle est douce au palais
et légèrement sucrée.

'Idared'

Taille de fructification d'un fuseau nain adulte

Chaque année, à la fin du printemps, rabattre l'axe central au-dessus d'un œil en ne gardant que 1,5 cm de la pousse précédente. Quand les charpentières atteignent environ 45 cm, les maintenir à cette longueur.

Si les prolongements des charpentières deviennent envahissants, rabattre d'abord la moitié de la nouvelle pousse au printemps. Par la suite, ne conserver chaque année que 1,5 cm de la nouvelle pousse.

Rabattre à la mi-été les pousses adultes. Rabattre les latérales adultes issues des charpentières à trois feuilles au-dessus de la rosette de base. Rabattre les ramifications adultes émises par les latérales ou les courçons à une feuille au-dessus de la rosette.

Si les pousses ne sont pas lignifiées à la mi-été, reporter la taille à la fin de l'été ou au début de l'automne.

Rabattre la poussée végétative secondaire issue de la taille d'été à un seul œil en automne. Si cette repousse est abondante, prolonger la taille jusqu'au début de l'hiver.

Avec le temps, les courçons deviennent trop abondants ou excessivement ramifiés. Supprimer en hiver certains d'entre eux et simplifier les autres.

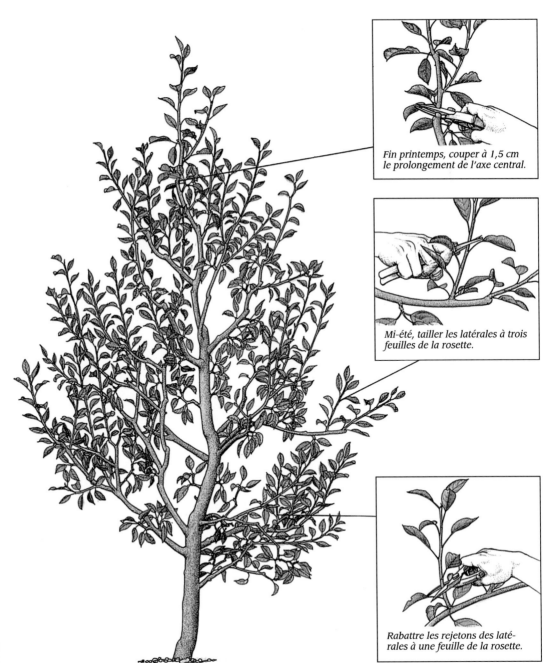

Fin printemps, couper à 1,5 cm le prolongement de l'axe central.

Mi-été, tailler les latérales à trois feuilles de la rosette.

Rabattre les rejetons des latérales à une feuille de la rosette.

TAILLE DES COURÇONS

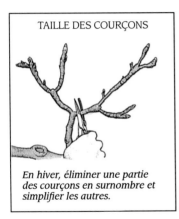

En hiver, éliminer une partie des courçons en surnombre et simplifier les autres.

'Cortland' est une pomme costaude, aussi bonne à croquer qu'à cuire. On la récolte 125 à 130 jours après la floraison.

'Cortland'

Variétés de pommiers recommandées

On devrait trouver en pépinière les variétés énumérées ci-dessous. Elles sont classées par ordre de maturité.

Groupes de pollinisation Aucune variété de pommier n'est vraiment autofertile. Par conséquent, il faut cultiver plusieurs variétés différentes.

Choisir de préférence des sujets appartenant au même groupe de pollinisation, bien que des variétés appartenant à des groupes adjacents puissent se polliniser mutuellement. Les groupes suivants ont été déterminés par leur période de floraison :

1. précoce à normale ;
2. normale ;
3. normale à tardive.

Les variétés triploïdes (T) sont pratiquement stériles et doivent être associées à deux autres variétés du même groupe.

Période de fructification La date des récoltes varie en fonction de la zone de culture et des températures annuelles. De plus, comme toutes les pommes ne mûrissent pas en même temps, il peut y avoir plusieurs récoltes surtout pour les groupes 1 et 2.

Nom	Groupe de pollinisation	Période de fructification	Couleur	Remarques
'Gravenstein' (T)	1	90-95 jours	Rouge strié	Bonne qualité. Acidité prononcée. À cuisson. Se garde 40-60 jours.
'Cortland'	2	125-130 jours	Rouge moyen	Bonne qualité. Acidité moyenne. À croquer et à cuisson. Se garde 90-100 jours.
'Duchess'	2	125-130 jours	Rouge rayé	Bonne qualité. Acidité moyenne. À cuisson. Se garde 40-60 jours.
'Lobo'	2	125-130 jours	Rouge	Bonne qualité. Acidité moyenne. À croquer. Se garde 60-90 jours.
'McIntosh' (L)	1	125-130 jours	Rouge moyen	Bonne qualité. Acidité moyenne. À croquer et à cuisson. Se garde 60-90 jours.
'Melba'	2	125-130 jours	Rouge	Bonne qualité. Acidité assez prononcée. À croquer. Se garde 60-90 jours.
'R. I. Greening' (T)	2	135-145 jours	Vert jaunâtre	Bonne qualité. Acidité assez prononcée. À cuisson. Se garde 90-120 jours.
'Golden Delicious' (L)	2	140-145 jours	Jaune	Qualité supérieure. Acidité moyenne. À croquer et à cuisson. 90-120 jours.
'Jonathan'	2	140-145 jours	Rouge vif	Bonne qualité. Acidité prononcée. À croquer et à cuisson. 60-90 jours.
'Red Delicious' (L)	2	140-150 jours	Rouge moyen	Populaire. Acidité peu marquée. À croquer et à cuisson. Se garde 90-100 jours.
'Northern Spy'	3	145-155 jours	Rouge rayé	Bonne qualité. Acidité moyenne. À croquer et à cuisson. Se garde 120-150 jours.
'York Imperial'	3	155-165 jours	Rouge pâle	Qualité médiocre. Acidité moyenne. À cuisson. Se garde 120-150 jours.

(T) *Nombre triploïde de chromosomes ; doit être pollinisée par deux variétés voisines.* (L) *Existe aussi en races fructifiant sur lambourdes avec porte-greffe nanisant.*

Variétés de pommiers rustiques

Les variétés énumérées dans le tableau ci-dessus sont rustiques dans les zones 5 à 9. Celles du tableau ci-dessous sont plus robustes et on les retrouve dans les régions des Prairies. On se renseignera dans les pépinières locales sur l'époque de la récolte. Pour que la pollinisation s'effectue, il faut planter des pommiers de variétés différentes. Autre solution : planter un pommetier dans les parages, comme on le fait dans les vergers commerciaux.

Nom	Couleur	Remarques
'Breakey'	Vert jaunâtre	À croquer et à cuisson.
'Carroll'	Vert crème	À croquer et à cuisson.
'Collet'	Jaune-vert	À croquer et à cuisson.
'Edith Smith'	Jaune-vert	À croquer.
'Glenorchie'	Jaune pâle	À croquer.
'Haralson'	Vert	À croquer.
'Harcourt'	Jaune et rouge	À croquer.
'Luke'	Jaune et rouge	À croquer et à cuisson.

Variétés recommandées de pommetiers

Les pommetiers sont le produit du croisement entre un pommier normal et un pommier sauvage. Ce sont des sujets très rustiques qu'on peut cultiver dans des endroits exposés. Les variétés dont les noms suivent sont couramment cultivées.

Nom	Couleur	Remarques
'Kerr'	Rouge sombre	À croquer ; pour conserves et gelée.
'Renown'	Jaune et rouge	À croquer ; sucrée à la mi-septembre.
'Rescue'	Jaune et rouge	À croquer et pour conserves.
'Trail'	Rayé rouge et jaune	À croquer et pour conserves.

Utilisation des pesticides

Il est quasi impossible d'avoir des pommes parfaites à moins de suivre un programme régulier d'arrosages. Consulter la page 347 si l'on remarque un symptôme ou un indice inquiétant pendant la croissance.

Les vaporisations doivent se faire surtout en début de saison, époque où les problèmes surviennent le plus souvent, mais jamais pendant la floraison, quand les abeilles sont actives. Le ministère de l'Agriculture publie des recommandations sur les produits et la fréquence d'utilisation.

Les abricotiers européens sont sensibles au froid. Par contre, ceux qui ont été croisés avec des abricotiers de Mandchourie ou de Sibérie sont beaucoup plus vigoureux.

'Moorpark,' variété européenne

Abricot

Abricot 'Westcot'

On trouve deux races d'abricotiers. Les variétés européennes sont fragiles et doivent être protégées ; celles issues d'espèces rustiques venues de Mandchourie et de Sibérie sont plus résistantes. Leurs fruits n'ont pas la qualité des abricots européens, mais les arbres sont vigoureux et se cultivent bien dans la Prairie. Mais ce sont des arbres à floraison précoce ; aussi ne faut-il pas les planter là où il peut y avoir des gelées tardives.

Variétés recommandées

N'acheter que des variétés nommées. Les catalogues des pépiniéristes offrent parfois des sujets appelés tout simplement abricotiers ou abri-

Il est préférable de conduire les abricotiers européens en éventail sur un mur orienté vers le sud.

Un abricotier suffit aux besoins d'une famille moyenne. La période de fructification va de la mi-été au début de l'automne, selon la variété.

La composition du sol et la fertilisation de l'abricotier sont celles du prunier (voir p. 394). Les fruits viennent sur du bois d'un an ou sur du bois plus vieux. Pour la taille, on s'inspire de celle du pommier (voir pp. 358 et 361) jusqu'à formation de la charpente, mais on la pratique tôt au printemps, en début de croissance. Ensuite, on taille les abricotiers en éventail comme les pruniers (p. 395), les sujets nains comme les cerisiers (p. 372).

Les abricotiers sont des arbres à fertilisation directe, mais ils ont quand même besoin d'insectes pollinisateurs ; la fertilisation indirecte est donc nécessaire à une bonne récolte.

Ne pratiquer la taille en vert que si la fructification est trop abondante. Attendre alors que les fruits aient un noyau (on le sait en en cueillant un), car ils ont tendance à tomber à ce moment-là. Laisser 12 cm entre les abricots sur la branche.

cotiers de Mandchourie ; leur rendement est imprévisible.

Ils peuvent donner de bons fruits, mais ils peuvent tout aussi bien produire des fruits impropres à la consommation.

Nom	Maturité	Remarques
Abricotiers européens		
'Goldcot'	Mi-été	Fruits moyens de bonne qualité.
'Harlayne'	Fin d'été	Un des européens les plus rustiques.
'Harglow'	Mi-été	Fruits juteux sur arbre nain.
'Skaha'	Début, mi-été	Non autogame. Bon pour la côte Ouest.
'Veecot'	Fin d'été	Fruits bons pour la conserve.
Abricotiers rustiques		
'Brookcot'	Mi-été	Fruits de 4 cm ; bonne saveur.
'Sungold'	Mi-été	Fertilisation croisée avec 'Moongold'.
'Moongold'	Mi-été	Fertilisation croisée avec 'Sungold'.
'Westcot'	Mi-été	Bourgeons rustiques. Bonne saveur.

Avocat

Avocat
(*Persea americana*)

Les avocatiers sont des arbres à grandes feuilles et à port dressé ou étalé dont l'allure générale n'est pas sans rappeler celle des magnolias à feuilles persistantes du Sud. Ce sont de belles plantes décoratives.

Les fleurs sont insignifiantes, mais la floraison impressionne par sa durée. Les longues panicules florales portées à l'extrémité des tiges apparaissent dès décembre et se prolongent souvent jusqu'en avril ; la cueillette des fruits s'étale donc sur une plus longue période.

S'il arrive que les premières fleurs soient endommagées par les gelées, les floraisons suivantes n'en fructifient pas moins.

Globuleux ou piriformes, les fruits sont décoratifs et leur couleur va du vert vif au noir-mauve luisant.

Leur peau est parfois lisse et mince, parfois rugueuse, épaisse et ligneuse. Elle adhère étroitement à la pulpe chez certaines variétés, mais s'en détache facilement chez d'autres. La récolte est généralement abondante une année, moins généreuse l'année suivante ; quelques va-

riétés ont une production uniforme de fruits d'une année à l'autre.

L'avocat renferme peu de sucre ; aussi le sert-on de préférence en salade ou en purée — comme le fameux *guacamole* d'origine mexicaine — plutôt qu'en dessert. Il est riche en calories et sa teneur en protéines (de 1 à 4 p. 100) surpasse celle de tout autre fruit venant sur un arbre. Enfin, c'est une bonne source de vitamines A, B_1, B_2 et C.

Les avocatiers sont originaires des régions tropicales et subtropicales de l'Amérique du Nord et de l'Amérique Centrale où trois races se sont développées : les races mexicaine, guatémaltèque et antillaise qui donnent des fruits fort distincts les uns des autres. Les variétés les plus connues résultent de croisements entre deux de ces races ou entre les trois, mais seules les variétés renfermant des gènes mexicains ont une certaine résistance au froid. Certains types mexicains tolèrent des températures inférieures à –7 °C, mais les types antillais ne tiendront pas à –2 °C, et les guatémaltèques tolèreront –4 °C.

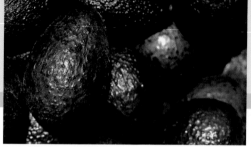

Les avocats sont récoltés — en coupant le pédoncule plutôt qu'en tirant dessus — pendant qu'ils sont encore durs pour qu'ils mûrissent à la température ambiante.

Avocat (Persea americana)

Mûre

Culture des avocatiers

Arroser généreusement la terre autour des jeunes arbres tous les 15 jours. La laisser sécher à peu près complètement entre les arrosages pour empêcher les racines superficielles de pourrir. Les avocatiers viennent bien dans des terres légèrement acides ou légèrement calcaires, mais ils peuvent souffrir de chlorose s'ils se trouvent dans des sols d'une alcalinité excessive. On remédie à cet état de choses avec des amendements de chélates de fer.

La taille sert surtout à restaurer la silhouette de l'arbre. Couper toutes les branches endommagées par les gelées quand les nouvelles pousses sont adultes. Néanmoins, si de grandes plaques d'écorce morte apparaissent sur les branches, sous les nouvelles pousses, il faut couper ces branches sans attendre, car elles risquent de casser sous le poids des fruits ou la vélocité du vent.

Comme les avocats tombent souvent d'eux-mêmes avant maturité, les récolter avant qu'ils soient mûrs. (Ils finiront sans problème de mûrir à la température ambiante.) Se fonder pour la récolte sur la grosseur du fruit ou sur la saison de maturation propre à chaque variété : ils arrivent plus facilement à maturité s'ils sont cueillis en cette saison. Mais les avocats noir-mauve se récoltent dès que la peau de la moitié du fruit est foncée.

Exposés à des chaleurs humides en été, les fruits des variétés mexicaines se fendillent. Mais ils mûrissent bien s'ils sont cueillis avant et placés dans une pièce sèche et chaude.

Il ne faut pas cueillir les fruits en les arrachant de la branche (risque de pourrir), mais en coupant leur tige.

Les avocatiers en plantes d'intérieur

On ne peut cultiver des avocatiers au jardin pour qu'ils portent fruit que dans les régions les plus clémentes. C'est donc comme plante d'intérieur, à partir d'un noyau, que l'avocatier est surtout connu. Il peut fleurir s'il se trouve dans un milieu propice ; comme la floraison se produit durant l'hiver, elle est fort appréciée. Mais il est rare qu'il donne des fruits.

Pour faire germer un noyau d'avocat, planter des cure-dents sur la ligne médiane — pointe du noyau vers le haut — et le suspendre au-dessus d'un verre d'eau de façon que la base touche à peine à l'eau. Après huit semaines environ, il se forme des racines ; empoter alors le noyau dans un sol acide en laissant dépasser la moitié du noyau. Mettre le pot dans un lieu chaud et bien éclairé : une pousse ne tarde pas à apparaître.

On peut se contenter d'une seule tige (se rappeler néanmoins qu'il s'agit d'un arbre) ; on peut aussi la rabattre quand elle a 30 cm pour qu'elle se ramifie. Dans ce cas, la plante devient arbustive et exige beaucoup d'espace. Sortir les plants bien développés en été, mais les protéger des grands vents. Ne pas laisser le sol se dessécher, mais ne pas laisser non plus la plante le pied dans l'eau. Elle peut souffrir de chlorose (limbe vert clair et nervures foncées) si le substrat est très alcalin. Ajouter alors une cuillerée à thé de vinaigre par litre d'eau d'arrosage.

En hiver, prévoir un éclairage vif et une température de 10 °C à 15 °C. Si l'air est très sec, vaporiser le feuillage avec de l'eau tiède ou poser le pot sur un lit de cailloutis humides.

Les avocatiers cultivés dans la maison sont vulnérables aux mouches blanches et aux araignées rouges. Les premières, de 5 mm de long, mangent le dessous des feuilles qui virent au vert pâle. Elles volettent autour dès qu'on dérange la plante. Les araignées rouges se tiennent sous les feuilles qui virent au jaune avec des reflets gris et se marquent de points blancs. Vaporiser dans les deux cas du savon insecticide.

Mûre 'Thornless Evergreen'

Mûre de Boysen 'Thornless Logan'

Le mûrier, appelé aussi ronce, est un arbuste à tiges dressées ou sarmenteuses. Au nombre des ronces sarmenteuses se trouvent la ronce de Logan, mutation à fruits rouges de la ronce à fruits noirs, et la ronce de Boysen, mutation de la ronce bleue qui englobe plusieurs espèces. Toutes ces plantes exigent à peu près les mêmes soins.

Les ronces prospèrent au soleil mais tolèrent la mi-ombre. Elles demandent un sol bien drainé mais retenant convenablement l'humidité et dont le pH se situe autour de 5,5.

Choisir des plants racinés et les planter de préférence au début de l'automne (voir p. 46). Là où le sol ne gèle pas, ils peuvent être plantés jusqu'au début du printemps. Espacer les variétés dressées de 1,50 m, et les rangs de 2,50 m. Lorsqu'il s'agit de plants vigoureux, sarmenteux et dépourvus d'épines comme 'Thornless Evergreen', laisser 2,50 à 3,60 m entre les plants et 3 m entre les rangs. Dans les autres cas, on se contentera d'espacer les pieds de 1,20 à 1,80 m et les rangs de 2,50 m en tenant compte de la fertilité du sol et du mode de conduite. Immédiatement après la plantation, rabattre les tiges à une distance de 25 à 40 cm du sol en coupant au-dessus d'un œil.

Pour réduire les risques de maladies et empêcher l'apparition de ravageurs, utiliser une terre travaillée depuis plusieurs années. Acheter également des variétés résistantes aux maladies, saines et exemptes de nématodes. Jeter les déchets de la taille et enlever régulièrement les mauvaises herbes et les feuilles mortes.

Les maladies les plus répandues sont la flétrissure verticillienne des racines, la tumeur de la tige, l'anthracnose et la rouille orangée. Parmi les ravageurs à redouter se trouvent le puceron, la cicadelle et l'araignée rouge. Consulter à ce sujet le chapitre « Ravageurs et maladies », page 474, ou communiquer avec le ministère de l'Agriculture.

Les fleurs de nombreux mûriers sont très odoriférantes. Les baies entrent dans la confection de confitures, de desserts, de vins d'apéritif, et se congèlent bien.

Fleurs de mûrier

Mûres sauvages

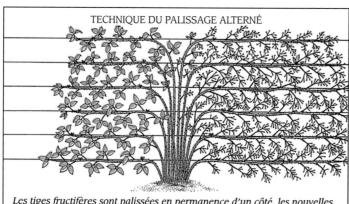

TECHNIQUE DU PALISSAGE ALTERNÉ

Les tiges fructifères sont palissées en permanence d'un côté, les nouvelles pousses de l'autre. La fructification alterne d'un côté à l'autre.

APRÈS LA RÉCOLTE

Après la cueillette des fruits, couper les tiges au ras du sol.

Multiplication des plants de ronce

Les ronces sarmenteuses se multiplient facilement par marcottage.

À la mi-été, incliner jusqu'au sol une pousse de l'année et creuser à cet endroit un trou de 15 cm de profondeur. Insérer l'extrémité de la tige dans ce trou. Au début de l'automne, détacher la marcotte en coupant au-dessus d'un œil. Transplanter en position définitive à l'automne.

Les variétés dressées se multiplient aussi par boutures de racine. Déterrer les plants établis au début du printemps ; prélever des segments de racine de 8 cm et les enfouir dans des trous de 5 à 8 cm de profondeur.

Culture et conduite des ronces

Les ronces dressées peuvent être palissées sur une rangée d'échalas espacés de 4,50 m et sur un fil de fer à environ 75 cm du sol.

Palisser les ronces sarmenteuses sur des échalas ou des fils de façon à séparer les nouvelles pousses des tiges fructifères de deux ans. Cette disposition empêche la propagation des maladies d'une tige à l'autre. En guise d'échalas, utiliser des poteaux de 10 cm sur 10 et de 2,75 à 3 m de haut et les enfoncer de 60 à 90 cm dans le sol. Palisser les tiges fructifères sur ces poteaux et lier sans serrer les pousses qui sortent du sol en les rangeant toutes d'un seul côté.

Dans la conduite sur fil de fer, tendre les fils entre les poteaux à environ 1,80 m du sol. Espacer les fils de 30 cm et les fixer aux poteaux avec des agrafes métalliques.

Dans le palissage en éventail, les tiges fructifères sont déployées de chaque côté, tandis que les nouvelles pousses sont temporairement fixées au fil supérieur. Dans le palissage entrelacé, les tiges fructifères sont entrecroisées entre les fils. Enfin, les tiges fructifères peuvent être palissées de façon permanente d'un côté des fils, tandis que les nouvelles pousses sont nouées de l'autre côté.

Arrosage et fertilisation Arroser seulement en période de sécheresse. Après la reprise au printemps, épandre de l'engrais 10-10-10. Les deux premières années, épandre l'engrais dans un rayon de 30 cm à la base des pieds. Pailler avec du compost.

Élagage des vieilles tiges fructifères

Après la récolte, rabattre au ras du sol les tiges qui ont donné des fruits. Si les plants sont palissés sur des piquets, disposés en éventail ou entrelacés sur du fil de fer, délier les pousses de l'année et les attacher à la place des vieilles tiges qu'on vient de couper : c'est la technique du palissage alterné (voir l'illustration ci-dessus).

Mûres hybrides

On voit apparaître de nombreux hybrides dans les catalogues. La mûre de Boysen ou celle de Logan sont les plus connues mais il y en a d'autres : la mûre Sunberry, la mûre de Tay ou celle de Josta. Elles se cultivent comme les autres mûres.

Variétés recommandées pour le jardin familial

N'acheter que des plants exempts de virus. Les mûriers noirs, les ronces de Logan et les ronces bleues s'autofertilisent (sauf 'Flordagrand'). La cueillette des mûres est plus facile lorsqu'on choisit des variétés sans épines.

Nom	Maturité	Zone de culture	Remarques
Variétés dressées			
'Darrow'	Hâtive, longue saison	Ontario, C.-B.	Productive. Rustique.
'Ebony King'	Hâtive	Ontario, C.-B.	Résistante aux maladies.
'Hendrick'	Hâtive	Ontario, C.-B.	Bonne saveur.
'Lowden'	Normale	Colombie-Britannique	Se congèle bien.
'Marion'	Normale	Colombie-Britannique	Facile à cueillir. Excellent choix pour la cuisson.
'Rosborough'	Hâtive	Colombie-Britannique	Fruit ferme et parfumé.
'Thornfree'	Tardive	Ontario, C.-B.	Sans épines*. Semi-dressée. La variété qui résiste le mieux au froid.
Variétés rampantes			
'Black Satin'	Normale	Ontario, C.-B.	Sans épines*. Résistante aux maladies.
'Chester'	Normale	Ontario, C.-B.	Sans épines*. Sucrée.
'Hull'	Tardive	Ontario, C.-B.	Sans épines*. Rustique.
'Lucretia'	Hâtive	Régions froides	Ronce bleue. Doit être protégée contre le grand froid.

Les variétés sans épines peuvent souffrir du froid. Les protéger là où la température descend en dessous de −17 °C.

'Bluecrop' est une bonne variété de bleuet pour une récolte de mi-saison. La tige dressée est robuste et les grosses baies sont savoureuses.

'Bluecrop'

Bleuet

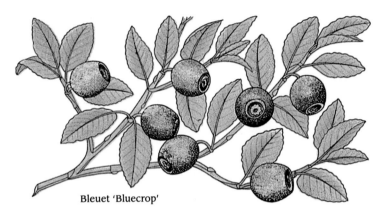

Bleuet 'Bluecrop'

Parmi les nombreuses espèces de bleuets originaires d'Amérique du Nord, il vaut mieux choisir celles qui sont recommandées par les fermes expérimentales de sa région.

Le bleuet demande un sol acide, à pH se situant entre 5 et 6 environ (voir p. 466-467), qui retient l'humidité. Il préfère une exposition dégagée et ensoleillée, mais tolère la mi-ombre. Dans les régions septentrionales, protéger les arbustes contre les vents froids en hiver.

Il est inutile d'entreprendre la culture des bleuets dans un sol alcalin. Lorsqu'il n'y a pas d'autre possibilité, il est préférable de les cultiver dans des contenants. Remplir ceux-ci d'un compost à base de tourbe ou d'une autre matière acide ; ne pas ajouter de calcaire.

La cueillette s'effectue généralement vers le milieu ou la fin de l'été et chaque pied donne des fruits durant plusieurs semaines.

Les bleuets ne sont pas des plantes totalement autofertiles; aussi est-il nécessaire de planter au moins deux variétés pour s'assurer d'obtenir une bonne récolte.

La multiplication des plants peut s'effectuer par marcottage (voir p. 58) en automne ou au printemps. On peut également prélever des boutures de tiges semi-aoûtées à la fin de l'été (voir p. 54).

Comment tailler les bleuets

On ne taille pas les bleuets les trois premières années. Ensuite, on les taille tous les hivers. Pour favoriser la croissance de nouvelles pousses qui fructifieront l'année suivante, supprimer une à quatre vieilles tiges sur chaque arbuste. Les rabattre jusqu'à un rameau latéral vigoureux, ou au ras du sol si les pousses basales sont nombreuses.

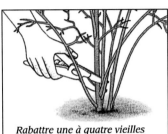

Rabattre une à quatre vieilles tiges jusqu'à une jeune pousse vigoureuse ou jusqu'au sol.

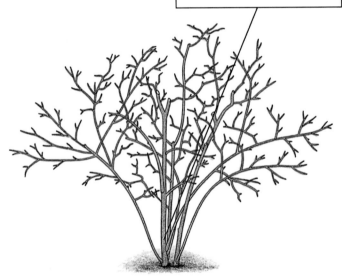

Plantation et culture

Planter les bleuets en automne ou au printemps au moment où le sol est malléable. Les espacer de 90 cm à 1,20 m et les enfouir plus profondément, de 2,5 cm environ. qu'ils ne l'étaient en pépinière.

Fertiliser un mois avant la reprise de la croissance avec un produit à base d'acide recommandé pour les rhododendrums. Utilisé seul, à raison de 15 à 30 g au mètre carré, le sulfate d'ammoniaque est la meilleure source d'azote. Dans les sols sablonneux, répéter un mois plus tard.

Au tout début de l'été, pailler avec du fumier bien décomposé, du compost, du terreau de feuilles ou de la tourbe. Couvrir les arbustes d'un filet pour les protéger des oiseaux.

Un sol trop calcaire peut entraîner la chlorose des plants. Pour corriger le pH, incorporer au sol des matières acides, comme de la tourbe, et épandre du soufre ou du chélate de fer en suivant le mode d'emploi.

Si d'autres symptômes apparaissent, consulter le chapitre qui commence à la page 474 et la liste des produits chimiques recommandés, aux pages 510-511.

Variétés recommandées pour le jardin familial

Les indications qu'on trouve ci-dessous sur l'époque de maturation des fruits ne valent que pour les grandes régions de culture du bleuet. Plus on monte vers le nord, plus la récolte est tardive. Elle peut aussi varier en fonction des températures annuelles.

Nom	Maturité	Remarques
'Northland'	Hâtive (du milieu à la fin de l'été)	Baies petites à moyennes. Arbuste rustique, ne dépassant guère 1 m d'étalement à maturité.
'Berkeley'	Normale (fin de l'été)	Très grosses baies. Qualité moyenne. Arbuste moyennement rustique.
'Bluecrop'	Normale (fin de l'été)	Bonnes grosses baies. Arbuste rustique de vigueur moyenne ; résiste à la sécheresse.

Cerise

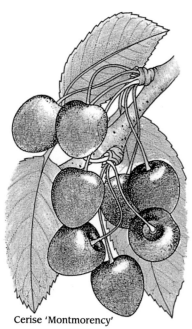

Cerise 'Montmorency'

Il existe deux sortes de cerisiers : ceux à cerises sucrées, bonnes à manger fraîches, et ceux à cerises acides, réservées à la cuisson. Ces derniers, plus résistants, poussent dans le nord de la zone 5.

Les deux exigent un sol profond et bien égoutté, à pH de 6,5, mais les cerisiers à fruits acides viennent mieux dans un sol plus pauvre.

Les cerisiers à fruits doux sont très vigoureux. Seule, la culture en espalier convient aux jardins ordinaires ; encore y prennent-ils beaucoup de place. Si l'espace le permet, on peut profiter de leur belle silhouette étalée et arrondie. Plusieurs variétés ne sont pas autogames : aussi faut-il en planter au moins deux si l'on veut avoir des fruits.

Les cerisiers à fruits acides sont moins vigoureux, mais plus faciles à cultiver en espalier ou en forme libre. Étant autogame, un seul sujet peut donner des fruits.

Deux cerisiers suffisent pour une famille moyenne.

Culture en éventail des cerisiers à fruits doux

Même lorsqu'ils sont montés sur le porte-greffe nain 'Colt', les cerisiers à fruits doux se cultivent mieux en éventail sur cordons. Ainsi conduits, ils atteignent 4,50 à 6 m d'étalement. Les espacer de 5,50 à 7 m contre un mur donnant vers le sud ou l'ouest.

Un mois ou deux avant la reprise printanière, épandre autour du tronc un engrais de formule 10-10-10 ou 10-6-4 à raison de 350 g pour un jeune sujet, 2,25 kg pour un arbre adulte et 4,5 kg si le cerisier manque de vigueur. En terrain alcalin ou très sablonneux, épandre 225 g de sulfate de magnésium tous les trois ans. Si le sol est pauvre en azote, ajouter 225 g de sulfate d'ammoniaque pour chaque année que compte l'arbre, sans dépasser 4,5 kg. Pailler à la fin de l'automne avec du fumier bien décomposé ou du compost de jardin. Arroser en période de sécheresse.

Au début de l'été, envelopper l'arbre d'un filet pour protéger les fruits contre les oiseaux.

Ne pas cueillir les cerises douces avant leur complète maturité. Les arracher avec une torsion vers le haut. Les conserver au réfrigérateur car elles sont fragiles.

Taille et conduite Durant les trois premières années, tailler le cerisier comme un pommier conduit en éventail (voir p. 358). Exécuter cette opération dès la reprise, au début du printemps ; jamais en hiver. Lorsque la charpente est établie, la taille se modifie. Le cerisier à fruits doux ayant plus de lambourdes et moins de latérales, la taille n'a pas besoin d'être sévère.

Au début de l'été, supprimer les nouvelles pousses qui pointent vers le mur ou en sens contraire. Pincer l'extrémité des autres au milieu de l'été, quand elles ont six feuilles.

Lorsque les charpentières atteignent le haut du mur, les rabattre sur une latérale peu vigoureuse. Ou incliner les pousses à l'horizontale et les palisser. Ce procédé ralentit la croissance et favorise l'apparition de nouvelles pousses. Rabattre ensuite la pousse sur une latérale faible.

Au début de l'automne, rabattre les pousses pincées en été à trois ou quatre gros boutons à fleur. Faire les coupes au ras de la tige mère. Couper également le bois mort. Au début ou au milieu de l'été, palisser en éventail les nouvelles pousses des sujets adultes si l'espace le permet. Certaines remplaceront de vieilles pousses.

Protection Les cerisiers à fruits doux fleurissant tôt au printemps, leurs fleurs peuvent être abîmées par les gelées tardives et les vents froids. Pour les protéger du vent, planter une haie à feuilles caduques ou persistantes ou dresser temporairement des coupe-vent avec des cadres tendus de jute ou des clôtures à claire-voie (ces dernières sont préférables aux clôtures monobloc qui créent de la turbulence latérale).

Pour protéger les fleurs des gelées tardives, tendre un cadre de jute devant l'arbre. Il faut l'assujettir au mur pour éviter qu'il ne touche aux fleurs et le retirer le jour pour permettre la pollinisation par les insectes. Éviter les brûlures du soleil sur les troncs en les enveloppant de jute.

TAILLE D'UN CERISIER CONDUIT EN ÉVENTAIL, UNE FOIS BIEN ÉTABLI

Au début de l'été, supprimer les pousses dirigées vers soi ou vers le mur.

Quand les autres ont produit 4 à 6 feuilles, supprimer la rosette.

Au début de l'automne, ne garder que trois ou quatre boutons floraux.

Plus rustiques que les cerisiers à fruits doux, les cerisiers à fruits acides ont moins besoin d'un sol fertile.

Cerise douce 'Bing'

Cerise acide 'Montmorency'

Cerise acide 'North Star'

Culture des cerisiers à fruits acides

Les cerisiers à fruits acides peuvent être cultivés en forme libre ou conduits en éventail contre un mur. Les espacer de 4,50 à 5,50 m (voir p. 344) et les planter dès leur réception.

Lutter contre les mauvaises herbes en sarclant la terre ou en paillant les jeunes arbres. Plus tard, une couche de débris d'herbe suffit.

Les cerisiers à fruits acides se cultivent comme ceux à fruits doux, mais la récolte est différente. Pour ne pas briser les lambourdes, on cueille les cerises avec des ciseaux.

Ne pas planter de sujets buissonnants près d'autres arbres fruitiers — pommiers ou poiriers. Les cerises mûrissant plus vite, elles pourraient être contaminées par les arrosages contre les ravageurs et les maladies exigés par les autres arbres.

Taille des formes libres Durant les trois premières années, conduire les cerisiers nains comme des pommiers nains (voir p. 349), mais tailler au printemps, dès la reprise.

L'arbre fructifiant surtout sur du bois de l'année précédente, la taille a pour objet de stimuler le bois neuf.

Tailler les sujets qui ont fructifié pour laisser entrer la lumière et l'air ; couper les pousses adultes au-dessus des latérales d'un an. Tailler de temps à autre les pousses extérieures pour stimuler la croissance.

Taille des cerisiers en éventail Au début du printemps, les conduire comme les pommiers en éventail (voir p. 358). Par la suite, les tailler comme les formes libres.

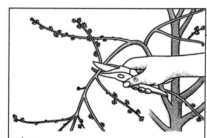

À l'éclosion des bourgeons, rabattre le vieux bois à une latérale d'un an.

TAILLE DU CERISIER

Ravageurs et maladies

Les problèmes les plus fréquemment rencontrés dans la culture des cerisiers sont ceux qui sont causés par les pucerons et la tache foliaire. Voir le chapitre intitulé « Ravageurs et maladies », à la page 474. Consulter aussi le tableau des pesticides qui commence à la page 509.

Symptômes	Cause	Traitement*
Pousses et feuilles déformées, ou infestées d'insectes noirs.	Pucerons	Après la floraison, vaporiser avec du carbaryl ou du savon insecticide.
Œufs pondus dans les cicatrices des fruits ; larves rendant les cerises véreuses.	Charançon de la prune (larve)	Vaporiser du carbaryl ou du savon insecticide à la chute des pétales ; répéter trois fois aux 7 à 14 jours.
Fruits couverts de spores poudreuses de teinte brune ; détérioration des brindilles.	Pourriture brune (champ.)	Vaporiser à l'ouverture des bourgeons ; répéter 5 ou 6 fois aux 7 à 10 jours, avec captane, thirame ou bouillie soufrée.
Taches minuscules, bleu foncé puis brun-rouge et noires sur les fleurs, les fruits et les feuilles.	Tache foliaire (champignon)	À la chute des pétales, vaporiser du thirame ou du zinèbe. Répéter aux 7 à 10 jours sauf par temps très sec. Détruire les feuilles infectées.

* Certains produits sont interdits dans les localités qui ont adopté des règlements contre les pesticides. Voir aussi « Recettes maison et produits naturels », p. 512, et « Les amis du jardin », p. 515.

Variétés recommandées pour le jardin familial

Les cerisiers à fruits doux s'interpollinisent au moment de la floraison : voilà pourquoi il faut planter au moins deux individus distincts. On ne peut cependant les choisir indifféremment. Ce n'est pas parce qu'ils fleurissent simultanément qu'ils vont s'interpolliniser. Suivre, à ce sujet, les recommandations du pépiniériste ou communiquer avec un représentant du ministère de l'Agriculture. Planter les sujets les uns près des autres.

Les cerisiers à fruits acides étant autogames, ils n'ont pas besoin de partenaire.

Nom	Maturité**	Couleur
Cerisiers à fruits doux*		
'Bing'	Mi-été	Fruits rouge foncé ; se fendillent.
'Stella'	Mi-été	Sujet autogame ; fruits noirs.
'Black Tatarian'	Hâtive	Fruits noirs, prompts à ramollir.
'Rainier'	Hâtive	Fruits jaunes ; résistent à la maladie.
Cerisiers à fruits acides		
'Montmorency'	Mi-été	Peau écarlate, pulpe jaune.
'North Star'	Hâtive	Peau rouge, pulpe jaune.

*Cultiver au moins deux variétés qui s'interpollinisent.
**Les cerises mûrissent du début au milieu de l'été dans la plupart des régions.

'Washington Navel' est une variété à peu près sans pépins qui porte des fruits de 10 cm de diamètre.

Citrus sinensis *'Washington Navel'*

Citrus

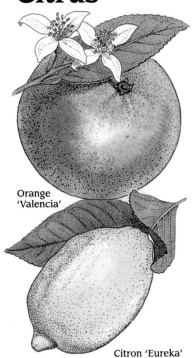

Orange 'Valencia'

Citron 'Eureka'

Bien connus pour leurs fruits, les citrus le sont aussi pour leurs arbres à feuilles luisantes et persistantes.

Certains peuvent atteindre 9 m de hauteur : on restreint leur croissance par la taille. D'autres ont un port vigoureux et arbustif ; quelques-uns se sont adaptés à la culture en bac.

Parmi les espèces les plus rustiques, il y en a qui peuvent survivre au jardin en certaines régions chaudes de la Colombie-Britannique ; il est préférable néanmoins de les cultiver en bac et de les rentrer pour l'hiver.

C'est à la Renaissance qu'apparaissent les premières orangeries en Europe. La plus connue est celle des Tuileries ; transformée en musée, elle abrite les nymphéas de Monet.

Le mot « agrume » désigne collectivement les oranges, pamplemousses, citrons, limes, mandarines et autres fruits du genre. À ces espèces, il faut ajouter de nombreuses variétés, dont certaines purement ornementales, et de lointains parents comme *Poncirus trifoliata*, oranger décidu à trois feuilles et à fruits non

comestibles qui pousse en zone 7 (sud de l'Ontario et quelques régions de la Colombie-Britannique).

L'hybridation de certaines espèces avec de lointains parents a permis d'obtenir des fruits fort agréables à manger, comme les tangelos.

Le citrange est un hybride d'oranger trifolié et d'oranger doux. Il résiste au froid et donne des fruits non comestibles. Seule sa souche est utilisée.

On connaît l'orange sanguine ou à pulpe rouge, l'orange bigarade ou amère, le pamplemousse rose aussi appelé pomélo, le citron rose et le citron vert ou lime. Il existe aussi des citrus diversicolores dont les feuilles et l'écorce des fruits sont panachées de vert et de blanc.

Les citrus sont très vulnérables au froid. Exposés au point de congélation, les fruits perdent leur qualité et les arbres peuvent mourir si la température descend encore plus bas. Les citrus n'ont pas tous la même fragilité. Citrons et limes sont réservés aux zones les plus chaudes tandis

que les mandarines satsoumas supportent des chutes de température jusqu'à −10 °C.

Lorsque le climat leur convient, les citrus acceptent une vaste gamme de sols, mais ils ne tolèrent ni le sel, ni une humidité excessive. Dans leur cas, un bon égouttement est une condition essentielle à leur culture.

C'est dans les régions les plus froides que les oranges ont l'écorce et le jus le plus colorés, dans les régions sèches que leur écorce est la plus épaisse et dans les régions pluvieuses et humides que leur pulpe donne le plus de jus.

Le pamplemousse est acide en climat froid et sucré en climat chaud.

La pulpe des oranges sanguines est rouge dans les régions froides, mais marbrée ou décolorée dans les régions chaudes.

Citronniers et limettiers fleurissent à quelques reprises durant l'année et portent des fruits en toute saison. D'autres citrus fleurissent au printemps, mais les fruits mûrs restent longtemps sur l'arbre.

Les citrus à l'intérieur

C'est un plaisir de cultiver des citrus comme plantes d'intérieur à partir de pépins prélevés sur des fruits achetés chez le fruitier. Les sujets qui en résultent ne sont pas toujours conformes à l'espèce car certains citrus s'hybrident, mais comme on ne les cultive pas pour le fruit, cela a peu d'importance. Mais on peut acheter chez les pépiniéristes des sujets qui donnent des fruits comestibles.

Les citronniers sont de grands arbres, mais la variété 'Meyer' pousse lentement, résiste assez bien au froid et produit de gros fruits.

Le calamondin donne un petit arbre de 4,50 m à maturité. Il vient bien dans un grand bac et produit des fruits décoratifs qui n'atteignent pas toujours leur maturité, mais il fleurit et fructifie toute l'année si on lui donne beaucoup de lumière en hiver.

Il se mutiplie facilement par boutures et commence à donner des fleurs et des fruits alors qu'il n'a que quelques centimètres. Cette caractéristique l'aura souvent fait considérer à tort comme un arbre nain.

Deux sortes de limettiers se cultivent à partir de semis. 'Tahiti', 'Bearss' et 'Persian' donnent des sujets bien étalés à feuilles coriaces. 'Mexican', 'Key' et 'West Indian' ont un port plus dressé et un feuillage délicat ; ils se cultivent bien en bac.

Les kumquats ressemblent à des oranges miniatures à écorce épaisse et douce qui se prête bien à la cuisson en confiture. L'arbre, agréablement pommé, atteint 3 m de hauteur et demande un grand bac.

On peut aussi cultiver à l'intérieur les oranges douces, les tangerines, les tangélos et les pamplemousses, mais ils donnent rarement des fleurs et plus rarement encore des fruits.

Culture des citrus à l'intérieur

Arroser en hiver seulement pour ne pas laisser le sol sécher : un excès d'eau peut faire mourir la plante. Intensifier les arrosages à la reprise de la croissance au printemps : les plants adultes peuvent alors demander des arrosages quotidiens par temps chaud. Leur donner un engrais riche en azote et en micro-éléments, ou du nitrate d'ammoniaque dilué dans de l'eau avec une émulsion de poisson ou d'algues liquides. Des taches jaunes sur les feuilles signalent une déficience en zinc.

Les citrus viennent bien dans un sol légèrement acide ; autrement, ils souffrent de chlorose (limbe décoloré et nervures foncées) : dans ce cas, les arroser et les vaporiser de chélates de fer. Répéter la fertilisation à quelques reprises durant l'été.

Lorsque les plants ont été empotés dans le bac le plus grand qu'il soit possible d'utiliser, une taille régulière maîtrise leur croissance. S'ils perdent de la vigueur — feuilles petites, peu de pousses nouvelles —, les dépoter et tailler sévèrement les racines. Les rempoter dans le même bac, dans un substrat neuf et rabattre les organes aériens du quart. Les sujets cultivés dans un bac de 30 à 45 cm doivent être traités ainsi tous les cinq ans.

Pour tailler, couper des branches entières plutôt que de les rabattre car cette dernière opération favorise l'apparition en amont de bourgeons et de branches qui finiront par priver de lumière le bas de l'arbre.

Ne sortez pas les plants tant que tout risque de gelée n'est pas écarté. Les citrus qui viennent de la maison n'y survivraient pas. En automne, rentrer les plants avant que les nuits ne deviennent fraîches.

'Jonkheer van Tets' est une bonne variété hâtive de groseillier à fruits rouges. 'White Pearl' est une variété à fruits blancs avec de petites baies très sucrées.

'Jonkheer van Tets'   'White Pearl'

Groseille à grappes

Cassis
'Consort'

Les groseilliers à fruits rouges et ceux à fruits noirs (qu'on appelle cassissiers) sont couramment cultivés au Canada, tandis que les groseilliers à fruits blancs sont très rares.

Le groseillier et le cassissier peuvent se cultiver en buissons (sur tige de 25 cm environ), ou en cordons simples, doubles ou triples.

Tous deux préfèrent des sols bien drainés qui conservent l'humidité. Le groseillier, toutefois, vient mieux dans un sol léger, et prospère dans les régions fraîches et humides. Les deux espèces aiment le soleil ou la mi-ombre, mais comme elles fleurissent tôt dans la saison, il faut se méfier des gels tardifs. La récolte se produit en général au début de l'été.

Avant la plantation, bêcher la terre profondément et y incorporer un engrais complet en suivant les instructions du fabricant. Groseilliers et cassissiers sont sensibles à une carence en potassium qui produit des marques de brûlure sur les marges des feuilles.

Planter au début du printemps ou en automne. Espacer les buissons de 1,50 m, les cordons simples de 40 cm, les cordons doubles de 80 cm et les cordons triples de 1,20 m. Laisser 1,20 m entre les rangs.

Les cordons nécessitent pour chaque pied l'installation de piquets de 5 cm sur 5 et de 2,50 m de haut dont 1,50 à 1,80 m doit émerger du sol. On peut aussi palisser les cordons sur trois ou quatre fils de fer horizontaux espacés de 60 cm et reliés à des bambous plantés à la verticale.

Au début du printemps, épandre un engrais polyvalent en cercle, à 30 cm du pied de chaque plant. Ajouter un paillis de fumier ou de compost de 5 cm d'épaisseur.

Freiner le développement des mauvaises herbes avec un paillis ou un herbicide à base de glysophate. Ne pas biner.

N'arroser qu'en période de sécheresse. Éliminer tous les rejets issus de la tige ou des racines. Si le gel déchausse les jeunes plants, fouler la terre avec le pied. Contre le vent, tuteurer les rameaux importants des jeunes arbustes.

Les oiseaux causent des dommages aux bourgeons et aux fruits. La meilleure protection consiste à les couvrir de filets, de même qu'à récolter les baies dès qu'elles sont mûres.

Multiplication des groseilliers

Groseilliers et cassissiers se multiplient de préférence au moyen de boutures de 40 cm de long. À la mi-automne, sélectionner des pousses de l'année bien droites. Les sectionner presque sur leur empattement, au-dessus d'un œil.

Éliminer tout le bois mal aoûté à l'extrémité du rameau en taillant au-dessus d'un œil. Il est inutile de couper le haut du rameau s'il est lignifié. Ramener la bouture à 40 cm de longueur en taillant la base juste au-dessus d'un œil.

Éborgner tous les yeux, sauf les quatre ou cinq supérieurs. Plonger la base de la bouture dans de la poudre d'hormones de bouturage.

Creuser à la bêche une tranchée en V de 20 cm de profondeur en lui donnant une paroi verticale et une autre inclinée à 45 degrés. Couvrir le fond de sable. Ranger les boutures debout, en les espaçant de 15 cm ; elles devront sortir du sol de 20 cm. Remplir la tranchée et fouler.

À la fin de l'automne, les boutures auront développé des racines. Soulever les jeunes plants avec une fourche à bêcher pour les transplanter dans leur nouvel environnement. Les enfouir un peu plus profondément que lors du bouturage. Tout de suite après, rabattre leurs branches de moitié.

Choix de variétés

Les variétés de groseilliers et cassissiers qu'on retrouve dans les pépinières locales sont, règle générale, les mieux adaptées à la culture locale. À défaut, on peut en commander par catalogue.

Bien que les groseilliers soient autofertiles, on recommande de mêler plusieurs variétés de sorte que les fruits n'atteindront pas tous en même temps leur maturité. Les plants demeurent productifs pour au moins 20 ans. La dépense additionnelle pour se procurer une variété supérieure est donc justifiée.

Groseilliers à fruits rouges *Récolte hâtive :* 'Cascade', à gros fruits, originaire du Minnesota et donc bien adaptée au froid. 'Jonkheer van Tets', variété européenne traditionnelle. *Récolte normale :* 'Red Lake', variété la plus répandue et la plus rustique, avec une abondante récolte de baies rouge pâle en grappes allongées. 'Diploma', à grappes moins longues et fruits rouge sombre. *Récolte tardive :* 'Cherry', un plant vigoureux avec des baies de taille moyenne.

Groseilliers à fruits blancs *Récolte normale :* 'White Imperial' et 'White Pearl' sont les deux variétés les plus répandues. Leurs baies sont de taille moyenne, celles de 'White Pearl' légèrement rosées.

Cassissiers *Récolte hâtive :* 'Boskoop Giant,' variété européenne très rustique. 'Topsy', la plus hâtive, avec des fruits de qualité. *Récolte normale :* 'Consort', à fruits très petits mais résistants au blanc. 'Wellington XXX', toujours populaire. *Variété tardive :* 'Champion', à courtes grappes, avec la récolte la plus tardive. 'Raven', qui donne les plus grosses baies.

Groseille
'Red Lake'

Les groseilliers portent
leurs meilleures baies sur du
bois de deux ou trois ans, d'où
l'importance d'une bonne taille
annuelle. 'Boskoop Giant' est
une variété précoce.

'Boskoop Giant'

Taille d'hiver des buissons et des cordons

Les groseilliers à fruits rouges fructifient sur des courçons issus du vieux bois. Après avoir planté le jeune arbuste, rabattre au quatrième œil (au-dessus d'un œil extérieur) les rameaux issus de l'axe principal.

Le second hiver, supprimer tout rameau mal placé. Raccourcir des deux tiers les prolongements des branches plus faibles, de moitié ceux des branches vigoureuses, en coupant toujours au-dessus d'un œil extérieur. Rabattre les latérales à un œil de leur empattement.

Les troisième et quatrième années, laisser certaines latérales bien placées se développer, de façon que l'arbuste ait 8 à 10 branches principales sur un tronc de 15 à 25 cm. Rabattre chaque année les autres latérales jusqu'aux courçons obtenus.

Le troisième hiver, rabattre de moitié les prolongements des charpentières. Le quatrième hiver, les raccourcir du quart. Par la suite, les laisser allonger de 2,5 cm par an.

Sur les cordons, rabattre les latérales à un œil afin d'obtenir des courçons. Tant que l'axe vertical n'a pas atteint 1,80 m de hauteur, rabattre son prolongement de 25 cm. Par la suite, rabattre le prolongement chaque hiver au-dessus d'un œil.

Les cassissiers fructifient sur le bois de l'année précédente et n'ont pas de tige. En les plantant, les rabattre à un œil. L'hiver suivant, éliminer tout rameau faible ou mal placé. Par la suite, rabattre chaque hiver au tiers ou au quart tout rameau qui a porté des fruits.

Dès le début de l'été, rabattre les latérales sur 3 à 5 feuilles.

Taille d'été des buissons et des cordons

Les buissons et les cordons âgés de deux ans et plus seront taillés de la même façon tous les étés. Commencer la taille au début de la saison, lorsque les jeunes pousses brunissent. Rabattre les latérales à trois ou cinq feuilles, au-dessus d'un nœud.

Quand le cordon atteint 1,80 m de hauteur, rabattre le prolongement à quatre feuilles. En hiver, il sera rabattu complètement.

Ravageurs et maladies des groseilliers et cassissiers

Pucerons et oiseaux sont les ravageurs les plus redoutables. Pour tout autre symptôme, se reporter au chapitre « Ravageurs et maladies », à la page 474. On trouvera aux pages 510-511 les appellations commerciales des produits recommandés.

GROSEILLIERS À FRUITS ROUGES : SECOND HIVER

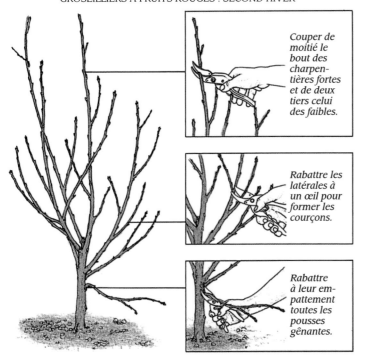

Couper de moitié le bout des charpentières fortes et de deux tiers celui des faibles.

Rabattre les latérales à un œil pour former les courçons.

Rabattre à leur empattement toutes les pousses gênantes.

Symptômes	Cause	Traitement*
Feuilles enroulées ou gondolées, ayant parfois un reflet rougeâtre. Extrémités des tiges parfois déformées.	Pucerons	Vaporisation d'huile de dormance à la mi-hiver pour détruire les œufs. Vaporisation d'un produit de contact au carbaryl ou au malathion, ou de savon insecticide. Au printemps, avant la floraison, vaporisation d'un insecticide systémique (diméthoate).
Vers lisses, verdâtres et tachetés sur les feuilles.	Tenthrède du groseillier	Vaporisation de *Bacillus thuringiensis* à la première alerte, cet insecte pouvant défolier l'arbuste du jour au lendemain.
Feuilles déformées et décolorées, ponctuées de points argentés.	Tétranyque à deux points	Vaporisation hebdomadaire de savon insecticide au besoin.
Les fruits ne se développent pas et tombent prématurément.	Mouche à groseille, vers qui se nourrit du fruit	Au tout début du printemps, détremper le sol à la base de l'arbuste avec du diméthoate pour tuer les mouches avant qu'elles aient le temps de pondre leurs œufs dans le jeune fruit.
Poudre blanche sur les plants, devenant brune. Pousses parfois déformées.	Blanc (champignon)	Couper les pousses atteintes en automne. Vaporisations régulières à base de bénomyl, de dinocap ou de thirame.
Petites taches brunes sur les feuilles en été. Les feuilles jaunissent et tombent prématurément.	Anthracnose (champignon)	Éliminer le feuillage affecté. Vaporiser un fongicide à base de cuivre quand les feuilles se déroulent, quand elles sont à moitié ouvertes, puis quand elles le sont.

* Certains produits sont interdits dans les localités qui ont adopté des règlements contre les pesticides. Voir aussi « Recettes maison et produits naturels », p. 512, et « Les amis du jardin », p. 515.

Figue

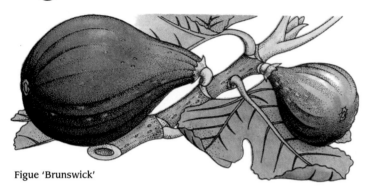

Figue 'Brunswick'

Les figuiers demandant beaucoup de soleil, leur culture n'est possible qu'en serre ou en Colombie-Britannique. Ils exigent un sol bien égoutté mais capable de garder l'humidité et donnent deux récoltes par an : l'une au milieu de l'été, l'autre à la fin de l'automne. On limite leur croissance en taillant les racines. 'Brown Turkey', 'Celeste', 'Hunt' et 'Kadota' sont les variétés recommandées.

Creuser un trou de 90 cm de largeur et de profondeur et le tapisser de briques ou de ciment en laissant des trous dans le fond. Le remplir de bonne terre et planter au début du printemps. Pailler avec 2,5 à 5 cm de fumier décomposé ou de compost de jardin. Répéter à la fin du printemps. Arroser en période sèche. Les figuiers se multiplient par marcottage (p. 58) ou par boutures semi-aoûtées (p. 54).

Taille et conduite Durant les trois premiers étés, les arbres sont conduits comme des pommiers en éventail ou nains (pp. 358 et 361). Les années suivantes, avant la mi-été, pincer les pousses latérales à quatre feuilles de la tige pour favoriser l'émergence de nouvelles pousses qui porteront des fruits axillaires.

À la mi-été, choisir sur éventail les pousses nouvelles qui collent au mur ou suivent les cordons et les y attacher. Couper les autres au ras de la tige. Sur les arbres, ôter un peu de vieux bois.

Éclaircissage et récolte Ôter les figues de la taille d'un pois à la fin de l'été. Les fruits embryonnaires à l'aisselle des feuilles au sommet des nouvelles pousses se développeront le printemps suivant et mûriront à la fin de l'été. Récolter les figues souples.

Ravageurs et maladies

Lutter contre la cochenille farineuse avec des vaporisations quotidiennes de chlorpyrifos, de Diazinon, de malathion ou de savon insecticide.

Les écailles rondes ou plates sur les feuilles et les tiges sont des insectes. En fin de printemps, vaporiser du malathion ou une émulsion d'huile à 1-1½ p. 100. Les feuilles jaunes ou rousses qui tombent prématurément ou les taches sur les fruits sont l'œuvre d'acariens. Vaporiser du savon insecticide ou du malathion sur les pousses et les feuilles nouvelles.

Les taches foliaires brunes dans lesquelles apparaissent des pustules rosées sont un symptôme d'anthracnose. Détruire les feuilles infectées. Vaporiser régulièrement du cuivre.

La tache foliaire fait naître des marques jaunes, rouge-brun ou noires sur le feuillage. Vaporiser de captane ou de zinèbe.

Plants jaunis et flétris, racines à nodules ou petites lésions : attention aux nématodes. Détruire les plants.

Groseille à maquereau

Les groseilles à maquereau se consomment fraîches ou en confitures. Les plants de groseillier prospèrent dans les régions où le sol est bien drainé mais humide, et se cultivent en plein soleil ou à la mi-ombre. Il vaut mieux éviter de planter des groseilliers épineux dans des zones où il gèle au printemps, car les fruits se forment très tôt.

Le groseillier épineux est autofertile. Les fruits sont prêts au début de l'été et la récolte peut durer jusqu'au milieu ou à la fin de l'été. Selon les variétés, les fruits sont verts, jaunes, rouges ou blancs.

Acheter des pieds de deux ou trois ans et les planter entre l'automne et le printemps. Travailler la terre par double bêchage (voir p. 471) pour bien l'enrichir. Espacer les plants de 1,50 à 1,80 m et les tuteurer au moyen de piquets de 5 cm sur 5 et d'environ 1,50 m de haut.

Les bonnes variétés incluent : 'Pixwell', facile à cultiver (zone 2), mais à peau coriace ; 'Hinnomaeki', rouge ou jaune, savoureuse et rustique (zone 3) ; 'Captivator', sans épines, à petits fruits rouges ; 'Poorman', fruits très sucrés ; et 'Oregon Champion', fruits cuivrés.

Culture et fertilisation du groseillier épineux

Chaque printemps, entourer le pied des groseilliers d'un paillis de compost bien décomposé, ce qui gardera le sol humide et exempt de mauvaises herbes. Éliminer les rejets surgis de la tige ou des racines. N'arroser qu'en période de sécheresse.

Tard en hiver, incorporer au sol ½ à 1 cuillerée à soupe de sulfate de potassium au mètre carré. Tous les trois ans, ajouter du superphosphate (2 cuillerées/mètre carré). Tôt au printemps, épandre du sulfate d'ammoniaque (1 cuillerée/mètre carré).

En hiver, tasser la terre autour des plants que le gel a déchaussés. Protéger les arbustes contre les oiseaux en les couvrant d'un filet. À l'époque de la floraison, les protéger contre les gelées nocturnes au moyen d'un filet épais, mais le retirer durant le jour pour permettre la pollinisation.

Éclaircissage et récolte des fruits

Effectuer une première récolte destinée à la cuisson quand les fruits ont la taille d'un gros pois ; les cueillir de façon à laisser 8 cm entre ceux qui demeurent sur la branche. On obtiendra de la sorte des fruits plus gros. N'effectuer cette seconde récolte que lorsque les fruits sont tendres et bien mûrs.

Groseille 'Pixwell'

Les groseilliers à maquereau
sont peu exigeants sur la qualité du
sol et du climat, mais, comme tous
les arbres et arbustes fruitiers, ils
craignent les gelées nocturnes à
l'époque de la floraison.

'Oregon Champion' 'Poorman'

Taille de 1re année d'un groseillier

Les fruits viennent sur du bois neuf et sur les courçons issus du vieux bois. Tailler en automne ou en hiver, ou même juste avant le gonflement des bourgeons si l'on craint les dommages causés par les oiseaux.

Le but de la taille est de dégager le centre de l'arbuste pour y laisser pénétrer l'air et la lumière.

Certaines variétés ayant un port retombant, les fruits risquent de toucher la terre et de s'abîmer. Tailler ces variétés sur un œil pointant vers le haut ou vers l'intérieur.

D'autres variétés ont un port dressé; les tailler sur un œil extérieur. En cas de doute, ou s'il s'agit d'une variété intermédiaire, tailler sur un œil tourné vers l'extérieur.

Sur un arbuste fraîchement planté, choisir quelques rameaux vigoureux et les rabattre de trois quarts en coupant au-dessus d'un œil. Rabattre les autres à un œil.

Taille de 2e année

Sur un groseillier de deux ans, choisir six à huit rameaux parmi les plus robustes. Couper leurs prolongements de moitié s'ils sont vigoureux, des deux tiers s'ils paraissent faibles. Rabattre les autres pousses à un œil.

Les groseilliers se prêtent aussi à la conduite en cordon, surtout en éventail. La taille est la même, à la différence qu'on attache les pousses.

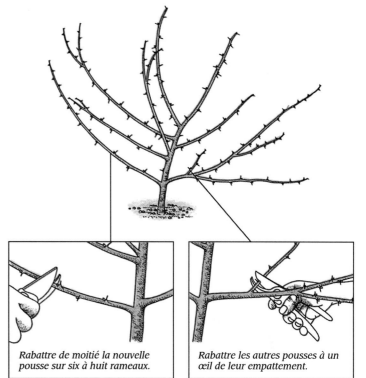

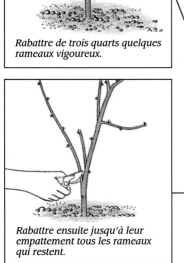

Rabattre de trois quarts quelques rameaux vigoureux.

Rabattre ensuite jusqu'à leur empattement tous les rameaux qui restent.

Rabattre de moitié la nouvelle pousse sur six à huit rameaux.

Rabattre les autres pousses à un œil de leur empattement.

Ravageurs et maladies du groseillier épineux

Si l'on remarque la présence de symptômes ou d'indices non décrits ici, se reporter au chapitre « Ravageurs et maladies », à la page 474. On trouvera les appellations commerciales des produits recommandés à partir de la page 509.

Symptômes	Cause	Traitement*
Feuilles enroulées ou gondolées, parfois à reflets rougeâtres.	Pucerons	Vaporisation d'huile miscible 60 à la mi-hiver pour tuer les œufs. Vaporisation de savon insecticide sur les pucerons.
Tissus foliaires dévorés.	Larves de la tenthrède	Vaporisation de *Bacillus thuringiensis* ou de roténone dès l'apparition des premiers symptômes.
Dépôts gris sur les fruits. Taches sur les feuilles. Dans les cas graves, les brindilles se nécrosent.	Pourriture grise (champignon)	Employer de la bouillie bordelaise. En vaporiser avant l'éclosion des fleurs ; répéter quand elles se sont ouvertes et jusqu'à ce que les fruits soient mûrs.
Dépôts blancs poudreux sur les feuilles, les pousses et les fruits, devenant bruns.	Blanc (champignon)	Couper les pousses atteintes en automne. Vaporisations régulières de bénomyl, de dinocap ou de soufre.

* Certains produits sont interdits dans les localités qui ont adopté des règlements contre les pesticides. Voir aussi « Recettes maison et produits naturels », p. 512, et « Les amis du jardin », p. 515.

La récolte des groseilles n'est pas facile quand il faut affronter les épines. Par ailleurs, plusieurs problèmes guettent ces petits fruits.

Épines de groseillier   Pourriture grise   Branche défoliée par les tenthrèdes

Raisin

Taille d'un buisson adulte

En hiver, rabattre les prolongements des charpentières de moitié. Rabattre les latérales les plus vigoureuses de façon à ne garder que 8 cm de la nouvelle pousse. Ne conserver que 3 cm du prolongement si la latérale est peu robuste. Supprimer les pousses faibles à leur empattement.

Lorsqu'une branche retombe jusqu'au sol, choisir à sa base une pousse de remplacement et rabattre le vieux bois à l'empattement. Raccourcir d'au moins la moitié la pousse de remplacement. Élaguer de façon à garder le centre de l'arbuste bien ouvert.

À la mi-été, tailler toutes les latérales à cinq feuilles en coupant au-dessus d'un nœud. Ne pas tailler les charpentières.

GROSEILLIERS : TAILLE D'HIVER

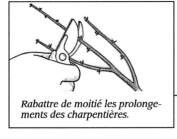

Rabattre de moitié les prolongements des charpentières.

Rabattre à 8 cm les prolongements des latérales vigoureuses, les autres à 3 cm.

Raisin 'Concord'

Multiplication de tous types de groseilliers

On peut avoir recours au marcottage. Au printemps, abaisser une branche basse de manière qu'elle touche à terre. Mélanger au sol un peu de terreau et de sable. Râper un copeau d'écorce sous la branche, près de son extrémité, et poudrer la blessure avec de la poudre d'enracinement pour boutures semi-aoûtées. Enfoncer cette portion de la branche dans le sol et la maintenir en place avec une pierre. Le temps venu, tuteurer son prolongement. Le nouveau plant

sera enraciné à l'automne, mais il faut attendre le printemps pour le sectionner et le transplanter.

On peut aussi pratiquer le bouturage. Tôt à l'automne, prendre des pousses de l'année mesurant 30 à 37 cm. Les rabattre d'environ 5 cm au-dessus d'un œil. Creuser une tranchée, y étendre du sable et enterrer les boutures à demi. On obtiendra un nouveau plant dans l'année, ou l'année suivante pour 'Hinnomaeki'.

Avant de transplanter, supprimer tous les bourgeons formés à moins de 10 cm du sol, sauf pour les cassissiers qui n'ont pas de tige unique.

Toutes les variétés de vignes se cultivent à peu près de la même façon. En Amérique du Nord, la vigne de type européen *(Vitis vinifera)*, comme 'Thompson Seedless' et 'Flame Tokay', se caractérise par des baies dont la peau adhère à la pulpe. On la cultive dans l'ouest des États-Unis.

Les variétés originaires d'Amérique et dérivées de *V. labrusca* ou de ses hybrides, par exemple 'Concord', ont des raisins dont la peau se détache facilement de la pulpe. Ces variétés viennent mieux à l'est des Rocheuses.

Enfin, il existe un autre type de vigne, le raisin muscat *(V. rotundifolia)*, lequel n'est pas très rustique. La variété 'Southland' fait notamment partie de ce groupe. Elle est peu cultivée au Canada.

La tige principale d'une vigne s'appelle cep. Du cep partent des latérales qui, si elles sont épargnées, donnent des sarments, des courçons et des pampres. Ce sont les courçons qui portent les fruits.

De toutes les plantes grimpantes, la vigne est certainement celle qui se

prête le plus facilement au palissage. Selon les objectifs recherchés, un pied de vigne peut donner une, deux ou trois souches.

La conduite sur une souche unique s'impose quand l'espace est limité ; elle permet de cultiver parallèlement d'autres variétés. Il faut multiplier les plants si l'on vise à produire du raisin de cuve pour obtenir du jus ou du vin.

Toutes les vignes se prêtent aux diverses techniques de palissage : sur treillage, clôture, berceaux et tonnelles. Les variétés européennes se conduisent également comme de petits arbres, soit sur un cep à hauteur de taille, supporté par un tuteur.

Plantation et culture La culture de la vigne exige un sol bien drainé et de fertilité au moins modérée. Un humus substantiel d'une texture moyenne lui convient particulièrement. Il faut aussi planter la vigne en plein soleil si l'on veut obtenir des raisins qui renferment assez de sucre pour qu'on puisse les manger frais ou en extraire du jus ou en faire du vin.

La plantation s'effectue au début du printemps ou de l'automne dans

'Phoenix' et 'Boskoop Glory'
sont deux des nouvelles
variétés de raisin de table
faciles à cultiver qu'on
trouve maintenant chez
les pépiniéristes.

Raisin 'Buffalo' ➤

'Phoenix'   'Boskoop Glory'

un trou dont les dimensions excèdent légèrement celles du système radiculaire. Planter les pieds en rangs. Laisser environ 1,80 m d'espace entre les pieds, et 2,50 m entre les rangs.

Si on achète une bouture déjà racinée, l'enfouir de manière que l'œil terminal soit au niveau du sol. Butter la terre par-dessus. Les pousses trouveront le moyen de se frayer un chemin à l'air libre.

La vigne requiert à la fois beaucoup d'humidité et un bon drainage. En outre, elle demande des apports réguliers d'engrais.

Le paillage des ceps tôt au printemps donne d'excellents résultats, surtout si l'on utilise du fumier bien décomposé mélangé à de la paille. En régions humides, fertiliser davantage encore.

Épandre une tasse d'engrais 10-6-4 ou 10-10-10 dans un rayon de 15 cm autour de chaque cep, mais à quelques centimètres du tronc. Répéter cette opération fréquemment, mais la cesser dès que le raisin est mûr.

Si le sol est aride, il faudra sans doute ajouter un engrais riche en azote, à raison d'un tiers de tasse environ par cep.

Les conditions de culture varient selon les régions. Renseignez-vous auprès du ministère de l'Agriculture.

Formation d'une jeune vigne européenne

La vigne européenne met trois ou quatre ans à s'établir. Après ce temps, il suffit de la tailler pour améliorer ou conserver la production du raisin.

Il existe quatre méthodes de conduite : sur charpentières, sur sarments, en cordon ou par palissage.
Formation d'une jeune vigne Pour permettre à la jeune vigne de se doter de bonnes racines, on lui accorde une saison de croissance sans la tailler. Arroser abondamment mais sans excès et bassiner le feuillage durant les journées chaudes.

Pendant la période de dormance qui suit, supprimer tous les rameaux, sauf le plus vigoureux ; rabattre celui-ci au deuxième ou au troisième œil.

Lorsque la croissance reprend, ne garder que la pousse la plus vigoureuse et la mieux formée. L'attacher sans serrer à un tuteur et la laisser produire des latérales. Éliminer les rejets à la base et pincer toutes les pousses latérales inférieures.

Si l'on choisit la conduite sur charpentières ou sur sarments, laisser le prolongement dépasser son tuteur d'environ 30 cm. Le pincer par la suite.
Taille de 2e année Dans la conduite en cordon, rabattre dès le début du second été toutes les pousses, sauf deux des latérales les plus vigoureuses, ou garder le prolongement de l'axe principal et une latérale.

Palisser ces deux sarments sur un support en fil de fer en leur donnant des directions opposées. Quand ils se sont allongés de 45 cm environ, pincer leurs extrémités.

Dans la conduite sur charpentières, rabattre le courçon supérieur sur un nœud, juste au-dessus de l'endroit où se formera la tête de la vigne. Couper au travers du nœud : l'œil est alors détruit.

Supprimer toutes les latérales qui poussent sur la moitié inférieure du tronc, ainsi que toutes celles du dessus qui sont grêles. Ne garder que deux à quatre latérales et les rabattre en leur laissant de un à quatre yeux selon leur vigueur. Laisser un œil au sarment gros comme un crayon, deux au sarment gros comme le petit doigt, trois à celui de la taille de l'index, et quatre à celui de la taille du pouce.

Dans la conduite sur sarments, on peut ne conserver qu'un sarment comportant de 8 à 10 yeux à la fin du second été. Si ce sarment est faible, le rabattre sur un courçon doté de deux yeux seulement.
Taille de 3e année Supprimer les rejets issus de la moitié inférieure du tronc, que la vigne soit conduite sur charpentières ou sur sarments.

Dans la conduite en cordon, rabattre à 40-45 cm de longueur les pousses les plus vigoureuses. Supprimer toutes les pousses au-dessous des bras.

Pour que les sarments poussent droit, palisser les pousses terminales vigoureuses sur un fil de fer placé au-dessus. Supprimer une partie des bouquets floraux.

À la fin de la troisième année, les vignes sont devenues matures et elles ont atteint leur forme définitive.

Taille d'une vigne européenne adulte

Conduite sur charpentières Cette conduite se pratique sur plusieurs vignes de cuve et quelques vignes de table, comme la variété 'Flame Tokay'. Dans ce mode de formation, les vignes sont sévèrement rabattues chaque année. Durant l'hiver, tailler pour ne garder que trois à six sarments vigoureux répartis uniformément au sommet du tronc. Les sarments sont deux à yeux chacun. La plupart des yeux conservés évolueront en rameaux fructifères l'été suivant ; quelques-uns donneront de nouveaux sarments. Chaque année, sélectionner quelques nouveaux sarments issus des courçons ou du tronc et pratiquer la même taille. À mesure que la vigne prend de l'âge, lui conserver plus de courçons.

Conduite sur sarments Cette conduite est utilisée surtout dans la production du raisin sec et un peu dans celle du raisin de cuve; une taille très sévère est pratiquée annuellement. Chaque hiver, éliminer les sarments qui ont porté des fruits. Ne conserver que deux à quatre nouveaux sarments par cep. Les rabattre sur 6 à 10 yeux chacun. Ils porteront des fruits l'été suivant. Toujours en hiver, rabattre deux à quatre autres nouveaux sarments jusqu'aux courçons, comme dans la taille précédente. Durant la période de croissance, plusieurs nouvelles pousses apparaissent au sommet du tronc. Choisir les deux plus vigoureuses et les palisser en direction opposée sur un fil de fer.

Sur les vignes adultes, on peut garder jusqu'à six sarments ; davantage si elles sont palissées et qu'on veut combler les vides. Toujours choisir les sarments qui poussent près du tronc, car ils reçoivent plus de sève.
Conduite en cordon Cette méthode de conduite exige énormément d'attention. Les courçons issus des sarments doivent être éloignés les uns des autres de 20 à 25 cm, et chaque courçon ne garde que deux ou trois yeux. À mesure que sa circonférence s'agrandit, le sarment s'affaisse. Il faut donc le redresser régulièrement et palisser sur un fil de fer placé au-dessus les jeunes pousses vigoureuses qui en émergent.

Durant la période de croissance pincer les pampres les plus vigoureux de façon à permettre aux plus faibles de rattraper les autres. Enlever quelques bouquets : l'éclaircissage donne de plus belles grappes.
Conduite sur pergola La taille ressemble à celle des vignes conduites en cordon. Sur pergola, on permet au tronc de prendre plus de hauteur, et plutôt que de palisser les sarments à l'horizontale sur un fil de fer, on leur fait couvrir complètement leur support. Par la suite, on taille régulièrement les sarments et les courçons de façon à maintenir la mise à fruit de la vigne (voir p. 384).

Toujours laisser 90 cm environ entre les sarments destinés à devenir des charpentières. Lorsque leur croissance est achevée, pratiquer la taille de fructification sur courçons. Sur les pergolas et les tonnelles, ce sont les courçons horizontaux qui produisent le plus de fruits.

'Concord', l'une des variétés les plus répandues, donne des grappes et des raisins de taille moyenne. La variété 'Muscat Hamburg' est assez résistante au gel, aux insectes et aux champignons.

'Seedless Concord' 'Muscat Hamburg'

Taille de la vigne américaine

La vigne américaine, par exemple la variété 'Concord' et ses hybrides, se taille à peu près comme la vigne européenne cultivée sur sarments. À une différence près, cependant: pour la vigne américaine, on adopte généralement la treille à la Kniffin décrite ci-contre.

Ficher des piquets en terre tous les 7 à 9 m. Le fil métallique supérieur (galvanisé, de calibre 9) doit se trouver à 1,65-1,80 m du sol et le fil inférieur (de calibre 10) à environ 90 cm. Il y a de la place pour trois vignes entre les piquets.

Choisir des plants racinés et les rabattre à deux yeux après la plantation. Au cours du premier été, pincer les pousses, sauf la plus robuste qui deviendra le cep. L'attacher à un tuteur. L'hiver suivant, supprimer toutes les nouvelles pousses, sauf le prolongement de l'axe central. Avec un lien souple, palisser celui-ci sur le fil supérieur. Attacher la base de la tige au fil inférieur.

Après la deuxième saison de croissance, supprimer toutes les latérales issues du cep, sauf deux au niveau de chacun des fils. Palisser ces deux sarments en direction opposée sur les fils: ils donneront des courçons fructifères l'été suivant.

S'il se forme plus de quatre à huit yeux, sans compter l'œil de base, éborgner les surnuméraires.

Des pousses apparaîtront sans doute à la base de ces tiges. Les rabattre au deuxième œil; c'est là que prendront naissance les nouveaux courçons.

Durant les années suivantes, supprimer en hiver les sarments qui ont fructifié de façon que les pousses nées l'été précédent reçoivent assez de sève pour fructifier au cours de la prochaine période de croissance. Rabattre sur 6 à 10 yeux, selon leur vigueur, les nouveaux rameaux. De la paire d'yeux des courçons naîtront des grappes de raisins, mais ces rameaux évolueront surtout en sarments qui fructifieront l'été suivant. Répéter cette taille chaque année. Se rappeler toutefois qu'en éliminant trop de feuillage, on réduit la qualité du fruit en limitant l'apport nutritif.

La vigne américaine peut être palissée sur pergola ou sur tonnelle. Laisser les troncs prendre la hauteur voulue et sélectionner des sarments et des courçons bien espacés. Tailler selon le système Kniffin.

Culture de la vigne américaine

Les variétés sélectionnées de vigne américaine (voir la rubrique «Variétés recommandées pour le jardin familial», p. 385) peuvent être cultivées jusqu'en zone 5. On peut même en tenter la culture jusqu'en zone 4, à la condition de bien protéger les plants en hiver. On les enveloppe dans de la paille en incluant des appâts empoisonnés contre les rongeurs.

Il est primordial de cultiver la vigne dans une terre bien drainée. Si le sol est argileux ou composé de dépôts limoneux compacts, le rendre plus humifère en y incorporant du fumier ou des engrais verts, comme du trèfle, de la luzerne ou de l'ivraie. S'il s'agit de sols sablonneux, plus filtrants, augmenter les épandages d'engrais (surtout d'azote) pendant la période de croissance.

Dans les régions qui bordent la zone de culture recommandée, voir à ce que les vignes soient entrées en période de dormance lorsque s'installe l'hiver. De ce fait, ne plus fertiliser à partir de la mi-été.

Pour faire échec aux mauvaises herbes, les arracher à la main ou employer un herbicide complet comme du glysophate. On peut vaporiser le tronc sans effet nocif, du moment qu'on n'atteint pas les feuilles.

On arrosera la vigne grimpante en période de sécheresse seulement pour ne pas affadir la saveur du raisin.

Ajouter un engrais complet au printemps et du sulfate de potassium tous les deux ans. Si les feuilles souffrent de chlorose (jaunissement entre les nervures), les vaporiser avec du sulfate de magnésium.

Les années où la récolte est abondante, il est recommandé d'étaler la cueillette de façon à dégarnir progressivement les plants.

TREILLE À LA KNIFFIN

En hiver, ne garder que quatre nouveaux sarments; les palisser comme ci-dessus. Rabattre par ailleurs quatre à six courçons sur deux yeux.

Comment déterminer l'époque de la récolte

C'est en les goûtant qu'on peut le mieux juger si les grains de raisin sont assez mûrs pour être consommés. On peut aussi se laisser guider par leur couleur. Les raisins verts, comme les variétés 'Romulus' et 'Thompson Seedless', deviennent blanchâtres ou jaunâtres quand ils sont à maturité; les variétés de raisins rouges ou noirs prennent une teinte plus foncée. La visite des oiseaux est un signe avertisseur.

Une fois cueilli, le raisin ne mûrit plus. Il faut donc attendre qu'il soit bien mûr avant de commencer la récolte. Couper les grappes avec des ciseaux ou un couteau aiguisé et jeter les raisins pourris pour ne pas pourrir les autres.

Cueillir un peu plus tard le raisin destiné à être séché, comme la variété 'Thompson Seedless', de façon que sa teneur en sucre augmente.

On peut entreposer le raisin plusieurs semaines dans un endroit où la température se situe à environ 0 °C et l'humidité relative à 90 p. 100.

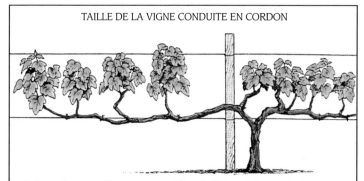

TAILLE DE LA VIGNE CONDUITE EN CORDON

Rabattre les nouvelles pousses au début de l'hiver. Laisser 8 à 10 courçons sur chaque bras. De grosses grappes de fruits devraient apparaître sur les sarments qui en résulteront.

Les vins de glace, qui font la renommée du Canada, sont faits à partir de raisin qui a gelé sur la vigne. La vendange se fait à la main. Pendant le pressage, l'eau naturelle que contiennent les grains est éliminée sous forme de cristaux de glace, ce qui laisse un jus très concentré.

'Vidal'

Taille de fructification de la vigne adulte

Il est possible d'améliorer le rendement d'une vigne en effectuant certaines opérations durant l'été. Ce sont l'éclaircissage des fleurs et des fruits, la suppression du feuillage superflu et l'incision annulaire du tronc et des sarments.

L'éclaircissage des fruits peut se faire de trois façons: en éliminant une partie des fleurs au printemps, en supprimant des grappes de fruits ou en enlevant des grains de raisin.

Le pincement des bouquets floraux est une méthode simple et efficace. Mais au lieu de pincer les bouquets floraux, on peut attendre que les fruits aient commencé à se former et supprimer les grappes les plus petites. Cette technique donnera aussi

de belles grappes de fruits. Le ciselage ou suppression d'un certain nombre de grains de raisin favorise la croissance des autres et permet d'obtenir des grappes parfaites: on élimine les ramifications à la base des grappes et les moins vigoureuses au centre de celles-ci.

Pendant la mise à fruit, les feuilles qui entourent les grappes les protègent contre les rayons ardents du soleil. Plus tard, cependant, leur ombre peut retarder le mûrissement. À la fin de l'été, on pincera donc le feuillage des pampres qui ne conserveront qu'une feuille.

L'incision annulaire empêche la sève du plant de retourner vers les racines. Enlever un anneau d'écorce de 5 mm de large sur le tronc, sur un bras ou sur un sarment. La plaie se cicatrisera en trois à six semaines.

Multiplication de la vigne

C'est facile de multiplier la vigne à partir des sarments qui ont été taillés l'hiver. Utiliser du bois mûr de l'année précédente. Prélever des boutures de 20 cm dans le bas des sarments, en coupant au-dessus et au-dessous d'un œil. Envelopper les boutures individuellement dans du plastique et les garder au réfrigérateur jusqu'à ce que le sol du jardin puisse être travaillé. Inspecter de temps en temps les boutures: s'il y a

des traces de mildiou, les rincer dans une solution claire d'eau de Javel, les laisser sécher et les réenvelopper.

Choisir au jardin un endroit où le sol est bien drainé. Faire une tranchée de 15 cm de profondeur; mettre du sable au fond. Y installer les boutures espacées de 15 cm. Remplir avec le sol et tasser.

On peut aussi démarrer des boutures en serre à l'automne, avec du bois de l'année. Les boutures doivent avoir un bourgeon à chaque extrémité et il faut entailler l'écorce.

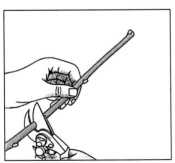

1. Prélever des boutures de 20 cm sur du bois de l'année précédente.

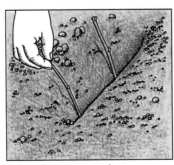

2. Les planter en rang à 15 cm d'écart dans un sol bien drainé.

Variétés recommandées pour le jardin familial

Dans le choix d'une vigne, on doit tenir compte de la zone de rusticité et de l'usage qu'on veut faire du raisin. La vigne étant autofertile, on peut n'en cultiver qu'un seul pied. Le rendement est cependant meilleur lorsqu'on en plante davantage.

Nom*	Couleur	Taille Grain	Taille Grappe	Remarques
Vignes américaines et hybrides				(Pour les régions côtières de la C.-B. et le sud de l'Ontario.)
'Canadice' (sans pépins)	Rouge	Moyen	Grosse	Semblable à 'Delaware,' mais plus rustique.
'Fredonia'	Noir	Moyen	Moyenne	Bon rendement. Pour pergolas. Zone 3. Bon raisin de table.
'Himrod' (sans pépins)	Blanc	Petit	Grosse	Exposée à la pourriture noire. Raisin de table. Rarement offerte dans les catalogues.
'Van Buren'	Noir	Petit	Moyenne	Bon jus et bon vin.
'Vanessa' (sans pépins)	Rouge	Gros	Moyenne	Variété vigoureuse et rustique, très fruitée.
'Delaware'	Rouge	Petit	Petite	Raisin de cuve et de table. Rustique en zone 5.
'Suffolk Red' (sans pépins)	Rouge	Gros	Moyenne	Belle qualité, mais pas aussi rustique que 'Canadice'.
'Beta'	Noir	Moyen	Petite	Très rustique (zone 2). Raisin de cuve et de table.
'Valiant'	Bleu-noir	Moyen	Moyenne	Très rustique (zone 2). Donne beaucoup de fruits.
'Niagara'	Jaune	Moyen	Moyenne	Populaire. Rustique.
'Concord'	Bleu-noir	Moyen	Moyenne	Très répandue. Rustique. Raisin de cuve.
Vignes européennes				(Pour les régions côtières de la C.-B. et le sud de l'Ontario.)
'Thompson Seedless'	Blanc-vert	Moyen	Grosse	Taille sur sarments. Hâtive. Populaire. Tolère les vallées très chaudes. Bon raisin de table.
'Baco Noir'	Rouge	Moyen	Petite	A besoin d'un sol lourd pour bien fructifier.
'Aurore'	Blanc	Moyen	Grosse	Taille sur charpentières. Fruits à jus. Pour régions très chaudes.
'Seyval'	Blanc	Moyen	Grosse	Donne un bon vin. Les grappes doivent être éclaircies.
'Muscat Hamburg'	Noir	Moyen	Moyenne	Taille sur charpentières. Très recommandée, mais seulement dans les régions à climat chaud.

*Par ordre approximatif de maturité dans chaque groupe.

Les fruits du noisetier européen (sur la photo de gauche) sont plus gros que ceux de l'avelinier américain mais la plante est moins rustique : pour s'assurer d'une bonne récolte, il faut l'installer dans un endroit protégé.

Noisettes   Noix

Ravageurs et maladies de la vigne

La vigne est une plante vulnérable. En présence de symptômes non dé-crits ci-dessous, se reporter au chapitre «Ravageurs et maladies», à la page 474. On trouvera à partir de la page 509 les noms commerciaux des produits recommandés.

Symptômes	Cause	Traitement*
Le ravageur adulte s'introduit quand les pousses ont entre 30 et 40 cm et pond ses œufs dans les tiges, à 15 cm de l'extrémité. Les larves creusent des galeries ; les tiges meurent.	Anneleurs des rameaux	Vaporisation d'un pesticide à base de méthoxychlore au début du printemps, aussitôt que l'insecte est décelé. Examiner les sarments, les sectionner à 10 cm sous la région atteinte.
La larve pénètre dans le fruit et s'en nourrit. Les grappes sont reliées par des fils. Les grains sont véreux.	Tordeuses de la vigne	Vaporisation de carbaryl ou de méthoxy-chlore après la floraison ; répéter 10 à 15 jours plus tard, puis de nouveau au milieu ou à la fin de l'été.
La larve de ce ravageur se nourrit du feuillage des pampres et peut même attaquer les fruits.	Tordeuses, lieuses	Vaporisation de carbaryl ou de méthoxy-chlore en début d'été. Répéter deux semaines plus tard.
L'insecte adulte se nourrit abondamment à même le feuillage, ne laissant que des squelettes de feuilles.	Scarabées du rosier japonais et d'Orient	Même traitement que dans le cas de la tordeuse de la vigne.
Le champignon attaque les feuilles en début d'été, puis les fruits à demi formés. La grappe entière se dessèche ; les grains, devenus noirs, ressemblent à du raisin sec.	Pourriture noire	L'infection se produit durant la floraison. Traitement à base de captane, dodine ou zinèbe avant et après la floraison, puis tous les 10 à 15 jours jusqu'au début de l'automne.
Ce champignon est l'un des plus redoutables pour la vigne. Il attaque d'abord les feuilles et les sarments, puis les jeunes pousses. La maladie pénètre dans les tissus de la plante par les plaies que laisse la taille ou que cause le froid.	Dessèche-ment des rameaux (champi-gnon)	Lors de la taille d'hiver, couper la vigne atteinte au ras du sol. Arrosage à base de captane ou de folpet quand les nouvelles pousses ont 2,5 cm et de nouveau quand elles atteignent 13 cm.
De petites taches jaunes se remarquent d'abord sur les feuilles, suivies d'amas blancs et duveteux. Il peut s'ensuivre une défoliation complète. Les grains attaqués durcissent et se décolorent.	Mildiou	Même traitement que pour la pourriture noire. Certaines variétés comme 'Concord' résistent à ce champignon.
Dépôts poudreux blancs sur les feuilles et les fruits en début d'été et d'automne.	Oïdium	Vaporisation de cycloheximide ou de dinocap au besoin.

* Certains produits sont interdits dans les localités qui ont adopté des règlements contre les pesti-cides. Voir aussi «Recettes maison et produits naturels», p. 512, et «Les amis du jardin», p. 515.

Noisette et noix

Noisetiers et aveliniers font partie du genre *Corylus*. Ce sont des arbustes ou de petits arbres à feuilles caduques qui donnent des bouquets de fruits ovoïdes enfermés dans une coque lisse et dure, elle-même enveloppée dans un involucre.

Facile à cultiver, le noisetier prospère dans un lieu semi-ombragé. Planter plusieurs sujets ensemble pour favoriser la pollinisation croisée et avoir une bonne récolte. Les feuilles alternes et à double dent du noisetier sont tomenteuses. De petites fleurs les précèdent : les mâles viennent en longs chatons jaunes qui se balancent au vent ; les femelles, en forme de glands rouges, qui viennent en bouquets, donnent les noisettes.

On multiplie les noisetiers par marcottage à la fin de l'été, car leurs branches incurvées vers le bas s'enracinent facilement. On peut aussi les multiplier par semis à la fin de l'été ainsi que par mise en terre de drageons porteurs de racines à la fin de l'automne ou au printemps.

Les noisettes naissent sur des sujets de trois ou quatre ans et doivent être récoltées dès que la cupule commence à jaunir.

C'est le noisetier européen (*C. avellana*) qui donne les plus gros fruits. Il est rustique en zone 5. Les variétés 'Barcelona' et 'Daviana' se cultivent sur la côte Ouest. Dans le sud de l'Ontario, on choisira 'Bixby', 'Italian Red' et 'Royal'.

L'avelinier américain (*C. americana*) est plus rustique que le noisetier européen, mais ses fruits ronds en bouquets sont beaucoup plus petits et entourés d'un involucre épineux. Les variétés 'Rush' et 'Winkler' donnent des fruits plus volumineux.

Les hybrides nés du croisement de noisetiers européens et d'aveliniers américains produisent des fruits assez dodus ; ils sont presque aussi rustiques (zone 4) que l'avelinier. Les hybrides 'Laroka', nés d'un croisement entre les noisetiers européens et turcs, 'Graham' et 'Gellatley's Earliest' sont à rechercher.

Noisette hybride

Noix commune

Noix de noyer

Le noyer commun (*Juglans regia*) n'est pas aussi rustique (zone 6) que le noyer noir (*J. nigra*), qui est indigène en Amérique du Nord et que l'on retrouve jusqu'en zone 3. Les noyers atteignent 12 m de hauteur et d'étalement à maturité. Ils se plaisent en sol sec et donnent beaucoup d'ombre. S'ils mettent huit ans avant de porter fruits, ils peuvent vivre 100 ans. Les racines des noyers émettent une toxine qui peut tuer certaines autres plantes ; il ne faut donc pas les planter à proximité de plates-bandes de fleurs. Les noix sont mûres quand elles commencent à tomber. Secouer l'arbre pour faire la récolte.

Les variétés recommandées de noyer commun sont 'Broadview', 'Hansen', 'Lake' et le rustique 'Carpathian' (zone 4) ; pour le noyer noir, ce sont 'Hare' et 'Thomas'.

Melon

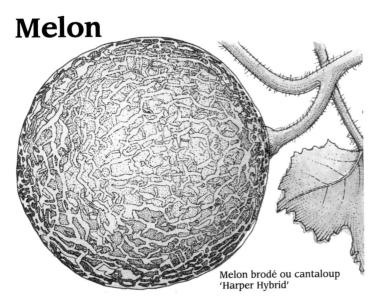

Melon brodé ou cantaloup
'Harper Hybrid'

Bien qu'il s'agisse de fruits, les melons sont généralement cultivés dans le jardin potager. Avant la fructification, on a même du mal à les distinguer de leurs proches parents, le concombre et la courge. Ces plantes grimpantes nécessitent beaucoup d'espace, de chaleur et d'humidité.

Toutes les variétés de melons mettent trois à quatre mois à mûrir. C'est pour cette raison que la plupart d'entre elles — melon d'eau ou pastèque, melons Honeydew, Crenshaw, Persian et Casaba — ne peuvent se cultiver que dans les régions où le climat est chaud.

Seul le melon brodé (qu'on appelle ici cantaloup) mûrit assez rapidement, c'est-à-dire en 75 à 85 jours; il convient donc aux régions à courte période de culture. Cependant, les horticulteurs ont récemment mis au point des variétés hybrides de melons Honeydew et Crenshaw ainsi que des melons d'eau miniatures qui mûrissent en 80 à 90 jours et dont la zone de culture est de ce fait beaucoup plus étendue.

Le melon supporte mal des températures inférieures à 13°C la nuit et 27°C le jour. Dans les régions où la chaleur ne se maintient pas à ce niveau durant trois mois, il est préférable d'opter pour des variétés qui mûrissent plus rapidement.

Il existe des techniques de mûrissement plus rapides. Le démarrage des plants à l'intérieur en est une. Le palissage des plants contre un mur ou une clôture orientés au sud en est une autre. La culture du melon sous châssis froid ou dans des endroits protégés accélère aussi le mûrissement. Enfin, des feuilles de plastique noir étalées sur le sol autour des plants absorbent la chaleur et la communiquent au sol, agissent comme isolant et empêchent la terre de se refroidir rapidement quand la nuit tombe.

Méthodes de culture

Semis à l'intérieur Pour démarrer des plants de melon à l'intérieur, planter trois graines par pot. Utiliser des pots de tourbe ou bien de grands gobelets de carton qu'on peut déchirer lors du repiquage en pleine terre, le melon n'aimant pas qu'on dérange ses racines. Ne pas utiliser cependant des cubes de tourbe comprimée, car ils gardent trop l'humidité et pourraient faire pourrir les graines avant qu'elles aient réussi à germer.

Semer quatre semaines environ avant la date du dernier gel et garder les pots dans un endroit chaud. Pour germer, les graines de melon doivent se trouver dans un sol dont la température se maintient autour de 21°C.

Quand les plantules ont à peu près 5 cm de haut, éclaircir pour ne conserver, dans chaque pot, que la plus vigoureuse des plantules. Les repiquer au jardin quand les températures diurnes et nocturnes ne descendront pas en dessous de 27°C et de 13°C respectivement, et de préférence avant qu'elles aient produit des vrilles. Les plantules de melon exposées à des températures inférieures à 10°C continueront de croître, mais les plants ne produiront peut-être pas de fruits. Ne pas oublier, avant d'effectuer le repiquage, de les endurcir progressivement.

Plantation des melons On plante généralement les melons sur de petits monticules de terre fertilisée. Creuser d'abord un trou de 30 cm de profondeur et de 60 cm de large. Déposer au fond de ce trou 10 à 15 cm de compost ou de fumier bien décomposé. Remettre la terre excavée dans le trou et former un petit monticule d'environ 10 cm de haut. Espacer les buttes de 1,20 à 1,80 m. Les buttes de plantation du melon d'eau seront cependant espacées de 3 m.

Recouvrir les monticules de plastique noir. À défaut de plastique, étaler un paillis organique. Le paillis apportera au sol des éléments nutritifs, mais il n'accumulera pas la chaleur autant que le plastique noir. Laisser les buttes se tasser d'elles-mêmes pendant quelques jours avant d'y repiquer les plantules.

Les plantes qui ont été semées dans des pots de tourbe comprimée seront repiquées dans leur contenant. Inciser les parois des pots avant la plantation.

S'assurer que les pots sont bien enfouis dans la terre pour que la tourbe comprimée reste humide et finisse par se décomposer. Si les semis ont été pratiqués dans des gobelets de carton, dégager ceux-ci avec soin de la motte de racines. Si on a utilisé des pots de grès, on décollera la motte de racines en frappant légèrement le pot.

Pratiquer deux fentes dans la feuille de plastique noir. Ne pas planter plus de deux plantules par monticule. L'encombrement diminue la fructification.

Tout de suite après le repiquage, protéger chaque plant à l'aide d'un capuchon. Les centres de jardinage en vendent, mais on peut en fabriquer à l'aide de contenants de deux litres de lait: couper le dessus et pratiquer quelques trous dans les parois pour l'aération. Ou encore couper le fond de contenants de 3,5 litres de jus: cela vous donnera des mini-serres. Les protecteurs de plants conservent la chaleur du sol et mettent les plantules à l'abri des vents froids et des insectes voraces. Les retirer après quelques jours, sitôt que les plants sont établis.

Arroser abondamment les monticules. S'ils sont recouverts de plastique noir, faire pénétrer l'eau par les fentes pratiquées avant la plantation.

Semis en pleine terre dans les régions à climat chaud Préparer le sol comme expliqué ci-dessus. Semer six à huit graines par monticule. Après la levée, choisir dans chaque butte les deux plantules les plus vigoureuses et éliminer les autres.

Soins à donner aux melons Lorsque les tiges des melons ont environ 30 cm de long, faire des apports d'engrais, à raison de 50 g d'engrais 5-10-5 par monticule. Épandre l'engrais autour de la butte. Fertiliser de nouveau après l'apparition des premiers fruits.

Par temps sec, arroser abondamment sous le plastique ou à travers le paillis. Arracher les mauvaises herbes à la main ou biner superficiellement. À plus de 2 cm de profondeur, on risque d'abîmer les racines qui sont superficielles.

Pêche et nectarine

Si les plants ne sont pas paillés au moment de la fructification, soulever chaque fruit avec précaution et poser dessous un coussinet de paille ou de foin pour que les fruits qui demeurent constamment en contact avec le sol ne risquent pas de pourrir.

Tout comme le concombre, on peut inciter le melon à grimper sur une clôture ou sur un treillis. Les melons étant cependant beaucoup plus lourds, il leur faudra des supports. On peut soutenir les fruits à l'aide de liens en tissu attachés à chaque extrémité au treillis. On peut aussi suspendre les melons dans des sacs de filet comme ceux dans lesquels sont vendus les oignons.

La conduite sur treillis doit commencer alors que le plant est encore jeune. Les tiges deviennent en effet plus cassantes avec l'âge. À mesure que les plants prennent de la hau-

teur, il faut palisser leurs prolongements solidement à la clôture ou au treillis.

Récolte des melons Le temps de cueillir le cantaloup est arrivé lorsqu'en pressant près du pédoncule le fruit se détache.

Les melons Crenshaw et Persian sont mûrs lorsqu'il s'en dégage un bon parfum, tandis que les melons Casaba et Honeydew sont prêts à cueillir quand ils deviennent jaunes.

On reconnaît que le melon d'eau est mûr lorsqu'il rend un son creux quand on le heurte, ou lorsque la peau qui repose sur le sol jaunit.

Attention : il faut cueillir les fruits qui ne commencent à se former qu'après la mi-été. Ils n'auront de toute façon pas le temps de mûrir et s'accapareront une partie de la sève dont les fruits en cours de mûrissement ont besoin.

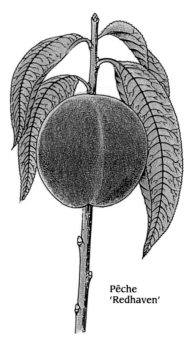

Pêche
'Redhaven'

On peut cultiver des pêchers et des nectariniers en Colombie-Britannique et en Ontario, sauf dans les endroits où la température hivernale tombe en dessous de –23 °C.

Les sujets cultivés en espalier ou les formes naines dressées poussent à peu près partout, sauf dans les zones à gel tardif et les emplacements exposés aux vents froids. Un endroit chaud et ensoleillé leur convient mieux. Les arbres cultivés en espalier donnent en particulier de meilleurs résultats si le mur contre lequel ils sont palissés fait face au sud ou au sud-ouest.

Les nectarines sont des pêches à peau lisse cultivées de plus en plus dans les jardins familiaux.

Pêchers et nectariniers sont auto-fertiles, c'est-à-dire que leurs fleurs se fertilisent elles-mêmes. On peut donc ne cultiver qu'un seul sujet et obtenir des fruits. Les pêches et les nectarines sont mûres et bonnes pour la consommation à partir de la mi-été.

Ravageurs et maladies qui détruisent le melon

La chrysomèle rayée du concombre détruit les tiges, les feuilles et les fruits du melon et répand la flétrissure bactérienne, maladie mortelle. On détruit ces ravageurs par vaporisations de roténone ou de méthoxychlore.

Lorsque les feuilles des plants se fanent, se méfier du perceur de la courge qui pond ses œufs à la base des plants et creuse des galeries dans

les tiges. Enlever les insectes à la main quand ils sont apparents et détruire les œufs en vaporisant le pied des plants avec un insecticide à base de méthoxychlore.

La maladie la plus fréquente est la flétrissure fusarienne. Si certains pieds en présentent des symptômes — brunissement des tiges, suivi de flétrissure —, les détruire. Le blanc se manifeste par des amas poudreux sur les feuilles. Couper les pousses malades et vaporiser régulièrement de bénomyl ou de dinocap.

Culture des pêchers et des nectariniers

Tout sol fertile et bien drainé convient à la culture des pêchers et des nectariniers. La plantation se fait comme celle des autres arbres fruitiers (voir p. 344).

Si le sol est fertile, épandre de l'azote uniquement. Sinon, faire des apports de sulfate d'ammoniaque, à raison de 150 g par année d'âge de l'arbre (ne pas dépasser 1,25 kg). Lorsqu'il s'agit d'arbres adultes, donner de l'engrais 10-10-10 ou 10-6-4, à raison de 45 g par année que compte l'arbre (sans dépasser 3 à 4,50 kg). Étaler cet engrais autour de l'arbre, sur la superficie correspondant à la frondaison.

En région humide, si la terre est acide, ajouter 2,25 kg de calcaire tous les deux ans. Le pêcher exige plus d'azote en sol gazonné qu'en sol cultivé. Après quelques années de ferti-

lisation et de paillage, les arbres se contenteront d'un paillage annuel.

Arroser abondamment s'il y a danger que le sol se dessèche.

Le nectarinier requiert plus d'engrais et des arrosages plus fréquents lors du gonflement des fruits. Désherber par binage en surface ou employer un herbicide au glysophate.

Pour obtenir une meilleure récolte, il est bon de favoriser la pollinisation en agitant chaque fleur avec un pinceau de poils de chameau tous les trois jours par temps chaud et sec, vers l'heure du midi.

Lorsque les pêches sont grosses comme une bille, les éclaircir à un fruit par grappe.

Lorsqu'elles ont la taille d'une balle de ping-pong, les éclaircir de nouveau de façon à laisser un espace de 25 cm entre elles.

Conserver les pêches dans un endroit frais en contenants coussinés, sans qu'elles soient serrées.

Variétés recommandées

Voici trois excellentes variétés de cantaloups : 'Burpee Hybrid' à chair verte (72 jours de maturation) ; 'Delicious 51' à chair orange (86 jours de maturation) ; 'Earlisweet' à chair saumon (68 jours de maturation — la maturation la plus courte). Ces trois variétés sont de plus résistantes à la flétrissure fusarienne.

Les melons d'eau ou pastèques les plus recommandés sont les variétés

'You Sweet Thing' à chair rose (70 jours), 'Sugar Baby' à chair rouge et croquante (72 jours), 'Crimson Sweet' à chair rouge foncé (72 jours) et 'Yellow Baby' à chair jaune et croquante (72 jours).

Parmi les variétés à maturation prolongée, on recommande 'Golden Beauty Casaba' à chair blanche (120 jours), 'Honey Dew' à chair verte (110 jours), 'Persian' à chair orange (120 jours) et 'Burpee's Early Crenshaw' à chair rose (90 jours).

Nectarine 'Redgold'

Pêche 'Redhaven'

Les pêchers et les nectariniers n'ont pas besoin de pollinisation croisée pour produire des fruits. Les faire monter en espalier sur un mur orienté au sud est un bon choix de culture pour ces arbres fruitiers.

FRUITS 389

Taille et conduite du pêcher nain

Formation de 1re année d'un pêcher

Au printemps, au moment où des yeux apparaissent sur le pêcher qui a été planté au tout début de la saison ou l'automne précédent, rabattre l'axe central à environ 60 cm du sol, au-dessus d'un œil. Conserver les trois ou quatre yeux ou pousses du sommet, sous la coupe, pour former les premières branches. Éliminer les pousses du dessous et les pousses latérales qui sortent de l'axe principal.

Taille du pêcher à partir de la 2e année

À partir de la deuxième année, la taille doit être faite à la fin de l'hiver. Couper les branches qui s'entrecroisent, au niveau de leur empattement.

Rabattre les rameaux malades jusqu'à une pousse saine.

Couper les pousses situées au-dessous des branches principales, au niveau de leur empattement. Quand une branche se nécrose à son extré-

mité, la rabattre sur une bonne tige latérale ou sur une branche pointant vers l'extérieur. Si l'on remarque sur la coupe la présence d'une coloration brune, l'arbre est atteint de dessèchement ; rabattre alors davantage de façon à atteindre le bois sain.

Sur les arbres adultes, tailler les branches qui ploient sous le poids de leurs fruits. Supprimer les vieilles branches qui ne fructifient plus. Cela encouragera la croissance de bois nouveau à partir du centre de l'arbre.

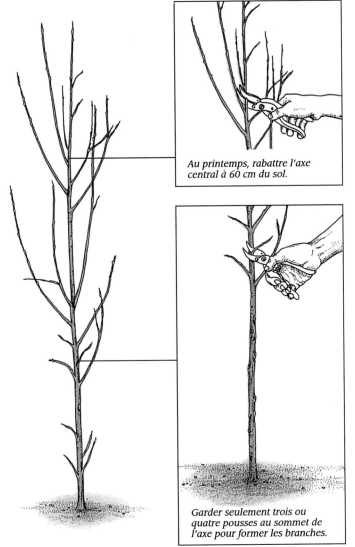

Au printemps, rabattre l'axe central à 60 cm du sol.

Garder seulement trois ou quatre pousses au sommet de l'axe pour former les branches.

Éliminer sur empattement le rameau qui en croise un autre.

Rabattre toutes les branches qui sont endommagées.

Ce ne sont pas seulement les fleurs du pêcher qui sont vulnérables au gel. Tout l'arbre l'est. Le nectarinier est encore plus sensible ; c'est pourquoi il lui faut un emplacement à la chaleur.

Fleur de pêcher 'Suncrest'

Pêche 'Redhaven' ➡

Taille et conduite du pêcher en éventail

La formation du pêcher en éventail est semblable à celle du pommier (voir p. 358), sauf que la taille s'effectue à la reprise, au début du printemps, et non en hiver. Contrairement au pommier, le pêcher produit des pousses latérales sur du bois de l'année. Pincer ces pousses latérales à un œil de leur empattement.

À partir du quatrième printemps après la plantation de l'arbre (la palmette comporte alors entre 24 et 32 charpentières), la taille n'est plus la même puisque le pêcher fructifie surtout sur du bois d'un an. Lorsque la croissance reprend, au printemps de la quatrième année, éborgner les yeux ou pincer les pousses qui pointent vers le mur ou à l'opposé.

Parmi les yeux qui restent, en choisir quelques-uns, de chaque côté des charpentières, de manière qu'ils soient espacés de 15 cm ; éborgner les autres et conserver l'œil terminal.

À partir du quatrième été, ces yeux évolueront en latérales et celles-ci se mettront à fruit l'année suivante. L'œil terminal produira un prolongement. Vers la fin de l'été, palisser les latérales et les prolongements. Pincer les latérales qui dépassent 45 cm de long. Le cinquième printemps, laisser pousser les prolongements des latérales fructifères. À l'automne, rabattre toutes les latérales qui ont fructifié. Chaque année, répéter ces opérations ; ne pas laisser les charpentières dépasser le fil supérieur.

Variétés recommandées pour le jardin familial

Pêchers et nectariniers sont autofertiles : on peut ne cultiver qu'un seul sujet. L'époque de maturation est ici basée sur la pêche 'Elberta'. Les chiffres ci-dessous donnent le nombre de jours qui précèdent la date de maturation de cette variété.

Nom Pêche (P) Nectarine (N)	Nbre de jours avant 'Elberta'	Couleur de la chair	Remarques
'Candor' (P)	59	Jaune	Se congèle bien.
'Reliance' (P)	36	Jaune	Bourgeons très résistants.
'Golden Jubilee' (P)	35	Jaune	Abondante production.
'Redhaven' (P)	30	Jaune	Fiable et populaire.
'Mericrest' (N)	25	Jaune	Variété rustique.
'Fantasia' (N)	13	Jaune	A besoin de chaleur pour fructifier.
'Loring' (P)	11	Jaune	Excellente variété.
'Redgold' (N)	3	Jaune	Très répandue. Excellente variété.
'Elberta' (P)	0	Jaune	Très répandue. Mûrit à la fin de l'été.

Chaque printemps, il y aura au moins deux yeux à la base des latérales fructifères. N'en garder qu'un et pincer l'autre quand il atteindra 5-8 cm de long.

Laisser pousser les rameaux fructifères. Si la ramure devient encombrée, les rabattre à quatre feuilles s'ils en ont six.

Après la récolte, rabattre les latérales sur les pousses de remplacement et palisser celles-ci.

Poire

Ravageurs et maladies des pêchers et nectariniers

Si l'on se trouve en présence de symptômes non décrits ci-dessous, se reporter au chapitre « Ravageurs et maladies », à la page 474. Pour connaître les appellations commerciales des produits chimiques recommandés, voir à partir de la page 509.

Symptômes	Cause	Traitement*
Une gomme brun orangé suinte à la base de l'arbre. Les insectes creusent des galeries sous l'écorce et détruisent l'arbre.	Perceurs du pêcher	Au printemps, déloger les larves ; nettoyer les plaies. Voir p. 507. En automne, mettre des boules de naphtaline sur 8 cm à 15-20 cm du pied ; couvrir de 25 cm de terre. À l'hiver, enlever la terre.
Les vieilles feuilles virent au jaune bronze et meurent.	Acariens	Vaporisation de savon insecticide.
Feuilles dévorées ou reliées par des fils de soie.	Larves de tordeuse	Vaporisation de malathion ou de *Bacillus thuringiensis* à l'éclosion des bourgeons.
Les pousses se flétrissent ; des fruits suinte une gomme liquide.	Tordeuses orientales du pêcher	Après la chute des pétales, faire des vaporisations de malathion et de méthoxychlore tous les 10 jours.
Chute prématurée des fruits petits et verts.	Charançons de la prune	Vaporiser du carbaryl ou du savon insecticide à la chute des pétales et après 7 à 10 jours. Répéter deux fois.
Jeunes pousses déformées ; feuilles et fruits brillants, gommeux et tachetés de blanc, devenant noirs, mous.	Pucerons du pêcher (noirs ou verts)	Vaporisation de carbaryl ou de savon insecticide. Répéter au besoin.
Pousses frêles, feuillage jaunâtre, écorce verruqueuse portant des dépôts bruns, gris ou blanchâtres.	Cochenilles (diverses espèces)	Vaporiser de l'huile de dormance avant la reprise au printemps. En mai, vaporiser du carbaryl ou utiliser un insecticide systémique, tel que du diméthoate.
Dépôts bruns et poudreux sur les fruits. Plus tard, les fruits se dessèchent et durcissent.	Pourriture brune (champignon)	Vaporisation de captane ou de soufre avant la floraison. Répéter à l'éclosion des fleurs, puis deux fois à une semaine d'intervalle.
Boursouflures rougeâtres sur le feuillage. Les feuilles blanchissent, brunissent et tombent prématurément.	Cloque (champignon)	Vaporisation de bouillie bordelaise, de ferbame ou de bouillie soufrée au début du printemps, deux semaines plus tard et, à l'automne, avant la chute des feuilles.
Ramilles et écorce gommeuses. Taches pourpres et trous sur les feuilles.	Chancre cytosporéen (champignon)	Extraire les chancres. Arroser le feuillage à la bouillie bordelaise.

* Certains produits sont interdits dans les localités qui ont adopté des règlements contre les pesticides. Voir aussi « Recettes maison et produits naturels », p. 512, et « Les amis du jardin », p. 515.

Poire
'Bartlett'

Du fait de leur floraison précoce, les poiriers sont sensibles aux gelées printanières. Il est donc préférable de les planter dans un endroit ensoleillé, à l'abri des vents du nord.

Les poiriers préfèrent des sols limoneux et profonds qui retiennent bien l'humidité en été. Ils résistent mal aux embruns, et il ne faut pas les planter aux abords des routes où il y a épandage de sel l'hiver.

Les modes de conduite du poirier se rapprochent beaucoup de ceux du pommier, mais on ne trouve qu'une ou deux variétés fructifiant sur rameaux couronnés.

Le poirier n'est pas un arbre autofertile. Il faut donc en planter au moins deux variétés pour que se produise une pollinisation croisée. Mais comme dans le cas des pommiers, on peut trouver des poiriers comportant trois variétés et même davantage sur un même porte-greffe. Dans les jardins d'amateurs, on donnera la préférence aux poiriers greffés sur un système radiculaire de petite taille.

Dans les régions humides, deux mois avant le gonflement des bourgeons, épandre environ 4,5 kg d'engrais 5-10-5 ou 2,25 kg de 10-6-4. Dans les régions arides, ajouter 1 à 1,35 kg de sulfate d'ammoniaque ou l'équivalent en azote.

Au début de l'été, il se produit une chute normale de fruits, mais si le sol est sec et pauvre, on peut perdre alors toute la récolte.

Récolte des fruits Cette période est toujours critique. En effet, il faut éviter de laisser les fruits mûrir complètement sur l'arbre, car ils se ramollissent et la chair devient blette.

Cueillir les fruits des variétés précoces au moment où ils sont mûrs mais encore fermes, c'est-à-dire avant qu'ils se détachent facilement du pédoncule. Cueillir les variétés de demi-saison et les variétés tardives dès que les fruits se détachent facilement du pédoncule quand on les soulève en les tournant légèrement.

Après la récolte, disposer les poires sur des étagères à claire-voie, en une seule couche et sans qu'elles se touchent. Les conserver à 3-4 °C. L'atmosphère du local doit être un peu plus sèche que pour les pommes. Examiner les fruits régulièrement et retirer ceux qui manifestent des signes de pourriture. Ils devraient se conserver plusieurs mois.

Pour achever leur maturation, placer les fruits dans une pièce chaude (18 °C environ) pendant deux ou trois jours. Consommer les petits fruits en premier.

Taille et conduite des poiriers Elles sont sensiblement identiques à celles préconisées pour le pommier (voir p. 348). Cependant, le poirier doit être taillé moins sévèrement que le pommier pour ne pas favoriser le développement de nouvelles pousses herbacées qui seraient sensibles à la brûlure bactérienne.

Le poirier produit également des lambourdes en abondance, qu'il faut éclaircir soigneusement. La taille estivale se pratique généralement à la mi-été, avant celle du pommier. Sur un poirier tige ou nain qui a été négligé, procéder de la même manière que pour un pommier (voir p. 352).

La rouille qui attaque les pommiers peut aussi affecter les feuilles du poirier, mais elle n'est pas très dommageable.

Rouille du feuillage

Ravageurs et maladies qui attaquent le poirier

Les poiriers sont exposés aux attaques des pucerons et au feu bacté-rien. En présence de symptômes non décrits ici, voir le chapitre « Ravageurs et maladies » à la page 474. Les noms commerciaux des produits chimiques sont à la page 509.

Symptômes	Cause	Traitement*
Pousses et jeunes feuilles crispées et déformées. Nombreux insectes collants.	Pucerons	Vaporisation de savon insecticide ou de malathion.
Nombreuses et minuscules cloques brun foncé des deux côtés des feuilles.	Phytoptes du poirier	Détruire les feuilles et les fruits infestés. Vaporisation de bouillie soufrée au début du printemps.
Jeunes fruits déformés, allongés ou arrondis. Plus tard, ils se craquellent, moisissent et tombent.	Cédomyle des poires	À la chute des pétales, traitement préventif de diméthoate ou de malathion. Détruire les fruits tombés.
Surface des feuilles dévorée ; les nervures exposées brunissent et meurent. Présence de petites chenilles noires.	Tenthrèdes du cerisier et du poirier	Vaporisation de *Bacillus thuringiensis* aussitôt qu'on remarque la présence des ravageurs.
Ponte d'œufs dans les jeunes fruits. Les larves se nourrissent des fruits et les détruisent.	Charançons de la prune	Vaporisation de carbaryl ou de savon insecticide à la chute des pétales et 7 à 10 jours plus tard. Répéter deux fois au même intervalle.
Macules brun pâle entourées de petites cloques jaunâtres ou blanchâtres en cercles concentriques. Le fruit peut sécher sur l'arbre.	Pourriture brune (champignon)	Détruire les fruits pourris ou desséchés, sur l'arbre, sur le sol ou entreposés. À la taille, détruire les pousses mortes. Vaporiser les arbres de captane ou de soufre à la fin de l'été pour éviter la pourriture des fruits entreposés.
Les feuilles brunissent et se flétrissent mais ne tombent pas. Des tumeurs se développent sur les branches.	Feu bactérien (bactérie)	Couper généreusement les branches infectées dès que le problème a été identifié. Tailler les branches mortes et les détruire. Vaporiser de la bouillie soufrée à la fin de l'hiver et un fongicide à base de cuivre au moment où les feuilles se mettent à ouvrir.
Petites dépressions de tissus morts sur les brindilles et les jeunes tiges. Elles s'agrandissent ; le centre craque et pèle. Le chancre entoure le tronc et fait mourir l'arbre.	Chancre du poirier (champignon)	Couper ou parer les parties infectées et les détruire. Améliorer l'égouttement du sol s'il y a lieu, l'excès d'eau pouvant aggraver la maladie. Vaporiser de bouillie bordelaise au printemps.
Taches brunes ou noires sur les feuilles et les fruits ; les tiges se boursouflent et se craquellent au printemps.	Tavelure du poirier (champignon)	Vaporisation de bénomyl, de captane ou de thirame un peu avant l'éclosion des fleurs, à la chute des pétales et trois semaines plus tard.

* Certains produits sont interdits dans les localités qui ont adopté des règlements contre les pesticides. Voir aussi « Recettes maison et produits naturels », p. 512, et « Les amis du jardin », p. 515.

Variétés recommandées pour le jardin familial

Toutes les variétés ci-dessous, sauf 'Kieffer', donnent des fruits à couteau, sucrés et juteux. Ils sont tous de bonne taille, sauf ceux de 'Seckel'.

Seule la variété 'Duchess' est autofertile. Pour tous les autres poiriers, il faut pratiquer la pollinisation croisée.

Il est donc recommandé de choisir trois variétés différentes, ou même davantage, et de les planter à proximité les unes des autres. On peut également acheter un poirier composé de trois variétés différentes et greffées sur un même porte-greffe. On obtient de la sorte un arbre autofertile. On trouve également des poiriers greffés sur porte-greffe nain.

Nom	Zones de culture	Remarques
Hâtives		
'Clapp's Favourite'	Toutes régions	Abondante récolte tous les ans.
'Harrow Delight'	Toutes régions	Fruit jaune-vert résistant au feu bactérien.
'Moonglow'	Toutes régions	'Bartlett' résistante au feu bactérien.
'Summercrisp'	Toutes régions	Poire fruitée, qui se conserve bien.
En saison		
'Bartlett'	Toutes régions	Fruit de la plus haute qualité. Sensible au feu bactérien, mais facile à cultiver.
'Bosc'	Toutes régions	Variété très répandue.
'Harvest Queen'	Toutes régions	Ne pas utiliser 'Bartlett' pour polliniser.
'Patten'	Toutes régions	Très rustique, très bonne au goût.
'Ure'	Nord	Particulièrement rustique ; poire à cuire.
Tardives		
'Anjou'	Toutes régions	Très appréciée des jardiniers amateurs.
'Highland'	Toutes régions	Fruit juteux, sensible au feu bactérien.
'Kieffer'	Régions chaudes	Fruit de taille moyenne. Se conserve si on en prend soin. Résistant au feu bactérien.
'Orient'	Côte Ouest	Très résistant au feu bactérien. Donne bien.
'Seckel'	Toutes régions	Petits fruits sucrés, résistants.

Poires d'Asie

Les poires d'Asie sont comme sableuses quand on les croque et leur forme arrondie rappelle plutôt celle de la pomme. Ces fruits sont très résistants au feu bactérien (ou brûlure bactérienne) et sont apparentés aux hybrides tels que 'Kieffer' et 'Orient'.

Les poiriers de ce type donnent une récolte très abondante, un seul arbre à maturité pouvant produire 180 kg de fruits. Cependant, les fruits doivent mûrir sur l'arbre. Ils sont donc souvent tachés.

Chercher la variété 'Housi', à gros fruits bruns qui se conservent bien ; 'Kousi', petits fruits hâtifs à peau roussâtre ; 'Nijisseiki' (ou 'Twentieth Century'), à peau fine, qui se conserve bien ; 'Seuri', le plus gros fruit, mais qui se conserve difficilement.

La prune européenne 'Stanley' et la prune japonaise 'Shiro' sont toutes deux très prisées.

'Stanley'

'Shiro'

Prune

Prune 'Toka'

Les pruniers sont des arbres à drupes du genre *Prunus*; tous les prunus se cultivent de la même façon.

Les prunes se mangent nature ou apprêtées en conserve, en confiture ou en gelée. On connaît les Reines-Claudes, très populaires, et les prunes de Damas, petites et acides. Les pruneaux sont des prunes dont la teneur en sucre est assez élevée pour qu'on puisse les faire sécher sans que la pulpe autour du noyau fermente. On appelle prune le fruit frais et pruneau, le fruit sec.

Tous les pruniers prospèrent dans des sols bien égouttés. Leur floraison (y compris celle des Reines-Claudes) étant hâtive, ne pas les cultiver là où l'on redoute des gelées tardives.

Le prunier Reine-Claude se cultive mieux contre un mur; le prunier de Damas accepte plus de pluie et moins de soleil que l'ensemble des pruniers et fleurit un peu plus tard.

À moins d'être montés sur demi-tige, les pruniers sont trop vigoureux pour les jardins domestiques. Les conduites en éventail ou en pyramide sont les meilleures. Les pruniers sont autogames, mais certaines variétés exigent d'être fécondées.

Deux ou trois sujets suffisent à subvenir aux besoins d'une famille moyenne. Les fruits mûrissent de la mi-été à l'automne; les prunes de Damas, de la fin de l'été à l'automne.

Dans les régions clémentes, planter les arbres au début du printemps ou en automne (p. 344). Si le temps est sec, arroser généreusement le sol auparavant. Amender les sols très acides (pH de 5 ou moins) en épandant 500 g de chaux par mètre carré.

Au début du printemps, tous les ans, épandre un paillis de 5 cm de paille ou de compost de jardin bien décomposé pour garder le sol frais. Contre les mauvaises herbes, sarcler en surface ou utiliser un herbicide.

Dès leur formation, arracher les drageons à la racine après avoir dégagé leur souche. Ne pas les couper.

Les guêpes sucent le jus des fruits, surtout si ceux-ci sont blessés. Détruire leur nid si c'est possible. Mettre un filet contre les oiseaux.

Variétés de pruniers

On cultive les pruniers européens et les pruniers japonais. Les premiers donnent des fruits doux, assez sucrés pour être convertis en pruneaux. Leurs prunes sont ovales et le plus souvent à peau bleue, mais aussi à peau verte, jaune ou rougeâtre. Les prunes de Damas sont bleues ou mauves; moins sucrées que les précédentes, elles servent surtout à la conserve et à la cuisson. Si des poiriers autres que les hybrides de type 'Kieffer' poussent bien dans la région, on peut cultiver les pruniers européens et les pruniers de Damas.

Les pruniers japonais sont originaires de Chine et cultivés depuis des siècles. Ils mûrissent plus hâtivement que les variétés européennes et leurs fruits — surtout rouges, mais aussi verts, jaunes ou mauves — sont plus doux et plus juteux; ils n'ont pourtant pas assez de sucre pour se transformer en pruneaux.

Les pruniers japonais étant un peu plus trapus, on peut laisser entre eux 5,50 à 6 m d'espace seulement et non 6 à 6,70 m. Ils aiment les climats chauds, mais certaines variétés rustiques viennent en zone 5 et même 4. Là où pousse le pêcher, là peut aussi pousser le prunier japonais.

Les pruniers hybrides sont issus de croisements entre des espèces originaires d'Amérique du Nord et des pruniers japonais. Plus rustiques, ils peuvent survivre et fructifier en zone 3. Certaines variétés à floraison hâtive risquent d'être abîmées par les gelées tardives. Comme ces hybrides ne sont pas autogames, il faut en planter plus qu'une seule variété. À côté des sujets à floraison tardive, tels que 'Brookred', 'Brookgold' ou 'Pembina', il est recommandé de mettre un prunier Myrobolan qui servira de pollinisateur.

Fertilisation des pruniers

À la fin de l'hiver ou au début du printemps, dans les régions pluvieuses, épandre 500 g à 1,5 kg d'un engrais complet tel que 10-10-10 ou 10-6-4. Dans les régions sèches, seul un apport d'azote peut être nécessaire, à raison de 125 à 500 g de nitrate d'ammoniaque pour chaque arbre.

Épandre l'engrais uniformément autour de l'arbre sur une superficie légèrement supérieure à l'étalement de la ramure de l'arbre. Ne pas le faire pénétrer dans le sol à la fourche car cela peut endommager les racines. Le laisser pénétrer naturellement jusqu'au système racinaire.

Éclaircissage et récolte des fruits

Les branches des pruniers sont cassantes; si elles se brisent, elles peuvent devenir vulnérables à diverses maladies comme la pourriture.

Si la récolte est abondante, pratiquer un éclaircissage à la fin de l'été pour décharger les rameaux. Enrouler un doigt autour du pétiole et détacher le fruit avec l'ongle du pouce: le pétiole reste en place.

Terminer l'éclaircissage plus tard, après la chute naturelle des fruits. Ménager 5 à 7 cm entre les prunes à couteau, 5 cm entre les fruits à cuire. Cela revient souvent à dire qu'il reste un fruit par grappe.

Pour ne pas endommager les fruits mûrs, les cueillir avec le pétiole: il se casse net et vient avec le fruit.

Laisser mûrir sur l'arbre les fruits à couteau. Cueillir prématurément les fruits à cuisson.

Les prunes récoltées avant d'être parfaitement mûres se gardent bien durant quelques semaines si, après les avoir enveloppées dans du papier, on les conserve dans un lieu frais et bien aéré. Retirer régulièrement les fruits qui pourrissent car la maladie peut se répandre. Le papier d'emballage se décolore dès que le fruit qui s'y trouve pourrit.

Fleur de prunier 'Mirabelle'

Prune 'Mirabelle'

La prune européenne 'Mirabelle' peut être récoltée après la mi-août. On peut cueillir en juillet les fruits des pruniers à fructification hâtive ; les derniers viennent à la fin d'octobre.

Prune 'Earliblue' ➡

Taille et conduite d'un prunier en pyramide

Conduite en pyramide d'un sujet d'un an

Les pruniers conduits en pyramide ressemblent aux pommiers nains conduits de la même façon (p. 361), mais ils ont environ 2,70 m de haut et 2,50 à 3 m d'étalement. Les pruniers ont cependant un port moins régulier et leur vigueur les rend plus difficiles à conduire. Une fois la charpente établie, ils exigent pourtant une taille moins sévère que les pommiers.

Pour conduire en pyramide un sujet d'un an, rabattre la tige juste après la plantation à 1,50 m au-dessus du sol. Sectionner au-dessus d'un bourgeon. Couper à fleur de tige toutes les branches qui poussent à moins de 45 cm du sol.

Si le sujet ne mesure pas 1,50 m, lui laisser une année de croissance.

Conduite en pyramide d'un sujet de deux ans

Au début du printemps, rabattre de 45 cm la charpentière principale d'un sujet de 2 ans en pratiquant la coupe juste au-dessus d'un bourgeon.

Rabattre à quelque 20-25 cm trois à cinq branches latérales au sommet de la tige en coupant au-dessus d'un bourgeon pointant vers le haut. Ra-

battre toutes les autres latérales à 15 cm. Comme les pousses inférieures sont généralement plus faibles, les rabattre plus sévèrement pour encourager la pousse. Toutes ces latérales formeront éventuellement la charpente.

Conduite à partir de l'âge de trois ans

Au début du printemps, rabattre la charpentière principale à 45 cm de la taille précédente en coupant au-dessus d'un bourgeon. Rabattre les char-

pentières latérales du tiers de la repousse si elle est bonne, de la moitié si elle est ordinaire, des deux tiers si elle est faible. Au début du printemps, rabattre les latérales les plus robustes des charpentières principales à 20-25 cm et les autres à 15 cm.

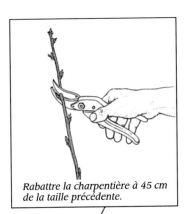

Rabattre trois à cinq fortes pousses au sommet de la tige à 22 cm, les autres à 15 cm.

Rabattre la charpentière à 45 cm de la taille précédente.

Rabattre les fortes latérales à 20-25 cm, les autres à 15 cm, au-dessus d'un bourgeon.

Au printemps, rabattre de moitié les pousses des charpentières si leur croissance est normale.

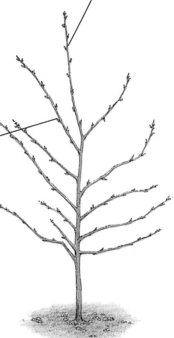

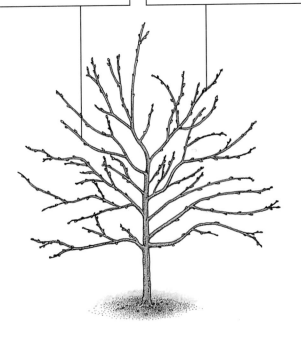

Les pruniers sont victimes de plusieurs ravageurs et de plusieurs maladies, mais les uns et les autres causent rarement des dommages graves.

Feuilles attaquées par des pucerons

Virus de la tache annelée

Taille d'un prunier conduit en pyramide

Lorsque l'arbre atteint 2,70 m (à l'âge de six ans), on le garde ainsi en rabattant la charpentière principale sur une latérale vigoureuse, à 2,70 m du sol, durant l'été. Cette opération se pratique ensuite tous les deux ou trois hivers selon la croissance.

Les fruits viennent sur du bois de l'année précédente ainsi que sur les lambourdes du bois plus vieux. Si la fructification est régulière, on taille le moins possible — il suffit de rabattre les nouvelles pousses latérales vigoureuses à six ou sept feuilles de la tige mère. Couper au besoin les branches trop chargées en les taillant à fleur de la tige mère.

Si les charpentières secondaires deviennent très longues, les rabattre jusqu'à une vigoureuse latérale de la charpentière principale. Si l'arbre ne fructifie pas régulièrement, il faudra peut-être tailler les racines (p. 345).

Rabattre la charpentière centrale sur une latérale à 2,70 m.

Couper les nouvelles pousses latérales fortes à 6 ou 7 feuilles.

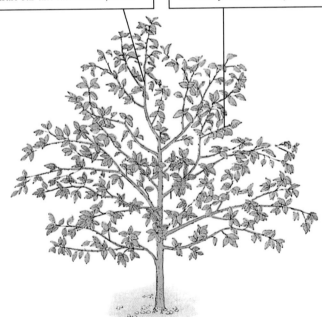

Ravageurs et maladies

La pourriture brune et la pourriture noire sont des maladies cryptogamiques assez communes. Devant des symptômes non décrits dans ce chapitre, consulter la section « Ravageurs et maladies », page 474. Voir les appellations commerciales des produits chimiques à la page 509.

Symptômes	Cause	Traitement*
Petites meurtrissures sur les fruits ; marques veloutées brunes à l'intérieur ; chenilles visibles.	Larve de la mouche du pommier	Vaporisation de carbaryl ou de méthoxychlore quand la mouche est active (au début ou au milieu de l'été). Par la suite, vaporisation aux 3 semaines jusqu'à la fin de l'été.
Feuilles marbrées de jaune pâle ou de brun-roux ; elles peuvent tomber prématurément.	Acarien	Pour tuer les œufs, vaporiser de l'huile miscible ou en émulsion durant la dormance. Vaporiser souvent du savon insecticide en été.
Feuilles et jeunes pousses déformées ou rabougries. Petits insectes collants.	Puceron tordeur du prunier	En présence des insectes, vaporiser du savon insecticide ou du malathion.
Feuilles dévorées ou reliées par des fils soyeux. Chenilles vertes visibles.	Tenthrède (larve)	Vaporisation de roténone ou de *Bacillus thuringiensis*.
Petites cicatrices en forme de croissant sur les fruits qui tombent prématurément.	Charançon du prunier	Vaporisation de carbaryl ou de savon insecticide à la chute des pétales, puis 7 à 10 jours plus tard. Ramasser les fruits tombés.
Plaques brunes et veloutées sur le bois et les feuilles.	Cochenille	Vaporisation d'huile miscible 60-sec. avant que les bourgeons n'ouvrent ; d'un insecticide systémique de type diméthoate, au début et au milieu de l'été. Couper les branches infectées.
Fruits recouverts de masses d'une matière poudreuse brune. Fruits rabougris.	Pourriture brune (champignon)	Vaporiser du captane, du ferbame ou du soufre avant la floraison, puis à la chute des fleurs, 7 à 10 jours après cette chute et 7 à 10 jours plus tard.
Galles nodulaires noir fumée sur les brindilles et les branches, pouvant mesurer de 1 à 30 cm.	Pourriture noire (champignon)	Ôter les galles en taillant à 10 cm sous la boursouflure. Appliquer captane ou zinèbe avant la floraison et à la chute des pétales. Répéter 10 jours plus tard et 7 à 10 jours plus tard.
Présence de taches rougeâtres sur les feuilles et les fruits ; en tombant, elles laissent des trous ronds dans les feuilles. Chute des bourgeons en hiver.	Criblure des feuilles (champignon)	Vaporisation de captane ou de zinèbe sur les bourgeons, puis au début et durant la floraison. Après la feuillaison, vaporiser de la bouillie bordelaise, du ferbame ou du zinèbe.

* Certains produits sont interdits dans les localités qui ont adopté des règlements contre les pesticides. Voir aussi « Recettes maison et produits naturels », p. 512, et « Les amis du jardin », p. 515.

(Suite à la page 398)

Symptômes	Cause	Traitement*
Reflet argenté sur les feuilles. Branches qui se nécrosent après 1 an ou plus. Taches brun-noir dans le bois des branches infectées qu'on coupe. Petits champignons sur le bois mort.	Maladie du plomb (surtout sur la côte Ouest)	Couper les branches infectées à 15 cm sous les taches brunes. Enduire les lésions de bouillie bordelaise. Fertiliser, pailler, arroser ou drainer pour renforcer la croissance. Engrais foliaire utile.
Les feuilles brunissent et semblent brûlées ; elles pendent sans tomber. Des chancres apparaissent sur les branches.	Feu bactérien (champignon)	Rabattre sévèrement les branches infectées dès qu'on les voit. Vaporiser de la bouillie soufrée en fin d'hiver et un fongicide au cuivre quand les feuilles ouvrent.
Petites taches mauves virant au brun causées par un champignon sur les feuilles, qui peuvent se mettre à tomber.	Entomosporiose du poirier	Vaporisation de ferbame, de thirame ou de zinèbe aux premiers symptômes. Ramasser et détruire les feuilles tombées.
De grosses protubérances apparaissent à la ligne du sol, encerclent l'arbre et peuvent le faire mourir.	Pourriture du collet (champignon)	Déraciner et détruire les sujets infestés. Désinfecter les sécateurs à l'alcool dénaturé ou avec un agent chloré coupé de moitié.
Des taches brunes apparaissent sur les feuilles et peuvent se transformer en trous. Chancres plats sur les tiges et les petites branches ; les branches se nécrosent.	Chancre bactérien	Couper les branches infectées à la mi-été. Vaporiser le feuillage de bouillie bordelaise à la mi-été, puis de nouveau en fin d'été et à la mi-automne.
Feuilles, brindilles et fruits se couvrent de petites taches qui vont du vert pâle au mauve foncé et au brun. Les fruits peuvent fendiller, des chancres apparaître sur les brindilles.	Tache foliaire (maladie bactérienne)	Des vaporisations de streptomycine (un antibiotique) peuvent aider ainsi que de bouillie bordelaise à la chute des feuilles et après. Couper et détruire les brindilles portant des chancres et les feuilles infectées.
Feuilles petites et rubanées, cassantes, épaisses et fortement ridées.	Maladie virale du prunier	Planter des sujets exempts de virus. Détruire les plants malades.
Feuilles marquées de cernes et de taches jaunes. Fruits bosselés en surface et qui peuvent tomber de l'arbre.	Tache annelée (maladie virale)	Aucun traitement efficace. Détruire le matériel infecté. La lutte contre les insectes semble réduire la propagation de la maladie.
Les tiges et parfois les petites branches se nécrosent ; la plante dépérit.	Mauvais état du sol	Améliorer l'égouttement. Analyser le sol pour déterminer si un épandage de chaux serait utile.

*Certains produits sont interdits dans les localités qui ont adopté des règlements contre les pesticides. Voir aussi «Recettes maison et produits naturels», p. 512, et «Les amis du jardin», p. 515.

Variétés de pruniers recommandées

Bien que la plupart des variétés ci-dessous soient autogames, il est recommandé de planter un autre arbre, comme on l'indique, afin de favoriser la pollinisation. Choisir le pollinisateur à l'intérieur du groupe principal auquel appartient l'arbre à polliniser.

Les variétés assez rustiques pour croître dans les régions froides sont indiquées dans la colonne des Remarques. Les variétés japonaises sont très vulnérables au froid.

Les pruniers Reines-Claudes préfèrent les lieux chauds et ensoleillés. Dans les régions froides, les adosser à un édifice ou à un mur de jardin orientés vers le sud ou l'ouest.

Nom	Couleur	Remarques
Types européens		
'Earliblue'	Bleu	Pruneaux. Mûrit tôt. Lent à produire des fruits. Bonne qualité. Rustique.
'Italian'	Bleu	À pruneaux. Très répandu. À couteau et à conserve. 'Brook's Giant' conseillé là où on le trouve.
'Mount Royal'	Bleu	À pruneaux. Très rustique (zone 4). Mûr, le fruit peut rester sur l'arbre sans se gâter. Autogame.
'Pipestone'	Rouge (lavé de jaune d'or)	Prunes. Bonne qualité. Variété rustique pour climats froids. 'Toka' est un bon pollinisateur.
'President'	Bleu	À pruneaux. Tardif. Très répandu ; très fructifère. Texture fine. Pollinisation croisée recommandée.
'Reine Claude'	Vert jaunâtre	Reines-Claudes. Bonnes pour la conserve. On trouve des races améliorées.
'Shropshire'	Mauve	Prunes de Damas. Rustique. Fruits à conserve.
'Stanley'	Bleu	À pruneaux. Récolte abondante. Autogame.
'Toka'	Orange	Prunes. Très rustique : convient aux régions froides. Fruits savoureux.
'Valor'	Bleu	À pruneaux. Gros fruits hâtifs d'excellente qualité. Choisir 'Stanley' comme pollinisateur. Vulnérable à la pourriture noire (maladie cryptogamique).
Types japonais		
'Burbank'	Rouge-mauve	Prunes. Arbre prostré. Éclaircir les fruits.
'Early Golden'	Jaune (lavé de rouge)	Prunes à noyau libre. Hâtif. Éclaircir les fruits. Récoltes multiples.
'Methley'	Mauve	Petits fruits qui mûrissent en plusieurs semaines. Autogame. Bon pollinisateur.
'Ozark Premier'	Jaune	Prunes. Fruits dodus et délicieux. Arbre rustique.
'Santa Rosa'	Rouge	Prunes. Variété connue. Fruits savoureux.
'Shiro'	Jaune	Prunes. Hâtif. Productif. 'Burbank' ne le pollinise pas.
'Tecumseh'	Rouge	Fruits dodus de bonne qualité. Très rustique.

Cette vigoureuse variété donne deux récoltes de fruits chaque année.

'Heritage'

Framboise

Framboise 'Heritage'

Certaines variétés de framboisiers fructifient à la mi-été sur du bois de l'année précédente ; d'autres portent leurs fruits, au début ou au milieu de l'automne, sur des tiges de l'année. Les cannes qui ont donné des fruits meurent, cédant la place à de nouvelles qui sortent du système radiculaire chaque printemps.

Trois types de framboisiers poussent ici au Canada. Il y a d'abord les framboisiers rouges, très populaires, dont les cannes sont dressées et qui se multiplient par les drageons qu'émettent les racines. Les framboisiers noirs et les framboisiers pourpres sont également des arbustes dressés dont les cannes s'arquent tellement qu'elles finissent par s'enraciner à leur extrémité. On se sert de ces marcottes pour multiplier les plants. Les framboisiers pourpres sont des hybrides issus de croisements entre les framboisiers rouges et des framboisiers noirs. Enfin, il existe des framboisiers jaunes qui ne sont qu'une variante des rouges. Toutes les variétés de framboisiers sont autofertiles.

Acheter des plants d'un an et les planter à la fin de l'automne. Comme les framboisiers sont sujets aux viroses, il vaut mieux se procurer des plants traités dans une pépinière réputée et ne pas les multiplier.

Le framboisier se cultive en plein soleil mais tolère la mi-ombre. Ne pas le planter dans des endroits exposés au gel ou aux vents violents ; éviter aussi les terrains en pente raide qui s'assèchent rapidement. Choisir un sol assez légèrement acide, qui s'égoutte bien mais conserve son humidité. Un sol alcalin convient aussi s'il est amendé par des apports de compost ou de fumier décomposé.

Palissage des cannes sur fil de fer

En été, quand naissent les nouvelles pousses, ficher en terre un piquet de bois de 2,50 m, à 60 cm de profondeur, à chaque extrémité du rang.

Préparation du sol et plantation

Les framboisiers sont plantés en rangs et leurs cannes sont palissées sur du fil de fer. Débarrasser le lit de plantation des mauvaises herbes, en retournant la terre ou en utilisant un herbicide tel que du glysophate.

À la fin de l'été ou au début de l'automne, creuser à la profondeur d'un fer de bêche une tranchée de 75 cm de large. Incorporer au fond du compost, de la tourbe ou du fumier bien décomposé, à raison de deux seaux de 10 litres au mètre carré. Ajouter à cette fumure 2 cuillerées de fertilisant. Remplir ensuite la tranchée.

La plantation se fait de préférence à l'automne, mais elle peut s'effectuer au printemps. Creuser une tranchée de 8 cm de profondeur et de 15 à 25 cm de large. Y installer les plants

Tendre entre les deux piquets deux fils de fer galvanisé, l'un à 90 cm du sol, l'autre à 1,60 m. On peut aussi tendre ces deux fils parallèlement en les fixant à des traverses clouées à angle droit sur les poteaux, à 1,20 m du sol. Laisser 30 cm entre les fils et

debout, en les espaçant de 45 cm. Bien étaler leurs racines. Les recouvrir de 8 cm de terre et fouler du pied. Espacer les rangs de 1,80 m.

Rabattre immédiatement chaque canne au-dessus d'un bourgeon bien constitué, soit à 25 à 30 cm du sol.

Épandre du fumier en automne. Un mois environ avant que la croissance reprenne, épandre 125 g d'engrais 5-10-5 au mètre carré. Au début du printemps, constituer un paillis de 5 cm d'épaisseur avec du compost, du fumier ou de la tourbe. Arroser abondamment durant les périodes de chaleur et de sécheresse.

Arracher les mauvaises herbes à la main ou utiliser un herbicide comme le glysophate. Ne pas biner entre les plants pendant la période de végétation. Pendant que les fruits mûrissent, couvrir les plants d'un filet pour les protéger des ravages des oiseaux.

utiliser de forts crochets en S pour qu'ils soient bien parallèles.

À la mi-été, l'année de la plantation, attacher les cannes aux fils. Voir à ce que les cannes passent bien entre les fils parallèles si on a opté pour cette solution.

Palissage à deux fils *Tendre les fils de fer à 90 cm et à 1,60 m du sol ; y attacher les cannes.*

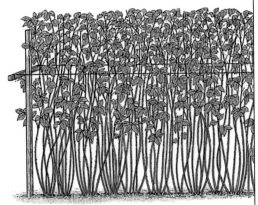

Palissage à fils parallèles *Tendre des fils parallèles entre lesquels les cannes seront retenues.*

'Fall Gold' est une framboise jaune rustique et très vigoureuse. C'est un excellent choix pour les jardins d'amateurs.

'Fall Gold'

1. *À la fin de l'été, rabattre au ras du sol toutes les cannes qui ont fructifié.*

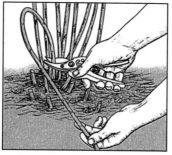

2. *Sur chaque plant, garder huit nouvelles pousses solides. Les palisser.*

3. *Après le palissage, arracher tous les rejets émis par les racines.*

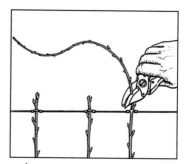

4. *À la fin de l'hiver, raccourcir les cannes à un œil au-dessus du fil.*

Renouvellement des cannes

Les variétés qui fructifient à la mi-été sont bisannuelles. Après la récolte, délier les cannes qui ont donné des fruits et les rabattre au sol. Ne pas tailler les pousses de l'année.

Sur chaque plant, palisser huit nouvelles pousses vigoureuses. Rabattre au ras du sol les pousses trop frêles. Éliminer aussi toutes celles qui sortent du sol entre les rangs.

Vers la fin de l'hiver, rabattre les cannes qui dépassent le fil supérieur en coupant au-dessus d'un bourgeon situé à quelques centimètres du fil. Si on cultive des variétés remontantes ('Heritage'), rabattre les cannes sur du bois vivant et éclaircir en éliminant les cannes frêles après la mise à fruit d'automne. On obtiendra alors une récolte de framboises au début de l'été et une autre en automne.

Cependant, si on cultive aussi des framboisiers non remontants à récolte estivale, comme 'Sodus', tailler les plants de la variété 'Heritage' jusqu'au ras du sol en hiver. Ce rabattage supprime la première des deux récoltes, mais permet d'obtenir de meilleurs fruits en automne.

Variétés recommandées ravageurs et maladies

Choisir des variétés de framboisiers exemptes de virus.

En cas de symptômes non décrits ici, voir le chapitre «Ravageurs et maladies», à la page 474. Les appellations commerciales des produits chimiques sont à la page 509.

Nom	Maturité	Remarques
'Boyne'	Hâtive-norm.	Gros fruits rouge moyen, fermes.
'Brandywine'	Tardive	Très gros fruits pourpres. Excellent en confitures.
'Bristol'	Normale	Gros fruits noirs.
'Canby'	Normale	Fruits rouges. Cannes sans épines.
'Cumberland'	Normale	Fruits noirs. Vigoureux mais enclin aux maladies.
'Fall Gold'	Hâtive, tardive	Fruits jaunes. Variété rustique.
'Heritage'	Hâtive, tardive	Bons fruits rouges. Plants productifs.
'Latham'	Hâtive	Fruits rouges de qualité ordinaire. Assez rustique.
'Redwing'	Normale	Gros fruits rouges, bien parfumés.
'Royalty'	Tardive	Fruits pourpres très sucrés. Très épineux.
'September'	Hâtive, tardive	Fruits rouges de taille moyenne.
'Sodus'	Normale	Gros fruits pourpres de bonne qualité. Plants vigoureux et rustiques.

Symptômes	Cause	Traitement*
Feuilles enroulées ou déformées ; insectes gluants.	Pucerons	Vaporisation de savon insecticide.
Le bout des cannes se flétrissent juste après l'éclosion des feuilles.	Perceurs de tige	Rabattre le bout des cannes à 15 cm au-dessous de la région flétrie et détruire.
Les fruits sont mangés. Présence de petits vers.	Noctuelles ou larves de la tenthrède	Vaporiser du carbaryl au débourrement et juste avant la floraison. Utiliser *Bacillus thuringiensis* sur les vers.
Le ravageur se nourrit du fruit qu'il déforme.	Punaises	Vaporisation de carbaryl ou de malathion.
Feuillage déformé et décoloré. Peu de fruits.	Tétranyques à deux points	Vaporisation de savon insecticide, de dicofol ou d'un autre miticide à plusieurs reprises à 5 jours d'intervalle.
Les cannes portent de grandes taches brunes. Les feuilles se flétrissent et meurent en été.	Brûlure de la tige (champignon)	Rabattre en dessous du sol les cannes atteintes. Stériliser le couteau. Traiter les nouvelles cannes à la bouillie bordelaise, au ferbame ou au zinèbe.
Taches circulaires pourpres sur les cannes, virant en tumeurs. Avortement du fruit.	Anthracnose (champignon)	Même traitement que pour la brûlure de la tige. On peut aussi appliquer de la bouillie soufrée en vaporisation.

* Certains produits sont interdits dans les localités qui ont adopté des règlements contre les pesticides. Voir aussi «Recettes maison et produits naturels», p. 512, et «Les amis du jardin», p. 515.

Le fraisier 'Tribute' donne des fruits de belle taille. Cette variété fleurit à répétition, ce qui veut dire qu'elle donne des fruits pendant toute la belle saison.

'Tribute'

Fraise

Fraise 'Veestar'

Il existe trois types de fraisiers : ceux qui donnent une seule récolte par an, au début de l'été ; les variétés remontantes, qui en donnent deux, au début de l'été et à l'automne ; et les variétés quatre-saisons, qui donnent une première récolte au début de l'été, prennent une courte période de repos et recommencent à donner jusqu'aux gels — ce sont les variétés qui produisent le plus. Il faut compter 24 à 36 plants par famille.

Les fraisiers doivent être cultivés dans une terre fertile et bien drainée, à pH de 5,5 à 6 et humidifère. La plantation se fait au printemps ou en automne dans une plate-bande orientée au sud.

Préparation du sol et plantation

Planter les variétés non remontantes de préférence au début du printemps, ou au début de l'automne dans les régions où le climat est doux. La mise en terre des variétés remontantes s'effectue au printemps.

Arracher les mauvaises herbes et incorporer en surface 5 cm de fumier bien décomposé, de compost ou de mousse de tourbe. Ajouter au râteau un engrais complet, à raison de 1 tasse par mètre carré. Les racines des fraisiers ne sont pas profondes : aussi travailler en surface.

Espacer les plants de 45 cm, et les rangs de 75 cm. Si les plants se trouvent dans des pots de tourbe comprimée, les faire d'abord tremper une heure. Les enfouir à peine.

Planter les fraisiers à racines nues dans un sol humide. Creuser un trou de 2,5 à 5 cm plus profond que la hauteur des racines et installer le plant sur un petit monticule en y déployant les racines. Le collet doit être juste au niveau du sol. Enfoui plus profondément, il pourrira ; moins profondément, les racines se dessécheront. Arroser par temps sec.

Étaler les racines de façon que le collet soit au niveau du sol.

Culture des fraisiers de la plantation à la récolte

Après la plantation, arroser régulièrement pendant quelques semaines, par temps sec. Un manque d'eau à ce stade peut retarder la croissance et peut même tuer les plants.

En automne, pour conserver aux fraisiers leur vigueur, éliminer tous leurs stolons. À la fin de l'hiver, épandre un engrais complet. Si la végétation est faible, ajouter de l'engrais entre les rangs, au milieu du printemps. Ne pas en répandre sur le feuillage. Si par accident il en tombe sur les feuilles, les brosser aussitôt. Au printemps, biner superficiellement pour détruire les mauvaises herbes.

La première année, supprimer toutes les fleurs des variétés qui, plantées à la fin de l'automne ou au printemps, ne donnent qu'une récolte. Sur les variétés qui donnent deux récoltes, enlever les fleurs au tout début du printemps.

Dans les années subséquentes, quand les fruits des variétés non remontantes touchent presque le sol, recouvrir celui-ci de paille propre. Une pellicule de plastique peut remplacer la paille si le sol est humide.

Pour isoler les fruits du sol, on peut aussi fabriquer des supports avec du fil de fer galvanisé. Cette méthode est surtout pratique lorsque les fraisiers sont cultivés dans des contenants ou en serre. Insérer l'extrémité du support dans le sol à côté du plant. Replier l'autre extrémité en forme de crochet et y attacher une grappe de fruits avec un lien plastifié.

Arroser par temps sec, mais surtout au moment où les fruits mûrissent. Attention cependant : un excès d'eau pourrait entraîner la pourriture grise.

Pour avoir des fruits de la meilleure qualité, cueillir les fraises avec leurs pédoncules lorsqu'elles sont complètement mûres. Ne pas trop les manipuler : elles se meurtrissent très facilement.

PROTECTION DES JEUNES PLANTS ET DES FRUITS

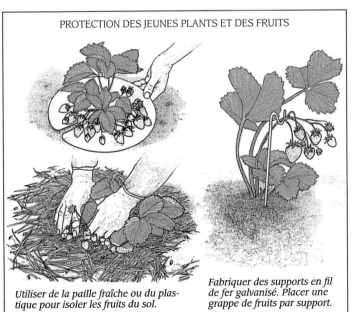

Utiliser de la paille fraîche ou du plastique pour isoler les fruits du sol.

Fabriquer des supports en fil de fer galvanisé. Placer une grappe de fruits par support.

Il faut arroser abondamment après la plantation, pendant la période de formation des bourgeons et avant le mûrissement. Faire un lit de paille sous les fruits.

L'arrosage est essentiel pendant le bourgeonnement

La paille isole les fraises du sol

Nettoyage des plates-bandes de fraises

Dès que la récolte des variétés non remontantes est terminée, ramener la paille sur les plants et y mettre le feu pour brûler les feuilles. Cette opération n'endommage pas les plants, mais détruit les vieilles feuilles malades et les parasites. De nouvelles feuilles ne tarderont pas à apparaître et elles auront l'air et la lumière dont elles ont besoin.

Si le brûlage n'est pas permis ou est impossible à réaliser, rabattre tous les plants à la cisaille ou les passer à la tondeuse pour couper à environ 8 cm au-dessus du collet. Arracher les courants indésirables ainsi que les vieilles feuilles malades ; enlever la pellicule de plastique s'il y a lieu. Ramasser les déchets au râteau et les brûler.

Renouveler les fraisiers tous les deux ou trois ans, parce qu'ils cessent de donner. On peut d'ailleurs pratiquer soi-même la multiplication.

Les variétés quatre-temps fructifient jusqu'aux gelées d'automne. Les protéger en automne. Ne pas enlever les feuilles des variétés remontantes ou quatre-temps ; éclaircir simplement le vieux feuillage. Renouveler les plants tous les deux ans.

Cloche de polyéthylène contre le gel

C'est une bonne idée d'avoir deux plates-bandes de fraises : une pour la cueillette, une qui vient d'être plantée. Si vous faites une rotation de trois ans, la troisième année, les deux vous donneront une récolte.

NETTOYAGE DES FRAISIERS NON REMONTANTS

Après la récolte, ramener la paille sur les plants et y mettre le feu pour détruire les feuilles et tuer les parasites.

Si les feux sont interdits, rabattre les plants à 8 cm au-dessus du collet. Arracher les vieilles feuilles et les stolons inutiles.

1. En été, choisir quatre stolons sur un plant sain et vigoureux.

2. Fixer une plantule par stolon dans un pot de terreau enfoncé dans le sol.

3. Ne pas la détacher de la plante mère, mais pincer tout autre stolon.

4. La sevrer 4 à 6 semaines plus tard. Repiquer 1 semaine après.

Multiplication des plants au moyen de stolons

Les fraisiers peuvent être multipliés par leurs stolons. Au début de l'été, repérer les pieds vigoureux. Sélectionner quatre bons stolons sur chacun des pieds et les répartir autour de la plante mère. Remplir des pots de 7,5 cm de bonne terre riche, de compost d'enracinement ou d'un mélange des deux. Sur chaque stolon, repérer la plantule située le plus près de la plante mère et, avec un transplantoir, creuser sous elle un trou assez grand pour recevoir le pot.

Enterrer le pot jusqu'au rebord, puis insérer la plantule dans le mélange terreux. L'y maintenir avec du fil de fer galvanisé plié en U. Ne pas la détacher de la plante mère, mais rabattre les autres pousses. Garder le substrat humide. Il faut compter quatre à six semaines pour que le jeune plant prenne racine. On peut alors le couper de la plante mère et, une semaine plus tard, le repiquer à son emplacement définitif.

'Ogalala'

'Temptation'

'Redcoat'

'Ogalala' est une variété remontante. 'Temptation' — une fraise alpine — peut être démarrée à partir de semis et produira ses petits fruits jusqu'aux gelées. 'Redcoat', une variété ancienne, est encore largement cultivée.

TONNEAU À FRAISES

Percer des trous de drainage de 2 cm au fond du tonneau, et plusieurs trous de 5 cm sur les parois, espacés de 22 cm. Remplir de mélange terreux (2 parts de terreau, 1 part de compost mûr et 1 part de sable).

Nom	Zone de culture	Maturité
Variétés à une récolte		
'Fort Laramie'	Prairies et Est	Normale
'Guardian'	Presque partout	Hâtive
'Northwest'*	Côte Ouest	Normale-tardive
'Redcoat'	Presque partout	Normale
'Sparkle'*	Prairies	Tardive
'Veestar'	Ontario et Est	Hâtive
Variétés remontantes		
'Ogalala'	Presque partout	
'Rich Red'	Côte Ouest	
Variétés quatre-saisons		
'Tribute'	Presque partout	
'Tristar'	Presque partout	
* D'excellente qualité		

Variétés recommandées; ravageurs et maladies

L'époque de la récolte varie en fonction des zones de culture.

Devant des symptômes non décrits ici, se reporter au chapitre « Ravageurs et maladies », à la page 474. Les noms des produits chimiques sont à la page 509.

Symptômes	Cause	Traitement*
De petits insectes sucent la sève du feuillage et des racines.	Charançons de la racine	Traiter le sol au méthoxychlore à la plantation. Vaporiser de carbaryl ou de malathion. Difficile à éradiquer.
Collet, feuilles, fleurs et fruits déformés. Présence du plus néfaste des ravageurs.	Tarsonèmes du cyclamen	Arracher les plants avec leurs racines. Replanter des plants neufs dans un autre endroit.
Le ravageur se nourrit à même les fruits et se cache sous le plant durant le jour.	Perce-oreilles	Répandre des appâts ou piéger dans des pots remplis de paille qu'on videra tous les jours.

Symptômes	Cause	Traitement*
Feuilles endommagées ou chétives ; elles jaunissent.	Pucerons du fraisier	Vaporiser de carbaryl ou de savon insecticide.
Insectes visibles sur racines, feuilles et tiges. Plants pâles, manquant de vigueur ; feuilles pâles et petites. Fruits immatures et secs.	Pucerons rhizophages	Plonger les plants dans une solution à base de carbaryl, de diméthoate ou de malathion avant la plantation. Vaporisations foliaires de malathion.
Fleurs et fruits dévorés. Feuilles dévorées, enroulées.	Chenilles	Vaporisation de *Bacillus thuringiensis*.
Les larves endommagent les racines ; les adultes mangent les feuilles.	Galéruques du fraisier	Traiter le sol au méthoxychlore autour des plants.
Plants faibles et décolorés. Dessous des boutons et jeunes feuilles dévorés.	Tétranyques à deux points	Vaporisation de savon insecticide ou de dicofol tous les 7 à 10 jours durant toute la saison.
Les fruits pourrissent et se couvrent d'une moisissure grise.	Pourriture grise (champignon)	Vaporisation de bénomyl trois fois à 15 jours d'intervalle. Détruire les fruits malades. L'année suivante, vaporiser dès que les fleurs s'ouvrent.
Les feuilles virent au pourpre et s'enroulent, montrant leur revers.	Blanc (champignon)	Avant la floraison, traiter à la bouillie soufrée à 1,5 p. 100 ou au dinocap. Répéter tous les 10 à 15 jours jusqu'à deux semaines avant la récolte.
Feuilles petites, marginées de jaune. Plants rabougris. Mauvaise récolte.	Virose	Aucun traitement. Déterrer et détruire les plants. Réprimer les pucerons vecteurs. Acheter des plants garantis.

* Certains produits sont interdits dans les localités qui ont adopté des règlements contre les pesticides. Voir aussi « Recettes maison et produits naturels », p. 512, et « Les amis du jardin », p. 515.

LÉGUMES

Les légumes fraîchement cueillis du potager ont une saveur insurpassable. Aussi vaut-il la peine d'en cultiver, même si l'on ne dispose que de peu d'espace.

C'est une vérité qui devient de plus en plus évidente : aucun légume n'a meilleur goût que celui de notre jardin. La culture potagère que nous abordons dans ce chapitre nécessite évidemment un plus grand travail de préparation et d'entretien que la culture des roses d'Inde, par exemple, ou d'autres fleurs annuelles.

Avant d'aménager un potager, il faut d'abord étudier le terrain dont on dispose. L'idéal serait d'avoir un espace sans arbres et arbustes (ceux-ci s'approprient l'eau et les matières nutritives), exposé au soleil pendant au moins six heures par jour et situé à proximité d'une prise d'eau. Le sol devrait être également bien drainé.

Il est possible cependant de s'accommoder de moins. Par exemple, si le terrain n'est pas assez ensoleillé, on cultivera des légumes-racines et des verdures qui demandent moins de soleil. Que le terrain qu'on veut convertir en potager soit rocailleux ou complètement envahi par les mauvaises herbes n'est pas non plus un obstacle insurmontable.

Avant de délimiter le jardin potager, on tiendra compte du temps qu'on peut lui consacrer et du nombre de personnes qu'il doit nourrir.

On calcule en règle générale qu'un terrain de 4,50 m sur 6 suffit à satisfaire les besoins d'une famille de quatre personnes.

Quels légumes devrait-on cultiver ? La préférence ira évidemment aux légumes chers ou rares sur le marché. Rien ne sert de faire pousser des poivrons, par exemple, quand on peut, à l'automne, s'en procurer une manne pour une chanson. Des poireaux ou des panais, qui coûtent en général plus cher mais se conservent bien, constituent un meilleur choix.

Un potager bien pensé donnera une pleine récolte à une famille de quatre. Pour augmenter la production, cultiver en succession des légumes qui poussent vite. Placer les grands légumes, comme le maïs, là où ils ne jettent pas d'ombre et accorder beaucoup d'espace aux plantes potagères rampantes. Placer les châssis froids au soleil, au sud ou à l'ouest ; le tas de compost, à l'ombre. Protéger des vents dominants par une haie.

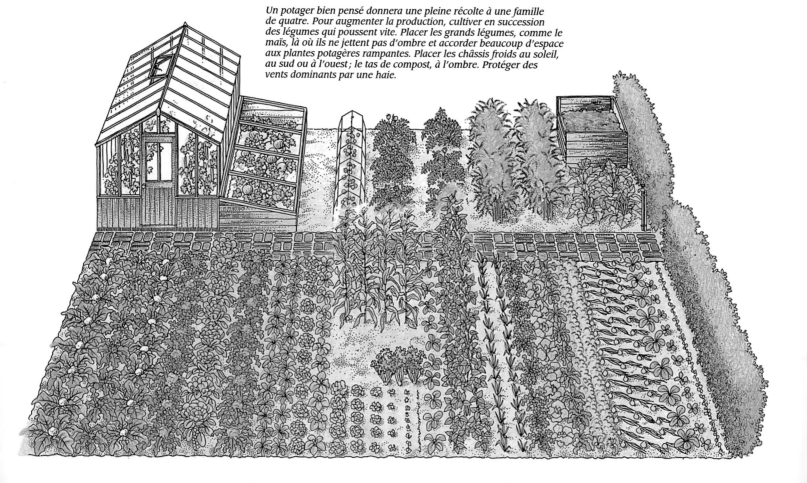

Une terre argileuse, froide et détrempée au printemps devient dure sous l'action du soleil. Un sol sablonneux sèche très vite. Le terreau est la combinaison idéale : il se réchauffe rapidement mais retient l'humidité.

Sol argileux

Sol sablonneux

Terreau

Comment améliorer la composition du sol

La qualité des légumes dépend beaucoup de la composition du sol. Dans une terre pauvre et non travaillée, les plants pourront atteindre leur maturité, mais leur rendement laissera à désirer. Par ailleurs, même une terre fertile cesse de produire si, été après été, on la laisse s'épuiser ou devenir compacte.

Avant de prendre des dispositions pour améliorer le sol, il faut commencer par en déterminer la composition. S'il est lourd et compact, c'est qu'il renferme trop d'argile. S'il est fin et léger, il contient trop de sable.

La terre la meilleure est humifère, perméable et d'un beau noir. Quand on en malaxe une poignée dans la main, elle s'agglomère et garde sa forme, mais s'effrite au toucher. La terre argileuse donne une motte dure qui se brise en gros morceaux sous l'effet d'un choc. La terre sablonneuse ne s'agglomère pas du tout.

Les sols argileux et les sols sablonneux peuvent être pauvres en matières organiques. Il faut alors leur en ajouter. En se décomposant, ces matières font se détacher les particules d'argile les unes des autres, ce qui aère le sol. Par ailleurs, elles donnent de la cohésion aux particules de sable et rendent de ce fait les sols sablonneux moins perméables.

Ainsi donc, en ajoutant du terreau de feuilles, des déchets de gazon, de la paille ou du fumier à un sol argileux, on le rend assez léger pour que les plantules puissent y être enfouies. En ajoutant ces matières à un sol sablonneux, on le rend assez dense pour soutenir les racines des plantes. En outre, ces matières organiques fournissent à la terre les éléments nutritifs dont les plantes ont besoin.

Le compost constitue l'une des meilleures sources de matières organiques (voir p. 468). À défaut de compost, on peut utiliser diverses matières végétales souples : feuilles sèches, déchets végétaux de cuisine, foin ou fumier bien décomposé. Ajouter à ces matières un engrais riche en azote pour hâter leur décomposition et les incorporer dans le sol à une profondeur de 5 à 7,5 cm. Puis ajouter les autres amendements à la main ou avec un motoculteur.

C'est en automne, lorsque le sol est chaud et sec, qu'il est préférable de le travailler. Les matières organiques ont alors tout l'hiver pour se transformer en humus.

Toutes les plantes ont besoin de trois éléments : azote, phosphore et potassium. Pour s'assurer que la terre en contient suffisamment, on la fertilise avec un engrais complet. On peut aussi la faire analyser au laboratoire du ministère provincial de l'agriculture. Certaines pépinières offrent le même service à leur clientèle. (On trouvera de plus amples renseignements sur les engrais et sur l'analyse du sol à la page 466.)

Qu'est-ce que le pH ? Lorsque, après avoir enrichi, amendé et travaillé convenablement le sol, on continue à avoir des problèmes de culture, c'est que le pH du sol, c'est-à-dire son degré d'acidité ou d'alcalinité, est déficient. Le pH se mesure sur une échelle de 1 (acidité maximale) à 14 (alcalinité maximale).

Dans l'est de l'Amérique du Nord, le sol est généralement acide. À l'analyse, les terres argileuses ou sablonneuses, celles où poussent le pin, le chêne ou le rhododendron, se classent au bas de l'échelle du pH. Or, les légumes prospèrent lorsque le pH du sol se situe entre 6 et 7. On corrige l'acidité du sol en lui ajoutant du calcaire finement broyé. On ajoute par contre de la tourbe ou de la fleur de soufre aux terres extrêmement alcalines qu'on veut acidifier. (On trouvera plus de renseignements sur le pH du sol aux pages 466-467.)

Outillage de base pour le potager

L'outillage de base qui sert à l'entretien du potager n'a pas varié depuis des siècles. Même s'il est bien connu de tous, on oublie parfois qu'il doit être adapté à la taille, au poids et à la force de l'utilisateur. L'outil dont le manche est trop long, par exemple, exige de celui qui s'en sert un effort excessif, tandis qu'un travail exécuté avec un outil dont le manche est trop court causera des courbatures. Avant d'acheter un outil, il faut donc le manier quelque peu. Il doit paraître équilibré quand on le soulève. La lame ou la griffe ne doit pas être trop lourde et la poignée doit tenir solidement dans la main.

On commencera par acheter les outils essentiels :
• une bêche à fer plat et une pelle de jardin ronde pour creuser ;
• une fourche à bêcher pour travailler la terre en surface et récolter légumes-racines et pommes de terre ;
• un râteau en acier pour ratisser, ameublir et égaliser la surface du sol ;
• une binette pour désherber, retourner la terre et tracer des sillons ;
• un transplantoir pour repiquer les plants ;
• un tuyau d'arrosage et un arrosoir ;
• une lime ou une pierre pour affûter les outils à lame tranchante.

En outre, il est utile de se procurer une brouette ; c'est même une nécessité si le jardin potager est situé à une bonne distance de la maison ou de la remise à outils.

On trouvera dans les centres de jardinage bien d'autres outils ou équipements qu'il est tentant de se procurer : sarcloir, cultivateur, fourche de jardin, arrosoir, tuteurs, matériel à filet, à clôture, etc. Leur utilité dépend de la nature et de l'ampleur des travaux qu'on a à exécuter au jardin, ainsi que des problèmes qui se posent.

Il est préférable d'attendre, avant de les acheter, d'en avoir vraiment besoin.

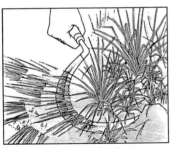

1. *Faucher les mauvaises herbes et en extraire les racines à la fourche.*

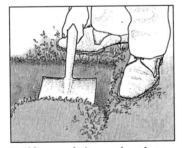

2. *Si l'espace était occupé par la pelouse, découper le gazon en plaques.*

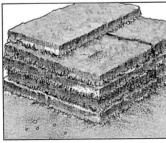

3. *Empiler les plaques à l'envers pour hâter leur décomposition.*

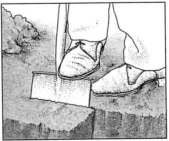

4. *Creuser à la profondeur d'une pelle et retourner la terre.*

Obtenir le meilleur rendement de son potager

Aménager son potager dans un terrain égal et très ensoleillé, à l'écart des grands arbres dont les racines s'étalent. S'assurer qu'il y a une prise d'eau à proximité pour les arrosages, mais ne pas s'approcher à plus de 60 cm des murs de la maison. La terre y est généralement très chargée de calcaire à cause des fondations et contient souvent des déchets de construction. Un terrain en pente douce est excellent, surtout s'il est orienté au sud. Se méfier cependant des emplacements situés au pied d'une colline : le sol y est toujours plus froid et plus humide.

Mesurer ensuite le terrain avec exactitude et reporter les dimensions sur papier. Tracer un plan qui situera les différentes plantations. Une échelle simple suffit ; par exemple, 10 cm pour 1 m de terrain. Prévoir des allées entre les groupes de rangs et planifier les cultures de façon que le potager produise tout l'été.

Aires de culture Il faut tenir compte des besoins d'espace propres à chaque légume. Tandis que les radis poussent dru, les courges et les melons s'étendent dans toutes les directions. Le maïs, les asperges et les haricots à rames sont des plantes de haute taille qui jettent de l'ombre. Les choux et les choux de Bruxelles ont besoin de dégagement.

Délais de maturation Il suffit de quelques semaines pour la laitue frisée, environ huit semaines pour les betteraves et presque trois mois pour les carottes. On peut donc faire succéder ces légumes dans un même espace. Semer carottes et betteraves là où poussaient les pois ; remplacer les carottes hâtives par des épinards d'automne et la laitue par des haricots ; ou replanter de la laitue à plusieurs reprises.

D'autres légumes comme les tomates, les aubergines et les courges d'hiver requièrent beaucoup de substances nutritives car ils mettent tout l'été à mûrir. Il faut donc leur consacrer un grand carré ensoleillé.

Ensoleillement Les épinards et la laitue préfèrent la mi-ombre ; on peut placer les rangs entre les légumes de plus grande taille, comme le brocoli ou les choux de Bruxelles.

Culture intercalaire Pour gagner de l'espace, cultiver des légumes de croissance rapide — laitue frisée, bettes à carde et épinards — entre des rangs de légumes plus lents à pousser — poivrons, aubergines, tomates. Semer les radis entre les carottes ou le persil pour récolter les premiers quand les seconds sont encore petits.

Plantes vivaces Rhubarbe, asperges et fraises exigent beaucoup d'espace ; les deux premières ne donnent pas de récolte avant au moins deux ans.

Rendement des légumes Un rang de laitue donne plus de laitue qu'on ne peut en consommer. En faire des rangs plus courts et semer à intervalles de deux ou trois semaines.

Si l'on a une grande cave ou un cellier, on peut augmenter le nombre de courges d'hiver, d'oignons et de pommes de terre. Avec un congélateur, on peut se permettre une plus grande quantité de choux de Bruxelles, de carottes et de betteraves. Enfin, les tomates peuvent être mises en conserve.

Époques de plantation Les pois et les épinards poussent mieux quand il fait frais, au printemps. Mais les tomates sont vulnérables au gel.

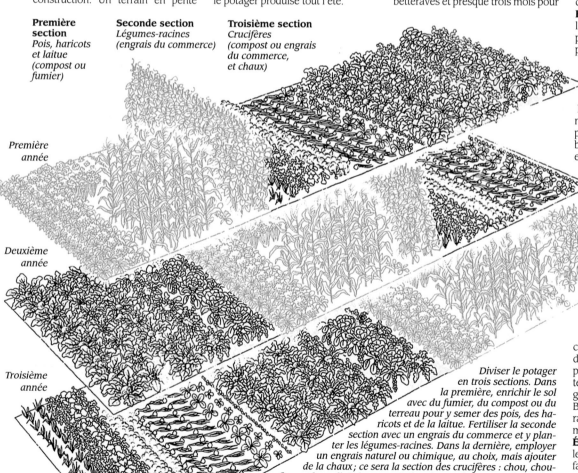

Première section
Pois, haricots et laitue (compost ou fumier)

Seconde section
Légumes-racines (engrais du commerce)

Troisième section
Crucifères (compost ou engrais du commerce, et chaux)

Première année

Deuxième année

Troisième année

Diviser le potager en trois sections. Dans la première, enrichir le sol avec du fumier, du compost ou du terreau pour y semer des pois, des haricots et de la laitue. Fertiliser la seconde section avec un engrais du commerce et y planter les légumes-racines. Dans la dernière, employer un engrais naturel ou chimique, au choix, mais ajouter de la chaux ; ce sera la section des crucifères : chou, chou-fleur et brocoli. Faire une rotation des sections sur trois années.

Culture intensive dans un espace restreint   Culture traditionnelle en rangées

Pour optimiser l'espace, diviser le potager en trois sections, consacrées chacune à un type de légumes. En faisant une rotation des sections sur trois années, on réprime les maladies et les insectes propres à chaque type.

UNE PLANTATION ÉCHELONNÉE POUR UN POTAGER TOUJOURS PRODUCTIF

Début printemps		Mi-printemps			Début été		Mi-été à automne		
Dès que le sol est suffisamment malléable :		Deux semaines avant le dernier gel prévu :		Une semaine plus tard :	Quand le sol et l'air sont tièdes :		Fin juin :	Début août :	10 semaines avant le premier gel sévère :
PLANTER	**SEMER**	**PLANTER**	**SEMER**	**SEMER**	**PLANTER**	**SEMER**	**SEMER**	**PLANTER**	**SEMER**
Brocoli	Endive	Chou-fleur	Bette à carde	Haricot	Aubergine	Citrouille	Betterave	Brocoli*	Betterave
Chou	Épinard		Betterave	Maïs	Poivron	Concombre	Brocoli	Chou*	Carotte
Fèves	Laitue		Carotte	Pomme de	Tomate	Courge	Carotte	Chou-fleur*	
Oignon	Navet		Petit bulbe	terre hâtive		Fève de Lima	Chou		
Poireau	Oignon		d'oignon			Melon	Chou-fleur	**SEMER**	
	Pois		Panais			Okra	Laitue	Épinard	
	Radis					Pomme de terre	Radis	Laitue	
						d'hiver		Navet	

* Les plants sont mis en terre plus tard que les semences parce que la chaleur n'est pas propice à la croissance.

Époque des premiers et des derniers gels

D'une région à l'autre, la durée de la saison de culture à l'extérieur varie considérablement. On calcule, par exemple, qu'il n'y a que 100 jours de culture dans la Prairie, tandis qu'il y en a 300 en Colombie-Britannique. Le début de la saison de croissance se situe généralement après le dernier gel au printemps, et la fin avant le premier gel sévère d'automne. En fonction de ces deux dates, on doit établir le calendrier des plantations et effectuer le choix des variétés.

Se rappeler cependant que le climat varie beaucoup d'un endroit à l'autre, à l'intérieur d'une région donnée. Dans une vallée ou loin de la côte, la période de croissance sera beaucoup plus courte que sur une colline ou au voisinage de la mer.

« Aussitôt que le sol peut être travaillé » : voilà une phrase qui revient souvent. Elle signifie qu'on peut semer les légumes qui résistent au gel (pois, épinard ou oignon) dès que la terre s'est ressuyée.

Pour vérifier l'état du sol, malaxer un peu de terre dans le creux de la main. Si la motte s'effrite facilement, on peut commencer à jardiner. Si elle conserve sa forme, il faut attendre quelques jours, car les semis en sol imbibé d'eau risquent de pourrir avant de germer.

Achat de graines et de plants de légumes

Les légumes-racines, tels que les carottes et le panais, peuvent être semés directement en pleine terre. D'autres doivent être démarrés en pots ou en terrines et repiqués au jardin.

Achat de plants Au printemps, tous les centres de jardinage disparaissent sous les étalages de caissettes (petites boîtes contenant six à huit plants) ou de pots de plants divers. Ces plants font économiser du temps et des efforts tout en éliminant les risques d'échec que comportent toujours les semis à l'intérieur. Pour ceux qui n'ont pas de pièces ensoleillées, ils sont indispensables.

Quand on achète des plants du commerce, cependant, on doit forcément se limiter aux variétés qui sont offertes. En outre, si l'achat se fait dans un endroit non spécialisé, comme dans un supermarché, il est probable qu'on devra se passer de certains renseignements essentiels. On ne saura pas, par exemple, s'il s'agit de variétés de tomates hâtives ou tardives, renseignement que peuvent donner les pépiniéristes.

On a intérêt à acheter des plants en pots individuels. Ainsi, au moment du repiquage, on ne risque pas d'abîmer leurs racines. Par contre, lorsqu'il en faut beaucoup, il est plus économique de les acheter en caissettes.

Examiner la tige des plants. Elle doit être courte et épaisse ; les plants hauts et malingres ont souvent un système radiculaire déficient que le choc de la transplantation peut abîmer. Vérifier le feuillage : s'il est jaune ou décoloré, c'est que le plant est malade ou qu'il a manqué d'éléments nutritifs. Lorsque les plants de chou, de brocoli ou de chou-fleur ont des feuilles à reflets pourprés, c'est bon signe : les plants ont été endurcis et sont prêts à être repiqués. (On trouvera des renseignements sur le repiquage des plants à la page 409.)

Achat de graines Lorsqu'on a à sa disposition des fenêtres ensoleillées, une serre ou un châssis froid, on peut démarrer soi-même ses plants (voir p. 408).

Le choix peut se faire à partir d'un catalogue. Pour chaque plante, vérifier s'il est spécifié qu'elle résiste aux maladies qui normalement peuvent l'attaquer. Noter également sa taille, sa productivité et son délai de maturation. Les variétés qui ont reçu la mention All-America Award ont généralement donné de bons résultats un peu partout sur le continent : on peut se fier à leur qualité. Dans la description des légumes qui figure aux pages suivantes (pages 411 à 449), la mention de ces variétés sera accompagnée d'un astérisque (*).

Les variétés dites nouvelles sont souvent d'anciennes qui ont été améliorées, c'est-à-dire rendues plus résistantes aux maladies ou plus productives. Elles peuvent être intéressantes parce qu'elles demandent moins d'espace ou parce qu'elles donnent des légumes d'une saveur plus fine.

Pour ce qui est de la quantité à acheter, il est préférable de se procurer les plus petits sachets. On y trouve suffisamment de graines pour un rang de 7,50 m ; or, un tel rang produit environ 9 kg de betteraves, 11 de carottes et 9 de laitue.

Conservées dans un endroit frais et sec, la plupart des graines gardent leur force germinative, mais il est préférable d'en acheter de fraîches chaque année. Certains catalogues présentent des graines sous une forme spéciale : en granules (c'est-à-dire enrobées d'une matière semblable à l'argile, qui les rend plus faciles à semer) ou fixées à un ruban soluble dans l'eau. Dans ce dernier cas, elles sont déjà convenablement espacées ; on étend le ruban au fond du sillon et on le recouvre de terre. Il n'y a pas à éclaircir les plantules par la suite, mais les graines qui ne germent pas laissent des vides dans les rangs. Est-il besoin de préciser que les graines vendues en granules ou en ruban coûtent beaucoup plus cher que les autres ?

Les jeunes plants peuvent être mis en terre, le cas échéant, à même le pot en tourbe. Les semis en ruban doivent être recouverts d'une légère couche de terre.

Prêts à aller en terre

Semis en ruban soluble à l'eau

Semis de graines

Semis sous abri

On peut démarrer des cultures jusqu'à 10 semaines plus tôt en faisant des semis sous abri. Certains légumes sont d'ailleurs rarement semés directement au jardin. Tels sont notamment les poivrons, les aubergines, les choux-fleurs et les tomates. On a vu à la page 225 les méthodes de base recommandées pour les semis de fleurs annuelles à l'intérieur. Elles conviennent pour les légumes, sauf pour les quelques particularités suivantes.

Substrats de culture On évitera d'employer de la terre de jardin, car elle renferme des mauvaises herbes et des champignons. Il vaut mieux utiliser un mélange terreux stérilisé ou un substrat composé de tourbe et de sable ou de vermiculite. La sphaigne déchiquetée finement convient aux petites graines. On se rappellera cependant que les mélanges dits « sols synthétiques » doivent recevoir un apport d'engrais liquide puisqu'ils ne renferment eux-mêmes aucune substance nutritive.

Pots et caissettes On sème les petites graines dans des caissettes, et les grosses dans des pots individuels de grès, de plastique ou de tourbe comprimée. Les pots de tourbe peuvent être enfouis directement dans le sol au moment du repiquage. Ils s'y décomposent lentement et les plants

subissent un traumatisme moins grand.

L'époque des semis sous abri varie selon le rythme de croissance du légume et le moment où il peut être repiqué au jardin. Le poivron, par exemple, demande 8 à 10 semaines de croissance sous abri et ne doit être repiqué au jardin que lorsque tout risque de gel est écarté. Par contre, le poireau peut être repiqué à l'extérieur au début du printemps et les plants doivent avoir 12 semaines. Semer les graines de choux cinq à sept semaines et celles des concombres trois à quatre semaines avant le moment du repiquage.

Pour germer, les graines ont besoin d'une terre chaude: installer caissettes et pots dans un endroit où ils auront de la chaleur. Les couvrir jusqu'à la levée pour leur procurer l'obscurité et l'humidité nécessaires. Noter l'évolution des semis. Si, après trois semaines, par exemple, les graines d'aubergines n'ont rien donné, il vaudra mieux acheter quelques plants. Dès que la levée a eu lieu, donner aux plantules le plus de lumière possible.

La fonte des semis L'atmosphère chaude et humide que requiert la germination favorise la croissance de champignons très néfastes. Les seuls traitements que l'on connaisse sont de nature préventive: acheter un substrat stérile, éviter d'arroser ou

Date des semis (semaines précédant le dernier gel)		Germination (en semaines)	Époque de repiquage
Aubergine	8-9	2-3	Mi-printemps, début été
Brocoli	5-7	1-2	Après le dernier gel, fin été
Chou	5-8	1-2	Après le dernier gel, fin été
Chou de Bruxelles	4-6	1-2	Après le dernier gel, fin été
Chou-fleur	5-8	1-2	Après le dernier gel, fin été
Concombre	2-3	1-2	2 semaines après le gel
Laitues	3-5	2-3	Autour du dernier gel
Oignon (globe)	6-8	2-3	Quand le sol s'est ressuyé
Poireau	10-12	2-3	Milieu du printemps
Poivron	8-10	1-2	Fin printemps, début été
Tomate	6-8	2-3	Milieu-fin printemps

de fertiliser de façon excessive et vérifier constamment le degré d'humidité du mélange terreux. S'il se forme de la condensation sur le plastique ou le verre qui recouvre les semis, l'essuyer. On peut aussi traiter les semences avec un fongicide, comme du bénomyl, avant de les mettre en terre. Si les plantules s'affaissent après que leur tige a noirci à ras de sol, arroser immédiatement avec un produit appelé NoDamp avant que le champignon incriminé ait le temps de s'attaquer à l'ensemble.

Éclaircissage et empotage Quand les plantules ont deux vraies feuilles, c'est le moment de les éclaircir. Ne garder que les plantules vigoureuses. Couper les tiges avec de petits ciseaux. Ne les arracher pour éviter d'abîmer les racines voisines. Plus tard, lorsque les plantules auront grossi et que la caissette sera de nouveau encombrée, repiquer les plants. À l'aide d'une spatule en bois ou d'une fourchette, séparer les plantules et les repiquer une à une dans des pots de 6,5 ou de 7,5 cm. Si elles

LA BONNE MÉTHODE POUR ENSEMENCER

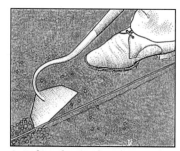

1. *Le long d'un cordeau, tracer un sillon avec un coin de la binette.*

2. *Semer les graines à distance égale les unes des autres.*

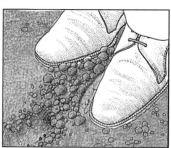

3. *Refermer le sillon sous la semelle, sans trop le piétiner.*

REPIQUAGE DES PLANTULES

Soulever la plantule délicatement en s'aidant d'une spatule de bois.

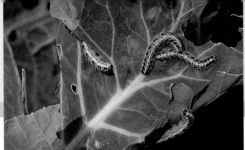

Limaces, pucerons, perce-oreilles et chenilles sont les insectes ravageurs qu'on retrouve le plus souvent au potager.

Chenilles

Pucerons

poussaient précédemment dans un sol synthétique, utiliser maintenant un mélange composé de ce dernier et de substrat terreux. Les plants s'habitueront ainsi peu à peu à la terre de jardin qui est plus lourde. Les arroser aussitôt avec une faible solution fertilisante pour amoindrir le traumatisme que cause la transplantation.

Endurcissement des plants Il faut habituer les plants à l'atmosphère extérieure, c'est-à-dire les endurcir. Ils pourront supporter les températures plus fraîches et surtout très variables de la culture à l'air libre ainsi qu'un sol plus sec. La méthode la plus sûre pour endurcir les plants est le châssis froid (voir p. 226).

Quand l'air se réchauffe, mais au moins une semaine avant le repiquage au jardin, installer les plants sous châssis froid. Au besoin, couvrir le châssis de papier journal pour empêcher les jeunes plants d'être inondés de soleil. Soulever le couvercle du châssis un peu plus chaque jour en s'assurant que la température à l'intérieur ne s'élève jamais au-dessus de 21 °C. Refermer le châssis le soir si la température doit descendre en dessous de 13 °C. Si l'on prévoit un coup de froid, étendre une couverture sur le châssis. Les plantules doivent avoir passer deux ou trois nuits à découvert avant d'être transplantées. Si les nuits sont trop froides pour cela, retarder la transplantation.

Semis au jardin

Le sol du potager ayant été bêché, débarrassé des cailloux, enrichi de matières organiques et fertilisé, il est prêt pour les semis. Si le plan du carré à légumes a été bien fait, les rangs iront du nord au sud et les plantes de haute taille seront placées sur les côtés nord et est du carré. La culture devra comprendre des légumes précoces (laitue, pois et épinard) et d'autres qui demandent beaucoup de chaleur (tomate, aubergine et poivron). On pratiquera la culture dérobée — la laitue hâtive précédant les carottes tardives, les radis suivis des betteraves — et on ne plantera pas des rangs entiers de légumes très productifs ou de croissance rapide, comme la laitue ou la bette à carde. On en étalera plutôt la culture.

Sillons et semis Tracer les rangs au cordeau : installer un piquet aux deux extrémités de chaque rang et les relier par une ficelle. Tracer des sillons d'à peine 1,5 cm de profondeur pour les petites graines et de 2,5 cm environ pour les grosses graines. Répartir les premières régulièrement en semant serré ; espacer les secondes de 2,5 cm. Pour connaître la distance exacte à garder entre les graines, se référer à la rubrique individuelle concernant chaque légume, aux pages 411 et suivantes.

Tout particulièrement si le sol a tendance à former une croûte, recouvrir les petites graines d'une mince couche de sol synthétique ou de terre mélangée à du sable ou à de la tourbe finement déchiquetée, surtout là où le sol a tendance à former une croûte. Appuyer légèrement sur les graines et arroser avec précaution. Identifier et dater les semis sur des étiquettes au moyen d'un crayon indélébile.

Pour germer, les semences ont besoin d'une humidité constante. Vérifier chaque jour et arroser au besoin. Par contre, ne pas donner trop d'eau non plus : l'humidité excessive peut faire pourrir les grosses graines. Surveiller la levée. Elle est plus lente lorsque le sol est froid et par temps frais. Le délai de germination de la laitue est d'une dizaine de jours au début du printemps, mais de quatre ou cinq jours seulement lorsque le sol s'est réchauffé.

Carottes et panais germent lentement. Cependant, si l'on constate après trois semaines qu'ils n'ont pas germé, il faut reprendre les semis. Plusieurs causes sont possibles. La germination a pu être compromise par la sécheresse ou la température du sol, le sillon était peut-être trop profond, le sol a peut-être formé une croûte ne permettant pas aux plantules de percer.

Éclaircissage Il s'agit d'une opération ingrate mais nécessaire. Le jardinier néophyte en particulier hésite souvent à détruire des plantules en parfaite santé. Mais les radis qui n'ont pas été éclaircis ne formeront jamais de bulbe ; les carottes, pour leur part, ne s'allongeront pas ; et les laitues resteront naines.

On éclaircit lorsque les plantules ont entre 2,5 et 5 cm de haut. Dans un rang de laitues très touffues, par exemple, enlever une plantule sur deux. Quand les pieds prennent de l'ampleur, éclaircir de nouveau ; on pourra peut-être alors consommer les légumes enlevés. Arracher les plantules avec soin, en les tirant ver-

ticalement pour ne pas abîmer les racines des plantules voisines.

On peut repiquer les plantules supprimées lorsqu'on a pris soin de ne pas endommager leurs tiges et leurs racines. Utiliser un petit transplantoir ou une spatule pour les déterrer et prélever une petite motte de terre avec les racines. Les manipuler délicatement. Les repiquer dans un sol souple, fin et humide et les recouvrir d'un petit dôme de papier journal ou de débris de gazon.

Repiquage des plants Quand les plants issus de semis sous abri ont été endurcis, attendre un jour sans soleil pour les repiquer au jardin. (Les plants achetés dans le commerce ont généralement été endurcis avant la vente.) Si la chaleur est accablante ou le sol très sec, les plantes se flétriront rapidement.

Lorsque le beau temps persiste, effectuer le repiquage en fin d'après-midi et protéger les plants des rayons du soleil avec un écran quelconque, sans pour autant les priver d'air.

Creuser des trous à intervalles réguliers en suivant les instructions données pour chaque sorte de légume. Remplir les trous d'eau et attendre que celle-ci se soit absorbée. De la sorte, les plants auront assez d'humidité au niveau des racines pour bien démarrer.

Si les plantules ont été repiquées dans des pots de tourbe comprimée, perforer les parois en deux ou trois endroits pour faciliter la percée des racines. Enfouir les pots complètement dans le sol où ils se désagrégeront sous l'action de l'humidité.

Les plantules cultivées dans des pots de plastique ou des caissettes doivent être manipulées avec le plus grand soin. Retirer ou détacher les plantules avec la terre qui entoure leurs racines. Les installer dans les trous qui leur sont destinés et s'assurer que la terre de jardin n'est pas trop molle autour de la motte. Ménager une petite dépression autour de chaque plant pour recueillir et conserver l'humidité. Bien arroser.

TRANSPLANTATION DES JEUNES PLANTS

1. *Comprimer la terre alentour pour que le plant soit bien ancré.*

2. *Pour vérifier son assise, tirer légèrement sur une feuille.*

Bien que le printemps et l'été soient les deux saisons les plus importantes pour un jardin potager, c'est en automne et en hiver que se fait tout le travail de préparation.

410 LÉGUMES

Potager à l'automne

Choux-raves cultivés sous châssis froid

Le potager en plein été

Entretien du potager

Les légumes plantés avec soin dans un sol amendé et enrichi pousseront correctement s'ils reçoivent beaucoup d'eau et de soleil et si l'on désherbe leur lit régulièrement. Les mauvaises herbes disputent aux légumes l'humidité et la nourriture dont ils ont besoin. Dans un sol riche et bien travaillé, elles ont toutes les chances de proliférer. Négliger de les supprimer quand elles sont encore jeunes, c'est risquer, au moment du désherbage, d'endommager les racines des plantes qu'on cultive.

Le désherbage doit devenir une opération de routine. Passer la binette entre les rangs une ou deux fois par semaine. Quand les mauvaises herbes sont jeunes, on peut les enlever tout simplement en raclant le sol. Mais lorsqu'il faut enfoncer la binette à plus de 1,5 cm dans le sol, on risque de couper les racines des légumes. Arracher à la main les mauvaises herbes de grande taille et celles qui poussent dans les rangs. Le désherbage se fait plus facilement lorsque la terre est humide.

Arrosage Il est nécessaire d'arroser durant les périodes de grande chaleur ou de sécheresse, chaque fois que le sol est poudreux et sec. Les arrosages sont d'autant plus importants que les jeunes plantes ont des racines superficielles. À mesure qu'elles croissent, leurs racines pénètrent plus profondément dans le sol et y trouvent encore de l'humidité au moment où la terre de surface paraît sèche. Arroser abondamment et en profondeur. Lorsque les arrosages sont parcimonieux, les racines demeurent superficielles; elles sont plus exposées à souffrir des rayons desséchants du soleil et à être endommagées au moment du binage.

Le tuyau d'arrosage est un instrument indispensable. Pour économiser l'eau, on peut se servir d'un arroseur rotatif ou à oscillation. Ajuster le dispositif de façon à obtenir de grosses gouttelettes qui ne s'évaporeront pas facilement. Un jet trop fin peut perdre jusqu'à 50 p. 100 de sa capacité par grandes chaleurs. Le tuyau d'arrosage perforé, pourvu que les perforations soient tournées vers le sol, représente aussi une bonne économie d'eau et permet d'atteindre la région des racines.

Quelle que soit la méthode utilisée, arroser en matinée ou au début de l'après-midi pour que le feuillage ait le temps de sécher avant la tombée de la nuit. C'est une précaution à prendre contre les maladies cryptogamiques. Arroser également de préférence par temps couvert; l'eau s'évaporera moins rapidement que s'il fait grand soleil.

Les plantes ont besoin de 2,5 à 4 cm d'eau par semaine. Pour vérifier si le potager reçoit bien cette quantité, laisser un plat gradué dans le jardin et en prendre la lecture de temps à autre. Arroser généreusement au moins une fois par semaine durant les grandes chaleurs de la mi-été.

Paillage On appelle paillis une couche de matière généralement organique — feuilles, foin ou débris de gazon — qu'on dépose sur le sol autour des plants. L'emploi de paillis diminue les travaux de désherbage et aide le sol à conserver son humidité. Les paillis empêchent également diverses maladies issues du sol de se répandre sur les feuilles et les fruits.

Le paillis organique se décompose lentement et pénètre peu à peu dans le sol. Il ajoute à celui-ci des matières nutritives, le rend moins compact et permet aux vers de terre de proliférer et d'améliorer l'aération du sol. Le paillis favorise en outre la croissance de plusieurs micro-organismes bénéfiques à la vie des plantes.

Parmi les matières qui constituent de bons paillis, il y a le foin en voie de décomposition, les débris de gazon desséchés, le terreau de feuilles ou les feuilles mortes déchiquetées, le fumier mélangé à de la paille et la tourbe mélangée à de la sciure ou des copeaux de bois (la tourbe employée seule devient si compacte que l'eau n'arrive plus à passer au travers). La sciure de bois, les copeaux de bois et les aiguilles de pin constituent aussi de bons paillis, mais il faut diminuer leur acidité par l'addition de calcaire et leur ajouter un engrais riche en azote. Les feuilles de plastique noir ne se décomposent pas. On s'en sert pour isoler une plante de tout contact avec le sol, ou pour y déposer les plantes comme les melons qui profitent de la chaleur qu'elles accumulent.

Lorsque les plantules ont 10 cm de haut, épandre une épaisse couche de matières à paillis entre les plants et entre les rangs. En rajouter à mesure que le paillis se décompose, au cours de l'été, et épandre un engrais riche en azote pour hâter la décomposition des matières organiques.

Quand le sol du jardin est constamment recouvert d'un paillis de matières organiques, il met plus de temps à se réchauffer et à se ressuyer au printemps. Il faudra donc mettre ce paillis de côté quand on ouvre des sillons et attendre que le sol se soit réchauffé et asséché pour le replacer.

Quelques conseils pratiques Pour avoir des légumes sains et éloigner les ravageurs, voici quelques règles très simples à observer.

• Choisir des semences de variétés résistantes aux maladies.

• Examiner soigneusement les plants qu'on achète et refuser ceux dont les feuilles sont tachées ou décolorées.

• Détruire les plants malades. Ne pas les jeter dans la réserve de compost.

• Pratiquer l'assolement en alternant les cultures, surtout celles du chou et de ses proches parents, pour éviter les maladies transmises par le sol.

• Désherber souvent et détruire les mauvaises herbes qui hébergent des ravageurs.

• Ne pas jardiner après la pluie. Mouillé, le feuillage s'abîme et s'altère plus facilement. À marcher sur un terrain détrempé, on le durcit.

• Après chaque récolte, détruire ce qui reste des plants. S'ils sont sains, on peut les ajouter au tas de compost.

En dépit de toutes les précautions, il surviendra toujours des avanies. On trouvera sous les rubriques de chaque légume (pages 411 à 449), ainsi qu'au chapitre intitulé «Ravageurs et maladies» (pages 474 à 515), une liste des anomalies à surveiller.

Culture en rotation Tous les légumes ont besoin de la gamme complète des éléments nutritifs, à commencer par les trois grands: azote, potassium et phosphore. Mais ils en ont besoin à des époques différentes de leur croissance. Si l'on cultive le même légume au même endroit année après année, ses éléments les plus vitaux viendront à manquer. D'autre part, ses ravageurs de prédilection prendront de plus en plus de force dans le sol.

La culture en rotation (voir le diagramme simplifié de la page 406) est fondée sur ce principe. Les légumes d'une même famille ont grosso modo les mêmes exigences; en remplacer un par un autre ne sera d'aucune utilité. Mais si l'on plante des crucifères là où poussaient des légumineuses l'année d'avant, ils pourront bénéfier de l'azote relâché dans le sol par les fèves et les racines de leurs prédécesseurs.

Une rotation plus raffinée consiste à suivre un plan quinquennal. La section 1 est constituée des crucifères — le chou et sa famille, ainsi que le rutabaga; la section 2 (qui remplacera la section 1 l'année d'après) est celle des tomates, poivrons, aubergines et pommes de terre, et des légumes-racines — carottes, betteraves, bette à carde, panais, persil, céleri, céleri-rave, patates sucrées. La section 3 renferme les cucurbitacées — melons, courges et concombres. La section 4 est celle des oignons de tout acabit, y compris l'ail.

Dans la section 5 se retrouvent les légumineuses — pois, fèves, haricots — et l'okra. Le maïs constitue un cas isolé à cause de l'ombre qu'il projette. Les radis et la laitue trouveront leur place n'importe où entre les autres.

Si le jardin potager est trop petit pour qu'on y cultive des artichauts, ils ne dépareront pas une plate-bande de fleurs, bien au contraire.

Artichaut 'Green Globe'

Artichaut et topinambour

Artichaut 'Green Globe'

Le véritable artichaut est une variété de chardon originaire du sud de la Méditerranée et dont on consomme la fleur ou panicule (la tête) composée d'un réceptacle charnu (le fond) sur lequel poussent des bractées (les feuilles) dont la base est également charnue. L'artichaut du Canada ou d'hiver — aussi appelé artichaut de Jérusalem — est un tubercule mieux connu sous le nom de topinambour.

Il faut à l'artichaut une centaine au moins de jours sans gelée. Dans le nord, de nouvelles variétés obtenues par semis tous les printemps sont cultivées en annuelles, mais en rustiques là où les hivers sont cléments.

Dix semaines avant la dernière gelée, laisser les graines deux semaines au réfrigérateur dans de la mousse humide avant de les semer. Empoter chaque plantule dans un petit pot, puis dans un pot de 12 cm. Dans les pépinières, on peut trouver des plants ou, là où il fait chaud, des segments de rhizome dormant.

Amender la plate-bande avec du fumier vieilli ou du compost. Mettre les plants en terre au même niveau ; enfoncer les tronçons de rhizome de 10 cm. Multiplier par drageons prélevés au printemps, replantés séparément et espacés de 1,20 à 1,80 m.

Le topinambour, sorte de pomme de terre à saveur d'artichaut, atteint 2,40 à 3 m de haut et se pare de petites fleurs jaunes en automne. Il préfère un sol bien égoutté et riche mais se contentera d'une terre médiocre.

Enfoncer le tubercule de 10 cm ; un espace de 60 cm suffit entre les plants car le topinambour ne s'étale pas. Un tubercule planté au printemps produira une touffe qu'on peut retirer du sol à l'automne pour la conserver pendant l'hiver à l'abri du gel.

Culture de l'artichaut

Les instructions données ici valent pour l'artichaut puisque le topinambour ne demande aucun soin. Là où les hivers lui conviennent, planter l'artichaut en situation permanente. S'il est cultivé en annuelle, respecter l'alternance des cultures. Quant au topinambour, le placer là où son ombre ne nuira pas. À mesure que le climat se réchauffe, pailler pour garder le sol frais et arroser en période de sécheresse.

Quand les têtes ont la taille d'une orange, les couper en leur laissant 2 cm de tige. Rabattre les tiges aux premières pousses latérales : elles produiront des têtes de regain. En fin d'automne, quand le froid interrompt la croissance, rabattre les tiges principales jusqu'au sol.

Si les hivers sont cléments, mettre un paillis autour du collet. Le retirer tôt au printemps pour éviter la pourriture. Mais là où les hivers sont longs et froids, traiter la plante comme une annuelle et la planter à nouveau le printemps suivant.

L'artichaut peut être gravement endommagé par les pucerons. Limaces et escargots mangent les feuilles tandis que les perce-oreilles se réfugient sous les bractées durant le jour. Au premier signe d'infestation, vaporiser du savon insecticide.

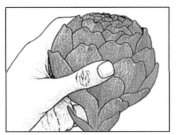

1. Cueillir la tête quand elle a la taille d'une orange.

2. La sectionner en lui laissant 2 cm de tige.

3. Après les gelées, rabattre la tige principale jusqu'au sol.

4. Mettre un paillis autour du collet ou butter la terre en monticule.

Variétés recommandées

Artichaut 'Imperial Star' est la meilleure variété en annuelle. Les têtes de 10 cm sont rondes et sans épines et poussent librement. 'Green Globe Improved' vient bien dans l'Ouest et même ailleurs, mais ne produit pas beaucoup la première année. Les têtes de 'Violetto', teintées de mauve, sont plus allongées et plus ovales que celles de 'Green Globe'.
Topinambour Les tubercules de 'Stampede' sont moins noueux. La plante est plus courte et elle fleurit plus tôt avec un parfum de chocolat.

1. Avec un couteau coupant, détacher délicatement un drageon.

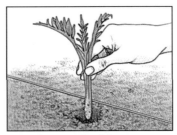

2. Le planter seul et lui mettre un protecteur pendant quelques jours.

Les asperges vertes ne doivent pas pousser plus haut que 25 cm, après quoi la tige devient ligneuse. Les variétés recommandées sont 'Mary Washington' pour les vertes, 'Eros' pour les blanches.

Prêtes pour la récolte

Plants à maturité

Asperge

L'asperge est l'une des rares plantes potagères qui soient vivaces, les deux autres étant la rhubarbe et le fraisier. On calcule en effet qu'un carré d'asperges bien cultivé peut produire pendant une vingtaine d'années et même davantage. Les travaux de préparation du sol sont beaucoup plus élaborés, cependant, que pour les légumes annuels et il faut attendre la troisième année qui suit la plantation avant de profiter d'une récolte.

Asperge 'Mary Washington'

Méthode de culture

L'asperge s'obtient plus facilement à partir des griffes (c'est-à-dire les rhizomes et leurs racines), alors que les semis prolongent d'un an le délai de la récolte. Compter 12 plants pour 7,50 m de rang. Laisser un espace de 1,20 à 1,50 m entre les rangs.

Tout sol fertile et bien drainé convient aux asperges. La terre doit être légèrement acide, mais ne doit jamais avoir un pH inférieur à 6. Dès que le sol se laisse travailler au printemps, creuser une tranchée de 45 cm de large et de 25 cm de profondeur. À la terre retirée de la tranchée, ajouter de l'engrais 5-10-5 et une grande quantité de matières organiques. Bien mélanger. Remplir la tranchée jusqu'à 15 cm sous le niveau du sol. Fouler, puis disposer les griffes dans la tranchée en les espaçant de 60 cm. Couvrir de 5 à 8 cm de terre. À mesure que les pousses se développent, ajouter de la terre dans la tranchée.

Faire un nouvel apport d'engrais 5-10-5 deux ou trois mois après la plantation. Chaque année, fertiliser de nouveau au printemps et en automne. Tôt au printemps, répandre du gros sel sur le sol à raison de 500 g par 5 m². Le chlore qu'il renferme aide l'asperge à combattre les maladies. Supprimer les mauvaises herbes par un binage superficiel. Étendre un paillis autour des plants. Quand le gel fait mourir le feuillage à l'automne, rabattre les plants au ras du sol et pailler de nouveau.

Durant les deux premières années, la plante se dote d'un système radiculaire important. Le deuxième printemps, cueillir quelques turions lorsqu'ils ont 18 cm de long, mais ne pas prolonger la récolte au-delà d'un mois. À partir de la troisième année, cueillir tous les turions, sauf ceux qui sont très fins. La récolte commence lorsque les pousses ont entre 13 et 20 cm et que les boutons sont encore fermes. Dès que ceux-ci commencent à s'ouvrir, les turions sont déjà moins bons. Terminer la cueillette

Ravageurs et maladies

Bien cultivée, l'asperge éprouve rarement des problèmes. La rouille avait coutume de la menacer, mais les nouvelles variétés en sont pratiquement exemptes. La pourriture du collet est un danger grave, mais on peut l'éviter en répandant du sel autour des plants chaque printemps.

Si les coléoptères s'attaquent au feuillage ou aux graines, vaporiser du savon insecticide ou de la roténone. Comme certains de ces insectes s'attaquent aux graines, on peut en prévenir l'invasion en se procurant uniquement des plants mâles.

Variétés recommandées

Issue de l'ancienne variété 'Martha Washington', 'Mary Washington', qui n'est pas sujette à la rouille, est maintenant la plus répandue. La 'Viking', qui en dérive, a été mise au point par la station expérimentale de Vineland, en Ontario.

La recherche a donné des variétés uniquement mâles, exemptes de rouille et qui produisent en abondance des légumes charnus. Parce que les variétés mâles ne portent pas de fruits, elles évitent les attaques d'au moins un type de coléoptère.

d'une récolte. Mais lorsqu'on peut consacrer à cette culture le temps et l'espace qu'elle réclame, on obtient de façon économique des légumes exquis dont, de surcroît, la congélation n'altère pas la saveur.

quand les turions deviennent trop fins. (La récolte dure en général entre six et huit semaines.) Laisser les pousses sur le pied : il en sortira de grandes tiges semblables à celles des fougères, qui aideront le système radiculaire à se nourrir.

La cueillette se fait en cassant l'asperge à 2 cm sous le niveau du sol.

Il est préférable de planter les asperges dans une plate-bande séparée, une extrémité du potager, par exemple. Ceci permettra de cultiver et de récolter les légumes annuels sans nuire à ces plants.

Si la croissance s'arrête et que l'extrémité des rameaux devienne bleuvert, on a affaire à des pucerons. Se débarrasser du feuillage mort à l'automne pour détruire les œufs. Si l'invasion est grave, la récolte de l'année suivante sera minime ; autant la sacrifier et vaporiser le plant avec du savon insecticide ou du pyrèthre.

Par grande humidité, il peut apparaître de petites incrustations violacées sur la pointe, la tige ou la branche. Au printemps, cela risque d'affecter les légumes ; plus tard, les feuilles. Le problème réapparaîtra au printemps si l'on ne prend pas soin de détruire le feuillage à l'automne.

Parmi ces nouvelles variétés, se rangent 'Jersey Giant' et 'Jersey Knight', qui sont de loin les plus populaires, mais également 'Jersey Centennial', 'Jersey General', 'Jersey King' et 'Supermale'. Dans les régions où les hivers sont doux et les étés secs, la variété 'UC-157' est celle qui convient le mieux.

Les variétés exclusivement mâles sont obtenues à partir de graines. Il peut donc s'y glisser ici et là un plant femelle, dont il importe de se débarrasser dès les premières années, avant de transplanter les asperges dans leur site définitif.

Selon leur variété, les haricots de Lima et les haricots beurre peuvent se récolter depuis la fin mai jusqu'en août.

Haricot ou fève de Lima

Haricot ou fève de Lima

Haricot de Lima à rames
'King of the Garden'

en les espaçant de 5 à 8 cm. Prévoir un espace de 60 cm entre les rangs. Il n'est pas nécessaire que les plants adultes soient espacés de plus de 10 cm; aussi, à moins que toutes les graines ne lèvent, on n'aura pas besoin d'éclaircir.

On peut voir, à la page 416, trois différentes façons de tuteurer les haricots à rames, qu'il s'agisse des haricots de Lima ou des haricots mange-tout. Installer les supports avant de semer. Ceux qui sont destinés aux haricots de Lima doivent être plus robustes que ceux des haricots mange-tout (parce que la plante est plus lourde) et plus hauts (parce que le haricot de Lima atteint 2,45 m de haut, tandis que le haricot mange-tout ne dépasse pas 1,80 m).

Ravageurs et maladies

Il arrive que les plants de haricots de Lima qui fleurissent par temps extrêmement chaud ne donnent pas de gousses.

Dans certaines régions, les grains sont dévorés par les perceurs du haricot. Les haricots plantés tôt sont cependant moins souvent attaqués.

Variétés recommandées

Dans les variétés de haricots de Lima nains, on recommande 'Fordhook 242' qui tolère la grande chaleur au moment de la formation des gous-

Lorsque les haricots de Lima à rames sont cultivés près d'une clôture, laisser 8 à 13 cm entre les graines et éclaircir les plantules de 15 à 25 cm.

Si la culture s'effectue sur rames, espacer celles-ci de 60 cm en laissant 90 cm entre les rangs. Semer environ six graines autour de chaque rame, puis éclaircir à trois ou quatre plants.

Les légumes sont mûrs quand la cosse est ronde et ferme et que la forme des grains apparaît. Récolter toutes les fèves mûres.

Vers la fin de la saison, on peut laisser sécher les haricots qui restent avant de les cueillir. On les fera stériliser à four très doux pendant une heure. Ils se garderont plusieurs mois dans un bocal étanche.

Dans le cas des autres, nettoyer les feuilles pour détruire les nids.

Les haricots de Lima sont sensibles au mildiou et aux autres maladies: biner superficiellement et par temps sec. Arroser au ras du sol et toujours le matin pour que le feuillage ait le temps de sécher avant la nuit. Pailler; fertiliser parcimonieusement.

ses. Parmi les variétés de haricots à rames, on donnera la préférence à une plante qui a fait ses preuves depuis longtemps, 'King of the Garden'. Les autres variétés citées ci-dessous sont moins répandues.

Comme tous les haricots, les haricots de Lima ordinaires et les variétés à petits grains appelées haricots beurre appartiennent à la vaste famille des légumineuses. Ces légumes nourrissants et savoureux se cultivent assez facilement. Cependant, ils croissent mieux dans les régions où les étés sont longs et chauds.

Là où le climat est plus frais, on peut remplacer la culture du haricot de Lima par celle de la gourgane, ou fève des marais, qui demande une

longue saison fraîche et donne un très bon rendement en échange de peu de soins.

Les haricots de Lima nains comprennent des haricots nains et des haricots à rames. Ces derniers produisent davantage en moins d'espace que les premiers, mais ils mûrissent plus lentement. Les haricots de Lima à rames mûrissent en trois mois environ — soit deux semaines après que commence la récolte des haricots nains.

Méthode de culture

Lors de la préparation du sol, épandre un engrais de formule 5-10-10. Semer à l'époque où l'on effectue

le repiquage au jardin des légumes qui réclament beaucoup de chaleur: tomates, piments et concombres.

Enfouir les semences de haricots de Lima nains à 3 cm de profondeur

Nom	Jours de maturation	Commentaires
Haricot nain		
'Fordhook 242'	70	Variété la plus répandue. Tolère la chaleur.
'Henderson'	65	Plus petite que la première, très savoureuse.
'Eastland'	70	Plant miniature, résiste au mildiou et au froid.
Haricot à rames		
'King of the Garden'	85	Variété la plus répandue.
'Prizetaker'	90	Grosses fèves, très savoureuses.
'Sieva'	78	Nombreuses petites gousses de 3 ou 4 fèves.

Les haricots à rames ont besoin de supports solides. La variété sans fil 'Blue Hilda' a des gousses pourpres.

Haricot 'Derby' ➡

Les plants volubiles de haricots mange-tout doivent être tuteurés

'Blue Hilda'

Haricot

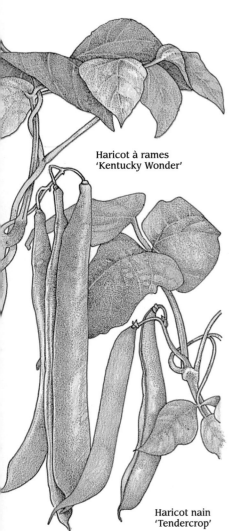

Haricot à rames 'Kentucky Wonder'

Haricot nain 'Tendercrop'

Les haricots mange-tout se cultivent facilement et donnent de bonnes récoltes. Les haricots verts ou jaunes sont des variétés de haricots mange-tout. On peut les cultiver dans n'importe quelle bonne terre de jardin, soit sous la forme d'arbustes nains, soit sous celle de plantes volubiles palissées sur des rames.

Les haricots nains sont généralement plus tendres que les haricots à rames, mais ces derniers sont particulièrement savoureux. Si l'on dispose de l'espace nécessaire, il est tout à fait possible de cultiver les deux formes conjointement.

Méthode de culture

Les haricots ont la faculté d'absorber l'azote de l'atmosphère et de le communiquer au sol. Comme une bactérie du sol participe à ce phénomène, on recommande de poudrer les semences de haricots, avant de les mettre en terre, d'un inoculant renfermant cette bactérie.

Lors de la préparation du sol, épandre un engrais de formule 5-10-5 à raison de 150 à 200 g au mètre carré. Éviter les engrais fortement azotés qui favoriseraient la croissance des feuilles et non des gousses.

Les semences de haricots sont extrêmement vulnérables à certaines maladies cryptogamiques qui les font pourrir. C'est pourquoi, dans la majorité des cas, les graines commercialisées ont déjà été traitées avec un fongicide à base de captane. Ce produit étant toxique, les graines traitées doivent être mises hors de la portée des jeunes enfants. Les graines de quelques variétés sont vendues sans avoir été traitées.

Plantation des haricots nains Attendre que le sol se soit bien réchauffé et qu'il se soit complètement ressuyé. D'après les catalogues des graineters, il faut attendre pour semer que le sol ait atteint une température d'au moins 16 °C, c'est-à-dire une semaine ou deux avant la date approximative du dernier gel. Pour plus de sûreté, il vaut mieux attendre cette date pour mettre les graines en terre.

Espacer les rangs d'environ 60 cm et creuser des sillons de 2,5 cm de profondeur. Déposer une graine tous les 5 à 8 cm. Comme il suffit de laisser 10 cm entre les plants de haricots nains, il ne sera nécessaire d'éclaircir que si toutes les graines lèvent. Pour les semis d'été, creuser des sillons de 5 cm de profondeur afin que les graines se trouvent dans un milieu plus humide. Dans les deux cas, ne pas recouvrir les graines de plus de 2,5 cm de terre pour leur permettre de lever plus facilement.

La récolte des haricots nains étant courte, prévoir des semis successifs toutes les trois semaines jusqu'à environ huit semaines avant la date habituelle du premier gel d'automne. Si possible, ne pas semer de haricots là où l'on vient d'en cultiver.

Culture des haricots nains Lorsque les haricots nains ont environ 15 cm de haut, épandre de l'engrais 5-10-5 de chaque côté des rangs en s'assurant qu'il ne touche ni aux feuilles ni aux tiges. Garder le sol humide, mais ne jamais arroser par le haut. Éviter de toucher aux plants lorsque le feuillage est humide de crainte de transmettre à la plantation des maladies dont sont atteints certains sujets. Entourer les pieds d'un paillis.

Récolte des haricots nains Cueillir les haricots avant leur complète maturité, c'est-à-dire au moment où ils peuvent encore se casser quand on les plie et avant que la forme des grains se dessine sur la cosse. Pour que les plants continuent à produire pendant deux ou trois semaines, éliminer toutes les grosses gousses dures. On affaiblit les plants en y laissant des gousses mûres.

Cueillir les haricots avec soin. Tenir la tige d'une main et détacher les haricots de l'autre, pour ne pas endommager la tige.

Les haricots nains atteignent environ 45 cm de hauteur, mûrissent en 60 jours (ou moins si on les plante à la mi-été) et produisent pendant deux ou trois semaines. Le délai de maturation étant court, on peut cultiver les mange-tout nains en succession de façon à en récolter tout l'été. Les haricots à rames, qui atteignent 1,80 m ou davantage, mettent deux semaines de plus à mûrir, mais la récolte est plus abondante et dure six à huit semaines. Le mange-tout à rames est plus productif que le nain.

Plantation des haricots à rames Les haricots à rames produisent durant une grande partie de l'été si on leur fournit les matières nutritives nécessaires. Avant les semis, incorporer au sol 30 g d'engrais 5-10-5 par mètre de rang. Mettre les graines en terre un peu plus tardivement que celles des haricots nains, c'est-à-dire au moment des derniers gels.

Les haricots à rames ont besoin de tuteurs solides pour supporter le poids de la plante et les coups de vent (voir les illustrations, p. 416). Utiliser des piquets en bois de charpente ou des rames ayant gardé leur écorce pour que les haricots puissent s'y accrocher. Les ficher en terre à 60 cm de profondeur en laissant 90 cm entre eux et espacer les rangs de 90 cm à 1,20 m. Si la culture s'effectue dans un angle du jardin, placer les piquets en triangle et les attacher ensemble à leur sommet de façon à former une sorte de tente indienne.

On peut substituer aux piquets un treillis de fil métallique ou une clôture solide. Placer treillis ou clôture du côté nord du jardin pour ne pas jeter d'ombre. Bien ancrer le treillis dans le sol pour qu'il puisse supporter le poids des plants adultes et résister aux coups de vent.

La construction du support terminée, mettre les graines en terre à 3 cm de profondeur. Si c'est une clôture ou un treillis qui sert de support, espacer les graines de 5 cm et éclaircir par la suite en laissant entre les plantules un espace de 10 à 15 cm. Si l'on a eu recours à des piquets comme tuteurs, semer six graines autour de chacun d'eux et garder les quatre plantules les plus vigoureuses.

Bien que les haricots nains puissent se passer de tuteurs, ils ont avantage à être soutenus par un support quelconque, en particulier pour résister aux fortes pluies. La récolte en est aussi d'autant facilitée.

Un support facilite la récolte *Les haricots sont prêts en 60 jours*

Culture des haricots à rames Au moment où les haricots commencent à grimper, les aider à se fixer en enroulant leurs tiges volubiles autour des rames ou des lattes du treillis, selon leur courbe naturelle. À la misaison, épandre de l'engrais sur une bande parallèle aux rangs, à 15 cm des plants, ou en cercle autour des rames. Ne pas verser d'engrais sur les feuilles et les tiges. Arroser abondamment et au ras du sol pour ne pas mouiller les plants. Étaler autour des plants un épais paillis.

Récolte des haricots à rames Si les plants ont eu suffisamment d'humidité et de nourriture et que le temps se soit maintenu au chaud, la récolte devrait commencer deux mois et demi environ après la plantation. On ne cueille pas les haricots à rames aussi petits que les haricots nains. Ils sont meilleurs quand ils sont de bonne taille et bien charnus.

Pour que la récolte se poursuive, cueillir les gousses dès qu'elles sont mûres. Plus on en cueille, plus il en repousse. Effectuer la cueillette très soigneusement.

La récolte se prolonge normalement jusqu'aux premiers froids. Si, à cette époque, les plants sont encore très chargés de gousses, attendre que celles-ci sèchent et jaunissent avant de les cueillir. Écosser alors les haricots et mettre les grains à sécher au four pendant une heure à feu très doux. La chaleur détruira les charançons qui pourraient les avoir infestés. Les grains secs se conservent pendant plusieurs mois dans des bocaux fermés hermétiquement.

Ravageurs et maladies

Le scarabée japonais peut détruire les haricots mange-tout. Si l'invasion est mineure, secouer les feuilles et faire tomber les insectes dans un seau d'eau recouvert d'une mince pellicule de kérosène ou d'essence. Effectuer ce traitement tous les jours si nécessaire. Si les scarabées pullulent, vaporiser les plants avec un insecticide à base de carbaryl, en suivant à la lettre le mode d'emploi.

Le puceron s'attaque aux haricots, comme à tous les légumes. On s'en débarrasse en arrosant les plants avec un fort jet d'eau ou en vaporisant un savon insecticide.

Les haricots sont vulnérables au mildiou et à la brûlure, particulièrement par temps chaud et humide. Éviter de froisser les feuilles mouillées et arroser pendant qu'il fait soleil pour que les plants sèchent avant la tombée de la nuit. Si l'on constate la présence de moisissures blanches sur les feuilles, poudrer celles-ci avec un produit fongicide.

Haricots décoratifs

Cultivés sous forme de plantes volubiles palissées sur des rames, les haricots ont souvent une fonction surtout esthétique. La variété la plus répandue a des fleurs écarlates qui surgissent librement sur le plant durant une bonne partie de l'été dans les régions tempérées. Quand l'été est très chaud, la floraison peut s'interrompre puis reprendre.

Il faut récolter fréquemment les haricots, même s'ils sont trop durs pour être mangés, sous peine d'affaiblir le plant. Ce type de haricot est particulièrement tendre à condition d'être cueilli quand il est encore jeune. Les plus vieux peuvent servir dans les soupes et les ragoûts.

'Scarlet Runner' est la principale variété à fleurs écarlates, suivie de 'Emperor', 'Prize Winner' et 'Red Knight'. 'Painted Lady' a des fleurs

Séchage et conservation

Autrefois limité aux fèves aux lards, l'usage des haricots s'est beaucoup répandu. On en fait maintenant des soupes, des ragoûts et des salades, si bien qu'il est devenu avantageux d'en faire pousser chez soi pour les sécher en vue de l'hiver. Des variétés ont donc été remises sur le marché, qui datent de l'époque des pionniers ou même d'avant.

'Jacob's Castle' ou 'Jacob's Coat' est une variété qui remonte aux Indiens Passamaquoddy du Maine. Les haricots de couleur ivoire sont piqués de taches brun rougeâtre.

Le flageolet 'Flambeau' se mange cru, mais il garde sa fine saveur et sa couleur vert pâle même quand il a été séché. 'Black Coco' est bon en soupes et dans les mets mexicains.

Un des haricots les plus spectaculaires est 'Tongue of Fire', originaire de la Terre de Feu, comme son nom l'indique. Ses cosses sont lacérées de magenta tandis que le haricot lui-même est blanc rayé de rouge.

rouge et blanc, 'Aztec White' des fleurs toutes blanches.

Les fèves et les gourganes, ou fèves des marais, sont mieux adaptées aux climats plus froids. Il faut les semer dès que le sol a dégelé ou, si le sol ne gèle pas, le jour le plus court de l'année. Récoltées quand elles mesurent entre 7 et 10 cm, les gousses peuvent être cuites entières, ce qui confère une saveur inimitable aux fèves. Fèves et gourganes sont toutes deux extrêmement susceptibles aux attaques du puceron du dolique noir. 'Windsor Long Pod' est la variété la plus répandue.

Avec son feuillage, ses fleurs et ses cosses dans les tons de pourpre, le dolique hyacinthe préfère les climats chauds et requiert un bon tuteurage. Ses jeunes fèves se mangent en Asie, mais elles deviennent toxiques une fois séchées, si elles n'ont subi aucune cuisson.

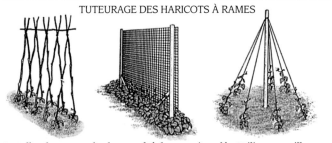

TUTEURAGE DES HARICOTS À RAMES

Installer des rames de chaque côté de rangs jumelés. Utiliser un grillage ou former une tente indienne avec un bâton, des piquets et de la ficelle.

Variétés recommandées

Haricots nains Il existe d'excellents haricots mange-tout nains.

Des variétés à cosses vertes, les meilleures sont 'Tendercrop' et 'Bush Blue Lake'.

'Royalty Purple Pod' est une variété à gousses pourpres, lesquelles verdissent à la cuisson.

'Goldcrop' et 'Pencil Pod' sont des haricots beurre. 'Wax Romano' a des gousses plates.

Haricots à rames Parmi les haricots verts à rames, mentionnons 'Kentucky Wonder' et 'Blue Lake' qui sont de loin les plus populaires.

La variété 'Romano', ou haricot romain, produit une gousse plate qui parvient à maturation plus rapidement que toutes les autres variétés.

'Burpee Golden' et 'Royalty' donnent l'un des haricots beurre, l'autre des gousses pourpres qui deviennent vertes à la cuisson.

Enfin, 'Oregon Giant' est renommée pour ses haricots à écosser si on veut les faire sécher.

D'autres variétés figurent sous les autres rubriques de cette page.

Si elles ont été semées assez tôt, les betteraves sont récoltées dès juin. La seconde récolte devrait avoir lieu en août. On ramasse les dernières betteraves en octobre pour les conserver durant l'hiver.

Betterave 'Rote Kugel'

Betterave

Betterave 'Early Wonder'

La betterave est un légume facile à cultiver et dont toutes les parties sont comestibles. Bien que tolérant la chaleur, elle préfère les climats frais et supporte même un froid intense qu'on ne doit pas confondre toutefois avec le gel. Sa maturation est rapide : elle se fait en 55 à 70 jours. La plante exige peu d'espace et peu de soins, mais elle ne peut prospérer dans une terre très acide.

Méthode de culture

Avant les semis, bêcher le sol à une profondeur d'environ 20 cm, puis le ratisser pour enlever les cailloux. Si la terre est acide, incorporer du calcaire une semaine au moins avant les semis. La betterave vient mieux dans un sol à pH de 6 à 7,5. (Voir le chaulage des sols, p. 467.) La cendre de bois renferme du calcaire et de la potasse ; elle peut donc servir à alcaliniser les sols. Juste avant les semis, épandre un engrais de formule 5-10-5 à raison de 30 g par mètre de rang.

Les betteraves germent et poussent plus rapidement par temps frais. On fera donc les semis dès que la terre se laisse travailler. Dans les régions où les étés sont frais, semer plusieurs fois, à trois semaines d'in-

tervalle, de façon à récolter durant tout l'été. Dans celles où les étés sont longs et chauds, semer pour que les récoltes ne coïncident pas avec les grandes chaleurs.

Espacer les rangs de betteraves d'au moins 35 cm et creuser des sillons de 1,5 cm de profondeur. Les semences se présentent sous la forme de glomérules réunissant trois ou quatre graines. Les semer ainsi, sans les séparer, en les espaçant de 2,5 cm. À la levée, les plantules sortent en touffes qui doivent être éclaircies quand elles ont environ 5 cm de haut. À ce stade, ne garder qu'une touffe tous les 2,5 cm. Lorsque les plantules ont 10 cm, n'en conserver que quatre à six sur 30 cm de rang.

Lors des semis de mi-été, creuser des sillons de 3 cm de profondeur : le

sol y sera plus humide. Couvrir les semences de terreau de feuilles, de vermiculite ou d'une matière qui ne durcit pas et laisse passer l'eau.

Pour obtenir des betteraves tendres et juteuses, deux facteurs sont essentiels : une croissance rapide et une récolte opportune. Il faut donc éviter le manque d'eau, les carences alimentaires ou la prolifération des mauvaises herbes qui ralentissent la croissance et produisent des racines dures et ligneuses.

Si le sol a été fertilisé avant les semis, il suffit d'un seul autre apport d'engrais avant la récolte. Lorsque les plantules ont environ 8 cm de haut, épandre de l'engrais 5-10-5 de chaque côté du rang, à raison de 50 g par mètre de rang. Étendre ensuite autour des plants un léger paillis de paille, de sciure de bois ou de débris de gazon. Si les mauvaises herbes persistent malgré le paillis, les arracher à la main dans les rangs et, entre les rangs, biner superficiellement. Arroser régulièrement.

Ravageurs et maladies

Lorsque les semis ont été faits très tôt au printemps et que la température s'est maintenue en dessous de 4 °C pendant plusieurs semaines, les betteraves peuvent monter en graine. On cueille alors les feuilles pour les consommer en salade et on recommence les semis.

Si le feuillage des betteraves jaunit et s'étiole alors que le sol a été convenablement chaulé, il peut s'agir d'une déficience en phosphore. Y remédier en ajoutant à la terre un engrais approprié, de la poudre d'os ou du superphosphate.

Les betteraves attirent peu de ravageurs dans les régions où les hivers sont rigoureux. Dans les régions à climat doux, elles peuvent être attaquées par une petite mineuse jaune que le malathion détruit.

Les betteraves cultivées dans les mêmes plates-bandes deux années

de suite sont parfois victimes de la tache foliaire. Traiter avec un fongicide.

Une carence de bore se manifeste d'ordinaire par le noircissement de certaines parties des racines. Faire dissoudre un quart de cuillerée à thé de borax pour usage domestique dans 55 litres d'eau. Arroser le sol avec cette solution.

Variétés recommandées

Parmi les variétés à racines rouges, les plus recommandées sont 'Early Wonder', qui mûrit en 55 jours environ, et 'Red Ace', prisée pour ses feuilles et sa bonne conservation. La variété 'Formanova' présente de longues racines cylindriques qui se tranchent en belles rondelles uniformes. Parmi les variétés à racines jaunes et blanches, on recommande respectivement 'Burpee's Golden' et 'Albina Venduna'.

Ne cueillir que quelques jeunes feuilles à la fois sur chaque plant pour ne pas entraver la croissance.

Les betteraves atteignent leur maturité en 55 à 70 jours selon la variété. Lorsque le collet des racines apparaît au-dessus du sol, enlever délicatement un peu de terre autour de l'une d'elles pour vérifier sa taille. Elles sont prêtes à être cueillies quand elles ont entre 4 et 5 cm de diamètre. Plus grosses, elles sont fibreuses.

Voici comment cueillir les betteraves. Tirer la racine hors du sol ; ne pas la déterrer. Couper le feuillage en laissant 2,5 cm de tige pour que les légumes ne se décolorent pas lors de la cuisson.

L'entreposage des betteraves dans une cave obscure et fraîche donne de bons résultats. Pour qu'elles restent croquantes, les enfouir dans du sable ou de la tourbe humides. On peut également les enfermer dans des sacs de plastique perforés de petits trous.

L'inflorescence du brocoli devrait être récoltée dès qu'elle est bien formée et avant que les fleurons s'ouvrent.

Brocoli 'Premium Crop' ➡

Brocoli 'Arcadia'

Brocoli 'Violet Queen'

Brocoli

Brocoli 'Green Comet'

Le brocoli fait partie du genre *Brassica*, vaste groupe de plantes variées qui inclut également le chou de Bruxelles, le chou et le chou-fleur. Toutes ces plantes croissent mieux par temps frais. Extrêmement rustique, le brocoli exige une longue saison fraîche pour prospérer. C'est l'un des premiers légumes à planter au printemps. On le récolte alors à la fin du printemps ou au début de l'été. Une seconde plantation effectuée à la fin de l'été permet d'avoir une autre récolte en automne.

Méthode de culture

La date de plantation des brocolis doit être calculée pour que la récolte se fasse quand la température est encore fraîche. Dans les régions où la saison de culture est de courte durée, il est préférable de faire les semis à l'intérieur. La plupart des catalogues mentionnent le nombre de jours qui doivent s'écouler entre le repiquage des plantules au jardin et la récolte. À ce délai, qui est ordinairement de 60 à 80 jours, il faut ajouter les quatre à six semaines qu'exigent les semis sous abri. (Dans les régions où le climat est doux, semer en pleine terre dès que le sol se laisse travailler.)

Semer à l'intérieur dans des caissettes quatre semaines avant la date où l'on projette de repiquer les plantules, autrement dit deux semaines avant la date prévue pour le dernier gel. Enfouir les graines à 1,5 cm de profondeur, étaler par-dessus une mince couche de mousse de sphaigne stérile ou de vermiculite et bien arroser. Garder les caissettes dans un endroit frais et obscur jusqu'à la levée, ou les recouvrir de papier journal. Éclaircir pour que les plantules soient espacées de 1,5 à 2,5 cm. Couper avec des ciseaux celles qui sont de trop. Lorsque celles qui ont été conservées ont environ 4 cm de haut, les repiquer dans des pots individuels ou dans des caissettes où elles auront plus d'espace pour se développer. Les placer dans un endroit ensoleillé mais frais : la chaleur ne favorise pas leur développement.

Deux semaines au moins avant le moment prévu pour le repiquage (plus tôt encore si le temps n'est pas trop froid), installer les plantules sous châssis froid ou dans un coin ensoleillé et protégé du jardin pour les endurcir, c'est-à-dire les habituer à la vie au grand air.

Toutes les plantes du genre *Brassica* sont vulnérables à un certain nombre de maladies transmises par le sol. On ne cultivera donc pas du brocoli là où l'année précédente se trouvaient d'autres espèces de ce genre.

Deux semaines avant la transplantation, incorporer au râteau dans la terre 60 g d'engrais 5-10-10 par mètre de rang. Chauler le sol au même moment s'il est très acide, et si cela n'a pas été fait l'automne précédent. Deux semaines environ avant le dernier gel, repiquer en pleine terre les plantules endurcies. Laisser 45 à 60 cm entre les plantules et 90 cm entre les rangs. Entourer les plants d'une collerette en papier pour les protéger des attaques des vers gris. Enfoncer les collerettes à 3 cm dans le sol. Arroser abondamment et recouvrir le sol d'un paillis.

Pour obtenir une récolte en automne, semer sous châssis froid ou au jardin à la fin de mai ou en juin. Enfouir les graines à 1,5 cm de profondeur et les recouvrir d'une mince couche de terre additionnée de sable ou de tourbe pour l'empêcher de former une croûte. Éclaircir à 2,5 cm. Quand les plantules ont 13 cm de haut les repiquer dans un carré où l'on a déjà récolté des légumes-racines, par exemple des carottes. Fertiliser la terre avant le repiquage.

Pour obtenir une bonne récolte, il faut donner au brocoli beaucoup d'eau et une terre riche. Étendre un épais paillis sur le sol pour le garder humide et arroser lentement et longtemps en périodes de sécheresse. Une fois au moins durant la saison, mettre le paillis de côté et épandre 75 g d'engrais 10-10-10 par mètre de rang. Remettre le paillis en place et arroser pour faire pénétrer l'engrais.

La formation d'une inflorescence dense indique que les plants sont en voie de mûrissement. Il faut la cueillir avant que les fleurons s'ouvrent. Couper la tige à 15 cm sous l'inflorescence. Les tiges latérales produiront de plus petites inflorescences pendant au moins deux mois.

Ravageurs et maladies

La hernie se manifeste par des plants jaunis à racines déformées. Traiter en haussant le pH du sol à 7,2 par des apports de calcaire hydraté. Détruire les plants affectés et ne pas replanter de brocoli non plus que d'autres membres du genre *Brassica* dans ce même endroit pendant plusieurs années.

L'altise est un petit insecte noir qui fuit en sautillant lorsqu'on le dérange. Sa présence se traduit par des marques décolorées sur les feuilles.

Pour l'empêcher de tuer les jeunes plants, protéger le rang entier avec une couverture flottante ou vaporiser du Diazinon sur le sol.

Contre la pyrale du chou, utiliser *Bacillus thuringiensis*.

Variétés recommandées

'Green Comet', 'Premium Crop'* et 'Packman' sont de bonnes variétés à semer tôt au printemps, tandis que 'Arcadia' est recommandée pour les récoltes automnales.

Avec des rosettes bien denses de taille et de répartition presque uniformes, 'Oliver' est une des meilleures variétés de choux de Bruxelles.

Choux de Bruxelles 'Long Island Improved'

Choux de Bruxelles 'Oliver'   *Le gel améliore leur saveur*

Chou de Bruxelles

Il suffit d'un petit nombre de plants de choux de Bruxelles pour obtenir une belle récolte qui s'étale sur une longue période.

Le chou de Bruxelles appartient au genre *Brassica* qui comprend également le brocoli et le chou proprement dit. Toutes ces plantes poussent nettement mieux par temps frais et une pointe de gel accentue même leur saveur.

Dans la plupart des régions, on sèmera les choux de Bruxelles à l'extérieur au tout début de juin pour les récolter fin septembre ou en octobre.

Dans les régions très froides, il est recommandé de faire les semis à l'intérieur comme pour le brocoli (voir p. 418) de façon à obtenir une récolte hâtive, et de semer au jardin au mois de juin en vue d'une seconde récolte en automne.

Chou de Bruxelles
'Jade Cross'*

Méthode de culture

La préparation du sol est de la plus grande importance. Pour prévenir l'apparition des maladies et ravageurs associés aux plantes du genre *Brassica*, choisir un coin de jardin où l'on n'a pas cultivé de *Brassica* l'année précédente. Deux semaines avant les semis, incorporer au sol des matières organiques : compost, fumier bien décomposé ou terreau de feuilles, et ajouter 60 g d'engrais 5-10-10 par mètre de rang. Si le sol a tendance à être acide, saupoudrer un peu de calcaire.

Semer trois ou quatre graines à la fois en laissant un espace de 60 cm entre les groupes et de 90 cm entre les rangs.

Lorsque les plantules ont atteint environ 4 cm, les éclaircir en ne gardant que la plus vigoureuse de chaque groupe. Prévenir immédiatement les ravages du ver gris en couvrant chaque plant d'un gobelet de carton sans fond. Enfoncer le gobelet de 2,5 cm dans le sol.

Si la terre est riche et bien compactée, les choux de Bruxelles se développent normalement sans autre soin que des arrosages, surtout lorsqu'ils sont jeunes. Pailler les plants pour retenir l'humidité et prévenir les mauvaises herbes.

Environ 10 à 12 semaines après les semis, lorsque les premiers bourgeons se seront formés à la base de

Ravageurs et maladies

Pour prévenir l'apparition de la hernie du chou ou d'autres maladies causées par des organismes vivant dans le sol, ne pas cultiver de choux de Bruxelles là où l'année précédente poussait une autre espèce du genre *Brassica*. Pour combattre la maladie, désinfecter le sol avec un produit à base de quintozène et le chauler (voir p. 418).

Contre la chenille du chou, asperger les plants de *Bacillus thuringien-*

la tige, épandre de l'engrais 5-10-10 sur 15 cm autour de chaque plant et bien arroser pour le faire pénétrer dans le sol.

Les choux de Bruxelles poussant lentement, il est possible de semer d'autres légumes entre les plants. Radis et laitue, notamment, seront prêts à manger bien avant que les choux de Bruxelles aient atteint une taille qui puisse leur nuire.

Les bourgeons se forment tout le long de la tige, entre les feuilles. Tout bourgeon dur et ferme qui mesure au moins 1,5 cm de diamètre est prêt à être récolté. Les meilleurs ont entre 1,5 et 4 cm de diamètre.

Si la récolte se fait convenablement, chaque plant peut donner durant six à huit semaines. Les bourgeons du bas seront prêts à être cueillis avant ceux du haut. Enlever d'abord les feuilles inférieures en tirant d'un coup sec vers le bas et poursuivre cette opération à mesure que les choux mûrissent. Les feuilles parties, les bourgeons ont plus d'espace pour se développer. Supprimer aussi les feuilles quelques jours avant la cueillette des choux. Ne pas enlever cependant la touffe terminale : la tige cesserait de croître et les bourgeons ne se formeraient plus.

Pour hâter la récolte, pincer la pousse terminale des plants en septembre. Les bourgeons arriveront à maturité trois semaines plus tôt et seront tous prêts en même temps.

sis. Les vers du chou attaquent les racines des choux de Bruxelles. Les détruire en arrosant le sol avec une solution de Diazinon (même concentration qu'en vaporisation).

Variétés recommandées

'Jade Cross'* parvient à maturité en 100 jours environ et atteint une hauteur de 55 cm. 'Oliver' se contente de 90 jours et on le sème durant l'été de manière à récolter les choux de Bruxelles à l'automne.

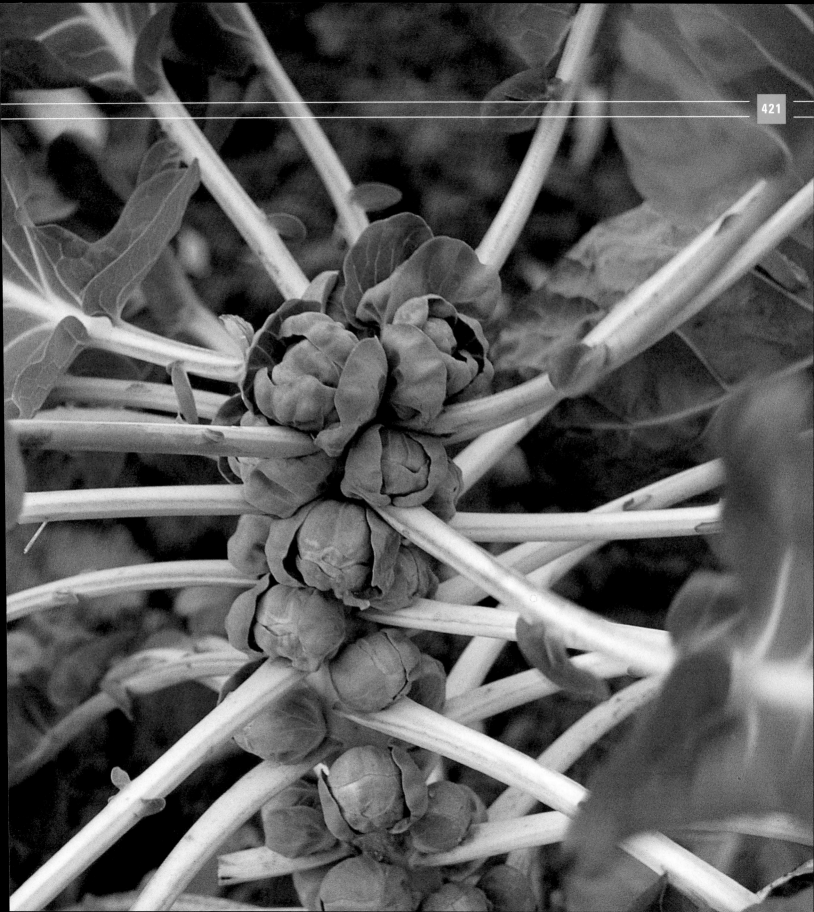

Chou pommé

Chou rouge

Chou de Milan

Chou

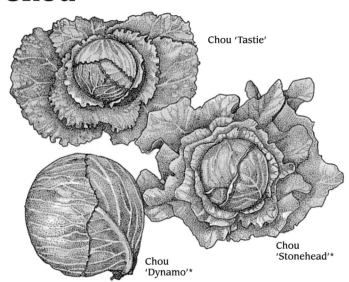

Chou 'Tastie'

Chou 'Stonehead'*

Chou 'Dynamo'*

Le chou se cultive dans un sol fertile et moyennement acide. On connaît les choux vert, rouge, pommé, en feuilles et chinois. En semant des variétés hâtives, de mi-été, et tardives, on peut faire la récolte des choux tout l'été et jusqu'en automne. Mais le chou demande beaucoup d'espace. Si le potager est petit, on ne plantera qu'une seule variété tardive.

Variétés recommandées

Dans les régions à climat doux, on récolte le chou à longueur d'année.

Le chou mûrit vite : pour éviter d'être submergé par une récolte trop abondante, n'en semer ou n'en planter que quelques-uns à la fois.

Variété	Saison	Quand semer	Espacement
Chou pommé			
'Dynamo'*	Début juin	Début printemps (maison)	35 cm
'Early Jersey Wakefield'	Début juin	Début printemps	35 cm
'Stonehead'*	Été	Début printemps	35 cm
'Copenhagen Market'	Été	Printemps	35 cm
'Danish Ballhead'	Automne	Fin printemps	50 cm
'Loughton'	Fin automne	Printemps	50 cm
'Roulette'	Hiver	Printemps	50 cm
Chou rouge			
'Super Red 80'	Été	Début printemps	35 cm
'Ruby Ball'*	Été	Début printemps	35 cm
Chou de Milan			
'Savoy Ace'*	Automne	Fin printemps	50 cm
'Julius'	Automne	Fin printemps	50 cm
Chou chinois			
'Blues' (type Napa)	Été	Printemps	35 cm
'Pak Choi'	Été, automne	Printemps, été	35 cm
'Jade Pagoda' (Michihli)	Automne	Fin printemps	35 cm

Méthode de culture

Pour prévenir les maladies dont les germes se trouvent dans le sol, ne jamais placer les choux dans des planches où l'année précédente on a cultivé une espèce du genre *Brassica* : brocoli, chou-fleur, navet, chou de Bruxelles ou chou vert. Si le sol est très acide, le chauler le plus longtemps possible avant les semis, de préférence l'automne qui précède. Le chou prospère dans un sol dont le pH se situe entre 6 et 7,5.

Le chou mûrit plus rapidement et sa saveur est plus fine s'il est cultivé dans un sol généreusement fertilisé. Pour ce légume, l'engrais par excellence demeure le fumier bien décomposé, parce que cette matière organique améliore la texture du sol et augmente sa capacité de rétention d'eau tout en l'enrichissant. Qu'on utilise ou non du fumier, il faut aussi ajouter au sol 60 g d'engrais 10-10-10 par mètre de rang.

Comme tous les membres du genre *Brassica*, le chou exige un sol ferme. Avant de le mettre en terre, piétiner le sol vigoureusement pour vider les poches d'air.

Cinq à huit semaines avant la date des derniers gels, semer à l'intérieur les variétés hâtives. (Pour les semis à l'intérieur, voir Brocoli, p. 418.) On peut aussi repiquer des plants achetés. On donnera la préférence aux sujets à tige courte et épaisse, caractéristique d'un plant vigoureux et bien parti.

Repiquer les plants au jardin deux ou trois semaines avant les derniers gels en laissant un espace de 30 cm entre les plants et de 60 à 90 cm entre les rangs. Les protéger des vers gris en les abritant d'un gobelet de carton sans fond enfoui de 2,5 cm dans le sol.

Semer les variétés d'été en pleine terre à l'époque des derniers gels. Enfouir ensemble trois ou quatre graines à environ 1 cm de profondeur ; laisser un espace de 30 cm entre les groupes et de 60 à 90 cm entre les rangs. Quand les plantules sortent de terre, les éclaircir en ne gardant que le sujet le plus vigoureux de chaque groupe.

À moins que le sol ne soit très riche, le fertiliser régulièrement. Une fois par mois, épandre de l'engrais 10-10-10 sur 15 cm autour de chaque plant ou utiliser un engrais organique à forte teneur en azote.

Le chou a des racines superficielles. Pour qu'il ne manque pas d'humidité, il est préférable de pailler le pied de chaque plant. Le paillis freinera aussi la croissance des mauvaises herbes. Arracher à la main celles qui réussiront à percer. On peut effectuer ce travail avec une binette, en évitant les racines.

Par grande chaleur, les grosses pommes de chou risquent de se fendre, ce que l'on peut éviter en coupant les racines sur un côté du plant avec une bêche. Faire de même si un trop grand nombre de choux arrivent à maturité en même temps.

Les choux sont prêts à être cueillis lorsqu'ils sont fermes au toucher. Selon les variétés, le délai de maturation peut être de 60 à 110 jours à compter du repiquage. Ajouter 30 à 50 jours si les semis sont faits à l'intérieur. On récolte les choux en coupant la tige juste sous la pomme.

Ravageurs et maladies

Quand les plants sont jeunes, l'attaque des altises peut être fatale. Ces petits insectes noirs, qui s'enfuient en sautillant quand on les dérange, se nourrissent sur la feuille et y laissent de minuscules marques décolorées. Protéger le rang de plantules avec une couverture flottante ou vaporiser du Dianizon sur le sol.

La chenille du chou est particulièrement à craindre. Elle dévore les feuilles les plus tendres et peut même se creuser des galeries dans les pommes. Poudrer les plants le plus rapidement possible avec *Bacillus thuringiensis* pour les préserver.

Éloigner la mouche de la carotte en tendant un filet ou en plantant un rang d'oignon, de poireau ou de ciboulette entre les rangs de carottes.

La carotte est à son mieux à 2 cm de diamètre

La mouche de la carotte a horreur de l'oignon

Carotte

La carotte se cultive facilement et se conserve sans problème. En étalant bien les récoltes, on peut consommer ce légume presque à l'année.

La carotte résiste au froid et arrive à maturité en 60 à 85 jours. En faisant les premiers semis assez tôt, on pourra replanter plusieurs fois. Bien que préférant un temps frais, elle peut être cultivée à la mi-été partout, sauf dans les régions où le climat est très chaud, et donner une bonne récolte. Toutefois, en cette saison, il faut garder le sol très humide. Par ailleurs, dans les endroits où l'hiver est doux, on peut, en paillant bien, semer en septembre et récolter dans le temps de Noël.

Méthode de culture

Dès que la terre se laisse travailler, bêcher à une profondeur d'au moins 20 cm en ratissant bien pour enlever les cailloux. Si le sol est lourd et argileux, lui ajouter de généreuses quantités d'humus ou de sable.

Délimiter les rangs à l'aide d'un cordeau et creuser des sillons peu profonds. Les graines de carotte sont lentes à germer : les rangs seront envahis par les mauvaises herbes bien avant qu'on voie apparaître les plantules. Aussi suggère-t-on de mélanger quelques graines de laitue ou de radis aux graines de carotte.

Semer les graines de carotte à 5 mm de profondeur dans des rangs espacés de 40 à 60 cm. (Par grande chaleur, semer à 1,5 cm de profondeur.) Pour empêcher la terre de former une croûte, recouvrir les graines d'une mince couche de compost fin ou de terre tamisée ; tasser et arroser. Garder le sol relativement humide jusqu'à la levée. Éclaircir à 2,5 cm la première fois. Quand les plants sont de nouveau tassés, éclaircir pour dégager un espace de 5 à 8 cm.

Semer toutes les trois semaines environ en saison, les derniers semis étant faits 40 à 60 jours avant le premier gel sévère d'automne.

La racine de la carotte, qui est la partie comestible de la plante, peut être courte ou longue, ronde, cylindrique ou conique. Avant de choisir les variétés qu'on veut cultiver, il faut déterminer la nature du sol. S'il est profond de 25 à 30 cm, sablonneux, poreux et dépourvu de cailloux, on peut semer des variétés à racine longue et fuselée comme 'Imperator' ou 'Gold Pak'. Si, au contraire, la terre est argileuse et rocailleuse, on choisira plutôt la variété 'Danvers 126' à racine trapue de 15 à 18 cm, ou la variété 'Short 'n Sweet' à racine ronde et épaisse de 10 à 13 cm de long, ou encore la 'Minicor' qui dépasse à peine 7 cm.

Les carottes demandent peu de soins. Une fois le sol bien bêché et débarrassé des cailloux qui pourraient faire obstacle à la croissance des racines, il suffit de les arroser et de désherber régulièrement. Un paillis aide à conserver l'humidité du sol et freine la croissance des mauvaises herbes.

Pour bien germer, les graines de carotte doivent se trouver dans un sol humide. Il ne faudrait pas en déduire, cependant, que la culture des carottes exige un sol gorgé d'eau. Bien au contraire, un excès d'eau, surtout à l'approche de la récolte, peut faire éclater les racines.

Épandre un peu d'engrais 5-10-10 (environ 50 g par mètre de rang) quand le feuillage des plants atteint 8 à 10 cm de haut. Répéter l'opération quand le feuillage a 15 à 20 cm. Il faut examiner fréquemment la base des tiges. Quand le collet orange des racines apparaît au ras du sol, butter légèrement les plants, car la lumière du soleil les ferait verdir.

Même si les carottes arrivent à maturité en 60 à 85 jours, elles sont cependant plus tendres et plus juteuses si on les cueille un peu avant. Examiner les collets des plants. S'ils paraissent suffisamment épais et ont environ 2 cm de diamètre, arracher

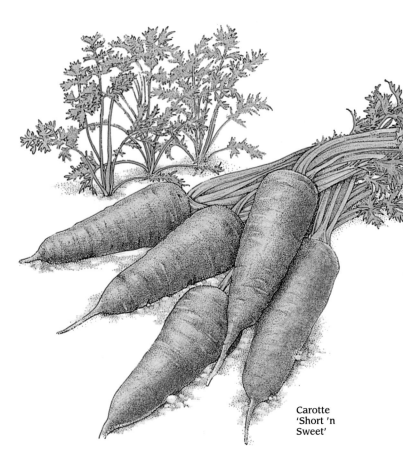

Carotte 'Short 'n Sweet'

les carottes. Il n'est pas nécessaire de les cueillir toutes le même jour. On peut en laisser dans le sol pendant quelques semaines sans risquer qu'elles durcissent. Si les carottes tardives sont recouvertes d'un épais paillis, on peut même continuer d'en cueillir à travers la neige.

Ravageurs et maladies

Les larves de la mouche de la carotte éclosent par temps chaud et se creusent des galeries dans les racines. Pour prévenir leurs dégâts, faire des semis hâtifs ou tardifs. Un petit insecte brun, le charançon de la carotte, est aussi à craindre : il peut détruire une récolte entière si on le laisse proliférer. Vaporiser ou poudrer les plants avec un produit à base de carbaryl ou de roténone.

Si les racines sont déformées, c'est que la terre est trop caillouteuse ou les plants trop tassés.

Variétés recommandées

Aux variétés déjà mentionnées, on ajoutera la 'Nantaise' de longueur moyenne, 'Baby Finger Nantaise' dont la racine d'à peine 9 cm de long est un délice de gourmet et 'Thumbelina', de forme quasi sphérique avec un diamètre de 2 à 3 cm.

La culture des choux-fleurs comporte des exigences. Choisir quelques variétés qui ne craignent pas les grandes chaleurs.

Il faut de l'eau aux racines pour former les inflorescences

Chou-fleur

Chou-fleur 'Snow Crown'*

De tous les légumes appartenant au genre *Brassica* (bette à carde, brocoli, chou, chou de Bruxelles et navet), le chou-fleur est le plus difficile à cultiver. Il exige des températures fraîches, beaucoup d'humidité et un sol fertile. Il ne supporte pas le gel, mais les pommes ne se forment pas par temps très chaud. Aussi le chou-fleur est-il plus facile à cultiver en fin de saison, alors même qu'on le range généralement parmi les légumes de printemps. Le chou-fleur précoce demande 55 à 80 jours pour mûrir à compter du repiquage au jardin. Les variétés d'automne semées en pleine terre mettent une dizaine de semaines pour arriver à maturité.

Le blanc pur des pommes de chou-fleur s'obtient en couvrant l'inflorescence pour empêcher la lumière d'en faire verdir les grains. Cette opération conserve également au chou-fleur sa fine saveur. Il existe cependant une variété à pomme pourpre qu'on n'a pas besoin de protéger de la lumière. On en recommande souvent la culture aux jardiniers amateurs. Elle devient verte à la cuisson et sa saveur rappelle celle du brocoli.

Méthode de culture

Le chou-fleur demande un sol semblable à celui qui convient au chou. Si l'on dispose d'un sol très acide, l'amender avec du calcaire aussi longtemps que possible avant la plantation et, de préférence, l'automne précédent.

La richesse du sol étant un facteur essentiel, ajouter de grandes quantités de compost ou de fumier bien décomposé et épandre 60 g d'engrais 10-10-10 par mètre de rang.

Dans le cas d'une culture précoce, semer à l'intérieur de six à huit semaines avant le dernier gel, dans la plupart des régions. Mettre trois ou quatre graines par godet. Quand les plantules apparaissent, ne garder que la plus vigoureuse. Conserver les pots dans un endroit frais mais ensoleillé. Deux semaines avant le repiquage au jardin, mettre les plants sous châssis froid pour les endurcir. (Sur la façon de procéder pour les semis à l'intérieur, voir Brocoli, p. 418.)

Repiquer les plantules en pleine terre à peu près à l'époque du dernier gel. Espacer les plants de 40 à 60 cm et laisser 60 à 90 cm entre les rangs. Les protéger contre le ver gris en les entourant d'une collerette de carton.

Pour récolter à l'automne, semer en juin trois ou quatre graines ensemble à 1,5 cm de profondeur dans une terre bien préparée. Espacer les groupes de 45 à 60 cm. Lorsque les plantules ont 2,5 cm de haut, ne garder que la plus vigoureuse de chaque groupe. Pour gagner de l'espace, semer sous châssis froid ou en platebande à semis. Lorsqu'elles ont 10 à 15 cm de haut, repiquer les plantules dans le carré réservé au chou-fleur.

Enrichir régulièrement la terre. Toutes les trois ou quatre semaines, épandre de l'engrais 10-10-10 de chaque côté des rangs, sur une largeur de 15 cm, sans toucher les plants. Arroser généreusement pour faire pénétrer l'engrais dans le sol.

Bien qu'essentielle, la fertilisation ne suffit pas. Il faut aussi un bon arrosage. En effet, si le système radiculaire des plants est privé d'eau, même pendant un court laps de temps, la pomaison n'a pas lieu. Arroser les rangs à fond au moins une fois par semaine et protéger le sol à l'aide d'un épais paillis de foin ou de compost à demi décomposé.

Quand le bourgeon central a entre 10 et 15 cm de diamètre, ramener les feuilles inférieures par-dessus. Les attacher dans cette position, sans trop serrer, avec de la ficelle souple ou une bande élastique. Ménager assez d'espace à l'intérieur de cette enveloppe foliaire pour que la pomme puisse atteindre son complet développement, c'est-à-dire 20 à 30 cm de diamètre. Cette enveloppe lui conservera sa blancheur.

On récolte les pommes de chou-fleur lorsqu'elles sont devenues fermes et bien compactes. Plus mûres, elles se conservent moins longtemps. Cueillir en coupant la tige sous la pomme.

Le croisement entre le brocoli et le chou-fleur a des inflorescences vert pâle. On sème cet hybride très tôt ou très tard dans la saison.

Ravageurs et maladies

Le chou-fleur est exposé aux mêmes maladies et aux mêmes ravageurs que les autres plantes du genre *Brassica*. On les prévient par la rotation de culture, autrement dit en ne cultivant pas deux années de suite chou-fleur, chou de Bruxelles, chou ou navet dans la même plate-bande. Si la pyrale du chou fait son apparition, utiliser *Bacillus thuringiensis*. Déloger les pucerons en lavant les plants avec du savon insecticide et un bon jet d'eau ou en les poudrant avec un insecticide à base de Diazinon.

Variétés recommandées

Parmi les variétés hâtives de choux-fleurs, les plus recommandées sont 'Snow Crown'*, qui arrive à maturité en une cinquantaine de jours après le repiquage au potager, et 'Early Snowball', qui met environ 60 jours à mûrir. La variété 'Purple Head' mûrit en 80 à 85 jours et on peut la cultiver en début ou en fin de saison.

Parmi les variétés d'automne, on recommande 'Snowball' ainsi que 'Self-Blanch Snowball' dont les feuilles se rabattent d'elles-mêmes pour envelopper la pomme.

Les variétés de céleri pâle qui s'autoblanchissent exigent du dégagement. Tout comme le céleri-rave, le céleri a besoin d'être fertilisé au moins deux fois en cours de culture.

Céleri-rave

Céleri jaune hâtif

Céleri

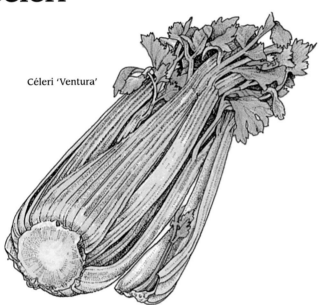

Céleri 'Ventura'

Le céleri est loin d'être facile à cultiver. Il nécessite une longue période de culture comprenant une saison fraîche. En effet, il n'arrive à maturité que cinq ou six mois après les semis. En outre, il requiert des soins spéciaux, consomme plus qu'une ration normale de substances nutritives et demande un sol bien préparé, ainsi que des arrosages abondants et réguliers. Enfin, ses graines minuscules sont difficiles à faire lever, même dans les conditions idéales qui sont celles des semis à l'intérieur. Seul un horticulteur accompli peut réussir la culture de ce légume.

Méthode de culture

Les semis se font généralement à l'intérieur dans des caissettes. Les graines étant dures, les faire d'abord tremper une nuit dans l'eau pour que le tégument se ramollisse. Comme substrat de culture, utiliser un mélange léger de terre et de sable ou de la mousse de sphaigne stérile. Étaler les graines en surface, dans les caissettes, et les recouvrir de 5 mm de mousse de sphaigne. Garder le substrat humide tant que les graines n'ont pas germé — ce qui peut prendre jusqu'à trois semaines.

Lorsque les plantules ont environ 3 cm de haut, les repiquer individuellement dans des pots. Ne les transplanter au jardin que lorsqu'elles ont atteint au moins 8 cm de haut, c'est-à-dire 10 à 12 semaines après les semis. (On peut également acheter des plants tout prêts, vendus en temps opportun et ayant généralement 15 cm de haut.)

Repiquer les plantules en pleine terre quand tout danger de gel est absolument écarté. Il faut compter au moins 120 jours de culture à l'extérieur pour les plants issus de semis à l'intérieur et 115 jours pour les plants achetés en pépinière. Comme le céleri préfère des températures fraîches, la majeure partie de cette période de sa croissance doit se dérouler au printemps, avant que les grandes chaleurs surviennent.

La façon traditionnelle de cultiver le céleri consistait à creuser une tranchée, à y installer les plantules et à butter les plants au fur et à mesure qu'ils prenaient de la hauteur. La terre ainsi buttée conservait son humidité et gardait les plants blancs et tendres en les protégeant contre la lumière du soleil. Les horticulteurs ont depuis mis au point des lignées de céleri dont les côtes peuvent verdir au soleil tout en demeurant tendres et qui sont plus nourrissantes que celles des céleris blancs. Il existe également des espèces à côtes jaunâtres qui n'ont pas besoin d'être buttées, elles non plus. C'est pour cette raison qu'on plante maintenant le céleri dans des sillons ordinaires.

La tranchée offre néanmoins certains avantages que ne donne pas le sillon. Elle protège du gel les récoltes tardives, facilite la fertilisation et élimine le désherbage. Si l'on décide de creuser une tranchée, lui donner 40 cm de large et 25 cm de profondeur. Mettre au fond 12 cm de terre végétale et fertiliser comme indiqué ci-dessous.

Quelle que soit la méthode de culture utilisée, il est nécessaire de préparer le sol en lui ajoutant de généreuses quantités de matières organiques, compost ou fumier bien décomposés ainsi qu'environ 150 g d'engrais 5-10-10 par mètre de rang. Le sol doit être préparé au moins

deux semaines avant le repiquage. L'engrais risquant de les brûler s'il entre en contact avec les plantes, le faire pénétrer profondément dans le sol et arroser abondamment.

Procéder au repiquage par temps nuageux. Laisser 15 à 20 cm entre les plants et espacer les rangs d'au moins 60 cm. Arroser abondamment. Pendant les quelques jours qui suivent le repiquage, protéger les plants des rayons du soleil.

Le céleri exigeant beaucoup d'eau, pailler abondamment le sol pour lui conserver son humidité. Cela freinera en même temps la croissance des mauvaises herbes. Enrichir le sol régulièrement, c'est-à-dire toutes les deux ou trois semaines, en versant autour de chaque plant de l'engrais liquide dilué de moitié.

On peut faire blanchir le céleri qui n'est pas planté en tranchée en plaçant des planches de 30 cm de large de chaque côté du rang. On peut également envelopper chaque pied de papier épais en ne laissant dépasser que le feuillage. Cette opération se fait deux semaines avant la récolte.

Le céleri est prêt à être cueilli quatre mois environ après le repiquage des plants au jardin. Mais on peut, deux ou trois semaines plus tôt, cueillir une côte extérieure sur chaque plant. Pour récolter le plant entier, l'arracher du sol ou le déterrer et couper les racines à la base.

Ravageurs et maladies

Le céleri est principalement victime de maladies cryptogamiques qui causent des taches jaunes ou brunes sur les feuilles et les côtes. En guise de mesures préventives, ne pas cultiver de céleri deux années de suite au même endroit, ne pas manipuler les plants lorsqu'ils sont mouillés et désherber les rangs. Si des taches apparaissent quand même, poudrer ou vaporiser les pieds avec un produit à base de cuivre, de manèbe ou de zinèbe. Bien les laver après la récolte.

Variétés recommandées

Dans la catégorie du céleri vert hâtif, on recommande 'Ventura', suivi de 'Florida 683' et de 'Tendercrisp'. Pour ce qui est du céleri jaune hâtif, l'une des variétés les plus renommées est 'Golden Self-Blanching'.

Là où les étés sont longs et frais, on peut cultiver 'Utah 52-70', un céleri vert foncé à côtes épaisses qui ne monte pas en graine — c'est-à-dire qui ne produit pas une tige dure couronnée d'une inflorescence — aussi facilement que les autres.

Les variétés de maïs très sucrées doivent être cultivées à l'écart des autres pour ne pas perdre leurs caractéristiques par suite de la pollinisation.

Les variétés Se et Se+ sont très sucrées

Maïs

Maïs 'Golden Cross Bantam'

La meilleure façon d'apprécier le goût délicat du maïs, c'est de le consommer frais cueilli, car il perd très vite de sa finesse. Les vrais amateurs mettent l'eau à bouillir avant même de cueillir les épis. Seuls ceux qui cultivent ce légume peuvent donc en connaître la pleine saveur.

Le maïs le plus hâtif est prêt en deux mois, et le plus tardif en trois mois. La plupart des amateurs cultivent à la fois du maïs hâtif, du maïs normal et du maïs tardif de façon à mieux étaler la récolte. C'est dans cet esprit que certains catalogues offrent ensemble trois variétés qui arrivent successivement à maturité. On obtient le même résultat en semant des graines d'une variété hâtive tous les 10 jours environ jusqu'à la mi-été.

Méthode de culture

Il faut un grand jardin pour cultiver du maïs. Chaque pied occupe en effet beaucoup d'espace, tout en ne donnant qu'un ou deux épis. En outre, comme c'est le vent qui transporte le pollen d'un pied à l'autre, il faut que les plants soient disposés de façon à se polliniser mutuellement. C'est pour cette raison qu'on ne cultive pas le maïs sur un seul rang disposé en longueur, mais sur plusieurs rangs courts. Le carré à maïs doit avoir au moins 1,80 m de large sur 2,45 m de long. On peut y tracer quatre rangs espacés de 60 cm.

Avant la plantation, incorporer au sol beaucoup de fumier décomposé, de compost ou d'une autre matière organique. Ajouter 100 g d'engrais 5-10-10 par mètre de rang et le faire pénétrer à 10 cm de profondeur pour éviter qu'il n'entre en contact avec les graines et ne les brûle.

Deux semaines environ avant le dernier gel, enfouir les graines à 2,5 cm de profondeur en les espaçant de 8 à 10 cm. (En été, semer à 5 cm de profondeur pour avoir plus d'humidité.) Laisser 60 cm entre les rangs s'il s'agit de maïs hâtif et 90 cm s'il s'agit de maïs tardif parce que celui-ci pousse plus haut. Lorsque les plantules ont environ 8 cm de haut, supprimer les moins vigoureuses de façon à laisser un espace de 30 cm entre les plants.

Certains horticulteurs recommandent de semer le maïs en poquets.

Selon cette méthode, on met six graines en terre sur le périmètre d'un cercle de 30 cm de diamètre (c'est ce qu'on appelle un poquet de maïs même s'il n'y a pas d'élévation, comme dans le cas des melons). Les poquets doivent être espacés de 90 cm. Quand les plantules ont 8 cm, ne garder que les trois plus vigoureuses de chaque poquet.

Le maïs demande beaucoup d'humidité. Pour réduire l'évaporation et freiner la croissance des mauvaises herbes, couvrir le sol soit d'un épais paillis de paille ou de foin, soit d'une pellicule de plastique noir.

Le maïs consomme de grandes quantités de substances nutritives; aussi faut-il fertiliser régulièrement. Lorsque les plants ont 15 à 25 cm de haut, étaler de l'engrais 5-10-5 de chaque côté des rangs à raison de 30 g par mètre de rang. Si le sol est couvert d'un paillis, enlever celui-ci avant d'épandre des granules d'engrais; ou verser un fertilisant soluble à travers.

Dans un sol fertile, les mauvaises herbes prolifèrent et privent le maïs de sa nourriture. Le désherbage est donc primordial. Prendre garde de ne pas abîmer les racines.

Pour qu'il soit sucré, il faut que le maïs soit cueilli jeune, le sucre se transformant avec le temps en amidon. Quand les épis paraissent fermes et pleins et que le bout des soies est sec et brun, ils sont mûrs. Les tirer alors vers le bas, en les détachant d'un mouvement de torsion.

Ne cueillir que ce qu'on peut consommer immédiatement. Lorsque tous les épis ont été cueillis, rabattre les pieds.

Ravageurs et maladies

Lorsqu'on remarque la présence de petits trous à la base et sur les côtés des épis de maïs, on peut en déduire que la plante est infestée par la pyrale du maïs, petit ravageur de 2,5 cm de long qui se nourrit des tiges et attaque l'épi. À titre préventif, faire des vaporisations de carbaryl ou de Diazinon quand les pieds ont 45 cm de haut et que les épis commencent à se former. S'assurer qu'on vaporise aussi les feuilles autour de l'épi. Répéter le traitement au moins trois fois à cinq jours d'intervalle. En prévision de l'année suivante, détruire les pieds et les chicots après la récolte.

Les corneilles déterrent les semences ou dévorent les plantules dès la levée. L'épouvantail n'étant pas toujours efficace, on peut essayer le stratagème suivant: attacher ensemble de vieilles boîtes de conserve ou des assiettes d'aluminium de façon qu'elles tintent au vent.

Variétés recommandées

L'abréviation Su indique une variété à goût sucré léger, performante dans les régions froides. Se et Se+ désignent un grain plus tendre et sucré que les variétés standard; Sh2 a un grain hypersucré; les épis se conservent jusqu'à 10 jours. Avec une haute teneur en sucre, la conversion des sucres en amidon se fait plus lentement et le maïs se conserve mieux.

Les meilleures variétés hâtives sont 'Earlivee' (Su) et 'Sugar Buns' (Se+). 'Honey and Cream' (Su), à grains jaunes et blancs, est une bonne variété semi-tardive tout comme 'Indian Summer'* (Sh2), à grains multicolores. Les variétés tardives reconnues sont 'Golden Cross Bantam' (Su) à grains jaunes et 'Silver Queen' (Su) à grains blancs.

1. *Pincer les pousses latérales à la base de la tige quand elles ont 15 cm.*

2. *Butter le sol autour des tiges pour donner plus de vigueur aux racines.*

Cueillir les concombres quand leurs parois sont parallèles et qu'ils mesurent environ 15 à 20 cm.

Concombres 'Tanja'

Concombre et cornichon

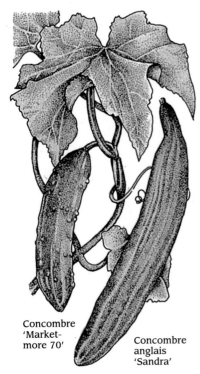

Concombre 'Market-more 70'

Concombre anglais 'Sandra'

Le concombre demande beaucoup de soins, mais est en revanche très prolifique. Il a besoin de chaleur, mais sa période de maturation très courte — 55 à 60 jours — permet de le cultiver dans presque toutes les régions du globe.

Plante rampante, le concombre peut émettre des tiges qui s'étendent sur plus de 1,80 m. Si l'espace au sol n'est pas suffisant, on peut le palisser contre une clôture ou un treillis. D'ailleurs, le palissage donne souvent des légumes mieux formés.

Il existe de nombreuses variétés de concombres et de cornichons parmi lesquelles on retrouve le concombre long et cylindrique qui se découpe bien en tranches et que l'on consomme cru, ainsi que le cornichon court et dodu qui se conserve en marinade.

Le concombre est vulnérable à quelques maladies : gale, mosaïque, blanc et mildiou. Les horticulteurs ont mis au point, cependant, des races qui y sont réfractaires. Il est préférable toutefois de se renseigner auprès du pépiniériste sur les variétés qui résistent aux maladies répandues dans la région où elles sont cultivées. Vérifier aussi sur les sachets de graines : cette précision y est généralement donnée.

Il existe des variétés de concombres gynodioïques qui, au lieu de porter à la fois des fleurs mâles et des fleurs femelles — ces dernières seules produisant des fruits —, présentent exclusivement ou principalement des fleurs femelles. Ces variétés sont évidemment beaucoup plus productives. Cependant, comme elles ont besoin d'être fécondées, on les plante avec des sujets à fleurs mâles. C'est la raison pour laquelle on trouve dans les sachets de graines de variétés gynodioïques quelques graines différentes — colorées pour qu'on puisse les identifier — qu'il faut semer avec les premières pour assurer la pollinisation des plants.

Méthode de culture

On cultive les concombres en poquets (groupes de deux ou trois plants) ou en rangs. La culture en poquets est la plus couramment pratiquée mais la culture en rangs est mieux appropriée lorsqu'on veut palisser les pieds.

Laisser 1,80 m entre les rangs ; donner aux poquets 30 cm de diamètre et les espacer de 1,80 m.

La préparation du sol revêt une importance particulière, car le concombre requiert un sol fertile et bien drainé. Bêcher la terre à une profondeur d'environ 30 cm et y incorporer une brouettée de fumier bien décomposé ou de compost, ainsi que 75 g d'engrais 5-10-5 par mètre de rang ou 115 g par poquet.

Dans la plupart des régions, on sème les graines de concombre sous abri, dans de petits godets de tourbe comprimée, deux ou trois semaines avant le dernier gel. (Il est préférable d'utiliser des pots plutôt que des caissettes, les concombres tolérant mal qu'on dérange leurs racines.)

Semer trois graines à 1,5 cm de profondeur dans chaque pot ; quand les plantules ont 4 cm de haut, ne garder que la plus vigoureuse. Quand on se sert de variétés gynodioïques, étiqueter les pots contenant les graines colorées ; il faut repiquer en pleine terre au moins un plant pollinisateur tous les 7,50 m de rang.

Le repiquage des plantules au jardin s'effectue généralement trois ou quatre semaines plus tard. Espacer les plants de 30 cm dans le rang ou placer deux ou trois plantules au centre de chaque poquet.

Dans les régions où la période de culture est longue, semer en pleine terre au moment du dernier gel. Il ne faut pas oublier d'identifier les plants pollinisateurs pour ne pas les supprimer par mégarde au moment de l'éclaircissage.

Dans la culture en rangs, semer à 1,5 cm de profondeur et laisser 10 à 15 cm entre les graines. Quand les plantules ont 4 à 5 cm de haut, les éclaircir à 30 cm.

Dans la culture en poquets, semer six à huit graines à 1,5 cm de profondeur par poquet et éclaircir en temps opportun à deux ou trois plantules.

Les jeunes plants de concombre doivent être protégés de la pluie et du froid. À cette intention, il se vend dans la plupart des centres de jardinage des cloches translucides.

Arroser fréquemment. Étaler une épaisse couche de paillis organique ou entourer les plants d'une feuille de plastique noir pour diminuer l'évaporation. Le plastique noir offre l'avantage de retenir la chaleur en cas de plantations hâtives.

Si des mauvaises herbes percent à travers le paillis, les arracher à la main en prenant soin d'éviter le système radiculaire du concombre.

Les concombres sont généralement mûrs lorsqu'ils atteignent 15 à 20 cm de longueur et les cornichons quand ils mesurent de 4 à 8 cm. On peut cependant cueillir les uns et les autres avant leur complète maturité. Faire une récolte tous les deux ou trois jours, sinon les plants cesseront de produire. Les concombres sont bons à cueillir quand ils sont vert sombre.

Ravageurs et maladies

La chrysomèle du concombre ronge les plants et leur communique la flétrissure bactérienne. Si l'insecte se manifeste couramment dans une région, mettre les jeunes plants à l'abri sous des cloches. On peut aussi appliquer un insecticide en suivant bien les instructions du fabricant.

Variétés recommandées

Dans la catégorie des concombres, les meilleures variétés sont 'Victory Hybrid' (variété gynodioïque) et 'Marketmore 70' ; dans celle des cornichons, 'Wisconsin SMR 18' et un hybride appelé 'Liberty'. Enfin 'Burpless Hybrid' est une variété qui ne donne pas de gaz stomacaux.

RABATTRE LES POUSSES

Rabattre les pousses latérales à une feuille ou deux au-dessus du premier concombre.

Aubergine

Aubergine
'Burpee Hybrid'

L'aubergine, le piment et la tomate ont beaucoup en commun. Car non seulement sont-ils les éléments inséparables d'une ratatouille, mais ils appartiennent tous trois à la famille des solanacées. Ils exigent donc un sol riche et chaud, ainsi qu'une longue saison de culture.

L'aubergine n'est pas facile à cultiver. Les graines doivent être semées à l'intérieur au moins huit semaines avant le repiquage au jardin et les plantules demandent du soleil, de la chaleur et un sol humide. Pour favoriser la germination, il est recommandé de faire tremper les graines dans l'eau pendant 24 heures avant de les semer.

Les semis étant difficiles à réussir, on préfère dans bien des cas acheter des plants dans un centre de jardinage. Choisir de préférence ceux qui poussent individuellement dans des

pots de façon à moins déranger les racines lors du repiquage. Vérifier l'état des tiges : les plants à tiges ligneuses produiront moins bien que ceux à tiges vertes et souples.

À partir des semis, il faut compter 100 à 200 jours de maturation. Comme le repiquage ne peut pas s'effectuer tant que la température diurne demeure inférieure à 21 °C, il est préférable de choisir des variétés précoces ou hâtives dans les régions où l'été est de courte durée.

Ravageurs et maladies

La flétrissure verticillienne, maladie transmise par le sol, affecte les aubergines aussi bien que les tomates et les pommes de terre. Pratiquer la rotation de culture, c'est-à-dire ne pas planter d'aubergines là où l'on a cultivé des tomates, des piments ou

des aubergines durant les trois années précédentes.

Le doryphore de la pomme de terre, l'altise et le puceron sont les principaux ennemis de l'aubergine. Traiter avec du carbaryl, du Diazinon ou du méthoxychlore. Vérifier sur l'étiquette le délai à respecter entre le traitement et la récolte.

Méthode de culture

Si l'on fait ses propres semis, mettre les graines en terre huit semaines avant le dernier gel. Prendre de petits pots, les remplir de terre et terminer en recouvrant celle-ci d'une couche de vermiculite ou de mousse de sphaigne. Semer trois graines par pot, à 5 mm de profondeur, et arroser généreusement. La germination demande une température de 24 °C. La levée peut prendre trois semaines.

Lorsque les plantules ont entre 4 et 5 cm de haut, garder la plus vigoureuse et couper les deux autres avec des ciseaux. Abaisser peu à peu la température au fur et à mesure que les plantules se développent. L'endurcissement en prévision du repiquage au jardin est une période critique puisque des températures inférieures à 10 °C feront régresser les plants.

Éviter de planter les aubergines à proximité des tomates ou des piments et ne pas les cultiver là où l'année précédente on a fait pousser des aubergines, des tomates, des piments ou des pommes de terre. Ces plantes étant apparentées, elles sont toutes vulnérables aux mêmes maladies transmises par le sol.

En préparation pour la plantation, incorporer au sol environ 3 litres d'humus et 75 à 150 g d'engrais 5-10-5 par mètre de rang. Repiquer les plants lorsque le ciel est couvert ou à la fin du jour pour qu'ils ne se flétrissent pas au soleil.

Creuser des trous peu profonds, en laissant 60 cm entre eux et 90 cm entre les rangs, et les remplir d'eau.

Lorsque l'eau est absorbée, repiquer les plants en ménageant autour de chacun d'eux une petite rigole. Arroser de nouveau tout de suite après la plantation.

Protéger les aubergines contre les vers gris au moyen d'une collerette en papier rigide (par exemple un gobelet de papier auquel on a enlevé le fond) enfoncée à au moins 3 cm de profondeur dans le sol. Si les feuilles se ramollissent ou semblent se flétrir, abriter les plants sous une tente en papier journal durant quelques jours.

Garder le sol très humide et désherber régulièrement. Étaler des paillis entre les plants pour diminuer l'évaporation et freiner la croissance des mauvaises herbes. Au paillis organique, préférer si possible le plastique noir qui réchauffe le sol. S'il faut désherber, le faire à la main.

Dès le début de la fructification, compter le nombre de fruits par plant. Pour que la récolte soit de bonne qualité, ne pas laisser plus de six fruits par pied. Pincer les autres.

Entre 55 et 80 jours environ après le repiquage des plantules au jardin, les fruits devraient avoir 13 à 15 cm de long et 10 à 13 cm de diamètre ; ils auront une belle peau brillante, blanche, rose ou pourpre foncé. C'est le moment de les cueillir.

Ne pas essayer d'arracher le fruit, au risque de briser la tige, mais trancher plutôt la tige, avec un couteau bien aiguisé, à 2,5 cm environ au-dessus du fruit.

Garder les aubergines dans un endroit frais et les consommer le plus tôt possible. L'aubergine est un légume qui ne se conserve pas bien.

Variétés recommandées

Dans les régions où la période estivale est de courte durée, il est recommandé de cultiver les variétés 'Dusky', 'Rosita' et 'Black Bell'.

Là où l'été est plus long, on a le choix entre 'Black Beauty', 'Italian White' et 'Italian Pink Bicolor'.

Le chou frisé a une étonnante résistance au froid. Là où les hivers sont doux, on le cueille depuis l'automne jusqu'en mars.

Chou frisé 'Winterbor'

Chou frisé et chou vert

Le chou frisé et le chou vert, bien que méconnus, comptent pourtant parmi les légumes les plus nourrissants. Ce sont deux légumes verts non pommés qui s'apparentent au chou.

Chou frisé et chou vert sont productifs et faciles à cultiver. Ils ont l'avantage de bénéficier du froid. Une pointe de gel affine en effet leur saveur et le chou frisé, en particulier, jouit d'une excellente résistance à l'hiver. Ils se consomment cuits et, jeunes et tendres, en salade.

Le chou frisé atteint environ 60 cm de hauteur et met deux mois à mûrir. Le chou vert atteint environ 90 cm et son délai de maturation est de deux mois et demi.

Méthode de culture

Le chou frisé et le chou vert demandent une terre fertile dont le pH se situe à 6,5 ou au-dessus. S'il y a excès d'acidité, chauler longtemps avant la plantation. Ajouter en outre des matières organiques comme du fumier bien décomposé, ainsi que 60 g d'engrais 10-10-10 par mètre de rang.

Semer le chou frisé et le chou vert en pleine terre au début du printemps, dès que la terre se laisse travailler. Enfouir les graines à 2,5 cm de distance dans des sillons de 2,5 cm de profondeur et laisser 60 à 90 cm entre les rangs. Couvrir les graines de 1,5 cm de terre. La levée se fait généralement en 7 à 10 jours.

Si le potager est assez grand, effectuer un second semis en juin, par exemple après la récolte des pois hâtifs, en prévision d'une récolte en automne. Le chou frisé résiste mieux au froid que le chou vert ; on peut le récolter longtemps après les autres verdures du jardin. Dans les régions où le sol ne gèle pas en hiver, semer à la fin de l'été pour récolter en hiver.

Lorsque les plantules ont 8 cm de haut, éclaircir peu à peu jusqu'à ce qu'il y ait 60 cm entre les plants. (Consommer en salade les plantules qu'on supprime.)

À cause de sa taille et de ses lourdes feuilles, le chou frisé a besoin de supports. Attention de ne pas abîmer les racines en enfonçant les tuteurs : elles sont superficielles et très étalées. Installer les tuteurs le long des rangs au moment de l'éclaircissage et attacher les plants lorsqu'ils ont environ 30 cm de haut.

Prendre garde aussi aux racines au moment du désherbage. Ne pas biner à plus de 2,5 cm de profondeur. Étaler un paillis pour freiner la croissance des mauvaises herbes.

Fertiliser au moins une fois pendant la période de croissance en épandant de l'engrais 10-10-10 de chaque côté des rangs, à raison de 50 g par mètre de rang.

Commencer à récolter le chou frisé un mois environ après les semis, quand les feuilles sont d'un beau vert. En mûrissant, elles deviennent plus foncées, coriaces et amères. Ne pas trop dégarnir les plants, car ils cesseraient de croître. Pour protéger le chou frisé du froid, étendre autour de chaque plant un épais paillis de paille, de foin de prés salés ou de terreau de feuilles, ou butter les pieds de quelques centimètres.

Le chou vert atteint sa maturité en deux ou trois mois, mais on peut commencer la récolte beaucoup plus tôt. Cueillir le pied au complet ou retirer quelques feuilles à la base de la tige. En coupant, ne pas toucher le bourgeon central, car cela entraverait la formation de nouvelles feuilles.

Ravageurs et maladies

Pour éviter les maladies qui attaquent les membres du genre *Brassica* — le chou frisé, le chou vert, le chou proprement dit, le chou de Bruxelles et le brocoli —, ne pas cultiver le chou frisé ou le chou vert là où poussait l'un d'eux au cours des deux années précédentes.

Chou frisé 'Green Curled Scotch'

Le chou frisé et le chou vert sont également exposés aux attaques de la pyrale du chou. Dès qu'on note la présence de cette chenille, vaporiser les plants de *Bacillus thuringiensis*.

Variétés recommandées

Pour le chou frisé, la variété 'Green Curled Scotch' est recommandée, de même que 'Winterbor', plus rustique. 'Flowering Kale' a de surcroît une valeur ornementale.

Parmi les choux verts, la variété qui détient la faveur populaire est la 'Vates'. Il s'agit d'un plant sélectionné, trapu et à feuilles épaisses, qui a été développé aux États-Unis, à la station expérimentale de Virginia Truck.

Toutes les laitues demandent un sol riche en humus. Les feuilles rouges sont attrayantes dans une salade.

Laitues à feuilles vertes et à feuilles rouges

Laitue et chicorée

Laitue Boston 'Escort'

Il est fini ce temps où les magasins d'alimentation n'offraient guère que la variété 'Iceberg'. Mais en cultivant sa propre laitue, on peut avoir accès à des variétés encore mal connues, comme la 'Lollo Rossa', à feuilles frisées vert tendre ourlées de rose. Parmi les romaines, dont le feuillage robuste ne craint ni le gel ni le froid, la variété 'Winter Density' réserve de belles surprises.

Il existe quatre types principaux de laitue: la vraie laitue pommée, à laquelle se rattache la variété 'Iceberg', dont les feuilles forment une pomme serrée rappelant celle du chou; la laitue 'Butterhead' dont la pomme est beaucoup plus lâche; la romaine, qui donne une pomme allongée pouvant atteindre 30 cm de haut; et la laitue frisée dont on peut récolter les feuilles tout l'été.

La vraie laitue pommée est rarement cultivée par des amateurs à cause de ses exigences culturales. Les trois autres types, cependant, se cultivent facilement à peu près partout, mais c'est la laitue frisée qui pousse le mieux et le plus vite.

En règle générale, la laitue pousse mieux avant les chaleurs de la mi-été. Lorsque la température atteint 21 °C et s'y maintient, la laitue a tendance à monter en graine, c'est-à-dire à lancer une tige centrale portant fleurs et graines. Arrivée à ce stade, elle n'est plus bonne à manger. La laitue frisée est la dernière à monter en graine durant la canicule et c'est elle aussi qui mûrit le plus rapidement. Dans les régions à climat frais, c'est la seule qu'on puisse encore planter à la fin de juin ou en juillet.

La laitue frisée arrive à maturité en 6 ou 7 semaines, la laitue 'Butterhead' en 9 ou 10 semaines, la romaine en 11 ou 12 semaines. (Les feuilles de toutes ces laitues sont ce-pendant bonnes à manger à n'importe quel stade.) Pour avoir de la laitue fraîche tout l'été, semer un rang de 1,50 à 1,80 m de long toutes les deux semaines. Interrompre les semis vers la mi-été et les reprendre après les grandes chaleurs.

On gagne de l'espace en cultivant la laitue entre des légumes plus lents à mûrir, tels le piment et le chou. Elle aura déjà été récoltée quand ces légumes prendront toute la place.

La chicorée se cultive comme la laitue. Mais, contrairement à celle-ci, elle prospère durant les périodes très chaudes et elle supporte également mieux le froid.

Les deux types de chicorée les plus couramment cultivés sont la chicorée frisée à grandes feuilles ondulées et la chicorée scarole à feuilles plus lisses. Leur feuillage est moins tendre que celui de la laitue et il a une saveur légèrement amère. C'est pour atténuer ces défauts de la chicorée qu'on la soumet d'ordinaire au blanchiment en cours de croissance. Protégées du soleil, ses feuilles demeurent plus tendres et prennent une saveur plus délicate.

Méthode de culture

La laitue et la chicorée demandent un sol riche en humus. Avant la plantation, incorporer à la terre de généreuses quantités de matières organiques, comme du compost ou du fumier bien décomposé ou, à défaut, 60 g d'engrais 10-10-10 par mètre de rang.

Plantation et culture de la laitue
La laitue frisée peut être semée en pleine terre dès que le sol se laisse travailler et qu'il s'est ressuyé des neiges et des pluies d'hiver. La romaine et la 'Butterhead' doivent être semées en caissettes à l'intérieur six semaines environ avant la date des semis à l'extérieur, c'est-à-dire avant que la terre devienne malléable. En pleine terre, elles peuvent être semées à la même époque que la laitue frisée.

Dans le cas de semis en caissettes à l'intérieur, enfouir les graines à 1,5 cm de profondeur et à 2,5 cm l'une de l'autre. Garder les caissettes dans un endroit frais (la laitue germe à 16 °C). Lorsque les plantules ont 2,5 cm de haut, les éclaircir à 5 cm ou les repiquer dans des pots individuels. Les installer dans un endroit à la fois frais et ensoleillé.

Le repiquage au jardin peut s'effectuer lorsque les plantules atteignent 5 à 8 cm de hauteur et que la terre est prête à être bêchée. Compter une se-maine d'endurcissement avant de les transplanter dans le potager. Les espacer de 15 à 20 cm dans le rang et laisser 30 à 45 cm entre les rangs.

Dans le cas de semis en pleine terre, enfouir les graines à 1,5 cm de profondeur et à 2,5 cm l'une de l'autre; laisser 30 à 45 cm entre les rangs. Lorsque les plantules ont 5 cm environ, les éclaircir de manière à laisser un espace de 5 cm entre elles. Les éclaircir de nouveau lorsqu'elles se touchent. Il sera sans doute nécessaire d'éclaircir encore une fois pour que les plants soient espacés de 15 à 20 cm. Les plants de laitue peuvent être plus rapprochés, mais les pommes restent alors petites et les plants montent plus vite en graine.

Les laitues doivent être fertilisées au moins une fois durant la période de croissance. Épandre de l'engrais 10-10-10 de chaque côté des rangs à raison de 50 g par mètre de rang. Si on en verse sur les plants, les laver aussitôt, car l'engrais les brûlerait.

Désherber avec précaution et arroser souvent. Comme la laitue demande une humidité constante, entourer les pieds d'un paillis.

Plantation et culture de la chicorée On peut semer la chicorée tout de suite en pleine terre. Si le potager est petit, semer d'abord en plate-bande et repiquer ensuite les plantules dans les rangs libres quand elles ont 5 à 8 cm de haut.

La laitue frisée, comme 'Lollo Rossa', affecte parfois une forme sphérique, mais elle se récolte feuille à feuille. On récolte la laitue pommée, comme la 'Buttercrunch', en la coupant au ras du sol.

Laitue frisée 'Lollo Rossa'

Laitue pommée 'Buttercrunch'

La chicorée semée à la mi-été pourra être récoltée en automne. Enfouir les graines à 1,5 cm de profondeur et à 2,5 cm de distance l'une de l'autre. Laisser un espace de 60 cm entre les rangs. Éclaircir à plusieurs reprises, de manière qu'à la fin les plants soient espacés de 35 à 40 cm.

Les travaux de fertilisation, de désherbage et d'arrosage se font de la même manière que pour la laitue. Cependant, deux ou trois semaines avant que la chicorée arrive à maturité, il faudra blanchir les pommes pour en atténuer la saveur un peu amère.

Il existe deux méthodes de blanchiment. La première consiste à rabattre les grandes feuilles extérieures au-dessus de la pomme et à les attacher avec un élastique. On peut aussi blanchir les laitues en plaçant simplement au-dessus des plants une planche suffisamment large pour les priver de lumière. Cette planche ne risque pas d'écraser les feuilles puisqu'elles poussent près du sol.

Récolte de la laitue et de la chicorée Dans le cas de la laitue frisée, cueillir seulement les feuilles extérieures : il en naîtra d'autres au centre du pied. Dans le cas de la 'Butterhead', de la romaine et de la chicorée, couper le pied entier au ras du sol. Faire de fréquentes récoltes. Lorsque la laitue n'est pas récoltée, elle perd peu à peu sa valeur nutritive et sa saveur s'affadit beaucoup.

Ravageurs et maladies

Quelques ravageurs menacent la santé de la laitue et de la chicorée. Dans les endroits humides, les limaces font rage. On s'en débarrasse en disposant des soucoupes remplies de bière éventée dans lesquelles elles iront se noyer. On peut également les dépister, la nuit tombée, avec une lampe de poche et les enlever à la main. Ne pas utiliser d'appâts à limaces, car ils sont toxiques pour les plantes potagères.

S'il y a infestation de pucerons, vaporiser les plants de savon insecticide. Contre les cicadelles qui se logent au revers des feuilles et les dévorent, utiliser du carbaryl. Si des vers font leur apparition, les enlever à la main ou vaporiser de *Bacillus thuringiensis*.

Variétés recommandées

Les variétés de laitue frisée recommandées sont 'Grand Rapids', 'Black-Seeded Simpson' et 'Red Sails' à feuilles rouges. Elles mûrissent en 40 à 45 jours environ, mais on peut commencer à les récolter un mois après la plantation.

'Dark Green Boston', 'Buttercrunch', 'Bibb', 'Baby Green' et 'Deertongue' sont des variétés à feuilles vertes, tandis que 'Sangria' a des feuilles rosées et beaucoup de saveur.

Les variétés les plus répandues de laitue romaine sont 'Parris Island Cos' et 'Valmaine Cos', qui atteignent environ 25 cm de hauteur, et 'Diamond Gem', un peu plus petite.

'Green Curled' est la chicorée frisée la plus répandue et 'Full Heart Batavian' est une variété d'escarole prisée des gourmets.

Mesclun

Le mesclun, un mélange de petites laitues qui inclut la trévise et la roquette, permet de réaliser de merveilleuses salades à partir d'un tout petit potager. Semer le mesclun dès que le sol s'est ressuyé et toutes les trois semaines par la suite. Faire des rangs courts de 10 cm de large. Récolter quand les pousses ont 10 cm, en coupant à 2,5 cm du sol.

Okra

Okra 'Perkins Mammoth Long Pod'

Proche parent d'une plante tropicale, l'hibiscus, l'okra, importé d'Afrique en Amérique au cours du XVIIᵉ siècle, désigne une variété de gombo très appréciée dans le sud des États-Unis. Sa texture mucilagineuse en fait un excellent épaississant pour les soupes et les ragoûts, mais il se consomme également frit ou cuit avec de la tomate.

L'okra vient mieux là où les étés sont longs et chauds, mais on peut le cultiver partout où pousse le maïs. En semant les graines à l'intérieur, il est possible d'allonger l'été et d'obtenir une récolte plus belle. L'okra vient dans une terre de jardin ordinaire, mais, comme tous les légumes, il apprécie les terres noires bien riches.

L'okra peut atteindre une hauteur de 1,50 m ; il a donc besoin d'espace. (Certains le cultivent comme haie ou comme bordure de potager.) Comme il est sensible au froid, il est préférable, en région froide, de le planter dans des lieux protégés.

Pour empêcher les tiges de verdir au soleil, on sème les poireaux dans une tranchée et on butte les plants à mesure qu'ils grandissent.

Poireau 'Titan'

L'okra produit rapidement de grandes fleurs jaune pâle derrière lesquelles viennent des gousses fines et pointues qui constituent le légume.

Culture de l'okra

Dans toutes les régions où il y a des gelées en hiver, il est préférable de démarrer la culture de l'okra dans la maison. Effectuer les semis environ un mois avant la mise au jardin.

Pour accélérer la germination, faire tremper les graines pendant 24 heures avant de les semer dans des pots en tourbe à raison de deux graines par pot. Quand elles ont germé, les placer dans un endroit chaud et ensoleillé. Lorsque les plantules ont 2,5 cm de hauteur, pincer la pousse la plus faible. Dès que la température nocturne se maintient au-dessus de 13°C, sortir les petits pots en tourbe dans lesquels sont les plantes. Lacérer les côtés des pots de façon que les racines puissent en sortir et les enfouir profondément dans le sol. Laisser 45 cm entre les plants, 90 cm entre les rangs.

Dans les régions chaudes, semer en pleine terre au jardin par groupes de trois ou quatre graines à 2,5 cm de profondeur. Laisser 45 cm entre les

Ravageurs et maladies

Peu de ravageurs ou de maladies menacent l'okra. Si des insectes à galerie se manifestent, épandre du métoxychlore sur le sol — là où se trouvent les œufs — et ôter les bestioles à la main. Lutter contre les pucerons, les scarabées japonais et la pyrale du maïs avec du Diazinon.

Variétés recommandées

La plupart des variétés d'okra modernes sont dépourvues des épines qui obligeaient autrefois les récolteurs à porter des gants. Les variétés

On les récolte 60 jours après les semis. Elles peuvent atteindre 22 cm de longueur, mais sont à leur mieux quand elles ont la taille d'un doigt.

semis, 90 cm entre les rangs. Quand les plantules ont 2,5 cm, ne garder dans chaque groupe que celles qui sont les plus vigoureuses.

Épandre un engrais 5-10-5 une première fois quand les plants ont environ 25 cm, une seconde fois quand la floraison commence. Le saupoudrer en rond sur une large bande autour de chaque plant à raison de 140 g par 3 m de rang.

L'okra demande peu de soins, si ce n'est des arrosages et des désherbages réguliers. Un paillis de 5 à 7,5 cm aidera à ralentir la croissance des mauvaises herbes et à garder le sol humide. La croissance des gousses est rapide dès lors qu'elles apparaissent et elles deviennent vite coriaces et filandreuses. Aussi faut-il les surveiller de près.

Pour récolter l'okra, couper les gousses avec un couteau coupant. Ne pas laisser de gousses mûres sur le plant : cela inhibe sa production. Grâce à une récolte quotidienne (en la réfrigérant au besoin), les plants produiront jusqu'au premier gel.

Dans les régions où il fait chaud, la flétrissure fusarienne peut détruire une récolte. Le cas échéant, ne pas planter d'okra (ou d'hibiscus annuel) au même endroit pendant au moins trois ans.

Les plants issus de semis à l'intérieur sont souvent attaqués par le vers gris. Protégez-les en les entourant d'un collet enfoncé de 1 cm.

'Annie Oakley' et 'Cajun Delight'* conviennent aux régions où la saison est courte. La variété 'Burgundy'*, qui produit des gousses rouges sur tiges buissonnantes à pétioles rouges, est aussi belle que bonne.

Oignon et poireau

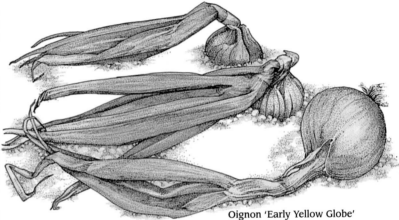

Oignon 'Early Yellow Globe'

L'oignon à bulbe sphérique cultivé au jardin n'est pas vraiment meilleur que celui qu'on achète au marché. C'est pourquoi on le trouve peu souvent dans les potagers familiaux.

L'oignon vert, cependant, petit oignon récolté jeune, a beaucoup plus de saveur quand il est frais cueilli et il occupe peu d'espace au jardin.

Tous les oignons, en fait, peuvent être cueillis quand ils sont verts, mais certaines variétés ont été spécialement mises au point à cette fin. Dans les catalogues de semences, on leur donne souvent le nom d'oignons à botteler parce qu'au marché ils sont généralement vendus en bottes. Dans le langage courant, on les appelle échalotes.

Méthode de culture

Pour cultiver l'oignon et le poireau, il faut une terre fertile, bêchée avec soin, à la fois humide et bien drainée. Comme ces légumes peuvent pousser dans le même emplacement pendant plusieurs années, il vaut mieux bien préparer le sol dès la première année. Incorporer environ 600 g de fumier bien décomposé ou de compost par mètre de rang, ainsi que 75 g d'engrais 5-10-10 par mètre de rang.

Le poireau est proche parent de l'oignon. Il a, en plus gros, l'apparence de l'oignon à botteler, mais ses exigences culturales ne sont toutefois pas les mêmes.

L'oignon et le poireau sont lents à mûrir. À partir des semences, il faut compter trois à cinq mois pour les oignons et quatre mois et demi pour les poireaux. L'oignon à botteler, beaucoup plus précoce, se récolte deux mois après les semis.

L'ail et la ciboulette sont des plantes apparentées à l'oignon et au poireau, mais comme ce sont aussi des condiments, on les retrouvera dans le chapitre « Plantes aromatiques et condimentaires », qui commence à la page 450.

Plantation des oignons à bulbe
Ces oignons sont rustiques, aussi peut-on les semer en pleine terre au début du printemps. Cependant, on utilise plus volontiers des petits bulbes à ensemencement qui réduisent le délai de maturation de quatre à six semaines et donnent une récolte plus sûre que les semis.

Dans les endroits où la terre ne gèle pas à plus de 1,5 cm de profondeur, on peut semer en automne pour récolter au printemps.

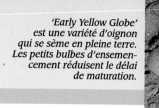

'Early Yellow Globe' est une variété d'oignon qui se sème en pleine terre. Les petits bulbes d'ensemencement réduisent le délai de maturation.

Oignon 'Early Yellow Globe'

Les bulbes d'ensemencement sont vendus au poids ; 30 g par mètre de rang suffisent. Ils ne doivent pas avoir plus de 1,5 cm de diamètre ; plus gros, ils risquent de monter en graine avant d'avoir donné des oignons.

Dès que le sol est prêt, planter les bulbes à 2,5 cm de profondeur et à 10 cm de distance dans des rangs espacés de 30 cm. Les plants d'oignons commercialisés se plantent comme les bulbes.

Les graines se sèment à 1,5 cm de profondeur et à 2,5 cm l'une de l'autre, dès que le sol se laisse travailler. Lorsque les plantules ont 8 à 10 cm de haut, les éclaircir à 5 cm. Enfin, lorsqu'elles atteignent 15 cm de hauteur, les éclaircir de nouveau à 10 cm.

Plantation de l'oignon vert (ou oignon à botteler) On peut récolter des oignons verts en semant des graines d'oignon à bulbe par groupes de six. Le manque d'espace restreignant leur développement, les plants forment de longues tiges blanches au lieu de bulbes arrondis. Les récolter deux ou trois mois plus tard.

On peut aussi acheter des semences de variétés conçues pour la récolte en vert. Elles sont de deux sortes : l'une se sème au début du printemps et se récolte en été ; l'autre se sème à la fin du printemps pour se récolter au début de l'automne, ou se sème en automne pour être récoltée le printemps suivant. Dans les régions à climat froid, les semis d'automne doivent être paillés pour l'hiver.

La culture de l'oignon vert à partir de semis est semblable à celle de l'oignon boule, sauf qu'on n'éclaircit pas les plantules.

Culture de l'oignon boule et de l'oignon vert Ces deux variétés d'oignons ont des systèmes radiculaires superficiels. Il leur faut donc des arrosages abondants et des désherbages fréquents. Entre les rangs, désherber par binage superficiel et, dans les rangs, sarcler à la main.

Fertiliser au moins une fois durant la période de croissance. Quand les plantules ont 20 à 25 cm de haut, épandre de l'engrais de chaque côté des rangs à raison de 30 g par mètre de rang. Pour ne pas déranger les racines, faire pénétrer l'engrais dans le sol par arrosage.

Récolte de l'oignon boule et de l'oignon vert L'oignon boule est bon à cueillir cinq mois environ après les semis ou trois mois et demi après le repiquage des bulbes ou des plantules. Le feuillage du plant se flétrit à mesure que le bulbe arrive à maturité. On peut hâter la maturation et obtenir des bulbes plus gros en couchant le feuillage lorsque les feuilles extérieures jaunissent. Deux semaines plus tard, soulever délicatement les bulbes en insérant une fourche à bêcher sous les plants.

À deux semaines d'intervalle, déterrer les bulbes avec la fourche.

Couper le feuillage à 2,5 cm du bulbe ou bien le garder pour le monter en botte lorsque les oignons auront séché. Étaler les bulbes dans un endroit chaud et bien aéré, et les laisser sécher pendant quelques jours. Tresser ensuite le feuillage et suspendre les bottes. (On peut aussi suspendre les bulbes dans un filet ou les garder dans des boîtes peu profondes, ouvertes et placées dans un endroit frais et modérément humide.)

Commencer à récolter les oignons verts quand les bulbes ont 5 mm à 1,5 cm de diamètre. Ne récolter que ce dont on a besoin, car les oignons verts se conservent tout au plus deux semaines. Les faire sécher complètement avant de les entreposer.

Plantation du poireau Pour garder au poireau son long bulbe blanc, on le plante dans une tranchée où il est à l'abri du soleil. En préparation pour la plantation, creuser un sillon d'environ 15 cm de profondeur et 23 cm de large. Laisser 30 à 60 cm entre les tranchées. Enlever les pierres et défaire les mottes. Incorporer à la terre au fond de la tranchée environ 300 g de matières organiques et 120 g d'engrais 5-10-10 par mètre de rang. La préparation du sol se fait de préférence à l'automne.

Le poireau demandant 130 jours pour arriver à maturité, les semis se font généralement à l'intérieur, 10 à 12 semaines avant la date du dernier gel. Mettre les graines en terre à 5 mm de profondeur et à 2,5 cm de distance. À la levée, éclaircir les plantules avec des ciseaux de façon qu'elles soient espacées de 5 cm. Quand elles ont environ 10 cm de haut, les repiquer dans des trous pratiqués tous les 10 à 15 cm au fond de la tranchée, en ne laissant sortir que la partie supérieure des feuilles. À mesure que les plants grandissent, les butter.

On peut aussi semer le poireau en pleine terre, dès que le sol se laisse travailler. Si les plants ne sont pas arrivés à maturité à l'automne, les laisser dans le sol pendant l'hiver en les protégeant d'un épais paillis et les récolter le printemps suivant.

Semer les graines de poireau dans une planche à semis à 1,5 cm de profondeur, dans des rangs espacés de 15 cm. Quand les plantules ont 15 à 20 cm de haut, les repiquer dans une tranchée. Avant le repiquage, rabattre de moitié le feuillage de chaque plant.

Culture et récolte du poireau Fertiliser à la mi-été et faire pénétrer l'engrais par arrosage plutôt que par ratissage. Désherber souvent en prenant garde d'abîmer les racines.

On peut récolter les poireaux longtemps avant qu'ils soient à maturité. Déterrer les plants avec une fourche à bêcher. Les entreposer dans une cave en les recouvrant de terre ou les laisser au jardin jusqu'à la récolte en les protégeant d'un paillis épais. On pourra repiquer les pousses latérales pour obtenir une nouvelle récolte.

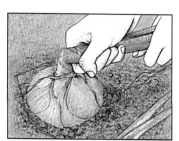

1. On couche le feuillage lorsque les feuilles extérieures jaunissent.

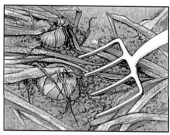

2. Deux semaines plus tard, soulever les bulbes pour hâter la maturation.

Ravageurs et maladies

La mouche de l'oignon se nourrit des bulbes d'oignon et de poireau. Une fois que la plantation est infestée, il n'y a plus de remède. À titre de mesure préventive, vaporiser les jeunes plants de Diazinon.

Le thrip de l'oignon se nourrit des feuilles, les marque de taches et les fait se dessécher. Vaporiser les plants de malathion en suivant le mode d'emploi.

Variétés recommandées

Parmi les bonnes variétés d'oignons à bulbe se trouvent 'Walla Walla Sweet', 'Sweet Spanish', 'Southport Red Globe' et 'Early Yellow Globe'.

Les variétés d'oignons à botteler les plus recommandées sont 'White Lisbon', 'Evergreen White' et 'Southport White'.

'American Flag', 'King Richard' et 'Poncho' sont les variétés de poireaux les plus répandues.

Les pois à grains ridés sont moins rustiques que les pois à grains lisses. Il faut donc attendre la mi-avril pour les semer à l'extérieur. Mais ce sont les pois les plus tendres et les plus sucrés.

Pois lisses 'Maestro'

Panais

Le panais est un légume-racine qui met quatre mois à mûrir. Comme le froid fait ressortir sa douce et délicate saveur, c'est un légume à cultiver dans les régions où la saison de culture est courte. À vrai dire, si le sol est paillé suffisamment, on peut récolter du panais tout l'hiver. Cependant, si le sol gèle, le panais sera toujours bon à récolter le printemps suivant.

Dans les régions où le climat est doux, on peut planter le panais en automne et en obtenir une récolte à la fin de l'hiver.

Méthode de culture

Le panais se cultive à peu près de la même façon que la carotte. Cependant, si l'on ne veut pas que la racine comestible, qui est très longue, se déforme, il faut bêcher le sol en profondeur et le débarrasser des cailloux.

Semer le panais en pleine terre deux semaines environ avant la date du dernier gel. Mettre les graines en terre à 1,5 cm de profondeur en semant serré dans des rangs espacés de 30 cm. Couvrir les graines d'une mince couche de terre ou d'un mélange composé de terre et de sable ou de terre et de tourbe. Bien fouler. Comme les semences de panais sont lentes à germer, on peut intercaler des radis dans les rangs. Ils seront récoltés longtemps avant l'apparition des panais. Lorsque les plantules de ces derniers ont environ 2,5 cm de haut, les éclaircir pour les espacer de 7 à 10 cm.

Faire des apports d'engrais 5-10-10 toutes les six semaines environ, à raison de 50 g par mètre de rang. Pailler pour freiner la croissance des mauvaises herbes.

La récolte peut commencer lorsque les racines ont, à leur sommet, 4 à 5 cm de diamètre. Les déterrer avec soin. Le panais qui reste dans le sol durant l'hiver doit être récolté avant qu'il ne donne de nouvelles feuilles au printemps. Ce légume peut être conservé dans un endroit frais.

Ravageurs et maladies

Ne pas cultiver le panais à proximité des carottes ou du céleri, car ces trois légumes sont attaqués par les mêmes ravageurs. Le plus néfaste est la mouche de la carotte. Vaporiser le sol de Diazinon après les semis.

Variétés recommandées

Les variétés de panais les plus recommandées sont 'Hollow Crown' et 'Harris Model'. La variété 'All-America' donne un panais de très grande qualité qui mûrit environ 100 jours après les semis.

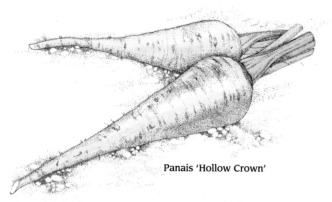

Panais 'Hollow Crown'

Pois

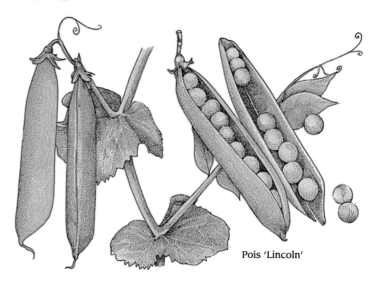

Pois 'Lincoln'

Les pois frais cueillis du jardin sont tellement supérieurs à ceux qu'on achète au marché qu'on devrait en cultiver, même dans le plus petit des potagers. Comme ils poussent mieux au frais qu'à la chaleur et ne mettent que 55 jours environ à arriver à maturité, s'il s'agit de variétés hâtives, on peut les remplacer par un autre légume après la récolte.

Il existe deux types principaux de pois : les petits pois et les pois mange-tout dont on mange la cosse et les graines. Bien que les seconds soient moins productifs que les premiers, ils valent la peine d'être cultivés pour leur délicate saveur.

Les variétés naines de petits pois et de pois mange-tout n'ont pas besoin de tuteurs. Il en faut aux variétés à rames des deux catégories, mais l'effort en vaut la peine car la récolte sera abondante.

Les pois n'aiment pas la chaleur. Une température constante de plus de 21 °C freine presque complètement leur mûrissement. Au moment de l'achat de semences, il faut donc vérifier sur le sachet le délai de maturation qui est ordinairement indiqué en jours. Dans les régions où le printemps est court, choisir des variétés hâtives. Là où le temps frais se maintient en été, cultiver à la fois des variétés hâtives et des variétés tardives pour récolter des pois durant toute la belle saison.

La plupart des semences de pois sont traitées avec un fongicide qui les empêche de pourrir en sol froid et humide. Les graines non traitées risquent évidemment de pourrir si la saison est pluvieuse.

Garder les graines traitées hors de la portée des enfants et des animaux domestiques.

Méthode de culture

Bêcher le carré destiné aux pois aussitôt que possible au printemps. Incorporer en même temps au sol de généreuses quantités de matières organiques : fumier bien décomposé, compost, terreau de feuilles ou foin vieilli. Pour la plantation des pois nains, creuser une tranchée à fond plat de 5 cm de profondeur et de 8 à 10 cm de large. Pour celle des pois à

Les sugar-snaps sont une variété de mange-tout relativement nouvelle; leurs cosses sont savoureuses même quand les pois sont bien formés.

Sugar-snap 'Sugar Daddy'

rames, creuser une tranchée de 25 cm et installer le treillis au centre : les plants seront cultivés de chaque côté de ce support. Ou laisser les pois grimper contre une clôture.

Lorsqu'on veut s'épargner les efforts d'installer un treillis, on peut semer une double rangée de pois. Les plants se supporteront les uns les autres. Cette méthode convient aux variétés qui ne dépassent pas 45 cm.

En guise de treillis, utiliser du grillage pour poulailler, du filet de plastique léger pour potager ou des ficelles tendues entre deux piquets. On peut également employer des branches de grande taille, bien pourvues de brindilles et de rameaux. Les installer sur toute la longueur du rang, de façon très serrée, avant de procéder à la plantation.

Juste avant de semer, déposer au fond de la tranchée de l'engrais pauvre en azote (5-10-10) en petite quantité. Le mélanger au sol.

Également avant le semis, couvrir les graines d'une poudre à base de culture bactérienne qui a la propriété de fixer l'azote dans le sol.

Enfouir les graines de pois à 5 cm de profondeur et à 2,5 cm de distance les unes des autres. Pour empêcher les oiseaux de dévorer les semences, couvrir les rangs d'un filet de plastique ou d'un treillis de ficelle et l'y laisser jusqu'à la levée.

Quand les plantules ont environ 8 cm de haut, butter la terre autour pour mieux les faire tenir. À mesure que les plants grandissent, enrouler leurs vrilles sur les supports.

Les pois demandent beaucoup d'humidité. Pailler les rangs pour réduire l'évaporation et freiner la croissance des mauvaises herbes. Arroser dès que la terre semble sèche. Les pois étant vulnérables aux maladies cryptogamiques, arroser au ras du sol, et non la plante directement, afin de ne pas mouiller le feuillage.

Lorsque les plants ont 15 à 20 cm de haut, étaler de l'engrais 5-10-10 des deux côtés de chaque rang, à raison de 50 g par mètre de rang. Éviter d'en laisser tomber sur le feuillage.

Si les pois à rames s'écartent des supports, les y attacher à l'aide de longues bandes de tissus ou avec des ficelles souples.

Les pois ont meilleur goût s'ils sont cueillis jeunes et tendres. Un retard d'un ou deux jours peut gâter une récolte en donnant le temps aux grains de durcir. En les récoltant régulièrement, on obtient longtemps des pois de première qualité, jusqu'aux premiers gels. Examiner en premier lieu les cosses du bas, car elles mûrissent plus vite.

Par ailleurs, si on laisse des cosses mûres sur les plants, ceux-ci ralentissent leur production.

Les petits pois sont bons à cueillir lorsque les cosses sont remplies de grains bien développés mais encore tendres. On cueille les pois mange-tout quand les gousses commencent à gonfler. Ne pas attendre cependant que la forme des grains se voie à travers la cosse, car celle-ci sera devenue trop coriace. Le cas échéant, on écossera les mange-tout comme s'il s'agissait de petits pois. Il en va autrement pour un nouvel hybride de mange-tout, les sugar-snaps, qui demeurent tendres quand le pois est bien formé. On les ouvre, après les avoir effilés au besoin, et on sert en même temps cosses et petits pois.

Pour cueillir les pois, tenir la tige d'une main, et de l'autre tirer sur la cosse. En procédant autrement, on risque d'arracher une partie du plant.

Si, après avoir récolté les pois, l'on veut cultiver un autre légume dans le

Ravageurs et maladies

Les pucerons répandent une virose grave, la mosaïque, pour laquelle il n'y a pas de traitement. Dès l'apparition de ces insectes, il faut donc se hâter de laver les tiges et le revers des feuilles ou les vaporiser avec du savon insecticide.

Le charançon du pois, petit ver noir, blanc ou brun, doit être enlevé à la main ou éliminé par des vaporisations de malathion.

Variétés recommandées

Parmi les variétés de pois nains les plus souvent cultivées, on a 'Little Marvel', qui atteint 40 à 50 cm de haut, 'Maestro', à grains lisses, et 'Improved Laxton's Progress'. Cette dernière, la plus répandue au Canada parmi les variétés précoces, atteint la maturité au bout de 55 jours.

Parmi les pois de grande taille, on connaît surtout 'Wando', qui atteint 75 cm et donne une récolte abondante mais ne supporte pas la grande

carré qui leur était réservé, il faut se rappeler que les pois consomment beaucoup de matières nutritives. Il faudra donc enrichir le sol que leur culture a appauvri. La récolte finie, on coupera les plants de pois et on les ajoutera au tas de compost. Les nodules d'azote qui se sont formés sur les racines nourriront la prochaine récolte. Faire un épandage d'engrais et ajouter du compost pour préparer la terre à la culture suivante.

Il peut arriver qu'en toute fin de saison, on se retrouve avec une récolte qui dépasse les besoins immédiats de consommation. En ce cas, laisser les cosses sur les plants jusqu'à ce que les grains soient durcis. Les cueillir, les écosser et faire sécher les pois pendant une demi-heure dans le four réglé à la température la plus basse. Les pois secs se conservent en bocal dans un endroit sec.

Si le printemps est froid et humide, les plants seront sujets au blanc, une sorte de mildiou. Les vaporiser ou les poudrer de dinocap ou de soufre.

Le pourridié attaque aussi les pois au moment de la floraison, faisant jaunir les feuilles et noircir les tiges. Il n'y a pas de traitement connu pour cette affection. On peut prévenir la réapparition de la maladie, l'année suivante, en plantant les pois dans un sol bien drainé où ils n'ont jamais encore été cultivé.

chaleur, 'Green Arrow', de la même taille, qui porte ses pois au sommet, ce qui facilite la récolte, et 'Lincoln', que plusieurs tiennent de loin pour la variété la plus savoureuse.

Parmi les pois mange-tout se rangent 'Oregon Giant', une variété précoce (60 jours avant maturation) qui ne requiert pas de tuteurs, et 'Super Sugar Pod', qu'il faut soutenir.

Enfin les sugar-snaps, qui sont de plus en plus prisés, incluent les variétés 'Sugar Snap'* de grande taille, 'Sugar Ann'* et 'Sugar Daddy'.

TUTEURAGE DES VARIÉTÉS DE GRANDE TAILLE

Quand les tiges ont quatre feuilles, les faire, grimper sur des rames.

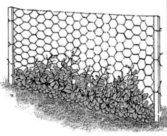

Ou utiliser des grillages à larges mailles fixés à deux piquets.

Piment et poivron

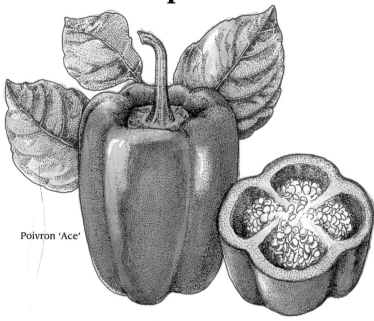

Poivron 'Ace'

Il existe deux types de piments : le fort et le doux. Ce dernier est appelé poivron. Le piment doux commence par être vert, puis, quand il atteint sa pleine maturité, peut devenir rouge, jaune, violet ou blanc.

Le piment fort, vert aussi en début de croissance, jaunit ou rougit en mûrissant. Les piments aiment la chaleur, tout comme les tomates et les aubergines, et demandent à peu près les mêmes soins culturaux.

Méthode de culture

Semer à l'intérieur huit semaines environ avant la date normale du premier gel. Enfouir les graines à 5 mm de profondeur dans des pots individuels, à raison de trois graines par pot. Garder les pots dans un endroit chaud (environ 24 °C). Du moment que les pousses apparaissent, transporter les pots dans un endroit ensoleillé. Lorsque les plantules ont atteint 2,5 cm, ne garder dans chaque pot que la plus vigoureuse.

On trouve dans les catalogues de semences une liste étonnante de variétés de poivrons et de piments. Dans les régions où la belle saison est courte, il y a intérêt à choisir parmi les variétés hâtives, puisque même celles-ci demandent au moins deux mois de culture après la transplantation. Il faut ajouter à cela les huit semaines nécessaires à la formation des plantules à partir des semis à l'intérieur.

L'endurcissement des plants est un moment critique. Attendre, pour les exposer aux conditions extérieures, que non seulement tout risque de gel soit passé mais que les nuits ne soient plus froides. Le froid réduira la croissance de la plante et empêchera les fleurs de survivre.

On peut aussi utiliser des plants prêts à être mis en terre. Choisir ceux qui présentent des tiges courtes et robustes et des feuilles vert foncé.

Éviter de cultiver des piments là où on a fait pousser précédemment des

tomates ou des aubergines. Ces trois légumes sont en effet vulnérables aux mêmes maladies.

Incorporer au sol une couche de 8 à 10 cm d'épaisseur de matières organiques, ainsi que 60 g d'engrais 5-10-10 par mètre de rang. Laisser 60 cm entre les rangs.

On peut aussi préparer des emplacements pour chaque plant de piment. Creuser des trous de 15 cm de profondeur et de 15 cm de diamètre. Mettre au fond une couche de 5 cm d'épaisseur de compost ou de fumier bien décomposé mélangé à 1 cuillerée à soupe de fertilisant. Remplir ensuite les trous de terre.

Laisser au moins 60 cm entre les plants. Les piments n'ont pas absolument besoin d'être tuteurés. Des supports peuvent cependant les aider à résister aux coups de vent. Les installer avant de repiquer les plants.

Lorsque tout danger de gel est écarté et que la température se maintient le jour au-dessus de 21 °C, effectuer le repiquage. Faire ce travail par temps nuageux et à la tombée de la nuit. Laisser 45 cm entre les plantules dans le rang.

Arroser abondamment immédiatement après la plantation et prendre toutes les mesures qui s'imposent pour protéger les plants contre les éléments et les insectes ravageurs.

Entourer chaque plant d'une collerette de carton qui éloignera les vers gris. Mettre les jeunes plants à l'abri du soleil ou des pluies violentes en les recouvrant de gobelets translucides qui se vendent à cette intention dans les centres de jardinage.

Ravageurs et maladies

Piment et poivron attirent peu de ravageurs. On se débarrassera des pucerons avec un simple jet d'eau dru ou en vaporisant un savon insecticide. Au besoin, utiliser un insecticide à base de Diazinon ou de malathion. S'il y a des mouches blanches, poudrer de pyréthrine.

Le piment est une plante qui consomme peu de matières nutritives. Si le sol a été convenablement fertilisé avant la plantation, il ne sera pas nécessaire d'ajouter de l'engrais en cours de culture.

Pour fructifier, le piment a besoin par contre de beaucoup d'humidité. Pailler le sol autour des plants et arroser régulièrement en période de sécheresse. Si des mauvaises herbes se fraient un chemin à travers le paillis, les arracher délicatement.

On peut consommer les piments doux à n'importe quel moment de leur croissance. Si on les laisse arriver à maturité, ils deviennent rouges et prennent une saveur plus douce. Cependant, on ne doit pas laisser de piments très mûrs sur les plants, car cela réduirait leur productivité.

Toujours couper les piments avec des ciseaux. Autrement, on risque d'arracher la tige avec le fruit.

Comme le piment mûrit vers la fin de la saison, on peut toujours craindre qu'un gel se produise avant que toute la récolte soit terminée. Si le froid menace, couvrir les plants d'une feuille de plastique retenue au sol avec des cailloux ou de la terre. Si le gel n'est pas très prolongé, cette mesure peut sauver les plants. Quand les fruits sont presque mûrs, arracher les plants avec leurs racines et les suspendre à l'intérieur, dans un local frais où ils finiront de mûrir.

On ne cueille pas les piments forts avant qu'ils aient atteint leur pleine maturité. Pour les conserver, les enfiler par le pédoncule sur une ficelle ou un fil et les suspendre à l'intérieur.

Variétés recommandées

'Ace' et 'Northstar' sont deux variétés hâtives de poivron; 'Big Bertha', 'Gypsy' (jaune), 'Sweet Banana' (jaune), 'Sweet Chocolate' (brun) et 'Bell Boy' sont des variétés tardives. Parmi les piments, on note 'Habanero', 'Jalapeño' et 'Hungarian Yellow Wax'.

Le feuillage de la jeune pomme de terre ne résiste pas au gel. Il faut donc prendre son temps pour planter ces tubercules, à moins de vivre là où les hivers sont doux.

Fleurs de pomme de terre

Pomme de terre

**Pomme de terre
'Norgold Russet'**

Les belles pommes de terre fermes ne sont plus toujours faciles à trouver sur le marché. En faire pousser chez soi ne demande pas beaucoup de travail ; il suffit surtout d'avoir l'espace.

Ces légumes poussent facilement dans un sol fertile et bien drainé et dans un emplacement ensoleillé.

Il existe deux variétés de pommes de terre : une variété hâtive et une va-riété tardive. La première se récolte et se consomme en été, mais son rendement n'est pas très élevé et elle ne se garde pas bien ; la seconde se récolte en automne et, bien entrepo-sée, peut se conserver tout l'hiver.

Là où il ne gèle pas en hiver et où les étés sont très chauds, on ne fait qu'une seule plantation, en automne ou au début de l'hiver.

Méthode de culture

La culture de la pomme de terre se fait à partir de tubercules garnis d'yeux. Une fois mis en terre, ces tu-bercules produisent des tiges feuil-lues au-dessus du sol et des touffes de pommes de terre dans le sol.

Ne pas planter les pommes de terre achetées au marché, car elles ont souvent été traitées avec un pro-duit chimique qui entrave leur germi-nation. On est beaucoup plus certain d'obtenir une bonne récolte en ache-tant des tubercules certifiés exempts de maladie.

Se servir du tubercule tel quel ou le couper en segments de 60 g ou de la taille d'une grosse noix. Chaque éclat doit porter au moins un œil. On ob-tient de meilleurs résultats si cet œil porte déjà un bourgeon de 2 cm.

Laisser d'abord légèrement sécher les éclats en les étalant dans un en-droit aéré et bien éclairé, ce qui per-mettra à la plaie de durcir. On peut poudrer les segments avec un fongi-cide, du captane par exemple, pour prévenir la pourriture. Ne pas oublier que le captane est un produit toxi-que ; s'en servir avec prudence et le mettre hors de la portée des enfants et des animaux domestiques.

La pomme de terre demande un sol acide dont le pH peut descendre jusqu'à 4,8. Il ne faut donc pas la cul-tiver dans un sol qui a été récemment amendé avec de la chaux.

Avant la plantation, étaler une couche de 8 à 13 cm d'épaisseur de fumier bien décomposé. Cet amen-dement enrichira la terre et en amé-liorera le drainage. Épandre aussi de l'engrais 5-10-10 à raison de 75 g par mètre de rang si le sol a été fumé ou de 150 g s'il ne l'a pas été. Bien mélanger les amendements avec la terre ; un contact direct des tubercules avec l'engrais pourrait les abîmer.

Dès que le sol se laisse travailler au printemps, enfouir les éclats dans des sillons de 10 cm de profondeur, de 8 cm de large et tracés à 90 cm l'un de l'autre. Espacer les éclats de 30 cm en orientant vers le haut les yeux des tubercules. Les recouvrir d'une couche de terre de 8 cm.

La levée se produit trois semaines après la plantation. À mesure que les plants grandissent, les butter ou ajouter au lit de plantation du terreau de feuilles, de la paille ou du compost de façon à bien couvrir les tubercules en formation. En effet, si elles sont exposées au soleil, les pommes de terre deviennent vertes et produisent de la solanine, substance toxique. S'il y a risque de gel, les couvrir pendant la nuit.

Il n'est pas nécessaire de faire un deuxième apport d'engrais. On verra cependant à ce que le sol autour des plants ne devienne pas compact. Ar-racher régulièrement les mauvaises herbes en se servant d'une binette pour ne pas abîmer les tubercules.

On peut commencer à récolter des pommes de terre à peu près au mo-ment où les plants sont en fleur, soit sept ou huit semaines après la plan-tation. Dégager avec soin la souche du plant et cueillir quelques tuber-cules ou pommes de terre nouvelles. Laisser quelques tubercules atteindre leur taille normale.

Lorsque le feuillage commence à se flétrir, les tubercules sont mûrs. Les déterrer à ce moment-là ou les laisser quelque temps dans le sol. Il est préférable toutefois de les récol-ter avant le premier gel sévère.

Avant d'entreposer les pommes de terre, les laver et les placer sans les tasser dans un contenant couvert mais bien aéré. Les y laisser sécher pendant quelques heures. (Ne jamais étaler les pommes de terre au soleil.) Les conserver ensuite dans un en-droit sombre et frais à 3 °C.

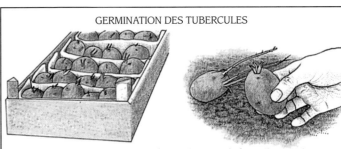

GERMINATION DES TUBERCULES

Aligner les pommes de terre côte à côte dans une boîte, œil sur le dessus. Les laisser germer dans un endroit clair et frais pendant six semaines.

Les pommes de terre nouvelles sont généralement prêtes en juillet.

Pommes de terre nouvelles

Patate douce

Radis

Ravageurs et maladies des pommes de terre

On élimine bien des risques en achetant uniquement des tubercules immunisés. La pomme de terre est néanmoins vulnérable à des insectes et des maladies qui viennent du sol. Il est donc essentiel d'exercer dans son cas la rotation des cultures.

Cela dit, la pomme de terre est très sujette à ce qu'on appelle la brûlure. Cette maladie se manifeste d'abord par des marques pourpres puis brunes sur les feuilles. Pour prévenir la brûlure, on peut employer des variétés résistantes comme la 'Kennebec', ou vaporiser les pommes de terre avec un fongicide à base de cuivre dès l'instant où l'on la détecte.

Autre affection à redouter, la gale poudreuse est causée par un organisme surtout présent dans les sols sablonneux à forte teneur de calcaire. Si on n'a pas le choix d'un sol plus acide, il existe des variétés particulièrement résistantes, comme la 'Norland'.

Mais l'ennemi le plus dangereux de la pomme de terre reste le doryphore. L'insecte et ses larves rouges attaquent le feuillage et détruisent les plants. Enlever les ravageurs à la main ou vaporiser de *Bacillus thuringiensis*, de la lignée San Diego.

Contre le puceron et la cicadelle qui sont des insectes vecteurs de viroses, utiliser du Diazinon.

Variétés recommandées

Se renseigner pour connaître les variétés les mieux adaptées à sa localité. Pour une récolte hâtive, il y a 'Caribe', 'Norgold Russet' et 'Norland'. 'Yukon Gold' se récolte un peu plus tard et se conserve bien. Pour une récolte d'automne, on a 'Desiree', 'Kennebec' et 'Russet Burbank'. D'autres variétés, moins connues, valent d'être essayées, comme 'Russian Banana', à tubercules allongés, et 'All Blue', à chair couleur lilas.

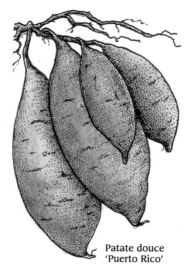

Patate douce 'Puerto Rico'

Bien qu'elle préfère les étés longs et chauds, la patate douce acceptera de pousser du moment qu'elle peut compter sur 150 jours sans gel. Une fois en terre, ce tubercule produit de belles racines nourrissantes et savoureuses sans en demander plus.

Méthode de culture

La patate douce n'est pas apparentée à la pomme de terre. Elle se reproduit par les pousses, ou boutures, qui émergent du tubercule. Une patate à demi immergée dans l'eau et maintenue sur un cure-dent produira plusieurs boutures. Pour une culture à grande échelle, on peut placer plusieurs patates dans un lit de sable et les recouvrir de 5 cm de sable ou de terreau mouillés et garder la température ambiante autour de 24 °C.

On démarre les boutures environ un mois avant l'arrivée du temps doux, quand le mercure ne descendra plus au-dessous de 16 °C la nuit. Pendant ce mois, les boutures atteindront 20 à 25 cm et chacune aura plusieurs feuilles. On détache les boutures d'une simple torsion. Il faut à la patate douce un terrain sablonneux pour pousser à l'aise. Incorporer à la terre de l'engrais 5-10-10 à raison de 1 kg pour chaque rang de 7,50 m. Former le long du rang un monticule haut de 15 cm et large de 30 cm, aplati sur le dessus.

Au milieu du monticule, planter les boutures en les espaçant de 35 cm et les enfoncer de 15 cm dans le sol, de façon à laisser au moins deux feuilles sortir de terre. Bien arroser.

Il ne restera qu'à désherber à l'occasion, en prenant soin de ne pas abîmer les racines.

Au premier gel, le sommet des plants vire au noir : c'est le moment de la récolte, même si le tubercule n'est pas à pleine maturité. Dans les régions où la terre ne gèle pas, la récolte se fait au bout de quatre mois.

Extraire les patates de terre avec beaucoup de précaution car elles s'abîment facilement. Les laisser sécher pendant plusieurs heures, puis les aligner dans une boîte garnie de journaux. Après un séjour de deux semaines au chaud et au sec, elles pourront être rangées pour l'hiver dans une cave sèche (10 ° à 13 °C).

Ravageurs et maladies

Le charançon de la patate douce se nourrit de la feuille et ses larves percent des tunnels dans le tubercule. Il faut garder le sol propre et exempt de feuilles et tout autre débris. Les plants affectés peuvent être vaporisés avec du méthoxychlore et les patates infestées seront détruites.

Variétés recommandées

On distingue deux catégories de patates douces : à chair sèche et à chair humide.

Sous un climat froid, on recommande, dans la première catégorie, des variétés comme 'Nemagold', 'Jersey Orange' et 'Nugget' ; dans la seconde, 'Centennial', 'Puerto Rico', 'Vardaman' et 'Beauregard'.

Il existe deux types de radis : le radis d'été, rouge vif ou blanc, qui mûrit en peu de temps et dont la culture est très répandue, et le radis d'hiver, plus lent à mûrir, de saveur plus piquante et dont la pelure est soit noire soit blanche.

Les enfants aiment cultiver les petits radis rouges parce qu'il s'écoule peu de temps, généralement trois semaines, entre les semis et la récolte.

Des rangs de 1,50 à 1,80 m donnent une bonne récolte. Pour avoir des radis frais tout l'été, semer toutes les semaines ou tous les 10 jours, sauf à la mi-été, car ces légumes prospèrent moins bien lorsque la température dépasse 27 °C. Dans la plupart des régions, on peut faire quelques autres semis à la fin de l'été pour une récolte avant les premières gelées.

Les radis d'hiver mettent 50 jours ou plus à mûrir ; on les sème à la mi-été pour les récolter à l'automne.

Méthode de culture

Avant la plantation, bêcher la terre à une profondeur de 15 cm et incorporer une couche de 2,5 à 5 cm d'épaisseur de compost ou de fumier bien décomposé ainsi que 100 g d'engrais 10-10-10 par mètre de rang.

Enfouir les graines dès que le sol se laisse travailler au printemps. Elles sont assez grosses pour qu'on puisse s'éviter à peu près l'opération fastidieuse de l'éclaircissage. Tracer un sillon de 1,5 cm de profondeur et espacer les graines de 1,5 cm. Bien tasser la terre dont on recouvre les semences et arroser délicatement.

On gagne de l'espace en semant les radis parmi des légumes plus lents à pousser, comme les carottes ou le panais. Pour avoir des radis sains, il faut les arroser très généreusement au moins une fois par semaine (plus souvent durant les périodes de sécheresse) et leur ménager l'espace voulu. Trop tassés, ils ne donneront pas la racine charnue

Si l'on veut avoir des radis tendres et croquants, il faut garder le sol constamment humide.

Radis 'Cherry Belle'*

Radis 'White Chinese'

Rhubarbe

Généralement classée parmi les légumes, la rhubarbe est consommée comme fruit. Les amateurs apprécient cette plante aussi bien pour son feuillage décoratif que pour ses tiges savoureuses.

La rhubarbe est une plante vivace dont le mode de culture se rapproche, sous plusieurs aspects, de celui de l'asperge. En effet, comme l'asperge, la rhubarbe doit être plantée dans des plates-bandes qui demandent une longue préparation. Dans les deux cas, cependant, les plants, une fois qu'ils sont bien établis, requièrent peu de soins et produisent durant de nombreuses années. Enfin, comme l'asperge, la rhubarbe doit connaître une période de dormance et vient donc mieux là où les hivers sont passablement rigoureux et où le sol gèle à une profondeur de 5 à 8 cm.

Rhubarbe et asperge sont des plantes peu exigeantes quant au sol, mais la première consomme une grande quantité de substances nutritives. Il faut donc la cultiver dans un sol fertile ou amendé par d'abondants apports de matières organiques et d'engrais au besoin.

On cultive rarement la rhubarbe à partir de semis. On utilise plutôt des éclats de souches, c'est-à-dire des segments de collet garnis de racines et de bourgeons. On en trouve dans les catalogues de semences et dans les pépinières.

La rhubarbe peut occuper longtemps le même carré dans le jardin. Aussi est-il préférable de lui accorder un emplacement isolé, un coin par exemple ou un rang de bordure, où elle ne nuira pas aux autres cultures et ne sera pas ennuyée par les travaux périodiques de jardinage.

Radis 'Champion'*

qui fait leur réputation. Même si l'on a été soigneux au moment des semis, il faudra sans doute éclaircir à un certain moment pour laisser un espace de 2,5 à 5 cm entre les plants.

Désherber souvent et avec précaution, car les racines des radis poussent en surface. Un sol qui n'est pas compact et qu'on travaille souvent donne de bons radis.

Selon les variétés, le radis d'été mûrit en 20 à 30 jours, tandis que le radis d'hiver demande 50 à 75 jours. La taille maximale est ordinairement indiquée sur les sachets de graines. Lorsqu'on tarde à faire la récolte, le radis mûrit trop, durcit et sa saveur devient très piquante. On sait également qu'il est trop mûr quand il est fendu ou fissuré.

Ravageurs et maladies

À cause de sa saveur piquante, le radis a peu de ravageurs. Son principal ennemi est un asticot rhizophage qui se trouve souvent dans le sol des rangs où l'on a déjà cultivé du chou. Pour l'éliminer, épandre des granules de Diazinon à la surface des rangs après les semis. Suivre le mode d'emploi et faire pénétrer l'insecticide dans le sol par arrosage. Répéter le traitement une semaine plus tard.

La chenille du chou dévore aussi parfois les feuilles de radis. Ici aussi, le Diazinon (voir ci-dessus) se révèle efficace.

Variétés recommandées

Les radis d'été rouges les plus populaires sont 'Cherry Belle'* (qui mûrit en 22 jours et donne des radis de 2 cm de diamètre), 'Champion'* (28 jours, 5 cm) et 'Comet'* (25 jours, 2,5 cm). 'White Icicle' (28 jours, 13 cm de long) donne un radis d'été blanc à saveur douce. Parmi les radis d'hiver, on recommande 'Round Black Spanish' (55 jours, 8 à 10 cm de diamètre) et 'White Chinese', aussi appelé 'Celestial' (60 jours, 15 à 20 cm de long). 'Daikon' et 'Miyashige' sont des radis japonais, semés en été, récoltés en automne.

Rhubarbe 'Valentine'

Rhubarbe

La rhubarbe donnera de meilleurs résultats si le sol est amendé avec du compost ou du fumier bien décomposés.

Épinard

Méthode de culture

Les plants de rhubarbe demandent un sol fertile, bien drainé et qui a été travaillé en profondeur. On peut se contenter de préparer des trous pour chaque éclat.

Creuser des trous de 60 cm de profondeur et d'autant de large ; les espacer de 90 cm dans toutes les directions. Mettre au fond des trous une couche de 15 cm de compost ou de fumier. À la terre excavée, mélanger une quantité équivalente de compost ou de fumier et ajouter 100 g d'engrais 10-10-10. Remplir les trous de ce mélange jusqu'à la moitié.

Au début du printemps, installer les éclats dans les trous de façon que les yeux soient à environ 8 à 10 cm sous le niveau du sol. Tasser la terre fermement autour des racines et finir de remplir les trous avec le mélange décrit ci-dessus. Niveler.

Lorsque les premiers signes de reprise se manifestent, et tous les printemps suivants, incorporer autour des plants, par griffage, 250 g d'engrais 10-10-10. Entourer chaque plant d'un paillis pour garder le sol humide et empêcher le gel d'abîmer les racines. Retirer le paillis au moment de la fertilisation et le remettre en place ensuite.

Les plants de rhubarbe produisent des tiges florifères qu'on doit couper le plus tôt possible pour qu'elles ne nuisent pas à la production des tiges comestibles.

Après plusieurs années, les plants deviennent très touffus et les tiges comestibles s'amincissent. Déterrer alors les plants et diviser les souches.

Ravageurs et maladies

La rhubarbe est très résistante. Cependant, le charançon de la rhubarbe, qui prolifère dans les touffes de mauvaises herbes, peut l'attaquer. Il suffit de désherber régulièrement et enlever les insectes à la main dès qu'on en voit.

Pratiquer cette opération au printemps, au moment où les nouvelles tiges viennent tout juste de pointer, ou au commencement de l'automne. Laisser un à trois yeux par segment et planter les segments dans une autre plate-bande en les traitant comme des éclats de souche. Si la division se fait à l'automne, protéger les nouveaux plants d'un épais paillis.

Les tiges de rhubarbe peuvent atteindre 45 cm de hauteur et même davantage. Si les plants semblent être à maturité, cueillir quelques tiges au printemps de la deuxième année. À partir de la troisième année, récolter environ la moitié des tiges en laissant les plus fines sur le pied.

Cueillir la rhubarbe avec un mouvement de torsion, en tenant la tige près de la base. Ne pas consommer l'extrémité supérieure des tiges, qui est légèrement toxique.

Forçage de la rhubarbe en hiver
En automne, lorsque le feuillage est mort, déterrer des plants et les placer dans un bac de 45 cm de diamètre, rempli de terre végétale, de compost et de fumier. Laisser le bac subir l'effet du gel pendant quelques semaines à l'extérieur. Le rentrer ensuite dans un endroit sombre et frais. Garder le sol humide. Un mois environ avant la date prévue pour la récolte, transporter le bac dans un endroit plus chaud (16 °C est la température idéale), mais le garder si possible à l'obscurité. Les racines, en état de dormance, commenceront alors à produire des bourgeons. Récolter quand les tiges auront 45 cm de haut.

Variétés recommandées

Les variétés 'Canada Red' et 'Valentine', très connues, donnent la rhubarbe classique à tiges rouges. La variété 'Victoria' présente des tiges plus vertes que rouges. Là où les hivers sont relativement doux, on peut choisir la variété 'Cherry Red'.

Épinard 'Viking'

Épinard, bette à carde et moutarde font partie de la grande famille des légumes-feuilles cultivés pour leurs tiges et leurs feuilles tendres et riches en vitamines. Font également partie de cette famille le chou frisé et le chou vert (voir p. 429) et les feuilles du navet (voir p. 449).

L'épinard ne vient bien que dans les régions où le climat est frais. Là où il fait plus doux, on cultive de préférence l'épinard de Malabar ou l'épinard de Nouvelle-Zélande (tétragone) qui ont la même saveur que l'épinard mais n'ont aucune parenté avec lui. La bette à carde ou poirée est un proche parent de la betterave,

mais on la cultive surtout pour son feuillage. Elle vient facilement et donne beaucoup. Enfin, les feuilles de moutarde ont une saveur piquante et elles arrivent rapidement à maturité.

Épinard, bette à carde et moutarde ont besoin du même type de sol et des mêmes engrais : une terre non acide (à pH de 6 à 7,5), amendée de matières organiques et riche en azote. Sauf la bette à carde, ces légumes préfèrent un climat frais, la chaleur les faisant rapidement monter en graine. Ils peuvent même supporter de légers gels s'ils sont recouverts d'un paillis.

Méthode de culture

Dès qu'il se laisse travailler, bêcher le sol et incorporer du fumier bien décomposé ou du compost ainsi que de l'engrais 10-10-10.

Culture de l'épinard Semer l'épinard dans des sillons de 1,5 cm de profondeur en espaçant les rangs de 40 cm. L'épinard mûrit rapidement (40 à 50 jours) et monte facilement en graine : il ne faut donc pas cultiver de longs rangs, mais pratiquer plutôt des semis successifs en rangs courts, tous les 10 jours environ jusqu'à ce que la température se maintienne le

jour autour de 21 °C. On reprend les semis à la fin d'août pour récolter au cours de l'automne.

Éclaircir les plantules à 8 cm. Lorsque les feuilles des plants se touchent de nouveau, enlever un pied sur deux. Le dernier éclaircissage vise à laisser environ 25 cm entre les plants.

Lorsque les plants ont 15 à 20 cm de haut, épandre un engrais riche en azote à raison de 30 g par mètre de rang. Désherber régulièrement et garder le sol bien humide.

Cueillir les feuilles extérieures lorsqu'elles ont la taille souhaitée, mais

Épinard 'Tyee'

En retirant les feuilles qui sont prêtes pour la consommation, on stimule la production de nouvelles feuilles.

cueillir le pied entier lorsqu'il se forme un bourgeon au centre.

Culture de l'épinard de Malabar et de Nouvelle-Zélande L'épinard de Malabar ne pousse que dans les régions à climat très chaud. Plante sarmenteuse, on peut la faire grimper. Elle produit des feuilles comestibles en 70 jours environ. Lorsque tout risque de gel est écarté, semer à 1,5 cm de profondeur et espacer les plants de 8 cm.

L'épinard de Nouvelle-Zélande demande aussi un climat chaud. Semer à l'intérieur après avoir fait tremper les graines pendant 12 heures. Garder les pots dans un endroit frais. À la levée, ne garder que la plus vigoureuse des plantules de chaque pot. Repiquer en pleine terre deux semaines environ avant le dernier gel.

L'épinard de Nouvelle-Zélande s'étale beaucoup : il faut donc laisser 45 cm entre les plants et 90 cm entre les rangs. Quand il s'est écoulé entre 60 et 70 jours après le repiquage, on peut couper et consommer tout le plant. Les cueillettes successives décuplent la vigueur de la plante.

Culture de la bette à carde ou poirée Environ 60 jours après les semis, la bette à carde commencera à donner des feuilles comestibles et la récolte peut durer tout l'été. À l'époque du dernier gel, enfouir les graines (ou glomérules) dans des sillons de 1,5 cm de profondeur. Laisser un espace de 75 cm entre les rangs. Espacer les glomérules de 8 cm et, à la levée, éclaircir à 15 cm. Lorsque les feuilles des pieds se touchent, arracher un plant sur deux. Les plants supprimés peuvent être consommés.

Pailler et donner au moins une fois durant la saison entre 30 et 40 g d'engrais 10-10-10 par mètre de rang.

La récolte s'effectue en coupant les feuilles extérieures à la souche ; de nouvelles feuilles se développeront au centre.

Culture de la moutarde Semer les graines de moutarde tôt au printemps dans un sol cultivé. Les enfouir à 1,5 cm de profondeur dans des sillons espacés d'environ 40 cm. Laisser 2,5 à 4 cm entre les graines. À la levée, éclaircir pour laisser 15 cm d'espace entre les plants. Pratiquer des semis successifs au début du printemps et un ou deux autres à la fin de l'été. Les feuilles de moutarde sont mûres après 35 à 40 jours. Les cueillir avant que le plant ait atteint sa taille adulte, autrement, celui-ci montera en graine.

Ravageurs et maladies

L'épinard est souvent affligé d'une sorte de mosaïque virale ou brûlure qui fait jaunir les feuilles. Contre cette maladie, un seul moyen préventif : acheter des variétés immunisées. Contre le puceron et la mineuse, vaporiser du savon insecticide. La mineuse attaque aussi la bette à carde, même si cette plante, comme la moutarde, est peu vulnérable.

Variétés recommandées

Parmi les épinards printaniers, se rangent 'America'* et 'Longstanding Bloomsdale', deux variétés à feuilles cloquées, de même que 'Melody', à feuilles lisses. Deux autres variétés, 'Winter Bloomsdale' et 'Tyee' se sèment au printemps ou en automne.

Parmi les variétés de bettes à carde ou poirées, on retrouve 'Fordhook Giant', à feuilles vert foncé, et 'Lucullus', à feuilles plus pâles. 'Bright Lights' est multicolore : sa tige est dorée, rose, orange, mauve et blanche et ses feuilles sont vertes ou bronze.

Enfin, les variétés de moutarde les plus populaires sont 'Savanna', qui pousse en l'espace de 35 jours, et 'Green Wave', qui prend 45 jours à produire ses feuilles frisées à larges échancrures.

Courge et citrouille

Courge 'Zucchini Select'

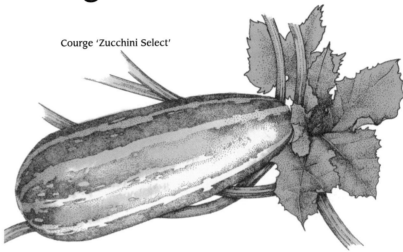

En dépit de leur saveur et de leur apparence différentes, les deux principaux types de courges, la courge d'été et la courge d'hiver, sont apparentées et se cultivent de la même façon. Comme les melons et les concombres, elles appartiennent à la famille des gourdes et ont besoin de beaucoup de place pour croître de façon satisfaisante.

Les courges d'été sont des plantes buissonnantes et rampantes dont on récolte les fruits bien avant leur maturité au moment où leur peau — qui peut être verte, jaune, blanche ou rayée — est encore tendre et comestible. De nombreuses courges d'été ont une forme cylindrique.

La plupart des courges d'hiver, appelées aussi potirons, sont des plantes sarmenteuses qui prennent encore plus d'espace que les courges d'été. On laisse les fruits sur le plant jusqu'à leur complète maturité ; leur écorce est alors coriace et on ne la consomme pas. Les fruits sont de toutes sortes de couleurs ; leur forme peut être trapue, oblongue, globuleuse ou en forme d'oignon. La peau peut être lisse, ridée ou côtelée. Bien entreposées, les courges d'hiver se conservent jusqu'au printemps.

Les citrouilles sont en réalité des variétés de courges d'hiver, qui peuvent être buissonnantes ou rampantes. Comme les courges d'hiver, on ne les cueille qu'à maturité. Elles sont plutôt ornementales que comestibles, quoique certaines personnes en fassent des soupes ou des tartes.

Il existe bien des variétés de courges. Parmi les courges d'été, on connaît la courge jaune, à cou tors ou à cou droit, la courge verte ou zucchini et le pâtisson à peau blanche ou verdâtre. La plupart des courges d'été se cueillent entre 50 et 60 jours après la plantation.

Les courges d'hiver les plus hâtives sont la courge en forme de gland et la courge bulbeuse qui sont prêtes à cueillir entre 75 et 85 jours après la plantation. Le giraumon turban met 100 jours à mûrir, tandis que la courge gris ardoise ou verte 'Hubbard', qui peut atteindre une taille énorme, en met 110. Quant aux citrouilles, elles mûrissent en 100 à 120 jours.

Toutes les courges exigent une terre riche, humeuse, qui garde bien l'humidité et qu'on enrichit par des apports d'humus ou d'engrais.

Les courgettes et les courges d'été se récoltent avant maturité. Les citrouilles demandent toutefois à mûrir avant d'être cueillies et conservées pour l'hiver.

Courge d'hiver (jeune plant)

Citrouille 'Baby Bear'

Courgette 'Seneca' (ici), 'Black Jack' (à droite)

Citrouille 'Baby Bear'*

Méthode de culture

On cultive généralement les courges sur de petits monticules appelés poquets. Pour préparer un poquet, creuser un trou de 30 à 45 cm de profondeur et d'environ 60 cm de diamètre. Mettre au fond 10 à 15 cm de compost ou de fumier bien décomposé. Remettre ensuite la terre dans le trou d'où on l'avait retirée de manière à former un petit monticule d'environ 15 à 20 cm de haut.

Espacer les poquets de 1,20 à 1,80 m pour les variétés buissonnantes et de 2,50 à 3 m pour les variétés rampantes, ce qui comprend les citrouilles.

On sème les courges en pleine terre au moment du repiquage des tomates et des aubergines, c'est-à-dire lorsque la température ne descend plus en dessous de 13 °C la nuit. Enfouir six graines par poquet à environ 2,5 cm de profondeur. Quand les plantules ont 15 cm de haut, ne garder que les deux ou trois plus vigou-

reuses de chaque poquet. On peut aussi semer les courges à l'intérieur trois ou quatre semaines plus tôt qu'au jardin. Il suffit de placer deux ou trois graines, à plat sur leur flanc, dans des petits pots de mélange terreux, de couvrir et de bien arroser. Le développement des plantules risque cependant d'être retardé par le repiquage. Faire très attention de ne pas déranger leurs racines.

Lorsqu'on a incorporé au sol, au moment de la préparation, de généreuses quantités de compost ou de fumier, il n'est pas nécessaire de fertiliser de nouveau. En cas de doute, épandre 50 g (⅓ tasse) d'engrais 5-10-10 autour de chacun des plants lorsqu'ils ont quelques feuilles.

Les courges requièrent beaucoup d'humidité. Arroser lentement et en profondeur pendant les périodes de sécheresse, mais ne pas garder la terre constamment détrempée.

Le paillis est très recommandé dans la culture des courges. Il garde le sol humide, empêche la croissance

des mauvaises herbes et protège les fruits des insectes et de la pourriture.

On peut tailler les courges sarmenteuses dont les tiges sont envahissantes. Au moment où apparaissent de petits fruits sur les tiges couper les extrémités des longs coulants en gardant des feuilles.

Pour récolter les courges, couper le fruit avec un couteau. Les courges d'été se cueillent quand le fruit est petit et qu'on peut facilement en percer la peau avec l'ongle. Récolter les courges de forme allongée lorsqu'elles mesurent 4 à 5 cm de diamètre et les pâtissons lorsqu'ils ont 7,5 à 10 cm de diamètre.

Les courges d'hiver ne doivent être cueillies que lorsque leur écorce est coriace. Les exposer au soleil ou les garder dans un endroit chaud et bien aéré durant une semaine, puis les conserver dans un endroit sec où la température reste entre 13 et 16 °C.

Ravageurs et maladies

Les courges et les citrouilles sont exposées aux mêmes maladies que les concombres et les melons.

La chrysomèle rayée du concombre, qui se nourrit des feuilles et des racines, peut communiquer aux plants une maladies bactérienne qui entraîne le flétrissement et la mort. Couvrir les plantules d'une protection lâche. Détruire les ravageurs par des vaporisations de méthoxychlore ou de roténone.

Le perceur de la courge dépose ses œufs au pied des plants. Un bon moyen de le déloger consiste à vaporiser le pied des plants de méthoxychlore, mais si le ravageur s'est creusé une galerie dans le plant, entailler celui-ci.

Il n'existe pas de traitement contre la fusariose, maladie cryptogamique, mais on peut la prévenir en alternant les cultures ou en stérilisant le sol. Si les feuilles sont attaquées par le blanc, couper les pousses atteintes et vaporiser régulièrement de bénomyl.

Variétés recommandées

Parmi les courges d'été de type buissonnant, on peut citer 'Peter Pan'* et 'Sunburst', de même que deux courgettes, 'Goldrush'* (jaune) et 'Black Beauty'.

Les courges d'hiver rampantes les plus recommandées sont 'Blue Hubbard' (6,75 kg), 'Table Queen' (450 g à 1 kg), 'Buttercup' (2,25 kg) et 'Waltham Butternut' (1,35-1,80 kg). Parmi les courges d'hiver buissonnantes, on recommande les variétés 'Gold Nugget' (900 g) et 'Sweet Dumpling', qui porte des petites courges de 10 cm sur de courtes tiges.

Parmi les citrouilles, la variété 'Baby Bear'* atteint 20 cm de diamètre et fait d'excellentes tartes. 'Connecticut Field' peut peser jusqu'à 11 kg et sert surtout à faire de belles citrouilles de Halloween.

'Wee-B-Little'* est une variété buissonnante avec des mini-fruits.

CUEILLETTE

Cueillir les courgettes quand elles atteignent environ 10 cm.

Quand une courge d'été cylindrique atteint un diamètre de 5 cm, la sectionner au couteau.

Tomate 'Early Cascade' ➡

Enroulement des feuilles

Mildiou

Tomate

Tomate 'Small Fry Hybrid'

La tomate est assurément l'un des légumes que l'on retrouve le plus souvent dans les petits jardins potagers. Les catalogues des grainetiers lui consacrent toujours plusieurs pages.

Ce grand succès de la tomate a incité les horticulteurs à créer des centaines de variétés. Ces nouvelles variétés, généralement des hybrides, sont à la fois plus savoureuses et moins vulnérables à certains germes contenus dans le sol.

Au moyen d'un code, les catalogues des grainetiers précisent toujours à quelle maladie ou à quel ravageur chaque variété est en mesure de résister. Par exemple, la lettre V indique une résistance à la verticilliose, la lettre F à la fusariose et

la lettre N aux nématodes. La flétrissure verticillienne et la flétrissure fusarienne sont deux maladies qui frappent le feuillage, tandis que les nématodes sont des vers qui s'attaquent au système radiculaire de la plante. L'utilisation de semences qui résistent à ces maladies et à ce ravageur est une précaution sanitaire à prendre.

Les variétés de tomates se divisent en deux groupes principaux : les variétés hâtives et les variétés à croissance normale. Les variétés hâtives sont en règle générale déterminées, c'est-à-dire qu'après avoir atteint une certaine taille et donné une seule récolte, elles meurent. D'autre part, elles n'ont pas besoin de tuteurs. Les

variétés normales sont très rarement déterminées : elles continuent de croître et de produire jusqu'aux froids. Bien que ces variétés donnent des tomates même si on laisse les plants ramper sur le sol, il vaut mieux attacher les branches à un support. La récolte est ainsi moins exposée aux maladies et aux attaques des ravageurs, et les fruits mûrissent plus rapidement.

Méthode de culture

Les semis de tomates doivent être commencés à l'intérieur environ huit semaines avant la date habituelle des derniers gels. Semer les graines dans des caissettes ou des pots à 3 mm de profondeur ; quand les plantules ont environ 2,5 cm de haut, les repiquer individuellement dans des pots de 7,5 à 10 cm. Placer les pots dans un endroit chaud et ensoleillé et garder le mélange humide. Ne pas oublier d'endurcir les plants avant de les transplanter au jardin.

À l'achat, choisir des plants robustes dans des caissettes peu remplies. S'assurer que les plants ont été endurcis, sinon il faudra le faire.

Pour obtenir une bonne récolte de tomates, il est indispensable de bien préparer les plates-bandes. L'automne précédent, si possible, bêcher la terre à plusieurs centimètres de profondeur en y incorporant une couche de 5 cm de compost ou d'engrais organique. Tôt au printemps, faire pénétrer au râteau de l'engrais 5-10-10 à raison de 60 g par mètre de rang.

Si les plates-bandes n'ont pas été apprêtées, creuser pour chaque plant de tomates hâtives un trou de 15 cm de profondeur et de 60 cm de diamètre. Pour les variétés plus tardives, pratiquer un trou de la même profondeur mais de 90 cm de diamètre.

Au fond des trous, disposer une couche de 5 cm de compost ou de tourbe humide comprenant un peu d'engrais et de terre de surface.

Les tomates étant très sensibles au froid, les horticulteurs de certaines régions auront intérêt à planter quelques variétés hâtives en plus des variétés à croissance normale. Sauf dans les régions les plus chaudes du pays, on cultive les tomates à partir de plants et non de semis. Les délais de maturation précisés dans les catalogues sont toujours calculés à partir du moment de la transplantation.

Tuteurage Installer les treillis ou les tuteurs avant la plantation. En règle générale, on utilise de hauts tuteurs qu'on enfonce dans le sol à côté du plant. On attache la tige au tuteur avec des liens : ficelle ou bandes étroites de tissu. Au fur et à mesure que le plant prend de la hauteur, on réajuste les liens.

On peut se servir d'un grillage de fil de fer (clôture de poulailler de 1,80 m de haut) faisant toute la longueur de la planche. Deux piquets plantés aux extrémités de la plate-bande et reliés par du fil métallique constituent aussi un bon treillis. Ou acheter des supports coniques à tomates dans une jardinerie. L'essentiel est de soutenir le plant au fur et à mesure qu'il se développe de façon que les tomates ne touchent pas le sol et qu'elles soient bien exposées au soleil.

Les petites variétés hâtives n'ont pas besoin de tuteurs, mais il est préférable de leur éviter tout contact avec le sol en les entourant, au moment de la plantation, d'un cylindre de 90 cm de haut et de 45 cm de diamètre, en filet métallique. Les mailles doivent offrir des ouvertures d'au moins 15 cm pour que les branches puissent facilement passer à travers. Assujettir le cylindre au moyen d'un robuste piquet fiché à 15 cm de profondeur dans le sol.

On peut aussi étendre un paillis (des pellicules de plastique noir conviennent aussi) entre le sol et les petits plants pour empêcher les tomates d'être contaminées par des ravageurs terricoles.

Le nombre de variétés disponibles dans les jardineries est généralement réduit. Pour obtenir des tomates spéciales, faire des semis.

'Gardener's Delight'

'Sweet Million'

'Husky Gold'

Plantation et entretien Mettre les plants de tomates en terre lorsque les températures nocturnes ne descendent plus en dessous de 13 °C. Espacer les plants de 60 cm s'il s'agit de variétés hâtives, de 90 cm dans les autres cas, et laisser 90 cm entre les rangs. Ou planter les pieds dans des trous comme on vient de le décrire.

Enfouir les plants jusqu'à la naissance du feuillage. Ils produiront des racines qui rendront le pied plus stable. Coucher les pieds de haute taille : la tige entière se trouvera alors dans le sol, tandis que seules les feuilles du haut émergeront. Tout de suite après le repiquage, fertiliser les plantules avec 225 ml d'engrais liquide dilué de moitié. Pour protéger les plants du ver gris, les entourer de collerettes de carton enfouies dans le

sol à au moins 2,5 cm de profondeur. Si on annonce un coup de gel, couvrir les plants pour la nuit de tentes de papier journal.

Si le sol n'a pas été fertilisé avant la plantation, engraisser la terre une fois par mois en épandant environ 50 g d'engrais 5-10-5 dans un rayon de 60 cm autour des plants.

Couvrir le sol d'un épais paillis pour le garder humide et pour freiner la croissance des mauvaises herbes.

Rabattre les plants indéterminés à un seul axe central en pinçant les pousses latérales, ou gourmands, à mesure qu'elles font leur apparition. Elles naissent à l'axe de la tige principale et des pétioles des feuilles. Les couper au ras de la tige quand elles sont encore jeunes. Couper aussi les gourmands qui sortent de la souche.

Les plants de tomates demandent des arrosages abondants. Il leur faut au moins 2,5 cm d'eau par semaine, surtout pendant les périodes de sécheresse. Vérifier constamment l'apparition des gourmands et les couper. Rattacher les plants à leurs tuteurs à mesure qu'ils prennent de la hauteur.

Récolte des tomates Si le temps se maintient au chaud et si les pluies sont abondantes, les tomates devraient mûrir 60 à 85 jours après le repiquage au jardin. Lorsqu'elles commencent à rougir, inspecter les plants tous les jours et cueillir celles qui sont bien rouges (ou bien jaunes, selon les variétés) et assez fermes. Les tomates trop mûres tombent et pourrissent rapidement au sol. Un léger gel suffit d'ordinaire à faire

mourir quelques feuilles, mais le plant lui-même continuera à croître et à produire. Un gel plus sévère, cependant, risque de tuer le plant entier. S'il y a menace de gel, étendre sur les plants une pellicule de plastique ou un vieux drap de lit. Ou arracher les plants avec les racines et les suspendre à l'envers dans la cave jusqu'à ce que les fruits soient mûrs. Aucune de ces méthodes n'est cependant infaillible. Dans les régions froides, le premier gel marque d'ordinaire la fin de la récolte des tomates.

Il ne faut pas jeter les tomates qui ne sont pas mûres. Les mettre à mûrir dans un endroit chaud, ou les envelopper une à une dans du papier journal et les entreposer dans un endroit frais et sombre où elles mûriront. Ou faire du ketchup vert.

TAILLE DES TOMATES

Couper les jeunes gourmands ou les détacher par torsion.

Après formation de six grappes, pincer le bourgeon central.

TUTEURAGE DES TOMATES

Attacher les tiges à des tuteurs avec de la ficelle ou du tissu.

Ou enrouler des ficelles autour des plants et les relier à un fil.

Ravageurs et maladies

Les tomates sont la proie de maladies et de ravageurs nombreux, mais les risques sont moins grands si la culture s'effectue dans un sol riche et bien préparé, où, de préférence, on n'a pas cultivé de tomates l'année précédente.

Si les feuilles sont déchirées, examiner les plants ; il s'y trouve probablement des sphinx de la tomate. Les enlever à la main. Combattre les pucerons par des vaporisations de savon insecticide. Contre les altises de la tomate, utiliser des produits à base de roténone.

Le mildiou se manifeste par des taches foncées et séreuses sur les feuilles et un duvet blanchâtre en dessous ainsi que sur les pétioles et les tiges. À titre préventif, vaporiser un fongicide à base de cuivre tous les 10 à 15 jours à partir du moment où les fruits apparaissent. La pourriture apicale se manifeste par des cicatrices coriaces ou des taches de pourriture dans la zone apicale des fruits. Elle est généralement due à un manque de calcaire et d'eau dans le sol. Chauler et arroser celui-ci.

Variétés recommandées

De nombreuses variétés sont résistantes à certaines maladies, qu'on identifie par des lettres après leur nom : A, alternariose (maladie fongique) ; C, cladosporiose (moisissure des feuilles) ; F, fusariose, race I ; FF, fusariose, races I et II ; N, nématodes ; S, tâches foliaires ; T, virus du tabac ; V, verticilliose. Entre parenthèses : nombre de jours nécessaires à la maturation.

Tomates hâtives : 'Early Girl' VFF (52), indéterminée ; 'Oregon Spring' V (58), déterminée ; 'First Lady' VFFNT (60), indéterminée. Mûrissent après : 'Betterboy' VFN (70), indéterminée, et 'Husky Gold'* VF (70), semi-déterminée, à fruits jaunes.

Les variétés de mi-saison ont généralement des fruits plus gros : 'Big Beef' VFFNTSA (73), indéterminée ; 'Celebrity'* VFFNTA (72), déterminée ; 'Golden Boy' A (80), indéterminée, à chair jaune.

Autres variétés populaires : pour les tomates à sauce, 'Roma' VF (75), déterminée, et pour les tomates-cerises, 'Sweet Million' FNTS (60), indéterminée.

Navet et rutabaga

Rutabaga 'Laurentien'

Navets 'Just Right' 'Tokyo Cross'

Les navets sont des légumes à petites racines, proches parents du rutabaga. Ils ont une saveur plus fine lorsque leur taille ne dépasse pas 5 cm de diamètre et sont cuits frais cueillis. Leur feuillage est également très nourrissant. La racine du rutabaga peut atteindre 13 à 15 cm de diamètre et se conserve pendant plusieurs mois.

Navets et rutabagas sont des légumes de régions à climat frais et on les cultive généralement en vue d'une récolte à l'automne. On peut aussi planter des navets au début du printemps, mais les plants risquent de monter en graine et de devenir ligneux quand la chaleur survient.

Comme leur plantation s'effectue souvent en été, navets et rutabagas ont l'avantage de pouvoir se cultiver là où poussaient, par exemple, des épinards, des pois ou des pommes

Méthode de culture

En préparation pour la plantation des navets et des rutabagas, bêcher et ratisser le sol à fond. S'il n'a pas

de terre hâtives. Si le sol a été bien engraissé pour la récolte précédente, il suffira d'ajouter très peu d'engrais. Les navets et les rutabagas viennent mal, cependant, dans une terre acide ; si le pH se situe en dessous de 5,5, incorporer au sol par ratissage du calcaire broyé, assez longtemps avant la plantation.

Selon les variétés, les navets arrivent à maturité au bout de six à huit semaines, tandis que les rutabagas mûrissent en trois mois. On plante généralement les navets à la mi-été en prévision d'une récolte à la mi-automne, mais il existe des variétés qui résistent à la chaleur et qu'on peut donc planter au début du printemps. On ne sème le rutabaga qu'une fois, au début de l'été.

Les variétés de navets cultivées uniquement pour leur feuillage se plantent au début du printemps.

été fertilisé pour la culture précédente, épandre de l'engrais 5-10-5 à raison d'une poignée pour 3 mètres de rang et bien le faire pénétrer par ratissage.

Semer les graines dans des sillons d'environ 1,5 cm de profondeur en laissant un espace de 30 à 60 cm entre les rangs. Pour empêcher le sol de former une croûte et faciliter la levée des plantules, recouvrir les graines d'un mélange de sable et de terre.

Dès la levée, éclaircir pour laisser un espace de 2,5 cm entre les plantules. Un second éclaircissage se fera lorsque les plants auront entre 8 et 10 cm de haut ; laisser à ce moment 10 cm entre les plants de navet et 15 cm entre ceux de rutabaga.

Il n'est pas nécessaire de fertiliser durant la croissance des navets, sauf s'il n'y a pas eu déjà fertilisation ou si les plants manquent de vigueur. Épandre alors de l'engrais 5-10-5 des deux côtés de chaque rang, à raison de 40 g par mètre de rang.

Comme pour tous les légumes-racines, il faut désherber régulièrement. Un léger paillis contribue à freiner la croissance des mauvaises herbes. Arracher les mauvaises herbes à la main ou avec une binette en

Ravageurs et maladies

Les asticots du chou attaquent parfois les racines des navets et des rutabagas. Épandre alors de la cendre de bois des deux côtés de chaque rang. Si on soupçonne leur présence avant la plantation, arroser le sol avec du diazinon après le semis.

Les pucerons se logent au revers des feuilles. Pour les déloger, les arroser avec un fort jet d'eau avec du savon insecticide ou utiliser un insecticide à base de malathion. Dans ce dernier cas, il faut suivre à la lettre les instructions du fabricant et retarder en conséquence la récolte des racines ou du feuillage.

L'altise rayée creuse des centaines de petits trous dans les feuilles des plants de navets ou de rutabagas. Poudrer le feuillage deux ou trois fois durant la saison avec un insecticide à base de roténone.

prenant soin de ne pas déranger le collet des racines à fleur de terre.

Les navets sont savoureux quand ils ont entre 5 et 8 cm de diamètre. Ensuite, ils durcissent. Bien qu'une pointe de gel leur donne une douceur particulière, il faut les récolter avant les grands froids. Les entreposer dans un endroit frais en les enfouissant dans du sable humide.

On peut récolter les feuilles des navets sitôt qu'elles sont de taille suffisante. Si les navets sont cultivés uniquement pour leur feuillage, couper toutes les feuilles un mois environ après la plantation. Si on veut avoir aussi des racines, ne prélever que quelques feuilles par plant.

Les rutabagas sont prêts à être cueillis lorsqu'ils ont 8 cm de diamètre, mais on peut les laisser grossir. Leur chair devient plus coriace, cependant, lorsqu'ils dépassent 13 à 15 cm de diamètre. On les conserve dans du sable humide et dans un endroit frais. On peut aussi les laisser dans le sol, qu'on couvrira d'un bon paillis, et les récolter plus tard.

Variétés recommandées

Parmi les variétés les plus populaires de navets se trouvent 'Blanc globe à collet violet', dont la racine a un collet pourpre et qui mûrit en 55 jours ; 'Tokyo Cross'*, navet blanc qui mûrit en 35 jours environ ; et 'Just Right'*, dont la racine mûrit en 60 jours, et le feuillage en 30 jours. 'Blanc globe à collet violet' et 'Tokyo Cross' sont des variétés lentes à monter en graine et peuvent se planter hâtivement.

S'il s'agit de navets cultivés principalement pour leur feuillage, on recommande les variétés 'Foliage' ('Shogoin'), dont les feuilles mûrissent en 30 jours, et 'Seven Top', qui mûrit en 45 jours.

Parmi les variétés de rutabagas les plus répandues se trouvent 'Laurentien' et 'Altasweet' à chair jaune et 'Macomber' à chair blanche. Elles mûrissent en trois mois environ.

PLANTES AROMATIQUES

La culture des plantes aromatiques et condimentaires procure de grandes joies. Ces plantes embaument le jardin et sont des alliées indispensables de l'art culinaire.

La culture des plantes aromatiques condimentaires remonte à l'aube des civilisations. Dans les plus anciens manuscrits, il est fait mention de l'utilisation des fines herbes, soit pour préparer ou conserver les aliments, soit pour embaumer l'air, soit pour soigner les plaies ou guérir les maladies.

Au cours des siècles, ces connaissances empiriques ont été approfondies par les herboristes puis les botanistes. Certaines herbes médicinales employées il y a près de 2 000 ans servent encore aujourd'hui à soigner les mêmes maladies.

La plupart des plantes aromatiques et condimentaires sont des plantes robustes qui ont peu évolué malgré des siècles de culture. Elles préfèrent généralement une exposition ensoleillée et une terre fertile et bien drainée, mais certaines d'entre elles survivent à la mi-ombre et dans un sol pauvre.

On leur réserve généralement un carré spécial, mais on les place également dans le potager. Certains jardiniers les disposent de façon à faire ressortir les coloris et le feuillage. Il est souvent utile d'identifier les rangs de plantes ou même de faire un dessin des plates-bandes pour éviter toute confusion. On aura soin de ne pas placer les plantes de haute taille devant les plantes basses pour que celles-ci ne soient pas privées de lumière.

Plantation mixte Regroupées selon leurs propriétés, les plantes aromatiques peuvent tirer profit les unes des autres. Par exemple, la menthe, le persil, la sauge, le romarin et l'ail font fuir les ravageurs : on a donc intérêt à les placer près de plantes vulnérables. D'autres, comme l'hysope, la mélisse, l'aneth et le thym, attirent les abeilles et favorisent la pollinisation d'autres plantes. Par ailleurs, les feuilles ou les racines de certaines plantes exsudent des substances qui peuvent favoriser ou retarder la croissance des plantes voisines. On dit par exemple que les haricots verts poussent mieux à proximité de la sarriette annuelle, mais moins bien près de l'ail, de la ciboulette ou d'autres membres de la famille de l'oignon. L'aneth fait bon ménage avec le chou, mais ses racines sécrètent une substance qui pourrait nuire à la croissance des carottes plantées tout près.

Petits jardins d'hiver Un grand nombre de plantes aromatiques poussent très bien l'hiver en pots ou en caissettes près d'une fenêtre ensoleillée. Telles sont la marjolaine, la ciboulette, la menthe et la sarriette vivace. On les démarre à l'intérieur à partir d'éclats de souche ou de boutures prélevées en automne. On peut semer du basilic, de l'aneth, du persil et d'autres annuelles à la fin de l'été à l'extérieur dans des pots, que l'on rentrera à l'automne. Employer alors un mélange terreux léger qui s'égoutte bien et arroser au besoin.

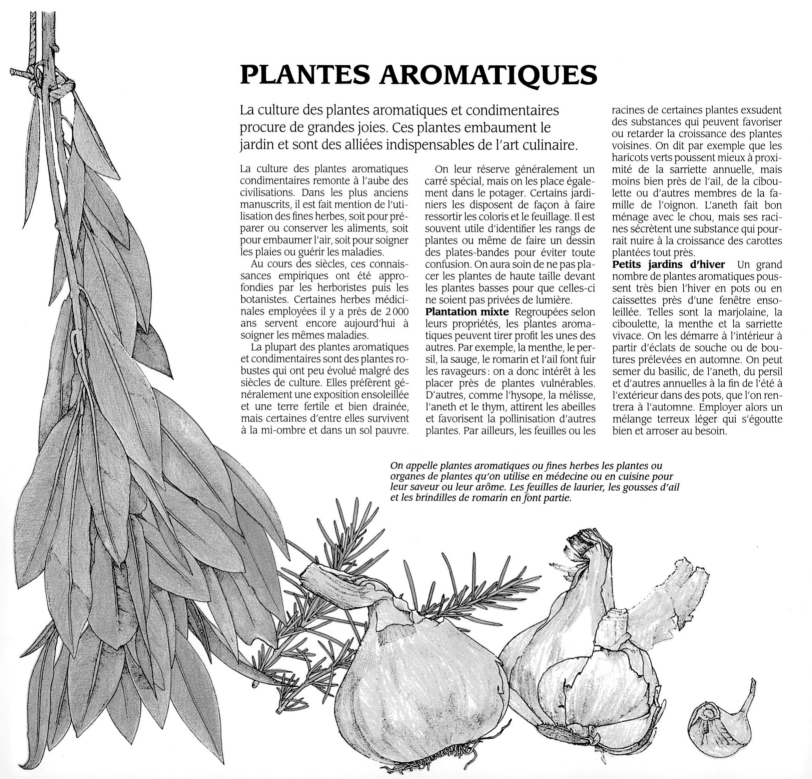

On appelle plantes aromatiques ou fines herbes les plantes ou organes de plantes qu'on utilise en médecine ou en cuisine pour leur saveur ou leur arôme. Les feuilles de laurier, les gousses d'ail et les brindilles de romarin en font partie.

À planter au jardin

Ail
(Allium sativum)

L'ail est l'un des plus anciens condiments. À maturité, le bulbe se divise en caïeux, ou gousses, recouverts d'une tunique papyracée. On utilise ces caïeux en cuisine et pour la multiplication des plants. L'ail a la réputation de chasser plusieurs ravageurs. En planter près des tomates et des rosiers. Ne pas laisser monter en fleur.

Utilisations : En petite quantité, l'ail râpé, haché ou tranché peut servir à aromatiser à peu près tous les mets. Il ne faut jamais abuser de ce fort condiment, surtout dans les salades. On le consomme cru ou cuit.
Type : Vivace.
Dimensions : H 30-60 cm ; E 23-30 cm.
Emplacement : Plein soleil, dans un sol léger.
Plantation : Planter les gousses à la fin de l'automne à 5-7,5 cm de profondeur. Là où il n'y a pas de couverture neigeuse, planter au printemps.

Récolte : Déterrer les bulbes quand le feuillage meurt après la floraison.
Conservation : Faire sécher les bulbes à l'ombre ou dans un endroit sec. Les conserver au frais et au sec.
Multiplication : Par division des gousses.

Aneth
(Anethum graveolens)

Son léger feuillage vert clair tranche sur les tiges vert-bleu. Les fleurs jaunes en ombelles naissent à la mi-été et attirent les abeilles. L'aneth peut être planté avec les choux, mais non avec les carottes.

Utilisations : Feuilles et graines ont une saveur un peu amère. Fraîches ou sèches, elles parfument poissons, soupes, salades, viandes, omelettes et pommes de terre.
Type : Annuelle rustique.
Dimensions : H 60-90 cm ; E 23-30 cm.
Emplacement : Plein soleil ; sol humide et bien drainé.
Plantation : Au début du printemps, semer à 5 mm de profondeur, en rangs espacés de 23 cm. Éclaircir à 23 cm.

Récolte : Cueillir les feuilles quand les fleurs s'ouvrent. Couper les tiges par temps sec lorsque les graines commencent à mûrir.
Conservation : Faire sécher les feuilles lentement ou les ciseler et les congeler. Suspendre les têtes florales parvenues à maturité dans un sac de papier brun jusqu'à ce que les graines tombent, puis les faire sécher au soleil ou dans un four tiède.
Multiplication : Par semis. (Se resème spontanément.)

Angélique
(Angelica archangelica)

Plante de bordure qui donne des fleurs blanc-vert à la fin du printemps de la deuxième année. En supprimant les inflorescences, on obtient une plante vivace ; autrement, elle meurt, après la floraison.

Utilisations : Coupées et confites, les jeunes tiges sont utilisées en pâtisserie. Les côtes des feuilles, blanchies, se consomment en salade. Les graines servent aux infusions.
Type : Bisannuelle ou vivace.
Dimensions : H 1,20-2,10 m ; E 90 cm.
Emplacement : Mi-ombre ; sol riche et humide.
Plantation : À la fin de l'été, semer par groupes de 3 ou 4 graines à 60 cm de distance. Quand les plantules ont 3 ou 4 feuilles, n'en conserver qu'une par groupe.

Récolte : Cueillir les jeunes tiges au printemps de la deuxième année avant la floraison, les feuilles tout l'été et les graines une fois mûres.
Conservation : Confire les tiges dans un sirop de sucre.
Multiplication : Il est préférable de faire germer des graines fraîches. De plus, cultivée en bisannuelle, la plante se multiplie spontanément et abondamment.

Anis
(Pimpinella anisum)

Les petites fleurs blanches naissant à la mi-été sont suivies de fruits à saveur de réglisse. Entre dans la fabrication de plusieurs remèdes contre la toux et d'onguents contre les démangeaisons.

Utilisations : Sert à parfumer biscuits, gâteaux, bonbons, pains et compote de pommes. Entre dans la préparation des caris à l'indienne, des ragoûts, de l'anisette et de l'absinthe. Ses feuilles fraîches peuvent se consommer en salade.
Type : Annuelle et rustique.
Dimensions : H 45 cm ; E 23-30 cm.
Emplacement : Chaud et ensoleillé dans un sol léger et bien drainé.
Plantation : Semer à la mi-printemps à 1,5 cm de profondeur, dans des rangs espacés de 30 à 45 cm. Éclaircir à 23 cm.

Récolte : Un mois après la floraison, avant que les graines se détachent, couper les fleurs et faire tomber les graines dans un sac en papier. Étaler les graines sur une feuille de papier.
Conservation : Faire sécher les graines. Les garder dans un contenant sec et étanche.
Multiplication : Par semis.

Basilic
(Ocimum basilicum)

Plante vivace en climat tropical, annuelle en climat tempéré. Feuilles de 2,5-5 cm à parfum épicé. Chasse les moustiques et sera très bien situé à proximité des plants de tomates. *O. basilicum minimum*, variété naine (30 cm), se cultive bien en pot.

Utilisations : Saveur chaude et épicée. À utiliser dans les soupes à la tomate, les sauces, les salades, les omelettes, avec la viande, la volaille et le poisson.

Type : Annuelle, peu rustique.

Dimensions : H 30-60 cm ; E 30 cm.

Emplacement : Soleil ; terre riche et légère.

Plantation : Semer au début du printemps en serre ou près d'une fenêtre ensoleillée. Repiquer au jardin au début de l'été ou semer en pleine terre à la fin du printemps.

Récolte : Pour utiliser immédiatement, couper des feuilles avant la floraison ; en laisser 2 ou 3 à la base de chaque tige. Pincer les fleurs pour favoriser la pousse des feuilles. Pour obtenir des plants vigoureux, les rabattre à 15 cm une ou deux fois.

Conservation : Sécher ou congeler. Les feuilles peuvent être écrasées en purée avec de l'huile d'olive et conservées dans des bocaux au réfrigérateur ou au congélateur.

Multiplication : Par semis.

Baume-coq
(Chrysanthemum balsamita)

Herbe aromatique qui pousse de façon un peu désordonnée et dont les feuilles ont une saveur piquante de menthe. Pincer les fleurs dès qu'elles apparaissent à la mi-été pour favoriser la croissance du feuillage. Racines rampantes et persistantes qui demandent à être contenues.

Utilisations : Feuilles à saveur légèrement amère et au goût de menthe. À utiliser parcimonieusement dans les salades de verdures ou pour aromatiser des boissons glacées. Fraîches ou sèches, les feuilles font une délicieuse infusion. En garder en sachets dans les tiroirs ou les armoires pour chasser les mites.

Type : Vivace rustique.

Dimensions : H 60-90 cm ; E 90 cm.

Emplacement : Plein soleil ou demi-ombre ; sol riche et bien drainé.

Plantation : Repiquer au début du printemps les plants achetés en pépinière en les espaçant de 60 cm.

Récolte : Cueillir les jeunes feuilles au fur et à mesure des besoins. Rabattre les plants en automne.

Conservation : Sécher ou congeler les feuilles.

Multiplication : Par division des racines au début du printemps à intervalles de trois ans (voir p. 192).

Bourrache
(Borago officinalis)

Fleurs étoilées et retombantes bleu azur, lavande ou roses, dont le parfum attire les abeilles. Au Moyen Âge, une potion fabriquée avec les feuilles était censée donner du courage. Se plante bien au voisinage des fraisiers et dans les vergers. Chasse le ver de la tomate.

Utilisations : Les jeunes feuilles dégagent un parfum de concombre et accompagnent bien les salades. Les fleurs confites garnissent les gâteaux.

Type : Annuelle rustique.

Dimensions : H 30-90 cm ; E 30 cm.

Emplacement : Plein soleil ou mi-ombre ; sol bien drainé.

Plantation : Semer fin automne ou début de printemps à 1,5 cm de profondeur, en rangs espacés de 45 cm. Éclaircir à 30 cm.

Récolte : Cueillir les premières feuilles 6 semaines après la germination, et les fleurs quand elles s'ouvrent ou juste avant.

Conservation : Pas de méthode satisfaisante pour les feuilles. Pour confire les fleurs, les plonger dans du blanc d'œuf battu puis dans du sucre, et les faire sécher.

Multiplication : Par semis. Semis spontanés si les fleurs ne sont pas supprimées.

Carvi ou cumin
(Carum carvi)

Les feuilles sont finement découpées et les fleurs viennent en bouquets plats. Les graines sont censées faciliter la digestion.

Utilisations : Graines à saveur légèrement piquante. En saupoudrer le porc, l'agneau, le veau ainsi que les pommes cuites au four, avant la cuisson. En ajouter dans les plats au fromage, la compote de pommes et la tarte aux pommes. Ajouter des graines en sachet à l'eau de cuisson du chou pour combattre l'odeur. Hacher de jeunes feuilles dans les salades et les soupes ; cuire les vieilles feuilles comme des épinards.

Type : Bisannuelle rustique.

Dimensions : H 30-60 cm ; E 23-30 cm.

Emplacement : Plein soleil ; terre bien drainée.

Plantation : Semer au printemps ou à la fin de l'été à 5 mm de profondeur en rangs espacés de 30 cm. Éclaircir à 30 cm.

Récolte : Les fleurs viennent le deuxième été après les semis. Les couper quand les graines sont mûres. Cueillir les feuilles au besoin.

Conservation : Placer les têtes florales portant des graines dans un sac de papier brun : elles y tomberont à maturité. Les garder dans un bocal.

Multiplication : Par semis.

Basilic

Cerfeuil

Coriandre

Aneth

Fenouil

Menthe

Persil

Romarin

Sauge

Sarriette d'été

Estragon français

Thym

Diviser les touffes de ciboulette tous les deux ans. L'hiver, en empoter une petite quantité et placer le pot près d'une fenêtre. Faire sécher les gousses de graines de la coriandre ; détacher les graines à la main. Les jeunes feuilles sont aussi utilisables.

454   **PLANTES AROMATIQUES**

Ciboulette en fleur

Coriandre

Cerfeuil
(Anthriscus cerefolium)

Le cerfeuil a un feuillage découpé qui s'accroît quand on pince les boutons floraux. Planté près des radis, il leur donne une saveur plus piquante.

Utilisations : Cette herbe à saveur anisée entre, à part égale avec la ciboulette, le persil et l'estragon, dans l'assaisonnement des omelettes, des soupes et de la sauce tartare. Parfume les pommes de terre, le thon, les légumes verts, la volaille, les œufs, le fromage et le poisson. En garnir les viandes rouges et les huîtres ; en relever les farces.

Type : Annuelle rustique.

Dimensions : H 30-60 cm ; E 23-30 cm.

Emplacement : Mi-ombre ; sol humide et bien drainé.

Plantation : Semer à 5 mm de profondeur en rangs espacés de 30 cm. Éclaircir à 23 cm. Semer toutes les 4 à 6 semaines du début du printemps à l'automne. Se cultive en pots ou à l'intérieur sous châssis froid durant l'hiver.

Récolte : Cueillir les feuilles 6 à 8 semaines après les semis. Rabattre les plants au sol.

Conservation : Les feuilles sont meilleures fraîches mais elles peuvent être séchées (voir p. 461).

Multiplication : Par semis.

Cerfeuil musqué ou myrrhis
(Myrrhis odorata)

Le cerfeuil musqué porte un feuillage semblable à celui de la fougère et fait une jolie plante de bordure. Bouquets de petites fleurs blanches de la mi-printemps à la mi-été.

Utilisations : Herbe à saveur anisée utilisée pour parfumer salades, soupes et ragoûts. Les feuilles hachées remplacent une partie du sucre dans les tartes aux fruits ou sur les fraises. Les graines à saveur épicée donnent du goût aux soupes et aux vinaigrettes. Les racines se mangent crues ou cuites, comme du fenouil.

Type : Vivace rustique.

Dimensions : H 60-90 cm ; E 45 cm.

Emplacement : Ombre ou mi-ombre ; sol humide et bien drainé.

Plantation : Semer au début de l'automne ; les graines germeront le printemps suivant. Semer à 1,5 cm de profondeur en rangs espacés de 45 cm. Éclaircir à 30 cm. Repiquer les plants de serre au printemps.

Récolte : Cueillir les graines encore vertes ; les utiliser fraîches. Cueillir les feuilles en été ; rabattre les plants au ras du sol en automne.

Conservation : Sécher ou congeler.

Multiplication : Par semis ou par division des racines en automne et au printemps (voir p. 192).

Ciboulette
(Allium schoenoprasum)

La ciboulette est une plante à feuilles tubulées et à fleurs lavande naissant du milieu à la fin de l'été. À planter près des carottes, car les bulbes exsudent une substance qui empêche la prolifération d'un champignon dangereux pour ces légumes.

Utilisations : Herbe à douce saveur d'oignon. Sert à parfumer salades, plats aux œufs ou au fromage, fromage à la crème, purée de pommes de terre, hamburgers, garnitures de sandwichs et sauces. Les fleurs se mangent en salade.

Type : Vivace rustique.

Dimensions : H 15-25 cm ; E 30 cm.

Emplacement : Plein soleil ou mi-ombre ; sol riche et bien drainé.

Plantation : Semer au printemps ou en automne, à 1,5 cm de profondeur, en rangs espacés de 30 cm. Éclaircir à 15 cm. Ou repiquer les plants de pépinière au début du printemps en les espaçant de 25 à 30 cm.

Récolte : Commencer à cueillir les feuilles tubulées 4 à 6 mois après les semis. Couper souvent près du sol.

Conservation : Mettre une ou deux touffes en pots à l'automne et les conserver près d'une fenêtre ensoleillée. On peut aussi congeler les feuilles tubulées (voir p. 461).

Multiplication : Par division des touffes tous les 3 ou 4 ans.

Coriandre
(Coriandrum sativum)

Les feuilles et les fleurs roses sont décoratives, mais leur odeur est désagréable jusqu'à ce que les graines mûrissent et deviennent aromatiques.

Utilisations : Pulvériser les graines sèches et en parfumer veau, porc ou jambon avant cuisson, gâteaux, pâtisseries, biscuits ou desserts, viande hachée, saucisse et ragoûts. La coriandre entre dans la composition de la poudre de cari. Les jeunes feuilles ont un goût de zeste d'orange séché. Les racines, qui peuvent être congelées, servent à aromatiser les soupes ou, hâchées, à décorer les avocats.

Type : Annuelle rustique.

Dimensions : H 45 cm ; E 15-23 cm.

Emplacement : Plein soleil ; sol bien drainé.

Plantation : Semer au début du printemps à 5 mm de profondeur en rangs espacés de 30 cm. Éclaircir à 15 cm.

Récolte : Cueillir les graines quand elles sont mûres et les feuilles au fur et à mesure des besoins.

Conservation : Étaler les bouquets dans des plateaux pour les faire sécher au soleil ou à la lumière artificielle. Battre à la main. Garder les graines en bocaux hermétiques.

Multiplication : Par semis.

Le fenouil aussi bien que l'aneth ont besoin d'une exposition au plein soleil et d'un sol bien drainé.

Aneth   Fenouil

Estragon français
(Artemisia dracunculus)

L'estragon a des feuilles aromatiques vert foncé sur des tiges ligneuses. Ses racines ne supportent pas le gel, surtout en terrain humide. Rustique jusqu'en zone 5. L'estragon russe (*A. dracunculoides*) lui ressemble mais est moins aromatique. On le cultive à partir de semis.

Utilisations : Les feuilles ont un arôme anisé qui relève la saveur des soupes, salades, œufs, ragoûts et fromages crémeux. Accompagne très bien l'agneau. En mettre dans du beurre fondu pour arroser poisson, steak et légumes. Entre dans la composition de la sauce tartare et de plusieurs chutneys. Faire macérer des feuilles 2 à 3 semaines dans du vinaigre pour l'aromatiser.

Type : Vivace rustique.

Dimensions : H 60 cm ; E 40 cm.

Emplacement : Plein soleil ; sol sec, peu fertile et bien drainé.

Plantation : Vient mal par semis. Acheter des plants et les repiquer au début du printemps en les espaçant de 45 cm.

Récolte : Cueillir les feuilles au besoin. Rabattre les plants à l'automne.

Conservation : Sécher ou congeler.

Multiplication : Par division des racines au printemps (voir p. 192).

Fenouil
(Foeniculum vulgare)

Le fenouil ressemble à l'aneth mais est plus haut. Certaines variétés ont des feuilles cuivrées.

Utilisations : Les feuilles ont une saveur douce qui accompagne bien poissons, porc, veau, soupes et salades. Les graines ont un goût plus marqué qui parfume choucroute, sauce à spaghetti, plats à base de chili et soupes. Ne pas confondre cette plante avec le fenouil doux (*F. vulgare dulce*) ni avec *F. vulgare piperitum*, consommés comme le céleri.

Type : Plante vivace.

Dimensions : H 90 cm-1,20 m ; E 60 cm.

Emplacement : Plein soleil ; sol bien drainé.

Plantation : Semer par groupes de 3 ou 4 graines à la mi-printemps, à 5 mm de profondeur, et espacer de 45 cm. Garder la plantule la plus vigoureuse de chaque groupe.

Récolte : Cueillir les feuilles au besoin. Pour utiliser les tiges, couper les jeunes hampes florales avant la floraison. Pour avoir des graines, couper les tiges en automne et faire comme pour les fleurs d'aneth.

Conservation : Sécher ou congeler.

Multiplication : Par semis tous les 2 ou 3 ans.

Hysope
(Hyssopus officinalis)

L'hysope est une jolie plante vivace à feuillage persistant en climat chaud. Feuilles à odeur musquée. Fleurs blanches, roses ou bleu vif de la mi-été jusqu'en automne, dont abeilles et papillons raffolent.

Utilisations : Les feuilles ont un parfum résineux dont on tire une infusion revigorante qu'on sucre de préférence au miel. Ne pas en abuser dans les soupes et les salades.

Type : Vivace rustique, partiellement ligneuse.

Dimensions : H 60 cm ; E 23-30 cm.

Emplacement : Plein soleil ; sol léger, bien drainé.

Plantation : Semer en plate-bande à semis à 5 mm de profondeur au début du printemps. Éclaircir à 8 cm. Repiquer au jardin quand le temps se réchauffe en laissant 30 cm entre les plants.

Récolte : Cueillir les feuilles au besoin ; choisir les plus jeunes, surtout pour les salades.

Conservation : Sécher ou congeler.

Multiplication : Par semis, division des racines au printemps (voir p. 192) ou boutures terminales à la fin de l'été (voir p. 193).

Laurier
(Laurus nobilis)

Il ne faut pas confondre cette plante avec le laurier de montagne (*Kalmia latifolia*), une espèce indigène dont les feuilles sont vénéneuses et qui, en fait, est un kalmia. En Amérique du Nord, le laurier ne devient pas plus grand qu'un arbuste et n'est rustique que dans la zone 9. Dans les zones 1 à 8, il se cultive en pot et doit être rentré en hiver. Tailler deux ou trois fois en période de croissance.

Utilisations : Assaisonnement puissant. Entre dans le bouquet garni pour ragoûts, plats gratinés ou sauces à la viande. En insérer des feuilles dans la farine ou les céréales pour chasser les insectes.

Type : Arbuste.

Dimensions : H 4,25 m ; E 4,25 m.

Emplacement : Abrité ; soleil ou mi-ombre ; terre bien drainée.

Plantation : En zone 9, repiquer les jeunes plants au début de l'automne ou à la mi-printemps.

Récolte : En cueillir au besoin.

Conservation : Faire sécher les feuilles à l'obscurité ; les étendre entre des feuilles de papier absorbant et presser avec une planche. Ou faire sécher à four tiède.

Multiplication : Par boutures semi-herbacées fin été (voir p. 55).

Les feuilles de la livèche et de la marjolaine se consomment fraîches. Celles de la marjolaine peuvent aussi être séchées. L'hysope formera une jolie bordure dans une plate-bande de fines herbes.

Livèche

Marjolaine

Hysope

Sauge ➡

Livèche
(Levisticum officinale)

La livèche est une plante vivace vigoureuse, ressemblant à un arbuste et qui a l'apparence, l'odeur et le goût du céleri. À moins de tenir aux graines, pincer les fleurs dès leur apparition pour empêcher la plante de jaunir.

Utilisations : Les jeunes feuilles, ainsi que les graines séchées, entières ou pulvérisées, donnent une saveur de céleri aux soupes, ragoûts, salades et sauces. Blanchir les bases des tiges et les manger comme du céleri.

Type : Vivace rustique.

Dimensions : H 90 cm-1,20 m ; E 60-90 cm.

Emplacement : Soleil ou mi-ombre, dans un sol riche, profond et humide.

Plantation : Semer les graines mûres en automne en les couvrant à peine de terre. Au printemps, éclaircir à 60 cm environ.

Marjolaine ou origan
(Origanum onites)

Cette plante est prisée pour son arôme. Bien qu'elle soit plus rustique que la marjolaine proprement dite, elle demande un emplacement chaud dans les régions à climat froid.

Utilisations : Saupoudrer de feuilles hachées, fraîches ou sèches, le porc, l'agneau et le veau avant le rôtissage. Sert à parfumer soupes, ragoûts, plats aux œufs ou au fromage, et sauces à poisson. Son arôme se rapproche de celui du thym.

Type : Vivace.

Dimensions : H 30 cm ; E 30 cm.

Emplacement : Plein soleil, endroit chaud et protégé, sol riche et bien drainé.

Plantation : Semer en automne ou au début du printemps à 5 mm de profondeur en rangées espacées de 30 cm. Éclaircir à 30 cm. Repiquer les plants achetés au printemps en les espaçant de 30 cm.

Marjolaine proprement dite
(Origanum majorana)

Cette espèce de marjolaine est la plus couramment cultivée pour le parfum et la saveur de ses feuilles. Jolie plante de bordure à feuilles ovales, vert-gris et veloutées.

Utilisations : Les mêmes que pour *Origanum onites*. Sa saveur lui est comparable, quoiqu'un peu moins amère. Les feuilles servent à aromatiser les salades et peuvent être séchées et mises en sachets.

Type : Vivace non rustique.

Dimensions : H 60 cm ; E 30-45 cm.

Emplacement : Plein soleil ; sol riche et bien drainé.

Plantation : Semer à 5 mm de profondeur, du début au milieu du printemps, en rangs espacés de 30 cm. Éclaircir à 30 cm. En climat froid, semer sous châssis très tôt au printemps ; repiquer au jardin après endurcissement.

Mélisse
(Melissa officinalis)

La mélisse est souvent appelée citronnelle à cause du parfum de ses feuilles vert clair. Ses fleurs attirent les abeilles, d'où son nom, d'origine grecque.

Utilisations : Ses feuilles donnent un agréable parfum de citron aux flans, aux soupes, aux farces et aux boissons, ainsi qu'aux sauces accompagnant poissons et crustacés. Infusées, les feuilles donnent une tisane légèrement sédative. Peut remplacer une partie du sucre dans les tartes aux fruits.

Type : Vivace et rustique.

Dimensions : H 60 cm-1,20 m ; E 30-45 cm.

Emplacement : Soleil ou mi-ombre, dans un sol bien drainé.

Plantation : Semer en pots à la fin du printemps. Éclaircir les plantules à 5 cm. Repiquer à la mi-printemps les plants achetés en pépinière.

Récolte : Cueillir les jeunes feuilles au besoin. Récolter les graines.

Conservation : Sécher ou congeler. Traiter les graines comme celles de l'aneth.

Multiplication : Par semis ou par division des racines au printemps (voir p. 192).

Récolte : Cueillir les feuilles au besoin. Pour le séchage, les cueillir avant la floraison à la mi-été.

Conservation : Faire sécher.

Multiplication : Par division des souches ou des touffes à la mi-printemps (voir p. 192) ou par boutures terminales en été (voir p. 193).

Récolte : Supprimer les fleurs pour favoriser la croissance du feuillage. Cueillir les feuilles au besoin. Pour le séchage, les cueillir avant que les fleurs s'ouvrent, à la mi-été.

Conservation : Faire sécher.

Multiplication : Par semis ou par division des racines dans les régions plus chaudes où la plante est vivace (voir p. 192).

Récolte : Couper les tiges dès l'apparition des fleurs, et jusqu'à la mi-automne.

Conservation : Sécher ou congeler.

Multiplication : Diviser les touffes au printemps, chaque éclat devant porter 3 ou 4 yeux ; les planter à intervalles de 30 cm en rangs espacés de 45 cm.

Le persil se sèche bien et se congèle bien. La variété très frisée convient plutôt aux garnitures fraîches.

Persil

Menthe
(Mentha, espèces)

Les espèces les plus populaires sont la menthe à feuilles rondes (*M. rotundifolia*), la menthe poivrée (*M. piperita*) et la menthe verte (*M. spicata*). Pincer les épis floraux pour favoriser la croissance du feuillage. La menthe chasse le papillon du chou blanc. Le pouliot (*M. pulegium*), plante tapissante, fait fuir les fourmis.

Utilisations: Les feuilles donnent une infusion ou servent à décorer les boissons froides. La menthe verte sert à préparer les sauces et la gelée.

Type: Vivace.

Dimensions: H 60-90 cm; E 30-45 cm.

Emplacement: Mi-ombre; sol riche, humide et bien drainé.

Plantation: En automne ou au printemps, planter des éclats de racine de 10-15 cm à 5 cm de profondeur en les espaçant de 30 cm. Bien arroser. Enfoncer des briques ou des planches à 30 cm dans le sol pour contenir les plants.

Récolte: Cueillir les feuilles au fur et à mesure des besoins. Couper les plants au ras du sol à la mi-été pour obtenir une deuxième récolte.

Conservation: Sécher ou congeler.

Multiplication: Par division des racines en automne ou au printemps (voir p. 192).

Origan
(Origanum vulgare)

Cette plante est aussi appelée marjolaine vivace, car elle ressemble à celle-ci, quoique ses feuilles soient d'un vert plus foncé et d'une saveur plus piquante. Racines envahissantes. Petites fleurs blanches, roses ou pourpres, qu'il faut pincer pour favoriser la croissance des feuilles.

Utilisations: Herbe utilisée dans la cuisine italienne, espagnole et mexicaine, spécialement pour les viandes et les sauces tomate. S'emploie dans les salades, ragoûts, farces, plats aux œufs et au fromage et poissons.

Type: Vivace rustique.

Dimensions: H 60 cm; E 45-60 cm.

Emplacement: Plein soleil; toute terre bien drainée.

Plantation: Semer au printemps ou en automne à 5 mm de profondeur, en rangs espacés de 45 cm. Éclaircir les plantules à 30 cm. Repiquer à la mi-printemps les plants achetés, en les espaçant de 30-45 cm.

Récolte: Cueillir les feuilles au besoin. Pour le séchage, couper l'extrémité des plants (15 cm) juste avant l'éclosion des fleurs.

Conservation: Faire sécher.

Multiplication: Par semis ou division à la mi-printemps (voir p. 192).

Oseille
(Rumex, espèces)

Deux espèces surtout sont répandues : la grande oseille ou oseille commune (*R. acetosa*) et l'oseille ronde (*R. scutatus*).

Utilisations: L'oseille, et surtout l'oseille ronde, donne une saveur acidulée aux ragoûts, soupes et sauces. Ajouter des jeunes feuilles fraîches aux salades. En faire cuire avec les épinards, le chou ou d'autres légumes verts, ou pour remplacer les épinards.

Type: Vivace rustique.

Dimensions: H 60 cm; E 30-40 cm.

Emplacement: Plein soleil ou ombre partielle; sol riche, bien drainé et humide (plus sec pour l'oseille ronde).

Plantation: Semer au début du printemps à 5 mm de profondeur en rangs espacés de 30 cm. Éclaircir à 30 cm les plantules de 8 cm. Repiquer les plants en automne ou au début du printemps.

Récolte: Couper les tiges avant la floraison. Rabattre jusqu'au sol après la floraison pour obtenir une récolte d'automne.

Conservation: Congeler les feuilles cuites et réduites en purée.

Multiplication: Par division des racines au début du printemps (voir p. 192) ou par semis annuels.

Persil
(Petroselinum crispum)

Ses feuilles frisées d'un vert vif et son port compact font du persil un bon sujet pour bordures. À planter entre des rosiers ou des plants de tomates qu'il rend plus vigoureux.

Utilisations: Décore et parfume salades, soupes, ragoûts, plats gratinés et omelettes.

Type: Bisannuelle, cultivée comme une annuelle.

Dimensions: H 30 cm; E 30 cm.

Emplacement: Soleil ou mi-ombre; sol riche, humide et profond.

Plantation: Faire les semis à la mi-printemps pour récolter en été, et à la mi-été pour récolter en automne et en hiver. Faire tremper les graines une nuit et semer clair. Éclaircir les plantules à 25 cm.

Récolte: Cueillir les tiges au besoin, à raison de 2 ou 3 par plant à la fois. Récolter les feuilles avant la floraison la deuxième année, car elles deviennent amères plus tard.

Conservation: Congeler les feuilles (voir p. 461) ou faire sécher, mais le séchage ne rend pas justice à cette plante.

Multiplication: Par semis si la plante est cultivée comme une annuelle. Semis spontanés la deuxième année si on laisse la plante fleurir.

Démarrer du romarin à partir de boutures, et non pas à partir de semis.

Romarin

Pimprenelle
(Sanguisorba minor)

Cette jolie plante est aussi appelée sanguisorbe à salade. Les fleurs doivent être supprimées pour favoriser la croissance des feuilles.

Utilisations: Fraîches, les feuilles ont un goût de concombre. On les ajoute entières aux salades de fruits ou aux boissons glacées. On les sert hachées dans les salades et les soupes. Parfument le fromage à la crème et le beurre fondu.

Type: Vivace rustique.

Dimensions: H 30 cm; E 23-30 cm.

Emplacement: Plein soleil; terre légère et bien drainée.

Plantation: Pour étaler la récolte, semer au jardin au début du printemps, puis de nouveau à la mi-été et en automne, selon la zone. Repiquer les plants en pots pour l'hiver. Bien arroser. Semer à 1,5 cm de profondeur en rangs espacés de 30 cm. Éclaircir à 23 cm.

Récolte: Les feuilles sont plus savoureuses quand elles sont jeunes.

Conservation: Aucune méthode sûre.

Multiplication: Par semis ou division à la mi-printemps (voir p. 192). Semis spontanés si on garde les fleurs.

Raifort
(Armoracia rusticana)

Le raifort est cultivé pour ses racines, délicieuses quand elles sont jeunes. Comme celles-ci deviennent envahissantes, il faut les enlever complètement chaque automne. Cultivé près des pommes de terre, le raifort les protège des maladies cryptogamiques. Fait fuir la cantharide. Ne pas intercaler des plants de raifort entre d'autres plants; les placer plutôt dans les coins des plates-bandes.

Utilisations: Hachée finement, la racine donne une sauce épicée qui accompagne bœuf, poisson et gibier.

Type: Vivace.

Dimensions: H 60 cm; E 30-45 cm.

Emplacement: Plein soleil ou mi-ombre; sol humide et profond.

Plantation: Au début du printemps, planter des segments de racine de 8 cm en les espaçant de 30 cm. Les couvrir à peine de terre.

Récolte: Déraciner complètement à la fin de l'automne.

Conservation: Débarrasser les grosses racines de leurs radicelles et les entreposer dans du sable, dans un endroit sombre, frais et sec.

Multiplication: Par boutures de racine au début du printemps (voir p. 194).

Romarin
(Rosmarinus officinalis)

Cette plante arbustive a des feuilles aciculaires qui dégagent une odeur de pin. Fleurs bleues ou lavande au début de l'été. Elle chasse les papillons du chou, la mouche de la carotte et les moustiques.

Utilisations: Assaisonne l'agneau, le porc, le veau et la volaille. Répandre quelques brindilles sur les brasiers de charbon de bois. Saupoudrer de feuilles hachées le bœuf ou le poisson avant de les cuire au gril. Utiliser modérément pour parfumer soupes, ragoûts, sauces et légumes. En mettre dans l'eau de cuisson du riz. Peut se boire en infusion.

Type: Vivace peu rustique.

Dimensions: H 60 cm-1,80 m; E 60 cm-1,80 m.

Emplacement: Plein soleil ou mi-ombre; sol léger et bien drainé.

Plantation: Semer ou, mieux encore, acheter des plants et les repiquer à la fin du printemps en les espaçant de 60 cm.

Récolte: Cueillir les brindilles au fur et à mesure des besoins.

Conservation: Sécher ou congeler.

Multiplication: Par boutures aoûtées en automne ou au printemps (voir p. 53) ou par boutures semi-aoûtées de pousses de 15 cm à la mi-été (voir p. 54).

Sarriette annuelle
(Satureja hortensis)

La sarriette a des petites feuilles aromatiques et donne des fleurs lavande ou rosées qui attirent les abeilles et font un bon miel. Plantée près des haricots verts et des oignons, elle favorise leur croissance et accroît leur saveur. Des applications de feuilles broyées soulagent les piqûres de guêpes et d'abeilles.

Utilisations: La sarriette est l'assaisonnement classique des haricots. Elle accompagne aussi tourtières, saucisses, farces, soupes, ragoûts, riz et sauces. Ajouter des feuilles fraîches aux salades, au poisson et aux omelettes. En parfumer le vinaigre. La sarriette donne aussi une infusion odorante et acidulée.

Type: Annuelle.

Dimensions: H 30-45 cm; E 15-30 cm.

Emplacement: Plein soleil; terre riche, légère et bien drainée.

Plantation: Semer du début au milieu du printemps en rangs espacés de 30 cm. Compter 4 semaines pour la levée. Éclaircir à 15-25 cm.

Récolte: Les feuilles ont plus de saveur avant la floraison. Rabattre partiellement les plants pour avoir une deuxième récolte.

Conservation: Par séchage.

Multiplication: Par semis.

Le serpolet, une vivace, rampe sur le sol. L'estragon cherche le plein soleil et un sol bien drainé.

Thym citron

Estragon

Sarriette vivace
(Satureja montana)

La plante est moins haute et plus étalée que la sarriette annuelle. Les feuilles sont plus coriaces et moins aromatiques. Il existe une forme naine, *S. montana pygmaea*.

Utilisations: Les mêmes que pour la sarriette annuelle. Les feuilles fraîches accompagnent bien la truite. Séchées et mélangées à du basilic, elles peuvent remplacer le sel. Des applications sur la peau de feuilles broyées éloignent les moustiques.

Type: Vivace rustique, partiellement ligneuse.

Dimensions: H 15-30 cm; E 30-45 cm.

Emplacement: Plein soleil; sol sablonneux et bien drainé.

Plantation: Les graines germent lentement. Semer en automne ou au début du printemps à 5 mm de profondeur en rangs espacés de 30 cm. Éclaircir les plantules à 30 cm. Repiquer les plants à la mi-printemps en les espaçant de 30 cm.

Récolte: Cueillir au besoin. Rabattre les plants de moitié avant la floraison pour avoir une deuxième récolte.

Conservation: Faire sécher.

Multiplication: Par division des plants établis au début du printemps (voir p. 60) ou par boutures herbacées à la fin du printemps (voir p. 56). Remplacer les plants tous les 2 ou 3 ans.

Sauge
(Salvia officinalis)

La sauge est un arbrisseau très décoratif. Ses feuilles persistantes, étroites et vert-gris sont parfois panachées. Elle a été utilisée comme herbe médicinale depuis l'Antiquité. Elle a la propriété de chasser le papillon du chou blanc, la mouche de la carotte et la tique. Ne pas la cultiver près de plates-bandes composées de plantes annuelles, car elle ralentit la croissance des racines de ces plantes.

Utilisations: Les feuilles sèches parfument les farces de volaille. Elles accompagnent également l'agneau, le porc, la saucisse ainsi que les plats au fromage et les omelettes.

Type: Vivace rustique.

Dimensions: H 60 cm; E 45 cm.

Emplacement: Plein soleil; sol bien drainé. Résiste à la sécheresse; ne pas trop arroser.

Plantation: Semer au début du printemps ou repiquer des plants achetés à la mi-printemps en les espaçant de 30 cm.

Récolte: Cueillir au besoin. Pour le séchage, couper les tiges à 13-15 cm du bout avant la floraison, au début de l'été; répéter au besoin.

Conservation: Faire sécher.

Multiplication: Par boutures herbacées au début de l'été (voir p. 56) ou par division au printemps ou au début de l'automne tous les 2 ou 3 ans (voir p. 192).

Serpolet ou thym citron
(Thymus citriodorus)

Le serpolet est une plante hybride issue de *T. vulgaris* et de *T. pulegioides* qui ressemble au thym commun. Il a cependant un port rampant. Ses fleurs attirent les abeilles.

Utilisations: Le serpolet a les mêmes utilisations en cuisine que le thym commun. Sa saveur moins piquante et très citronnée convient aux farces de veau ou de volaille. Les feuilles broyées aromatisent les flans, les crèmes et la crème fouettée. En parfumer les fraises fraîches et les fruits acidulés.

Type: Vivace rustique partiellement ligneuse.

Dimensions: H 15 cm; E 30 cm.

Emplacement: Plein soleil; terre bien drainée.

Plantation: Ne s'obtient pas par semis. Acheter des plants et les repiquer vers le milieu du printemps à 25 cm les uns des autres.

Récolte: Cueillir les feuilles au besoin. Pour le séchage, les cueillir avant la floraison au début de l'été.

Conservation: Faire sécher.

Multiplication: Par division des plants au printemps (voir p. 60) ou par marcottage au printemps en buttant la terre au milieu du plant pour que les tiges s'enracinent sur leur longueur; les repiquer individuellement quand elles ont des racines.

Thym commun
(Thymus vulgaris)

Le thym est une plante arbustive et prostrée à feuilles vert-gris très aromatiques. Ses fleurs attirent les abeilles et donnent un excellent miel. De cette plante, on extrait une huile, le thymol, qui sert à la fabrication d'antiseptiques, de désodorisants et de pastilles contre la toux. Le thym chasse le papillon du chou.

Utilisations: Les feuilles fraîches ou sèches assaisonnent les viandes, les poissons, les œufs, les plats au fromage, les légumes, les soupes, les ragoûts, les farces et le riz. Mêlé à du romarin et à de la menthe, le thym se prend en infusion.

Type: Vivace rustique, partiellement ligneuse.

Dimensions: H 20 cm; E 23-30 cm.

Emplacement: Plein soleil; sol bien drainé.

Plantation: Acheter des plants et les repiquer au début du printemps à 15-25 cm de distance. Semer à la mi-printemps en rangs étroits, espacés de 30 cm. Éclaircir à 15 cm.

Récolte: Cueillir les feuilles au besoin. Pour le séchage, couper les plants avant la floraison.

Conservation: Faire sécher.

Multiplication: Par division des plants au printemps (voir p. 60) tous les 3 ou 4 ans.

Presque toutes les herbes aromatiques peuvent être séchées et mises de côté pour l'hiver. Celles qui ont des feuilles tendres peuvent également se congeler.

Jardin de fines herbes

Techniques de conservation

Séchage

Dans la plupart des cas, on récolte les feuilles quand les fleurs sont encore en boutons. La cueillette s'effectue par temps sec et tôt le matin, quand la rosée a disparu mais avant qu'il ne fasse très chaud, pour conserver les huiles essentielles. Si les feuilles sont un peu sales, les passer rapidement à l'eau et les sécher dans une serviette.

S'il s'agit de plantes à grandes feuilles, comme la menthe, le basilic ou la marjolaine, on peut les faire sécher de deux façons. Détacher les feuilles des tiges. Éliminer toutes celles qui ont été endommagées et les étaler ensuite sur une grille, un grillage ou des feuilles de papier essuie-tout : les placer à sécher dans une pièce sombre et chaude. Il faut les tourner fréquemment les deux premiers jours pour qu'elles sèchent vite et gardent mieux leur arôme. La deuxième méthode consiste à les suspendre en bottes, tête en bas, librement ou dans du papier brun, dans un endroit aéré.

Les plantes à petites feuilles comme le romarin, l'estragon ou le thym, peuvent être aussi suspendues en bottes mais elles sèchent mieux si les bottes sont placées dans un sac de papier brun qu'on ouvre le premiers jours pour favoriser l'évaporation de l'humidité.

Ne pas mélanger les fines herbes pour les mettre à sécher. Leur goût s'en trouverait modifié.

Séchage au four À défaut de pièce obscure et bien aérée, on peut faire sécher les fines herbes sur ou dans le four. Il ne faut cependant pas les faire cuire.

Régler le four à la température minimale (90 °C ou moins), porte ouverte. Y ranger les grilles sur lesquelles se trouvent les herbes, espacées. Au bout d'une heure, celles-ci devraient être sèches.

Séchage au micro-ondes On peut réaliser le séchage au micro-ondes mais il faut mettre une petite tasse d'eau à côté pendant l'opération. Comme la puissance des four à mi-cro-ondes varie, on ne peut donner de temps exact. Les herbes à petites feuilles, comme le thym et le roma-rin, devraient sécher en 1 minute environ, celles à grandes feuilles, en 3 minutes. Faire des essais.

Attention à ne pas trop dessécher les feuilles au micro-ondes : elle peuvent prendre feu. Ceci est particulièrement vrai de la sauge qui contient beaucoup d'huile.

Broyage et entreposage Dès que les feuilles sont sèches et cassantes, les détacher des tiges, mais il vaut mieux ne pas les broyer encore, car les feuilles entières gardent mieux leur arôme et sont faciles à écraser entre les doigts quand vient le temps de les utiliser.

On ne réduit les feuilles en poudre qu'au moment de s'en servir, car, autrement, elles perdent leur saveur. Les écraser au mortier ou les passer au tamis.

Les herbes séchées se gardent dans un récipient hermétique dans un endroit sombre, car elles perdent leur couleur à la lumière.

Apposer sur chaque bocal une étiquette portant le nom de la plante et la date de sa mise en pot. Les fines herbes sèches ne se conservent pas plus d'un an.

SÉCHAGE DES PLANTES À GRANDES FEUILLES

Séparer les feuilles des tiges; les étaler sur un grillage ou du papier essuie-tout et les placer dans une pièce sombre et aérée.

SÉCHAGE DES PLANTES À PETITES FEUILLES

Avant de suspendre les branches lavées pour les sécher à l'air, les rouler dans une serviette ou de l'essuie-tout pour les égoutter.

Congélation

Bon nombre de fines herbes à feuilles charnues peuvent être congelées. Tel est le cas de la mélisse, du basilic, de la ciboulette, de l'oseille, de la livè-che, de la menthe, du fenouil, du cer-feuil musqué et de l'estragon. On ne congèlera cependant que les jeunes tiges ou les jeunes feuilles sans mé-langer les espèces. Cueillir les herbes tôt le matin et les congeler immédia-tement. Ne jamais mélanger les fines herbes; les traiter une à la fois.

Émincer, mettre lâchement dans un petit bocal et étiqueter le nom de la plante et la date de congélation. Placer au congélateur. Au moment de l'utilisation, sortir le bocal du con-gélateur et, sans laisser dégeler, pré-lever la quantité voulue en grattant avec une cuiller. Remettre le bocal au congélateur.

Une autre façon consiste à émin-cer les herbes puis à les répartir dans les compartiments d'un plateau à glaçons. Remplir d'eau et congeler. Une fois gelés, les cubes peuvent être transvasés dans un sac en plastique. Les fines herbes congelées s'utilisent en sauces, pas en salades.

Congélation du persil On peut congeler les feuilles émincées ou les brindilles complètes. Étaler les brin-dilles séparément sur un plat et les mettre à congeler. Ensuite, les placer dans un sac de plastique où elles resteront séparées.

Huiles et vinaigres Les huiles et les vinaigres aromatisés sont faciles à réaliser soi-même. Les exemples les plus classiques sont les vinaigres à l'estragon, aux fleurs de ciboulette, au basilic et à la menthe ainsi que les huiles au romarin ou au basilic.

Remplir un bocal d'une ou de plu-sieurs fines herbes et couvrir d'une huile d'olive extra-vierge de bonne qualité ou d'un vinaigre de vin (rouge ou blanc). Les herbes ne doivent pas dépasser ou la moisissure pourrait s'installer. Couvrir et laisser macérer plusieurs semaines. Goûter et quand l'arôme désiré est atteint, ôter les fines herbes et transvaser. Conserver dans un endroit sombre : les parfums demeureront entiers.

BROYAGE DU PERSIL CONGELÉ

Quand le persil congelé doit être réduit en petits morceaux, pétrir le sachet afin de broyer les bouquets pendant qu'ils sont encore congelés.

Soins du jardin

Votre jardin doit être préparé, entretenu et fertilisé de façon adéquate pour que tout ce que vous y avez planté y pousse bien et pour que vous puissiez jouir d'une bonne récolte. Il faut faire appel à de nombreux nutriments pour que racines, feuillage, fleurs et fruits se développent adéquatement. Il faut aussi prendre garde aux mauvaises herbes, aux ravageurs et aux maladies. Les pages qui suivent vous donneront les outils pour réussir votre jardin et éviter les problèmes de toutes origines. Elles vous permettront aussi de soigner vos plantes.

PROPRIÉTÉS DU SOL

Avant de faire toute plantation, prendre un échantillon de sol. La quantité d'argile ou de sable qui s'y trouve, son acidité ou son alcalinité vont être déterminants.

Le sol est constitué d'ingrédients divers qui renferment les matières nutritives nécessaires au maintien de la vie sur terre. Grâce à leur système racinaire, les plantes extraient ces substances nutritives du sol et les transforment pour qu'elles soient assimilées par les végétaux, les animaux et les hommes. Or, le jardinage a pour fonction de garder le sol fertile en lui ajoutant les éléments nutritifs que les plantes lui soustraient.

Le sol est composé de cinq éléments principaux, qui sont : matières organiques mortes ou en état de décomposition (humus), particules de roches et de minéraux, eau, air, et un ensemble d'organismes vivants comprenant des insectes, des vers de terre, des champignons, ainsi que des bactéries, des protozoaires et des virus. C'est l'importance relative de chacun de ces éléments qui détermine la nature du sol.

La composition du sol varie considérablement, non seulement d'un endroit à un autre, mais même, dans un endroit donné, d'un niveau à un autre. Il suffit de creuser un trou de 1 m environ pour distinguer une série de couches ou de strates de couleur, de texture et de composition différentes. Cette superposition de strates est ce qu'on appelle le profil du sol.

La couche supérieure, aussi appelée couche arable, renferme une bonne quantité d'humus. C'est pourquoi elle est d'une teinte plus sombre. C'est dans cette zone que les racines viennent chercher la plupart des aliments dont les plantes ont besoin. Cette couche peut mesurer seulement 2,5 à 5 cm ou 30 à 60 cm ; elle est généralement plus mince sur les terrains en pente et plus épaisse dans les cuvettes où s'accumulent l'humus et le limon entraînés par les

eaux de pluie. On peut faire de la culture dans une couche arable peu épaisse à la condition de fertiliser et d'arroser fréquemment.

Sous la couche arable se trouve le sous-sol, couche argileuse, donc plus difficile à travailler et qui devient collante lorsqu'elle est mouillée. Cette argile descend généralement de la couche supérieure sous l'action des eaux de pluie, tout comme les oxydes de fer et autres sels minéraux qui

lui donnent une teinte rougeâtre ou orangée caractéristique. Lorsque ces minéraux s'accumulent en colmatant les particules de terre, il se forme une couche compacte et dure, appelée semelle de labour, dans laquelle

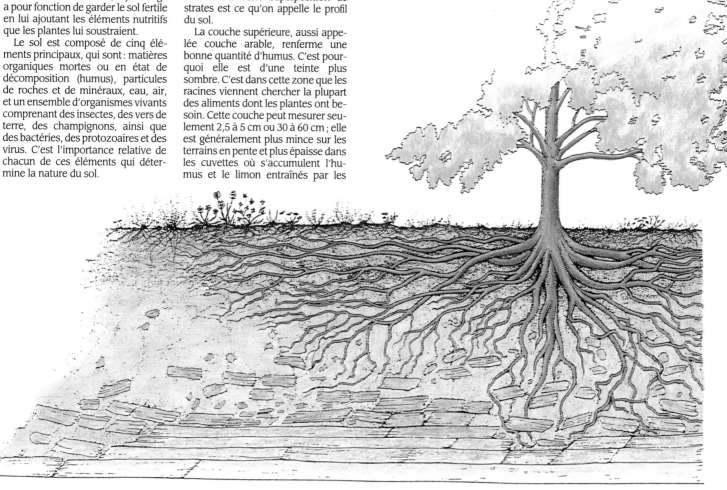

Argile

Sable

Avant de labourer et d'amender le sol, il faut en examiner la texture. L'argile forme des mottes dures quand elle est sèche ; les sols sablonneux sont granuleux sous les doigts.

les racines ne peuvent pénétrer et qui empêche l'eau de bien s'égoutter.

La troisième couche est uniquement composée de matières minérales, apparentées ou non à celles des couches supérieures. Elle peut former un lit de roc solide ou une couche poreuse profonde dans laquelle les racines des arbres et de certains arbustes peuvent plonger.

Texture du sol De tous les éléments qui composent le sol, ce sont les particules rocheuses qui sont les plus stables. Ce sont elles qui, selon leur taille, permettent de qualifier le sol de sablonneux, limoneux ou argileux. Dans la plupart des terres, on trouve en effet du sable, du limon et de l'argile mais en proportions variables. Pour déterminer ces proportions, on peut faire l'analyse d'un échantillon de terre en laboratoire, mais on en aura déjà une idée en roulant une pincée de terre humide entre le pouce et l'index.

Le sable est rude et granuleux. Ses particules s'agglomèrent peu. Les sols sablonneux sont faciles à travailler. On dit qu'ils sont légers parce qu'il suffisait autrefois d'un petit attelage de chevaux pour y creuser des sillons. Ils s'égouttent facilement, mais perdent du même coup leurs éléments nutritifs. Il faut donc leur ajouter régulièrement de l'eau, de l'humus et des engrais.

Les particules de limon sont plus petites que celles du sable, mais plus grosses que celles de l'argile. Elles ont une texture douce et farineuse. Le limon se tasse plus que le sable ; il s'égoutte plus lentement, s'agglomère mal et devient léger et poudreux lorsqu'il est sec.

Les terres argileuses sont dites lourdes parce qu'il fallait un attelage de forts chevaux pour les labourer. Les particules d'argile sont au moins 1 000 fois plus petites que les grains de sable grossier. Elles s'amalgament en mottes compactes qui, sèches, deviennent dures comme des cailloux. Quand on roule un peu d'argile humide entre le pouce et l'index, on obtient un mince cylindre. Contrairement au sable et au limon, l'argile absorbe l'eau et les matières nutritives ; elle se gonfle, referme les pores de la terre, la rend compacte et empêche l'égouttement des eaux. En s'asséchant, le sol se tasse à nouveau mais demeure compact, et de grandes craquelures se forment souvent en surface. Les plantes ont du mal à s'établir dans un sol argileux, mais, une fois bien enracinées, la plupart d'entre elles y prospèrent.

La terre franche désigne un type de sol de texture moyenne renfermant du sable, du limon et de l'argile en proportions à peu près égales. C'est un terme vague qui désigne en général une bonne terre. Elle est friable, c'est-à-dire que les mottes se brisent facilement en particules plus petites. Une pincée de terre franche roulée entre le pouce et l'index se réduit à une légère couche rugueuse. La terre franche garde bien l'humidité et favorise la formation des substances dont les plantes se nourrissent. Quand elle est amendée, on peut y faire pousser presque toutes les plantes. Afin qu'elle ne s'épuise pas, il faut cependant lui ajouter périodiquement de l'humus et des engrais, et en corriger l'acidité avec du calcaire ou de la chaux.

Labours et structure Pour savoir si une terre est propice à la culture, prendre une pelletée quand elle est humide et la laisser tomber sur une surface dure.

Si elle se divise en mottes poreuses de 1,5 cm de diamètre, sa structure est bonne. Chaque motte retiendra l'humidité, mais l'espace entre elles permettra à l'air de circuler et à l'eau de s'égoutter. Si elle se brise en mottes compactes à faces plates et à angles aigus, c'est une terre lourde qu'il faudra amender.

La nature a sa façon à elle d'amender lentement les terres lourdes en y faisant pousser des herbages année après année. Les racines de ces plantes fragmentent le sol ; le feuillage empêche la pluie de le durcir et, avec le temps, l'herbe se décompose en humus, qui est souvent entraîné dans le sol par les vers de terre de même que les insectes et les animaux fouisseurs. Les micro-organismes du sol transforment ces matières organiques en éléments nutritifs tout en produisant des polysaccharides, sous-produits qui agissent comme liant. On peut pratiquer cet amendement sur son propre jardin (voir engrais verts, p. 468).

Pour obtenir les mêmes résultats plus rapidement, incorporer une couche de 5 à 10 cm de fumier décomposé, de compost, de tourbe ou d'une autre matière organique dans le sol en automne, en pratiquant le double bêchage (voir p. 471) si le sol est extrêmement lourd. Recommencer l'opération au printemps. Il existe diverses matières synthétiques qui agissent de la même façon que les polysaccharides. La plupart sont connues par l'abréviation de leurs noms chimiques — VAMA, CMC, HPAN, IBMA —, mais elles sont vendues sous diverses appellations commerciales. Elles ne remplacent pas l'humus puisqu'elles n'ont pas de valeur alimentaire, mais, en améliorant la structure de la terre, elles permettent une meilleure utilisation des substances nutritives que celle-ci contient. Enfin, l'activité biologique qu'elles y entretiennent l'aide à devenir de plus en plus fertile.

Humus Les déchets animaux et végétaux, en se décomposant, se transforment en humus, matière foncée et gommeuse qui renferme beaucoup de substances nutritives et améliore la structure du sol. L'humus unit, en effet, les particules des terres légères et diminue la compacité des terres argileuses, permettant à l'air et à l'eau d'y circuler. On qualifie de « riches » les terres qui renferment beaucoup d'humus, et de « pauvres » celles qui en contiennent peu.

Tous les déchets organiques de quelque importance sont de bonnes sources d'humus. Cependant, ils doivent être partiellement décomposés avant d'être incorporés au sol pour que les plantes assimilent les substances nutritives qu'ils contiennent. D'autre part, cela permet de réduire la consommation d'azote que les micro-organismes responsables de la décomposition puisent en grande quantité dans le sol au début du processus. (C'est pourquoi il est recommandé d'ajouter un peu d'engrais riche en azote à la sciure de bois, à l'écorce déchiquetée ou aux autres matières organiques semblables qu'on utilise comme paillis d'été.)

Les matières susceptibles de produire de l'humus doivent être très bien incorporées au sol et en grandes quantités. Par exemple, une couche de 15 cm de matières organiques non compactes qu'on fait pénétrer dans le sol à 30 cm de profondeur constitue un bon amendement.

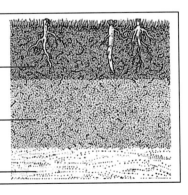

Couche arable : riche en humus et en sels minéraux, c'est la zone d'enracinement principale.

Sous-sol : généralement pauvre en nutriments essentiels, c'est la zone où s'ancrent les racines des arbres.

Base géologique : elle peut avoir quelques dizaines de centimètres ou plusieurs mètres de profondeur.

Prélever un échantillon de sol avec une pelle carrée. Rejeter la partie supérieure et prendre une bonne tranche de sol.

Prélèvement d'un échantillon de sol

Travaux d'amendement

Prélèvement et analyse d'un échantillon de sol

Pour tirer le meilleur parti d'un jardin, il faut d'abord connaître la nature du sol qui le compose. Dans certaines provinces du Canada, on peut faire analyser son sol, moyennant une somme d'argent, par le ministère de l'Agriculture ou par des fermes expérimentales, rattachées à une université. Ces analyses permettent de connaître la texture du sol, son pH, ainsi que la nature des nutriments et des sels minéraux qu'il renferme. Il suffit de contacter les bureaux du ministère de l'Agriculture ou de consulter les Pages jaunes de l'annuaire à « Sols — Études ».

On trouve dans les centres de jardinage des nécessaires d'analyse à l'usage des jardiniers amateurs. Sauf en ce qui concerne le pH, ils sont un peu difficiles à utiliser puisque les résultats n'ont aucun sens si on ne sait pas les interpréter correctement.

Dans tous les cas, cependant, l'analyse n'aura de valeur que si l'échantillon est prélevé correctement. Voici quelques règles à observer. Ne pas contaminer l'échantillon avec des substances étrangères, de la terre provenant d'un autre site, de la cendre de cigarettes ou des dépôts de terre laissés sur les outils ou les contenants utilisés.

Prélever un échantillon représentatif du jardin où on se propose de cultiver des plantes apparentées, par exemple des roses et des légumes. Pour cela, recueillir un peu de terre en plusieurs endroits et mélanger les échantillons. Remettre quelques poignées de ce mélange au laboratoire d'analyse. Ne pas mêler cependant des échantillons provenant de sites très différents ; ceux-là doivent être analysés séparément.

L'analyse du sol se fait de préférence en automne qui est la saison des amendements, en particulier de ceux à base de superphosphate ou de fleur de soufre, substances qui mettent plusieurs mois à agir.

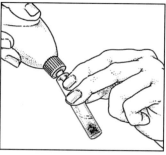
1. *Dans certains kits, on ajoute une solution chimique à l'échantillon.*

Le prélèvement des échantillons peut être effectué avec une simple bêche très coupante (pelle carrée) ou un transplantoir. Pour chaque échantillon, creuser verticalement à environ 20 cm de profondeur et prélever une tranche de 1,5 cm d'épaisseur. Enlever les cailloux et autres débris. Mettre tous les échantillons provenant d'un même site dans un contenant propre.

Déposer l'échantillon d'analyse dans un contenant qui ne risque pas de se briser en cours d'expédition. Joindre à chaque échantillon une lettre portant le nom et l'adresse de l'expéditeur, la date du prélèvement, l'endroit d'où il provient (pelouse, jardin, etc.) ; préciser s'il y a eu épandage d'engrais ou de chaux l'année précédente, le type de culture qui est envisagé (gazon, arbustes, fleurs, légumes, etc.) ; ajouter tous les renseignements pertinents sur l'utilisation du terrain pendant les années précédentes. Emballer l'échantillon dans un cartonnage solide en y incluant la lettre explicative.

Acidité ou alcalinité, pH du sol

Un sol à pH de 7 est neutre ; un sol de 0 est totalement acide ; de 14, totalement alcalin. Le sol légèrement acide, c'est-à-dire à pH de 6,5 environ, est celui qui convient le mieux à la plupart des plantes. Les rhododen-

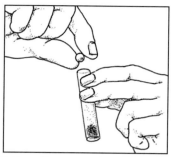
2. *Dans d'autres, on ajoute au sol des granules chimiques et de l'eau.*

drons font exception à cette règle en exigeant un sol à pH de 4 à 5,5, tandis que le chou ne prospère que dans un sol légèrement alcalin (pH de 7,5), surtout parce qu'une maladie cryptogamique à laquelle il est vulnérable, la hernie, se propage en sol acide. Peu de végétaux survivent dans un sol dont l'acidité dépasse 4, ou l'alcalinité 8.

Les matières organiques en se décomposant produisent divers acides, tandis que les alcalis proviennent d'éléments minéraux. C'est pourquoi les sols de jardin sont généralement un peu acides et tendent à le devenir davantage au fur et à mesure qu'on y incorpore des engrais et de l'humus et que sont entraînées par les eaux de pluie les substances minérales qui s'y trouvaient.

Pour augmenter l'alcalinité du sol, épandre du calcaire broyé. En automne, bêcher le sol à une profondeur de 20 à 30 cm ; épandre le calcaire en surface et le faire pénétrer en ratissant. Les quantités à utiliser dépendent de la texture du sol. Dans une terre franche sablonneuse, 23 kg pour 100 m² élèvent le pH de 1 point ; dans une terre franche moyenne, il en faut 32 kg pour la même surface ; dans un sol argileux, 36 kg. Ces quantités permettent de modifier le pH de 5,5 à 6,5. Plus le sol est acide, plus il faut de calcaire. Augmenter les quantités de 20 p. 100 si le pH est inférieur à 5,5.

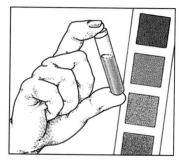
3. *Les mélanges sont comparés à un tableau identifiant les niveaux de pH.*

Pour acidifier rapidement une terre, employer de la fleur de soufre qui, en quelques mois, se transforme en acide sulfurique. Comme dans le cas du calcaire, les quantités à utiliser dépendent de la nature du sol. Dans une terre sablonneuse, il faut 4 kg aux 100 m² pour abaisser le pH de 1 point ; dans une terre très argileuse, il en faut 12 kg. Pour que le traitement soit efficace et de longue durée, incorporer la fleur de soufre à une profondeur d'au moins 30 cm en ajoutant de grandes quantités de tourbe.

La tourbe est aussi une source d'acidité : 23 kg aux 100 m² abaissent le pH de 1 point environ. Elle agit cependant plus lentement que la fleur de soufre, mais présente l'avantage d'améliorer la texture du sol en même temps.

On court toujours le risque, lorsqu'on veut corriger le pH du sol, de dépasser la dose nécessaire. Il faut donc n'utiliser que la quantité précise et s'appuyer sur des rapports dont on est sûr.

Addition d'aliments au moyen d'engrais

Trois des 16 éléments nécessaires à la croissance des plantes proviennent de l'air et de l'eau. Ce sont le carbone, l'hydrogène et l'oxygène. Les 13 autres sont contenus dans le sol et la plupart d'entre eux, les oligo-

Le degré d'humus que contient un sol est une mesure de sa fertilité. L'humus aère les sols lourds et retient l'humidité dans les sols sablonneux.

Sol riche en humus

éléments, n'existent qu'à l'état de traces. Mais les plantes en exigent des quantités si minimes qu'elles ne risquent pas d'en manquer. Les autres doivent être périodiquement incorporés au sol si l'on veut qu'il demeure fertile.

Trois éléments, l'azote, le phosphore et le potassium, sont utilisés en grandes quantités et consommés rapidement ; ils constituent les ingrédients principaux des engrais qu'on appelle complets ou polyvalents. Ces engrais, destinés à maintenir dans le sol une quantité suffisante de chacun de ces trois éléments, se présentent sous forme solide (poudres ou granules) ou liquide. Les engrais liquides ont l'avantage de s'appliquer facilement et de pénétrer rapidement dans la terre. Ils sont cependant plus chers et ne demeurent pas aussi longtemps dans le sol que les engrais solides ; il faut donc en utiliser plus souvent, mais à plus petites doses.

Sur les emballages d'engrais commercial, on trouve généralement trois chiffres, par exemple 10-6-4, qui correspondent à la formule NPK. Le premier chiffre indique le pourcentage d'azote (dont le symbole est N), le second donne le pourcentage de phosphore (symbole P), et le troisième celui du potassium (symbole K). Si le produit ne contient pas l'un des ingrédients, on indique l'absence de celui-ci par le chiffre 0. Ainsi donc, si l'on veut épandre 500 g d'azote (N), 1 kg de phosphore (P) et 500 g de potassium (K), il faut utiliser 5 kg d'engrais de formule 10-20-10 ou 10 kg d'engrais 5-10-5. Les proportions des éléments demeurent les mêmes, mais les quantités varient.

Les engrais polyvalents sont fabriqués à partir de produits chimiques : sulfate d'ammoniaque pour N, superphosphate pour P et sulfate de potassium pour K. Ces mêmes éléments se retrouvent dans des produits orga-

pH IDÉAL POUR DIVERS LÉGUMES

Légume	pH idéal	Légume	pH idéal
Artichaut	5,5-7,5	Haricot	6-7,5
Asperge	6-8	Laitue et endive	6-7
Aubergine	5,5-6,5	Maïs	5,5-7,5
Betterave	6-7,5	Navet et rutabaga	5,5-6,8
Brocoli	6-7	Oignon et poireau	5,8-7
Carotte	5,5-7	Okra	6-7,5
Céleri	5,8-7	Panais	5,5-7
Chou	6-7,5	Patate douce	5,2-6
Chou-fleur	5,5-7,5	Pois	6-7,5
Chou vert et chou frisé	6-7,5	Poivron	5,5-7
Choux de Bruxelles	6-7,5	Pomme de terre	4,8-6,5
Concombre	5,5-7	Radis	6-7
Courge et citrouille	5,5-7	Rhubarbe	5,5-7
Épinard	6-7,5	Tomate	5,5-7

pH IDÉAL POUR LES FLEURS ET DIVERSES PLANTES

Fleurs	pH idéal	Fleurs	pH idéal	Fleurs	pH idéal	Fleurs	pH idéal
Aconitum (aconit)	5-6	*Corylus* (noisetier)	6-7	*Hemerocallis* (hémérocalle)	6-7	*Petunia* (pétunia)	6-7,5
Adiantum (capillaire)	5-6	*Cotoneaster* (cotonéaster)	6-8	*Hepatica* (hépatique)	6-8	*Philadelphus* (seringa)	6-8
Adonis vernalis (adonide)	6-8	*Crataegus* (aubépine)	6-7,5	*Heuchera* (heuchère)	5-7	*Phlox* (phlox)	6-8
Ageratum (eupatoire bleue)	6-7,5	*Crocus* (crocus)	6-8	*Hydrangea* (hydrangée)	4-6,5	*Primula* (primevère)	5-7
Amaranthus (amaranthe)	6-6,5	*Cyclamen* (cyclamen)	6-7	*Ilex* (houx)	5-6	*Ranunculus* (renoncule)	6-8
Antirrhinum (gueule-de-loup)	6-7,5	*Dahlia* (dahlia)	6-7,5	*Impatiens* (impatiente)	5,5-6,5	*Rhododendron* (rhododendron)	4,5-6
Aquilegia (ancolie)	6-7	*Daphne* (daphné)	6-7	*Iris* (iris)	5-7	*Rosa* (rose)	5,5-7,5
Aster (aster)	6-7	*Deutzia* (deutzie)	6-7,5	*Lathyrus odoratus* (pois de senteur)	6-7,5	*Sambucus* (sureau)	6-8
Begonia semperflorens (bégonia)	5-7	*Dianthus* (œillet)	6-7,5	*Ligustrum* (troène)	6-7	*Saxifraga* (saxifrage)	6-8
Bellis perennis (pâquerette)	5-6	*Dicentra* (cœur-de-Marie)	5-6	*Lilium* (lis)	5-6	*Solidago* (verge d'or)	5-6
Buxus (buis)	6-7,5	*Digitalis purpurea* (digitale)	6-7,5	*Lonicera* (chèvrefeuille)	6-8	*Spiraea* (spirée)	6-7,5
Calceolaria (calcéolaire)	6-7	*Erica* (bruyère)	4-4,5	*Magnolia* (magnolia)	5-6	*Syringa* (lilas)	6-7,5
Calendula officinalis (souci)	6,5-7,5	*Forsythia* (forsythie)	6-8	*Matthiola* (giroflée)	6-7,5	*Tagetes* (œillet d'Inde)	5,5-7
Callistephus (reine-marguerite)	6-8	*Fuchsia* (fuchsia)	5,5-6,5	*Myosotis* (myosotis)	6-8	*Tamarix* (tamaris)	6,5-8
Calluna (bruyère)	4-6	*Gentiana* (gentiane)	5-7	*Narcissus* (narcisse)	5,5-7,5	*Trollius* (trolle)	5,5-6,5
Campanula (campanule)	5,5-7	*Gladiolus* (glaïeul)	6-7	*Nerium* (laurier-rose)	6-7,5	*Tropaeolum majus* (capucine)	5,5-7,5
Canna (balisier)	6-8	*Hamamelis* (hamamélis)	6-7	*Nicotiana* (tabac)	5,5-6,5	*Tulipa* (tulipe)	6-7
Chrysanthemum (chrysanthème)	6-7,5	*Hedera* (lierre)	6-8	*Nymphaea* (nénuphar)	5,5-6,5	*Veronica* (véronique)	5-6
Clematis (clématite)	5-6,5	*Helenium* (hélénie)	5-7,5	*Oenothera* (onagre)	6-8	*Viburnum* (viorne)	5-7
Coleus (coléus)	6-7	*Helianthus* (tournesol)	5-7	*Paeonia* (pivoine)	6-7,5	*Viola* (pensée)	5,5-6,5
Convallaria (muguet)	4,5-6	*Helleborus niger* (rose de Noël)	6-8	*Papaver* (pavot)	6-8	*Zinnia* (zinnia)	5,5-7,5

Le pH du sol est une indication que celui-ci est acide, neutre ou alcalin. Or la plupart des plantes ont des préférences quant à l'acidité du sol.

Courgettes : pH 5,5-7   Choux de Bruxelles : pH 6-7,5   Oignons : pH 5,8-7

niques qui coûtent en général plus cher. Ils ont cependant l'avantage de ne pas causer de tort aux plantes en cas de doses excessives, contrairement aux produits chimiques, et ils persistent plus longtemps dans le sol.

Le sang desséché et la corne ou le sabot pulvérisés renferment 7 à 15 p.100 de N. Les engrais et les émulsions de poisson contiennent 5 à 10 p. 100 de N et 2 à 6 p. 100 de P. La poudre d'os très fine dégage 3 à 5 p. 100 de N et 20 à 35 p. 100 de P. La farine de graine de coton fournit 6 à 9 p. 100 de N à action lente, 2 à 3 p. 100 de P et environ 2 p. 100 de K. Les cendres de bois, surtout celles des bois francs, sont aussi une bonne source de K : elles en contiennent 8 p. 100. Mais elles sont très alcalines, c'est pourquoi il ne faut pas les épandre directement près des plants.

On obtient des engrais à assimilation progressive soit en combinant des matières nutritives avec des produits chimiques qui retardent leur décomposition (combinaison d'azote d'urée et de formaldéhyde), soit en enrobant les particules d'engrais d'une matière plastique dont elles se libèrent lentement. Ces engrais sont recommandés pour les arbres, les arbustes et les vivaces de longue durée.

Souvent, dans les sols alcalins, les oligo-éléments ne se divisent pas en particules assimilables. La chlorose des plantes, ou décoloration, est le symptôme d'un manque de fer. On y remédie par une application de chélates de fer sur le sol ou le feuillage. Une carence en manganèse, qui affecte souvent les légumes, se corrige en vaporisant le feuillage au printemps avec une faible solution de

sulfate de manganèse diluée dans de l'eau.

Les engrais foliaires sont de bons éléments nutritifs d'appoint. Les plantes dont le système racinaire est faible ou malade en bénéficient.

Compost et engrais verts : sources d'humus

Le compost est la meilleure source d'amendement organique. La réserve est constituée de couches de déchets végétaux provenant du jardin, recouvertes de couches de terre enrichie d'azote. S'il y a apport suffisant d'air et d'eau, le tas de compost bien organisé transforme en humus, en l'espace de quelques mois, des déchets comme les feuilles mortes, les rognures de gazon, le marc de café, la charpie ramassée par l'aspi-

rateur, la sciure de bois et même le papier journal bien imbibé d'eau.

On ne peut néanmoins tout jeter sur le tas de compost. Les matières ligneuses, par exemple, sont trop longues à se décomposer. Éviter également d'y mettre les déchets de cuisine cuits ou gras, les plantes malades, les racines de mauvaises herbes vivaces et les mauvaises herbes annuelles montées en graine.

Commencer la réserve par une couche de 30 cm d'épaisseur composée de rognures de gazon, de foin ou de feuilles mortes et formant un carré d'au moins 1,50 m de côté et, de préférence, de 2,10 m. Bien fouler avec les pieds et arroser abondamment. Saupoudrer une poignée de sulfate d'ammoniaque si le sol est alcalin, de nitrate de sodium s'il est acide, ou remplacer ces produits chimiques

---

ÉDIFICATION D'UN TAS DE COMPOST

Constituer une première couche (30 cm d'épaisseur) de débris végétaux sur une surface carrée de 1,50 ou 2,10 m de côté. Fouler et arroser. Couvrir de 5-8 cm de terre enrichie. Continuer ainsi en alternant les couches.

SILOS À COMPOST

Le silo en grillage a des charnières donnant accès au compost. La boîte à trois compartiments contient du compost prêt, du compost en préparation et une première couche.

Un sol granuleux est idéal au jardin. Aussi convient-il de commencer par l'amender avec de l'humus pour le rendre friable.

Un sol friable est facile à herser

Travaux de jardinage

par une couche de fumier de 2,5 cm d'épaisseur. Couvrir cette première tranche de 5 cm de terre.

Édifier le tas par couches successives de 30 cm. Fouler chaque assise et l'arroser. Recouvrir de terre enrichie. Le tas peut avoir 1,50 à 2 m de haut. Ménager une légère dépression sur le dessus pour recueillir les eaux de pluie. Quand il est terminé, le recouvrir de 15 cm de terre, bien arroser et le garder humide mais non détrempé. Si l'été est sec, l'arroser toutes les deux semaines environ. Retourner souvent le tas.

Il existe des silos à compost tout prêts de différentes dimensions. On peut également en fabriquer avec du grillage métallique ou des lattes de bois (page ci-contre). Ménager une voie d'accès au compost au moyen d'une paroi amovible. On ne peut fabriquer du compost dans une poubelle ou un récipient quelconque à ordures ménagères dont les parois sont pleines. Les bactéries qui assurent la décomposition des matières organiques ont absolument besoin d'air. Quand le compost est prêt, il est noir ou brun foncé, friable et d'odeur agréable. Il faut trois mois en été, et un peu plus en hiver, pour arriver à ce stade.

Les engrais verts sont des plantes que l'on cultive dans le but de les enfouir sur place par le labour afin d'obtenir de l'humus. Choisir des plantes qui poussent vite : seigle d'hiver, sarrasin, millet, moutarde et luzerne. Les enterrer juste avant qu'elles fleurissent. Pour éviter une carence d'azote, incorporer au sol au moment du labour 30 g de sulfate d'ammoniaque ou de nitrate de sodium au mètre carré.

Certaines légumineuses, comme le soja, la vesce, le pois fourrager et le trèfle, ont des racines à nodules qui abritent des bactéries susceptibles de fixer dans le sol l'azote de l'air et de le rendre assimilable par les plantes. On n'a donc pas besoin de rajouter d'azote lorsqu'on utilise ce type d'engrais vert.

L'outillage de base

Jardiner implique d'abord l'utilisation de nombreux instruments. Les outils de base comprennent des instruments à long manche : une bêche pour retourner le sol, une fourche à bêcher pour l'ameublir, une pelle pour creuser des trous, un râteau pour niveler la surface du sol, une binette et une ratissoire pour enlever les mauvaises herbes, et une belette pour scarifier le sol. Il faut ajouter des outils à main : un transplantoir, modèle réduit de pelle et de bêche réunies, et une belette à manche court. L'outillage de base serait incomplet sans un tuyau d'arrosage muni d'une lance ajustable, et d'un cordeau pour faire des rangs droits.

L'achat d'une motobêche se justifie lorsque le jardin est de grandes dimensions. Avec cette machine, les labours en profondeur deviennent un jeu d'enfant. On aura aussi sans doute besoin des instruments suivants : une brouette, un rouleau léger, un pied-de-biche pour soulever les gros cailloux, une tarière pour creuser des trous et prélever des échantillons de sol, et une pioche ou

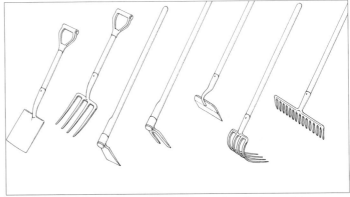

Outils de base : une bêche, une fourche, un transplantoir, des sarcloirs pour arracher les mauvaises herbes et aérer le sol, une belette et un râteau.

un pic pour briser les mottes de terre. On ne devrait acheter que des outils de bonne qualité qui tiennent bien dans la main et de proportions équilibrées. Vérifier soigneusement le point de fixation du manche. Les manches ronds doivent être insérés dans un long manchon métallique et assujettis avec de bons rivets. Les arêtes tranchantes doivent être solides, bien aiguisées et droites.

Un bon outil mérite d'être bien entretenu. Le nettoyer après usage. Enlever les points de rouille avec un solvant et de la laine d'acier. Limer les brèches sans tarder. Resserrer toutes les pièces qui se relâchent et huiler de temps à autre les pièces mobiles. À la fin de la saison, avant de ranger les outils pour l'hiver, frotter toutes les parties métalliques avec un chiffon imprégné d'huile.

Mesures à prendre pour un bon drainage

Creuser un trou d'environ 60 cm de profondeur et le remplir d'eau. Si, après 24 heures, l'eau n'est pas absorbée, cela veut dire que le drainage de ce sol fait complètement défaut. Même si la couche est sablonneuse, les racines des plantes auront du mal à s'y développer.

Il y a deux causes principales au mauvais égouttement des eaux : un sous-sol compact ou une semelle de labour. Dans les deux cas, un double bêchage ou un labour en profondeur et l'incorporation de matières poreuses aèrent la couche durcie. Mais si celle-ci résiste, il faut en conclure que la nappe aquifère est très haute à cet endroit. Trois so-

lutions s'offrent alors : cultiver des plantes à courts systèmes radiculaires, surélever le jardin ou abaisser le niveau hydrostatique.

Une nappe aquifère n'est que la partie supérieure d'un réservoir d'eau plus ou moins permanent. Cette nappe peut n'être qu'à quelques centimètres de la surface du sol, comme dans un marais, ou, au contraire, à des centaines de mètres de profondeur. Dans des conditions idéales, la nappe aquifère devrait se trouver à environ 1,20 m de profondeur pour que les racines des arbres et des arbustes puissent aller s'y abreuver.

Si le jardin est en contrebas, on peut abaisser le niveau hydrostatique en creusant des tranchées en travers du talus qui domine le jardin ou en installant un système de drainage.

Dans ce dernier cas, le système ne peut fonctionner que si l'on évacue l'eau vers un point situé plus bas que le drain inférieur : étang, ruisseau, fossé ou terrain en pente. Creuser une tranchée de 60 à 90 cm de profondeur, du point le plus élevé du jardin vers l'endroit choisi comme déversoir. Au fond de la tranchée, déposer des sections de tuyau en terre cuite ou en ciment de 10 à 15 cm de diamètre, espacées de 5 mm. Les recouvrir de 20 à 25 cm de cailloutis ou autre matière et remplir de terre.

À défaut de déversoirs naturels, on peut faire aboutir la tranchée dans un puisard ou construire un réservoir, c'est-à-dire un trou profond rempli de gravier. Mais on peut aussi planter des plantes qui poussent bien dans des conditions d'humidité.

Si des plantes poussent en terrain sauvage, c'est qu'elles y ont trouvé les conditions qui leur conviennent. Les deux plantes suivantes signalent la nature de certains sols.

Moutarde sauvage — sol sablonneux

Camomille — sol légèrement acide

1. Enfoncer la bêche droit dans le sol en utilisant le poids du corps.

2. Glisser une main le long du manche et fléchir les genoux.

3. Soulever la bêche en redressant les jambes pour ne pas fatiguer le dos.

Bêchage d'une grande étendue de terrain

En règle générale, il suffit de retourner la terre à une profondeur de 25 à 30 cm chaque année, de préférence en automne ou au début de l'hiver.

Diviser le jardin en son milieu par un cordeau. Sur un des côtés de la première moitié, creuser une tranchée large de 30 cm et de la profondeur d'un fer de bêche, perpendiculaire à la ligne médiane. Entasser la terre au-delà de la ligne médiane. Elle servira à remplir la dernière tranchée. Faciliter le bêchage, par la technique ci-dessus. Ne pas trop charger la bêche.

Si nécessaire, étaler uniformément du compost ou une autre forme d'humus. En réserver une part pour la dernière tranchée. Faire tomber de l'humus dans la première tranchée et bien le répartir.

Creuser une seconde tranchée à côté de la première en rejetant chaque pelletée de la seconde dans la première de façon que la terre de surface se retrouve à 25 cm de profondeur.

Continuer de la sorte, bande par bande, jusqu'au bout de la planche et faire de même dans l'autre moitié. Finir en remplissant la dernière tranchée avec la terre et l'humus réservés lors du creusage de la première.

Stérilisation et fumigation d'un sol infesté

Lorsque, année après année, on utilise le même sol dans une serre, un châssis froid ou pour empoter des plantes vertes, on risque de voir apparaître anguillules, champignons et autres organismes néfastes. Pour les détruire, on peut stériliser le sol à la chaleur ou faire des fumigations de produits chimiques.

La stérilisation à la vapeur est la plus facile à réaliser et la plus efficace. Il existe des instruments à haute pression pour grandes serres qui conviennent peu au jardin familial. Lorsqu'on dispose d'une source de vapeur, il suffit d'y brancher un tuyau et d'insérer l'autre extrémité de celui-ci dans un panier ou une boîte contenant de la terre. Le jet de vapeur doit être continu pendant 45 minutes.

On peut arriver au même résultat d'une autre façon. Amener un quart de litre d'eau à ébullition dans une grande casserole. Verser 3 ou 4 litres de terre sèche dans la casserole ; couvrir hermétiquement et remettre à bouillir. Après 5 ou 6 minutes, enlever la casserole du feu, mais ne pas l'ouvrir avant 8 à 10 minutes.

On peut aussi remplir des caissettes de terre sèche et les saturer d'eau bouillante à deux ou trois reprises. C'est un procédé salissant mais qui, en général, donne de bons résultats.

Des produits fumigènes comme le formaldéhyde et le métam-sodium sont vendus sous diverses appellations commerciales. La plupart sont extrêmement toxiques pour les plantes, les animaux et les humains et le sont à un tel point qu'ils ne peuvent être appliqués que par des spécialistes, et qu'il est difficile d'en justifier l'utilisation pour un jardin familial. Ce sont des liquides volatils qui se transforment rapidement dans la terre en gaz toxiques ; bien aérer. La fumigation terminée, attendre que les gaz se soient échappés du sol. La période d'attente varie selon le produit utilisé.

On peut employer des produits fumigènes pour stériliser le sol du jardin. Cependant, étant donné qu'ils risquent de détruire des organismes utiles et qu'ils sont dangereux, il ne faut les utiliser qu'avec la plus grande prudence.

Fréquence et importance des arrosages

Les fertilisants ne sont d'aucune utilité pour les plantes tant qu'ils ne sont pas dissous dans l'eau. Ils perdent par contre toute efficacité s'ils tombent dans un sol trop gorgé d'eau. La fréquence et l'importance des arrosages sont donc des questions essentielles.

On conseille généralement d'arroser lorsque le sol a perdu la moitié de l'eau qu'il est capable d'absorber. Pour savoir concrètement quand arroser, prendre une poignée de terre de surface et la façonner en boule au creux de la main ; si la boule conserve sa forme, la terre est suffisamment humide ; si elle s'émiette facilement, il est bon d'arroser.

Imbiber le sol d'eau à 30 cm au moins de profondeur. Les arrosages superficiels empêchent les racines de pousser profondément et les rendent vulnérables aux coups de soleil. (Les plantules, cependant, tout comme le nouveau gazon, peuvent demander deux légers arrosages par jour tant que leurs racines ne sont pas assez développées.)

La fréquence des arrosages dépend de la nature du sol, du climat, du type de plantes et de l'emplacement du jardin. Les légumes demandent en moyenne deux fois plus d'eau que les fleurs. Par temps sec, les arbres et les arbustes nouvellement plantés exigent de fréquents arrosages. Les plantes qui poussent près d'un mur ou d'une haie peuvent avoir besoin d'un arrosage même après une grosse averse, mais elles se déshydrateront moins vite que celles qui sont cultivées en plein vent. Le sol s'assèche plus rapidement au sommet qu'au pied d'un talus ; les terres légères requièrent des arrosages plus fréquents que les terres lourdes.

On retarde l'évaporation de l'eau en disposant un paillis sur le sol. La nature et l'épaisseur de ce paillis varient selon les plantes.

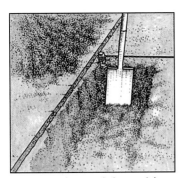

1. *Entasser la terre de la tranchée au-delà de la ligne médiane.*

2. *Défoncer le lit de la tranchée à la fourche-bêche et incorporer l'humus.*

3. *Bêcher la deuxième tranchée en rejetant la terre dans la première.*

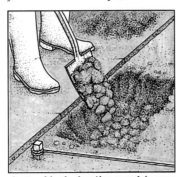

4. *Combler la dernière tranchée avec la terre retirée de la première.*

Technique du double bêchage

Pour corriger le drainage d'un terrain ou préparer celui-ci à recevoir des plantes à longues racines, il faut parfois bêcher plus profondément.

Diviser d'abord la surface en son milieu (voir page précédente). Creuser une première tranchée de 60 cm de large et d'un fer de bêche de profondeur, en allant du côté vers le milieu. Entasser la terre excavée près de la ligne médiane. Étaler l'humus uniformément sur la partie qu'il reste à bêcher.

Ensuite, à la fourche à bêcher, ameublir le sol au fond de la tranchée. Faire tomber l'humus qui se trouve sur la bande voisine dans la première tranchée ; bien l'incorporer au sol. Bêcher une deuxième bande de 60 cm en retournant et rejetant chaque pelletée de terre dans la première tranchée. Ameublir le fond de la deuxième tranchée et y faire tomber l'humus de la bande adjacente. Continuer de la sorte des deux côtés de la ligne médiane. Arrivé à la dernière tranchée, la remplir avec la terre et l'humus réservés au début.

Si l'on vient à manquer d'humus, bêcher la terre et étendre au fond de la tranchée du compost non décomposé, ou encore des feuilles, de la paille, du fumier ou toute autre source potentielle d'humus. Ces matériaux se décomposeront lentement dans le sol et en amélioreront quand même la structure.

Paillis

Les paillis ont trois fonctions : ils régulent la température du sol, réduisent la perte d'humidité et aident à combattre les mauvaises herbes. Ils peuvent être organiques ou pas.

Une pellicule de plastique étendue sur le sol au début du printemps va réchauffer celui-ci rapidement et le faire sécher plus vite. On l'utilisera pour préparer le site d'une récolte précoce de laitue ou pour réchauffer le sol au moment de semer des graines de melon. Le plastique noir étouffe les mauvaises herbes qui cherchent à germer dessous.

Les paillis de matériaux lâches, mis entre des plants ou au pied des arbres et des arbustes, protègent le sol des écarts de la température extérieure, mais ils ont aussi tendance à maintenir dans le sol les basses ou les hautes températures qui s'y trouvent déjà. Ceci est important là où les hivers sont froids : les arbres plantés à l'automne ne doivent pas être paillés avant l'été suivant ; un paillis installé au moment de la plantation aura tendance à garder le sol gelé jusqu'à tard au printemps. Les organes aériens exposés à l'air tiède se mettent à croître alors que les racines, sous le paillis, sont encore gelées, ce qui peut tuer l'arbre.

Là où il y a des périodes de gel et de dégel pendant l'hiver, un paillis lâche, installé après que le sol ait refroidi au début de l'hiver, empêchera le soulèvement de celui-ci.

En protégeant la surface du soleil et du vent, les paillis lâches réduisent l'évaporation de l'eau. Appliqué au pied d'un arbre ou d'un arbuste, un paillis ne doit pas entrer en contact avec le tronc, mais il doit couvrir l'étalement de l'arbre.

Paillis organiques Ils doivent être assez lourds pour ne pas être emportés par le vent et la pluie, tout en laissant passer l'air et l'eau. Les copeaux d'écorce de cèdre ou d'autres essences sont les plus courants, mais les pelures de fèves de cacao et les déchets de houblon font de bons paillis.

Paillis synthétiques En plus de la pellicule de plastique, on peut utiliser du tissu géotextile. Il laisse passer l'eau, empêche la croissance des mauvaises herbes, mais fend s'il est exposé au soleil et il faut le recouvrir d'un léger paillis organique.

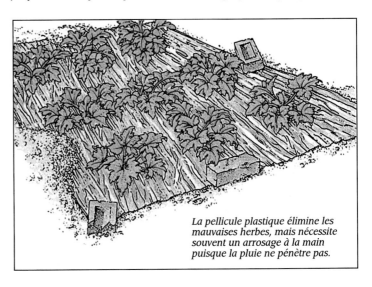

La pellicule plastique élimine les mauvaises herbes, mais nécessite souvent un arrosage à la main puisque la pluie ne pénètre pas.

RAVAGEURS ET MALADIES

Beaucoup de ravageurs et de maladies peuvent être combattus efficacement. On pourra les reconnaître d'après les illustrations, puis appliquer le traitement conseillé.

Cette section permettra d'identifier les ravageurs, les maladies et les désordres physiologiques qui affectent le plus couramment les plantes cultivées. Leur liste est impressionnante mais, dans le cadre d'un jardin familial, on ne rencontrera évidemment que quelques-uns de ces cas.

Il est bon de vérifier périodiquement l'état de ses plantes. On examinera les feuilles, les tiges et les fleurs, de façon à agir dès qu'un symptôme se manifeste: les feuilles sont-elles déformées ou décolorées? Mais ne jamais vaporiser d'insecticide sur des plantes en fleurs pour ne pas détruire les insectes pollinisateurs.

Quand une plante a déjà été attaquée de façon récurrente dans le passé, il faut avoir recours à des méthodes préventives. Remuer fréquemment les sols soupçonnés d'abriter des ravageurs. Désinfecter ces sols à l'aide du produit chimique spécifique. La rotation de culture donne également de bons résultats.

Feuilles trouées
(par des punaises)

Tiges pourries et déformées (par le botrytis)

Racines rongées (par le ver fil-de-fer)

Identification des symptômes
Pour faciliter l'identification des symptômes, on a illustré les organes végétaux atteints dans l'ordre qui suit: feuilles, pousses, boutons floraux, fleurs épanouies, fruits, légumes et racines. Suit une page consacrée aux pelouses. Sous chaque illustration se trouvent la liste des plantes susceptibles de manifester le symptôme mentionné, la description de celui-ci, la période critique où il peut apparaître, ainsi que le traitement recommandé.

Par exemple, on découvrira de quoi souffre le dahlia (représenté à gauche) en passant en revue toutes les illustrations groupées sous la rubrique « Feuilles trouées » qui commence à la page 475. On verra qu'il s'agit ici de dégâts causés par des punaises et on trouvera le traitement à appliquer à la page 476, sous la planche illustrant ce symptôme. (Le même symptôme figure en haut, à droite, sur la présente page.)

En étudiant les illustrations de la rubrique « Pousses décolorées », on constatera que les hampes du dahlia sont atteintes d'une maladie cryptogamique appelée botrytis ou pourriture grise (voir p. 491).

Lorsqu'une plante se porte mal sans qu'aucun de ses organes aériens ne semble malade, il faut examiner les racines. Dans le cas du dahlia, celles-ci ont été attaquées par des vers fil-de-fer (voir p. 504).

Les traitements prescrits sont le plus souvent à base de produits chimiques. On trouvera, page 509, une liste des pesticides comprenant leurs noms commerciaux.

Punaise

Botrytis ou pourriture grise

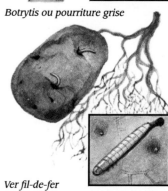

Ver fil-de-fer

Feuilles avec insectes apparents

Cochenilles

Plantes exposées: Camélia, plantes vertes et autres.
Symptômes: Écailles plates ou globuleuses.
Époque d'apparition: Au printemps et au début de l'été à l'extérieur; en tout temps à l'intérieur.
Traitement: Vaporiser les plantes à feuilles caduques 60 secondes avec un oléo-insecticide ou de la bouillie soufrée, à la fin de l'hiver ou au début du printemps. À la fin du printemps, vaporiser de diméthoate ou de malathion, deux fois à 3 semaines d'intervalle.

Pucerons

Plantes exposées: La plupart des plantes cultivées dans la maison ou au jardin.
Symptômes: Colonies de petits insectes.
Époque d'apparition: Au printemps et au début de l'été au jardin; en tout temps à l'intérieur.
Traitement: Vaporiser un insecticide systémique — diméthoate — ou un insecticide de contact — carbaryl, malathion, savon insecticide ou roténone.

Mouches blanches

Plantes exposées: Ageratum, azalée, chou, chou de Bruxelles, chrysanthème, concombre, fuchsia, gerbera, lantana, poinsettia et tomate.
Symptômes: Insectes blancs sous les feuilles. Feuilles décolorées.
Époque d'apparition: De la fin du printemps au début de l'automne au jardin; toute l'année en serre chaude et à l'intérieur de la maison.
Traitement: Vaporiser les plantes de diméthoate, de malathion, de savon insecticide ou de resméthrine. Détruire les vieilles plantes.

Feuilles trouées

Chenilles (chenilles géomètres, larves de la spongieuse et livrées)

Plantes exposées: Un grand nombre de plantes, en particulier les arbres et les arbustes.
Symptômes: Feuilles rongées et portant souvent de grands trous.
Époque d'apparition: À partir du début du printemps.
Traitement: Enlever les chenilles à la main si possible. Vaporiser de *Bacillus thuringiensis*, de carbaryl, de malathion ou de roténone dès l'apparition des symptômes.

Doryphores de la pomme de terre

Plantes exposées: Aubergine, piment, pomme de terre et tomate.
Symptômes: Segments de feuilles rongés par larves ou insectes adultes.
Époque d'apparition: À la fin du printemps (les insectes pondent sur les feuilles) et pendant tout l'été (larves et adultes se nourrissent des feuilles).
Traitement: Vaporisation de carbaryl ou de *Bacillus thuringiensis* San Diego.

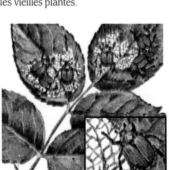

Cochenilles farineuses

Plantes exposées: Des annuelles.
Symptômes: Petits insectes roses sur les feuilles. Masses «laineuses» à la jonction des pétioles.
Époque d'apparition: En tout temps.
Traitement: Vaporisation d'un insecticide systémique, tel que le diméthoate, ou d'un insecticide spécifique; on peut également étendre de l'alcool à friction à 50 p. 100 sur les petites colonies.

Scarabées japonais

Plantes exposées: Rosier, tilleul, vigne et plusieurs autres plantes.
Symptômes: Feuilles réduites aux nervures, pétales effilochés.
Époque d'apparition: Du début de l'été au milieu de l'automne.
Traitement: Vaporisation ou poudrage de carbaryl ou de roténone. Pour les larves, voir Scarabées (larves), p. 508.

Perce-oreilles

Plantes exposées: Clématite, dahlia, glaïeul et quelques autres plantes, particulièrement les jeunes légumes.
Symptômes: Feuilles rongées.
Époque d'apparition: De la fin du printemps à la mi-automne.
Traitement: Vaporisation de savon insecticide, vaporisation ou poudrage de carbaryl. Capturer les insectes en leur procurant des cachettes pour la journée (pots remplis de paille, par exemple).

Feuilles trouées (suite)

Tordeuses ou lieuses

Plantes exposées: Surtout chrysan-thème, hélénie, phlox vivace, pommier, mais aussi arbres, arbustes et plantes herbacées.
Symptômes: Feuilles d'abord rongées et ensuite reliées par des fils de soie.
Époque d'apparition: De la fin du printemps au début de l'été en pleine terre; toute l'année en serre.
Traitement: Vaporisations abondantes de *Bacillus thuringiensis*, de carbaryl ou de roténone; enlever les insectes à la main.

Charançons de la vigne et des fleurs

Plantes exposées: Camélia, cléma-tite, if, primevère, rhododendron et de nombreuses plantes grimpantes.
Symptômes: Marges des feuilles en-taillées ou rongées; racines dévorées.
Époque d'apparition: Au printemps et en été au jardin; toute l'année en serre.
Traitement: Enlever les tas de feuilles et les débris de plantes, car les charan-çons s'y réfugient le jour; vaporiser ou poudrer les plantes attaquées avec un produit à base de bendiocarbe ou de méthoxychlore.

Punaises (à quatre raies, arlequines, ternes)

Plantes exposées: Buddléia, cassis-sier, dahlia, forsythia, groseillier, hari-cot, pommier et plusieurs autres.
Symptômes: Jeunes feuilles trouées.
Époque d'apparition: De la mi-prin-temps à la fin de l'été.
Traitement: Un bon entretien du jardin et un désherbage périodique diminuent les dégâts. Protéger les plantes les plus exposées au moyen de vaporisations de carbaryl, de malathion ou de perméthrine dès les premiers symptômes.

Criblure

Plantes exposées: Cerisier, pêcher, prunier et autres espèces de *Prunus*.
Symptômes: Taches brunes et trous sur les feuilles et chute de celles-ci.
Époque d'apparition: Pendant la pé-riode active.
Traitement: Fertiliser et pailler annuel-lement; ne jamais laisser le sol se des-sécher. Engrais foliaire pour les petits arbres. Si la maladie réapparaît l'année suivante, vaporiser de captane ou de bénomyl tous les 15 jours, au printemps et au début de l'été, ou vaporiser un fon-gicide cuprique dilué de moitié en été et non dilué à la chute des feuilles.

Tenthrèdes du rosier

Plante exposée: Rosier.
Symptômes: Zones irrégulières par-tiellement détruites sur les feuilles; il ne reste qu'une membrane transparente.
Époque d'apparition: Du début de l'été au début de l'automne.
Traitement: Vaporisations de carbaryl, de méthoxychlore ou de roténone dès les premiers symptômes.

Bruches du haricot, charançons rayés du pois

Plantes exposées: Haricot et pois.
Symptômes: Bords des feuilles rongés en festons.
Époque d'apparition: Du début du printemps au début de l'été.
Traitement: Poudrage de carbaryl, de malathion ou de roténone dès l'appari-tion des premiers symptômes sur les jeunes plants. Les plantes adultes sont peu affectées.

Tache foliaire de l'hellébore

Plante exposée: Hellébore.
Symptômes: Taches grises ou noires formant des cercles concentriques sur les feuilles et flétrissement de celles-ci.
Époque d'apparition: En tout temps, mais surtout en hiver et au printemps.
Traitement: Supprimer et détruire les organes atteints. Vaporiser régulière-ment de bénomyl ou d'un fongicide cu-prique comme la bouillie bordelaise.

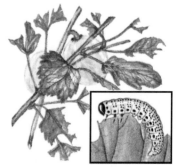

Tenthrèdes du groseillier à maquereau

Plante exposée: Groseillier à maque-reau.
Symptômes: Tissus foliaires dévorés.
Époque d'apparition: De la mi-prin-temps à la fin de l'été.
Traitement: Vaporiser minutieuse-ment de carbaryl, de savon insecticide, de malathion ou de roténone à la mi-printemps ou dès l'apparition des pre-miers symptômes.

Feuilles décolorées

Limaces et escargots

Plantes exposées: Laitue, lis, pied-d'alouette, pois de senteur, tulipe, hosta et autres plantes.

Symptômes: Feuilles rongées; traces de bave visibles.

Époque d'apparition: Du printemps à la mi-automne.

Traitement: Bien travailler la terre et éliminer les plantes en décomposition. Éviter les engrais et paillis organiques trop substantiels. Épandre des appâts à base de métaldéhyde ou de méthiocarbe. Déposer de la bière dans des soucoupes pour que les ravageurs s'y noient.

Altises

Plantes exposées: Chou, navet, radis, tomate et plantes apparentées.

Symptômes: Jeunes feuilles criblées de petits trous.

Époque d'apparition: Durant les périodes de sécheresse à la fin du printemps.

Traitement: Poudrage ou vaporisation des plantules exposées avec un produit à base de carbaryl, de méthoxychlore ou de roténone. Couvrir les rangées de plantules avec un tissu lâche. Entretenir le jardin pour diminuer les risques d'infestation.

Tache brune de la fève

Plante exposée: Fève.

Symptômes: Petites taches brun chocolat sur les feuilles et les tiges. Elles forment parfois des plaques.

Époque d'apparition: Du début au milieu de l'hiver pour les plantes qui hivernent; du début au milieu de l'été pour les autres.

Traitement: En cas d'attaque sévère, vaporiser avec un fongicide à base de cuivre dès l'apparition des feuilles. Stimuler la croissance à l'aide de calcaire et d'un engrais riche en potasse.

Anthracnose et autres maladies à taches noires

Plantes exposées: Divers genres.

Symptômes: Taches brunes, rondes ou ovoïdes, bien délimitées, avec parfois un petit point noir visible.

Époque d'apparition: Pendant la période active.

Traitement: Supprimer et détruire les feuilles attaquées. Vaporiser de bouillie bordelaise au moment où les feuilles se déroulent, en recommençant deux fois à intervalles de 10 jours.

Fourmis et abeilles coupeuses de feuilles

Plantes exposées: Chain doré, lilas, rosier, troène et quelques autres plantes ornementales.

Symptômes: Bords des feuilles rongés en demi-lune.

Époque d'apparition: Du début à la fin de l'été.

Traitement: Vaporiser du carbaryl ou du méthoxychlore pour tuer ou éloigner fourmis et abeilles.

Scarabées du nénuphar

Plantes exposées: Nénuphar, lis d'eau, nymphéa (espèces et hybrides).

Symptômes: Sillons sur la surface des feuilles. Les fleurs aussi peuvent être endommagées.

Époque d'apparition: Du début à la fin de l'été.

Traitement: Arroser les plantes au boyau avec force pour faire tomber les insectes adultes et les larves de sorte que les poissons puissent les manger.

Anthracnose du saule ou tache foliaire

Plante exposée: Saule pleureur.

Symptômes: Petites taches brunes sur les feuilles.

Époque d'apparition: À la feuillaison; parfois durant les étés humides.

Traitement: À la feuillaison, vaporiser les jeunes arbres de fongicide, tel que du bénomyl, de la bouillie bordelaise ou du captane.

Entomosporiose du cognassier

Plante exposée: Cognassier du Japon.

Symptômes: Petites taches rouges sur les feuilles; chute précoce de celles-ci.

Époque d'apparition: Pendant la saison de croissance et à la fin de l'été.

Traitement: Détruire les feuilles tombées; éliminer les pousses mortes. Vaporiser du ferbame ou du zinèbe à la feuillaison et une fois ou deux par temps humide.

Feuilles décolorées (suite)

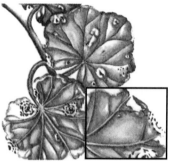

Maladie cryptogamique

Plantes exposées: La plupart des arbres, arbustes, vivaces, annuelles, légumes et plantes d'intérieur.
Symptômes: Petites taches noires ou pourprées, avec souvent une auréole jaune, pouvant sembler détrempées.
Époque d'apparition: Pendant la période de croissance.
Traitement: Ratisser et détruire le feuillage infecté. En période de dormance, vaporiser les plantes ligneuses de bouillie soufrée. Vaporiser du bénomyl à l'apparition des premiers symptômes.

Tache jaune

Plante exposée: Camélia.
Symptômes: Taches blanches sur certaines feuilles; d'autres virent complètement au blanc. Un virus peut en être la cause. Mutations et panachures génétiques peuvent aussi avoir cet effet.
Époque d'apparition: En tout temps après greffage d'un scion provenant d'une plante malade.
Traitement: Détruire les plantes gravement atteintes. Isoler celles qui le sont légèrement. Ne jamais prélever de boutures sur des plants infectés.

Tavelure

Plantes exposées: Poirier, pommetier, pommier et pyracanthe.
Symptômes: Taches vert olive de nature cryptogamique sur les feuilles, qui tombent prématurément.
Époque d'apparition: Pendant la période active.
Traitement: Vaporisations régulières, dès l'apparition des boutons floraux et jusqu'à la mi-été au besoin, de bénomyl, de captane, de bouillie soufrée (sauf sur les variétés vulnérables au soufre et sur le poirier) ou de thirame. Vaporiser le pyracanthe quand ses feuilles sont à demi développées. Ramasser et détruire toutes les feuilles malades qui sont tombées. Pour la tavelure du fruit, voir p. 500.

Rouille

Plantes exposées: Asperge, aubépine, blé, cèdre rouge, cognassier à fleurs, épine-vinette, géranium *(Pelargonium)*, haricot, millepertuis, muflier, œillet, œillet de poète, pin blanc, pommier, rose trémière et autres.
Symptômes: Amas poudreux bruns, orange ou jaunes de spores se développant sur les feuilles et les tiges, parfois aussi sur les fleurs, les fruits et les gousses de semences. Des croûtes rondes et irrégulières se forment parfois sur les brindilles.
Époque d'apparition: Pendant la période active. La fin de l'été pour le rosier; l'automne pour l'œillet de poète.
Traitement: Dans tous les cas, supprimer les feuilles malades. Dans la serre, réduire l'humidité en augmentant l'aération. Vaporiser les géraniums de bénonyl ou de zinèbe tous les 10 à 15 jours. Utiliser les mêmes fongicides pour les rosiers, le millepertuis et les jeunes œillets de poète, dès les premiers symptômes. On peut aussi s'en servir pour les roses trémières. Choisir des variétés de mufliers non vulnérables à la rouille. Supprimer les brindilles attaquées et les croûtes de rouille quand il s'en forme.

Il existe deux types de rouilles: certaines restent sur un seul genre ou espèce, d'autres passent d'une espèce à une autre. Un exemple du second type est la rouille du pommier qui attaque aussi le cèdre rouge. Tel est le cas de l'épine-vinette et du blé, du cèdre et de l'aubépine, du pin blanc et du groseillier. Il est alors préférable de localiser et de détruire l'espèce qui est le deuxième hôte de façon à briser le cycle.

Tache goudronneuse

Plantes exposées: Érables.
Symptômes: Grandes taches noires et bombées, aux bords jaune vif.
Époque d'apparition: Pendant l'été.
Traitement: Ratisser et détruire les feuilles tombées. Dès que les feuilles des jeunes arbres naissent, les vaporiser avec un fongicide à base de cuivre comme la bouillie bordelaise ou avec du captane, du ferbame ou du zinèbe.

Moisissure olive (cladosporiose)

Plante exposée : Tomate de serre.

Symptômes : Moisissure brun-pourpre sur la face interne des feuilles ; taches blanches devenant jaunes sur la face externe.

Époque d'apparition : À partir du début de l'été ; parfois même du milieu à la fin du printemps.

Traitement : Bien ventiler la serre et vaporiser avec un fongicide à base de cuivre ou du zinèbe. Désinfecter la serre après attaque grave. Attention aux arrosages : les éclaboussures d'eau répandent les spores. Cultiver des variétés résistantes.

Érinose du poirier

Plantes exposées : Poirier et sorbier.

Symptômes : Cloques brun foncé sur les deux faces des feuilles.

Époque d'apparition : De la mi-printemps à la fin de l'été.

Traitement : Enlever et détruire les feuilles malades ou vaporiser de la bouillie soufrée en période de dormance. Quand les feuilles apparaissent et de nouveau une semaine plus tard, vaporiser avec du malathion, du diméthoate ou du savon insecticide.

Botrytis ou pourriture grise

Plantes exposées : Toutes les plantes, mais particulièrement : chrysanthème, laitue, tomate de serre, de même que cornouiller, hydrangée, lilas et pivoine.

Symptômes : Moisissure grise et veloutée sur les feuilles.

Époque d'apparition : Pendant la période active, après la pluie.

Traitement : Enlever et détruire les organes malades. Améliorer la circulation de l'air. Faire des vaporisations de captane, de ferbame ou de zinèbe.

Tache noire du rosier

Plante exposée : Rosier.

Symptômes : Taches noires ou brun foncé, petites et diffuses ou d'environ 1,5 cm de diamètre, sur les feuilles, qui jaunissent et tombent prématurément.

Époque d'apparition : Pendant la période active ; symptômes plus marqués à partir du début de l'été.

Traitement : Vaporiser du bénomyl, du captane, du thiophanate-méthyle ou du zinèbe toutes les semaines, de l'apparition des feuilles jusqu'aux gelées. Ratisser et détruire les feuilles tombées. Ne pas arroser de haut en bas, car les gouttes d'eau ont tendance à transporter les spores vers des feuilles saines. Stimuler la croissance du rosier en le vaporisant avec un engrais foliaire et en lui donnant tous les soins requis.

Œdème

Plantes exposées : Particulièrement camélia, géranium des jardins (*Pelargonium*) et plantes grimpantes, mais aussi d'autres plantes de serre.

Symptômes : Petites cloques qui se transforment en taches liégeuses.

Époque d'apparition : Pendant la période active, à l'intérieur.

Traitement : Bien ventiler la serre pour réduire l'humidité. S'assurer que le mélange terreux n'est pas saturé d'eau.

Punaises réticulées

Plantes exposées : Kalmia, pieris, rhododendron, azalée et de nombreux arbres et arbustes à feuilles caduques.

Symptômes : Taches argent sur les feuilles ; points et punaises au revers.

Époque d'apparition : De la fin du printemps au début de l'automne.

Traitement : Vaporiser le revers des feuilles de carbaryl, de malathion ou de roténone au début de l'été ; répéter un mois plus tard.

Feuilles décolorées (suite)

Tétranyques à deux points ou araignées rouges

Plantes exposées: Plusieurs plantes de serre et de maison, de même que de nombreuses plantes qui poussent à l'extérieur, en particulier concombre, dahlia, fraisier, fuchsia, pêcher, rosier et violette.

Symptômes: Ponctuation fine et claire sur la face supérieure des feuilles, suivie de décoloration, de jaunissement et de dessèchement. Les sujets sévèrement attaqués se couvrent de fines toiles.

Époque d'apparition: Toute l'année en serre; du début du printemps à la fin de l'automne au jardin.

Traitement: Maintenir une atmosphère humide dans la serre et bassiner les plantes. Vaporisations minutieuses de savon insecticide ou de malathion, mais ce ravageur résiste assez vite à l'insecticide. Les produits systémiques — diméthoate ou oxydéméton-méthyle — sont efficaces de façon préventive. On peut remplacer les produits chimiques par des prédateurs (voir p. 509).

Rouille blanche

Plantes exposées: Alysse odorant, aubriette, chou, ibéride, monnaie-du-pape et radis.

Symptômes: Pustules ou cloques remplies de spores poudreuses blanches, souvent brillantes, sur les feuilles et parfois sur les tiges.

Époque d'apparition: Pendant la période active.

Traitement: Enlever et détruire les feuilles malades. Éliminer la capselle (bourse-à-pasteur), mauvaise herbe très répandue qui, durant l'hiver, abrite le champignon de la rouille blanche.

Coup de froid

Plantes exposées: Magnolia, pois de senteur, volubilis *(Ipomoea),* plantes de plates-bandes et autres.

Symptômes: Les feuilles jeunes et tendres deviennent blanches ou jaunes.

Époque d'apparition: Tout de suite après la levée des plantules.

Traitement: Aucun; un engrais foliaire peut aider le feuillage à reverdir.

Chermes

Plantes exposées: Ravageur commun de l'épinette. Attaque aussi mélèze, pin, sapin et autres conifères.

Symptômes: Petits gonflements de teinte verte sur les nouvelles pousses à la fin du printemps. Colonies de petits pucerons de teinte sombre, partiellement recouverts de flocons cireux blancs, infestant le dessous et la base des aiguilles.

Époque d'apparition: Au printemps, mais la présence des ravageurs peut ne se révéler qu'au moment du brunissement des aiguilles en été.

Traitement: Vaporiser minutieusement de carbaryl. Pour l'épinette et le sapin de Douglas, pulvérisation d'huile miscible avant la mi-printemps, suivie d'une vaporisation de carbaryl ou d'oxydéméton-méthyle à la fin du printemps. Ne pas oublier les fissures dans l'écorce à la base des bourgeons et au bout des brindilles. Ne pas traiter à l'huile miscible les conifères à aiguilles bleues.

Cicadelles écumeuses ou cercopes

Plantes exposées: Aster vivace, chrysanthème, lavande, pin, rosier et trèfle.

Symptômes: Bave mousseuse recouvrant de petits insectes roses ou verts.

Époque d'apparition: Du début au milieu de l'été.

Traitement: Éliminer la bave au jet d'eau, puis vaporiser du carbaryl, du savon insecticide ou du malathion pour tuer les insectes ainsi mis à découvert.

Plomb

Plantes exposées: Cerisier, pêcher, prunier et autres espèces de *Prunus*; lilas, poirier, pommier; autres arbres et arbustes.

Symptômes: Les feuilles deviennent argentées et pèlent facilement sur le dessus. Lorsque des sections transversales sur les branches malades de 2,5 cm de diamètre ou plus sont mouillées, des taches brunes ou pourpres apparaissent. Des champignons plats et pourpres se développent sur le bois mort. Les branches malades finissent par mourir.

Époque d'apparition: Du début de l'automne à la fin du printemps. Les symptômes se manifestent parfois avec un certain retard.

Traitement: Couper les branches malades à 15 cm sous les dernières taches. Stimuler la croissance de la plante au moyen d'engrais, de paillis, d'arrosage ou de drainage. Des vaporisations d'engrais foliaire hâtent la guérison.

Araignées rouges des conifères

Plantes exposées: Cyprès, épinette, genévrier, pin et d'autres conifères.

Symptômes: Les aiguilles virent au bronze et tombent prématurément. On peut distinguer de minuscules acariens et de fines toiles.

Époque d'apparition: Du début de l'été au début de l'automne.

Traitement: Vaporiser minutieusement du savon insecticide ou du malathion au début de l'été. Répéter si nécessaire. Les produits systémiques, comme le diméthoate, sont efficaces.

Cicadelles

Plantes exposées: Géranium *(Pelargonium)*, primevère, rosier et autres plantes d'extérieur ou de serre.

Symptômes: Petits points blancs sur le feuillage, signalant la présence des ravageurs au revers. Restes d'insectes sur l'envers des feuilles.

Époque d'apparition: De la mi-printemps à la mi-automne au jardin; toute l'année à l'intérieur.

Traitement : Vaporisations de carbaryl, de malathion ou de perméthrine tous les 15 jours si nécessaire.

Blanc

Plantes exposées: Spécialement aster vivace, bégonia, fusain, lilas, phlox, rosier, fraisier, groseillier à maquereau, pommier, gazon.

Symptômes: Revêtement blanchâtre d'aspect farineux sur les feuilles et les pousses, et parfois aussi sur les fleurs. Les feuilles des fraisiers deviennent pourpres et frisent.

Époque d'apparition: Pendant toute la période active.

Traitement: Supprimer les pousses très malades au début de l'été et au début de l'automne sur arbres et arbustes. Vaporiser régulièrement du bénomyl, du dinocap ou du thiophanate-méthyle. On peut employer de la bouillie soufrée sur certains pommiers, et vaporiser du bénomyl, du dinocap ou un produit à base de soufre sur les plantes herbacées et les arbustes. En serre, fumiger du dinocap ou utiliser un des produits déjà mentionnés. Dans le cas des fraisiers, avant la floraison, poudrer de soufre ou vaporiser du dinocap ou de la bouillie soufrée à 1½ %. Répéter le traitement à intervalles de 10 à 15 jours jusqu'à 1 ou 2 semaines avant la récolte. Ou vaporiser trois fois à 15 jours d'intervalle avec du bénomyl ou du thiophanate-méthyle au tout début de la floraison. Supprimer le feuillage après la récolte ou vaporiser de nouveau.

Coup de gel

Plantes exposées: Concombre, muflier, tomate et les plantes herbacées tendres.

Symptômes: Toutes les feuilles deviennent argentées.

Époque d'apparition: Jeunes plants et plantules, au début du printemps; plantes adultes, en automne.

Traitement: Protéger les plants avec des toiles flottantes ou de légères couvertures.

Thrips

Plantes exposées: Glaïeul, hémérocalle, pois et troène.

Symptômes: Feuilles tachetées, devenant argentées. Les fleurs se déforment et se décolorent (pâles rayures).

Époque d'apparition: Du début de l'été au début de l'automne, mais surtout durant les périodes chaudes et sèches.

Traitement: Utiliser du carbaryl, du savon insecticide ou de la perméthrine dès les premiers symptômes.

Feuilles décolorées (suite)

Chlorose par excès de calcaire

Plantes exposées: Arbres fruitiers, céanothe, framboisier, hydrangée; plantes de sol acide poussant dans une terre alcaline.
Symptômes: Jaunissement du limbe des feuilles entre les nervures qui restent vertes.
Époque d'apparition: Croissance.
Traitement: Incorporer des matières acides au sol, comme de la tourbe ou de la fleur de soufre. Ajouter un composé de chélate de fer ou des oligo-éléments.

Carence en manganèse

Plantes exposées: Plusieurs genres.
Symptômes: Jaunissement du limbe entre les nervures des vieilles feuilles.
Époque d'apparition: Pendant la période active.
Traitement: Vaporiser avec une solution de sulfate de manganèse (5 ml par litre d'eau) additionnée de quelques gouttes de détersif, ou ajouter au sol du chélate de fer ou des oligo-éléments.

Carence en magnésium

Plantes exposées: Toutes, mais surtout pommier et tomate.
Symptômes: Bandes orange entre les nervures, virant ensuite au brun. Les feuilles malades se dessèchent.
Époque d'apparition: Pendant la période active ou après des apports d'engrais riche en potassium, celui-ci ayant pour effet de retenir le magnésium dans le sol.
Traitement: Vaporiser avec une solution de sulfate de magnésium ou sels d'Epsom (15 ml par litre d'eau) additionnée de quelques gouttes de détersif.

Feuillage grillé

Plantes exposées: De nombreuses plantes d'intérieur et plantes de serre. Érable, hêtre et marronnier.
Symptômes: Taches brun clair sur les feuilles qui parfois se dessèchent complètement et ressemblent à du papier.
Époque d'apparition: Au printemps pour la plupart des arbres et des arbustes; l'été, pour les plantes d'intérieur et les plantes de serre.
Traitement: Ombrer la serre. S'assurer que les plantes ne souffrent pas de sécheresse (surtout les arbres durant les coups de vent froids du printemps). Vaporiser un engrais foliaire.

Virose

Plantes exposées: Toutes, mais particulièrement lis, narcisse, courge et framboisier.
Symptômes: Bandes jaunes (lis et narcisse); taches jaunes sur les feuilles (courge et framboisier).
Époque d'apparition: Croissance.
Traitement: Arracher et détruire les plants atteints. Pour les petits fruits, ne cultiver que des plants garantis. Vaporiser les insectes vecteurs de perméthrine ou de savon insecticide.

Anguillules des feuilles et des bourgeons

Plantes exposées: Bégonia, chrysanthème, fougère, pépéromia et violette africaine.
Symptômes: Taches jaunes ou taches brunes.
Époque d'apparition: De la mi-été au début de l'hiver.
Traitement: Éviter de mouiller le feuillage et les tiges en arrosant. Enlever et détruire les feuilles atteintes. Traiter au diméthoate.

Carence en azote

Plantes exposées: Toutes, mais particulièrement les arbres à grandes feuilles persistantes, les arbres fruitiers et les légumes.

Symptômes: Les feuilles virent au vert-jaune. Les plantes restent petites.

Époque d'apparition: Pendant la période active.

Traitement: Arbres et arbustes: apports d'engrais azoté, comme du sulfate d'ammoniaque, le printemps suivant, et d'engrais foliaire pendant la période de croissance. Légumes: apports d'engrais azoté.

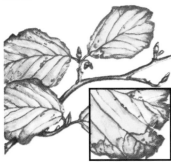

Carences alimentaires

Plantes exposées: Toutes.

Symptômes: Plusieurs feuilles virent au jaune et tombent prématurément.

Époque d'apparition: Pendant la période active.

Traitement: Fertiliser au besoin, pailler; ne jamais laisser le sol se dessécher, mais égoutter si le sol est gorgé d'eau. Pulvériser un engrais foliaire.

Brûlure

Plantes exposées: Pomme de terre et tomate.

Symptômes: Taches pourpres sur les feuilles avec amas duveteux blancs au revers. Les feuilles brunissent rapidement et pourrissent.

Époque d'apparition: De la mi-été à la fin de la période active.

Traitement: Vaporisations tous les 10 à 15 jours, surtout en période humide, de bouillie bordelaise, ou d'un produit à base de cuivre ou de zinèbe. Vaporiser les pommes de terre avant la floraison, et les tomates dès l'apparition des fruits. Éliminer les organes qui pourrissent. Voir p. 505 l'illustration d'un tubercule de pomme de terre atteint de mildiou; p. 501, d'une tomate atteinte de la même maladie.

Maladie hollandaise de l'orme

Plante exposée: Orme d'Amérique (*Ulmus americana*).

Symptômes: Les feuilles jaunissent puis brunissent; les branches meurent. Le bois se colore de brun; on voit les galeries creusées par les scolytes de l'orme sous l'écorce. Ce sont ces ravageurs qui transmettent d'un arbre à l'autre cette maladie cryptogamique.

Époque d'apparition: De la fin du printemps au début de l'automne.

Traitement: Détruire les arbres morts ou très malades, et même les souches; les brûler ou les envoyer à l'incinérateur local. Isoler le système radiculaire pour empêcher la maladie de se propager à d'autres arbres. Écorcer les bûches avant de les empiler pour les brûler dans le foyer. Dans les cas bénins, on peut sauver l'arbre en supprimant les branches malades. Par mesure préventive, bien arroser les arbres. Faire des apports d'engrais au printemps et en automne pour les garder vigoureux. Supprimer les organes infestés. Pour réprimer le scolyte qui transmet la maladie, appliquer un concentré émulsionnable de méthoxychlore à 25 % au tout début du printemps. Utiliser un pulvérisateur hydraulique ou un atomiseur à pression sur les grands arbres. Consulter un expert en arboriculture. Planter des variétés réfractaires à la maladie. Voir aussi, p. 489, Scolytes de l'orme.

Jaunisse fusarienne

Plantes exposées: Freesia, glaïeul et œillet.

Symptômes: Jaunissement des feuilles.

Époque d'apparition: Croissance.

Traitement: Arracher et détruire les plantes malades. À la fin de la saison, plonger les cormes de freesia et de glaïeul dans du bénomyl ou du captane; les planter dans une autre plate-bande le printemps suivant. Pour les œillets, stériliser le sol avec un jet de vapeur.

Mildiou

Plantes exposées: Concombre, laitue, haricot de Lima, chou, oignon et vigne.

Symptômes: Taches jaunes sur le dessus et duvet blanc au revers.

Époque d'apparition: En automne et au printemps.

Traitement: Déplacer les plants chaque année; vaporiser de zinèbe. Vaporiser les grappes de raisin de bouillie bordelaise ou d'un fongicide cuprique liquide dilué.

Feuilles décolorées (suite)

Fumagine

Plantes exposées: Plusieurs plantes de serre ou d'extérieur et surtout bouleau, camélia, chêne, citrus, prunier, rosier, saule et tilleul.
Symptômes: Dépôts noirs sur le dessus des feuilles; les jeunes feuilles sont collantes.
Époque d'apparition: En été et en automne.
Traitement: La fumagine apparaît sur les plants infestés de pucerons et de cochenilles farineuses ou autres. Éliminer ces ravageurs en vaporisant du savon insecticide ou du malathion.

Araignées rouges des arbres fruitiers

Plantes exposées: Poirier, pommier, prunier et plantes apparentées.
Symptômes: Les vieilles feuilles virent au jaune bronze, sèchent et meurent. Présence de toiles.
Époque d'apparition: De la mi-printemps à la fin de l'automne.
Traitement: En période de dormance, faire des vaporisations d'huile miscible. Tout de suite après la floraison, vaporiser du diméthoate ou du malathion.

Botrytis ou pourriture grise

Plante exposée: Lis.
Symptômes: Taches ovales, d'abord imbibées d'eau puis brunes; elles s'étendent et finissent par couvrir la feuille entière.
Époque d'apparition: Avant la floraison.
Traitement: Vaporisations de bénomyl ou de captane dès l'apparition des boutons floraux; répéter tous les 10 à 15 jours.

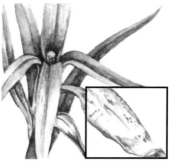

Flétrissure fusarienne

Plantes exposées: En particulier haricot, œillet et autres *Dianthus*, pois, pois de senteur et tomate.
Symptômes: Les feuilles se décolorent; la plante se flétrit. La base des tiges se décolore aussi parfois.
Époque d'apparition: Pendant la période active.
Traitement: Éliminer et détruire les plants malades. Cultiver des variétés résistantes. Déplacer chaque année les sujets exposés.

Pointe des feuilles roussie

Plantes exposées: Hippeastrum, lis du Bengale et narcisse.
Symptômes: Extrémités des feuilles brunies ou roussies.
Époque d'apparition: Au printemps.
Traitement: Couper les extrémités grillées et faire des vaporisations de zinèbe pour empêcher l'infection fongique de progresser.

Dépérissement des bruyères

Plante exposée: Bruyère commune.
Symptômes: Étiolement des pousses après coloration grise du feuillage. La plante entière peut mourir.
Époque d'apparition: En tout temps.
Traitement: Arracher et détruire les plants malades. Ne pas cultiver d'autres bruyères au même endroit sans changer complètement le sol.

Sécheresse

Plantes exposées: Toutes.
Symptômes: Plusieurs feuilles virent à l'orange ou à d'autres teintes. Le feuillage tombe prématurément.
Époque d'apparition: Pendant la période active.
Traitement: Pailler pour réduire l'évaporation; ne pas laisser le sol se dessécher. Faire un apport d'engrais foliaire aux plantes menacées.

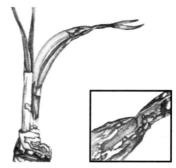

Feu du collet

Plante exposée: Narcisse.
Symptômes: Les feuilles pourrissent et se couvrent d'un feutrage gris.
Époque d'apparition: Pendant l'entreposage et au printemps.
Traitement: Enlever et détruire les plantes dès qu'elles montrent des symptômes. Traiter les autres plants au zinèbe tous les 10 jours ou à la bouillie bordelaise. Détruire les bulbes atteints.

Feuilles déformées

Mineuses du buis
Plante exposée: Buis.
Symptômes: Boursouflures jaunes sur les feuilles dans lesquelles sont logés des ravageurs orange.
Époque d'apparition: À la fin du printemps.
Traitement: À la fin du printemps, quand les ailes de la nymphe brunissent et deviennent apparentes à la face inférieure des feuilles, vaporiser sur la plante du carbaryl, du diméthoate, du malathion ou de l'oxydéméton-méthyle.

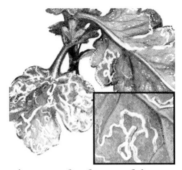

Mineuses du chrysanthème
Plantes exposées: Ancolie, chrysanthème, cinéraire et pois de senteur.
Symptômes: Galeries étroites et sinueuses, marquées par une décoloration blanche, dans le limbe des feuilles.
Époque d'apparition: De la mi-été au début de l'hiver.
Traitement: Enlever et brûler les feuilles très attaquées. Vaporisations de carbaryl ou de diméthoate quand les ravageurs sont en pleine activité. En serre, fumigations à la resméthrine pour tuer les insectes adultes.

Mineuses du houx
Plante exposée: Houx.
Symptômes: Taches jaunes correspondant à des galeries dans les feuilles.
Époque d'apparition: De la fin du printemps au début de l'hiver, mais les symptômes persistent toute l'année.
Traitement: Cueillir et détruire les feuilles attaquées. Vaporiser de l'oxydéméton-méthyle, des deux côtés des feuilles, à la fin du printemps quand les insectes sont actifs.

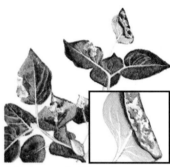

Mineuses du lilas
Plantes exposées: Lilas, ainsi que frêne et troène.
Symptômes: Tissu chlorophyllien des feuilles presque entièrement dévoré; feuilles enroulées et déformées. Deux générations d'insectes par année.
Époque d'apparition: Du début de l'été au début de l'automne.
Traitement: Enlever et détruire les feuilles malades. Vaporiser du diméthoate à la fin du printemps. Répéter si nécessaire.

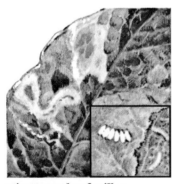

Mineuses des feuilles de légumes
Plantes exposées: Asperge, aubergine, bette, betterave, épinard et maïs.
Symptômes: Boursouflures blanches sur les feuilles ou galeries dans le limbe.
Époque d'apparition: Au printemps et au début de l'été.
Traitement: Aussitôt l'apparition des mineuses, vaporiser ou poudrer hebdomadairement de perméthrine ou de savon insecticide pendant 4 à 6 semaines. Détruire les feuilles attaquées.

Tarsonèmes
Plantes exposées: Bégonia, cyclamen, dahlia, fougères, fuchsia, gerbéra, lierre commun, pied-d'alouette, violette du Cap et plantes de serre.
Symptômes: Dans les cas graves, feuilles déformées, enroulées sur leur pourtour et cassantes.
Époque d'apparition: En tout temps.
Traitement: Vaporiser de la roténone.

Tordeuses du prunier
Plantes exposées: Prunier de Damas et autres variétés de pruniers.
Symptômes: Les jeunes feuilles se plissent et s'enroulent.
Époque d'apparition: De la mi-printemps à la mi-été.
Traitement: Vaporisations de savon insecticide, de carbaryl ou de malathion au début du printemps, avant et après la floraison. Répéter si nécessaire.

Tordeuses du rosier
Plantes exposées: Rosiers buissonnants et grimpants.
Symptômes: Les feuilles s'enroulent. Feuilles et boutons floraux troués.
Époque d'apparition: De la fin du printemps au milieu de l'été.
Traitement: À la fin du printemps, enlever et détruire les feuilles attaquées. Ou vaporiser du carbaryl ou un insecticide systémique tel que le diméthoate tous les 15 jours.

Feuilles déformées (suite)

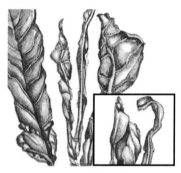

Pucerons noirs du cerisier
Plantes exposées: Cerisiers d'ornement ou à fruits.
Symptômes: Feuilles tordues à l'extrémité des jeunes pousses.
Époque d'apparition: De la fin du printemps à la mi-été.
Traitement: Vaporisations de savon insecticide, de carbaryl ou de malathion aux premiers symptômes. Vaporiser de l'huile miscible à la fin de l'hiver pour tuer les adultes en hibernation.

Cécidomyies de la violette
Plantes exposées: Le genre *Viola*.
Symptômes: Jeunes feuilles enroulées sur leur pourtour et très épaisses; de petites galles font leur apparition.
Époque d'apparition: Du début de l'été au début de l'hiver.
Traitement: Enlever et détruire les feuilles attaquées; poudrer ou vaporiser les plants avec du carbaryl ou du méthoxychlore.

Cloque de l'azalée
Plantes exposées: Azalée et rhododendron à petites feuilles.
Symptômes: Feuilles très épaissies, d'abord vert pâle ou roses, puis blanches et finalement brunes.
Époque d'apparition: En tout temps, mais les symptômes ne se manifestent pas toujours au début de l'infection.
Traitement: Couper et détruire les feuilles cloquées avant qu'elles blanchissent. Vaporiser avec de la bouillie bordelaise ou avec un fongicide à base de cuivre, de ferbame ou de zinèbe.

Carence en molybdène
(feuilles en fouet)
Plantes exposées: Brocoli et chou-fleur.
Symptômes: Feuilles gaufrées, minces et filiformes.
Époque d'apparition: Pendant la période active.
Traitement: Puisqu'il s'agit d'une carence minérale et d'un pH bas (sol acide), fertiliser, chauler, puis arroser avec une solution de molybdène.

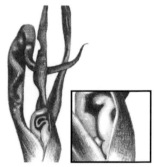

Anguillules des tiges et des bulbes
Plantes exposées: Jacinthe, narcisse, tulipe et autres bulbes.
Symptômes: Feuilles déformées et rabougries avec des boursouflures jaunes.
Époque d'apparition: De la mi-hiver à la fin du printemps.
Traitement: Détruire les plants attaqués. Cesser de planter des bulbes à cet endroit pendant 3 ans.

Anguillules de l'oignon
Plantes exposées: Oignon, ainsi que ciboulette et ail.
Symptômes: Feuilles renflées.
Époque d'apparition: Du début à la fin de l'été.
Traitement: Arracher et détruire les plants attaqués. Pratiquer une rotation de 3 ans et cultiver à partir de semis et non de bulbes.

Pucerons de Russie
Plante exposée: Chèvrefeuille, en particulier celui de Tartarie.
Symptômes: Nouvelles feuilles petites, tordues, en forme de gland. Peu de fleurs et de fruits.
Époque d'apparition: Au début du printemps.
Traitement: Vaporiser de l'huile miscible en hiver pour tuer les œufs. Vaporiser aussi du savon insecticide, du carbaryl ou du malathion au début du printemps, à intervalle de 8 à 10 jours.

Anguillules du phlox
Plante exposée: Phlox vivace.
Symptômes: Feuilles filiformes, plissées, enflées et enroulées. Jeunes feuilles anormalement étroites qui meurent prématurément.
Époque d'apparition: Du début du printemps au début de l'été.
Traitement: Détruire les plants atteints. Prélever des boutures de racines sur des sujets sains, pour les replanter ailleurs. On peut essayer un pesticide systémique comme le diméthoate.

Virose

Plantes exposées: Plusieurs genres, mais particulièrement courge, fraisier, géranium *(Pelargonium)* et lis.
Symptômes: Feuilles crispées, petites, parfois de forme irrégulière.
Époque d'apparition: Pendant la période active.
Traitement: Détruire les plantes atteintes. Vaporiser avec du malathion ou de la perméthrine pour combattre les pucerons et les autres insectes vecteurs de virus.

Cécidomyies du saule

Plante exposée: Saule.
Symptômes: Petites galles vertes, jaunes ou rouges, en forme de haricot, sur les deux côtés des feuilles.
Époque d'apparition: Du début à la fin de l'été.
Traitement: Les dommages sont rarement graves. Enlever et détruire les galles. Consulter un spécialiste au besoin.

Hernie

Plantes exposées: Brassicas (brocoli, chou, chou-fleur), giroflée de muraille et giroflée des jardins.
Symptômes: Feuilles flétries et décolorées; galles sur les racines.
Époque d'apparition: Pendant la période active.
Traitement: Améliorer le drainage si nécessaire. Ajouter au sol 6 kg de calcaire hydraté pour une surface de 25 m² et mettre de la poudre de calomel à 4% dans les trous de plantation. Effectuer de longues rotations des cultures.

Coup de gel

Plantes exposées: Camélia, chrysanthème, pommier, rhododendron et plusieurs autres.
Symptômes: Chez les camélias et les rhododendrons, les feuilles sont déformées, surtout à la pointe. Chez les autres, elles se rident et se cloquent au revers.
Époque d'apparition: Au printemps et en automne.
Traitement: Aucun. Prendre des mesures préventives.

Pucerons de la viorne

Plantes exposées: Viorne obier *(Viburnum opulus* 'Sterile'*).*
Symptômes: Feuilles plissées, déformées et recroquevillées en boule.
Époque d'apparition: Au printemps, juste avant la floraison.
Traitement: Vaporiser du savon insecticide au moment où les feuilles se déploient, à plusieurs reprises. Si la maladie s'installe, vaporiser du diméthoate.

Tarsonèmes des bulbes

Plantes exposées: Hippeastrum et narcisse.
Symptômes: Feuilles tordues, cicatrices brunes ou rouges.
Époque d'apparition: De la mi-hiver à la mi-printemps pour les narcisses, surtout les bulbes forcés.
Traitement: Détruire les plants et les bulbes gravement attaqués. Exposer les bulbes en dormance au gel pendant 2 ou 3 nuits ou les plonger 1 ou 2 heures dans de l'eau chaude à 45 °C. Avant la plantation, traiter au zinèbe.

Scarabées de l'asperge

Plantes exposées: Asperge.
Symptômes: Feuilles mangées, pouvant virer au brun au-dessus des blessures des tiges. Présence de larves jaunes et/ou d'adultes noir et jaune.
Époque d'apparition: Fin du printemps au début de l'automne.
Traitement: Enlever les insectes à la main s'il y en a peu. Vaporiser du pyrèthre, de la perméthrine ou de la roténone.

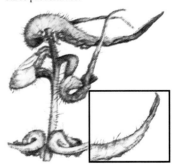

Dégâts d'un herbicide aux phytohormones

Plantes exposées: Toutes, mais spécialement tomate et vigne.
Symptômes: Feuilles étroites, enroulées, en forme d'éventail ou souvent creusées en gouttière.
Époque d'apparition: Pendant la saison active.
Traitement: Aucun quand les dégâts sont faits mais les plantes récupèrent généralement. Ne pas appliquer d'herbicide par grand vent; ne pas employer l'épandeur à d'autres fins. Détruire les coupes de gazon récemment traité.

Feuilles déformées (suite)

Verticilliose

Plantes exposées: Aster vivace, chrysanthème, érable, fustet, muflier, œillet, sumac et tomate. Se produit au jardin et en serre.

Symptômes: Flétrissement progressif des feuilles sur plusieurs pousses; les branches malades dépérissent. Toutes les feuilles des plants de tomate sont atteintes, mais elles se remettent, la nuit tombée.

Époque d'apparition: Pendant la période active.

Traitement: Rabattre les branches malades des arbres et arbustes sur du tissu sain. Si la maladie persiste, arracher le plant, le détruire et le remplacer par une variété moins vulnérable. Dans la serre, détruire les plantes malades; isoler le sol infecté pour que les plantes saines voisines ne soient pas en contact avec celui-ci; stériliser toute la serre en fin de saison. S'il est nécessaire de multiplier des plants atteints de verticilliose, prélever des boutures terminales vigoureuses; la maladie attaque plus rarement les extrémités que les organes situés près des racines.

Anthracnose du saule

Plante exposée: Saule.

Symptômes: Les feuilles s'enroulent, se tachent et tombent prématurément.

Époque d'apparition: À la feuillaison et parfois durant les étés humides.

Traitement: Détruire les feuilles tombées. Traiter les jeunes arbres avec un fongicide — captane, bénomyl, bouillie bordelaise ou cuivre. Répéter le traitement au moins deux fois durant l'été.

Phytoptes

Plantes exposées: Érable et saule.

Symptômes: Éruption de petites galles rouges, allongées ou sphériques, sur la face supérieure des feuilles.

Époque d'apparition: Du début de l'été à la mi-automne.

Traitement: Enlever et détruire les feuilles atteintes; pulvériser de bouillie soufrée au début du printemps. La situation est rarement grave et il n'est généralement pas nécessaire de procéder à d'autres vaporisations.

Cynips

Plantes exposées: Chêne, certaines espèces de rosiers et de saules.

Symptômes: Des galles très différentes de forme (boutons de soie, pois, cerises) apparaissent sur le feuillage, parfois solitaires, parfois en colonies.

Époque d'apparition: Pendant la période active.

Traitement: Couper et détruire la partie atteinte, mais les cynips causent rarement des dommages sérieux. Des vaporisations d'huile miscible en période de dormance peuvent être utiles.

Pucerons du groseillier

Plante exposée: Groseillier.

Symptômes: Cloques de forme irrégulière, rouges ou vertes, sur les feuilles.

Époque d'apparition: De la fin du printemps au début de l'été.

Traitement: Traiter au dinocap ou à l'huile miscible à la mi-hiver pour tuer les œufs; vaporiser avec un insecticide systémique, par exemple le diméthoate, au printemps, juste avant la floraison, ou avec du savon insecticide. Répéter après la floraison si nécessaire.

Pucerons du pommier

Plante exposée: Pommier.

Symptômes: Feuilles plissées et déformées, à marge parfois enroulée, épaissie et rouge.

Époque d'apparition: De la fin du printemps au milieu de l'été.

Traitement: Vaporiser minutieusement une huile miscible à la fin de l'hiver. Vaporiser du savon insecticide, de la perméthrine ou du malathion dès l'identification du mal.

Cloque du pêcher

Plantes exposées: Pêcher, nectarinier et amandier, à fruits et à fleurs.

Symptômes: Grosses cloques rouges sur les feuilles qui deviennent blanches puis brunes et tombent prématurément.

Époque d'apparition: Avant l'épanouissement des boutons.

Traitement: Vaporiser un fongicide, tel que bouillie bordelaise, ferbame, bouillie soufrée ou zinèbe au milieu de l'hiver; répéter 8 à 15 jours plus tard et juste avant la chute des feuilles. Détruire les feuilles atteintes.

Pousses dévorées ou montrant des ravageurs

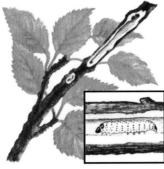

Vers gris

Plantes exposées: Laitue, autres légumes et jeunes plantes annuelles.
Symptômes: Pousses dévorées au ras du sol. Grosses chenilles dans le sol; en creusant le jour autour des plantes avec les doigts, on les voit apparaître; elles sont gris-brun ou noires et s'arquent quand on les dérange.
Époque d'apparition: Au début du printemps et à la fin de l'été.
Traitement: Supprimer les mauvaises herbes; incorporer de petites quantités de poudre de méthoxychlore dans le sol autour des plants. Protéger les semences avec du thirame. Placer aussi des boîtes de conserve autour des plantules pour les protéger.

Pucerons

Plantes exposées: De très nombreuses plantes, mais surtout rosier et haricot mange-tout.
Symptômes: Colonies de ravageurs sur les jeunes pousses.
Époque d'apparition: De la fin du printemps à la mi-été au jardin.
Traitement: Utiliser un insecticide systémique, comme le diméthoate, ou non systémique, comme le malathion ou du savon insecticide. Voir aussi Pucerons, p. 475.

Zeuzères (larves)

Plantes exposées: Poirier et pommier (à fruits et à fleurs); aubépine, bouleau, cerisier, cotonéaster, frêne et autres.
Symptômes: Galeries creusées dans les branches entraînant le flétrissement des feuilles.
Époque d'apparition: En tout temps.
Traitement: Vaporiser les troncs et les branches de méthoxychlore pour tuer les chenilles.

Chevreuils, lièvres et autres animaux

Plantes exposées: Jeunes arbres.
Symptômes: Écorce rongée sur les tiges ligneuses au niveau du sol ou juste au-dessus.
Époque d'apparition: En hiver et au début du printemps.
Traitement: Protéger les pousses des jeunes arbres par des spirales spéciales enroulées autour des troncs ou du grillage métallique à mailles fines.

Contre les chevreuils, vaporiser le feuillage et l'écorce, en automne et en période active, avec du thirame 42-S à raison de 2 litres pour 4,5 litres d'eau. Sang séché, savon déodorant et cheveux coupés sont des répulsifs efficaces.

Contre les lièvres, badigeonner les troncs en automne d'un mélange de colophane (3 kg) et d'alcool dénaturé (4,5 litres) ou de thirame additionné d'un bon adhésif. Il existe des mélanges commerciaux.

Contre les souris, on trouve dans les quincailleries des appâts de phosphore de zinc 1-2% ainsi que divers produits répulsifs.

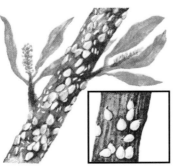

Livrées/chenilles tisseuses de tente

Plantes exposées: Arbres et arbustes, cerisiers en particulier.
Symptômes: Les tentes en forme de nids sont situées à la fourche des branches au printemps (livrées), ou au bout des branches à la fin de l'été (chenilles tisseuses). La branche n'a plus de feuilles.
Époque d'apparition: Au printemps ou en été.
Traitement: Vaporiser de l'huile miscible l'hiver pour tuer les œufs. Ouvrir les tentes à la tombée de la nuit et y vaporiser du pyrèthre ou de la resméthrine.

Cochenilles

Plantes exposées: Plusieurs plantes de serre ou de jardin, mais aussi céanothe, cotonéaster, hêtre, magnolia et marronnier.
Symptômes: Colonies de cochenilles noires, brunes, jaunes ou blanches sur les vieilles pousses.
Époque d'apparition: En tout temps; surtout à la fin du printemps et en été.
Traitement: Vaporisations d'huile miscible l'hiver; de malathion ou d'insecticide systémique l'été. Voir aussi Cochenilles, p. 475.

Scolytes de l'orme

Plante exposée: Orme.
Symptômes: Galeries sous l'écorce.
Époque d'apparition: Pendant la période active.
Traitement: Supprimer le bois mort attaqué, ainsi que les souches et les racines, durant l'hiver et les incinérer. Vaporiser les arbres menacés avec un concentré émulsionné de méthoxychlore à 25%, du début au milieu du printemps. L'emploi d'un vaporisateur hydraulique peut être nécessaire pour les grands arbres. Voir aussi Maladie hollandaise de l'orme, p. 483.

Scarabées rouges du lis

Plantes exposées: Lis et fritillaires.
Symptômes: Feuilles et fleurs mangées. Présence de scarabées rouge vif et/ou de larves brunes.
Époque d'apparition: Du printemps à l'automne.
Traitement: Vaporiser de la perméthrine ou du savon insecticide. Mouiller le sol de diméthoate.

Pousses décolorées

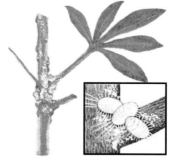

Brûlure des dards
Plantes exposées: Framboisier et mûrier de Logan.
Symptômes: Amas pourpres devenant argentés sur les cannes.
Époque d'apparition: Au printemps et en été.
Traitement: Couper les vieilles cannes infectées après la fructification et rabattre les cannes chétives le plus tôt possible. Vaporiser de bénomyl, de captane ou de thirame après la pousse des cannes et répéter le traitement 3 ou 4 fois à 10 à 15 jours d'intervalle. Si l'on emploie du thiophanate-méthyle, en appliquer d'abord à l'éclatement des boutons, puis tous les 15 jours jusqu'à la fin de la floraison. Une autre méthode, moins efficace, consiste à pulvériser un fongicide cuprique lors de l'éclatement des boutons, puis à nouveau au moment où l'extrémité des fleurs est tout juste blanche.

Pucerons lanigères
Plantes exposées: Aubépine, cotonéaster, pommier et sorbier.
Symptômes: Gonflements ligneux et flocons blancs et laineux sur le tronc et les branches.
Époque d'apparition: Du milieu du printemps au début de l'automne.
Traitement: Badigeonner une solution de carbaryl, d'endosulfan ou de malathion sur les régions attaquées dès l'apparition des symptômes, ou utiliser les mêmes produits en vaporisations. On peut aussi employer un insecticide systémique comme le diméthoate.

Cochenilles farineuses
Plantes exposées: Plantes de serre et de maison, qui sont installées à l'extérieur l'été.
Symptômes: Colonies de cochenilles farineuses couvertes de poudre blanche ou de laine cireuse, en particulier autour des bourgeons et à la jonction des feuilles.
Époque d'apparition: En tout temps, mais plus particulièrement à la fin de l'été et à l'automne.
Traitement: Voir cochenilles farineuses, p. 475.

Tétranyques à deux points et araignées rouges des arbres fruitiers
Plantes exposées: Pêcher, pommier et prunier.
Symptômes: Les feuilles ternes et molles, tachetées de jaune, peuvent prendre un teinte pourprée et jaunir. De fines toiles courent du pétiole à la pousse.
Époque d'apparition: De la fin de l'automne à la mi-printemps.
Traitement: Vaporiser d'huile miscible en période de dormance, puis de savon insecticide, de diméthoate ou de malathion après la floraison. Répéter 3 ou 4 fois à 5 jours d'intervalle.

Blanc
Plantes exposées: Aster vivace, fusain, groseillier à maquereau, pommier, rosier et plusieurs autres plantes.
Symptômes: Dépôts poudreux blancs sur les pousses.
Époque d'apparition: Croissance.
Traitement: Couper les pousses malades en fin de saison. Voir Blanc, p. 481, pour les vaporisations nécessaires.

Sclérotinia
Plantes exposées: Plusieurs plantes, dont surtout le dahlia.
Symptômes: Amas feutré de champignons blancs avec de grandes régions noires. Les tiges pourrissent.
Époque d'apparition: Au printemps et en été.
Traitement: Détruire toutes les parties atteintes.

Scarabées de la viorne
Plantes exposées: Viorne obier.
Symptômes: Feuilles trouées dont il ne reste parfois que les veines. Plantes rabougries, pousses déformées.
Époque d'apparition: Du début à la fin de l'été.
Traitement: Vaporisations de perméthrine ou de savon insecticide aux premiers symptômes.

Pousses déformées ou flétries

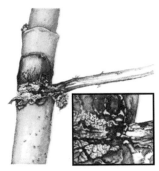

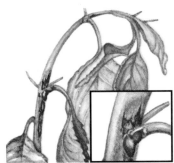

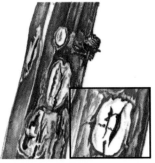

Botrytis ou pourriture grise

Plantes exposées: Toutes, mais surtout clarkie, groseillier à maquereau, magnolia, rosier et zinnia. Atteint aussi les boutures.
Symptômes: Pourrissement des tiges qui se couvrent d'un duvet gris.
Époque d'apparition: Pendant la période active en climat humide.
Traitement: Couper les tiges atteintes et vaporiser du bénomyl, du captane, du thirame ou du zinèbe. Pour les feuilles, voir p. 479; pour la laitue, p. 496; pour la pivoine, p. 497; pour les fleurs de serre, p. 498; pour les petits fruits, p. 501; et pour les tomates, p. 502.

Chancre bactérien des drupes

Plantes exposées: Cerisier, poirier, prunier (de Damas) et *Prunus* à fleurs.
Symptômes: Exsudation de forme allongée et aplatie porteuse d'un chancre se formant sur les pousses. Celles-ci dépérissent et les feuilles se fanent prématurément.
Époque d'apparition: Pendant l'automne et l'hiver, mais les symptômes n'apparaissent que le printemps ou l'été suivant.
Traitement: Supprimer les branches infectées en été. De la fin de l'été à la mi-automne, vaporiser le feuillage de bouillie bordelaise.

Balai de sorcière

Plantes exposées: Bouleau, micocoulier, différentes espèces de *Prunus*, autres arbres et arbustes.
Symptômes: Apparition de plusieurs tiges à feuillage gaufré poussant en un même point ou en rassemblement sur les branches attaquées.
Époque d'apparition: Pendant toute la vie de la plante.
Traitement: Couper la branche malade à 15 cm sous le balai.

Anthracnose du framboisier ou tache de la tige

Plantes exposées: Framboisier, mûrier de Logan et autres ronces fruitières.
Symptômes: Taches d'abord rondes, puis elliptiques et blanches à bordure pourpre, d'environ 5 mm de long, qui se fendent pour former des crevasses. Les feuilles peuvent être marquées, et les fruits déformés.
Époque d'apparition: De la fin du printemps à la mi-automne.
Traitement: Couper et détruire les cannes gravement atteintes. Vaporiser les framboisiers de bouillie soufrée à 5% au moment de l'éclatement des bourgeons et à 2½% immédiatement après la floraison. Ou utiliser un fongicide à base de cuivre ou de thirame aux mêmes moments, ou du bénomyl ou du thiophanate-méthyle tous les 15 jours depuis l'éclatement des bourgeons jusqu'à la fin de la floraison. Pour les mûriers de Logan, employer un fongicide cuprique ou à base de thirame avant la floraison et dès que les fruits sont établis, ou utiliser du bénomyl ou du thiophanate-méthyle comme pour les framboisiers. Laver les fruits avant de les manger ou de les apprêter.

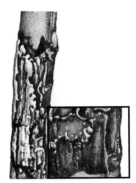

Anthracnose du saule

Plante exposée: Saule pleureur.
Symptômes: Chancres bruns.
Époque d'apparition: Pendant la période active.
Traitement: Enlever les pousses malades. Vaporiser avec de la bouillie bordelaise ou un fongicide cuprique 2 fois durant l'été. On peut aussi utiliser du bénomyl ou du captane.

Gommose

Plantes exposées: Cerisier et *Prunus*.
Symptômes: Exsudation de gomme qui finit par durcir.
Époque d'apparition: En tout temps.
Traitement: Fertiliser, pailler et arroser. Enlever la gomme pour pouvoir supprimer le bois mort en dessous.

Pousses déformées ou flétries (suite)

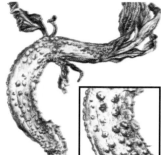

Rouille du rosier
Plante exposée: Rosier (dans l'ouest du Canada).
Symptômes: Minuscules taches orange au revers des feuilles et marques jaune clair sur le dessus. Renflements sur la tige, qui éclatent en révélant une masse de spores poudreuse, orange vif.
Époque d'apparition: Au printemps et en été.
Traitement: Couper et détruire les pousses atteintes. Vaporiser avec un fongicide comme du thiram. Voir aussi Rouille, p. 478.

Flétrissement de la clématite
Plante exposée: Clématite.
Symptômes: Une ou plusieurs tiges se dessèchent et meurent rapidement.
Époque d'apparition: Pendant la période active.
Traitement: Couper les tiges malades, même en dessous du sol. Vaporiser les nouvelles pousses de l'année ou du printemps suivant avec un fongicide à base de bénomyl, de cuivre ou de zinèbe.

Tumeur des feuilles
Plantes exposées: Différentes plantes, mais surtout chrysanthème, dahlia, fraisier, géranium *(Pelargonium),* pois de senteur, glaïeul et œillet de poète.
Symptômes: Pousses avortées, souvent aplaties, apparaissant au ras du sol, avec des feuilles souvent épaissies et déformées.
Époque d'apparition: À la multiplication et durant toute la période active.
Traitement: Couper les régions atteintes ou détruire tout le plant. Remplacer par une plante moins vulnérable.

Flétrissement du pétunia
Plantes exposées: Pétunia, salpiglossis, zinnia et autres plantes de platesbandes.
Symptômes: La plante se flétrit, souvent juste avant la floraison.
Époque d'apparition: Pendant la période active.
Traitement: Détruire les plantes malades. Changer de place chaque année les plantes vulnérables. Arroser les trous de plantation avec un fongicide cuprique; en vaporiser abondamment les plantes chaque semaine.

Normal

Rabougri

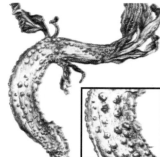

Rouille de la menthe
Plante exposée: Menthe.
Symptômes: Tiges renflées, déformées et couvertes de pustules orange pleines de spores.
Époque d'apparition: Manifestation des symptômes au printemps, mais la maladie est chronique.
Traitement: Couper et détruire les tiges malades; vaporiser les plants avec un fongicide tel que le thiram. Voir aussi Rouille, p. 478.

Virose
Plantes exposées: Toutes, mais surtout chrysanthème, dahlia, fraisier, lis, mûre et tomate.
Symptômes: Plants très rabougris, feuilles décolorées et maigres fleurs. Les fruits n'arrivent pas à maturité.
Époque d'apparition: Pendant la période active.
Traitement: Arracher et détruire les plants. Attention aux cicadelles et aux pucerons: ils transmettent le virus à d'autres plantes.

Fasciation
Plantes exposées: Plusieurs, mais surtout forsythia, lis, pied-d'alouette et espèces du genre *Prunus.*
Symptômes: Aplatissement des tiges.
Époque d'apparition: Généralement au printemps, mais les symptômes ne se manifestent que plus tard.
Traitement: Rabattre les tiges des plantes ligneuses sur du tissu sain. Aucun traitement n'est nécessaire pour les plantes herbacées.

Flétrissement de la reine-marguerite
Plante exposée: Reine-marguerite.
Symptômes: Le flétrissement se produit généralement juste avant la floraison. Une coloration rose sur les tiges indique la présence du champignon.
Époque d'apparition: En été.
Traitement: Détruire les plants malades. Cultiver des variétés résistantes, dans une autre plate-bande.

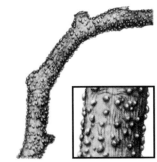

Chancre du pommier

Plantes exposées: Pommier; plus rarement frêne, hêtre, peuplier, poirier et sorbier.

Symptômes: Chancre elliptique s'accompagnant d'un rétrécissement de l'écorce en cercles concentriques qui fait apparaître les tissus internes. La branche malade dépérit.

Époque d'apparition: En tout temps.

Traitement: Couper et détruire les courçons et les petites branches atteintes. Parer les grosses branches et le tronc en enlevant tous les tissus infectés et détruire ceux-ci. Vaporiser une première fois les sujets gravement atteints avec de la bouillie bordelaise juste avant qu'ils ne perdent leurs feuilles, une deuxième fois lorsqu'ils ont perdu la moitié de leurs feuilles et une troisième fois lors de l'éclatement des bourgeons. Des vaporisations de bénomyl contre la tavelure agiront aussi contre le chancre. Améliorer le drainage du sol si celui-ci retient trop l'eau, ce facteur pouvant aggraver la maladie.

Chancre nectrien ou maladie du corail

Plantes exposées: Arbres et arbustes — érable, figuier, groseillier, magnolias.

Symptômes: Pustules corail sur le bois mort, souvent venant après une autre affection. L'arbre peut mourir.

Époque d'apparition: En tout temps.

Traitement: Rabattre le bois mort 5 à 10 cm au-dessous de la région atteinte et le détruire. Après la taille, vaporisations de cuivre ou de zinèbe. Fertiliser, pailler, arroser et/ou assécher pour encourager la reprise.

Feu bactérien

Plantes exposées: Aubépine, cotonéaster, poirier, pommier et sorbier.

Symptômes: Les courçons florifères meurent; des chancres naissent à leur base. Les feuilles se fanent mais ne tombent pas.

Époque d'apparition: À la floraison.

Traitement: Rabattre et détruire toutes les parties malades. Tailler 10 à 15 cm au moins sous la blessure. Désinfecter le sécateur entre les coupes avec de l'eau de Javel diluée de moitié. Cette maladie bactérienne est difficile à contrôler.

Chancre du peuplier

Plante exposée: Peuplier.

Symptômes: Chancres de 5 mm à 15 cm de long apparaissant sur les pousses, les branches et parfois le tronc. Les jeunes pousses dépérissent au début de l'été.

Époque d'apparition: En tout temps.

Traitement: Détruire les arbres gravement malades. Sur les autres, on doit élaguer et détruire les parties portant des chancres.

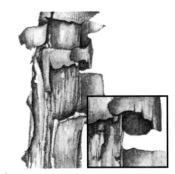

Éclatement de l'écorce

Plantes exposées: Divers types d'arbres, notamment les arbres fruitiers.

Symptômes: L'écorce éclate et les craquelures s'ouvrent.

Époque d'apparition: En tout temps.

Traitement: Couper le bois mort; enlever l'écorce qui se soulève de manière à nettoyer la plaie. Fertiliser, pailler et arroser: la blessure devrait cicatriser d'elle-même. En climat froid, protéger la blessure du soleil d'hiver en l'enveloppant ou en y clouant une planche.

Tavelure

Plantes exposées: Poirier et pommier.

Symptômes: Petites crevasses pustuleuses sur les jeunes pousses; l'écorce éclate dévoilant des craquelures.

Époque d'apparition: Pendant la période active.

Traitement: Élaguer pour supprimer les pousses craquelées. Vaporiser périodiquement avec un fongicide tel que le bénomyl depuis l'apparition des boutons floraux jusqu'à la mi-été. Voir aussi Tavelure, p. 478.

Écorce papyracée

Plantes exposées: Différents genres, mais surtout pommier, sorbier et viorne.

Symptômes: L'écorce devient mince et pèle. Lorsque la blessure encercle la branche, celle-ci dépérit.

Époque d'apparition: En tout temps.

Traitement: Voir Troubles du système radiculaire, p. 494. Quand la blessure ne fait pas le tour de l'organe, enlever l'écorce qui pèle.

Pousses déformées ou flétries (suite)

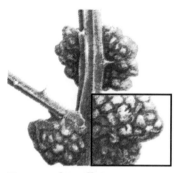

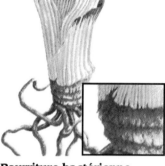

Gale du forsythia
Plante exposée: Forsythia.
Symptômes: Des excroissances allant de la grosseur d'un pois à celle d'une balle de tennis se forment sur les tiges.
Époque d'apparition: Parfois quand les arbustes ont 5 ans, mais habituellement plus tard.
Traitement: Couper et détruire les parties atteintes. Après chaque taille, stériliser le sécateur avec de l'eau de Javel diluée de moitié.

Tumeur du collet
Plantes exposées: Framboisier, mûrier et rosier.
Symptômes: Tumeurs sur les organes aériens ou au ras du sol.
Époque d'apparition: Pendant la période active.
Traitement: Couper les pousses atteintes. Stériliser le sécateur après chaque taille. Peu efficace pour les rosiers. Voir aussi Gale du collet, p. 507.

Pourriture bactérienne
Plante exposée: Iris rhizomateux.
Symptômes: Pourriture molle, jaune, à odeur désagréable, affectant le rhizome; les feuilles s'affaissent.
Époque d'apparition: En tout temps, mais surtout par temps humide.
Traitement: Améliorer le drainage; combattre les limaces et autres ravageurs. Détruire les plants gravement atteints; sur les autres, couper les parties abîmées et saupoudrer de bouillie bordelaise sèche ou de streptomycine.

Pied noir
Plantes exposées: Géranium *(Pelargonium)* et pomme de terre.
Symptômes: Pourriture noire à la base des tiges; les tissus atteints deviennent mous. Les feuilles jaunissent et les tiges meurent.
Époque d'apparition: Après le prélèvement des boutures sur le géranium; au début de l'été pour les pommes de terre.
Traitement: Détruire les plants gravement atteints. Prévenir la maladie chez la pomme de terre en choisissant des tubercules sains. Dans le cas des géraniums, stériliser le sol; veiller à la propreté de la serre et arroser prudemment. Lorsque des boutures de valeur sont atteintes, couper la partie malade avec un couteau trempé dans un désinfectant doux (eau de Javel diluée de moitié) et rempoter les boutures dans de la terre fraîche et des pots propres. Laisser les boutures de géranium sécher pendant 24 heures avant de les empoter.

Trouble du système radiculaire
Plantes exposées: Arbres (particulièrement arbres fruitiers et peupliers) et arbustes.
Symptômes: Feuilles décolorées sur les pousses qui brunissent et meurent.
Époque d'apparition: En tout temps.
Traitement: Rabattre le bois mort jusqu'à du tissu sain. Fertiliser, pailler, arroser et/ou drainer. Un apport d'engrais foliaire peut hâter la guérison. Déterminer la cause si possible et corriger.

Pourriture de la tige
Plantes exposées: Clarkie, lobélie, œillet et tomate.
Symptômes: Pourrissement des tiges, mais les champignons sont très peu visibles.
Époque d'apparition: Pendant la période active.
Traitement: Couper les parties atteintes et vaporiser ou poudrer de captane, ou détruire les plants malades. Ne pas planter ce type de plantes dans un sol qui pourrait être infecté.

Bactériose du lilas
Plante exposée: Lilas.
Symptômes: Les jeunes pousses noircissent et se dessèchent (le gel et trop d'eau peuvent causer des symptômes semblables).
Époque d'apparition: Au printemps.
Traitement: Rabattre les pousses atteintes jusqu'à un bourgeon sain. Vaporiser de bénomyl ou de bouillie bordelaise. Renouveler le traitement le printemps suivant, au début de la feuillaison. Si les racines sont saturées d'eau au printemps, faire une pente pour drainer.

Feu de la tulipe (botrytis)
Plante exposée: Tulipe (à la base des tiges).
Symptômes: Les tiges pourrissent au ras du sol et se couvrent d'une moisissure grise et veloutée.
Époque d'apparition: Au printemps.
Traitement: Voir Feu de la tulipe, p. 503. Traiter au captane tôt en saison, au début de la feuillaison. Enlever et détruire les bulbes atteints.

Feu de la tulipe (botrytis)
Plante exposée: Tulipe (jeunes pousses).
Symptômes: Jeunes pousses rabougries qui pourrissent au-dessus du sol et se couvrent d'une moisissure grise et veloutée. Fleurs déformées et rayées.
Époque d'apparition: Au printemps.
Traitement: Voir Feu de la tulipe, p. 503, et l'illustration précédente.

Pourriture du collet
Plantes exposées: Pied-d'alouette, pivoine, rhubarbe et plusieurs plantes herbacées vivaces à couronne.
Symptômes: Pourrissement du bourgeon terminal suivi du pourrissement progressif du collet. Feuilles rachitiques et décolorées.
Époque d'apparition: Pendant la période active.
Traitement: Détruire les plants. Ne pas en replanter de la même espèce au même endroit.

Pourriture sèche
Plantes exposées: Principalement les glaïeuls, mais aussi acidanthera, crocus et freesia.
Symptômes: Pourriture sèche des feuilles au niveau du sol provoquant la chute du feuillage supérieur. Les tissus atteints sont couverts de minuscules corpuscules noirs.
Époque d'apparition: Pendant la période active.
Traitement: Voir Pourriture sèche, p. 504.

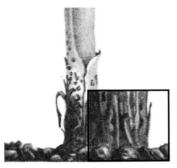

Pourriture du pied
Plantes exposées: Haricot, pois de senteur, tomate et plantes de plate-bande.
Symptômes: Les tiges pourrissent à la base; les racines meurent.
Époque d'apparition: Pendant la période active.
Traitement: Rotation de culture pour les sujets exposés. Arroser les plantes issues de semis avec un fongicide à base de cuivre, de ferbame ou de zinèbe au repiquage et chaque semaine si les symptômes persistent.

Pourriture grise de la pivoine
Plante exposée: Pivoine.
Symptômes: Les pousses attaquées meurent au ras du sol.
Époque d'apparition: Pendant la période active.
Traitement: Couper les tiges malades sous la surface du sol; poudrer les collets avec de la bouillie bordelaise sèche. Vaporiser du captane, du thirame ou du zinèbe juste après l'apparition des feuilles. Mouiller le sol de bénomyl avant la plantation ou avant la reprise au printemps.

Pourriture du cœur
Plantes exposées: Cinéraire, primevère et plantes de serre en pot.
Symptômes: Les tissus pourrissent au ras du sol ou juste au-dessus en provoquant l'affaissement de la plante.
Époque d'apparition: Pendant la période active.
Traitement: À titre préventif, utiliser un substrat stérile et arroser peu. Couper les parties atteintes et poudrer les plants de bouillie bordelaise ou de captane. Rempoter dans un substrat plus léger en arrosant peu.

Flétrissement des pensées
Plantes exposées: Les *Viola*.
Symptômes: Dessèchement des plants et pourrissement des collets.
Époque d'apparition: Pendant la période active.
Traitement: Rotation des cultures. Arroser les plantules avec du ferbame ou du zinèbe. En mettre dans les trous de plantation; répéter chaque semaine si les symptômes persistent. Arracher les plants atteints avec leurs racines et les détruire.

Pousses déformées ou flétries (suite)

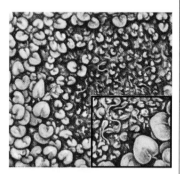

Pourriture grise de la laitue ou botrytis
Plante exposée: Laitue.
Symptômes: Les plantes pourrissent à la base, moisissure grise visible.
Époque d'apparition: Pendant la période active.
Traitement: Traiter le sol au zinèbe avant le repiquage. En serre, détruire les plants et les feuilles malades. Vaporiser en serre et au jardin avec du bénomyl ou du zinèbe.

Fonte des semis
Plantes exposées: Tous les semis, mais surtout ceux des plantes suivantes: laitue, muflier et zinnia.
Symptômes: Les plantules pourrissent au ras du sol et meurent.
Époque d'apparition: À la levée.
Traitement: À titre préventif, utiliser un substrat stérile et des pots propres; arroser modérément. Le champignon est véhiculé par la terre ou les semences. À titre préventif ou curatif, stériliser la terre par jet de vapeur ou d'eau à 80 °C s'il s'agit de petites quantités. On peut appliquer du ferbame ou du zinèbe au sol et aux plates-bandes avant la transplantation. Saupoudrer les graines de fongicide à base de bénomyl ou de thirame avant les semis. Si les symptômes apparaissent, arroser au captane ou au zinèbe.

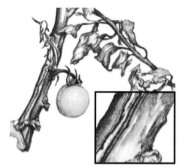

Virose
Plantes exposées: Pois de senteur, tomate et plusieurs autres plantes.
Symptômes: Flétrissement des plants; tiges et pétioles marqués de raies.
Époque d'apparition: Pendant la période active.
Traitement: Arracher et détruire les sujets atteints.

Dégâts sur les boutons floraux

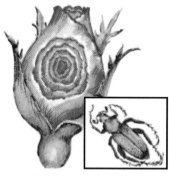

Scarabées du rosier
Plantes exposées: Pivoine, rosier et plusieurs autres plantes.
Symptômes: Pétales dévorés.
Époque d'apparition: Du début de l'été au début de l'automne.
Traitement: Vaporisations de carbaryl, de roténone ou de diméthoate. Ravageurs jaune ocre de 1,5 cm environ de long; enlever les scarabées à la main et les détruire.

Chenilles et larves de tenthrèdes («limace»)
Plantes exposées: Chrysanthème, pommier, rosier et autres plantes.
Symptômes: Trous dans les boutons et les feuilles.
Époque d'apparition: Du début du printemps au début de l'été au jardin; presque toute l'année en serre.
Traitement: Vaporisations de *Bacillus thuringiensis*, de carbaryl, de malathion ou de roténone à l'apparition de ces ravageurs.

Cicadelles du rhododendron
Plante exposée: Rhododendron.
Symptômes: Boutons atteints de brunissement.
Époque d'apparition: À la fin de l'été, quand les boutons floraux sortent.
Traitement: Vaporiser avec du carbaryl ou du diméthoate si l'on voit des ravageurs. Si la maladie se manifeste, enlever et détruire les boutons atteints.

Brunissement des boutons de rhododendrons

Plante exposée: Rhododendron.
Symptômes: Les boutons se couvrent de poils noirs portant des spores de champignons et meurent.
Époque d'apparition: À la fin de l'été quand les boutons se développent, mais les symptômes n'apparaissent que le printemps suivant: les boutons ne s'ouvrent pas.
Traitement: Couper et détruire les boutons infectés. Vaporiser de fongicide à base de captane ou de zinèbe. Utiliser du diméthoate contre les cicadelles qui répandent la maladie.

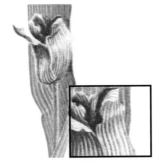

Avortement des fleurs

Plantes exposées: Narcisse et tulipe forcés à l'intérieur.
Symptômes: Les fleurs sèchent avant de s'épanouir.
Époque d'apparition: Lors de l'entreposage ou pendant la période active.
Traitement: Conserver les bulbes dans un endroit frais et sec. Les planter au moment opportun et s'assurer que le sol ne se dessèche pas durant la période de croissance. Ne pas forcer les bulbes à une température trop élevée. Les bulbes atteints peuvent être transplantés à l'extérieur.

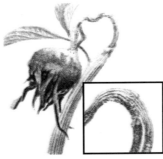

Pourriture grise de la pivoine ou botrytis

Plante exposée: Pivoine.
Symptômes: Les boutons floraux pourrissent et se couvrent d'une moisissure grise et veloutée.
Époque d'apparition: Pendant la période de floraison.
Traitement: Couper les pousses atteintes au-dessous du niveau du sol et poudrer les souches de bouillie bordelaise sèche. Au moment de la feuillaison, vaporiser avec un fongicide à base de captane, de thirame ou de zinèbe.

Nécrose du pédicelle

Plantes exposées: Pavot, pyrethrum et rosier.
Symptômes: Des décolorations apparaissent sur les pédicelles, en dessous des boutons de roses et un peu plus bas sur les plantes herbacées. La tige s'affaisse à cet endroit; les boutons qu'elle porte ne s'ouvrent pas. Cause inconnue.
Époque d'apparition: À la floraison.
Traitement: Pailler; ne jamais laisser le sol se dessécher; fertiliser aux moments opportuns en choisissant les bons engrais. Amender le sol avec du sulfate de potassium au début du printemps ou à la fin de l'été. Une fois les symptômes apparus, on ne peut rien faire d'autre que de couper les fleurs atteintes. Des apports d'engrais foliaire peuvent cependant favoriser une seconde floraison chez les rosiers.

Virose

Plante exposée: Lis.
Symptômes: Boutons floraux déformés qui ne s'épanouissent pas bien.
Époque d'apparition: En tout temps, mais les symptômes n'apparaissent qu'à la floraison.
Traitement: Détruire les plants infectés; vaporiser périodiquement de carbaryl ou de perméthrine contre les pucerons et les cicadelles vecteurs.

Chute des boutons

Plantes exposées: Camélia, gardénia, glycine et pois de senteur.
Symptômes: Les boutons ou les fleurs partiellement épanouies tombent.
Époque d'apparition: Dès la formation des boutons, mais les symptômes ne se manifestent pas avant la floraison.
Traitement: Rien ne peut arrêter la chute des boutons. À titre préventif, pailler le sol et veiller à ce qu'il ne se dessèche pas. Pour les gardénias, maintenir une température constante. Chez les pois de senteur et les glycines, rien ne peut empêcher la chute des boutons, due à des nuits froides.

Dégâts sur les fleurs épanouies

Chenilles

Plantes exposées: Chrysanthème, œillet, plantes de jardin et de serre.
Symptômes: Pétales dévorés; chenilles visibles dans les fleurs.
Époque d'apparition: En tout temps à l'intérieur; de la fin du printemps à la mi-automne au jardin.
Traitement: Si peu de fleurs sont atteintes, enlever les chenilles à la main. Sinon, pulvériser un insecticide à base de carbaryl ou de méthoxychlore avant que les fleurs soient en plein épanouissement pour ne pas les abîmer.

Perce-oreilles

Plantes exposées: Chrysanthème, clématite, dahlia et quelques autres.
Symptômes: Pétales découpés.
Époque d'apparition: De la fin du printemps à la mi-automne.
Traitement: Avant la floraison, vaporiser ou poudrer les plants et le sol avec un insecticide à base de carbaryl ou de savon insecticide. On peut aussi attraper les ravageurs dans un vieux sac, un manchon de carton ondulé ou un pot rempli de paille.

Rouille des pétales ou des ligules

Plantes exposées: Chrysanthème, rhododendron, dahlia.
Symptômes: Cloques sombres, imbibées d'eau et recouvrant peu à peu les pétales jusqu'à ce que les fleurs pourrissent.
Époque d'apparition: À la floraison, surtout par temps froid et humide.
Traitement: Détruire les fleurs atteintes. En serre, réduire l'humidité. Avant la floraison, vaporiser avec un fongicide tel que du bénomyl ou du zinèbe, tous les 7 jours au besoin.

Virose

Plantes exposées: Chrysanthème, dahlia, lis, tulipe, espèces de *Viola* et d'autres types de plantes herbacées.
Symptômes: Fleurs déformées ou mal colorées (rayures blanches ou d'une nuance plus claire ou plus sombre que la teinte normale).
Époque d'apparition: Pendant la période active.
Traitement: Détruire les plantes malades. Les viroses étant répandues par des ravageurs, combattre ceux-ci à l'aide d'insecticides.

Mycoplasmose

Plantes exposées: Hélénie, fraisier, espèces de *Primula*; occasionnellement chrysanthème et narcisse.
Symptômes: Fleurs vertes et non de leur couleur naturelle.
Époque d'apparition: Pendant la période active.
Traitement: Chez l'hélénie, enlever la partie de la touffe qui porte les tiges malades. Détruire les autres plantes au complet.

Punaises (à quatre raies, arlequines, ternes)

Plantes exposées: Chrysanthème, dahlia et autres plantes ornementales annuelles ou vivaces.
Symptômes: Fleurs déformées.
Époque d'apparition: Du début de l'été à la mi-automne au jardin.
Traitement: Vaporisations de malathion ou de méthoxychlore dès l'apparition des dégâts.

Feu de la tulipe (botrytis)

Plante exposée: Tulipe.
Symptômes: Petites taches brunes sur les pétales. Ceux-ci peuvent pourrir et se couvrir d'une moisissure grise et veloutée.
Époque d'apparition: À la floraison.
Traitement: Voir Feu de la tulipe, p. 503.

Pourriture grise ou botrytis

Plantes exposées: Chrysanthème et cyclamen de serre.
Symptômes: Chez le chrysanthème, macules sur les fleurs qui pourrissent et se couvrent de moisissure grise. Chez le cyclamen, macules seulement.
Époque d'apparition: À la floraison.
Traitement: Enlever et détruire les fleurs malades. Réduire l'humidité. Vaporisations de bénomyl, de captane ou de thiophanate-méthyle.

Dégâts sur fruits et petits fruits

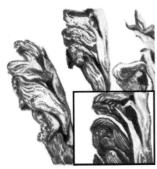

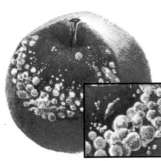

Thrips du glaïeul

Plantes exposées: Glaïeul et plantes apparentées.

Symptômes: Petites taches argentées sur les pétales et les feuilles.

Époque d'apparition: En tout temps.

Traitement: Poudrer les cormes de méthoxychlore avant l'entreposage et avant la plantation. Traiter les plants malades toutes les semaines par des vaporisations de diméthoate ou de savon insecticide, à partir de l'apparition des feuilles.

Moniliose ou pourriture brune

Plantes exposées: Tous les arbres fruitiers à drupes, mais surtout cerisier, nectarinier, pêcher et prunier.

Symptômes: Les fruits brunissent; on remarque des cercles concentriques de spores poudreuses et blanchâtres. Les fruits se dessèchent, se ratatinent et souvent tombent.

Époque d'apparition: En été et pendant la conservation.

Traitement: Enlever et jeter les fruits atteints et les fruits tombés au sol. Contrôler les insectes ravageurs qui endommagent les fruits, permettant au champignon d'y pénétrer.

Carpocapses de la pomme

Plantes exposées: Plusieurs variétés de pommiers, ainsi que poirier.

Symptômes: La chenille dévore le cœur des fruits mûrs.

Époque d'apparition: Du début à la fin de l'été.

Traitement: Vaporiser méticuleusement du carbaryl, du malathion ou du méthoxychlore au début de l'été et deux autres fois à 10 jours d'intervalle pour tuer les jeunes chenilles avant qu'elles pénètrent dans les fruits.

Tache amère

Plante exposée: Pommier.

Symptômes: Petites dépressions brunes sous la peau et dans la chair.

Époque d'apparition: Pendant la période active, mais les symptômes ne deviennent visibles qu'au moment de la récolte ou lors de la conservation.

Traitement: Fertiliser et pailler; ne jamais laisser le sol se dessécher. Au début de l'été, pulvériser une solution de nitrate de chaux à raison de 10 g par litre d'eau. Répéter 3 fois à 3 semaines d'intervalle.

Scarabées japonais

Plantes exposées: Rosier et autres plantes à fleurs; tilleul, vigne, etc.

Symptômes: Fleurs et feuilles dévorées; pétales déchiquetés, feuilles réduites aux nervures.

Époque d'apparition: Du début de l'été à la mi-automne.

Traitement: Voir Scarabées (larves), p. 508. Vaporiser ou poudrer les plants attaqués avec un savon insecticide, du carbaryl ou du méthoxychlore.

Chute des fruits

Plantes exposées: Tous les arbres fruitiers.

Symptômes: Chute prématurée des fruits.

Époque d'apparition: Durant la floraison et juste après.

Traitement: Avoir au jardin une variété qui attire les abeilles. Fertiliser, pailler et arroser. Ne pas traiter les arbres durant la floraison. Aucun remède ne peut être apporté en saison froide quand la chute des fruits est due à un défaut de pollinisation. Si les fruits portent de petites cicatrices en forme de croissant, c'est qu'ils sont victimes du charançon de la prune (voir p. 501).

Punaises rouges du pommier et punaises ternes

Plantes exposées: Plusieurs variétés de pommiers; poirier.

Symptômes: Bosses et zones liégeuses sur les fruits mûrs.

Époque d'apparition: De la mi-printemps à la fin de l'été.

Traitement: Vaporisation d'huile miscible en période de dormance, pour tuer les œufs, ou de méthoxychlore juste avant la floraison.

Tenthrèdes de la pomme

Plante exposée: Pommier.

Symptômes: Les larves pénètrent au cœur des jeunes fruits qui tombent prématurément.

Époque d'apparition: De la fin du printemps au début de l'été.

Traitement: Vaporisations de carbaryl, de diméthoate ou de méthoxychlore immédiatement après la chute des pétales. Ramasser et détruire les pommes tombées.

Dégâts sur fruits et petits fruits (suite)

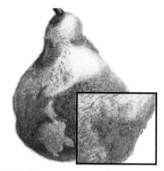

Éclatement des fruits

Plantes exposées: Poirier, pommier et prunier.
Symptômes: La peau du fruit éclate.
Époque d'apparition: Pendant la période active.
Traitement: Éviter les irrégularités de croissance en conservant l'humidité par paillage. Ne jamais laisser la terre se dessécher. Des arrosages excessifs ajoutés à un mauvais drainage du sol ou des pluies abondantes et prolongées peuvent avoir le même résultat.

Gravelle

Plantes exposées: Les poiriers âgés.
Symptômes: Fruits graveleux et déformés; amas de cellules mortes et dures dans la chair rendant le fruit impropre à la consommation. Les fruits d'une seule branche sont d'abord atteints, puis tous les autres sont attaqués.
Époque d'apparition: Pendant la période active.
Traitement: Rabattre sévèrement le vieux bois; apports réguliers d'engrais 5-10-5 au printemps et en automne.

Mauvais fonctionnement des racines

Plantes exposées: Arbres fruitiers et petits fruits.
Symptômes: Déclin progressif des récoltes au fil des ans, avec décoloration du feuillage et dépérissement des rameaux.
Époque d'apparition: Pendant la période active.
Traitement: Utiliser l'engrais approprié au bon moment. Fertiliser, pailler, arroser. Améliorer le drainage s'il y a lieu. Des pulvérisations d'engrais foliaire accélèrent le rétablissement du sujet malade.

Vers du framboisier

Plantes exposées: Framboisier, mûrier et mûrier de Logan.
Symptômes: Les fruits arrivés à maturité sont attaqués.
Époque d'apparition: Du début à la fin de l'été.
Traitement: Vaporiser minutieusement de savon insecticide, de pyrèthre ou de roténone à l'apparition des boutons, juste avant que les fleurs s'ouvrent et aussi quand les premiers fruits virent au rose.

ou faible pollinisation

Plantes exposées: Petits fruits, arbres fruitiers et tomate.
Symptômes: Maigre récolte; fruits déformés.
Époque d'apparition: À la floraison.
Traitement: Le malaise est causé par le froid au moment de la pollinisation. Assurer si possible la présence de pollinisateurs. Pour les tomates, respecter les exigences culturales et bassiner en période de sécheresse.

ou virose

Plantes exposées: Petits fruits.
Symptômes: Déclin progressif des récoltes, rabougrissement des plants et déformation des feuilles qui portent des plaques jaunes.
Époque d'apparition: Pendant la période active.
Traitement: Détruire les plants atteints; planter des variétés exemptes de virus dans un nouvel emplacement. Combattre les insectes vecteurs.

Éclatement du noyau

Plantes exposées: Nectarinier, pêcher.
Symptômes: L'amande pourrit dans le noyau qui éclate et provoque le craquement du fruit. La scissure naturelle du fruit s'approfondit.
Époque d'apparition: Pendant la période active.
Traitement: Fertiliser et pailler; ne pas laisser le sol se dessécher pour que la croissance soit régulière pendant la maturation des fruits.

Tavelure

Plantes exposées: Poirier, pommier (et parfois les baies du pyracanthe).
Symptômes: Taches brunes ou noires sur les fruits qui peuvent, dans les cas graves, se craqueler si les lésions se rejoignent et deviennent liégeuses.
Époque d'apparition: Pendant la période active.
Traitement: Voir Tavelure, p. 478.

Blanc

Plantes exposées: Fraisier, groseillier à maquereau, pommier, vigne et autres.
Symptômes: Dépôt poudreux blanc virant au brun sur les groseilles à maquereau ou laissant apparaître une décoloration sur les fraises. Les grains de raisin éclatent; les pommiers ont des feuilles poudreuses.
Époque d'apparition: Pendant la période active.
Traitement: Voir Blanc, p. 481.

Dégâts sur tomates, pois et haricots

Échaudure
Plantes exposées: Vigne et, par temps chaud, groseillier à maquereau et arbres fruitiers.
Symptômes: Petites dépressions décolorées sur les fruits.
Époque d'apparition: Pendant les périodes chaudes.
Traitement: Ombrer la serre et bien aérer. Couper les fruits atteints avant qu'ils pourrissent.

Botrytis ou pourriture grise
Plantes exposées: Petits fruits.
Symptômes: Les fruits pourrissent et se couvrent de moisissure grise.
Époque d'apparition: Dès la floraison, mais les symptômes ne sont manifestes que lorsque les fruits sont mûrs.
Traitement: Vaporisations de bénomyl, de captane, de chlorothalonil ou de thirame lorsque les fleurs s'ouvrent, et encore 2 ou 3 fois à 15 jours d'intervalle. Enlever les fruits malades. Bien laver les autres avant de les consommer.

Éclatement
Plante exposée: Tomate.
Symptômes: Éclatement de la peau dans la partie la plus large du fruit, souvent en anneau en se dirigeant vers le bas.
Époque d'apparition: Lors du mûrissement des fruits.
Traitement: Maintenir une croissance régulière en ne laissant jamais le sol se dessécher. Arroser mais sans excès.

Carence en potasse et maturation inégale
Plante exposée: Tomate.
Symptômes: Tache verte ou jaune, dure, dans la région du pédoncule; des taches semblables se développent sur le reste du fruit.
Époque d'apparition: Dès que les fruits se développent.
Traitement: Choisir des variétés résistantes; maintenir le sol humide. Ombrer la serre par temps chaud. Corriger les carences en potassium.

Charançons de la prune
Plantes exposées: Abricotier, cerisier, pêcher, pommier et prunier.
Symptômes: Entailles dans les jeunes fruits et dans les cerises mûres. Les larves dévorent les fruits pendant qu'ils mûrissent; de jeunes fruits tombent.
Époque d'apparition: Après la chute des pétales; de nouveau plus tard.
Traitement: Travailler le sol autour des arbres pour détruire larves et nymphes; enlever les fruits tombés. À la chute des pétales, vaporiser 3 à 5 fois, à 7 à 10 jours d'intervalle, avec du carbaryl, du malathion ou du méthoxychlore.

Maladie du pédoncule
Plante exposée: Vigne.
Symptômes: Taches sombres le long des pédoncules qu'elles finissent par ceinturer. Le raisin ne mûrit pas: le raisin noir devient rouge et le raisin blanc reste vert.
Époque d'apparition: Pendant la période active.
Traitement: Fertiliser, pailler, ne pas laisser le sol se dessécher. Éclaircir les fruits. En cas de dégâts, couper les grains malades avant qu'ils pourrissent.

Alternariose et mildiou
Plante exposée: Tomate de jardin.
Symptômes: Par temps humide, des taches vert foncé, imbibées d'eau, se développent jusqu'à ce que les fruits se ratatinent et pourrissent. Moisissure blanchâtre sous les feuilles, sur les tiges et les pétioles. La plante meurt du jour au lendemain.
Époque d'apparition: Du milieu à la fin de l'été par temps très humide.
Traitement: Vaporiser avec un fongicide, comme le thirame, à 10 à 15 jours d'intervalle, du début de la floraison au début de l'automne.

Pourriture apicale
Plante exposée: Tomate.
Symptômes: Tache circulaire brune ou noire qui, en dépit de son nom, ne pourrit généralement pas. Maladie non parasitaire.
Époque d'apparition: Lorsque les fruits se développent.
Traitement: Ne pas laisser le sol se dessécher afin de maintenir une croissance régulière qui préviendra la maladie. Ne pas arroser irrégulièrement. Ne pas biner près des plants. Chauler les sols acides pour assurer un apport convenable de calcium.

Dégâts sur tomates, pois et haricots (suite)

Flétrissure fusarienne
(fusariose) **et verticillienne** (verticilliose)

Plante exposée: Tomate.

Symptômes: Quand les premiers fruits mûrissent, les feuilles du bas jaunissent et s'affaissent. Le champignon bloque le passage de la sève et le plant se flétrit.

Époque d'apparition: De la mi-été à la mi-automne.

Traitement: Choisir dans les catalogues des variétés résistantes à la flétrissure, marquées F ou FF. Pratiquer la rotation des cultures.

Anthracnose

Plantes exposées: Plusieurs variétés de haricots.

Symptômes: Petites dépressions brun-noir sur les gousses; taches brunes sur les feuilles et les tiges. Parfois, chute prématurée des feuilles.

Époque d'apparition: Pendant la période active, surtout lorsque l'été est froid et humide.

Traitement: Détruire les plants malades (éviter de toucher les plants quand ils sont mouillés pour ne pas répandre la maladie) et ne conserver aucun haricot pour la semence. Semer d'autres graines dans un endroit nouveau. Dans les cas graves, vaporiser un fongicide avant la floraison: captane, zinèbe ou hydroxyde de cuivre.

Botrytis ou pourriture grise

Plantes exposées: Tomate et parfois pois et haricot par temps humide.

Symptômes: Moisissure grise sur les fruits qui pourrissent.

Époque d'apparition: Pendant la période active.

Traitement: Détruire les cosses et les fruits atteints. À l'intérieur, comme au jardin, vaporiser du bénomyl, du thiophanate-méthyle ou du zinèbe.

Dégâts sur bulbes, cormes, tubercules et légumes-racines

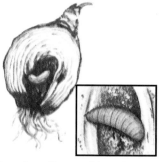

Anguillules des tiges et des bulbes

Plantes exposées: Jacinthe, narcisse, tulipe et autres plantes.

Symptômes: Les bulbes se décolorent à l'intérieur et pourrissent; les pousses sont faibles et déformées.

Époque d'apparition: Pendant la période de dormance à la fin de l'été et en automne; pendant la période active au printemps.

Traitement: Détruire les plantes attaquées; ne pas replanter de bulbes au même endroit pendant 3 ans.

Mouches du narcisse

Plante exposée: Narcisse.

Symptômes: Ramollissement et pourrissement du bulbe; présence de larves brunes à l'intérieur de celui-ci.

Époque d'apparition: Du début du printemps au début de l'été; symptômes visibles au printemps ou en automne sur les bulbes en dormance.

Traitement: Au moment de la plantation, éliminer les bulbes mous. Biner le sol autour des plants quand le feuillage jaunit pour boucher les trous dans la terre et empêcher ainsi les mouches d'aller pondre leurs œufs dans les bulbes. À la même époque et lors de la plantation, appliquer du lindane en poudre.

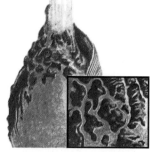

Pourriture grise des bulbes

Plantes exposées: Principalement jacinthe et tulipe.

Symptômes: Pourriture au sommet des bulbes et champignons noirs.

Époque d'apparition: Peu de temps après la plantation.

Traitement: Détruire les restes de plants malades et renouveler le sol. Avant de planter des bulbes et des cormes, appliquer du zinèbe en poudre sur ceux-ci et incorporez-en dans le sol au râteau.

Perceurs d'iris

Plantes exposées: Iris à barbes et iris de Sibérie.

Symptômes: Jaunissement du feuillage qui retombe au fur et à mesure que les insectes térébrants se nourrissent des rhizomes.

Époque d'apparition: Du début de l'été à l'automne.

Traitement: Nettoyer les plants à l'automne pour ôter les œufs. Vaporiser de la roténone au printemps. Arroser avec du diméthoate à l'apparition des premiers symptômes.

Pourridié fusarien

Plantes exposées: Plusieurs bulbes comme ceux du crocus, du lis et du narcisse.

Symptômes: Pourriture des racines et de la base du corme ou du bulbe. Coupé dans le sens de la hauteur, le bulbe laisse voir des courants sombres s'élargissant à partir de la base ou des zones de pourriture montant entre les tuniques. Le bulbe finit par pourrir complètement.

Époque d'apparition: En tout temps et même pendant la conservation.

Traitement: Détruire les bulbes et les cormes gravement atteints. Au début, on peut sauver les bulbes de lis en supprimant les racines et les tuniques malades et en les poudrant de zinèbe. Par ailleurs, incorporer au râteau du zinèbe dans le sol avant de replanter les lis dans un nouvel endroit.

Maladie de l'encre

Plante exposée: Iris bulbeux et kniphofia.

Symptômes: Croûtes noires sur les tuniques externes du bulbe, suivies de pourrissement interne ne laissant que des petites poches de poudre noire.

Époque d'apparition: En tout temps.

Traitement: Détruire les bulbes ou les cormes atteints. Détruire le feuillage en fin de saison. Replanter des bulbes ou des cormes sains dans un autre emplacement après les avoir plongés dans une solution à base de bénomyl.

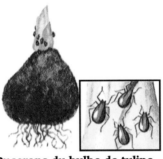

Pucerons du bulbe de tulipe

Plantes exposées: Crocus, glaïeul, iris et tulipe.

Symptômes: Colonies de pucerons vert foncé envahissant bulbes et cormes dormants, durant la conservation.

Époque d'apparition: De la fin de l'automne à la fin de l'hiver.

Traitement: Fumigation au dichlorvos. À défaut, on peut vaporiser du savon insecticide sur les bulbes et les cormes à condition de les sécher parfaitement ensuite.

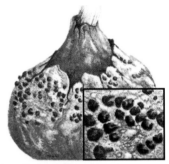

Feu de la tulipe (botrytis)

Plante exposée: Tulipe.

Symptômes: Petits corpuscules fongiques noirs apparaissant sur les bulbes qui pourrissent.

Époque d'apparition: Juste avant ou après la plantation.

Traitement: Détruire les bulbes pourris ou porteurs de champignons. Traiter les autres au zinèbe en poudre. Incorporer du zinèbe en poudre au sol avec un râteau avant la plantation. Changer d'emplacement chaque année si possible, surtout après apparition de la maladie. Vaporiser un fongicide à base de bénomyl, de thiophanate-méthyle ou de zinèbe quand les feuilles ont 5 cm, puis ensuite tous les 10 jours jusqu'à la floraison. Enlever et détruire les plants atteints durant la période active.

Pourriture du collet

Plante exposée: Narcisse.

Symptômes: De petits champignons noirs et plats se développent sur les bulbes qui pourrissent.

Époque d'apparition: Pendant la conservation.

Traitement: Garder les bulbes dans un endroit sec et frais; détruire ceux qui sont atteints. Enlever et détruire les plants atteints en cours de croissance. Vaporiser les autres de bouillie bordelaise ou de zinèbe tous les 10 jours. Voir aussi p. 484.

Mouches de la carotte

Plantes exposées: Carotte, céleri, panais et persil.

Symptômes: Des asticots creusent des galeries dans les racines.

Époque d'apparition: Du début de l'été à la mi-automne.

Traitement: Semer clair à la fin du printemps; protéger les semences. Pour les plants établis, l'oignon et la coriandre éloignent la mouche de la carotte.

Pourriture molle de l'iris

Plante exposée: Iris.

Symptômes: Jaunissement du feuillage, fleurs de petite taille, rhizomes mous et malodorants.

Époque d'apparition: En été.

Traitement: Éviter d'endommager les rhizomes en sarclant trop près. Éliminer perceurs et autres insectes térébrants. Au moment de replanter, choisir un nouvel emplacement et acheter des rhizomes garantis contre la pourriture.

Dégâts sur bulbes, cormes, tubercules et légumes-racines (suite)

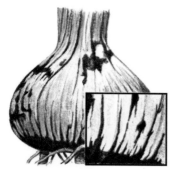

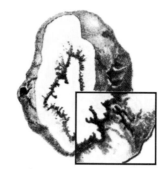

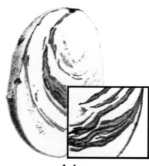

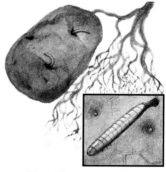

Pourriture sèche

Plantes exposées: Acidanthera, crocus, freesia, glaïeul, pomme de terre et quelques autres tubercules.
Symptômes: Les cormes ou tubercules se couvrent de petites lésions sombres, puis de grandes taches noires et se ratatinent.
Époque d'apparition: Pendant la conservation,
Traitement: Enlever et détruire les cormes ou tubercules dès les premiers symptômes. Avant l'entreposage ou la plantation, traiter les sujets sains en les plongeant dans une solution de bénomyl ou de captane. Les faire sécher complètement avant la conservation. Changer d'emplacement de culture chaque année et incorporer du zinèbe au râteau dans le sol.

Gangrène

Plante exposée: Pomme de terre.
Symptômes: Les tubercules entreposés se couvrent de petites taches déprimées qui s'agrandissent. Le tubercule entier pourrit.
Époque d'apparition: En hiver et au début du printemps.
Traitement: Manipuler les tubercules avec précaution; les garder dans un endroit aéré, à l'abri du gel, mais pas dans des sacs. Détruire les tubercules qui sont gangrenés.

Nécrose annulaire de la pomme de terre

Plante exposée: Pomme de terre.
Symptômes: Marques brunes en arc de cercle dans la chair du tubercule. Il peut s'agir d'une virose.
Époque d'apparition: Pendant la période active.
Traitement: Détruire les tubercules gravement atteints et ne pas replanter de pommes de terre au même endroit pendant plusieurs années.

Vers fil-de-fer ou taupins

Plantes exposées: Carotte, laitue, pomme de terre, tomate et autres légumes; chrysanthème et autres plantes ornementales.
Symptômes: Les parties souterraines sont attaquées par des larves.
Époque d'apparition: Du début du printemps au début de l'automne.
Traitement: Bien travailler le sol en profondeur à l'automne pour exposer les larves aux prédateurs. Contrôle biologique possible avec des nématodes parasitaires.

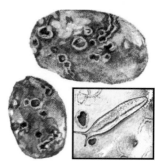

Gale poudreuse

Plante exposée: Pomme de terre.
Symptômes: Excroissances poudreuses qui éclatent. Les tubercules sont déformés et ont un goût terreux.
Époque d'apparition: Pendant la période active.
Traitement: Détruire les tubercules malades et ne pas en planter d'autres au même endroit pendant plusieurs années. Bien drainer le sol et ne pas le chauler.

Taches de rouille

Plante exposée: Pomme de terre.
Symptômes: Taches brunes dans la chair du tubercule.
Époque d'apparition: Pendant la période active.
Traitement: Ajouter beaucoup d'humus au sol; maintenir une croissance régulière en arrosant avant que le sol se dessèche complètement.

Limaces

Plantes exposées: Narcisse, pomme de terre, tulipe et plusieurs autres plantes.
Symptômes: Trous et galeries dans les bulbes et les tubercules. Traces de bave.
Époque d'apparition: Durant une grande partie de l'année.
Traitement: Appâts à base de métaldéhyde. Récolter les pommes de terre aussitôt que possible. La bière éventée est un bon appât.

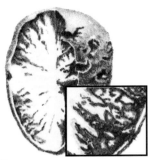

Mildiou

Plante exposée: Pomme de terre.

Symptômes: Décoloration brun-rouge de la chair qui apparaît sous forme de tache grise sur la pelure. La maladie se répand à l'intérieur et des bactéries s'installent dans les zones malades, produisant une pourriture molle à odeur désagréable.

Époque d'apparition: De la mi-été à la fin de la période de croissance.

Traitement: Détruire les tubercules atteints; ne pas les ajouter au tas de compost. Dès que les plants ont 15 à 20 cm de haut, les vaporiser avec un fongicide à base de cuivre; répéter le traitement à intervalles de 8 à 15 jours jusqu'à la fin de la récolte. Planter des variétés résistantes.

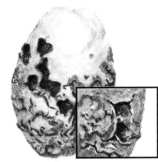

Gale commune

Plante exposée: Pomme de terre.

Symptômes: Croûtes irrégulières sur les tubercules.

Époque d'apparition: Pendant la période active.

Traitement: Avant la plantation, ne pas mettre d'amendement calcaire. Ajouter de l'humus et arroser le sol avant qu'il se dessèche pour obtenir une croissance régulière. Si les dégâts persistent, cultiver des variétés résistantes, comme 'Norchip', 'Norland' ou 'Superieure'. Détruire les débris et les pelures des sujets malades.

Chancre du panais

Plante exposée: Panais.

Symptômes: Chancre brun-rouge ou noir sur la partie supérieure du légume.

Époque d'apparition: Pendant la période active.

Traitement: Cultiver le panais dans un sol profond et riche; ajouter du calcaire au besoin. Employer un engrais équilibré. Semer tôt et espacer les plantules de 8 cm. Choisir des variétés résistantes ou effectuer la rotation des cultures si le problème persiste. Vaporiser de fongicide cuprique. Commencer à récolter à la mi-été.

Otiorhynques

Plantes exposées: Bégonia tubéreux, crassula argenté, cyclamen en pot, primevère, saxifrage et autres plantes semblables. Les dégâts se produisent surtout en serre, mais parfois aussi au jardin, particulièrement chez les rhododendrons, les azalées et les ifs.

Symptômes: Petite larve blanche, grasse, sans pattes, qui vit dans le sol et dévore racines, tubercules et cormes.

Époque d'apparition: Durant toute l'année, mais le ravageur est apparent surtout en hiver et au début du printemps.

Traitement: Enlever et détruire les larves qu'on découvre en rempotant les plantes. Traiter les sujets infestés en imbibant le mélange terreux de butoxyde de pipéronyle. Protéger les sujets très vulnérables en mélangeant du paradichlorobenzène (boules de naphtaline) au cailloutis destiné à l'égouttement, ceci avant l'empotage. Sur les arbustes d'extérieur, ne pas acheter les plants qui portent des marques d'écorce mâchouillée à la base des tiges.

Racine fendue

Plantes exposées: Tous les légumes-racines.

Symptômes: Éclatement longitudinal.

Époque d'apparition: Pendant la période active.

Traitement: Maintenir une croissance régulière en arrosant avant que le sol se dessèche.

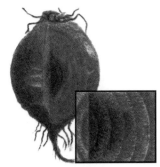

Carence en bore

Plantes exposées: Betterave, navet et rutabaga.

Symptômes: Taches grises ou brunes dans la chair de la racine.

Époque d'apparition: Pendant la période active.

Traitement: Ajouter au sol 2 g de borax par mètre carré (en le mélangeant à du sable fin pour qu'il soit plus facile à épandre).

Dégâts sur bulbes, cormes, tubercules et légumes-racines (suite)

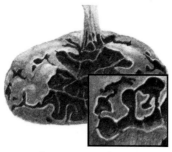

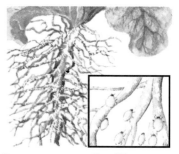

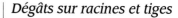

Curvulariose
Plantes exposées: Acidanthera, freesia et glaïeul.
Symptômes: La pourriture s'étend à partir du centre du corme qui devient spongieux et brun foncé ou noir.
Époque d'apparition: Pendant la conservation.
Traitement: Conserver les cormes au sec, à 7-10°C. Avant l'entreposage, les poudrer de zinèbe ou les plonger dans une solution de bénomyl ou de captane. Détruire les sujets atteints.

Septoriose
Plantes exposées: Glaïeul et autres cormes.
Symptômes: De grandes taches brunnoir, bien délimitées, un peu enfoncées, se développent sur les cormes qui durcissent et ratatinent.
Époque d'apparition: L'infection se produit en été, mais les symptômes n'apparaissent que durant la conservation, l'hiver.
Traitement: Voir Pourriture sèche, p. 504.

Mouches de l'oignon
Plantes exposées: Oignon, ail et poireau.
Symptômes: Bulbe mou; de petites larves mangent les tissus mous.
Époque d'apparition: De la fin du printemps à la fin de l'été.
Traitement: Faire un mélange de cendres de bois franc et de terre diatomée à parts égales; saupoudrer dans les sillons de plantation pour prévenir le problème.

Pucerons et cochenilles des racines
Plantes exposées: Cactus et autres plantes grasses, primevère et autres plantes en pots; laitue; quelques plantes ornementales.
Symptômes: Des colonies de pucerons blancs et cireux ou de cochenilles farineuses envahissent les racines.
Époque d'apparition: À la fin de l'été et en automne au jardin; en tout temps dans une serre.
Traitement: Utiliser du diméthoate pour les plantes ornementales.

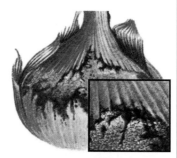

Bactériose du glaïeul
Plantes exposées: Glaïeul.
Symptômes: Petits cratères arrondis vers la base du corme, caractérisés par un rebord protubérant et une pellicule vernissée.
Époque d'apparition: L'infection se propage en été, mais les symptômes n'apparaissent qu'au moment où l'on enlève les bulbes pour les entreposer.
Traitement: Voir Pourriture sèche, p. 504.

Pourriture blanche
Plantes exposées: Oignon et particulièrement oignon vert (échalote); parfois ail et poireau.
Symptômes: La base des bulbes et les racines se couvrent de moisissure blanche et pourrissent.
Époque d'apparition: Pendant la période active
Traitement: Cultiver les plantes dans un endroit nouveau chaque année; la maladie contamine le sol pendant au moins 8 ans. Détruire les plants atteints.

Pourriture du collet (botrytis)
Plante exposée: Oignon.
Symptômes: Une moisissure grise et veloutée se forme sur les collets, et les oignons pourrissent rapidement.
Époque d'apparition: Pendant la période active, mais les symptômes n'apparaissent qu'à la conservation.
Traitement: Acheter des semences traitées. Ne conserver que les oignons bien mûrs et fermes dans un lieu sec et frais; détruire les sujets atteints.

Mouches du chou
Plantes exposées: Chou, chou de Bruxelles, chou-fleur et autres *Brassica* récemment transplantés; aussi giroflée de muraille.
Symptômes: Les larves attaquent les racines; les jeunes plants dépérissent totalement.
Époque d'apparition: De la mi-printemps au début de l'automne.
Traitement: Protéger les plants repiqués avec du butoxyde de pipéronyle en poudre.

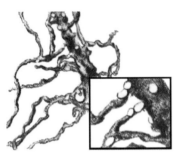

Nématodes dorés
ou kyste des racines
Plantes exposées: Pomme de terre et tomate.
Symptômes: Minuscules kystes jaunes ou bruns sur les racines; le plant dépérit et meurt.
Époque d'apparition: De la mi-été au début de l'automne.
Traitement: En cas d'attaque sévère, ne pas cultiver de pommes de terre au même endroit avant 17 ans. C'est le pire des nématodes: les règlements de quarantaine interdisent le transport des plantes et du sol. Planter des graines de pomme de terre certifiées.

Hernie du chou
Plantes exposées: Chou, chou de Bruxelles, chou-fleur et autres espèces de *Brassica*; giroflée des jardins et giroflée de Mahon.
Symptômes: Les racines s'épaississent et se déforment. Les plants s'étiolent et jaunissent.
Époque d'apparition: Pendant la période active.
Traitement: Améliorer le drainage. Chauler le sol pour avoir un pH de 7. Mettre du calomel à 4% dans les trous de plantation. Effectuer une rotation des cultures ou stériliser des parties du jardin.

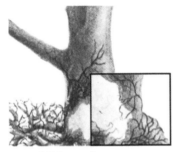

Pourridié-agaric
Plantes exposées: Toutes les plantes ligneuses (côte Ouest).
Symptômes: Amas de champignons blancs en forme d'éventail sous l'écorce, au ras du sol. Des fils noirs couvrent les racines.
Époque d'apparition: En tout temps.
Traitement: Cette maladie n'est pas aussi dévastatrice au Canada qu'elle l'est en Europe. Il n'y a pas de traitement connu ici. Les plantes régulièrement arrosées et qui reçoivent de l'engrais survivent généralement.

Gale du collet
Plantes exposées: Plusieurs membres de la famille des rosacées.
Symptômes: Galles plus ou moins grosses sur les racines et sur les tiges.
Époque d'apparition: Pendant la période active.
Traitement: Éviter les blessures des racines; procurer un bon drainage. Avant la plantation en sol infecté, plonger les racines des nouveaux plants dans un fongicide cuprique. Des antibiotiques, comme la streptomycine, peuvent réduire l'infection. Détruire les plants très atteints. Couper et détruire les galles.

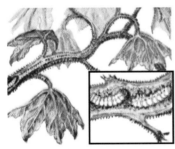

Perceurs de la courge (larves)
Plantes exposées: Citrouille, concombre, courge et melon brodé.
Symptômes: Dépérissement des plantes; excréments verdâtres à la base des tiges. Le perceur adulte, un insecte brun avec des taches rouges, noires et blanches, est parfois visible.
Époque d'apparition: À la fin du printemps et au début de l'été.
Traitement: Vaporiser ou poudrer avec du carbaryl ou du méthoxychlore.

Perceurs d'arbres
et d'arbustes
Plantes exposées: Arbres fruitiers; cornouiller, lilas et rhododendron.
Symptômes: Matière gélatineuse sur le pied et les tiges.
Époque d'apparition: Pendant la période active.
Traitement: Vaporiser du carbaryl ou du méthoxychlore à la fin du printemps et au début de l'été, puis 2 autres fois à 3 semaines d'intervalle. Détruire les parties attaquées.

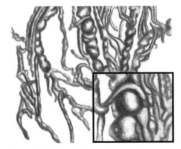

Anguillules des racines
Plantes exposées: Plusieurs plantes de serre et notamment bégonia, coléus, concombre, cyclamen et tomate.
Symptômes: De petites excroissances irrégulières et grumeleuses se développent sur les racines. Le feuillage jaunit et les plantes se rabougrissent.
Époque d'apparition: En tout temps.
Traitement: Enlever les plants gravement attaqués et les détruire pour empêcher la propagation. Ne planter qu'en sol stérile.

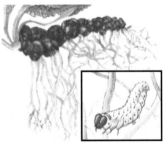

Hépiales
Plantes exposées: Diverses plantes vivaces herbacées.
Symptômes: Des chenilles blanc sale se nourrissent des racines des plantes.
Époque d'apparition: En tout temps.
Traitement: Désherber et retourner fréquemment la terre à titre préventif.

Dégâts sur gazons

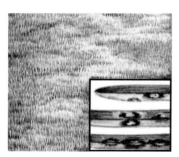

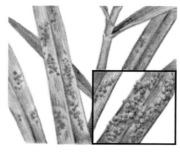

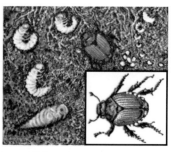

Tache helminthosporienne
Plantes exposées: Agrostide, fétuque, pâturin et ivraie vivace.
Symptômes: Des petites taches irrégulières et brunes apparaissent par paires sur les brins d'herbe. Les graminées se courbent et se ratatinent; tiges, collets et racines pourrissent.
Époque d'apparition: Du début de l'été à la mi-automne.
Traitement: Vaporiser un fongicide foliaire, du thirame ou du zinèbe, à intervalle de 10 à 15 jours durant l'infection. Pas d'apports abondants d'azote au printemps.

Fusariose
Plantes exposées: La plupart des graminées.
Symptômes: Larges plaques de gazon mort recouvertes de champignons blancs; symptômes plus visibles par temps humide et après la fonte des neiges.
Époque d'apparition: En hiver.
Traitement: Utiliser un fongicide, bénomyl ou thirame. Ne pas faire d'apports abondants d'azote, surtout à la fin de l'été. Tondre le gazon ras en automne, l'herbe haute étant plus vulnérable à la moisissure.

Rouille du pâturin
Plantes exposées: Plusieurs genres de graminées, mais surtout le pâturin des prés 'Merion'.
Symptômes: Taches poudreuses jaune-orange ou brun-rouge sur les feuilles.
Époque d'apparition: À la fin de l'été et à l'automne (jusqu'aux gels).
Traitement: Appliquer un fongicide au carbamate (manèbe, thirame ou zinèbe). Refaire le traitement tous les 10 à 15 jours et après arrosages ou pluies abondantes. Les gazons qui poussent dans un sol riche en azote résistent à la rouille. Variétés résistantes: 'Adelphi', 'Fylking', 'Pennstar' et 'Windsor'.

Scarabées (larves)
Plantes exposées: Particulièrement les racines des graminées, mais aussi celles du maïs et de plusieurs plantes vivaces de jardin.
Symptômes: Taches irrégulières jaune et brun sur le gazon. Les scarabées se nourrissent des racines et détruisent les pelouses au point qu'on peut rouler celles-ci comme un tapis. Ces insectes grugent également les racines des autres plantes vulnérables; celles-ci se fanent, se dessèchent et finissent par mourir.
Époque d'apparition: Au printemps et en automne pour la plupart des scarabées; de la mi-printemps à la fin de l'automne pour les vers blancs, larves du hanneton.
Traitement: Imbiber le sol de diméthoate une fois l'an, au printemps ou dès que le problème est identifié.

Corticium
Plantes exposées: La plupart des graminées.
Symptômes: Plaques de gazon mort portant des filaments de champignons rouges.
Époque d'apparition: Après les pluies d'automne.
Traitement: Utiliser un fongicide, comme le bénomyl ou le thirame. Aérer le sol en y faisant des trous et fertiliser au printemps.

Ronds de sorcière
Plantes exposées: La plupart des graminées.
Symptômes: Cercles bruns à centre vert foncé. À la fin de l'été, le périmètre se couvre de champignons.
Époque d'apparition: En été.
Traitement: Utiliser du calcaire dolomitique et non du calcaire broyé. Tondre le gazon ras aux endroits où les cercles apparaissent; mouiller le sol avec du sulfate de cuivre ou de fer.

Punaises des céréales
Plantes exposées: Graminées de pelouse et de terrain de golf.
Symptômes: Décoloration du gazon; plaques jaunes de forme irrégulière. On peut voir sauter de petites punaises.
Époque d'apparition: Du début de l'été à la mi-automne par temps chaud.
Traitement: Arroser la pelouse, puis vaporiser du carbaryl. Répéter ce traitement à plusieurs reprises pendant l'été pour tuer les générations successives d'insectes.

Trous dans la pelouse
Plantes exposées: La plupart des graminées de pelouse.
Symptômes: Trous de la taille d'une tasse de thé apparaissant du jour au lendemain.
Époque d'apparition: De la fin de l'automne; parfois à d'autres périodes.
Traitement: Tuer les larves d'insectes: les trous sont faits par des animaux, comme les mouffettes, qui creusent pour s'en nourrir.

Utilisation des pesticides au jardin

Les principaux ennemis des plantes sont des insectes et des champignons parasites. On détruit les premiers avec des insecticides, tandis qu'on élimine les seconds avec des fongicides, dont l'utilisation est de plus en plus souvent réglementée.

Même là où c'est permis, l'emploi fréquent d'un même pesticide peut favoriser l'apparition de souches résistantes chez certains insectes et favoriser la prolifération de ceux-ci en détruisant leurs prédateurs naturels.

Les prédateurs naturels Les hommes de science préconisent de plus en plus l'élimination biologique par l'utilisation de parasites ou de prédateurs naturels. C'est ainsi qu'on peut supprimer les scarabées japonais au moyen d'une bactérie qui détruit spécifiquement les larves.

La coccinelle est un prédateur des pucerons. On peut en acheter dans certaines jardineries au printemps pour les relâcher ensuite au jardin. La mante religieuse, dont on peut se procurer les œufs, élimine également les insectes nuisibles, mais détruit cependant certaines espèces bénéfiques comme la coccinelle. Pour en savoir plus sur les produits maison et sur les prédateurs naturels, reportez-vous aux pages 512 et 515.

On perfectionne actuellement une autre méthode de lutte biologique : le leurre sexuel qui attire le ravageur et le fait mourir.

On doit accepter un certain niveau de prédateurs et de maladies au jardin et ne recourir aux produits chimiques que lorsque ce niveau est dépassé. Il faut par ailleurs suivre à la lettre le mode d'emploi du produit.

Quelques définitions Certains insecticides et fongicides sont qualifiés de systémiques. Cela signifie qu'ils sont absorbés par les feuilles, la tige ou les racines de la plante et qu'ils s'infiltrent dans la sève où ils continuent de lutter contre le ravageur ou le champignon. Quand on emploie ces produits, on doit respecter le délai recommandé par le fabricant entre le traitement et la récolte.

La toxicité des produits dans l'eau et le sol est de durée variable. Les produits biodégradables restent toxiques pendant environ un mois. Les produits semi-persistants le restent un an ou deux. Les produits dits persistants sont toxiques pendant plusieurs années ; ils sont en voie d'être retirés du marché.

Les produits chimiques se présentent sous forme de poudres, de liquides, de granules ou d'appâts. Les poudres sont généralement prêtes à servir et s'épandent à l'aide d'une poudreuse. Les produits à vaporiser sont vendus sous forme de poudre mouillable, de liquide, de concentré émulsionné ou d'huile. Ils doivent être dilués dans l'eau. Les poudres devant être mouillées sont des produits trop forts pour être employés par poudrages. Les huiles miscibles, c'est-à-dire qui peuvent se mélanger à l'eau, sont classifiées par ordre de viscosité (ou débit). Une huile de 60 secondes est moins épaisse qu'une huile de 70 secondes ; la première est donc moins dangereuse pour les plantes.

Les granules sont faits d'un produit toxique associé à une matière consolidante : argile ou vermiculite. On les applique à l'aide d'un épandeur, comme les engrais à gazon.

Les produits d'imbibition sont composés de substances chimiques destinées à la pulvérisation, mais déjà diluées dans l'eau. Au lieu de les pulvériser, on les verse autour des plants malades ou sur le sol.

Certains produits phytosanitaires servent à traiter préventivement les semences avant leur mise en terre.

Enfin, les appâts sont constitués d'une matière toxique associée à une substance alimentaire qui attire les ravageurs (surtout les limaces et les escargots). On les dépose dans un contenant spécial ou directement sur le sol, près des plants attaqués.

Lutte contre les maladies Les fongicides sont des produits chimiques contre les maladies cryptogamiques. On en trouve de trois sortes.

Il y a des fongicides qui ont une action préventive. On les utilise avant l'apparition de la maladie pour empêcher les spores de certains champignons de s'attaquer aux plantes. Tant que le produit n'est pas lavé par les pluies ou décomposé en éléments non actifs, il conserve son efficacité.

D'autres fongicides ont pour effet de stopper le développement des champignons qui ont déjà envahi une plante. Ils empêchent donc la maladie de proliférer.

Enfin, un troisième type de fongicide a la propriété de supprimer l'organisme qui parasite la plante.

On a parfois recours à des antibiotiques pour détruire champignons et bactéries ou pour arrêter leur croissance. Les antibiotiques sont eux-mêmes extraits de cultures bactériennes et fongiques.

Il existe dans le commerce des produits mixtes polyvalents associant des insecticides et des fongicides. Ils peuvent ainsi combattre un grand nombre de ravageurs et de maladies. Leur emploi facilite beaucoup la protection de plantations, telles que celles de rosiers, qui exigent de nombreux traitements. Un produit spécifique sera cependant plus utile si l'on veut lutter contre un ravageur en particulier ou une maladie difficile à traiter.

Utilisation des produits chimiques On peut faciliter l'application des insecticides et fongicides en les associant à d'autres matières. Un agent de dispersion, par exemple, permet d'appliquer un produit liquide sur toute la surface des feuilles. Un agent humidifiant permet de mieux étaler un liquide un peu lourd. Un adhésif ajouté à un liquide ou à une poudre fixe le produit plus longtemps sur la plante. Le détersif liquide utilisé pour laver la vaisselle peut servir d'agent de dispersion et d'agent humidifiant. La dose est de 1 cuillerée à thé pour 4 litres de solution.

Il existe dans le commerce divers instruments pour diffuser les produits phytosanitaires. Un arroseur fixé au tuyau d'arrosage sert pour les gazons et les arbustes. Le vaporisateur à pression entretenue projette un jet à plus de 9 m de hauteur. Les bombes aérosol sont pratiques pour les plantes d'intérieur et à l'occasion au jardin. Pour le poudrage des plantes, il y a des poudreuses à action rotative ou à agitateur. La capacité des vaporisateurs à pression préalable par pompage manuel varie de 4,5 à 13,5 litres. Les plus gros sont motorisés.

Le tableau qui commence à la page 510 donne la liste des produits chimiques de lutte contre ravageurs et maladies. Mais il faut savoir que de nombreuses municipalités en interdisent maintenant l'utilisation. Dans la colonne de gauche, les matières sont classées par ordre alphabétique d'après leur nom chimique. La colonne du centre indique leur nom commercial et la forme sous laquelle ils sont vendus. Enfin, la colonne de droite décrit les organismes auxquels s'applique le traitement et le mode d'emploi des produits chimiques.

AVERTISSEMENT

Les produits phytosanitaires sont dangereux : les garder sous clé. Ne jamais mettre de pesticide dans un flacon non étiqueté.

Il est important de bien suivre le mode d'emploi. Porter des gants de caoutchouc pendant la manipulation du concentré, des pantalons et des manches longues pendant la vaporisation.

La plupart des intoxications causées par des produits phytosanitaires se manifestent par des douleurs abdominales et des vomissements. Dès les premiers symptômes, conduire la victime à l'hôpital le plus proche. Apporter le contenant ou son étiquette : on y indique souvent les antidotes ou les traitements à appliquer. Inscrire près du téléphone le numéro d'un centre antipoison.

Les cultures mixtes peuvent permettre d'endiguer certains ravageurs. La tomate, par exemple, protège plusieurs variétés de chou des mouches blanches et des mouches du chou.

Plantation mixte de chou, de laitue et de tomate

Ingrédient actif*	Noms commerciaux	Description
ACÉPHATE	**Vaporisation :** Orthene	Insecticide partiellement systémique, bon contre la plupart des ravageurs des fleurs et des arbustes.
ANTIBIOTIQUES *Usage professionnel seulement*	**Vaporisation :** Agrimycin Agri-Strep	Antibiotiques contre les bactérioses.
BACILLUS THURINGIENSIS	**En poudre et vaporisation :** Dipel	Lutte biologique contre chenilles burcicoles, vers rongeurs, spongieuses, livrées et anneleurs. Produit inoffensif pour les êtres humains et les animaux.
Var. SAN DIEGO	BT Insecticide organique	S'attaque plus particulièrement aux larves du scarabée du Colorado.
BENDIOCARBE	**Vaporisation :** Ficam	Insecticide persistant très utile contre les insectes suceurs ou perceurs des feuilles.
BÉNOMYL	**Vaporisation :** Benlate	Fongicide systémique. Absorption lente chez les plantes ligneuses : répéter le traitement. Contre la tache noire du rosier, la moisissure olive de la tomate, la tavelure du pommier et du poirier. Aussi contre la pourriture grise et le blanc.
BORAX	**Vaporisation ou appât :** Ant Killer	Insecticide utilisé contre les fourmis. Il est ramené au nid par les ouvrières et il est vénéneux pour les larves qui en sont nourries.
BOUILLIE BORDELAISE	**En poudre et vaporisation :** Vendue sous divers noms commerciaux, dont Bordo	Fongicide à base de sulfate de cuivre et de calcaire hydraté. Ne doit pas être mélangé aux insecticides organiques d'usage courant contenant du carbaryl, Diazinon, malathion ou méthoxychlore. Ne jamais mélanger la bouillie bordelaise à d'autres produits. S'il faut recourir à des vaporisations composées, employer un fongicide cuprique peu soluble. Toxique pour les poissons.
BOUILLIE SOUFRÉE	**Vaporisation :** Bouillie soufrée	Fongicide pour les arbres, arbustes et arbres fruitiers. Utiliser à pleine concentration pendant la période de dormance et dilué de moitié après la sortie des feuilles.
CAPTANE	**En poudre et vaporisation :** Captan Poudre pour les bulbes et le sol	Fongicide contre la tache noire du rosier, la tache foliaire, la tavelure du pommier et du poirier, le botrytis ou pourriture grise des petits fruits, etc. Imbibition contre la fonte des semis et autres maladies du sol. Toxique pour les poissons. Peut irriter yeux, nez et bouche.

Ingrédient actif*	Noms commerciaux	Description
CARBARYL	**En poudre et vaporisation :** Sevin Nombreux noms commerciaux	Insecticide contre altises, charançons, chenilles et autres ravageurs. À ne pas utiliser près des ruches ou quand les arbres fruitiers sont en fleurs. Détruit également les vers.
DICOFOL	**Vaporisation :** Dicofol	Insecticide-miticide systémique peu persistant, pour les arbres et les arbustes. Contre araignées rouges, mineuses et mites (acariens).
DIMÉTHOATE	**Vaporisation :** Cygon	Insecticide systémique assez peu persistant. Contre cicadelles, cochenilles, jeunes chenilles, pucerons, tétranyques à deux points et mineuses.
DINOCAP	**En poudre et vaporisation :** Mélangé à d'autres matières actives	Fongicide contre le blanc chez les plantes ornementales. Efficace contre certains acariens. Toxique pour les poissons. Peut irriter peau, yeux et nez. Certains mélanges sont inflammables.
FER, CHÉLATE DE	**Mouillage et vaporisation :** Chélate de fer	Traitement temporaire de la chlorose des feuilles causée par un sol trop alcalin. Pour régler le problème, il faut modifier aussi le pH du sol.
FERBAME	**Vaporisation :** Ferbam	Fongicide contre maladie des feuilles, tache noire du rosier, rouille et tavelure du pommier.
HUILES ÉMULSIONNÉES ET MISCIBLES	**Vaporisation :** Offertes sous divers noms commerciaux pour période de dormance	Huiles miscibles de qualité « supérieure » ou « suprême » et huiles émulsionnées sont des insecticides contre les œufs d'acarien, de livrée, de spongieuse, etc. S'utilisent avant l'éclatement des bourgeons d'arbres et d'arbustes à feuillage caduc, quand la température est entre 7 et 21 ºC. Peuvent être utilisées en serre ou sur les plantes d'intérieur contre la cochenille farineuse. Certaines huiles de dormance s'utilisent l'été ; suivre l'étiquette.
HYDRATE DE CUIVRE	**Vaporisation :** Dee Kop	Contre le feu bactérien et la tache foliaire de la tomate, du haricot, du concombre et du piment.
MALATHION	**En poudre, granules et vaporisation :** Malathion	Insecticide non persistant, efficace contre plusieurs ravageurs.

Les limaces sortent en grand nombre par temps humide. On peut les appâter avec de la bière. On peut aussi faire des barrières antilimaces très écologiques : cendre de bois, suie ou coquilles d'œufs broyées.

 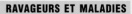

L'infestation par les limaces augmente avec la pluie

Ingrédient actif*	Noms commerciaux	Description
MÉTALDÉHYDE	**Appâts :** Meta Slug Killer **Vaporisation :** Slug & Snail Killer	Ne s'emploie que contre les limaces et les escargots en vaporisations ou sous forme d'appâts toxiques à formule spéciale.
MÉTHIOCARBE	**Appâts et vaporisation :** Divers noms commerciaux	Pour garder les limaces et les escargots loin des plantations.
MÉTHOXYCHLORE	**Aérosol, poudre et vaporisation :** Methoxychlor ; mélangé à d'autres matières actives	Insecticide assez persistant, peu toxique pour les mammifères. Contre les insectes broyeurs des arbres ornementaux et fruitiers.
OXYDÉMÉTON-MÉTHYLE	**Vaporisation :** Metasystox-R ; aussi en concentré émulsionné dans des mélanges	Insecticide systémique pour combattre les cicadelles, les pucerons, les tétranyques à deux points et d'autres ravageurs.
PERMÉTHRINE	**Vaporisation :** Ambush	Insecticide non persistant. À utiliser sur les légumes, les fruits et les fleurs contre de nombreux ravageurs suceurs ou perceurs.
BUTOXYDE DE PIPÉRONYLE	**Vaporisation :** Nombreux noms commerciaux	Insecticide à action courte utilisé principalement pour imbiber le sol ou contre les ravageurs suceurs ou perceurs de feuilles.
PYRÉTHRINE OU PYRÈTHRE	**Aérosol :** Dans la plupart des produits pour maison et jardin	Insecticide non persistant contre les mouches blanches, les petites chenilles et les pucerons.
RESMÉTHRINE	**Vaporisation :** Bioallethrin	Insecticide non persistant contre les mouches blanches, les petites chenilles, les pucerons et autres ravageurs.
ROTÉNONE (DERRIS)	**En poudre et vaporisation :** Sous le nom de roténone	Insecticide non persistant, très sûr, contre les altises, les vers du framboisier, les petites chenilles, les pucerons, les tétranyques à deux points et les thrips. Toxique pour les poissons, les porcs et les chiens.
SAVON	**Vaporisation :** Savon insecticide	Insecticide à action non persistante. Contient des acides aminés qui s'attaquent à une vaste gamme d'insectes. Produit environnementalement inoffensif et à toxicité minime pour les êtres humains et les animaux.

Ingrédient actif*	Noms commerciaux	Description
SULFATE D'ALUMINIUM	**En poudre :** Sulfate d'aluminium	Permet d'augmenter rapidement l'acidité d'un sol, mais peut poser un problème d'accumulation de l'aluminium.
SULFATE DE CUIVRE	**En poudre et vaporisation :** Basicop, Cuivre fixé, Sulfate de cuivre tribasique	Fongicide pouvant remplacer la bouillie bordelaise. Toxique pour le bétail et les poissons.
SULFATE FERREUX	**Vaporisation :** Sulfate de fer	Contre certaines mousses dans les gazons ; peut augmenter l'acidité du sol rapidement sur une base temporaire.
SOUFRE	**En poudre :** Acidifiant de sol, poudre pour rosiers et fleurs	On peut protéger les plantes de certaines maladies en les poudrant de soufre finement broyé. Ajouté au sol, il en abaisse lentement l'acidité.
THIOPHANATE-MÉTHYLE	**Vaporisation :** Easout	Fongicide systémique ; mêmes applications que le bénomyl.
THIRAME	**Vaporisation :** Thiram **Répulsifs :** Répulsif à lapins Skoot	Fongicide au carbamate, utilisé contre la rouille, le mildiou de la laitue, la tavelure du poirier, la tache de la tige et la brûlure des courçons du framboisier, le botrytis. Écarte les prédateurs. Bien laver les fruits avant consommation. Peut irriter peau, yeux, nez et gorge.
TRIFORINE	**Vaporisation :** Funginex	Fongicide systémique utilisé contre plusieurs maladies des fruits, des légumes et des plantes ornementales.
ZINÈBE	**En poudre et vaporisation :** Zineb	Fongicide au carbamate contre les maladies des plantes ornementales et des fruits et légumes.

Note : Plusieurs des pesticides que contient ce tableau sont en réévaluation au ministère de l'Agriculture du Canada quant à leur usage domestique et commercial. Au cours des prochaines années, il pourrait donc y avoir des changements parmi les produits mentionnés. Pour toute information, n'hésitez pas à communiquer avec Agriculture Canada au 1 800 267-6315, ou consultez leur site internet : www.arla.ca

* Certains produits sont interdits ou réglementés dans des municipalités.
Pour des recettes maison de produits naturels, voir le tableau de la page 512.
Pour des prédateurs naturels, voir celui de la page 515.

La coccinelle se régale des pucerons. Les araignées éliminent de nombreux ravageurs de jardin, tandis que le syrphe se nourrit des larves de nombreux ravageurs. (Voir p. 515.)

Coccinelle

Syrphe

Araignée dans sa toile

RECETTES MAISON ET PRODUITS NATURELS

Plusieurs des produits chimiques des pages 510–511 sont d'origine naturelle et sont utilisés par les jardiniers qui se préoccupent de culture biologique. Voici quelques recettes maison qui compléteront l'information. Voir aussi page 515.

Produit	Utilisation
BICARBONATE DE SOUDE	Vaporiser une solution à 5 % de bicarbonate de soude pour empêcher les spores de nombreux champignons de se développer ; elle n'éliminera pas cependant les champignons qui sont déjà en train d'attaquer la plante. Dissoudre 1 c. à table de bicarbonate de soude dans 1 litre d'eau et ajouter quelques gouttes de détergent à vaisselle.
TERRE DIATOMÉE	Composée d'exosquelettes de créatures marines couvertes d'épines acérées, qui crèvent la peau des ravageurs à corps mou. Saupoudrer la terre diatomée sur les plantes pour se garder des insectes suceurs, ou autour des plantes contre les limaces.
AMIS DU JARDIN	Ne pas marcher sur les petits coléoptères noirs terrestres (carabes) : ils se nourrissent de ravageurs des jardins. Tuer les mille-pattes végétariens (on les trouve dans le sol et ils s'enroulent quand ils sont dérangés) : ils mangent les racines des plantes. Protéger les mille-pattes carnassiers, qui se nourrissent de ravageurs (ils s'enfuient quand ils sont dérangés). Encourager la présence des oiseaux : ils mangent des insectes et des graines, des ravageurs et des mauvaises herbes.
NÉMATODES PARASITES	Alors que certains nématodes attaquent les plantes, d'autres parasitent les ravageurs fouisseurs, comme les vers fil-de-fer. On peut en acheter dans le commerce pour les mettre dans le sol. Ils ne survivent pas l'hiver dans les régions froides, mais quand le gel viendra, ils auront déjà éliminé un très grand nombre de ravageurs.
SOL SOLARISÉ	Les produits qui stérilisent le sol sont trop dangereux pour être utilisés dans un jardin familial. Mais un sol très infesté de ravageurs ou envahi de mauvaises herbes peut être nettoyé en partie par la chaleur. Préparer le sol au milieu de l'été en enlevant toutes les plantes et leurs débris et en les ratissant. Bien arroser, puis étendre par-dessus un plastique transparent de 2 ou 4 mils, bien tendu. Le laisser en place pendant plusieurs semaines. Plus la température par-dessous sera élevée, mieux les ravageurs et les mauvaises herbes seront éliminés. Mais les « bons » insectes le seront aussi.

RENSEIGNEMENTS

Les descriptions des tableaux précédents sont des suggestions seulement. Il est donc essentiel de suivre à la lettre toutes les indications qui accompagnent le produit et de ne l'utiliser que pour son emploi spécifique.

Certains des produits chimiques dont les noms précèdent peuvent être limités à un usage commercial dans certaines provinces. Se renseigner auprès du ministère provincial de l'Agriculture.

COLOMBIE-BRITANNIQUE
Ministry of Environment,
  Lands and Parks
P.O. Box 9342, Stn. Prov. Govt.
Victoria, C.-B. V8W 9M1

ALBERTA
Alberta Agriculture
7000—113th Street
Edmonton, Alb. T6H 5T6

SASKATCHEWAN
Pest Control Specialist
Sustainable Production
Department of Agriculture and Food
Room 125, 3085 Albert St.
Regina, Sask. S4S 0B1

MANITOBA
Provincial Entomologist
Department of Agriculture
65 Third St. N.E.
Carman, Man. R0G 0J0

ONTARIO
Public Information Centre
Ministry of the Environment
First Floor, 135 St. Clair Ave. W.
Toronto, Ont. M4V 1P5

ou

University of Guelph
Laboratory Services Division
Pest Diagnostic Clinic
95 Stone Road W., Box 3650
Guelph, Ont. N1H 8J7

QUÉBEC
Conseil des productions végétales
  du Québec
200, chemin Sainte-Foy, 1er étage
Québec, Qué. G1R 4X6

NOUVEAU-BRUNSWICK
Plant Industry Branch
Department of Agriculture and
  Rural Development
P.O. Box 6000
Fredericton, N.-B. E3B 5H1

NOUVELLE-ÉCOSSE
Provincial Entomologist
Department of Agriculture and
  Marketing
Agricultural Centre
Kentville, N.-É. B4N 1J5

ÎLE-DU-PRINCE-ÉDOUARD
Department of Agriculture and Forestry
P.O. Box 2000
Charlottetown, I.-P.-É. C1A 7N8

TERRE-NEUVE
Pest Management Specialist
Department of Forest Resources
  and Agri Foods
Provincial Agriculture Building
Brookfield Road
St. John's, T.-N. A1B 4J6

OU :

Agence de réglementation et de
  contrôle des pesticides
Santé Canada
2250 Riverside Drive
Ottawa, Ont. K1A 0K9
1 800 267-6315
Santé Canada a également des bureaux régionaux sur le contrôle des pesticides à New Westminster (C.-B.), Calgary (Alb.), Regina (Sask.), Winnipeg (Man.), Guelph (Ont.), Montréal (Qué.), et, pour les provinces Maritimes, Moncton (N.-B.).

Si les perce-oreilles sont considérés comme des ravageurs, ils mangent des pucerons. Un pot rempli de paille suspendu à un arbre leur donnera une cachette pour la journée, leur permettant de ressortir la nuit.

Cachette à perce-oreilles

Sélections All-America

Cela fait près de 70 ans que l'AAS (All-America Selections) choisit des gagnants chez les nouvelles variétés de plantes après les avoir évaluées pour leur performance supérieure (voir p. 221). Les semences qui ont été primées sont identifiées dans les catalogues et sur leur emballage commercial. Les gagnants sont choisis à des sites AAS, où des juges évaluent des qualités telles que la précocité à fleurir, la durée de la floraison, la tolérance aux maladies et aux ravageurs, l'originalité de la couleur, le parfum et la forme des fleurs. Plusieurs jardins de démonstration AAS sont ouverts au public ; on y cultive les gagnants AAS. Écrire en avance pour se renseigner sur les heures d'ouverture des visites.

Jardins de démonstration Sélections All-America

Bud Miller All Seasons Park
29th Street & 59th Avenue
Lloydminster, Alb. S9V 0T8

Calgary Zoo Botanical Garden
St. Georges Island in the Zoo
Calgary, Alb. T2M 4R8

Hole's Greenhouses
101 Bellerose Dr.
St. Albert, Alb. T8N 8N8

Muttart Conservatory
9626—96 A Street
Edmonton, Alb. T6K 0J2

Rotary Park
Corner of Maple Ave. S.E. &
Prince St. S.E.
Medicine Hat, Alb. T1A 8E6

Assiniboine Park
2355 Corydon Ave.
Winnipeg, Man. R3P 0R5

New Brunswick Horticultural Center
Rte. 101 Hoyt
Fredericton, N.-B. E3B 5H1

Nova Scotia Agricultural College
Horticulture & Biological Services
Truro, N.-É. B2N 5E3

Agriculture Canada Ornamental
Gardens
Central Experimental Farm
Ottawa, Ont. K1A 0C6

Centennial Park Conservatory
151 Elmcrest Rd.
Toronto, Ont. M9C 2Y2

Cullen Gardens
300 Taunton Rd. W.
Whitby, Ont. L1N 5R5

Germain Gardens
242 East St.
Sarnia, Ont. N7S 1T5

Humber Arboretum
205 Humber College Blvd.
Rexdale, Ont. M9W 5L7

JVK Ltd.
1894 Seventh St.
St. Catharines, Ont. L2R 6Z4

Kemptville College
Plant Science Section
Kemptville, Ont. K0G 1J0

The Niagara Parks Commission
Niagara Parkway, 5 mi. N. at Falls
1 mi. S. Queenston-Lewiston Bridge
Niagara Falls, Ont. L2E 6T2

Pinafore Park
89 Elm St.
St. Thomas, Ont. N5R 1H7

Royal Botanical Gardens
Hendrie Park, 680 Plains Rd. W.
Burlington, Ont. L7T 4H4

William Dam Seeds Limited
279 Hwy. 8
West Flamborough, Ont. L0R 2K0

Campus de l'université Laval
Jardin Van den Hende
2450, boulevard Hochelaga
Sainte-Foy, Qué., G1K 7P4

University of Saskatchewan
Horticultural Gardens
2909 14th Street
Saskatoon, Sask. S7N 0W0

Birmingham Botanical Gardens
2612 Lane Park Rd.
Birmingham, Ala. 35223

Georgeson Botanical Garden
W. Tanana Dr., AFES University
of Alaska
Fairbanks, Alaska 99775

Strybing Arboretum & Botanic
Garden
Golden Gate Park
9th & Lincoln Way
San Francisco, Calif. 94122

Denver Botanic Gardens
909 York St.
Denver, Colo. 80206

Bartlett Arboretum
151 Brookdale Rd.
Stamford, Conn. 06903

U.S. Botanic Garden
245 First St. S.W.
Washington, D.C. 20024

Mounts Botanical Garden
531 North Military Trail
West Palm Beach, Fla. 33415

State Botanical Garden of Georgia
2450 S. Milledge Ave.
Athens, Ga. 30605

Chicago Botanic Garden
1000 Lake Cook Rd.
Glencoe, Ill. 60022

Dubuque Arboretum & Botanical
Gardens
3125 West 32nd Street
Dubuque, Iowa 52001

Botanica, The Wichita Gardens
701 Amidon
Wichita, Kans. 67203

Cylburn Arboretum & Park
4915 Greenspring Ave.
Baltimore, Md. 21209

University of Minnesota, St. Paul
1970 Folwell Ave.
St. Paul, Minn. 55108

State Fair Park Arboretum
1800 State Fair Park Dr.
Lincoln, Nebr. 68504

Rutgers University/Lacey Display
Garden
Rte. 1 & Ryders Lane
New Brunswick, N.J. 08901

Brooklyn Botanic Garden
1000 Washington Ave.
Brooklyn, N.Y. 11225

North Dakota State University
18th Street North
Fargo, N.Dak. 58105

Toledo Botanical Garden
5403 Elmer Dr.
Toledo, Ohio 43615

Memphis Botanic Garden
750 Cherry Rd.
Memphis, Tenn. 38117

Dallas Arboretum & Botanical
Garden
8617 Garland Rd.
Dallas, Tex. 75218

Waterfront Park
College St. at Lakefront
Burlington, Vt. 05405

American Horticultural Society
7931 East Boulevard Dr.
Alexandria, Va. 22308

W.W. Seymour Conservatory
316 South G Street
Tacoma, Wash. 98405

Agribusiness/Natural Resources
Vincent High School
7501 N. Granville Rd.
Milwaukee, Wis. 53224

Jardins d'essai et d'exposition Sélections All-America

UBC Totem Park Res. Station*
2613 West Mall
Vancouver, C.-B. V6T 1Z4

Alberta Nurseries & Seeds Ltd.*
Junction Hwy. 2 & 587 West
Bowden, Alb. T0M 0K0

Alberta Ag. CDC-South
TransCanada Hwy.
Brooks, Alb. T1R 1E6

Devonian Botanic Gardens*
3 mi. N. of Devon on Hwy. 60
Devon, Alb.

Stokes Seeds Limited*
39 James St.
St. Catharines, Ont. L2R 6R6

Norseco
2000, rue DuBois
Boisbriand, Qué. J7E 4H4

Vesey's Seeds*
York, I.-P.-É. C0A 1P0

PanAmerican Seed Company
335 S. Briggs Rd.
Santa Paula, Calif. 93060

Seminis Vegetable Seeds Inc.
37437 State Hwy. 16
Woodland, Calif. 95695

Colorado State University
630 West Lake
Fort Collins, Colo. 80523

Welby Gardens
2761 East 74th Avenue
Denver, Colo. 80229

Walt Disney World Nursery
Lake Buena Vista, Fla. 32830

Callaway Gardens
Highway 27
Pine Mountain, Ga. 31822

Michigan State University
Horticulture Bldg.
E. Lansing, Mich. 48824

MSU-Truck Crops Exp. Station
Hwy. 51 South
Crystal Springs, Miss. 39059

Bluebird Nursery, Inc.
515 N. Cherry St.
Clarkson, Nebr. 68629

Oklahoma State University
400 N. Portland
Oklahoma City, Okla. 73107

Pennsylvania State University
Dept. of Horticulture
101 Tyson Building
University Park, Penn. 16802

McCrory Gardens, SDSU
6th Street & 20th Avenue
Brookings, S.Dak. 57007

University of Tennessee
Dept. of Orn. Hort. & Landscape
 Design
Neyland Dr.
Knoxville, Tenn. 37901

Texas A & M University
Houston St. on campus
College Station, Tex. 77843

Sélections de rosiers All-America

Like l'AAS, l'AARS (All-America Rose Selections) est une association sans but lucratif dédiée à la recherche et à la promotion des nouvelles variétés. Les nouveaux rosiers arbustifs sont évalués sur une période de deux ans ; les grimpants, trois ans. On les note sur la couleur, le parfum, la résistance aux maladies, la rusticité, la floraison, la forme des bourgeons et des fleurs, l'équilibre de la tige, etc. Des roses classiques comme 'Peace' et 'Queen Elizabeth' sont passées par là.

Voici une liste courte de jardins publics affiliés à l'AARS (il y en a plus de 140).

Valley Garden Center Rose Garden
1809 North 15th Avenue
Phoenix, Ariz. 85007

Exposition Park Rose Garden
701 State Dr.
Los Angeles, Calif. 90037

Golden Gate Park Rose Garden
501 Stanyon St.
San Francisco, Calif. 94510

Morcom Amphitheater of Roses
c/o Dept. of Parks & Recreation
Oakland, Calif. 94612

Tour of Roses Wrigley Garden
391 S. Orange Grove Blvd.
Pasadena, Calif. 91184

Walt Disney World Company
AARS Display Garden
Lake Buena Vista, Fla. 32830

American Rose Center
8877 Jefferson-Paige Rd.
Shreveport, La. 71119

Burden Research Plantation
AARS Rose Garden
4560 Essen Lane
Baton Rouge, La. 70809

City of Portland Rose Circle
Deering Oaks Park, High St. Ext.
Portland, Maine 04101

James P. Kelleher Rose Garden
Park Dr.
Boston, Mass. 02118

Lyndale Park Rose Garden
4125 East Lake Harriet Parkway
Minneapolis, Minn. 55409

Gladney & Lehmann Rose Gardens
Missouri Botanical Garden
4344 Shaw Blvd.
St. Louis, Mo. 63110

Reno Municipal Rose Garden
2055 Idlewild Dr.
Reno, Nev. 89509

Albuquerque Rose Garden
8205 Apache Ave. N.E.
Albuquerque, N.Mex. 87110

Joan Fuzak Memorial Rose Garden
Erie Basin Marina
Buffalo, N.Y. 14202

The Peggy Rockefeller Rose Garden
New York Botanical Garden
Bronx, N.Y. 10467

United Nations Rose Garden
United Nations
New York, N.Y. 10017

Columbus Park of Roses
3901 N. High St.
Columbus, Ohio 43214

International Rose Test Garden
400 S.W. Kingston Ave.
Portland, Oreg. 97201

The Morris Arboretum Rose Garden
University of Pennsylvania
9414 Meadowbrook Ave.
Philadelphia, Pa. 19118

Memphis Botanic Garden
750 Cherry Rd.
Memphis, Tenn. 38117

Mabel Davis Rose Garden
Zilker Botanical Gardens
2220 Barton Springs Rd.
Austin, Tex. 78746

Sugar House Park Municipal
 Rose Garden
1602 E. 2100 S.
Salt Lake City, Utah

Norfolk Botanical Garden
Bicentennial Rose Garden
Azalea Garden Rd.
Norfolk, Va. 23518

Woodland Park Rose Garden
700 N. 50th Street
Seattle, Wash. 98103

Sites Internet pour les amateurs de rosiers

www.rose.org
(All-America Selections)

www.ars.org
(American Rose Society)

www.worldrose.org
(World Federation of Rose Societies)

www.mirror.org/groups/crs/
 index.html
(Canadian Rose Society)

*Jardins d'essai seulement

Les amis du jardin

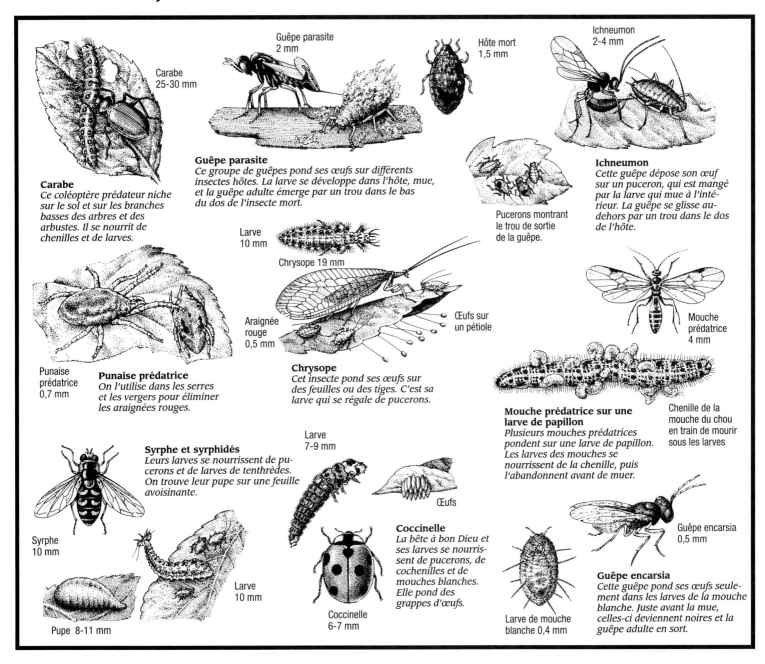

Carabe
Ce coléoptère prédateur niche sur le sol et sur les branches basses des arbres et des arbustes. Il se nourrit de chenilles et de larves.

Carabe
25-30 mm

Guêpe parasite
2 mm

Guêpe parasite
Ce groupe de guêpes pond ses œufs sur différents insectes hôtes. La larve se développe dans l'hôte, mue, et la guêpe adulte émerge par un trou dans le bas du dos de l'insecte mort.

Hôte mort
1,5 mm

Ichneumon
2-4 mm

Ichneumon
Cette guêpe dépose son œuf sur un puceron, qui est mangé par la larve qui mue à l'intérieur. La guêpe se glisse au-dehors par un trou dans le dos de l'hôte.

Pucerons montrant le trou de sortie de la guêpe.

Larve
10 mm

Chrysope 19 mm

Araignée rouge
0,5 mm

Œufs sur un pétiole

Chrysope
Cet insecte pond ses œufs sur des feuilles ou des tiges. C'est sa larve qui se régale de pucerons.

Mouche prédatrice
4 mm

Punaise prédatrice
0,7 mm

Punaise prédatrice
On l'utilise dans les serres et les vergers pour éliminer les araignées rouges.

Mouche prédatrice sur une larve de papillon
Plusieurs mouches prédatrices pondent sur une larve de papillon. Les larves des mouches se nourrissent de la chenille, puis l'abandonnent avant de muer.

Chenille de la mouche du chou en train de mourir sous les larves

Larve
7-9 mm

Syrphe et syrphidés
Leurs larves se nourrissent de pucerons et de larves de tenthrèdes. On trouve leur pupe sur une feuille avoisinante.

Œufs

Coccinelle
La bête à bon Dieu et ses larves se nourrissent de pucerons, de cochenilles et de mouches blanches. Elle pond des grappes d'œufs.

Guêpe encarsia
0,5 mm

Guêpe encarsia
Cette guêpe pond ses œufs seulement dans les larves de la mouche blanche. Juste avant la mue, celles-ci deviennent noires et la guêpe adulte en sort.

Syrphe
10 mm

Larve
10 mm

Pupe 8-11 mm

Coccinelle
6-7 mm

Larve de mouche blanche 0,4 mm

MAUVAISES HERBES

Feuilles linéaires

Les illustrations groupées dans cette section montrent les plus communes des mauvaises herbes. Pour qu'elles soient plus faciles à reconnaître, elles ont été groupées selon leurs caractéristiques les plus évidentes, c'est-à-dire la forme de leurs feuilles ou celle de leur port.

Chaque plante est désignée par son nom vulgaire ou nom commun (en caractères gras), et par son nom botanique ou nom latin (en italique et entre parenthèses). La légende indique aussi si la plante est annuelle ou vivace et de quelle façon elle se multiplie. Viennent ensuite des conseils sur la façon de la détruire. Une liste des matières chimiques actives et de leurs noms commerciaux clôt le chapitre.

Dans certains cas, les illustrations en couleurs s'accompagnent de petits dessins en noir et blanc qui représentent les mauvaises herbes au stade de plantules. La destruction des mauvaises herbes s'effectue en effet plus facilement quand les plantes sont jeunes. S'il n'y a pas de dessin, c'est que la plantule a la même silhouette que la plante adulte.

Dans les plates-bandes, c'est par le sarclage qu'on élimine le plus facilement les mauvaises herbes. Un désherbage toutes les deux ou trois semaines au printemps et au début de l'été évite l'emploi de produits chimiques.

Les mauvaises herbes qui montent en graine doivent être arrachées avant que la semence se disperse. Ne pas les jeter dans la réserve de compost.

Il faut utiliser avec prudence les herbicides pour gazon. Ce sont des produits qui s'attaquent aux plantes ornementales comme aux herbes indésirables. Choisir une journée chaude et sans vent ni risque de pluie pour les épandre. Les instruments d'épandage d'herbicides étant difficiles à nettoyer à fond, on ne devrait pas les utiliser pour les fongicides et les insecticides.

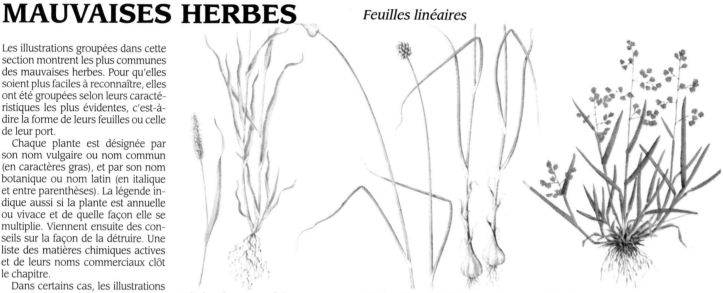

Sétaire glauque ou foin sauvage (*Setaria glauca*) Annuelle. Reproduction par graines. Lutte : sarclage ou bensulide avant la levée.

Ail des vignes et ail du Canada (*Allium vineale* et *A. canadense*) Vivace. Reproduction par bulbes, caïeux et graines. Lutte : sur le gazon, 2,4-D en vaporisations ou en plaquettes de cire.

Pâturin annuel (*Poa annua*) Annuelle ou hivernante. Reproduction par graines. Lutte : bensulide avant la levée ; ramasser les têtes porteuses de graines dans le collecteur de la tondeuse.

Digitaire sanguine et digitaire astringente (*Digitaria sanguinalis* et *D. ischaemum*) Annuelle. Reproduction par graines. Lutte : sur le gazon, bensulide avant la levée.

Eleusine de l'Inde (*Eleusine indica*) Annuelle. Ressemble à la digitaire. Reproduction par graines. Lutte : bensulide juste avant la levée.

Agropyron rampant ou chiendent (*Agropyron repens*) Vivace. Reproduction par rhizomes. Lutte : voir Sorgho d'Alep (p. 517).

Sorgho d'Alep (*Sorghum halepense*) Vivace. Reproduction par graines et extension des racines. Lutte : au jardin, traiter au glyphosate et bêcher 15 jours plus tard ; sur le gazon, traitement ponctuel au glyphosate et regazonnage.

Souchet comestible ou amande de terre (*Cyperus esculentus*) Vivace. Reproduction par graines et tubercules de la grosseur d'une petite noix. Lutte : au jardin, ajouter de l'EPTC à la terre.

Phragmite commun (*Phragmites australis* ou *P. communis*) Plante vivace de marais. Reproduction par graines et fragments de rhizome. Lutte : glyphosate à la fin du printemps.

Feuilles composées

Grande fougère ou fougère d'aigle (*Pteridium aquilinum*) Vivace. Reproduction par spores et extension des racines. Lutte : vaporisations de Dicamba avant le déroulement des frondes.

Renoncule rampante (*Ranunculus repens*) Plante vivace des gazons. Reproduction par graines et stolons. Lutte : 2,4-D plus Dicamba.

Mollugo verticillé (*Mollugo verticillata*) Annuelle. Reproduction par graines. Lutte : au jardin, chloramben avant la levée ; sur le gazon, Dicamba après la levée.

Feuilles composées (suite)

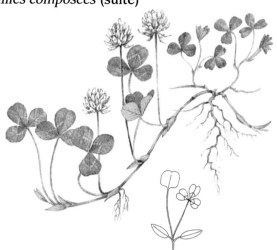

Trèfle rampant ou trèfle blanc *(Trifolium repens)* Vivace. Reproduction par graines et stolons. Lutte : mécoprop après la levée ; apport d'engrais azoté.

Égopode podagraire ou herbe aux goutteux *(Aegopodium podograria)* Vivace. Reproduction par fragments de rhizome. Lutte : traitements répétés à l'amitrole ou au 2,4-D plus Dicamba.

Matricaire odorante *(Matricaria matricarioides)* Annuelle. Reproduction par graines. Lutte : sur le gazon, mécoprop ; près des arbres et arbustes, glyphosate.

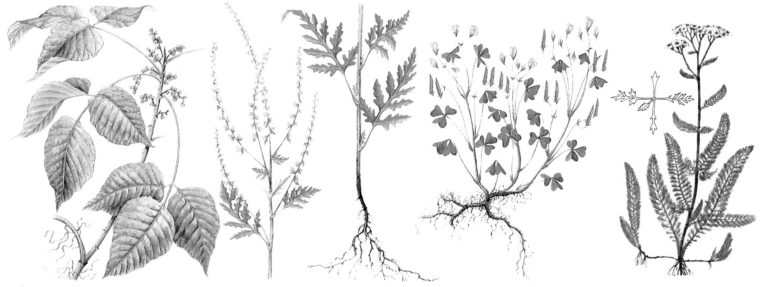

Herbe à la puce ou bois de chien *(Rhus radicans)* Grimpant ligneux et vivace. Reproduction par graines et extension des racines. Lutte : vaporiser le feuillage d'amitrole.

Petite herbe à poux *(Ambrosia artemisiifolia)* Annuelle. Reproduction par graines. Lutte : au jardin, sarclage ; en zones non cultivées, 2,4-D.

Oxalide dressée ou Oxalide d'Europe *(Oxalis stricta)* Vivace. Reproduction par graines et fragments de racines (après sarclage). Lutte : sur le gazon, 2,4-D plus mécoprop.

Achillée millefeuille *(Achillea millefolium)* Vivace. Reproduction par graines et racines. Lutte sur le gazon, 2,4-D.

Feuilles simples — plantes prostrées

Liseron des champs *(Convolvulus arvensis)* Vivace. Reproduction par graines et fragments de rhizome. Lutte : traitement ponctuel au 2,4-D amine.

Mouron des oiseaux *(Stellaria media)* Annuelle. Reproduction par graines. Lutte : sur le gazon, mécoprop après la levée en automne ou au début du printemps.

Céraiste vulgaire *(Cerastium vulgatum)* Vivace. Reproduction par graines. Lutte : Dicamba ou traitements répétés au mécoprop.

Pâquerette *(Bellis perennis)* Vivace. Reproduction par graines. Lutte : Dicamba, 2,4-D ou 2,4-D plus mécoprop.

Pissenlit *(Taraxacum officinale)* Vivace. Reproduction par graines dispersées par le vent et sections de racines pivotantes. Lutte : 2,4-D.

Prunelle vulgaire ou brunelle *(Prunella vulgaris)* Vivace. Reproduction par graines ou extension des racines. Lutte : mécoprop.

Lamier amplexicaule *(Lamium amplexicaule)* Annuelle ou bisannuelle. Reproduction par graines et stolons. Lutte : Simazine.

Feuilles simples — plantes prostrées (suite)

Lierre terrestre *(Glechoma hederacea)* Vivace. Reproduction par graines et stolons. Prospère dans les endroits humides et ombragés où le sol est riche ; envahit les gazons. Lutte : 2,4-D plus Dicamba ou mécoprop.

Renouée des oiseaux *(Polygonum aviculare)* Annuelle. Reproduction par graines. Lutte : Dicamba ou mécoprop.

Hépatiques (plusieurs espèces) Vivace. Reproduction par spores. Lutte : dans les plates-bandes, étendre un paillis ; thirame ; désherber à la main.

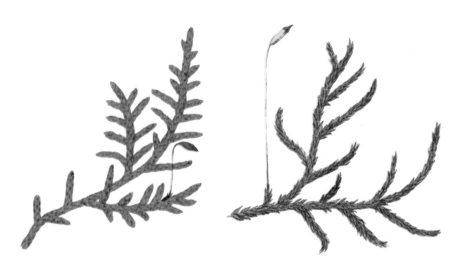

Mousses (plusieurs espèces) Vivaces. Poussent dans les pelouses mal drainées, peu fertiles ou sur un sol très acide. Reproduction par spores. Lutte : améliorer le drainage, fertiliser régulièrement et ajouter du calcaire.

Sagine couchée *(Sagina procumbens)* Vivace. Commune dans les gazons et les terrains de putting. Reproduction par graines. Lutte : mécoprop suivi d'engrais au printemps ; ne pas tondre très court.

Grand plantain (*Plantago major*) Vivace. Pousse dans les pelouses, le long des routes, dans les endroits non cultivés. Reproduction par graines. Lutte : 2,4-D.

Plantain lancéolé (*Plantago lanceolata*) Vivace. Aussi appelé plantain à feuilles lancéolées. Reproduction par graines. Lutte : 2,4-D.

Pourpier potager (*Portulaca oleracea*) Annuelle. Reproduction par graines. Lutte : au jardin, DCPA ou trifluraline avant la levée ; sur le gazon, 2,4-D.

Capselle ou **bourse-à-pasteur** (*Capsella bursa-pastoris*) Annuelle. Reproduction par graines. Lutte : au jardin, sarclage ; sur le gazon, 2,4-D.

Rumex petite oseille ou **surette** (*Rumex acetosella*) Vivace. Reproduction par graines et rhizomes traçants. Lutte : 2,4-D plus Dicamba après la levée ; fertiliser et chauler.

Véronique filiforme (*Veronica filiformis*) Vivace. Reproduction par stolons. Lutte : fréquents ratissages ; ou glyphosate et regazonnage des petites surfaces. Difficile à détruire.

Euphorbe maculée (*Euphorbia maculata*) Annuelle. Pousse dans les pelouses, les jardins et les champs cultivés. Reproduction par graines. Lutte : Dicamba ou 2,4-D.

Feuilles simples — plants dressés de plus de 15 cm

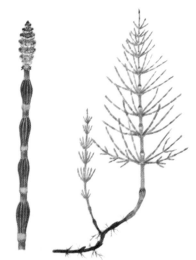

Rumex crépu *(Rumex crispus)* Vivace. Reproduction par graines. Lutte : sur le gazon, traitement ponctuel au 2,4-D ; dans les endroits non cultivés, amitrole.

Galinsoga à petites fleurs *(Galinsoga parviflora)* Annuelle. Commune dans les champs et les jardins. Reproduction par graines. Lutte : dans les champs, Simazine ; au jardin, sarclage.

Séneçon vulgaire *(Senecio vulgaris)* Annuelle. Reproduction par graines. Lutte : au jardin, sarclage ; en zones paysagées, dichlobénil.

Prêle des champs ou queue-de-renard *(Equisetum arvense)* Vivace. Reproduction par spores et rhizomes. Lutte : en zones paysagées, dichlobénil ; sur le gazon, traitement ponctuel au 2,4-D.

Renouée du Japon *(Polygonum cuspidatum)* Vivace. Reproduction par graines et rhizomes. Lutte : sur pelouses, rabattre ; ailleurs, Dicamba.

Renouée persicaire *(Polygonum persicaria)* Annuelle. Reproduction par graines. Lutte : au jardin, DCPA ; sur le gazon, 2,4-D.

Chénopode blanc ou chou gras *(Chenopodium album)* Annuelle. Reproduction par graines. Lutte : au jardin, EPTC ou trifluraline ; sur le gazon, 2,4-D.

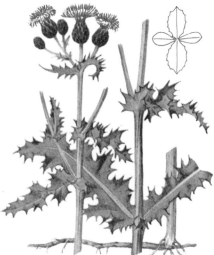

Lépidie de Virginie (*Lepidium virginicum*) Annuelle ou bisannuelle. Reproduction par graines. Lutte : sur le gazon, 2,4-D plus Dicamba.

Amarante à racine rouge (*Amaranthus retroflexus*) Annuelle. Reproduction par graines. Lutte : au jardin, chloramben ou autres herbicides avant la levée.

Chardon des champs (*Cirsium arvense*) Vivace. Reproduction par graines ou rhizomes traçants. Lutte : traitement ponctuel au 2,4-D ; répéter au besoin.

Laiteron potager (*Sonchus oleraceus*) Annuelle. Reproduction par graines. Lutte : en zones paysagées, dichlobénil ; sur gazon, 2,4-D.

Plantes aquatiques

Lenticule mineure ou lentille d'eau (*Lemna minor*) Plante flottante. Reproduction rapide par plantules (sur la marge des feuilles) ou par graines. Lutte : nettoyer le bassin ou utiliser du 2,4-D en granules.

Myriophylle en épi (*Myriophyllum spicatum*) Vivace. Reproduction par graines et stolons. Lutte : 2,4-D en granules.

Lis d'eau jaune (*Nuphar luteum* et *N. advena*) Vivace. Reproduction par rhizomes traçants. Lutte : 2,4-D en granules ou dichlobénil.

Au lieu d'utiliser des produits chimiques, arracher les plants à la main ou les enlever à la bêche.

Herbe aux goutteux

Pissenlit

Lutte contre les mauvaises herbes

Toute plante se développant dans un endroit du jardin où elle est indésirable — un pétunia dans une planche de choux, une capucine dans un rang d'oignons — peut être considérée comme une mauvaise herbe. Mais, habituellement, le terme est réservé aux plantes qui prospèrent dans un vaste éventail de sols et de milieux, l'emportant sur les plantes environnantes dans leur lutte pour la vie et se multipliant spontanément.

Les mauvaises herbes donnent souvent des fleurs colorées qui ne manquent pas d'attrait dans un champ vague. Elles ne sont cependant pas à leur place parmi des plantes horticoles.

On doit les détruire parce qu'elles utilisent l'eau, la lumière et les éléments nutritifs dont les plantes cultivées ont besoin. Par exemple, elles peuvent faire échec aux plantules d'oignons et de carottes dont le développement est très lent.

Les mauvaises herbes sont aussi des plantes-hôtes pour des insectes et des maladies qui affectent les espèces cultivées au jardin ou en serre. Par exemple, la bourse-à-pasteur héberge l'altise et la mouche du chou qui attaquent les légumes. Les mauvaises herbes peuvent ainsi contribuer à propager de saison en saison des ravageurs ou des maladies dangereux pour les nouvelles cultures.

Mauvaises herbes annuelles et vivaces

Les mauvaises herbes annuelles ont un cycle végétatif qui ne dure que quelques mois. Tels sont la renouée des oiseaux, la petite herbe à poux et le mouron des oiseaux. D'autres herbes, par exemple le lamier, peuvent être aussi bien annuelles que bisannuelles.

Les mauvaises herbes vivaces sont de deux types : herbacé ou ligneux. Le type herbacé est représenté par des plantes aux tiges tendres qui accumulent des réserves nutritives dans leurs rhizomes, leurs tubercules ou leurs bulbes, passent l'hiver en dormance et entrent de nouveau en végétation le printemps suivant.

Ces plantes ont généralement un système radiculaire profond qui les rend difficiles à détruire. Tels sont notamment l'herbe aux goutteux (égopode podagraire), le chiendent et le rumex crépu.

Le type ligneux, représenté par l'herbe à la puce, utilise ses tiges comme organes de réserves. Ces herbes n'ayant habituellement pas de système radiculaire profond, elles sont faciles à extirper.

Lutte par des méthodes culturales

Les herbicides modernes combattent la plupart des mauvaises herbes, mais risquent de détruire aussi les plantes utiles. Le sarclage constitue encore la méthode la plus sûre pour éliminer les mauvaises herbes qui poussent aux abords des plantes cultivées. Il doit être fait par temps sec, dès qu'apparaissent les mauvaises herbes.

Pour mettre en culture un emplacement qui contient des mauvaises herbes, extirper les espèces vivaces avec leurs rhizomes ou racines. Si on ne doit pas cultiver immédiatement cette parcelle, on peut y faire pousser du gazon. Des tontes très rases pendant deux étés consécutifs suffiront à éliminer la plupart des herbes.

Sur un gazon complètement envahi par les mauvaises herbes, certains herbicides n'agissent que de façon temporaire. Il faut compléter le traitement par des fertilisations et un surfaçage du gazon de façon à lui redonner de la vigueur. Certaines mauvaises herbes poussant en sol acide peuvent être éliminées par des amendements calcaires.

Lutte au moyen de produits chimiques

Les herbicides sont généralement vendus sous des noms commerciaux, mais l'emballage doit indiquer les matières actives qu'ils renferment et le type de plantes sur lesquelles on peut les utiliser.

L'herbicide sélectif n'agit que sur certaines plantes. C'est le cas du 2,4-D qui détruit uniquement les mauvaises herbes à larges feuilles poussant dans un pré, mais pas le gazon. L'herbicide non sélectif, comme le glyphosate, détruit toutes ou presque toutes les plantes avec lesquelles il entre en contact.

L'herbicide systémique, le 2,4-D par exemple, est absorbé par le feuillage et transporté par la sève dans toutes les parties de la plante. Un herbicide non systémique tue souvent par contac direct. Certains autres termes désignent l'étape du cycle végétatif durant laquelle l'herbicide est efficace. Par exemple, l'herbicide d'avant levée, comme le chlorthal, empêche la germination des graines de mauvaises herbes pendant quatre à six semaines. Il est habituellement sans efficacité contre la plante établie. Il peut être employé sans danger près de plusieurs plantes horticoles.

L'herbicide d'après levée — le plus couramment utilisé — s'applique sur le feuillage des mauvaises herbes. Il peut être sélectif ou non, systémique ou de contact (parfois les deux à la fois).

L'herbicide résiduaire se fixe dans la couche superficielle du sol et reste actif pendant plusieurs mois. Il faut laisser les éléments chimiques qu'il renferme se dégrader avant de cultiver l'emplacement sur lequel on l'a utilisé.

Les herbicides sont commercialisés soit sous forme de granules que l'on épand sur le sol, soit sous forme de poudres ou de liquides que l'on dilue dans l'eau et que l'on applique ensuite avec un vaporisateur.

Avant d'acheter un herbicide, consulter le tableau de la page suivante ainsi que les planches commençant à la page 516.

Récupération d'une parcelle négligée Certains herbicides polyvalents, comme le glyphosate, servent à désherber des zones infestées de mauvaises herbes où ne pousse aucune autre plante de jardin. On peut les vaporiser sur le tronc des arbres et arbustes, mais pas sur les feuilles.

Lorsque les mauvaises herbes sont détruites, en éliminer tous les débris. (Ne pas brûler l'herbe à la puce, car la fumée transporte le poison qu'elle recèle.) Utiliser ensuite un herbicide résiduaire pour débarrasser le sol des résidus. Détruire au paraquat les mauvaises herbes qui se développent entre les traitements.

AVERTISSEMENT

Les herbicides sont des produits toxiques : les garder sous clé, hors de la portée des enfants. Ne jamais les conserver dans des contenants non identifiés ou paraissant contenir autre chose.

Suivre à la lettre le mode d'emploi. Porter des gants de caoutchouc pendant la manipulation du concentré et ne jamais vaporiser quand il y a du vent.

La plupart des intoxications causées par des herbicides se manifestent par des douleurs abdominales et des vomissements. Conduire immédiatement la victime à l'hôpital le plus proche en apportant le contenant ou l'étiquette : on y indique souvent un antidote ou un traitement. On trouvera dans l'annuaire du téléphone le numéro d'un centre antipoison.

Utilisation des herbicides

Emplacement	Type de mauvaise herbe	Matière active	Noms commerciaux	Remarques
Plantes bulbeuses en massifs	Annuelles et vivaces établies	paraquat + diquat	Weed & Grass Killer	Non résiduaire, mais toxique ; manipuler avec prudence. N'appliquer que lorsque le feuillage des plantes bulbeuses est fané.
	En germination	chlorthal	Dacthal	On ne peut replanter d'herbe avant deux mois.
Arbres fruitiers	Herbacées	paraquat + diquat	Weed & Grass Killer	Voir paraquat + diquat ci-dessus. Appliquer autour du pied des arbres.
	Presque toutes	glyphosate	Clear-It, Sidekick	Non résiduaire.
Bassins	Algues vertes	Composé de cuivre	Cutrine-Plus	Sans danger pour les poissons ou l'irrigation.
Préparation du sol	Presque toutes	glyphosate	Clear-It, Sidekick	Non résiduaire ; le jardin peut être planté 7 jours après le traitement.
Herbacées en massifs ou en plates-bandes	En germination	chlorthal trifluraline	Dacthal Garden Weed Preventer	Voir chlorthal ci-dessus. Incorporer au sol exempt de mauvaises herbes. Pour le repiquage seulement.
Réparation de pelouse	Presque toutes	paraquat + diquat	Weed & Grass Killer	Voir paraquat + diquat ci-dessus.
Pelouses établies	Pissenlit, plantain, etc.	2,4–D	2,4–D	Éviter tout contact avec des plantes ligneuses utiles.
	Trèfle, mouron des oiseaux, sagine, etc. ; et pissenlit, plantain, etc.	2,4–D + Dicamba	Super D Weedone	Ne s'emploie pas lorsque la vélocité du vent est de plus de 8 km/h.
		2,4–D + Dicamba + mecoprop	Killex	Ne pas arroser, ratisser ou tondre avant 24 heures.
		2,4–D + mecoprop	Multiweeder	Sans danger pour la plupart des graminées.
	Digitaire avant levée	bensulide chlorthal	Betasan Dacthal	Traiter avant levée ; ne pas semer avant 4 mois. Traiter avant germination de la digitaire.
Allées	Tous les types, y compris annuelles Annuelles et mauvaises herbes en germination	amitrole + Simazine glyphosate paraquat + diquat	X-All, Steril Clear-It, Sidekick Weed & Grass Killer	Là où on ne plante rien pendant 1 an. Ne reste pas dans le sol. Voir paraquat + diquat ci-dessus.
Arbres et arbustes en massifs	Avant germination des plantules	chlorthal	Dacthal	S'utilise sur un sol humide, exempt de mauvaises herbes.
		EPTC	Eptam	L'incorporer au sol par ratissage.
	Annuelles établies, vivaces	paraquat + diquat	Weed & Grass Killer	Ne pas en toucher le feuillage des plantes qu'on veut garder ; non résiduaire.
	Plantules d'annuelles et vivaces établies	dichlobénil	Casoron	S'emploie à la toute fin de l'automne ou au tout début du printemps seulement ; ne pas utiliser à proximité des pruches et des sapins.
Zones non cultivées, non utilisées	Toutes : herbacées, ligneuses et autres	amitrole + Simazine	X-All, Steril	Ne rien planter pendant un an.
	Herbacées Ligneuses, herbe à la puce, rejets des vieilles souches	glyphosate amitrole 2,4–D	Clear-It, Sidekick Cytrol, Cleanup Brush Killer	Non résiduaire. Non pour zones destinées au potager. Persistance d'environ 1 mois ; voir 2,4–D ci-dessus.
Légumes	En germination	chlorthal	Dacthal	S'emploie sur un sol humide et exempt de mauvaises herbes 3-5 jours après le repiquage.

INDEX

Note: les numéros de pages en caractères **gras** renvoient à des pages dans lesquelles le sujet est traité en détail ; ceux en *italique* réfèrent aux photographies. Les noms latins des plantes sont en italique, les noms communs sont en romain. Toutes les espèces et toutes les variétés qui sont dans le livre ne se retrouvent pas nécessairement dans l'index. Nous vous recommandons donc de vous reporter à la page indiquée en vis-à-vis des noms de genre latins.

CRÉDITS ET REMERCIEMENTS

TREVOR COLE, EXPERT-CONSEIL

Trevor Cole est un expert canadien renommé en horticulture. Il a été formé au fameux jardin botanique de Londres, le Royal Botanic Gardens. En 1967, il entrait à l'emploi d'Agriculture Canada, d'abord pour évaluer les possibilités de culture de la flore indigène, ensuite comme conservateur adjoint, en charge des vivaces et des plantes alpines à l'arboretum Dominion d'Ottawa. En 1972, Trevor Cole devenait conservateur en chef de cet arboretum, poste qu'il a occupé pendant 23 ans. Sa contribution à l'horticulture canadienne a été soulignée en 1992, où il s'est vu décerner la médaille commémorative du 125e anniversaire du Canada.

Trevor Cole était déjà connu pour ses conférences, ses articles de journaux et ses écrits à sa retraite en 1995. Il est toujours aussi actif dans les sociétés d'horticulture. Il a écrit ou participé à la rédaction de nombreux livres, incluant plusieurs titres de Sélection du Reader's Digest. Ses écrits lui ont d'ailleurs valu des prix comme celui de la Garden Writers Association of America et le prix Carlton R. Worth de la société nord-américaine des plantes de rocaille. L'Ontario et la société internationale du lilas lui ont remis plusieurs distinctions. Enfin, il a été président de la société d'Horticulture d'Ottawa, et directeur de la société canadienne du Rhododendron.

Il vit près d'Ottawa avec sa femme, Brenda, qui partage sa passion. Ils travaillaient ensemble au Royal Botanic Gardens de Londres.

AUTRES COLLABORATEURS

Conseiller technique
Kenneth A. Beckett

Consultants
Cornelius Ackerson
Harvey E. Barké, Ph.D.
Henry O. Beracha
Arthur Bing, Ph.D.
Norman F. Childers, Ph.D.
August DeHertogh, Ph.D.
Marjorie J. Dietz
James E. Dwyer

Jerome A. Eaton
Eleanor Brown Gambee
Myron Kimnach
A. H. Krezdorn, Ph.D.
Donald Maynard, Ph.D.
John T. Mickel, Ph.D.
Margaret C. Ohlander
Brigitte Roy
Donald Richardson
Robert Schery, Ph.D.
James S. Wells
Helen M. Whitman

ILLUSTRATEURS

Norman Barber
David Baxter
Howard Berelson
Leonora Box
George Buctel
Pam Carroll
Helen Cowcher
Cyril David
Brian Delf
Jean-Claude Gagnon
Ian Garrard
Tony Graham, LSIA
Roy Grubb
Vana Haggerty
Nicolas Hall
Gary Hincks
David Hutter
Richard Jacobs
Gillian Kenny
Sarah Kensington
Yves Lachance
Patricia Ann Lenander
Richard Lewington
Carlos Lillo

Donald A. Mackay
Edward Malsberg
Noel Malsberg
Constance Marshall
Sean Milne
Thea Nockels
Charles Pickard
Charles Raymond
Ken Rice
John Rignall
John Roberts
Allianora Rosse
Anne Savage
Jim Silks
Ray Skibinski
Kathleen Smith, MSIA
Les Smith
Joyce Tuhill
Joan Berg Victor
Michael Vivo
John Western
Michael J. Woods
Elsie Wrigley

CRÉDITS PHOTOGRAPHIQUES

Photos : Reader's Digest sauf

Agrar Service :
Nigel Cattlin/Holt : 407 d, 412 g, 425 d
Nigel Cattlin : 435
J. Dielenschneider : 469
Rosemary Mayer/Holt : 344 g

Ursel Borstell : 2-3

Dr. Helga Buchter-Weissbrodt :
5 d, 344 m, 344 d, 345 g, 345 d, 347 g, 347 d, 348 g, 348 m, 348 d, 349 g, 350 g, 350 d, 351, 352 g, 352 d, 353, 354 g, 354 d, 356 g, 356 d, 357, 358 g, 358 d, 359, 360 g, 360 d, 362-363, 365, 367, 369, 370 g, 371, 373, 374 g, 374 m,

374 d, 376 g, 376 d, 379 g, 379 d, 380 g, 380 m, 380 d, 381 g, 381 d, 382-383, 384 d, 386 g, 386 d, 389 g, 389 d, 390, 391, 393, 394 g, 394 d, 395 g, 395 d, 396, 397 g, 397 d, 399, 401, 402 g, 402 d, 403 g, 403 m, 403 d, 409 d, 414 g, 416 g, 419, 426, 429, 430, 439, 442, 444 g, 444 m, 446 g, 446 d, 447, 448 d, 450 g, 454 g, 454 d, 455 g, 455 d, 456 g, 456 m, 456 d, 457, 458, 459, 460 g, 460 d, 461, 462-463, 470 g, 470 d, 512 g, 512 m, 512 d, 513, 524 g, 524 d

Florastar Bildarchiv : 349 d.

Hild Samen : 414 d, 415, 416 d, 422 d, 427, 432 g, 432 d, 448 m

IFA-Bilderteam :
Oertel : 445

Jardin botanique de Montréal : 361, 364, 366, 368, 370 d, 377, 384 g

Werner Kost : 407 g, 408 g, 408 d, 409 g, 410 m, 418 d, 420 g, 420 d, 421, 422 m, 423 d, 437, 440, 444 d, 468 m, 468 d

Emanuel Lowi : 385

Okapia :
G. Büttner : 413
Hans Reinhard : 410 d
G. Synatzschke : 412 d

Eberhard Raiser : 511

Wolfgang Redeleit :
5 m, 8 g, 8 d, 9, 11 g, 11 d, 12 g, 12 d, 13 d, 340-341

Rosen Union : 166 g, 166 d

Bildarchiv Sammer : 410 g, 510

Silvestris Fotoservice :
Daniel Bühler : 405 g, 405 m, 405 d
Wolfgang Redeleit : 465 g
Harald Lange : 465 d, 467, 468 g

Julius Wagner : 411, 417, 418 g, 422 g, 423 g, 424, 425 g, 431, 433, 434, 436, 441 g, 441 d, 443, 448 g

Wolf-Garten : 5 g, 9 d, 10, 11 m, 13 g, 218-219